Über dieses Buch

Er habe mit 70 Jahren sein ›wildestes‹ Buch geschrieben, sagt Thomas Mann
in der ›Entstehung des Doktor Faustus‹, eine Künstlerbiographie, ›in welcher
das Schicksal der Musik als Paradigma der Krisis der Kunst selbst, der Kultur
überhaupt, behandelt ist‹.

»Adrian verkauft seine Seele, sein ›Durchbruchs‹-Genie verfällt dem ›Teufel‹.
Die Konzeption dieses faustischen Stoffes, dessen Ströme indessen durch das
Schaltwerk Nietzsches gegangen sind, greift unter Umgehung der Faust-
gestalt Goethes auf den spätmittelalterlichen Mythus des Volksbuchs zurück.
Zugleich aber handelt es sich um Adrian Leverkühn, den modernen Musiker
und Testamentsvollstrecker einer emanzipatorischen Kunst- und Geistes-
gesinnung. Magie heißt hier: Musik, und zwar Musik in ihrer äußersten
Abstraktion. So mischt sich Atmosphärisches des deutschen Spätmittelalters
mit neuzeitlichster Spätmodernität, wenn man so sagen darf, zu einer
eigentümlich verdichteten Phantasmagorie, welche den Einbruch dämonisch-
untergründiger Mächte darstellerisch erst ermöglichte ... Im ›Faustus‹ verdichtet sich dies Untergründige zur zentral beherrschenden Macht, und in
dem entscheidenden Kapitel, dem Teufelsgespräch, zur halluzinatorischen
Emanation des Musikers, der mit dem Pakt, sich keinem Menschen in Liebe
zu verbinden, die ungeheuerliche Freiheit eines hochgesteigerten, außerordentlich hybriden Schaffens gewinnt ... Thomas Mann selbst hat den
›Faustus‹ als eine Art Heimkehr bezeichnet, mit welcher der Ring sich
schließe.« (Hermann Stresau)

Der Autor

Thomas Mann wurde 1875 in Lübeck geboren und wohnte seit 1893 in
München. 1933 verließ er Deutschland und lebte zuerst in der Schweiz
am Zürichsee, dann in den Vereinigten Staaten, wo er 1939 eine Professur an
der Universität Princeton annahm. Später hatte er seinen Wohnsitz in
Kalifornien, danach wieder in der Schweiz. Er starb in Kilchberg bei Zürich
am 12. August 1955. Im Fischer Taschenbuch Verlag liegen vor: ›Königliche
Hoheit‹ (2), ›Der Tod in Venedig und andere Erzählungen‹ (54), ›Herr und
Hund‹ (85), ›Lotte in Weimar‹ (300), ›Bekenntnisse des Hochstaplers Felix
Krull‹ (639), ›Buddenbrooks‹ (661), ›Der Zauberberg‹ (800), ›Joseph und
seine Brüder‹ (1183, 1184, 1185), ›Tonio Kröger/Mario und der Zauberer‹
(1381), ›Thomas Mann. Eine Chronik seines Lebens‹, zusammengestellt von
Hans Bürgin und Hans-Otto Mayer (1470), ›Der Erwählte‹ (1532), ›Thomas
Mann. Briefwechsel mit seinem Verleger‹ (1566), ›Die Erzählungen‹ (1591/
1592), ›Thomas Mann/Heinrich Mann. Briefwechsel‹ (1610), ›Essays‹, 3
Bände: Bd. 1 Literatur, hrsg. von Michael Mann (1906); Bd. 2 Politik, hrsg.
von Hermann Kurzke (1907); Bd. 3 Musik und Philosophie, hrsg. von
Hermann Kurzke (1908), ›Briefe‹, 3 Bände (2136–2138).

Thomas Mann

Doktor Faustus

Das Leben des deutschen Tonsetzers
Adrian Leverkühn erzählt von einem Freunde

Fischer
Taschenbuch
Verlag

Fischer Taschenbuch Verlag
  1.– 25. Tausend: Dezember 1971
26.– 32. Tausend: Februar 1973
33.– 40. Tausend: Januar 1974
41.– 47. Tausend: Oktober 1974
48.– 60. Tausend: April 1975
61.– 72. Tausend: August 1975
73.– 87. Tausend: Februar 1976
88.– 97. Tausend: Dezember 1977
98.–107. Tausend: Februar 1979
Ungekürzte Ausgabe

Umschlagentwurf: Christoph Laeis

Fischer Taschenbuch Verlag GmbH, Frankfurt am Main
Lizenzausgabe mit freundlicher Genehmigung
des S. Fischer Verlages GmbH, Frankfurt am Main
© 1947 Thomas Mann
© 1967 Katja Mann
Gesamtherstellung: Hanseatische Druckanstalt GmbH, Hamburg
Printed in Germany
880-ISBN-3-596-21230-8

Lo giorno se n'andava, e l'aer bruno
toglieva gli animai che sono in terra
dalle fatiche loro, ed io sol uno
m'apparechiava a sostener la guerra
sì del cammino e sì della pietate,
che ritrarrà la mente che non erra.
O Muse, o alto ingegno, or m'aiutate,
o mente che scrivesti ciò ch'io vidi,
qui si parrà la tua nobilitate.

DANTE, INFERNO, II. GESANG

I

Mit aller Bestimmtheit will ich versichern, daß es keineswegs aus dem Wunsche geschieht, meine Person in den Vordergrund zu schieben, wenn ich diesen Mitteilungen über das Leben des verewigten Adrian Leverkühn, dieser ersten und gewiß sehr vorläufigen Biographie des teuren, vom Schicksal so furchtbar heimgesuchten, erhobenen und gestürzten Mannes und genialen Musikers, einige Worte über mich selbst und meine Bewandtnisse vorausschicke. Einzig die Annahme bestimmt mich dazu, daß der Leser – ich sage besser: der zukünftige Leser; denn für den Augenblick besteht ja noch nicht die geringste Aussicht, daß meine Schrift das Licht der Öffentlichkeit erblicken könnte, – es sei denn, daß sie durch ein Wunder unsere umdrohte Festung Europa zu verlassen und denen draußen einen Hauch von den Geheimnissen unserer Einsamkeit zu bringen vermöchte; – ich bitte wieder ansetzen zu dürfen: nur weil ich damit rechne, daß man wünschen wird, über das Wer und Was des Schreibenden beiläufig unterrichtet zu sein, schicke ich diesen Eröffnungen einige wenige Notizen über mein eigenes Individuum voraus, – nicht ohne die Gewärtigung freilich, gerade dadurch dem Leser Zweifel zu erwecken, ob er sich auch in den richtigen Händen befindet, will sagen: ob ich meiner ganzen Existenz nach der rechte Mann für eine Aufgabe bin, zu der vielleicht mehr das Herz als irgendwelche berechtigende Wesensverwandtschaft mich zieht.

Ich überlese die vorstehenden Zeilen und kann nicht umhin, ihnen eine gewisse Unruhe und Beschwertheit des Atemzuges anzumerken, die nur zu bezeichnend ist für den Gemütszustand, in dem ich mich heute, den 23. Mai 1943, zwei Jahre nach Leverkühns Tode, will sagen: zwei Jahre nachdem er aus tiefer Nacht in die tiefste gegangen, in meinem langjährigen kleinen Studierzimmer zu Freising an der Isar niedersetze, um mit der Lebensbeschreibung meines in Gott ruhenden – o möge es so sein! – in Gott ruhenden unglücklichen Freundes den Anfang zu machen, – kennzeichnend, sage ich, für einen Gemütszustand, worin herzpochendes Mitteilungsbedürfnis und tiefe Scheu vor dem Unzukömmlichen sich auf die bedrängendste Weise vermischen. Ich bin eine durchaus gemäßigte und, ich darf wohl sagen, gesunde, human temperierte, auf das Harmonische und Vernünftige gerichtete Natur, ein Gelehrter und conjuratus des ›Lateinischen Heeres‹, nicht ohne Beziehung zu den Schönen Künsten (ich spiele die Viola d'amore), aber ein Musensohn im akademischen Sinne des Wortes, welcher sich gern als Nachfahre der deutschen Humanisten aus der Zeit der ›Briefe der Dunkelmänner‹, eines Reuchlin, Crotus von Dornheim, Mutianus und Eoban Hesse betrachtet. Das

Dämonische, so wenig ich mir herausnehme, seinen Einfluß auf das Menschenleben zu leugnen, habe ich jederzeit als entschieden wesensfremd empfunden, es instinktiv aus meinem Weltbilde ausgeschaltet und niemals die leiseste Neigung verspürt, mich mit den unteren Mächten verwegen einzulassen, sie gar im Übermut zu mir heraufzufordern, oder ihnen, wenn sie von sich aus versuchend an mich herantraten, auch nur den kleinen Finger zu reichen. Dieser Gesinnung habe ich Opfer gebracht, ideelle und solche des äußeren Wohlseins, indem ich ohne Zögern meinen mir lieben Lehrberuf vor der Zeit aufgab, als sich erwies, daß sie sich mit dem Geiste und den Ansprüchen unserer geschichtlichen Entwicklungen nicht vereinbaren ließ. In dieser Beziehung bin ich mit mir zufrieden. Aber in meinem Zweifel, ob ich mich zu der hier in Angriff genommenen Aufgabe eigentlich berufen fühlen darf, kann mich diese Entschiedenheit oder, wenn man will, Beschränktheit meiner moralischen Person nur bestärken.

Ich hatte soeben kaum die Feder angesetzt, als ihr ein Wort entfloß, das mich heimlich bereits in eine gewisse Verlegenheit versetzte: das Wort ›genial‹; ich sprach von dem musikalischen Genius meines verewigten Freundes. Nun ist dieses Wort ›Genie‹, wenn auch über-mäßigen, so doch gewiß edlen, harmonischen und human-gesunden Klanges und Charakters, und meinesgleichen, so weit er von dem Anspruch entfernt ist, mit dem eigenen Wesen an diesem hohen Bezirke teilzuhaben und je mit divinis influxibus ex alto begnadet gewesen zu sein, sollte keinen vernünftigen Grund sehen, davor zurückzubangen, keinen Grund, nicht mit freudigem Aufblick und ehrerbietiger Vertraulichkeit davon zu sprechen und zu handeln. So scheint es. Und doch ist nicht zu leugnen und ist nie geleugnet worden, daß an dieser strahlenden Sphäre das Dämonische und Widervernünftige einen beunruhigenden Anteil hat, daß immer eine leises Grauen erweckende Verbindung besteht zwischen ihr und dem unteren Reich, und daß eben darum die versichernden Epitheta, die ich ihr beizulegen versuchte, »edel« »human-gesund« und »harmonisch«, nicht recht darauf passen wollen, – selbst dann nicht – mit einer Art schmerzlichen Entschlusses stelle ich diesen Unterschied auf – selbst dann nicht, wenn es sich um lauteres und genuines, von Gott geschenktes oder auch verhängtes Genie handelt und nicht um ein akquiriertes und verderbliches, um den sünd- und krankhaften Brand natürlicher Gaben, die Ausübung eines gräßlichen Kaufvertrages . . .

Hier breche ich ab, mit dem beschämenden Gefühl artistischer Verfehlung und Unbeherrschtheit. Adrian selbst hätte wohl kaum, nehmen wir an: in einer Symphonie, ein solches Thema so vorzeitig auftreten — hätte es höchstens auf eine fein versteckte und kaum schon greifbare Art von ferne sich anmelden lassen. Übrigens mag, was mir entschlüpfte, auch den Leser nur wie eine dunkle, fragwürdige Andeutung berühren und nur mir selber als Indiskretion und plumpes Mit-der-Tür-ins-Haus-Fallen erscheinen. Für einen Menschen wie mich ist es sehr schwer und mutet ihn fast wie Frivolität an, zu einem Gegenstand, der ihm lebensteuer ist und ihm auf den Nägeln brennt wie dieser, den Standpunkt des komponierenden Künstlers einzunehmen und ihn mit der spielenden Besonnenheit eines solchen zu bewirtschaften. Daher mein voreiliges Eingehen auf den Unterschied von lauterem und unlauterem Genie, einen Unterschied, dessen Bestehen ich anerkenne, nur um mich gleich darauf zu fragen, ob er *zu Recht* besteht. Tatsächlich hat das Erlebnis mich gezwungen, über dieses Problem so angestrengt, so inständig nachzudenken, daß es mir schreckhafterweise zuweilen schien, als würde ich damit über die mir eigentlich bestimmte und zukömmliche Gedankenebene hinausgetrieben und erführe selbst eine »unlautere« Steigerung meiner natürlichen Gaben ...

Ich breche aufs neue ab, indem ich mich daran erinnere, daß ich auf das Genie und seine *jedenfalls* dämonisch beeinflußte Natur nur zu sprechen kam, um meinen Zweifel zu erläutern, ob ich zu meiner Aufgabe die nötige Affinität besitze. Möge denn nun gegen den Gewissensskrupel geltend gemacht sein, was immer ich dagegen ins Feld zu führen habe. Es war mir beschieden, viele Jahre meines Lebens in der vertrauten Nähe eines genialen Menschen, des Helden dieser Blätter, zu verbringen, ihn seit Kinderzeiten zu kennen, Zeuge seines Werdens, seines Schicksals zu sein und an seinem Schaffen in bescheidener Helfersrolle teilzuhaben. Die librettistische Bearbeitung von Shakespeare's Komödie »Verlorene Liebesmüh«, Leverkühns mutwilligem Jugendwerk, stammt von mir, und auch auf die textliche Zubereitung der grotesken Opernsuite »Gesta Romanorum« sowie des Oratoriums »Offenbarung S. Johannis des Theologen« durfte ich Einfluß nehmen. Das ist das eine, oder es ist bereits das eine und andere. Ich bin aber ferner im Besitz von Papieren, unschätzbaren Aufzeichnungen, die der Heimgegangene mir und keinem anderen in gesunden Tagen oder, wenn ich so nicht sagen darf, in vergleichsweise und legaliter gesunden Tagen letztwillig vermacht hat, und auf die ich mich bei meiner Darstellung stützen werde, ja aus denen ich mit gebotener Auswahl einiges direkt in dieselbe einzuschalten gedenke. Letztens und erstens aber – und diese Rechtfertigung war noch immer die gültigste, wenn nicht vor den Menschen, so doch vor Gott: ich habe ihn geliebt – mit Entsetzen und Zärtlichkeit, mit Erbarmen und hingebender Bewunderung – und wenig dabei gefragt, ob er im mindesten mir das Gefühl zurückgäbe.

Das hat er nicht getan, o nein. In der Verschreibung der nachgelassenen Kompositionsskizzen und Tagebuchblätter drückt sich ein freundlich-sachliches, fast möchte ich sagen: gnädiges und sicherlich mich ehrendes Vertrauen in meine Gewissenhaftigkeit, Pietät und Korrektheit aus. Aber lieben? Wen hätte dieser Mann geliebt? Einst eine Frau – vielleicht. Ein Kind zuletzt – es mag sein. Einen leichtwiegenden, jeden gewinnenden Fant und Mann aller Stunden, den er dann, wahrscheinlich eben weil er ihm geneigt war, von sich schickte – und zwar in den Tod. Wem hätte er sein Herz eröffnet, wen jemals in sein Leben eingelassen? Das gab es bei Adrian nicht. Menschliche Ergebenheit nahm er hin – ich möchte schwören: oft ohne sie auch nur zu bemerken. Seine Gleichgültigkeit war so groß, daß er kaum jemals gewahr wurde, was um ihn her vorging, in welcher Gesellschaft er sich befand, und die Tatsache, daß er sehr selten einen Gesprächspartner mit Namen anredete, läßt mich vermuten, daß er den Namen nicht wußte, während doch der andere ein gutes Recht zur Annahme des Gegenteils hatte. Ich möchte seine Einsamkeit einem Abgrund vergleichen, in welchem Gefühle, die man ihm entgegenbrachte, lautlos und spurlos untergingen. Um ihn war *Kälte* – und wie wird mir zumute, indem ich dies Wort gebrauche, das auch er in einem ungeheuerlichen Zusammenhange einst niederschrieb! Einzelnen Vokabeln können Leben und Erfahrung einen Akzent verleihen, der sie ihrem alltäglichen Sinn völlig entfremdet und ihnen einen Schreckensnimbus verleiht, den niemand versteht, der sie nicht in ihrer fürchterlichsten Bedeutung kennengelernt hat.

II

Mein Name ist Dr. phil. Serenus Zeitblom. Ich selbst beanstande die sonderbare Verzögerung dieser Kartenabgabe, aber, wie es sich trifft und fügt, der literarische Gang meiner Mitteilungen wollte mich bis zu diesem Augenblick immer nicht dazu kommen lassen. Mein Alter ist sechzig Jahre, denn A. D. 1883 wurde ich, als ältestes von vier Geschwistern, zu Kaisersaschern an der Saale, Regierungsbezirk Merseburg, geboren, derselben Stadt, in der auch Leverkühn seine gesamte Schülerzeit verbrachte, weshalb ich ihre nähere Kennzeichnung vertagen kann, bis ich zu deren Beschreibung komme. Da überhaupt mein persönlicher Lebensgang sich mit dem des Meisters vielfach verschränkt, so wird es gut sein, von beiden im Zusammenhang zu berichten, um nicht dem Fehler des Vorgreifens zu verfallen, zu welchem man, wenn das Herz voll ist, ohnedies immer neigt.

Nur soviel sei hier angegeben, daß es die mäßige Höhe eines halbgelehrten Mittelstandes war, auf der ich zur Welt kam, denn mein Vater, Wolgemut Zeitblom, war Apotheker, – übrigens der bedeutendste am Platze: es gab noch ein zweites pharmazeutisches Geschäft in Kaisersaschern, das sich aber niemals des gleichen öffentlichen Vertrauens erfreute wie die Zeitblom'sche Apotheke ›Zu den Seligen Boten‹ und jederzeit einen schweren Stand gegen sie hatte. Unsere Familie zählte zu der kleinen katholischen Gemeinde der Stadt, deren Bevölkerungsmehrheit natürlich dem lutherischen Bekenntnis angehörte, und namentlich meine Mutter war eine fromme Tochter der Kirche, die ihren religiösen Pflichten gewissenhaft nachkam, während mein Vater, wahrscheinlich schon aus Zeitmangel, sich darin laxer zeigte, ohne deshalb die Gruppen-Solidarität mit seinen Kultgenossen, die ja auch ihre politische Tragweite hatte, im geringsten zu verleugnen. Bemerkenswert war, daß neben unserem Pfarrer, Geistl. Rat Zwilling, auch der Rabbiner der Stadt, Dr. Carlebach mit Namen, in unseren über dem Laboratorium und der Apotheke gelegenen Gasträumen verkehrte, was in protestantischen Häusern nicht leicht möglich gewesen wäre. Das bessere Aussehen war auf seiten des Mannes der römischen Kirche. Aber mein Eindruck, der hauptsächlich auf Äußerungen meines Vaters beruhen mag, ist der geblieben, daß der kleine und langbärtige, mit einem Käppchen geschmückte Talmudist seinen andersgläubigen Amtsbruder an Gelehrsamkeit und religiösem Scharfsinn weit übertraf. Es mag mit an dieser Jugenderfahrung liegen, aber auch an der spürsinnigen Aufgeschlossenheit jüdischer Kreise für das Schaffen Leverkühns, daß ich gerade in der Judenfrage und ihrer Behandlung unserem Führer und seinen Paladinen niemals voll habe zustimmen können, was nicht ohne Einfluß auf meine Resignation vom Lehrfach war. Freilich haben auch Exemplare jenes Geblütes meinen Weg gekreuzt – ich brauche nur an den Privatgelehrten Breisacher in München zu denken –, auf deren verwirrend antipathisches Gepräge ich an gehörigem Ort einiges Licht zu werfen mir vornehme.

Was nun meine katholische Herkunft angeht, so hat sie selbstverständlich meinen inneren Menschen gemodelt und beeinflußt, jedoch ohne daß sich aus dieser Lebenstönung je ein Widerspruch zu meiner humanistischen Weltanschauung, meiner Liebe zu den ›besten Künsten und Wissenschaften‹, wie man einstmals sagte, ergeben hätte. Zwischen diesen beiden Persönlichkeitselementen herrschte stets voller Einklang, wie er denn wohl ohne Schwierigkeit zu bewahren ist, wenn man, wie ich, in einer alt-städtischen Umgebung aufwuchs, deren Erinnerungen und Baudenkmale weit in vorschismatische Zeiten, in eine christliche Einheitswelt zurückreichen. Zwar liegt Kaisersaschern recht mitten im Heimatbezirk der Reformation, im Herzen der Luther-Gegend, welche die Städtenamen Eisleben, Wittenberg, Quedlinburg, auch Grimma, Wolfenbüttel und Eisenach umschreiben, – was nun wieder aufschlußreich für das Innenleben Leverkühns, des Lutheraners, ist und mit seiner ursprünglichen Studienrichtung, der theologischen, zusammenhängt. Aber die Reformation möchte ich einer Brücke vergleichen, die nicht nur aus scholastischen Zeiten herüber in unsere Welt freien Denkens, sondern ebensowohl auch zurück ins Mittelalter führt – und zwar vielleicht tiefer zurück als eine von der Kirchenspaltung unberührt gebliebene christkatholische Überlieferung heiterer Bildungsliebe. Meinesteils fühle ich mich recht eigentlich in der goldenen Sphäre beheimatet, in der man die Heilige Jungfrau ›Jovis alma parens‹ nannte.

Um noch ferner das Notwendigste über meine vita niederzulegen, so vergönnten meine Eltern mir den Besuch unseres Gymnasiums, derselben Schule, in der, zwei Klassen unter mir, auch Adrian seinen Unterricht empfing, und die, in der zweiten Hälfte des fünfzehnten Jahrhunderts gegründet, noch bis vor kurzem den Namen ›Schule der Brüder vom gemeinen Leben‹ geführt hatte. Nur aus einer gewissen Verlegenheit vor dem überhistorischen und für das neuzeitliche Ohr leicht komischen Klange dieses Namens hatte sie ihn abgelegt und nannte sich nach der benachbarten Kirche Bonifatius-Gymnasium. Als ich sie zu Anfang des laufenden Jahrhunderts verließ, wandte ich mich ohne Schwanken dem Studium der klassischen Sprachen zu, in denen schon der Schüler sich in gewissem Grade hervorgetan, und oblag demselben auf den Universitäten Gießen, Jena, Leipzig und, von 1904 bis 1905, zu Halle, um dieselbe Zeit also, und nicht zufällig um dieselbe, als auch Leverkühn dort studierte.

Hier kann ich, wie so oft, nicht umhin, mich im Vorübergehen an dem inneren und fast geheimnisvollen Zusammenhang des altphilologischen Interesses mit einem lebendig-liebevollen Sinn für die Schönheit und Vernunftwürde des Menschen zu weiden, – diesem Zusammenhang, der sich schon darin kundgibt, daß man die Studienwelt der antiken Sprachen als die ›Humanioren‹ bezeichnet, sodann aber darin, daß die seelische Zusammenordnung von sprachlicher und humaner Passion durch die Idee der Erziehung gekrönt wird und die Bestimmung zum Jugendbildner sich aus derjenigen zum Sprachgelehrten fast selbstverständlich ergibt. Der Mann der naturwissenschaftlichen Realien kann wohl ein Lehrer, aber niemals in dem Sinn und Grade ein Erzieher sein, wie der Jünger der bonae litterae. Auch jene andere, vielleicht innigere, aber wundersam unartikulierte Sprache, diejenige der Töne (wenn man die Musik so bezeichnen darf), scheint mir nicht in die pädagogisch-humane Sphäre eingeschlossen, obgleich ich wohl weiß, daß sie in der griechischen Erziehung und überhaupt im öffentlichen Leben der Polis eine dienende Rolle gespielt hat. Vielmehr scheint sie mir, bei aller logisch-moralischen Strenge, wovon sie sich wohl die Miene geben mag, einer Geisterwelt anzugehören, für deren unbedingte Zuverlässigkeit in Dingen der Vernunft und Menschenwürde ich nicht eben meine Hand ins Feuer legen möchte. Daß ich ihr trotzdem von Herzen zugetan bin, gehört zu jenen Widersprüchen, die, ob man es nun bedaure oder seine Freude daran habe, von der Menschennatur unabtrennbar sind.

Dies außerhalb des Gegenstandes. Und auch wieder nicht, da die Frage, ob zwischen der edel-pädagogischen Welt des Geistes und jener Geisterwelt, der man sich nur unter Gefahren naht, eine klare und sichere Grenze zu ziehen ist, sehr wohl und nur zu sehr zu meinem Gegenstande gehört. Welcher Bereich des Menschlichen, und sei es der lauterste, würdig-wohlwollendste, wäre wohl ganz unzugänglich dem Einfluß der unteren Gewalten, ja, man muß hinzusetzen, ganz unbedürftig der befruchtenden Berührung mit ihnen? Dieser Gedanke, nicht ungeziemend selbst für den, dessen persönlichem Wesen alles Dämonische durchaus fernliegt, ist mir zurückgeblieben von gewissen Augenblicken der fast anderthalbjährigen Studienreise nach Italien und Griechenland, die meine guten Eltern mir nach Ablegung meines Staatsexamens ermöglichten: als ich von der Akropolis zu der Heiligen Straße hinausblickte, auf der die Mysten, geschmückt mit der Safranbinde und den Namen des Iacchus auf den Lippen, dahinzogen, und dann, als ich an der Stätte der Einweihung selbst, im Bezirke des Eubuleus am Rande der vom Felsen überhangenen plutonischen Spalte stand. Da erfuhr ich ahnend die Fülle des Lebensgefühls, welche in der initiatorischen Andacht des olympischen Griechentums vor den Gottheiten der Tiefe sich ausdrückt, und oft habe ich später meinen Primanern vom Katheder herab erklärt, daß Kultur recht eigentlich die fromme und ordnende, ich möchte sagen begütigende Einbeziehung des Nächtig-Ungeheueren in den Kultus der Götter ist.

Von jener Reise zurückgekehrt, fand der Sechsundzwanzigjährige Anstellung an dem Gymnasium seiner Heimatstadt, derselben Schule, in der ich wissenschaftlich aufgebracht worden war, und wo ich nun einige Jahre lang auf bescheidenen Stufen den Unterricht im Lateinischen, Griechischen und auch in Geschichte versah, bevor ich nämlich, im vierzehnten Jahr des Jahrhunderts, in den bayerischen Schuldienst überging und fortan zu Freising, dem Orte, der mein Wohnsitz geblieben ist, als Gymnasialprofessor, aber auch als Dozent an der theologischen Hochschule, in den genannten Fächern mehr als zwei Jahrzehnte lang mich einer befriedigenden Tätigkeit erfreute.

Frühzeitig, bald schon nach meiner Bestallung in Kaisersaschern, habe ich mich vermählt — Ordnungsbedürfnis und der Wunsch nach sittlicher Einfügung ins Menschenleben leiteten mich bei diesem Schritt. Helene, geb. Ölhafen, mein treffliches Weib, das noch heute meine sich neigenden Jahre betreut, war die Tochter eines älteren Fakultäts- und Amtskollegen zu Zwickau im Königreich

Sachsen, und auf die Gefahr hin, das Lächeln des Lesers hervorzurufen, will ich nur gestehen, daß der Vorname des frischen
Kindes, Helene, dieser teuere Laut, bei meiner Wahl nicht die
letzte Rolle spielte. Ein solcher Name bedeutet eine Weihe, deren
reinem Zauber man nicht seine Wirkung verwehrt, sollte auch
das Äußere der Trägerin seine hohen Ansprüche nur in bürgerlich bescheidenem Maß, und auch dies nur vorübergehend, vermöge rasch entweichenden Jugendreizes erfüllen. Auch unsere
Tochter, die sich längst einem braven Manne, Prokuristen an der
Filiale der Bayerischen Effektenbank in Regensburg, verbunden
hat, haben wir Helene genannt. Außer ihr schenkte meine liebe
Frau mir noch zwei Söhne, so daß ich die Freuden und Sorgen
der Vaterschaft nach Menschengebühr, wenn auch in nüchternen
Grenzen, erfahren habe. Etwas Berückendes, das will ich nur zugeben, war zu keiner Zeit an keinem meiner Kinder. Mit einer
Kinderschönheit wie dem kleinen Nepomuk Schneidewein, Adrians Neffen und seiner späten Augenweide, konnten sie es nicht
aufnehmen, – ich selbst bin der Letzte, es zu behaupten. – Meine
beiden Söhne dienen heute, der eine auf zivilem Posten, der andere in der bewaffneten Macht, ihrem Führer, und wie überhaupt
meine befremdete Stellung zu den vaterländischen Gewalten eine
gewisse Leere um mich geschaffen hat, so ist auch der Zusammenhang dieser jungen Männer mit dem stillen Elternheim nur locker
zu nennen.

III

Die Leverkühns waren ein Geschlecht von gehobenen Handwer-
kern und Landwirten, das teils im Schmalkaldischen, teils in der
Provinz Sachsen, am Lauf der Saale blühte. Adrians engere Familie saß seit mehreren Generationen auf dem zur Dorfgemeinde
Oberweiler gehörigen Hofe Buchel, nahe Weißenfels, von dieser
Station, wohin man von Kaisersaschern in dreiviertelstündiger
Bahnfahrt gelangte, nur mit entgegengesandtem Fuhrwerk zu erreichen. Buchel war ein Bauerngut des Umfanges, der dem Besitzer den Rang eines Vollspänners oder Vollhöfners verleiht, mit
etlichen fünfzig Morgen Äckern und Wiesen, einem genossen-
schaftlich bewirtschafteten Zubehör von Gemischtwald und einem
sehr behäbigen Wohnhause aus Holz- und Fachwerk, aber steinernen Unterbaues. Es bildete mit den Scheunen und Viehställen
ein offenes Viereck, in dessen Mitte, mir unvergeßlich, eine mächtige, zur Junizeit mit herrlich duftenden Blüten bedeckte, von
einer grünen Bank umlaufene alte Linde stand. Dem Fuhrver-
kehr auf dem Hofe mochte der schöne Baum ein wenig im Wege
sein, und ich hörte, daß stets der Erbsohn in jungen Jahren seine
Beseitigung aus praktischen Gründen gegen den Vater verfocht,

um ihn eines Tages, als Herr des Hofes, gegen das Ansinnen des eigenen Sohnes in Schutz zu nehmen.

Wie oft mag der Lindenbaum den frühkindlichen Tagesschlummer und die Spiele des kleinen Adrian beschattet haben, der, als im Jahre 1885 Blütezeit war, im Oberstock des Buchelhauses als zweiter Sohn des Ehepaares Jonathan und Elsbeth Leverkühn geboren wurde. Der Bruder, Georg, jetzt ohne Zweifel der Wirt dort oben, stand ihm um fünf Jahre voran. Eine Schwester, Ursel, folgte in dem gleichen Abstande nach. Da zu der Freund- und Bekanntschaft, die Leverkühns in Kaisersaschern besaßen, auch meine Eltern gehörten, ja zwischen unseren Häusern seit alters ein besonders herzliches Einvernehmen bestand, so verbrachten wir in der guten Jahreszeit manchen Sonntagnachmittag auf dem Vorwerk, wo denn die Städter sich der herzhaften Gaben des Landes, mit denen Frau Leverkühn sie regalierte, des kernigen Graubrotes mit süßer Butter, des goldenen Scheibenhonigs, der köstlichen Erdbeeren in Rahm, der in blauen Satten gestockten, mit Schwarzbrot und Zucker bestreuten Milch, dankbar erfreuten. Zur Zeit von Adrians, oder Adri's, wie er genannt wurde, erster Kinderzeit saßen seine Großeltern dort noch auf dem Altenteil, während die Wirtschaft schon ganz in den Händen des jüngeren Geschlechtes lag und der Alte, übrigens ehrerbietig angehört, sich nur noch am Abendtisch zahnlosen Mundes räsonierend in sie einmischte. Von dem Bilde dieser Vorgänger, die bald fast gleichzeitig wegstarben, ist mir wenig geblieben. Desto deutlicher steht mir dasjenige ihrer Kinder Jonathan und Elsbeth Leverkühn vor Augen, obgleich es ein Wandelbild ist und im Verlauf meiner Knaben- und Schüler-, meiner Studentenjahre mit jener wirksamen Unmerklichkeit, auf welche die Zeit sich versteht, aus dem Jugendlichen in müdere Phasen hinüberglitt.

Jonathan Leverkühn war ein Mann besten deutschen Schlages, ein Typ, wie er in unseren Städten kaum noch begegnet und gewiß nicht unter denen zu finden ist, die heute unser Menschentum mit oft denn doch beklemmendem Ungestüm gegen die Welt vertreten, – eine Physiognomie, wie geprägt von vergangenen Zeiten, gleichsam ländlich aufgespart und herübergebracht aus deutschen Tagen von vor dem Dreißigjährigen Kriege. Das war mein Gedanke, wenn ich ihn, heranwachsend, mit schon halbwegs zum Sehen gebildetem Auge betrachtete. Wenig geordnetes aschblondes Haar fiel in eine gewölbte, stark zweigeteilte Stirn mit vortretenden Schläfenadern, hing unmodisch lang und dick aufliegend in den Nacken und ging am wohlgebildeten, kleinen Ohr in den gekrausten Bart über, der blond die Kinnbacken, das Kinn und die Vertiefung unter der Lippe bewuchs. Diese, die Unterlippe, trat ziemlich stark und geründet unter dem kurzen, leicht abwärts hängenden Schnurrbart hervor, mit einem Lächeln, das außerordentlich anziehend mit dem etwas angestrengten, aber ebenfalls halb lächelnden, in leichter Scheuheit vertieften Blick der blauen Augen übereinstimmte. Die Nase war dünnrückig und fein gebogen, die unbebartete Wangenpartie unter den Backenknochen schattig vertieft und selbst etwas hager. Den sehnigen Hals trug er meist offen und liebte nicht städtische Allerweltskleidung, die auch seiner Erscheinung nicht wohltat, besonders nicht zu seinen Händen paßte, dieser kräftigen, gebräunten und trockenen, leicht sommersprossigen Hand, mit der er die Stockkrücke umfaßte, wenn er ins Dorf zum Gemeinderat ging.

Ein Physikus hätte einer gewissen verschleierten Bemühtheit dieses Blickes, einer gewissen Sensitivität dieser Schläfen vielleicht eine Neigung zur Migräne angemerkt, der Jonathan allerdings unterlag, aber nur in mäßigem Grade, nicht öfter als einmal im Monat für einen Tag und fast ohne Berufsstörung. Er liebte die Pfeife, eine halblange, porzellanene Deckelpfeife, deren eigentümliches Knaster-Arom, weit angenehmer als stehengebliebener Zigarren- und Zigarettendunst, die Atmosphäre der unteren Räume bestimmte. Er liebte dazu als Schlaftrunk einen guten Krug Merseburger Bieres. An Winterabenden, wenn draußen sein Erb und Eigen verschneit ruhte, sah man ihn lesen, vornehmlich in einer umfangreichen, in gepreßtes Schweinsleder gebundenen und mit ledernen Spangen zu verschließenden Erb-Bibel, die um 1700 mit herzoglicher Befreiung zu Braunschweig gedruckt worden war und nicht nur die »Geist-reichen« Vorreden und Randglossen D. Martin Luthers, sondern auch allerlei Summarien, locos parallelos und jedes Kapitel erläuternde historisch-moralische Verse eines Herrn David von Schweinitz mit einschloß. Von dem Buch ging die Sage, oder vielmehr die bestimmte Nachricht war davon überliefert, es sei das Eigentum jener Prinzeß von Braunschweig-Wolfenbüttel gewesen, welche den Sohn Peters des Großen geheiratet hatte. Danach jedoch habe sie ihren Tod fingiert, so daß ihr Leichenbegängnis stattgefunden habe, während sie nach Martinique entwichen und dort mit einem Franzosen die Ehe eingegangen sei. Wie oft hat Adrian, der für das Komische einen durstigen Sinn hatte, später noch mit mir über diese Geschichte gelacht, die sein Vater, den Kopf vom Buche erhebend, mit sanftem Tiefblick erzählte, worauf er sich, offenbar ungestört durch die ein wenig skandalöse Provenienz des heiligen Druckwerkes, den Verskommentaren des Herrn von Schweinitz oder der ›Weisheit Salomonis an die Tyrannen‹ wieder zuwandte.

Neben der geistlichen Tendenz seiner Lektüre lief jedoch eine andere, die von gewissen Zeiten dahin charakterisiert worden wäre, er habe wollen »die elementa spekulieren«. Das heißt, er trieb, in bescheidenem Maßstab und mit bescheidenen Mitteln, naturwissenschaftliche, biologische, auch wohl chemisch-physikalische Studien, bei denen mein Vater ihm gelegentlich mit Stoffen aus seinem Laboratorium zur Hand ging. Jene verschollene und nicht vorwurfsfreie Bezeichnung für solche Bestrebungen aber wählte ich, weil ein gewisser mystischer Einschlag darin merklich war, der ehemals wohl als Hang zur Zauberei verdächtigt worden wäre. Übrigens will ich hinzufügen, daß ich dieses Mißtrauen einer religiös-spiritualistischen Epoche gegen die aufkommende Leidenschaft, die Geheimnisse der Natur zu erforschen, immer vollkommen verstanden habe. Die Gottesfurcht mußte ein libertinistisches Sicheinlassen mit dem Verbotenen darin sehen, ungeachtet des Widerspruches, den man darin finden mag, die Schöpfung Gottes, Natur und Leben, als moralisch anrüchiges Gebiet zu betrachten. Die Natur selbst ist zu voll von vexatorisch ins Zauberische spielenden Hervorbringungen, zweideutigen Launen, halbverhüllten und sonderbar ins Ungewisse weisenden Allusionen, daß nicht die züchtig sich beschränkende Frömmigkeit eine gewagte Überschreitung darin hätte sehen sollen, sich mit ihr abzugeben.

Wenn Adrians Vater am Abend seine farbig illustrierten Bücher über exotische Falter und Meergetier aufschlug, so blickten wir, seine Söhne und ich, auch wohl Frau Leverkühn, manches Mal über die geledderte, mit Ohrenklappen versehene Rückenlehne seines Stuhles mit hinein, und er wies uns mit dem Zeigefinger die dort abgebildeten Herrlichkeiten und Exzentrizitäten: diese in allen Farben der Palette, nächtigen und strahlenden, sich dahinschaukelnden, mit dem erlesensten kunstgewerblichen Geschmack gemusterten und ausgeformten Papilios und Morphos der Tropen, – Insekten, die in phantastisch übertriebener Schönheit ein ephemeres Leben fristen, und von denen einige den Eingeborenen als böse Geister gelten, die die Malaria bringen. Die herrlichste Farbe, die sie zur Schau tragen, ein traumschönes Azurblau, sei, so belehrte uns Jonathan, gar keine echte und wirkliche Farbe, sondern werde durch feine Rillen und andere Oberflächengestaltungen der Schüppchen auf ihren Flügeln hervorgerufen, eine Kleinstruktur, die es durch künstliche Brechung der Lichtstrahlen und Ausschaltung der meisten besorge, daß allein das leuchtendste Blaulicht in unser Auge gelange.

»Sieh an«, höre ich noch Frau Leverkühn sagen, »es ist also Trug?«

»Nennst du das Himmelsblau Trug?« erwiderte ihr Mann, indem er rückwärts zu ihr aufblickte. »Den Farbstoff kannst du mir auch nicht nennen, von dem es kommt.«

Tatsächlich ist mir, indem ich schreibe, als stünde ich noch mit Frau Elsbeth, Georg und Adrian hinter des Vaters Stuhl und folgte seinem Finger durch diese Geschichte. Es waren da Glasflügler abgebildet, die gar keine Schuppen auf ihren Schwingen führen, so daß diese zart gläsern und nur vom Netz der dunkleren Adern durchzogen erscheinen. Ein solcher Schmetterling, in durchsichtiger Nacktheit den dämmernden Laubschatten liebend, hieß Hetaera esmeralda. Nur einen dunklen Farbfleck in Violett und Rosa hatte Hetaera auf ihren Flügeln, der sie, da man sonst nichts von ihr sieht, im Flug einem windgeführten Blütenblatt gleichen läßt. – Es war da sodann der Blattschmetterling, dessen Flügel, oben in volltönendem Farbendreiklang prangend, auf ihrer Unterseite mit toller Genauigkeit einem Blatte gleichen, nicht nur nach Form und Geäder, sondern dazu noch durch minutiöse Wiedergabe kleiner Unreinigkeiten, nachgeahmter Wassertropfen, warziger Pilzbildungen und dergleichen mehr. Ließ dies geriebene Wesen sich mit hochgefalteten Flügeln im Laube nieder, so verschwand es durch Angleichung so völlig in seiner Umgebung, daß auch der gierigste Feind es nicht darin ausmachen konnte.

Nicht ohne Erfolg suchte Jonathan uns seine Ergriffenheit von dieser raffiniert ins Mangelhaft-Einzelne gehenden Schutz-Nachahmung mitzuteilen. »Wie hat das Tier das gemacht?« fragte er wohl. »Wie macht es die Natur durch das Tier? Denn dessen eigener Beobachtung und Berechnung kann man den Trick unmöglich zuschreiben. Ja, ja, die Natur kennt ihr Laubblatt genau, nicht nur in seiner Vollkommenheit, sondern mit seinen kleinen alltäglichen Fehlern und Verunstaltungen, und aus schalkhafter Freundlichkeit wiederholt sie sein äußeres Ansehen in anderem Bereich, auf der Unterseite der Flügel dieses ihres Schmetterlings, zur Verblendung anderer ihrer Geschöpfe. Warum aber hat gerade dieser den listigen Vorzug? Und wenn es freilich zweckmäßig ist für ihn, daß er in Ruhestellung aufs Haar einem Blatte gleicht, – wo bleibt die Zweckmäßigkeit, von seinen hungrigen Verfolgern aus gesehen, den Eidechsen, Vögeln und Spinnen, denen er doch zur Nahrung bestimmt ist, die ihn aber, sobald er will, mit allem Scharfblick nicht ausfindig machen können? Ich frage das euch, damit nicht gar ihr mich danach fragt.«

Konnte nun dieser Falter zu seinem Schutze sich unsichtbar machen, so brauchte man in dem Buche nur weiter zu blättern, um die Bekanntschaft solcher zu machen, die durch augenfälligste, ja aufdringliche, weithin reichende Sichtbarkeit denselben Zweck erreichten. Sie waren nicht nur besonders groß, sondern auch ausnehmend prunkvoll gefärbt und gemustert, und wie Vater Leverkühn hinzusetzte, flogen sie in diesem scheinbar herausfordernden Kleide mit ostentativer Gemächlichkeit, die aber niemand frech nennen möge, sondern der eher etwas schwermütiges anhaftete, ihres Weges dahin, ohne sich je zu verstecken und ohne daß je ein Tier, weder Affe, noch Vogel, noch Echse, ihnen auch nur nachgeblickt hätten. Warum? Weil sie ein Ekel waren. Und weil sie durch ihre auffallende Schönheit, dazu durch die Langsamkeit ihres Fluges, eben dies zu verstehen gaben. Ihr Saft war von so scheußlichem Geruch und Geschmack, daß, wenn einmal ein Mißverständnis, ein Fehlgriff vorkam, derjenige, der sich an einem von ihnen gütlich zu tun gedachte, den Bissen mit allen Anzeichen der Übelkeit wieder von sich spie. Ihre Ungenießbarkeit ist aber in der ganzen Natur bekannt, und sie sind sicher, – traurig sicher. Wir wenigstens, hinter Jonathans Stuhl, fragten uns, ob dieser Sicherheit nicht eher etwas Entehrendes zukomme, als daß sie heiter zu nennen gewesen wäre. Was aber war die Folge? Daß andere Arten von Schmetterlingen sich trickweise in denselben Warnungsprunk kleideten und denn also auch in langsamem Unberührbarkeitsfluge melancholisch-sicher dahinzogen, obgleich sie durchaus genießbar waren.

Angesteckt von Adrians Erheiterung durch diese Nachrichten, einem Gelächter, das ihn förmlich schüttelte und ihm Tränen erpreßte, mußte auch ich recht herzlich lachen. Aber Vater Leverkühn verwies es uns mit einem »Pst!«, denn er wollte all diese Dinge mit scheuer Andacht betrachtet wissen, – derselben geheimnisvollen Andacht, mit der er etwa die unzugängliche Zeichenschrift auf den Schalen gewisser Muscheln betrachtete, indem er auch wohl seine große, viereckige Lupe dabei zu Hilfe nahm und sie auch uns zur Verfügung stellte. Gewiß, der Anblick dieser Geschöpfe, der Schnecken und Muscheln des Meeres also, war ebenfalls hochbedeutend, wenigstens wenn man unter Jonathans Führung durch ihre Abbildungen ging. Daß alle diese mit herrlicher Sicherheit und so kühnem wie delikatem Formgeschmack ausgeführten Gewinde und Gewölbe mit ihren rosigen Eingängen und der irisierenden Fayencepracht ihrer vielgestaltigen Wandungen das Eigenwerk ihrer gallerthaften Bewohner waren – wenigstens wenn man an der Vorstellung festhielt, daß die Natur sich selber macht, und nicht den Schöpfer heranzog, den als phantasievollen Kunstgewerbler und ehrgeizigen Künstler der Glasurtöpferei zu imaginieren denn doch sein Seltsames hat, so daß nirgends die Versuchung näher liegt als hier, einen werkmeisterlichen Zwischengott, den Demiurgos, einzuschalten, – ich wollte sagen: daß diese köstlichen Gehäuse das Produkt der Weichwesen selbst waren, die sie beschützten, das war dabei der erstaunlichste Gedanke.

»Ihr«, sagte Jonathan zu uns, »habt, wie ihr leicht feststellen könnt, wenn ihr eure Ellbogen, eure Rippen befühlt, als ihr wurdet, in euerm Inneren ein festes Gestell, ein Skelett ausgebildet, das euerm Fleisch, eueren Muskeln Halt gewährt, und das ihr in euch herumtragt, wenn es nicht besser ist, zu sagen: es trägt euch herum. Hier nun ist es umgekehrt. Diese Geschöpfe haben ihre Festigkeit nach außen geschlagen, nicht als Gerüst, sondern als Haus, und eben daß sie ein Außen ist, und kein Innen, muß der Grund ihrer Schönheit sein.«

Wir Knaben, Adrian und ich, sahen uns wohl mit halbem und verdutztem Lächeln an bei solchen Bemerkungen des Vaters wie dieser über die Eitelkeit des Sichtbaren.

Zuweilen war sie tückisch, diese Außenästhetik; denn gewisse Kegelschnecken, reizend asymmetrische, in ein geädertes Blaßrosa oder weißgeflecktes Honigbraun getauchte Erscheinungen, waren wegen ihres Giftbisses berüchtigt, – und überhaupt war, wenn man den Herrn des Buchelhofes hörte, eine gewisse Anrüchigkeit oder phantastische Zweideutigkeit von dieser ganzen wunderlichen Sektion des Lebens nicht fernzuhalten. Eine sonderbare Ambivalenz der Anschauung hatte sich immer in dem sehr verschiedenartigen Gebrauche kundgegeben, den man von den Prunkgeschöpfen machte. Sie hatten im Mittelalter zum stehenden Inventar der Hexenküchen und Alchimisten-Gewölbe gehört und waren als die passenden Gefäße für Gifte und Liebestränke befunden worden. Andererseits und zugleich aber hatten sie beim Gottesdienst zu Muschelschreinen für Hostien und Reliquien und sogar als Abendmahlskelche gedient. Wie vieles berührt sich hier – Gift und Schönheit, Gift und Zauberei, aber auch Zauberei und Liturgie. Wenn wir es nicht dachten, so gaben Jonathan Leverkühns Kommentare es uns doch unbestimmt zu empfinden.

Was nun jene Zeitschrift betrifft, über die er sich gar niemals beruhigen konnte, so fand sie sich auf der Schale einer neu-kaledonischen Muschel von mäßiger Größe und war auf weißlichem Grunde in leicht rötlichbrauner Farbe ausgeführt. Die Charaktere, wie mit dem Pinsel gezogen, gingen gegen den Rand hin in reine Strich-Ornamentik über, hatten aber auf dem größeren Teil der gewölbten Fläche in ihrer sorgfältigen Kompliziertheit das entschiedenste Ansehen von Verständigungsmalen. Meiner Erinnerung nach zeigten sie starke Ähnlichkeit mit früh-orientalischen Schriftarten, etwa dem altaramäischen Duktus, und tatsächlich mußte mein Vater seinem Freunde aus der gar nicht übel versehenen Stadtbibliothek von Kaisersaschern archäologische Bücher mitbringen, die die Möglichkeit der Nachforschung, des Vergleiches boten. Selbstverständlich führten diese Studien zu keinem Ergebnis oder doch nur zu so wirren und widersinnigen, daß sie auf nichts hinausliefen. Mit einer gewissen Melancholie gab Jonathan dies auch zu, wenn er uns die rätselhafte Abbildung zeigte. »Es hat sich«, sagte er, »die Unmöglichkeit erwiesen, dem Sinn dieser Zeichen auf den Grund zu kommen. Leider, meine Lieben, ist dem so. Sie entziehen sich unserem Verständnis, und es wird schmerzlicherweise dabei wohl bleiben. Wenn ich aber sage, ›entziehen‹ sich‹, so ist das eben nur das Gegenteil von ›sich erschließen‹, und daß die Natur diese Chiffren, zu denen uns der Schlüssel fehlt, der bloßen Zier wegen auf die Schale ihres Geschöpfes gemalt haben sollte, redet mir niemand ein. Zier und

Bedeutung liefen stets nebeneinander her, auch die alten Schriften dienten dem Schmuck und zugleich der Mitteilung. Sage mir keiner, hier werde nicht etwas mitgeteilt! Daß es eine unzugängliche Mitteilung ist, in diesen Widerspruch sich zu versenken ist auch ein Genuß.«

Bedachte er, daß, wenn es sich wirklich hier um eine Geheimschrift hätte handeln sollen, die Natur über eine eigene, aus ihr selbst geborene, organisierte Sprache verfügen müßte? Denn welche vom Menschen erfundene sollte sie wählen, um sich auszudrücken? Schon damals aber, als Knabe, begriff ich sehr deutlich, daß die außerhumane Natur von Grund aus illiterat ist, was in meinen Augen eben gerade ihre Unheimlichkeit ausmacht.

Ja, Vater Leverkühn war ein Spekulierer und Sinnierer, und ich sagte schon, daß sein Forscherhang — wenn man von Forschung sprechen kann, wo es sich eigentlich nur um träumerische Kontemplation handelte — sich immer in eine bestimmte Richtung neigte, nämlich die mystische oder eine ahnungsvoll halbmystische, in die, wie mir scheint, der dem Natürlichen nachgehende menschliche Gedanke fast mit Notwendigkeit gelenkt wird. Daß nun gar das Unterfangen, mit der Natur zu laborieren, sie zu Phänomenen zu reizen, sie zu ›versuchen‹, indem man ihr Wirken durch Experimente bloßstellt, — daß das alles ganz nahe mit Hexerei zu tun habe, ja schon in ihr Bereich falle und selbst ein Werk des ›Versuchers‹ sei, war die Überzeugung früherer Epochen: eine respektable Überzeugung, wenn man mich fragt. Ich möchte wissen, mit welchen Augen man damals den Mann aus Wittenberg angesehen hätte, der, wie wir ihn von Jonathan hörten, vor hundert und einigen Jahren das Experiment der sichtbaren Musik erfunden hatte, das wir zuweilen zu sehen bekamen. Zu den wenigen physikalischen Apparaten, über die Adrians Vater verfügte, gehörte eine runde und frei schwebende, nur in der Mitte auf einem Zapfen ruhende Glasplatte, auf der dieses Wunder sich abspielte. Die Platte war nämlich mit feinem Sande bestreut, und vermittelst eines alten Cellobogens, mit dem er von oben nach unten an ihrem Rande hinstrich, versetzte er sie in Schwingungen, nach welchen der erregte Sand sich zu erstaunlich präzisen und mannigfachen Figuren und Arabesken verschob und ordnete. Diese Gesichtsakustik, worin Klarheit und Geheimnis, das Gesetzliche und Wunderliche reizvoll genug zusammentraten, gefiel uns Knaben sehr; aber nicht zuletzt um dem Experimentator eine Freude zu machen, baten wir ihn öfters, sie uns vorzuführen.

Ein verwandtes Gefallen fand er an Eisblumen, und halbe Stunden lang konnte er sich an Wintertagen, wenn diese kristallischen Niederschläge die bäuerlich kleinen Fenster des Buchelhauses bedeckten, mit bloßem Auge und durch sein Vergrößerungsglas in ihre Struktur vertiefen. Ich möchte sagen: alles wäre gut gewesen, und man hätte darüber zur Tagesordnung übergehen können, wenn die Erzeugnisse sich, wie es ihnen zukam, im Symmetrisch-Figürlichen, streng Mathematischen und Regelmäßigen gehalten hätten. Aber daß sie mit einer gewissen gaukelnden Unverschämtheit Pflanzliches nachahmten, aufs wunderhübscheste Farrenwedel, Gräser, die Becher und Sterne von Blüten vortäuschten, daß sie mit ihren eisigen Mitteln im Organischen dilettierten, das war es, worüber Jonathan nicht hinwegkam, und worüber seines gewissermaßen mißbilligenden, aber auch bewunderungsvollen Kopfschüttelns kein Ende war. Bildeten, so lautete seine Frage, diese Phantasmagorien die Formen des Vegetativen *vor*, oder bildeten sie sie *nach*? Keines von beidem, erwiderte er wohl sich selbst; es waren Parallelbildungen. Die schöpferisch träumende Natur träumte hier und dort dasselbe, und durfte von Nachahmung die Rede sein, so gewiß nur von wechselseitiger. Sollte man die wirklichen Kinder der Flur als die Vorbilder hinstellen, weil sie organische Tiefenwirklichkeit besaßen, die Eisblumen aber bloße Erscheinungen waren? Aber ihre Erscheinung war das Ergebnis keiner geringeren Kompliziertheit stofflichen Zusammenspiels als diejenige der Pflanzen. Verstand ich unseren Gastfreund recht, so war, was ihn beschäftigte, die Einheit der belebten und der sogenannten unbelebten Natur, es war der Gedanke, daß wir uns an dieser versündigen, wenn wir die Grenze zwischen beiden Gebieten allzu scharf ziehen, da sie doch in Wirklichkeit durchlässig ist und es eigentlich keine elementare Fähigkeit gibt, die durchaus den Lebewesen vorbehalten wäre, und die nicht der Biologe auch am unbelebten Modell studieren könnte.

Auf eine wie verwirrende Art in der Tat die Reiche ineinandergeistern, lehrte uns der ›Fressende Tropfen‹, dem Vater Leverkühn mehr als einmal vor unseren Augen seine Mahlzeit verabreichte. Ein Tropfen, bestehe er nun aus was immer, aus Paraffin, aus ätherischem Öl – ich erinnere mich nicht mit Bestimmtheit, woraus dieser bestand, ich glaube, es war Chloroform –, ein Tropfen, sage ich, ist kein Tier, auch kein primitivstes, nicht einmal eine Amöbe, man nimmt nicht an, daß er Appetit verspürt, Nahrung zu ergreifen, das Bekömmliche zu behalten, das Unbekömmliche abzulehnen weiß. Eben dies aber tat unser Tropfen. Er hing abgesondert in einem Glase Wasser, worin Jonathan ihn, vermutlich mit einer feinen Spritze, untergebracht hatte. Was er nun tat, war folgendes. Er nahm ein winziges Glasstäbchen, eigentlich nur ein Fädchen von Glas, das er mit Schellack bestrichen hatte, zwischen die Spitzen einer Pinzette und führte es in die Nähe des Tropfens. Nur das war es, was jener tat, das übrige tat der Tropfen. Er warf an seiner Oberfläche eine kleine Erhöhung, etwas wie einen Empfängnishügel auf, durch den er das

Stäbchen der Länge nach in sich aufnahm. Dabei zog er sich selbst in die Länge, nahm Birnengestalt an, damit er seine Beute ganz einschließe und diese nicht an den Enden über ihn hinausrage, und begann, ich gebe jedermann mein Wort darauf, indem er allmählich sich wieder rundete, zunächst eine Eiform annahm, den Schellackaufstrich des Glasstäbchens abzuspeisen und in seinem Körperchen zu verteilen. Dies vollendet, beförderte er, zur Kugelgestalt zurückgekehrt, das saubergeschleckte Darreichungsgerät querhin an seine Peripherie und wieder ins umgebende Wasser hinaus.

Ich kann nicht behaupten, daß ich das gerne sah, aber ich gebe zu, daß ich gebannt davon war, und das war wohl auch Adrian, obgleich er immer bei solchen Vorführungen sehr stark zum Lachen versucht war und es allein aus Rücksicht auf den väterlichen Ernst unterdrückte. Allenfalls konnte man den fressenden Tropfen komisch finden; aber keineswegs war dies für mein Empfinden der Fall bei gewissen unglaublichen und geisterhaften Naturerzeugnissen, die dem Vater in sonderbarster Kultur zu züchten gelungen war, und die er uns ebenfalls zu betrachten gestattete. Ich werde den Anblick niemals vergessen. Das Kristallisationsgefäß, in dem er sich darbot, war zu drei Vierteln mit leicht schleimigem Wasser, nämlich verdünntem Wasserglas gefüllt, und aus sandigem Grunde strebte darin eine groteske kleine Landschaft verschieden gefärbter Gewächse empor, eine konfuse Vegetation blauer, grüner und brauner Sprießereien, die an Algen, Pilze, festsitzende Polypen, auch an Moose, dann an Muscheln, Fruchtkolben, Bäumchen oder Äste von Bäumchen, da und dort geradezu an Gliedmaßen erinnerten – das Merkwürdigste, was mir je vor Augen gekommen: merkwürdig nicht so sehr um seines allerdings sehr wunderlichen und verwirrenden Ansehens willen, als wegen seiner tief melancholischen Natur. Denn wenn Vater Leverkühn uns fragte, was wir davon hielten, und wir ihm zaghaft antworteten, es möchten Pflanzen sein, – »nein«, erwiderte er, »es sind keine, sie tun nur so. Aber achtet sie darum nicht geringer! Eben daß sie so tun und sich aufs beste darum bemühen, ist jeglicher Achtung würdig.«

Es stellte sich heraus, daß diese Gewächse durchaus unorganischen Ursprungs waren, mit Hilfe von Stoffen zustande gekommen, die aus der Apotheke ›Zu den Seligen Boten‹ stammten. Den Sand am Boden des Gefäßes hatte Jonathan, bevor er die Wasserglaslösung nachgoß, mit verschiedenen Kristallen, es waren, wenn ich nicht irre, solche von chromsaurem Kali und Kupfersulfat, bestreut, und aus dieser Saat hatte sich als Werk eines physikalischen Vorgangs, den man als ›osmotischen Druck‹ bezeichnet, die bemitleidenswerte Zucht entwickelt, für die ihr Betreuer unsere Sympathie sogleich noch dringlicher in Anspruch nahm. Er zeigte uns nämlich, daß diese kummervollen Imitatoren des Lebens lichtbegierig, ›heliotropisch‹ waren, wie die Wissenschaft vom Leben es nennt. Er setzte für uns das Aquarium dem Sonnenlicht aus, indem er drei seiner Seiten gegen dasselbe zu verschatten wußte, und siehe, nach derjenigen Scheibe des Glasgefäßes, durch die das Licht fiel, neigte sich binnen kurzem die ganze fragwürdige Sippschaft, Pilze, phallische Polypenstengel, Bäumchen und Algengräser nebst halbgeformten Gliedmaßen, und zwar mit so sehnsüchtigem Drängen nach Wärme und Freude, daß sie sich förmlich an die Scheibe klammerten und daran festklebten.

»Und dabei sind sie tot«, sagte Jonathan und bekam Tränen in die Augen, während Adrian, wie ich wohl sah, von unterdrücktem Lachen geschüttelt wurde.

Für mein Teil muß ich anheimstellen, ob dergleichen zum Lachen oder zum Weinen ist. Das eine nur sage ich: Gespenstereien wie diese sind ausschließlich Sache der Natur, und zwar besonders der vom Menschen mutwillig versuchten Natur. Im würdigen Reiche der Humaniora ist man sicher vor solchem Spuk.

IV

Da der vorige Abschnitt ohnedies über Gebühr angeschwollen ist, tue ich gut, einen neuen zu eröffnen, um doch auch mit einigen Worten dem Bilde der Buchel-Wirtin, Adrians lieber Mutter, zu huldigen. Möge es immer sein, daß die Dankbarkeit, die man für seine Kindheit empfindet, dazu die schmackhaften Imbisse, die sie uns auftische, dieses Bild verklären, – ich sage doch, daß mir in meinem Leben keine anziehendere Frau vorgekommen ist als Elsbeth Leverkühn, und ich spreche von ihrer schlichten, intellektuell durchaus anspruchslosen Person mit der Ehrerbietung, die die Überzeugung mir einflößt, daß das Genie des Sohnes der vitalen Wohlbeschaffenheit dieser Mutter viel zu danken hatte.

Wenn es mir Freude machte, den schönen altdeutschen Kopf ihres Gatten zu betrachten, – auf ihrer so ganz und gar angenehmen, eigentümlich bestimmten und klar proportionierten Erscheinung verweilten meine Augen nicht weniger gern. Aus der Gegend von Apolda gebürtig, war sie so brünetten Typs, wie es in deutschen Landen zuweilen vorkommt, ohne daß die erfaßbare Genealogie eine Handhabe zur Annahme römischen Bluteinschlags böte. Der Dunkelheit ihres Teints, der Schwärze ihres Scheitels und ihrer still und freundlich blickenden Augen nach hätte man sie für eine Welsche halten können, wenn nicht doch eine gewisse germanische Derbheit der Gesichtsbildung dem widersprochen hätte. Es bildete ein ziemlich kurzes Oval, dieses Gesicht, mit eher spitz zulaufendem Kinn, einer nicht eben regelmäßigen, leicht eingedrückten, vorn etwas aufgebogenen Nase und einem geruhigen, ohne Üppigkeit noch Schärfe geschnittenen Mund. Der die Ohren zur Hälfte bedeckende Scheitel, von dem ich sprach, und der sich, während ich heranwuchs, langsam versilberte, war sehr straff gezogen, so daß er spiegelte und die Teilungslinie über der Stirn die weiße Kopfhaut bloßlegte. Trotzdem hing – nicht immer und also wohl nicht absichtlich – einiges loses Haar vor den Ohren sehr anmutig davon herunter. Der in unseren Kindertagen noch massige Zopf war nach bäuerlicher Art um den Hinterkopf geschlungen und an Festtagen wohl von einem farbig gestickten Bande durchzogen.

Städtische Kleidung war sowenig ihre wie ihres Mannes Sache; das Damenhafte stand ihr nicht an, ausgezeichnet dagegen die ländlich-halbkostümliche Tracht, in der wir sie kannten, der feste, wie wir sagten: eigengemachte Rock, eine Art von bordiertem Mieder dazu, dessen eckiger Ausschnitt den einigermaßen gedrungenen Hals und den oberen Teil der Brust frei ließ, auf dem wohl ein einfacher, leichter Goldschmuck lag. Die bräunlichen, an Tätigkeit gewöhnten, aber sowenig groben wie überpflegten Hände, mit dem Ehereif an der Rechten, hatten, ich möchte sagen: etwas so menschlich Richtiges und Zuverlässiges, daß man ihnen mit Vergnügen zusah, ebenso wie den bestimmt auftretenden, nicht großen und nicht zu kleinen, rechtschaffenen Füßen in den bequemen Schuhen mit flachen Absätzen und den grünen oder grauen Wollstrümpfen, die die wohlgebildeten Knöchel umspannten. Dies alles war angenehm. Das Schönste an ihr aber war ihre Stimme, der Lage nach ein warmer Mezzosopran und in der Sprachbehandlung, bei leicht thüringisch gefärbter Lautbildung, ganz außerordentlich gewinnend. Ich sage nicht: »einschmeichelnd«, weil darin etwas von Absicht und Bewußtheit läge. Dieser Stimmreiz kam aus einer inneren Musikalität, die im übrigen latent blieb, da Elsbeth sich um Musik nicht kümmerte, sich sozusagen nicht zu ihr bekannte. Es kam vor, daß sie, ganz nebenbei, auf der alten Gitarre, die einen Wandschmuck des Wohnzimmers bildete, einige Akkorde griff und auch wohl eine oder die andere abgerissene Strophe eines Liedes dazu summte; aber auf eigentliches Singen ließ sie sich nicht ein, wiewohl ich wetten möchte, daß hier das trefflichste Material zu entwickeln gewesen wäre.

Auf jeden Fall habe ich niemals lieblicher sprechen hören, obgleich, was sie sagte, stets nur das Einfachste und Sachlichste war; und meiner Meinung nach will es etwas heißen, daß dieser natürliche und von instinktivem Geschmack bestimmte Wohllaut von der ersten Stunde an mütterlich Adrians Ohr berührt hat. Für mich trägt es zur Erklärung des unglaublichen Klangsinnes bei, der sich in seinem Werk manifestiert, wenn auch der Einwand naheliegt, daß sein Bruder Georg desselben Vorzugs genoß, ohne daß es irgendwelchen Einfluß auf die Gestaltung seines Lebens geübt hätte. Er sah übrigens dem Vater ähnlicher, während Adrians Physis viel mehr von seiner Mutter hatte, – wozu es nun wieder nicht stimmen will, daß es Adrian war, der die Neigung zur Migräne vom Vater geerbt hatte, und nicht Georg. Aber der Gesamthabitus des teuren Toten nebst vielen Einzelheiten: der brünette Teint, der Augenschnitt, die Mund- und Kinnbildung, alles kam von Mutters Seite, besonders deutlich, solange er glatt-rasiert ging, also bevor er sich den stark verfremdenden Kne-belbart wachsen ließ, was ja erst in späteren Jahren geschah. Das Pechschwarz der mütterlichen und der Azur der väterlichen Iris hatte sich in seinen Augen zu einem schattigen Blau-Grau-Grün vermischt, das kleine metallische Einsprengsel, dazu einen rost-farbenen Ring um die Pupillen zeigte; und immer war es mir eine seelische Gewißheit, daß es der Gegensatz zwischen den elter-lichen Augen und die Mischung war, die ihre Farbe in den seinen eingegangen, was sein Schönheitsurteil in dieser Beziehung schwankend machte und ihn sein Leben lang nicht zur Entschei-dung darüber kommen ließ, welchen Augen, den schwarzen oder blauen, er bei anderen den Vorzug gäbe. Immer aber war es das Extrem, der Teerglanz zwischen den Wimpern oder das Lichtblau, was ihn bestach.

Der Einfluß Frau Elsbeths auf das Hofgesinde von Buchel, das in wirtschaftlich ruhigen Jahreszeiten nicht eben zahlreich war und nur zur Erntezeit aus der umwohnenden Landbevölkerung ver-mehrt wurde, war der allerbeste und, wenn ich recht gesehen habe, ihre Autorität bei diesen Leuten sogar größer als die ihres Gat-ten. Das Bild einiger von ihnen schwebt mir noch vor: die Figur des Pferdeknechtes Thomas zum Beispiel, desselben, der uns vom Bahnhof Weißenfels abzuholen und wieder dorthin zu bringen pflegte, eines einäugigen, ausnehmend knochigen und langen, da-bei aber, hoch oben, mit einem Höcker behafteten Menschen, auf dem er den kleinen Adrian öfters herumreiten ließ: es sei, hat mir der Meister später noch oft versichert, ein sehr praktischer und be-quemer Sitz gewesen. Ferner gedenke ich einer Stallmagd na-mens Hanne, einer Person mit Schlotterbusen und nackten, ewig mistigen Füßen, mit der der Knabe Adrian aus noch näher zu be-zeichnendem Grunde ebenfalls eine nähere Freundschaft unterhielt, und der Verwalterin des Molkereiwesens, Frau Luder, einer hau-bentragenden Witwe, deren ungewöhnlich würdevoller Gesichts-ausdruck zu einem Teil wohl der Verwahrung gegen ihren Na-men galt, daneben aber auf die Tatsache zurückzuführen war, daß sie sich auf die Herstellung anerkannt vorzüglicher Kümmel-käse verstand. Sie war es, wenn nicht die Hausfrau selbst, die uns im Kuhstall bewirtete, diesem gütevollen Aufenthalt, wo unter den Strichen der auf dem Melkschemel kauernden Magd die laue und schäumende, nach dem nutzbaren Tiere duftende Milch für uns in die Gläser rann.

Ich würde mich in Einzelerinnerungen an diese ländliche Kinderwelt nebst der umliegenden einfachen Szenerie von Feld und Wald, Teich und Hügel gewiß nicht verlieren, wenn es nicht eben die Früh-Umwelt Adrians bis zu seinem zehnten Jahre, sein Elternhaus, seine Ursprungslandschaft gewesen wäre, die mich so häufig mit ihm zusammen einschloß. Es war die Zeit, in der unser »du« wurzelte, und in der auch er mich mit Vornamen genannt haben muß, – ich höre es nicht mehr, aber es ist undenkbar, daß der Sechs- und Achtjährige nicht ebensogut »Serenus«, oder einfach »Seren« zu mir gesagt haben sollte, wie ich zu ihm »Adri«. Der Zeitpunkt läßt sich nicht feststellen, aber er muß schon in unsere frühe Schülerzeit gefallen sein, wo er aufhörte, mir dies zu gewähren, und mich, wenn überhaupt, so nur noch mit Nachnamen anredete, während es mir vollkommen harsch und unmöglich erschienen wäre, ihm mit Gleichem zu erwidern. So war es – und es fehlte nur, daß es so aussähe, als wollte ich mich beklagen. Nur eben erwähnenswert schien es mir, daß ich ihn »Adrian«, er dagegen mich, wenn er nicht überhaupt einer Namensverwendung auswich, »Zeitblom« nannte. – Lassen wir denn das kuriose Faktum, an das ich mich durchaus gewöhnt hatte, und kehren wir nach Buchel zurück!

Sein Freund, und auch meiner, war der Hofhund Suso – er führte sonderbarerweise diesen Namen —, eine etwas schäbige Bracke, die wenn man ihr die Mahlzeit brachte, breit über das ganze Gesicht zu lachen pflegte, aber für Fremde keineswegs ungefährlich war und das eigentümliche Leben des tagsüber an seine Hütte zu seinen Schüsseln gebannten Kettenhundes führte, der nur in stiller Nacht frei auf dem Hofe umherschweift. Zusammen blickten wir in das sudelige Gedränge des Schweinekobens, wohl eingedenk alter Magdgeschichten, daß diese unreinlichen Pfleglinge mit den listigen, blondbewimperten Blauäuglein und den menschenfarbenen Speckleibern gelegentlich kleine Kinder fräßen, zwangen unsere Kehlen, das untergründige Nuck-Nuck ihrer Sprache nachzuahmen, und betrachteten das rosige Gewuzel des Ferkelwurfes an den Zitzen der Muttersau. Zusammen belustigten wir uns an dem pedantischen, von würdig-gemäßigten Lauten begleiteten und nur zuweilen ins Hysterische ausbrechenden Leben und Treiben des Hühnervolkes hinter seinem Drahtgitter und statteten den Bienenwohnungen hinterm Hause zurückhaltende Besuche ab, bekannt mit dem nicht unerträglichen, aber dröhnenden Schmerz, den es verursachte, wenn eine dieser Sammlerinnen sich dir auf die Nase verirrte und zum Stiche sich unklug bemüßigt fand.

Ich gedenke der Johannisbeeren des Nutzgartens, deren Frucht-stengel wir durch die Lippen zogen, des Sauerampfers der Wiese, den wir kosteten, gewisser Blüten, aus deren Hals wir ein Spür-chen feinen Nektars zu saugen wußten, der Eicheln, die wir im Wald, auf dem Rücken liegend, kauten, der purpurnen, sonner-wärmten Brombeeren, die wir am Weg von den Büschen lasen und deren herber Saft unseren Kinderdurst stillte. Wir waren Kinder, — nicht aus Eigenempfindsamkeit, sondern um seinetwillen, beim Gedanken an sein Geschick, an den ihm bestimmten Aufstieg aus dem Tale der Unschuld in unwirtliche, ja schauerliche Höhen, be-wegt mich der Rückblick. Es war ein Künstlerleben; und weil mir, dem schlichten Manne, beschieden war, es aus solcher Nähe zu sehen, hat sich alles Gefühl meiner Seele für Menschenleben und -los auf diese Sonderform menschlichen Daseins versammelt. Sie gilt mir, dank meiner Freundschaft mit Adrian, als das Paradigma aller Schicksalsgestaltung, als der klassische Anlaß zur Ergrif-fenheit von dem, was wir Werden, Entwicklung, Bestimmung nennen, — und das mag sie denn wirklich wohl sein. Denn obwohl der Künstler seiner Kindheit zeitlebens näher, um nicht zu sagen: treuer bleiben mag als der im Praktisch-Wirklichen spezialisierte Mann; obgleich man sagen kann, daß er, ungleich diesem, in dem träumerisch-reinmenschlichen und spielerischen Zustand des Kin-des dauernd verharrt, so ist doch sein Weg aus unberührter Früh-zeit bis zu den späten, ungeahnten Stadien seines Werdens unend-lich weiter, abenteuerlicher, für den Betrachter erschütternder als der des bürgerlichen Menschen, und nicht halb so tränenvoll ist bei diesem der Gedanke, daß auch er einmal ein Kind gewesen.

Dringend bitte ich übrigens den Leser, was ich da mit Gefühl ge-sagt habe, durchaus auf meine, des Schreibenden Rechnung zu setzen und nicht etwa zu glauben, es sei in Leverkühns Sinne ge-sprochen. Ich bin ein altmodischer Mensch, stehengeblieben bei ge-wissen mir lieben romantischen Anschauungen, zu denen auch der pathetisierende Gegensatz von Künstlertum und Bürgerlichkeit ge-hört. Adrian hätte einer Äußerung wie der vorstehenden kühl widersprochen, — wenn er es überhaupt der Mühe wert gefunden hätte, ihr zu widersprechen. Denn er hatte über Kunst und Künst-lertum äußerst nüchterne, ja, reaktiverweise, schneidende Mei-nungen und war dem »romantischen Brimborium«, das damit anzustellen der Welt eine Zeitlang beliebt habe, so abhold, daß er sogar die Wörter ›Kunst‹ und ›Künstler‹ nicht gern hörte, wie man deutlich seinem Gesichte ansah, wenn sie fielen. Ebenso war es mit dem Worte ›Inspiration‹, das man in seiner Gesellschaft durchaus zu vermeiden und allenfalls durch ›Einfall‹ zu ersetzen hatte. Er haßte und verspottete jenes Wort — und ich kann nicht umhin, die Hand von dem meiner Schrift vorgelagerten Lösch-blatt zu erheben und damit die Augen zu bedecken, da ich dieses

Hasses und Spottes gedenke. Ach, sie waren zu gequält, um nur das unpersönliche Ergebnis geistig-zeitlicher Veränderungen zu sein. Diese allerdings waren wirksam darin, und ich erinnere mich, daß er schon als Student einmal zu mir sagte, das neunzehnte Jahrhundert müsse ein ungemein gemütliches Zeitalter gewesen sein, da es niemals einer Menschheit saurer geworden sei, sich von den Anschauungen und Gewohnheiten der vorigen Epoche zu trennen, als dem jetzt lebenden Geschlechte.

Des Teiches, der, weidenumstanden, nur zehn Minuten Weges vom Buchel-Hause entfernt lag, gedachte ich schon flüchtig. Er hieß die ›Kuhmulde‹, wohl wegen seiner oblongen Gestalt und weil gern die Kühe an sein Ufer zur Tränke schritten, und hatte, ich weiß nicht warum, auffallend kaltes Wasser, so daß wir nur, wenn die Sonne sehr lange darauf gestanden, zu Nachmittagsstunden, darin baden durften. Den Hügel angehend, so war es bis zu ihm schon ein – gern unternommener – Spaziergang von einer halben Stunde. Die Anhöhe hieß, gewiß seit sehr alten Tagen, aber ganz unangemessenerweise, der ›Zionsberg‹ und war zur Winterszeit, die mich aber selten dort draußen sah, zum Rodeln gut. Im Sommer bot sie, mit dem Kranze schattender Ahorne auf ihrem ›Gipfel‹ und der dort auf Gemeindekosten errichteten Ruhebank, einen luftigen, übersichtlichen Aufenthalt, dessen ich mich an Sonntag-Nachmittagen, vor der Abendmahlzeit, zusammen mit der Leverkühn'schen Familie oft erfreute.

Nun stehe ich aber unter dem Zwange, das Folgende anzumerken. Der landschaftlich-häusliche Rahmen, in den Adrian später, als reifer Mann, sein Leben stellte, nämlich als zu Pfeiffering bei Waldshut in Oberbayern im Hause der Schweigestills sein Dauerquartier hatte, stand zu demjenigen seiner Kindheit in der seltsamsten Ähnlichkeits- und Wiederholungsbeziehung, anders gesagt: der Schauplatz seiner späteren Tage war eine kuriose Nachahmung desjenigen seiner Frühzeit. Nicht genug, daß die Gegend von Pfeiffering (oder Pfeffering, die Schreibweise stand nicht ganz fest) einen mit einer Gemeindebank geschmückten Hügel aufwies, der allerdings nicht ›Zionsberg‹, sondern der ›Rohmbühel‹ hieß; nicht genug, daß auch, und zwar in ziemlich gleicher Entfernung vom Wirtshofe wie die ›Kuhmulde‹, ein Teich vorhanden war, hier der ›Klammerweiher‹ geheißen und ebenfalls sehr kalten Wassers. Nein, auch Haus, Hof und Familienverhältnisse korrespondierten schlagend mit denen von Buchel. Auf dem Hof wuchs ein Baum, auch etwas hinderlich und auch aus Gemütsgründen bewahrt, – es war keine Linde, es war eine Ulme. Zugegeben, daß charakteristische Unterschiede zwischen der Bauart des Hauses Schweigestill und derjenigen von Adrians Elternhaus bestanden, da jenes ein altes Klostergebäude mit dicken Mauern, tiefen, gewölbten Fensternischen und etwas modrigen Korridorgängen war.

Aber die Knasterwürze der Pfeife des Hauswirts schwängerte hier wie dort die Atmosphäre der unteren Räume, und dieser Hauswirt und seine Wirtin, Frau Schweigestill, waren »Eltern«, das heißt: sie waren ein langgesichtiger, eher wortkarger, sinnig-geruhiger Ackerbürger und eine auch schon zu Jahren gekommene, allenfalls etwas überstattliche, aber reinproportionierte, geweckte, energisch zugreifende Frau mit straff angezogenem Scheitel und wohlgebildeten Händen und Füßen, – die übrigens einen erwachsenen Erbsohn hatten, Gereon (nicht Georg) mit Namen, einen in Dingen der Wirtschaft sehr fortschrittlich gesinnten, auf neue Maschinen bedachten jungen Mann, und eine nachgeborene Tochter, Clementine genannt. Der Hofhund in Pfeiffering konnte ebenfalls lachen, wenn er auch nicht Suso, sondern Kaschperl hieß, wenigstens ursprünglich so geheißen hatte. Über dieses »ursprünglich« hatte nämlich der Mietgast des Hofes seine eigenen Ansichten, und ich war Zeuge des Vorganges, daß unter seinem Einfluß der Name Kaschperl allmählich zur bloßen Erinnerung wurde und der Hund selber schließlich lieber auf ›Suso‹ hörte. – Ein zweiter Sohn war nicht vorhanden, was aber die Repetition eher bekräftigte, als daß es sie abgeschwächt hätte; denn wer hätte dieser zweite Sohn sein sollen?

Ich habe über diesen ganzen, sich aufdrängenden Parallelismus mit Adrian niemals gesprochen; ich tat es früher nicht und mochte es darum später nicht mehr tun; aber gefallen hat die Erscheinung mir niemals. Eine solche das Früheste wiederherstellende Aufenthaltswahl, dieses Sichbergen im Ältest-Abgelebten, der Kindheit, oder wenigstens ihren äußeren Umständen, mag von Anhänglichkeit zeugen, sagt aber doch Beklemmendes aus über eines Mannes Seelenleben. In Leverkühns Fall war es um so befremdender, als ich nie beobachtet habe, daß sein Verhältnis zum Elternhause besonders innig und gemütsbetont gewesen wäre, und er sich zeitig schon, ohne sichtlichen Schmerz, davon löste. Handelte es sich bei jener künstlichen »Rückkehr« um ein bloßes Spiel? Ich kann es nicht glauben. Mich erinnert das alles vielmehr an einen Mann meiner Bekanntschaft, der, obgleich äußerlich robust und bärtig, so zartbesaitet war, daß er, wenn er erkrankte – und er neigte zum Kränkeln –, nur von einem Kinderspezialisten behandelt sein wollte. Hinzu kam, daß der Doktor, dem er sich anvertraute, so klein von Person war, daß eine Erwachsenenpraxis ihm, ganz wörtlich gesprochen, nicht angemessen gewesen wäre und er eben nur Kinderarzt hatte werden können.

Es scheint mir ratsam, selbst festzustellen, daß diese Anekdote von dem Mann mit dem Kinderarzt insofern eine Abschweifung darstellt, als weder der eine noch der andere in diesen Aufzeichnungen überhaupt je wieder vorkommen wird. Wenn das ein Fehler ist, und wenn es zweifellos schon ein Fehler war, daß ich, der

Neigung zum Vorgreifen erliegend, schon hier auf Pfeiffering und die Schweigestills zu sprechen kam, so bitte ich den Leser, solche Unregelmäßigkeiten der Aufregung zugute zu halten, die mich seit dem Beginn dieses biographischen Unternehmens – und zwar nicht nur während der Stunden des Schreibens – beherrscht. Ich arbeite jetzt doch schon eine Reihe von Tagen an diesen Blättern, aber daß ich meine Sätze im Gleichgewicht zu halten und meinen Gedanken einen geziemenden Ausdruck zu finden suche, möge den Leser nicht darüber täuschen, daß ich mich in einem Zustande dauernder Aufregung befinde, die sich sogar in einem Zittern meiner gewöhnlich noch durchaus festen Handschrift äußert. Übrigens glaube ich nicht nur, daß, die mich lesen, diese seelische Erschütterung mit der Zeit begreifen werden, sondern auch, daß sie ihnen selbst auf die Dauer nicht fremd bleiben wird.

Zu erwähnen vergaß ich, daß es auf dem Hofe der Schweigestills, Adrians späterem Aufenthaltsort, gewiß nicht überraschenderweise, auch eine Stallmagd mit Waberbusen und ewig mistigen Barfüßen gab, die der Hanne von Buchel so ähnlich sah, wie sie eben eine Stallmagd der andern ähnlich sieht, und die im Wiederholungsfalle Waltpurgis hieß. Nicht von ihr spreche ich hier, sondern von ihrem Urbilde Hanne, mit der der kleine Adrian darum auf freundschaftlichem Fuße stand, weil sie zu singen liebte und mit uns Kindern kleine Gesangsübungen zu veranstalten pflegte. Eigentümlich genug: wessen die schönstimmige Elsbeth Leverkühn aus einer Art von Keuschheit sich enthielt, damit ging dieses tierisch duftende Geschöpf höchst frei heraus und sang uns, zwar mit plärrender Stimme, aber gutem Gehör, abends auf der Bank unter der Linde allerlei Volks-, Soldaten- und auch Gassenlieder, meist gefühlstriefenden oder grausigen Charakters vor, deren Worte und Melodien wir uns bald zu eigen machten. Sangen wir dann mit, so fiel sie in die Terz, aus der sie, wie es sich traf, in die Unterquint und Untersext sprang, und überließ uns die Oberstimme, indem sie sehr ostentativ und ohrenfällig die zweite behauptete. Dabei pflegte sie, wahrscheinlich um uns zur rechten Würdigung des harmonischen Vergnügens aufzufordern, ganz ähnlich lachend das Gesicht in die Breite zu ziehen wie Suso, wenn man ihm sein Essen verabfolgte.

Mit »wir« meine ich Adrian, mich und Georg, der schon dreizehn war, als eun Bruder und ich acht und zehn Jahre zählten. Schwesterchen Ursel war immer zu klein für die Teilnahme an diesen Exerzitien, aber auch von uns vier Sängern schon war gewissermaßen einer überzählig bei der Art von Vokal-Musik, zu der die Stall-Hanne unser Zusammen-darauflos-Singen zu erheben wußte. Sie lehrte uns nämlich Kanons, – die kinderüblichsten natürlich: ›O wie wohl ist mir am Abend‹, ›Es tönen die Lieder‹ und den vom Kuckuck und dem Esel, und die Dämmerstunden, in denen wir uns daran vergnügten, sind mir darum in bedeutender Erinnerung geblieben – oder vielmehr, die Erinnerung daran hat später eine erhöhte Bedeutung angenommen, weil sie es waren, die, soweit meine Zeugenschaft reicht, meinen Freund zuerst mit einer »Musik« von etwas künstlicherer Bewegungs-Organisation in Berührung brachten, als das bloße einhellige Absingen von Liedern sie aufweist. Hier war eine zeitliche Verschränkung, ein nachahmendes Eintreten, zu dem man im gegebenen Augenblick durch einen Rippenstoß der Stall-Hanne aufgefordert wurde, wenn der Gesang schon im Gange war, die Melodie sich bis zu einem gewissen Punkte schon abgespielt hatte, aber bevor sie zu Ende war. Es war hier eine verschieden gelagerte Präsenz der melodischen Bestandteile, durch die jedoch kein Wirrwarr entstand, sondern in der das Nachsingen der ersten Phrase durch einen zweiten Sänger sich Punkt für Punkt sehr angenehm zu der vom ersten gesungenen Fortsetzung fügte. War aber dieser Erst-Voranschreitende – gesetzt, es handelte sich um das Stück ›O wie wohl ist mir am Abend‹ – bis zum wiederholten »Glocken läuten« gediehen, und begann er das illustrierende »Bim-bam-bum«, so bildete dieses die Baßbewegung nicht nur zu dem »Wenn zur Ruh«, bei dem der zweite sich eben befand, sondern auch zu dem Anfange »O wie wohl«, mit dem, infolge eines neuen Rippenstoßes, der dritte Sänger in die musikalische Zeit eingetreten war, um darin, wenn er das zweite Stadium der Melodie erreicht hatte, von dem frisch beginnenden ersten abgelöst zu werden, welcher das grundtönig-klangmalerische »Bim-bam-bum« dem zweiten abgetreten hatte – und so fort. Der Part des vierten von uns fiel notwendig mit dem eines anderen zusammen, doch suchte er die Duplizität dadurch allenfalls aufzumuntern, daß er in der Oktave brummte; oder er begann schon vor dem ersten und sozusagen vor Tage mit dem grundierenden Geläut und betrieb dieses, beziehungsweise das trällernd die vorigen Stadien der Melodie umspielende La-la-la unverdrossen während der ganzen Dauer des Gesanges.

So aber waren wir denn immer in der Zeit auseinander, während doch die melodische Gegenwart eines jeden sich erfreulich zu der des andern verhielt und, was wir hervorbrachten, ein anmutiges Gewebe, einen Klangkörper bildete, wie der ›gleichzeitige‹ Gesang es nicht war; ein Gefüge, dessen Stimmigkeit wir uns gefallen ließen, ohne ihrer Natur und Ursache weiter nachzufragen. Auch der acht- oder neunjährige Adrian tat das wohl nicht. Oder wollte das kurze, mehr spöttische als erstaunte Auflachen, das er vernehmen ließ, wenn das letzte »Bim-bam« in den abendlichen Lüften verklungen war, und das ich auch später so gut an ihm kannte, – wollte es besagen, daß er die Machart dieser Liedchen durchschaute, die ja sehr einfach darin besteht, daß der Anfang ihrer Melodie die zweite Stimme zur Sequenz bildet und der dritte Teil beiden als Baß dienen kann? Keiner von uns war sich klar darüber, daß wir uns da, angeleitet von einer Stallmagd, auf einer vergleichsweise schon sehr hohen musikalischen Kulturstufe bewegten, in einem Bereich der imitatorischen Polyphonie, den das fünfzehnte Jahrhundert hatte entdecken müssen, um uns unser Vergnügen zu verschaffen. Wenn ich aber an jenes Auflachen Adrians zurückdenke, so finde ich nachträglich, daß es etwas von Wissen und mokanter Eingeweihtheit hatte. Es ist ihm immer geblieben, oft habe ich es später von ihm vernommen, wenn ich an seiner Seite in einem Konzert oder im Theater saß und irgendein Kunst-Trick, ein geistreicher, von der Menge nicht aufgefaßter Vorgang im Innern der musikalischen Struktur, eine feine seelische Anspielung im Dialog des Dramas ihn frappierte. Damals paßte es noch gar nicht zu seinen Jahren, war aber schon ganz dasselbe wie bei dem Erwachsenen. Es war ein leises Ausstoßen der Luft durch Mund und Nase bei gleichzeitigem Zurückwerfen des Kopfes, knapp, kühl, ja geringschätzig, oder höchstens so, als wollte er sagen: »Gut das, drollig, kurios, amüsant!« — Aber seine Augen merkten eigentümlich auf dabei, suchten im Fernen, und ihre metallisch gesprenkelte Dämmerung verschattete sich tiefer.

V

Auch der eben geschlossene Abschnitt ist für meinen Geschmack viel zu sehr angeschwollen, und nur zu ratsam will es mir scheinen, mich nach der ausharrenden Geduld des Lesers zu fragen. Mir selbst ist jedes Wort brennend interessant, das ich hier schreibe, aber wie sehr muß ich mich davor hüten, dies als Gewähr für die Anteilnahme Unbeteiligter zu betrachten! Allerdings sollte ich auch wieder nicht vergessen, daß ich nicht für den Augenblick und nicht für Leser schreibe, die von Leverkühn noch gar nichts wissen, also auch nicht begehren können, das Nähere über ihn zu erfahren; sondern daß ich diese Mitteilungen vorbereite für einen Zeitpunkt, wo die Voraussetzungen für die öffentliche Aufmerksamkeit ganz andere, — mit Sicherheit kann man sagen: viel günstigere sein werden, die Nachfrage nach den Einzelheiten dieses erschütternden Lebens, wie geschickt oder ungeschickt sie nun immer vorgetragen sein mögen, von unwählerischer Dringlichkeit sein wird.

Dieser Zeitpunkt wird gekommen sein, wenn unser zwar weitläufiges und dennoch enges, von erstickend verbrauchter Luft erfülltes Gefängnis sich öffnet, das heißt: wenn der gegenwärtig tobende Krieg, so oder so, sein Ende gefunden hat, — und wie entsetze ich mich bei diesem So oder so, vor mir selbst und vor der schaurigen Zwangslage, in die das Schicksal das deutsche Gemüt gedrängt! Denn ich habe ja nur eines der beiden »So« im Sinne; nur mit diesem rechne ich und baue darauf, meinem staatsbürgerlichen Gewissen entgegen. Die nimmer rastende öffentliche Belehrung hat ja uns allen die zermalmenden, in ihrer Schrecklichkeit endgültigen Folgen einer deutschen Niederlage tief ins Bewußtsein gesenkt, so daß wir gar nicht umhinkönnen, sie mehr zu fürchten als alles auf der Welt. Dennoch gibt es etwas, was einige von uns in Augenblicken, die ihnen selbst als verbrecherisch erscheinen, andere aber frank und permanent, mehr fürchten als die deutsche Niederlage, und das ist der deutsche Sieg. Ich wage kaum, mich zu fragen, zu welcher dieser beiden Kategorien ich gehöre. Vielleicht zu einer dritten, in der man die Niederlage zwar dauernd und klaren Bewußtseins, aber auch eben unter dauernden Gewissensqualen ersehnt. Mein Wünschen und Hoffen ist genötigt, sich dem Siege der deutschen Waffen entgegenzustemmen, weil unter ihm das Werk meines Freundes begraben werden, der Bann des Verbotes und der Vergessenheit vielleicht für hundert Jahre es bedecken würde, so daß es seine eigene Zeit versäumte und nur in einer späteren historische Ehren empfangen würde. Das ist das besondere Motiv meines Verbrechertums, und ich teile dieses Motiv mit einer zerstreuten Anzahl von Menschen, die bequem an den Fingern beider Hände herzuzählen sind. Aber meine Seelenlage ist nur eine spezielle Abwandlung derjenigen, die, Fälle von übergroßer Stupidität und gemeinem Interesse ausgenommen, unserem ganzen Volke zum Schicksal geworden ist, und ich bin nicht frei von der Neigung, für dieses Schicksal eine besondere, nie dagewesene Tragik in Anspruch zu nehmen, obgleich ich weiß, daß es auch anderen Nationen schon auferlegt war, um ihrer eigenen und der allgemeinen Zukunft willen die Niederlage ihres Staates zu wünschen. Aber bei der Biederkeit, der Gläubigkeit, dem Treue- und Ergebenheitsbedürfnis des deutschen Charakters möchte ich doch wahrhaben, daß das Dilemma in unserem Falle eine einzigartige Zuspitzung erfährt, und kann mich tiefen Ingrimms nicht erwehren gegen diejenigen, die ein so gutes Volk in eine seelische Lage brachten, die ihm meiner Überzeugung nach schwerer fällt als jedem anderen, und es sich selber heillos entfremdet. Ich brauche mir nur vorzustellen, daß meine Söhne durch irgendeinen unglücklichen Zufall mit diesen meinen Aufzeichnungen bekannt würden und also genötigt wären, mich in spartanischer Verleugnung jeder weichlichen Rücksicht der Geheimen Staatspolizei anzuzeigen, – um, geradezu mit einer Art von patriotischem Stolz, die Abgründigkeit des Konfliktes zu ermessen, in den wir geraten sind.

Vollkommen bin ich mir bewußt, mit obigem auch diesen neuen Abschnitt schon wieder, den ich doch kürzer zu halten gedachte, bedenklich vorbelastet zu haben, wobei ich nicht den psychologischen Verdacht unterdrücke, daß ich nach Verzögerungen und Umschweifen geradezu suche, oder doch die Gelegenheit dazu mit heimlicher Bereitwilligkeit wahrnehme, weil ich mich vor dem Kommenden *fürchte*. Ich lege vor dem Leser einen Beweis meiner Ehrlichkeit ab, indem ich der Vermutung Raum gebe, daß ich Umstände mache, weil ich insgeheim vor der Aufgabe zurückschrecke, die ich, getrieben von Pflicht und Liebe, in Angriff genommen. Aber nichts, auch die eigene Schwäche nicht, soll mich hindern, in ihrer Erfüllung fortzufahren, – indem ich denn also an die Bemerkung wieder anknüpfe, daß es unser Kanonsingen mit der Stall-Hanne war, wodurch Adrian meines Wissens zuerst mit der Sphäre der Musik in Berührung gebracht wurde. Freilich ist mir bekannt, daß er als heranwachsender Knabe auch mit seinen Eltern an dem sonntäglichen Gottesdienst in der Dorfkirche von Oberweiler teilnahm, zu welchem ein junger Musikschüler aus Weißenfels herüberzukommen pflegte, um dem Gemeindegesang auf der kleinen Orgel zu präludieren, ihn zu begleiten und auch den Auszug der Andächtigen aus der Kirche noch mit zaghaften Improvisationen zu begehen. Aber dabei war ich fast niemals zugegen, da wir allermeist erst nach Beendigung des Gottesdienstes auf Buchel eintrafen, und ich kann nur sagen, daß ich nie ein Wort von Adrian gehört habe, aus dem sich hätte schließen lassen, sein junger Sinn sei von den Darbietungen jenes Adepten irgendwie berührt gewesen, oder, wenn das nicht gut möglich war, das Phänomen der Musik selbst, als solches, sei ihm überhaupt auffällig geworden. Soviel ich sehe, hat er ihm damals noch, und noch durch Jahre hin, jede Aufmerksamkeit versagt und es vor sich selbst verborgen gehalten, daß er mit der Welt des Klanges irgend etwas zu schaffen habe. Ich sehe darin seelische Zurückhaltung; auch eine physiologische Deutung ist wohl heranzuziehen; denn tatsächlich war es um sein vierzehntes Jahr, zur Zeit beginnender Pubeszenz also und des Heraustretens aus dem Stande kindlicher Unschuld, im Hause seines Oheims zu Kaisersaschern, daß er auf eigene Hand begann, mit der Musik pianistisch zu experimentieren. Übrigens war dies auch die Zeit, in der die ererbte Migräne anfing, ihm böse Tage zu machen.

Die Zukunft seines Bruders Georg war durch seine Eigenschaft als Erbe des Hofes klar gegeben, und von Anbeginn lebte er denn auch in völliger Harmonie mit seiner Bestimmung. Was aus dem Zweitgeborenen werden würde, war für die Eltern eine offene Frage, die sich nach den Neigungen und Fähigkeiten entscheiden mußte, die er an den Tag legen würde; und da war es denn bemerkenswert, wie früh sich in den Köpfen der Seinen und unser aller die Vorstellung festsetzte, daß Adrian ein Gelehrter werden müsse. Welche Art von Gelehrter, das stand noch lange dahin, aber der moralische Gesamthabitus schon des Knaben, seine Art sich auszudrücken, seine formale Bestimmtheit, selbst sein Blick, sein Gesichtsausdruck, ließen zum Beispiel auch meinem Vater nie einen Zweifel daran, daß dieser Sproß am Stamme der Leverkühns zu ›etwas Höherem‹ berufen sei und der erste Studierte seines Geschlechtes sein werde.

Für die Entstehung und Befestigung dieser Idee war die, fast möchte man sagen: überlegene Leichtigkeit entscheidend, mit der Adrian den Elementar-Schulunterricht absorbierte, den er im Elternhause empfing. Jonathan Leverkühn schickte seine Kinder nicht in die öffentliche Trivialschule. Ich glaube, daß dafür nicht sowohl soziales Selbstbewußtsein als der ernstliche Wunsch entscheidend war, ihnen eine sorgfältigere Erziehung zuzuwenden, als sie beim Gemeinschaftsunterricht mit den Kätnerkindern von Oberweiler hätten empfangen können. Der Schullehrer, ein noch junger und zarter Mensch, der nie aufhörte, sich vor dem Hunde Suso zu fürchten, kam nachmittags, wenn er seine amtlichen Pflichten erfüllt hatte, im Winter von Thomas mit dem Schlitten geholt, zu ihrem Unterricht nach Buchel herüber und hatte dem dreizehnjährigen Georg beinahe schon alle Kenntnisse beigebracht, deren dieser als Grundlage zu seiner weiteren Ausbildung bedurfte, als er den Elementarunterricht des im achten Jahre stehenden Adrian in die Hand nahm. Er denn nun aber, Lehrer Michelsen, war der Allererste, laut und mit einer gewissen Aufregung zu erklären, der Junge müsse, »um Gottes willen«, auf das Gymnasium und auf die Universität, denn ein so gelerniger und geschwinder Kopf sei ihm, Michelsen, noch nicht vorgekommen, und eine Schande würde es sein, wenn man nicht alles täte, diesem Schüler den Weg zu den Höhen der Wissenschaft freizulegen. So oder ähnlich, etwas seminaristenhaft jedenfalls, drückte er sich aus und sprach sogar von »ingenium«, teilweise gewiß, um mit dem Worte zu prunken, das sich in bezug auf so anfängliche Leistungen drollig genug ausnahm; aber offenbar kam es ihm aus erstauntem Herzen.

Ich bin ja bei diesen Unterrichtsstunden niemals zugegen gewesen und weiß davon nur vom Hörensagen, kann mir aber leicht das Verhalten meines Adrian dabei vorstellen, das für einen selbst noch knabenhaften Präzeptor, gewohnt, seinen Lehrstoff unter anspornendem Lobe und desperatem Tadel in lahm bemühten und widerstrebenden Köpfen unterzubringen, zuweilen geradezu etwas Kränkendes gehabt haben muß. »Wenn du alles schon weißt«, höre ich den Jüngling gelegentlich sagen, »so kann ich ja gehen.« Natürlich war es nicht so, daß sein Zögling ›alles schon wußte‹. Aber seine Gebärde hatte etwas davon, einfach weil hier ein Fall jener raschen, sonderbar souveränen und vorwegnehmenden, ebenso sicheren wie leichten Auffassung und Aneignung vorlag, die bald dem Lehrer das Lob verschlägt, weil er fühlt, daß ein solcher Kopf eine Gefahr für die Bescheidenheit des Herzens bedeutet und es gar leicht zur Hoffart verführt. Vom Alphabet bis zur Syntax und Grammatik, von der Zahlenreihe und den vier Spezies bis zum Dreisatz und der einfachen Proportionsrechnung, von dem Memorieren kleiner Gedichte (es gab da kein Memorieren; die Verse waren sofort mit großer Präzision erfaßt und beherrscht) bis zur schriftlichen Niederlegung eigener Gedankenreihen über Themen aus der Erd- und Heimatkunde, – immer war es dasselbe: Adrian hielt ein Ohr hin, wandte sich ab und gab sich eine Miene, als wollte er sagen: »Ja, gut, soviel ist klar, genug, weiter!« Für das pädagogische Gemüt hat das etwas Revoltierendes. Gewiß war der junge Mann immer wieder versucht, auszurufen: »Was fällt dir ein! Gib dir Mühe!« Aber wie, wenn offensichtlich keine Nötigung vorliegt, sich Mühe zu geben?

Wie gesagt, habe ich den Lektionen nie beigewohnt; aber ich bin gezwungen, mir vorzustellen, daß mein Freund die wissenschaftlichen Data, die Herr Michelsen ihm überlieferte, grundsätzlich mit derselben, nicht noch einmal zu kennzeichnenden Gebärde aufnahm, mit der er unter dem Lindenbaum die Erfahrung beantwortet hatte, daß neun Takte horizontaler Melodie, wenn sie zu dritt vertikal übereinander zu stehen kommen, einen Körper harmonischer Stimmigkeit ergeben mögen. Sein Lehrer konnte etwas Latein, er brachte es ihm bei und erklärte dann, der Junge – zehn Jahre alt – sei, wenn nicht für die Quarta, so doch für die Quinta reif. Sein Geschäft sei beendet.

So verließ denn Adrian zu Ostern 1895 sein Elternhaus und kam in die Stadt, um unser Bonifatius-Gymnasium (eigentlich ›Schule der Brüder vom gemeinen Leben‹) zu besuchen. Ihn in sein Haus aufzunehmen, erklärte sein Onkel, der Bruder seines Vaters, Nikolaus Leverkühn, ein ansehnlicher Bürger von Kaisersaschern, sich bereit.

VI

Was denn meine Vaterstadt an der Saale betrifft, so sei der Ausländer bedeutet, daß sie etwas südlich von Halle, gegen das Thüringische hin, gelegen ist. Fast hätte ich gesagt, daß sie dort gelegen *habe*, – denn durch langes Entferntsein von ihr ist sie mir in die Vergangenheit entrückt. Aber ihre Türme erheben sich ja noch immer am selben Platz, und ich wüßte nicht, daß bis jetzt ihr architektonisches Bild durch die Unbilden des Luftkrieges irgendwelchen Schaden gelitten hätte, was um seiner historischen Reize willen auch im höchsten Grade bedauerlich wäre. Mit einer gewissen Gelassenheit füge ich dies hinzu, denn mit einem nicht geringen Teil unserer Bevölkerung, auch der am schwersten be-

troffenen und heimatlos gemachten, teile ich die Empfindung, daß
wir nur empfangen, was wir ausgeteilt haben, und sollten wir
schrecklicher büßen, als wir gesündigt haben, so mag uns das
Wort in den Ohren klingen, daß, wer da Wind säet, Sturm ernten
wird.

Weder Halle selbst, die Händel-Stadt, noch Leipzig, die Stadt des
Thomas-Kantors, noch Weimar oder selbst Dessau und Magdeburg sind also fern; aber Kaisersaschern, ein Bahnknotenpunkt,
ist mit seinen 27 000 Einwohnern durchaus sich selbst genug und
fühlt sich, wie jede deutsche Stadt, als ein Kulturzentrum von geschichtlicher Eigenwürde. Es nährt sich von verschiedenen Indu-
strien, wie Maschinen, Leder, Spinnereien, Armaturen, Chemi-
kalien und Mühlen, und besitzt zu seinem kulturhistorischen
Museum, das eine Kammer mit krassen Folter-Instrumenten aufweist, noch eine sehr schätzenswerte Bibliothek von 25 000 Bän-
den und 5000 Handschriften, darunter zwei alliterierende Zau-
bersprüche, die von einigen Gelehrten für noch älter erachtet werden als die Merseburger, übrigens recht harmlos nach ihrer Bedeutung, nichts als ein wenig Regenzauber anstrebend, in Fuldaer
Mundart. – Die Stadt war Bistum im zehnten Jahrhundert und
wiederum vom Anfang des zwölften bis ins vierzehnte. Sie hat
Schloß und Dom, und in diesem zeigt man das Grabmal Kaiser
Otto's III., Enkels der Adelheid und Sohnes der Theophano, der
sich Imperator Romanorum und Saxonicus nannte, aber nicht,
weil er ein Sachse sein wollte, sondern in dem Sinne, wie Scipio
den Beinamen Africanus führte, also weil er die Sachsen besiegt
hatte. Als er im Jahre 1002 nach seiner Vertreibung aus dem
geliebten Rom in Kummer gestorben war, wurden seine Reste
nach Deutschland gebracht und im Dom von Kaisersaschern bei-
gesetzt – sehr gegen seinen Geschmack, denn er war das Muster-
beispiel deutscher Selbst-Antipathie und hatte sein Leben lang
schamvoll unter seinem Deutschtum gelitten.

Es ist über die Stadt, von der ich nun doch lieber in der Vergangenheit spreche, da es ja das Kaisersaschern unseres Jugenderleb-
nisses ist, von dem ich rede, – es ist von der Stadt zu sagen, daß
sie atmosphärisch wie schon in ihrem äußeren Bilde etwas stark
Mittelalterliches bewahrt hatte. Die alten Kirchen, die treulich
konservierten Bürgerhäuser und Speicher, Bauten mit offen sicht-
barem Holzgebälk und überhängenden Stockwerken, Rundtürme
mit Spitzdächern in einer Mauer, baumbestandene Plätze, mit
Katzenköpfen gepflastert, ein Rathaus, im Baucharakter zwischen
Gotik und Renaissance schwebend, mit einem Glockenturm auf
dem hohen Dach, Loggien unter diesem und zwei weiterer Spitz-
türmen, welche sich, Erker bildend, die Front hinunter bis zum
Erdgeschoß fortsetzten, – dergleichen stellt für das Lebensgefühl
die ununterbrochene Verbindung mit der Vergangenheit her,

mehr noch, es scheint jene berühmte Formel der Zeitlosigkeit, das scholastische Nunc stans an der Stirn zu tragen. Die Identität des Ortes, welcher derselbe ist wie vor dreihundert, vor neunhundert Jahren, behauptet sich gegen den Fluß der Zeit, der darüber hingeht und vieles fortwährend verändert, während anderes — und bildmäßig Entscheidendes — aus Pietät, das heißt aus frommem Trotz gegen die Zeit und aus Stolz auf sie, zur Erinnerung und der Würde wegen stehenbleibt.

Dies nur vom Stadtbilde. Aber in der Luft war etwas hängengeblieben von der Verfassung des Menschengemütes in den letzten Jahrzehnten des fünfzehnten Jahrhunderts, Hysterie des ausgehenden Mittelalters, etwas von latenter seelischer Epidemie: Sonderbar zu sagen von einer verständig-nüchternen modernen Stadt (aber sie war nicht modern, sie war alt, und Alter ist Vergangenheit als Gegenwart, eine von Gegenwart nur überlagerte Vergangenheit) — möge es gewagt klingen, aber man konnte sich denken, daß plötzlich eine Kinderzug-Bewegung, ein Sankt-Veits-Tanz, das visionär-kommunistische Predigen irgendeines »Hänselein« mit Scheiterhaufen der Weltlichkeit, Kreuzwunder-Erscheinungen und mystischem Herumziehen des Volkes hier ausbräche. Natürlich geschah es nicht, — wie hätte es geschehen sollen? Die Polizei hätte es nicht zugelassen, im Einverständnis mit der Zeit und ihrer Ordnung. Und doch! Wozu nicht alles hat in unseren Tagen die Polizei stillgehalten, — wiederum im Einverständnis mit der Zeit, die nachgerade dergleichen sehr wohl wieder zuläßt. Diese Zeit neigt ja selbst, heimlich, oder auch nichts weniger als heimlich, sondern sehr bewußt, sondern selbstgefälliger Bewußtheit, die an der Echtheit und Einfalt des Lebens zweifeln läßt und vielleicht eine ganz falsche, unselige Geschichtlichkeit produziert, — sie neigt, sage ich, selbst in jene Epochen zurück und wiederholt mit Enthusiasmus symbolische Handlungen, die etwas Finsteres und dem Geiste der Neuzeit ins Gesicht Schlagendes an sich haben, wie Bücherverbrennungen und anderes, woran ich lieber mit Worten nicht rühren will.

Das Kennzeichen solcher altertümlich-neurotischen Unterteuftheit und seelischen Geheim-Disposition einer Stadt sind die vielen ›Originale‹, Sonderlinge und harmlos Halb-Geisteskranken, die in ihren Mauern leben und gleichsam, wie die alten Baulichkeiten, zum Ortsbilde gehören. Ihr Gegenstück bilden die Kinder, die ›Jungens‹, die hinter ihnen herziehen, sie verhöhnen und in abergläubischer Panik vor ihnen davonrennen. Ein gewisser Typus von ›altem Weib‹ stand ja zu gewissen Zeiten ohne weiteres im Verdachte des Hexentums: dieser ergab sich einfach aus einem schlimm-pittoresken Äußeren, das sich aber wohl eben unter dem Einfluß des Verdachtes erst recht ausbildete und sich ins Volkstümlich-Phantasiegerechte vervollkommnete, — klein, greis, gebückt, tückisch von Ansehen, mit Triefaugen, Schnabelnase, dünnen Lippen, einem Krückstock, der drohend erhoben wird, womöglich im Besitz von Katzen, einer Eule, eines redenden Vogels. Kaisersaschern umschloß immer mehrere Exemplare dieses Typs, von denen die populärste, gehänseltste und gefürchtetste die ›Keller-Liese‹ war, so gerufen, weil sie am Kleinen Gelbgießer-Gang in einer Kellerwohnung hauste, – eine Alte, deren Habitus sich dem öffentlichen Vorurteil in dem Grade angepaßt hatte, daß auch den ganz Ungestimmten bei der Begegnung mit ihr, besonders, wenn gerade die Jugend hinter ihr her war und sie sie mit keifenden Flüchen in die Flucht trieb, ein archaisches Grauen anwandeln konnte, obgleich bestimmt nichts Unrechtes an ihr war.

Hier ein ungescheutes Wort, das aus den Erfahrungen unserer Tage kommt. Für den Freund der Aufhellung behalten Wort und Begriff des ›Volkes‹ selbst immer etwas Archaisch-Apprehensives, und er weiß, daß man die Menge nur als ›Volk‹ anzureden braucht, wenn man sie zum Rückständig-Bösen verleiten will. Was ist nicht vor unseren Augen, oder auch nicht just vor unseren Augen, im Namen des ›Volkes‹ nicht alles geschehen, was im Namen Gottes, oder der Menschheit, oder des Rechtes nicht wohl hätte geschehen können! – Tatsache nun aber ist, daß wirklich Volk immer Volk bleibt, wenigstens in einer bestimmten Schicht seines Wesens, eben der archaischen, und daß Leute und Nachbarn vom Kleinen Gelbgießer-Gang, die am Wahltage einen sozialdemokratischen Stimmzettel abgaben, gleichzeitig imstande waren, in der Armut eines Mütterchens, das sich keine oberirdische Wohnung leisten konnte, etwas Dämonisches zu sehen und bei ihrer Annäherung nach ihren Kindern zu greifen, um sie vor dem bösen Blick der Hexe zu schützen. Müßte ein solches Weib wieder brennen, wie es bei leichten Veränderungen in der Begründung heute keineswegs mehr aus dem Bereich des Denkbaren fällt, sie würden hinter den vom Magistrat errichteten Schranken stehen und gaffen, wahrscheinlich aber nicht revoltieren. – Ich spreche vom Volk, aber die altertümlich-volkstümliche Schicht gibt es in uns allen, und, um ganz zu reden wie ich denke: ich halte die Religion nicht für das adäquateste Mittel, sie unter sicherem Verschluß zu halten. Dazu hilft nach meiner Meinung allein die Literatur, die humanistische Wissenschaft, das Ideal des freien und schönen Menschen.

Um auf jene Sonderlingstypen von Kaisersaschern zurückzukommen, so war da etwa noch ein Mann unbestimmten Alters, der bei jedem plötzlichen Ruf eine Art von zuckendem Tanz mit hochgezogenem Bein auszuführen gezwungen war und mit einem traurig-häßlichen Ausdruck, als bäte er um Entschuldigung, den Gassenkindern zulächelte, die ihn johlend verfolgten. – Ferner eine kostümlich ganz aus der Zeit fallende Person namens Mathilde Spiegel, mit rüschenbesetztem Schleppkleid und »Fladus« — ein lächerliches Wort, worin das französische flûte douce verderbt ist, und das eigentlich wohl »Schmeichelei« bedeutet, hier aber eine sonderbare Lockenfrisur nebst Kopfputz bezeichnete –, ein Frauenzimmer, das geschminkt, aber fern von Unsittlichkeit, entschieden zu närrisch dazu, begleitet von Möpsen in Atlasschabracken in irrer Hochnäsigkeit die Stadt durchwanderte. – Ein Kleinrentner endlich mit purpurner Warzennase und dickem Siegelring am Zeigefinger, eigentlich Schnalle mit Namen, von den Kindern jedoch ›Tüdelüt‹ gerufen, weil er den Tick hatte, diesen sinnlos trällernden Laut jedem Wort, das er sprach, hinzuzufügen. Gern ging er auf den Bahnhof und warnte, wenn ein Güterzug abging, den Mann, der auf dem rückwärtigen Dachsitz des letzten Wagens saß, mit erhobenem Siegelfinger: »Fallen Sie da nicht runter, fallen Sie da nicht runter, tüdelüt!«

Ich bin nicht ohne ein Gefühl des Unwürdigen, indem ich diese skurrilen Erinnerungen hier einschalte; aber die aufgeführten Figuren, öffentliche Einrichtungen sozusagen, waren so ungemein charakteristisch für das psychische Bild unserer Stadt, Adrians Lebensrahmen bis zu seinem Abgange auf die Universität, acht Jugendjahre, die auch die meinen waren, und die ich an seiner Seite verbrachte; denn obgleich ich ihm, meinem Alter gemäß, um zwei Klassen voran war, hielten wir uns in den Unterrichtspausen auf dem ummauerten Hofe meist abgesondert von unseren beiderseitigen Kameraden zusammen, sahen einander auch nachmittags auf unseren Schülerstübchen, sei es, daß er in die Apotheke ›Zu den Seligen Boten‹ herüberkam, oder daß ich ihn im Hause seines Oheims, Parochialstraße 15, besuchte, dessen Mezzanin von dem weitbekannten Leverkühn'schen Musikinstrumentenlager eingenommen war.

VII

Es war eine stille Lage, abseits der Geschäftsgegend von Kaisersaschern, der Marktstraße, der Grieskrämerzeile: eine winklige Gasse ohne Trottoir, nahe dem Dom, in der Nikolaus Leverkühns Haus sich als das stattlichste hervortat. Dreistöckig, die Räume des abgesetzten und erkerförmig ausgebauten Daches nicht mitgezählt, war es ein Bürgerhaus aus dem sechzehnten Jahrhundert, das schon dem Großvater des Besitzers gehört hatte, mit fünf Fenstern Front im ersten Stock über dem Eingangstor, und nur vieren, mit Läden versehen, im zweiten, wo erst die Wohnräume lagen und außen, über dem schmucklosen, ungetünchten Unterbau, die Holzwerkdekoration begann. Selbst die Stiege verbreitete sich erst nach dem Podest des ziemlich hoch über der steinernen Diele gelegenen Halbgeschosses, so daß Besucher und

Käufer – und es kamen solche auch vielfach von auswärts, von Halle und selbst von Leipzig – einen nicht unbeschwerlichen Aufgang zu dem Ziel ihrer Wünsche, dem Instrumenten-Magazin hatten, welches, wie ich gleich zu zeigen gedenke, allerdings eine steile Treppe wert war.

Nikolaus, ein Witwer – seine Frau war in jungen Jahren gestorben –, hatte bis zu Adrians Eintritt das Haus allein mit einer alteingesessenen Wirtschafterin, Frau Butze, einer Magd und einem jungen Italiener aus Brescia, namens Luca Cimabue (er führte wirklich den Familiennamen des Trecento-Madonnenmalers), bewohnt, der sein Geschäftsgehilfe und Schüler im Geigenbau war; denn Oheim Leverkühn war auch ein Geigenmacher. Er war ein Mann mit ungeordnet herumhängendem aschfarbenen Haar und einem bartlosen, sympathisch ausgearbeiteten Gesicht, dessen Backenknochen sehr stark hervortraten, mit gebogener, etwas hängender Nase, einem großen, ausdrucksvollen Mund und in bemühter Herzensgüte, auch Klugheit dreinblickenden braunen Augen. Zu Hause sah man ihn stets in einer hochgeschlossenen, faltigen Handwerkerbluse aus Barchent. Ich glaube wohl, daß es den Kinderlosen gefreut hatte, ein junges verwandtes Blut in sein viel zu geräumiges Haus aufzunehmen. Auch habe ich gehört, daß er den Bruder auf Buchel wohl für das Schulgeld aufkommen ließ, für Losament und Verpflegung aber nichts nahm. Durchaus hielt er Adrian, auf den er ein unbestimmt erwartungsvolles Auge hatte, wie seinen eigenen Sohn und genoß es sehr, daß dieser seine Tischgesellschaft familiär vervollständigte, die so lange nur aus der genannten Frau Butze und, patriarchalischerweise, Luca, seinem Gesellen, bestanden hatte.

Daß dieser junge Welsche, ein freundlicher, angenehm gebrochen redender Jüngling, der doch wohl daheim die beste Gelegenheit gehabt hätte, sich in seinem Fache weiter auszubilden, den Weg nach Kaisersaschern zu Adrians Onkel gefunden hatte, hätte wundernehmen können; aber es deutete auf die geschäftlichen Verbindungen hin, die Nikolaus Leverkühn nach allen Seiten, nicht nur nach deutschen Zentren des Instrumentenbaues, wie Mainz, Braunschweig, Leipzig, Barmen, sondern auch zu Firmen des Auslandes, nach London, Lyon, Bologna, sogar nach New York unterhielt. Von überall dorther bezog er seine sinfonische Ware, von der ein nicht nur der Qualität nach erstklassiges, sondern auch zuverlässig vollständiges, das nicht allerwärts gleich Greifbare mitumfassendes Repertorium zu unterhalten er in dem Rufe stand. So brauchte etwa nur irgendwo im Reiche ein Bach-Fest bevorzustehen, zu dessen stilgerechten Aufführungen man einer Oboe d'amore, der lange aus den Orchestern verschwundenen tieferen Oboe, bedurfte, damit das alte Haus an der Parochialstraße den Kundenbesuch eines herangereisten Musikus empfing, der sichergehen wollte und denn auch das elegische Instrument an Ort und Stelle ausprobieren konnte.

Das Magazin in den Räumen des Halbgeschosses, aus denen oft, in den verschiedensten Klangfarben, ein solches durch die Oktaven laufendes Probieren erscholl, bot einen herrlichen, lockenden, ich möchte sagen: kulturell bezaubernden Anblick, der die akustische Phantasie zu einem gewissen inneren Brausen aufregte. Mit Ausnahme des Klaviers, das Adrians Pflegevater der Spezial-Industrie überließ, war dort alles ausgebreitet, was da klingt und singt, was näselt, schmettert, brummt, rasselt und dröhnt, – und übrigens war auch das Tasteninstrument, in Gestalt des lieblichen Glockenklaviers, der Celesta, immer vertreten. Es hingen da hinter Glas, oder lagen in Kästen gebettet, die wie Mumiensärge nach der Gestalt des Bewohners geformt waren, die reizenden Geigen, bald gelber, bald brauner gelackt, die schlanken, am Griffe silberumsponnenen Bögen in den Haltern der Deckel verwahrt, – italienische, deren reine Wohlgestalt dem Kenner ihre cremonesische Herkunft verraten mochte, aber auch Tiroler, niederländische, sächsische, Mittenwalder und solche aus Leverkühns eigener Werkstatt. Das gesangreiche Cello, das seine vollendete Form dem Antonio Stradivari verdankt, war reihenweise vorhanden, aber auch seine Vorgängerin, die sechssaitige Viola da gamba, die in älteren Werken noch neben ihm zu Ehren kommt, war hier, wie die Bratsche und das andere Geschwister der Geige, die Viola alta, immer zu finden, wie denn auch meine eigene Viola d'amore, auf deren sieben Saiten ich mich mein Leben lang ergangen habe, aus der Parochialstraße stammt. Sie war ein Geschenk meiner Eltern zu meiner Konfirmation.

Da lehnte, in mehreren Exemplaren, das Violone, die Riesengeige, der schwer bewegliche Kontrabaß, majestätischer Rezitative fähig, dessen Pizzicato klangvoller ist als der gestimmte Paukenschlag, und dem man den verschleierten Zauber seiner Flageolett-Töne nicht zutrauen sollte. Und ebenfalls wiederholt war sein Gegenstück unter den Holz-Blasinstrumenten vorhanden, das Kontrafagott, sechzehnfüßig wie jenes, das heißt: um acht Töne tiefer klingend, als seine Noten angeben, mächtig die Bässe verstärkend, gebaut in den doppelten Dimensionen seines kleineren Bruders, des scherzosen Fagotts, das ich so nenne, weil es ein Baß-Instrument ist ohne rechte Baßgewalt, eigentümlich schwächlich von Klang, meckernd, karikaturistisch. Wie hübsch war es jedoch mit seinem gewundenen Anblaserohr, blitzend im Schmuck seiner Klappen- und Hebelmechanik! Welcher reizende Anblick überhaupt, dies Heer der Schalmeien im weither entwickelten Hochstande ihrer technischen Ausbildung, den Trieb des Virtuosen auffordernd in jeder ihrer Formen: als bukolische Oboe, als Englisches Horn, das sich auf traurige Weisen versteht, als klappenreiche Klarinette, welche im tiefen Chalumeau-Register so geisterhaft düster lauten, höher hinauf aber im Silberglanz blühenden Wohlklangs erstrahlen kann, als Bassetthorn und Baßklarinette.

Sie alle, in Sammet ruhend, boten sich an in Oheim Leverkühns Fundus, dazu die Querflöte in verschiedenen Systemen und verschiedener Ausführung, aus Buchsbaum-, Grenadill- oder Ebenholz, mit elfenbeinernen Kopfstücken oder ganz aus Silber gebaut, nebst ihrer schrillen Verwandten, der Piccolo-Flöte, die im Orchester-Tutti durchdringend die Höhe zu halten und im Irrlichter-Reigen, im Feuerzauber zu tanzen weiß. Und nun erst der schimmernde Chor der Blechinstrumente, von der schmucken Trompete, der man das helle Signal, das kecke Lied, die schmelzende Kantilene mit Augen ansieht, über den Liebling der Romantik, das verwickelte Ventilhorn, die schlanke und mächtige Zugposaune und das Cornet à pistons bis zu der gründenden Schwere der großen Baßtuba. Selbst museale Raritäten dieses Gebietes, etwa ein Paar schön gewundener, gleich Stierhörnern nach rechts und links gedrehter bronzener Luren, waren meistens in Leverkühns Magazin zu finden. Aber mit Knabenaugen gesehen, wie ich es heute in der Erinnerung wieder sehe, war das Lustigste, Herrlichste darin die umfassende Ausstellung von Schlagwerkzeugen, — eben weil Dinge, deren Bekanntschaft man früh unterm Weinachtsbaum als Spielzeug und leichtes Traumgut der Kindheit gemacht hatte, sich hier in würdig-gediegenster Ausführung, erwachsenen Zwecken dienend, dem Auge darboten. Die Wirbeltrommel, wie anders sah sie hier aus als das schnell vernützte Ding aus buntem Holz, Pergament und Bindfaden, das wir als Sechsjährige gerührt! Sie war nicht zum Umhängen gemacht. Das untere Fell mit Darmsaiten bespannt, war sie zum Orchestergebrauch in handlich schräger Stellung auf dreibeinigem Metallstativ festgeschraubt, und einladend staken die hölzernen Stöcke, auch vornehmer als die unseren, in seitlichen Ringen. Da war das Glockenspiel, auf dessen kindlicher Form wir wohl ›Kommt ein Vogel geflogen‹ uns zu schlagen geübt hatten: hier reihten sich in elegantem Verschluß-Kasten, in doppelter Folge und frei zum Schwingen auf Querleisten liegend, die peinlich abgestimmten Metallplatten, zu deren melodischem Anschlag zierlichste Stahlhämmerchen, verwahrt im gefütterten Deckel-Innern, bestimmt waren. Das Xylophon, das gemacht scheint, dem Ohre den Friedhofstanz von Gerippen in mitternächtlicher Freistunde einzubilden, hier war es in vielstäbiger Chromatik. Der beschlagene Riesenzylinder der großen Trommel war da, deren Fell ein filzgepolsterter Klöppel erdröhnen läßt, und die kupferne Kesselpauke, von der noch Berlioz sechzehn Stück in seinem Orchester aufbaute, — er kannte sie nicht, wie Nikolaus

Leverkühn sie führte, als Maschinenpauke, die der Ausübende leicht mit einem Griffe der Hand dem Tonartenwechsel sich anpassen läßt. Wie weiß ich noch den Bubenunfug, den wir versuchend damit anstellten, indem wir, Adrian oder ich – nein, nur ich war es wohl – die Klöppel auf dem Fell wirbeln ließen, während der gute Luca die Stimmung auf- oder abwärts verstellte, so daß das sonderbarste Glissando, ein Gleitgepolter sich ergab! – Auch die so merkwürdigen Becken nehme man noch hinzu, die nur Chinesen und Türken zu verfertigen verstehen, weil sie das Geheimnis hüten, wie man glühende Bronze hämmert, und deren Innenflächen der Handhabende nach dem Schlage hoch im Triumphe gegen das Auditorium hält; das dröhnende Tamtam, das zigeunerische Tamburin, den unterm Stahlstab hell aufklingenden Triangel mit seinem offenen Winkel; die Zymbeln von heute, die gehöhlten, in der Hand knackenden Kastagnetten. Man sehe all diese ernsthafte Lustbarkeit überragt von der goldenen Pracht-Architektur der Erard'schen Pedalharfe, und man wird die magische Anziehungskraft begreifen, die des Oheims Handelsräume, dies Paradies schweigenden, aber in hundert Formen sich ankündigenden Wohllauts auf uns Knaben ausübte.

Auf uns? Nein, ich tue besser, nur von mir zu sprechen, meiner Verzauberung, meinem Genuß, – ich wage kaum, meinen Freund miteinzubeziehen, wenn ich von solchen Empfindungen rede, denn, mochte er nun den Haussohn herauskehren, dem das alles gewohnte Alltäglichkeit war, oder mochte die allgemeine Kühle seines Charakters sich darin ausdrücken: er bewahrte einen fast achselzuckenden Gleichmut vor all der Herrlichkeit und beantwortete meine bewundernden Exklamationen meist nur mit einem kurzen Lachen und einem »Ja, hübsch« oder »Drolliges Zeug« oder »Was die Menschen sich ausdenken« oder »Netter, das zu verkaufen, als Zuckerhüte«. Zuweilen, wenn wir von seiner Mansarde, die eine anziehende Aussicht über das Dachgeschiebe der Stadt, den Schloßteich, den alten Wasserturm bot, auf meinen Wunsch – ich betone: immer auf meinen – zu einigem, nicht gerade unerlaubten Aufenthalt ins Magazin hinabstiegen, gesellte der junge Cimabue sich uns zu, teils wie ich vermute, um uns zu beaufsichtigen, teils um in seiner angenehmen Art den Cicerone, den Führer und Erklärer zu machen. Von ihm vernahmen wir die Geschichte der Trompete: wie man sie einst aus mehreren geraden Metallröhren mit Kugelverbindung habe zusammensetzen müssen, ehe man die Kunst erlernt habe, Messingrohre zu biegen, ohne daß sie zerrissen, nämlich indem man sie anfangs mit Pech und Kolophonium, später aber mit Blei ausgoß, das dann im Feuer wieder herausgeschmolzen wurde. Auch mochte er etwa die Behauptung der Wohlweisen erörtern, es sei ganz gleichgültig, aus welchem Material, ob Metall oder Holz, ein Instrument hergestellt sei, es klinge, wie es seiner Formgattung, seiner Mensur nach klinge, und ob eine Flöte aus Holz oder Elfenbein, eine Trompete aus Messing oder Silber gebaut sei, mache nichts aus. Sein Meister, sagte er, Adrians zio, der sich als Geigenmacher auf die Bedeutung des Stoffes, der Holzart, des Lackes verstehe, bestreite das und mache sich anheischig, es einer Flöte sehr wohl abzuhören, woraus sie gemacht sei – er, Luca, erbiete sich übrigens auch dazu. Dann zeigte er uns wohl mit seinen kleinen, wohlgeformten Italienerhänden den Mechanismus der Flöte, der in den letzten hundertfünfzig Jahren, seit dem berühmten virtuoso Quantz, so große Veränderungen und Verbesserungen erfahren: denjenigen der Böhm'schen Zylinderflöte sowohl, die mächtiger, wie denjenigen der alten konischen, die süßer lautet. Er wies uns die Applikatur der Klarinette, des siebengelöcherten Fagotts mit seinen zwölf geschlossenen und vier offenen Klappen, dessen Klang so leicht mit dem der Hörner verschmilzt, belehrte uns über den Tonumfang der Instrumente, ihre Handhabung und dergleichen mehr.

Nun kann nachträglich kein Zweifel sein, daß Adrian den Demonstrationen von damals, ob er sich dessen nun bewußt war oder nicht, mit mindestens so viel Aufmerksamkeit folgte wie ich, – und mit mehr Nutzen, als mir je daraus zu ziehen gegeben war. Aber er ließ sich nichts merken, und keine Regung deutete auf ein Gefühl dafür, daß ihn dies alles etwas angehe oder je etwas angehen werde. Fragen an Luca zu richten, überließ er mir, ja, er ging wohl beiseite, sah etwas anderes an, als wovon gesprochen wurde, und ließ mich mit dem Gehilfen allein. Ich will nicht sagen, daß er sich verstellte, und vergesse nicht, daß die Musik zu jener Zeit noch kaum eine andere Wirklichkeit für uns hatte als eben die rein körperliche von Nikolaus Leverkühns Rüstkammern. Zwar waren wir flüchtig schon mit Kammermusik in Berührung gekommen: acht- bis vierzehntäglich wurde sie bei Adrians Onkel, nur gelegentlich in meiner Gegenwart und keineswegs immer in seiner, geübt. Es fanden sich dazu unser Dom-Organist, Herr Wendell Kretzschmar, ein Stotterer, der nur wenig später Adrians Lehrer werden sollte, ferner der Singemeister des Bonifatius-Gymnasiums ein, und mit ihnen exekutierte der Oheim ausgewählte Quartette von Haydn und Mozart, wobei er selber die Primgeige, Luca Cimabue die zweite, Herr Kretzschmar das Cello und der Gesangslehrer die Bratsche spielte. Es waren das Herrenunterhaltungen, bei denen man sein Bierglas neben sich am Boden stehen, wohl auch die Zigarre im Munde hatte, und die durch öfteres Zwischenreden, wie es sich in die Sprache der Töne hinein so sonderbar trocken und fremd ausnimmt, Aufklopfen des Bogens und Rückwärtszählen der Takte unterbrochen wurden, wenn man, fast immer durch die Schuld des Singemeisters, auseinandergekommen war. Ein wirkliches Konzert, ein Symphonie-Orchester hatten wir nie gehört, und das mag, wer da will, ausreichend finden als Erklärung von Adrians klarer Gleichgültigkeit gegen die Welt der Instrumente. Jedenfalls war er der Meinung, daß man es als ausreichend betrachten müsse, und sah es selbst als ausreichend an. Was ich sagen will, ist: er verbarg sich dahinter, verbarg sich vor der Musik. Lange, mit ahnungsvoller Beharrlichkeit, hat dieser Mensch sich vor seinem Schicksal verborgen.

Übrigens dachte noch lange niemand daran, Adrians junge Person mit der Musik in irgendwelche Gedankenverbindung zu bringen. Die Idee, er sei zum Gelehrten bestimmt, saß fest in allen Köpfen und erfuhr fortwährende Bekräftigungen durch seine glänzenden Leistungen als Gymnasiast, seinen Primusstand, der erst in den höheren Klassen, etwa von Obersekunda an, als er fünfzehn war, in leises Schwanken geriet, und zwar der Migräne wegen, die sich zu entwickeln begann und ihn an der wenigen Vorbereitung hinderte, deren er bedurfte. Dennoch bewältigte er die Anforderungen der Schule mit Leichtigkeit – schon das Wort »bewältigen« ist nicht wohl gewählt, denn es kostete ihn nichts, ihnen Genüge zu tun, und wenn seine Vorzüglichkeit als Schüler ihm nicht die zärtliche Liebe der Lehrer eintrug – was sie nicht tat, ich habe es oft beobachtet, man merkte eher eine gewisse Gereiztheit, ja den Wunsch, ihm Niederlagen zu bereiten –, so lag das nicht sowohl daran, daß man ihn für dünkelhaft gehalten hätte – oder doch, man hielt ihn dafür, aber nicht, weil man den Eindruck gehabt hätte, er bilde sich auf seine Leistungen allzuviel ein –, im Gegenteil, er bildete sich nicht genug darauf ein, und eben darin bestand sein Hochmut, denn spürbar richtete dieser sich gegen das, womit er so unschwer fertig wurde, gegen den Lehrstoff also, die unterschiedliche Fachkunde, deren Überlieferung die Würde und den Unterhalt der Lehrbeamten ausmachte, und die sie darum begreiflicherweise nicht mit überbegabter Lässigkeit abgetan zu sehen wünschten.

Für meine eigene Person stand ich viel herzlicher mit ihnen – kein Wunder, da ich mich ihnen ja bald beruflich anschließen sollte und diese Absicht auch schon mit Ernst zu erkennen gegeben hatte. Auch ich durfte mich einen guten Schüler nennen, aber ich war es nur und konnte es nur sein, weil ehrerbietige Liebe zur Sache, besonders zu den alten Sprachen und ihren klassischen Dichtern und Schriftstellern, meine Kräfte aufrief und spannte, während er bei jeder Gelegenheit merken ließ – will sagen: er machte vor mir kein Hehl daraus, und ich fürchtete mit Recht, daß es auch den Lehrern nicht verborgen blieb –, wie gleichgültig und sozusagen nebensächlich ihm das ganze Schulwesen war. Dies ängstigte mich oft – nicht um seiner Karriere willen, die dank seiner Facilität ungefährdet war, sondern weil ich mich fragte, was ihm denn also *nicht* gleichgültig und *nicht* nebensächlich sei. Ich sah die »Hauptsache« nicht, und wirklich war sie unerkennbar. In diesen Jahren ist das Schulleben das Leben selbst; es steht für dieses; seine Interessen schließen den Horizont, den jedes Leben braucht, um Werte zu entwickeln, an welchen, so relativ sie seien, der Charakter, die Fähigkeiten sich bewähren. Sie können das menschlicherweise aber nur, wenn die Relativität unerkannt bleibt. Der Glaube an absolute Werte, illusionär wie er immer sei, scheint mir eine Lebensbedingung. Meines Freundes Gaben dagegen maßen sich an Werten, deren Relativität ihm offen zu liegen schien, ohne daß eine Bezugsmöglichkeit sichtbar gewesen wäre, die sie als Werte herabgesetzt hätte. Schlechte Schüler gibt es genug. Adrian aber bot das singuläre Phänomen des schlechten Schülers *in Primusgestalt*. Ich sage, daß mich das ängstigte; aber wie imponierend, wie anziehend erschien es mir doch auch wieder, wie verstärkte es meine Hingabe an ihn, der es freilich – wird man verstehen, warum? – auch etwas wie Schmerz, wie Hoffnungslosigkeit beimischte.

Ich will eine Ausnahme zulassen an der Regel ironischer Geringschätzung, die er den Gaben und Ansprüchen der Schule entgegenbrachte. Es war sein augenscheinliches Interesse an einer Disziplin, in der ich mich wenig hervortat, der Mathematik. Meine eigene Schwäche auf diesem Felde, die nur durch freudige Tüchtigkeit im Philologischen leidlich kompensiert wurde, ließ mich so recht erkennen, daß vortreffliche Leistungen auf einem Gebiet natürlicherweise durch die Sympathie mit dem Gegenstande bedingt sind, und darum war es mir eine wahre Wohltat, diese Bedingung wenigstens hier auch bei meinem Freunde erfüllt zu sehen. Es nimmt ja die Mathese, als angewandte Logik, die sich dennoch im rein und hoch Abstrakten hält, eine eigentümliche Mittelstellung zwischen den humanistischen und den realistischen Wissenschaften ein, und aus den Erläuterungen, die Adrian mir gesprächsweise von dem Vergnügen gab, daß sie ihm bereitete, ging hervor, daß er diese Zwischenstellung zugleich als erhöht, dominierend, universell empfand, oder, wie er sich ausdrückte, als »das Wahre«. Es war eine Herzensfreude, ihn etwas als »das Wahre« bezeichnen zu hören, es war ein Anker, ein Halt, nicht ganz vergebens mehr fragte man sich nach der »Hauptsache«. »Du bist ein Bärenhäuter«, sagte er damals zu mir, »das nicht zu mögen. Ordungsbeziehungen anzuschauen ist doch schließlich das Beste. Die Ordnung ist alles. Römer dreizehn: ›Was von Gott ist, das ist geordnet.‹ « Er errötete, und ich sah ihn groß an. Es stellte sich heraus, daß er religiös war.

Bei ihm mußte sich alles erst »herausstellen«, bei allem mußte man ihn betreffen, überraschen, ertappen, ihm hinter die Briefe kommen, – und dann errötete er, während man selbst sich hätte vor den Kopf schlagen mögen, weil man das nicht längst gesehen. Auch dabei, daß er über Pflicht und Nötigung hinaus Algebra trieb, zum Vergnügen die Logarithmentafel handhabe, über Gleichungen zweiten Grades saß, bevor man noch von ihm verlangt hatte, potenzierte Unbekannte zu identifizieren, auch dabei betraf ich ihn nur durch Zufall, und er wollte erst schnöde davon reden, bevor er sich zu den obigen Äußerungen verstand. Eine andere Entdeckung, um nicht zu sagen: Entlarvung, war dieser bereits vorausgegangen; ich erwähnte sie schon im voraus: es war die seiner autodidaktischen und heimlichen Auskundschaftung der Klaviatur, der Akkordik, der Windrose der Tonarten, des Quintenzirkels, und daß er, ohne Notenkenntnis, ohne Fingersatz, diese harmonischen Funde zu allerlei Modulationsübungen und zum Aufbau rhythmisch recht unbestimmter melodischer Gebilde benutzte. Als ich's entdeckte, war er im Fünfzehnten. Nachdem ich ihn eines Nachmittags in seinem Zimmer vergebens gesucht, fand ich ihn vor einem kleinen Harmonium, das in einem Durchgangszimmer des Wohngeschosses seinen ziemlich unbeachteten Platz hatte. Eine Minute vielleicht hatte ich an der Tür stehend ihm zugehört, mißbilligte aber diesen Zustand und trat heran, indem ich ihn fragte, was er da treibe. Er ließ die Bälge ruhen, nahm die Hände vom Manuale und errötete lachend.

»Müßiggang«, sagte er, »ist aller Laster Anfang. Ich langweilte mich. Wenn ich mich langweile, bastle und stümpere ich hier zuweilen herum. Der alte Tretkasten steht so verlassen, hat aber bei aller Demut das Ganze in sich. Schau, es ist kurios, – das heißt, natürlich ist nichts Kurioses daran, aber wenn man es selber zum ersten Male so ausmacht, ist es kurios, wie das alles zusammenhängt und im Kreise herumführt.«

Und er ließ einen Akkord ertönen, lauter schwarze Tasten, fis, ais, cis, fügte ein e hinzu und demaskierte dadurch den Akkord, der wie Fis-Dur ausgesehen hatte, als zu H-Dur gehörig, nämlich als dessen fünfte oder Dominant-Stufe. »So ein Zusammenklang«, meinte er, »hat an sich keine Tonart. Alles ist Beziehung, und die Beziehung bildet den Kreis.« Das a, welches, indem es die Auflösung in gis erzwingt, von H- nach E-Dur überleitet, führte ihn weiter, und so kam er über A-, D- und G- nach C-Dur und in die mit Verminderungszeichen versehenen Tonarten, indem er mir demonstrierte, daß man auf einem jeden der zwölf Töne der chromatischen Leiter eine eigene Dur- oder Moll-Skala errichten könne.

»Übrigens sind das alte Geschichten«, sagte er. »Es ist länger her, daß mir das auffiel. Paß auf, wie man es feiner macht!« Und er fing an, mir Modulationen zwischen entlegeneren Tonarten zu zeigen, unter Ausnutzung der sogenannten Terzverwandtschaft, der Neapolitanischen Sext.

Nicht, daß er diese Dinge zu nennen gewußt hätte; aber er wiederholte:

»Beziehung ist alles. Und willst du sie näher bei Namen nennen, so ist ihr Name ›Zweideutigkeit‹.« Um dies Wort zu belegen, ließ er mich Akkord-Folgen von schwebender Tonart hören, demonstrierte mir, wie eine solche Folge in tonaler Schwebe zwischen C- und G-Dur bleibt, wenn man das f daraus wegläßt, das in G-Dur zum fis würde; wie sie das Ohr im Ungewissen hält, ob sie als C- oder F-Dur verstanden sein will, wenn man das h vermeidet, das sich in F-Dur zum b vermindert.

»Weißt du, was ich finde?« fragte er. »Daß Musik die Zweideutigkeit ist als System. — Nimm den Ton oder den. Du kannst ihn so verstehen oder beziehungsweise auch so, kannst ihn als erhöht auffassen von unten oder als vermindert von oben und kannst dir, wenn du schlau bist, den Doppelsinn beliebig zunutze machen.« Kurz, im Prinzip erwies er sich kundig der enharmonischen Verwechslung und nicht unkundig gewisser Tricks, wie man damit ausweicht und die Umdeutung zur Modulation benutzt.

Warum war ich mehr als überrascht, nämlich bewegt und auch ein wenig erschrocken? Er hatte erhitzte Wangen, wie er sie bei Schulaufgaben niemals, auch bei der Algebra nicht bekam.

Zwar bat ich ihn, mir doch noch etwas vorzuphantasieren, spürte aber etwas wie Erleichterung, als er es mir mit einem »Unsinn, Unsinn!« abschlug. Was für eine Erleichterung war das? Sie hätte mich belehren können, wie stolz ich auf seine allgemeine Gleichgültigkeit gewesen war, und wie deutlich ich spürte, daß in seinem »Es ist kurios« diese Gleichgültigkeit zur Maske wurde. Ich ahnte eine keimende Leidenschaft, — eine Leidenschaft Adrians! Hätte ich mich freuen sollen? Statt dessen war es mir auf eine Weise beschämend und ängstlich.

Daß er, wenn er sich ohne Zeugen glaubte, musikalisch laborierte, wußte ich nun, und bei dem exponierten Standort des Instruments konnte das auch nicht lange Geheimnis bleiben. Eines Abends sagte sein Pflegevater zu ihm:

»Nun, Neffe, was man da heut von dir hörte, darin hast du dich nicht zum ersten Male geübt.«

»Wie meinst du, Onkel Niko?«

»Wende nicht Unschuld vor! Du musizierst ja.«

»Was für ein Ausdruck!«

»Der hat schon für Dümmeres herhalten müssen. Wie du da so von F- nach A-Dur kamst, das war ganz durchtrieben. Macht es dir Spaß?«

»Ach, Onkel.«

»Nun, offenbar. Ich will dir was sagen. Wir wollen doch die alte

Kommode, die ohnedies niemand ansieht, zu dir hinauf ins Zimmer stellen. Da ist sie dir dann zur Hand, wann immer du Lust hast.«

»Du bist furchtbar freundlich, Onkel, aber es ist gewiß der Mühe nicht wert.«

»Die Mühe ist so gering, daß vielleicht das Vergnügen immer noch größer ist. Noch eins, Neffe. Du solltest Klavierstunden nehmen.«

»Meinst du, Onkel Niko? Klavierstunden? Ich weiß nicht, es klingt so nach ›höherer Tochter‹.«

»Könnte ja ›höher‹ sein und dabei nicht gerade ›Tochter‹. Wenn du zu Kretzschmar gehst, wird es so was sein. Er wird uns die Hosen nicht ausziehen dafür, aus alter Freundschaft, und du kriegst ein Fundament für deine Luftschlösser. Ich will mit ihm reden.«

Wörtlich gab Adrian mir dies Gespräch auf dem Schulhofe wieder. Von nun an hatte er zweimal die Woche Unterricht bei Wendell Kretzschmar.

VIII

Wendell Kretzschmar, damals noch jung, höchstens zweite Hälfte Zwanzig, war von deutsch-amerikanischen Eltern im Staate Pennsylvania gebürtig und hatte seine musikalische Ausbildung im Lande seiner Herkunft empfangen. Aber zeitig schon hatte es ihn in die Alte Welt, von wo seine Großeltern einst ausgewandert, und wo, wie seine eigenen, so auch die Wurzeln seiner Kunst lagen, zurückgezogen, und er war im Zuge eines Wanderlebens, dessen Stationen und Aufenthalte selten länger als ein bis zwei Jahre dauerten, als Organist zu uns nach Kaisersaschern gekommen, — es war nur eine Episode, denen andere vorausgegangen waren (denn er hatte vorher an kleinen Stadttheatern des Reiches und der Schweiz als Kapellmeister gewirkt) und denen weitere nachfolgen sollten. Auch trat er als Komponist von Orchesterstücken hervor und brachte eine Oper, ›Das Marmorbild‹ zur Aufführung, die über mehrere Bühnen ging und freundliche Aufnahme fand.

Von unscheinbarem Äußeren, ein untersetzter Mann mit Rundschädel, einem gestutzten Schnurrbärtchen und gern lachenden braunen Augen von bald sinnendem, bald springendem Blick, hätte er für das geistige, kulturelle Leben von Kaisersaschern einen wahren Gewinn bedeuten können, wenn eben ein solches Leben überhaupt vorhanden gewesen wäre. Sein Orgelspiel war gelehrt und prächtig, aber an den Fingern einer Hand waren diejenigen herzuzählen, die es in der Gemeinde zu würdigen wußten. Immerhin zogen die frei zugänglichen nachmittäglichen Kirchenkonzerte, bei denen er Orgelmusik von Michael Prätorius, Froberger, Buxtehude und natürlich Sebastian Bach, auch allerlei kuriose und genrehafte Kompositionen aus der Epoche zwischen Händels und Haydns Blütezeiten zum besten gab, eine ziemliche Menge an, und Adrian und ich wohnten ihnen regelmäßig bei. Ein völliger Fehlschlag dagegen, wenigstens äußerlich gesehen, waren die Vorträge, die er im Saal der ›Gesellschaft für gemeinnützige Thätigkeit‹ eine Saison hindurch unverdrossen abhielt, und die er mit Erläuterungen am Klavier, dazu mit Kreide-Demonstrationen auf der Staffelei-Tafel begleitete. Ein Mißerfolg waren sie erstens, weil unsere Bevölkerung für Vorträge grundsätzlich nichts übrig hatte, zweitens weil seine Themen auch noch wenig populär, vielmehr kapriziös und ausgefallen waren, und drittens, weil sein Stotterleiden das Zuhören zu einer aufregenden und klippenvollen Fahrt machte, beängstigend teils, teils zum Lachen reizend und geeignet, die Aufmerksamkeit von dem geistig Gebotenen völlig abzulenken und sie in ein ängstlich gespanntes Warten auf das nächste konvulsivische Festsitzen zu verwandeln.

Es war ein besonders schwer und exemplarisch ausgebildetes Stottern, dem er unterlag, – tragisch, weil er ein Mann von großem, drängendem Gedankenreichtum war, der mitteilenden Rede leidenschaftlich zugetan. Auch glitt sein Schifflein streckenweise geschwind und tänzelnd, mit der unheimlichen Leichtigkeit, die das Leiden verleugnen und in Vergessenheit bringen möchte, auf den Wassern dahin; aber unfehlbar von Zeit zu Zeit, mit Recht von jedermann fortwährend gewärtigt, kam der Augenblick des Auffahrens, und auf die Folter gespannt, mit rot anschwellendem Gesicht, stand er da: sei es, daß ein Zischlaut ihn hemmte, den er mit in die Breite gezerrtem Munde, das Geräusch einer dampflassenden Lokomotive nachahmend, aushielt, oder daß im Ringen mit einem Labiallaut seine Wangen sich aufblähten, seine Lippen sich im platzenden Schnellfeuer kurzer, lautloser Explosionen ergingen; oder endlich auch einfach, daß plötzlich seine Atmung in heillos hapernde Unordnung geriet und er trichterförmigen Mundes nach Luft schnappte wie ein Fisch auf dem Trockenen — mit den gefeuchteten Augen dazu lachend, das ist wahr, er selbst schien die Sache heiter zu nehmen, aber nicht für jedermann war das ein Trost, und im Grunde war es dem Publikum nicht zu verargen, daß es diese Vorlesungen mied: mit dem Grade von Einmütigkeit, daß tatsächlich mehrmals nur etwa ein halbes Dutzend Zuhörer das Parterre belebte, nämlich außer meinen Eltern, Adrians Onkel, dem jungen Cimabue und uns beiden nur noch ein paar Elevinnen der höheren Töchterschule, die es an Gekicher während der Hemmungszustände des Sprechers nicht fehlen ließen.

Dieser wäre bereit gewesen, die Unkosten für Saal und Beleuchtung, die durch die Eintrittsgelder keineswegs gedeckt wurden, aus eigener Tasche zu bestreiten, aber mein Vater und Nikolaus Leverkühn hatten es im Vorstande durchgesetzt, daß die Gesellschaft für das Defizit aufkam, oder vielmehr auf die Miete verzichtete, mit der Begründung, daß die Vorträge bildungswichtig und dem Gemeinnutzen dienlich seien. Das war eine freundschaftliche Begünstigung, denn über den Gemeinnutz ließ sich streiten, schon weil die Gemeinde ausblieb, was aber, wie gesagt, zum Teil auch auf das allzu Spezielle der behandelten Gegenstände zurückzuführen war. Wendell Kretzschmar huldigte dem Grundsatz, den wir wiederholt aus seinem zuerst von der englischen Sprache geformten Munde vernahmen, daß es nicht auf das Interesse der anderen, sondern auf das eigene ankomme, also darauf, Interesse zu *erregen*, was nur geschehen könne, dann aber auch mit Sicherheit geschehe, wenn man sich selbst für eine Sache von Grund aus interessiere und also, indem man davon spreche, schwerlich umhinkönne, andere in dies Interesse hineinzuziehen, sie damit anzustecken und so ein gar nicht vorhanden gewesenes, ein ungeahntes Interesse zu *creieren*, was viel besser lohne, als einem schon bestehenden gefällig zu sein.

Es war sehr zu bedauern, daß unser Publikum ihm fast keine Gelegenheit gewährte, seine Theorie zu erproben. Bei uns wenigen, die wir in der gähnenden Leere des alten Saales mit den numerierten Stühlen zu seinen Füßen saßen, bewährte sie sich vollkommen, denn er fesselte uns mit Dingen, von denen wir nie gedacht hätten, daß sie so unsere Aufmerksamkeit hinnehmen könnten, und selbst sein furchtbares Stottern wirkte am Ende dabei nur als erregend bannender Ausdruck seines Eifers. Öfters nickten wir alle zusammen ihm tröstlich zu, wenn die Kalamität sich ereignete, und einer oder der andere der Herren ließ wohl auch ein beruhigend zusprechendes »So, so«, »Schon gut«, oder »Macht nichts!« vernehmen. Dann löste sich unter einem heiter entschuldigenden Lächeln die Lähmung, und in auch wieder nicht geheurer Flottheit ging es eine Weile dahin.

Worüber er sprach? Nun, der Mann war imstande, eine ganze Stunde der Frage zu widmen, »warum Beethoven zu der Klaviersonate opus 111 keinen dritten Satz geschrieben habe«, — ein besprechenswerter Gegenstand ohne Zweifel. Aber man denke sich die Anzeige angeschlagen am Hause der ›Gemeinnützigen Thätigkeit‹, eingerückt in die Kaisersaschener ›Eisenbahnzeitung‹, und frage sich dann nach dem Maß von öffentlicher Neugier, die sie erregen konnte. Man wollte schlechterdings nicht wissen, warum Opus 111 nur zwei Sätze habe. Wir, die wir uns zu der Erörterung einfanden, hatten freilich einen ungemein bereichernden Abend, und dies, obgleich uns die in Rede stehende Sonate bis dato ganz unbekannt gewesen war. Jedoch lernten wir sie durch diese Veranstaltung eben kennen, und zwar sehr genau, da

Kretzschmar sie auf dem recht minderen Pianino, das ihm zur Verfügung stand (ein Flügel war nicht bewilligt worden), vortrefflich, wenn auch mit schollerndem Klange, zu Gehör brachte, zwischendurch aber ihren seelischen Inhalt, mit Beschreibung der Lebensumstände, unter denen sie – nebst zwei anderen – verfaßt worden, mit großer Eindringlichkeit analysierte und sich mit kaustischem Witz über des Meisters eigene Erklärung erging, warum er auf einen dritten, mit dem ersten korrespondierenden Satz hier verzichtet habe. Er hatte nämlich dem Famulus auf seine Frage geantwortet, daß er *keine Zeit* gehabt und darum lieber den zweiten etwas länger ausgedehnt habe. Keine Zeit! Und mit »Gelassenheit« hatte er es auch noch geäußert. Die in solcher Antwort liegende Geringschätzung des Fragers war offenbar nicht bemerkt worden, aber sie war gerechtfertigt durch die Frage. Und nun schilderte der Redner Beethovens Zustand um das Jahr 1820, als sein Gehör, von einer unhemmbaren Auszehrung befallen, schon in fortschreitender Verödung begriffen gewesen war und bereits sich herausgestellt hatte, daß er Aufführungen der eigenen Werke zu leiten fortan nicht mehr imstande sei. Er erzählte uns, wie damals das Gerücht, der berühmte Autor sei völlig ausgeschrieben, seine Produktionskraft erschöpft, er beschäftige sich, zu größeren Arbeiten unfähig, wie der alte Haydn nur noch damit, schottische Lieder aufzuschreiben, immer mehr an Boden gewonnen habe, weil nämlich seit einigen Jahren schon kein Werk von Bedeutung, das seinen Namen trug, mehr auf den Markt gekommen war. Allein im Spätherbst von Mödling, wo er den Sommer verbracht, nach Wien zurückgekehrt, habe der Meister sich niedergesetzt und jene drei Kompositionen für das Pianoforte, sozusagen ohne nur einmal vom Notenpapier aufzusehen, in einem Zuge niedergeschrieben, auch seinem Gönner, dem Grafen Brunswick, davon Meldung gemacht, um ihn über seinen Geisteszustand zu beruhigen. Und dann sprach Kretzschmar über die Sonate in c-Moll, die als in sich gerundetes und seelisch geordnetes Werk zu verstehen freilich nicht leicht sei und der zeitgenössischen Kritik wie auch den Fremden eine harte ästhetische Nuß zu knacken gegeben habe: wie denn, so sagte er, diese Freunde und Bewunderer dem Verehrten über den Gipfel hinaus, auf den er zur Zeit seiner Reife die Symphonie, die Klaviersonate, das Streichquartett der Klassik geführt, schlechthin nicht hätten folgen können und bei den Werken der letzten Periode schweren Herzens vor einem Prozeß der Auflösung, der Entfremdung, des Entsteigens ins nicht mehr Heimatliche und Geheure, vor einem plus ultra eben, gestanden hätten, worin sie nichts anderes mehr als eine Ausartung immer vorhanden gewesener Neigungen, einen Exzeß an Grübelei und Spekulation, ein Übermaß an Minutiosität und musikalischer Wissenschaftlichkeit zu erblicken vermocht hätten, – angewandt bisweilen auf einen so einfachen Stoff wie das Arietta-Thema des ungeheuren Variationensatzes, der den zweiten Teil dieser Sonate bilde. Ja, ebenso wie das durch hundert Schicksale, hundert Welten rhythmischer Kontraste gehende Thema dieses Satzes sich selbst überwachse und endlich in schwindelnden Höhen, die man jenseitig nennen mochte oder abstrakt, sich verliere, – ebenso habe Beethovens Künstlertum sich selbt überwachsen: aus wohnlichen Regionen der Überlieferung sei es vor erschrocken nachblickenden Menschenaugen in Sphären des ganz und gar nur noch Persönlichen aufgestiegen, – ein in Absolutheit schmerzlich isoliertes, durch die Ausgestorbenheit seines Gehörs auch noch vom Sinnlichen isoliertes Ich, der einsame Fürst eines Geisterreichs, von dem nur noch fremde Schauer selbst auf die willigsten Zeitgenossen ausgegangen seien, und in dessen erschreckende Botschaften sie nur noch augenblicks-, nur ausnahmsweise sich zu finden gewußt hätten.

So weit, so richtig, sagte Kretzschmar. Und richtig doch auch wieder nur bedingungsweis und auf ungenügende Art. Denn mit der Idee des nur Persönlichen verbinde man diejenige der schrankenlosen Subjektivität und des radikalen harmonischen Ausdruckswillens im Gegensatz zur polyphonischen Objektivität (er wünschte, wir möchten uns den Unterschied einprägen: harmonische Subjektivität, polyphonische Sachlichkeit), – und diese Gleichung, dieser Gegensatz wollten hier, wie beim meisterlichen Spätwerk überhaupt, nicht stimmen. Tatsächlich sei Beethoven in seiner Mittelzeit weit subjektivistischer, um nicht zu sagen: weit »persönlicher« gewesen als zuletzt; weit mehr sei er damals bedacht gewesen, alles Konventionelle, Formel- und Floskelhafte, wovon die Musik ja voll sei, vom persönlichen Ausdruck verzehren zu lassen, es in die subjektive Dynamik einzuschmelzen. Das Verhältnis des späten Beethoven, etwa in den fünf letzten Klaviersonaten, zum Konventionellen sei bei aller Einmaligkeit und selbst Ungeheuerlichkeit der Formensprache ein ganz anderes, viel läßlicheres und geneigteres. Unberührt, unverwandelt vom Subjektiven trete die Konvention im Spätwerk öfters hervor, in einer Kahlheit oder, man möge sagen, Ausgeblasenheit, Ich-Verlassenheit, welche nun wieder schaurig-majestätischer wirke als jedes persönliche Wagnis. In diesen Gebilden, sagte der Redner, gingen das Subjektive und die Konvention ein neues Verhältnis ein, ein Verhältnis, bestimmt vom Tode.

Bei diesem Wort stotterte Kretzschmar heftig; festhängend am Anfangslaut, vollführte seine Zunge am Gaumen eine Art von Maschinengewehrfeuer, wobei Kiefer und Kinn mitwirbelten, ehe sie Ruhestand fanden in dem Vokal, der das Gemeinte erraten ließ. Als aber das Wort erkannt war, schien es nicht recht danach angetan, daß man es ihm abnähme, es ihm, wie man sonst zuweilen tat, jovial und hilfreich zuriefe. Er mußte es selbst zustande bringen, und er tat es. Wo Größe und Tod zusammenträten, erklärte er, da entstehe eine der Konvention geneigte Sachlichkeit, die an Souveränität den herrischsten Subjektivismus hinter sich lasse, weil darin das Nur-Persönliche, das doch schon die Überhöhung einer zum Gipfel geführten Tradition gewesen sei, sich noch einmal selbst überwachse, indem es ins Mythische, Kollektive groß und geisterhaft eintrete.

Er fragte nicht, ob wir das verstünden, und auch wir fragten uns nicht danach. Wenn er meinte, die Hauptsache sei, daß wir es hörten, so teilten wir vollkommen diese Ansicht. Im Lichte des Gesagten, fuhr er fort, habe man das Werk, von dem er im besonderen spreche, die Sonate opus 111, zu betrachten. Und dann setzte er sich an das Pianino und spielte uns aus dem Kopf die ganze Komposition, den ersten und den ungeheuren zweiten Satz in der Weise vor, daß er seine Kommentare beständig in das eigene Spiel hineinrief und, um uns auf die Führung recht aufmerksam zu machen, zwischendurch begeisterungsvoll-demonstrativ mitsang, was alles zusammen einen teilweise hinreißenden, teilweise komischen und von dem kleinen Auditorium wiederholt auch mit Heiterkeit aufgenommenen Spektakel ergab. Denn da er einen sehr starken Anschlag hatte und im Forte gewaltig auftrug, mußte er überlaut schreien, um seine Zwischenreden halbwegs verständlich zu machen, und mit höchstem Stimmaufwand singen, um das Vorgeführte noch vokal zu unterstreichen. Mit dem Munde ahmte er nach, was die Hände spielten. Bum, bum — Wum, wum — Schrum, schrum, machte er bei den grimmig auffahrenden Anfangsakzenten des ersten Satzes und sang in der hohen Fistel die Passagen melodischer Lieblichkeit mit, von denen der zerwühlte Sturmhimmel des Stückes zuweilen wie von zarten Lichtblicken erhellt ist. Schließlich legte er die Hände in den Schoß, ruhte einen Augenblick aus und sagte: »Jetzt kommt's.« Er begann den Variationen-Satz, das ›Adagio molto semplice e cantabile‹.

Das Arietta-Thema, zu Abenteuern und Schicksalen bestimmt, für die es in seiner idyllischen Unschuld keineswegs geboren scheint, ist ja sogleich auf dem Plan und spricht sich in sechzehn Takten aus, auf ein Motiv reduzierbar, das am Schluß seiner ersten Hälfte, einem kurzen, seelenvollen Rufe gleich, hervortritt, — drei Töne nur, eine Achtel-, eine Sechzehntel- und eine punktierte Viertelnote, nicht anders skandiert als etwa: »Himmelsblau« oder: »Lie-besleid« oder: »Leb'-mir wohl« oder: »Der-maleinst« oder: »Wie-sengrund«, — und das ist alles. Was sich mit dieser sanften Aussage, dieser schwermütig stillen Formung nun in der Folge rhythmisch-harmonisch-kontrapunktisch begibt, womit ihr Meister sie segnet und wozu er sie verdammt, in welche Nächte und Überhelligkeiten, Kristallsphären, worin Kälte und Hitze,

Ruhe und Ekstase ein und dasselbe sind, er sie stürzt und erhebt, das mag man wohl weitläufig, wohl wundersam, fremd und exzessiv großartig nennen, ohne es doch damit namhaft zu machen, weil es recht eigentlich namenlos ist; und Kretzschmar spielte uns mit arbeitenden Händen all diese ungeheueren Wandlungen, indem er aufs heftigste mitsang: »Dim-dada«, und laut hineinredete: »Die Trillerketten!« schrie er. »Die Fiorituren und Kadenzen! Hören Sie die stehengelassene Konvention? Da – wird – die Sprache – nicht mehr vor der Floskel — gereinigt, sondern die Floskel – vom Schein – ihrer subjektiven – Beherrschtheit – der Schein – der Kunst wird abgeworfen – zuletzt – wirft immer die Kunst – den Schein der Kunst ab. Dim – dada! Bitte zu hören, wie hier – die Melodie vom Fugengewicht – der Akkorde überwogen wird! Sie wird statisch, sie wird monoton – zweimal d, dreimal d hintereinander – die Akkorde machen es – Dim – dada! Bitte nun achtzugeben, was hier passiert –«

Es war außerordentlich schwer, zugleich auf sein Geschrei und auf die hochverwickelte Musik zu hören, in die er es mischte. Wir versuchten es alle angestrengt, vorgebeugt, die Hände zwischen den Knien, indem wir abwechselnd auf seine Hände und seinen Mund blickten. Das Charakteristikum des Satzes ist ja das weite Auseinander von Baß und Diskant, von rechter und linker Hand, und ein Augenblick kommt, eine extremste Situation, wo das arme Motiv einsam und verlassen über einem schwindelnd klaffenden Abgrund zu schweben scheint, — ein Vorgang bleicher Erhabenheit, dem alsbald ein ängstlich Sich-klein-Machen, ein banges Erschrecken auf dem Fuße folgt, darüber gleichsam, daß so etwas geschehen konnte. Aber noch viel geschieht, bevor es zu Ende geht. Wenn es aber zu Ende geht und indem es zu Ende geht, begibt sich etwas nach so viel Ingrimm, Persistenz, Versessenheit und Verstiegenheit in seiner Milde und Güte völlig Unerwartetes und Ergreifendes. Mit dem vielerfahrenen Motiv, das Abschied nimmt und dabei selbst ganz und gar Abschied, zu einem Ruf und Winken des Abschieds wird, mit diesem d-g-g geht eine leichte Veränderung vor, es erfährt eine kleine melodische Erweiterung. Nach einem anlautenden c nimmt es vor dem d ein cis auf, so daß es nun nicht mehr »Him-melsblau« oder »Wie-sengrund«, sondern »O — du Himmelsblau«, »Grü-ner Wiesengrund«, »Leb' — mir ewig wohl« skandiert; und dieses hinzukommende cis ist die rührendste, tröstlichste, wehmütig versöhnlichste Handlung von der Welt. Es ist wie ein schmerzlich liebevolles Streichen über das Haar, über die Wange, ein stiller, tiefer Blick ins Auge zum letzten Mal. Es segnet das Objekt, die furchtbar umgetriebene Formung mit überwältigender Vermenschlichung, legt sie dem Hörer zum Abschied, zum ewigen Abschied so sanft ans Herz, daß ihm die Augen übergehen. »Nun

ver-giß der Qual!« heißt es. »Groß war — Gott in uns.« »Alles —
war nur Traum.« »Bleib mir — hold gesinnt.« Dann bricht es ab.
Schnelle, harte Triolen eilen zu einer beliebigen Schlußwendung,
mit der auch manch anderes Stück sich endigen könnte.

Kretzschmar kehrte danach gar nicht mehr vom Pianino zum Red-
nerpult zurück. Er blieb, uns zugewandt, auf seinem Drehsessel
sitzen, in der gleichen Haltung wie wir, vorgebeugt, die Hände
zwischen den Knien, und führte so mit wenigen Worten seinen
Vortrag über die Frage zu Ende, warum Beethoven zu Opus 111
keinen dritten Satz geschrieben. Wir hätten, sagte er, das Stück
nur zu hören brauchen, um uns die Frage selbst beantworten zu
können. Ein dritter Satz? Ein neues Anheben — nach diesem Abschied? Ein Wiederkommen — nach dieser Trennung? Unmöglich!
Es sei geschehen, daß die Sonate im zweiten Satz, diesem enormen,
sich zu Ende geführt habe, zu Ende auf Nimmerwiederkehr. Und
wenn er sage: »Die Sonate«, so meine er nicht diese nur, in c-
Moll, sondern er meine die Sonate überhaupt, als Gattung, als
überlieferte Kunstform: sie selber sei hier zu Ende, ans Ende geführt, sie habe ihr Schicksal erfüllt, ihr Ziel erreicht, über das hinaus es nicht gehe, sie hebe und löse sich auf, sie nehme Abschied,
— das Abschiedswinken des vom cis melodisch getrösteten d-g-g-
Motivs, es sei ein Abschied auch dieses Sinnes, ein Abschied, groß
wie das Stück, der Abschied von der Sonate.

Damit ging Kretzschmar, von dünnem, aber anhaltendem Beifall
begleitet, und wir gingen auch, nicht wenig nachdenklich, von
Neuigkeiten beschwert. Die meisten, wie das zu sein pflegt, sangen beim Aufnehmen der Mäntel und Hüte und beim Verlassen
des Hauses die Einprägung des Abends, das themabildende Motiv
des zweiten Satzes, in seiner ursprünglichen und in seiner Abschied nehmenden Gestalt, benommen vor sich hin, und noch längere Zeit hörte man aus entfernteren Gassen, in die die Zuhörer
sich zerstreut, nächtlich stillen und widerhallenden Gassen der
Kleinstadt, das »Leb' — mir wohl«, »Leb' mir — ewig wohl«,
»Groß war — Gott in uns« echohaft herüberschallen.—

Es war nicht das letzte Mal, daß wir den Stotterer über Beethoven
gehört hatten. Bald schon sprach er wieder über ihn, diesmal unter dem Titel ›Beethoven und die Fuge‹. Auch dieses Themas erinnere ich mich genau und sehe es noch als Annonce vor mir,
wohl begreifend, daß es sowenig wie das andere danach angetan
war, im Saal der ›Gemeinnützigen‹ ein lebensgefährliches Gedränge zu erzeugen. Unser Grüppchen aber hatte auch von diesem Abend den entschiedensten Genuß und Gewinn. Immer nämlich, so hörten wir, hatten die Neider und Gegner des verwegenen
Neuerers behauptet, Beethoven könne keine Fuge schreiben. »Das
kann er nun einmal nicht«, hatten sie gesagt und wohl gewußt,
was sie damit aussprachen, da diese ehrwürdige Kunstform da-

mals noch in hohen Ehren gestanden und kein Komponist vor dem musikalischen Gerichtshof Gnade gefunden noch den auftraggebenden Potentaten und großen Herren der Zeit genuggetan habe, wenn er nicht auch in der Fuge perfekt seinen Mann gestanden. So sei der Fürst Esterhazy ein ausnehmender Freund dieser Meisterkunst gewesen, aber in der Messe in C, die Beethoven für ihn geschrieben, sei der Compositeur über erfolglose Anläufe zu einer Fuge nicht hinausgekommen, was schon rein gesellschaftlich eine Unhöflichkeit, künstlerisch aber ein unverzeihliches Manko gewesen sei; und das Oratorium ›Christus am Ölberg‹ habe überhaupt jeder fugierten Arbeit ermangelt, obgleich sie auch darin aufs höchste am Platze gewesen wäre. Ein so schwacher Versuch wie die Fuge im dritten Quartett aus Opus 59 war nicht danach beschaffen, die Behauptung zu wiederlegen, daß der große Mann ein schlechter Kontrapunktiker sei, – in welcher die maßgebend musikalische Welt durch die fugierten Stellen im Trauermarsch der Eroica und im Allegretto der A-Dur-Symphonie nur hatte bestärkt werden können. Und nun der Schlußsatz der Cello-Sonate in D, opus 102, »Allegro fugato« genannt! Das Geschrei und Fäusteschütteln, erzählte Kretzschmar, sei groß gewesen. Unklar bis zur Ungenießbarkeit habe man das Ganze gescholten, aber mindestens zwanzig Takte lang, habe es geheißen, herrsche eine so skandalöse Verwirrung – hauptsächlich infolge überstark gefärbter Modulationen –, daß man danach die Akten über die Unfähigkeit des Mannes zum strengen Stil beruhigt schließen könne.

Ich unterbreche mich in meiner Wiedergabe, nur, um aufmerksam zu machen, daß der Vortragende da von Dingen, Angelegenheiten, Kunstverhältnissen sprach, die noch gar nicht in unseren Gesichtskreis fielen und nur am Rande desselben erst durch sein immerfort gefährdetes Sprechen schattenhaft für uns auftauchten; daß wir ihn nicht zu kontrollieren vermochten außer durch seine eigenen erläuterten Vorführungen am Pianoforte, und dem allen mit der dunkel erregten Phantasie von Kindern zuhörten, die Märchen lauschen, welche sie nicht verstehen, während ihr zarter Geist sich doch auf eine eigentümlich traumhaft ahnungsvolle Weise dadurch bereichert und gefördert sieht. »Fuge«, »Kontrapunkt«, »Eroica«, »Verwirrung durch überfärbte Modulationen«, »strenger Stil«, – das war im Grunde alles noch Märchengeraun für uns, aber wir hörten es so gern und mit so großen Augen, wie Kinder das Unverständliche, eigentlich noch ganz Unzukömmliche hören – und zwar mit viel mehr Vergnügen, als das Nächste, Wohlentsprechende, Angemessene ihnen gewährt. Will man glauben, daß dies die intensivste und stolzeste, vielleicht förderlichste Art des Lernens ist — das antizipierende Lernen, das Lernen über weite Strecken von Unwissenheit hinweg?

Als Pädagoge sollte ich ihm wohl nicht das Wort reden, aber ich weiß nun einmal, daß die Jugend es außerordentlich bevorzugt, und ich meine, der übersprungene Raum füllt sich auch mit der Zeit wohl von selber aus.

Beethoven also, so hörten wir, hatte in dem Ruf gestanden, keine Fuge schreiben zu können, und nun fragte es sich, wieweit diese boshafte Nachrede die Wahrheit traf. Offenbar war er bemüht gewesen, sie zu entkräften. Mehrmals hatte er in seine nachfolgende Klaviermusik Fugen eingelegt, und zwar dreistimmige: in die Hammerklaviersonate sowohl wie in die, die aus As-Dur geht. Das eine Mal hatte er hinzugefügt: »Mit einigen Freiheiten«, zum Zeichen, daß ihm die Regeln, gegen die er verstoßen hatte, sehr wohl bekannt waren. Warum er sie vernachlässigt hatte, ob aus Absolutismus oder weil er mit ihnen nicht fertiggeworden war, blieb eine Streitfrage. Doch freilich, dann sei die große Fugen-Ouvertüre opus 124, es seien die majestätischen Fugen im Gloria und Credo der Missa solemnis gekommen: zum Beweise endlich denn doch, daß auch im Kampfe mit diesem Engel der große Ringer Sieger geblieben, mochte er gleich aus der Hüfte lahmend daraus hervorgegangen sein.

Kretzschmar erzählte uns eine schauerliche Geschichte, die uns von der heiligen Schwere dieses Kampfes und von der Person des heimgesuchten Schöpfers ein ungeheuerlich-unauslöschliches Bild einprägte. Es war im Hochsommer 1819 gewesen, zu der Zeit, als Beethoven im Hafnerhause zu Mödling an der Missa arbeitete, verzweifelt darüber, daß jeder Satz viel länger ausfiel, als vorauszusehen gewesen, so daß der Termin der Fertigstellung, das heißt der Märztag nächsten Jahres, auf den die Installation des Erzherzogs Rudolf als Erzbischof von Olmütz angesetzt war, unmöglich würde eingehalten werden können, – es war damals, daß zwei Freunde und Adepten ihn eines Nachmittags dort aufgesucht und schon beim Eintritt ins Haus Erschreckendes erfahren hatten. Am selben Morgen nämlich waren die beiden Mägde des Meisters auf und davon gegangen, da es die Nacht zuvor, gegen ein Uhr, einen wilden, das ganze Haus aus dem Schlummer reißenden Auftritt gegeben hatte. Der Herr hatte gewerkt, den Abend bis tief in die Nacht, am Credo, am Credo mit der Fuge, und nicht des Abendessens gedenken wollen, das auf dem Herde stand, bei welchem die immer vergebens wartenden Dienerinnen, von der Natur überwältigt, endlich eingeschlafen waren. Als nun der Meister zwischen der zwölften und ersten Stunde zu essen verlangt, hatte er die Mägde denn also schlafend, die Speisen aber verdorrt und verkohlt gefunden und war darüber in den allerheftigsten, das nächtliche Haus um so weniger schonenden Zorn ausgebrochen, als er selbst seine Lautheit nicht hörte. »Könnt ihr denn nicht eine Stunde mit mir wachen?« hatte er immer wieder gedonnert. Es waren aber der Stunden fünf, sechs gewesen, und die gekränkten Mädchen hatten bei Tagesgrauen das Weite gesucht, einen so ungebärdigen Herren sich selbst überlassend, der denn also heute kein Mittagessen gehabt, seit vorigen Mittag überhaupt nichts genossen hatte. Statt dessen arbeitete er drinnen in seinem Zimmer, am Credo, am Credo mit der Fuge, – die Jünger hörten es durch die verschlossene Tür, wie er arbeitete. Der Taube sang, heulte und stampfte über dem Credo, – es war so schaurig ergreifend zu hören, daß den an der Tür Lauschenden das Blut in den Adern gefror. Da sie sich aber eben in tiefer Scheu hatten entfernen wollen, war jäh die Tür aufgegangen, und Beethoven hatte in ihrem Rahmen gestanden, – welchen Ansehens? Des schrecklichsten! In verwahrloster Kleidung, die Gesichtszüge so verstört, daß es Angst einflößte, die lauschenden Augen voll wirrer Abwesenheit, hatte er sie angestarrt und den Eindruck gemacht, als komme er aus einem Kampf auf Leben und Tod mit allen feindlichen Geistern des Kontrapunkts. Er hatte Ungereimtes gestammelt zunächst und war dann in klagendes Schelten ausgebrochen über die saubere Wirtschaft bei ihm, daß alles davongelaufen, daß man ihn hungern lasse. Sie hatten ihn zu besänftigen gesucht, der eine war ihm bei der Toilette behilflich gewesen, der andere gelaufen, im Wirtshaus eine restaurierende Mahlzeit bereitzustellen . . . Erst drei Jahre später war die Messe fertig geworden.

Wir kannten sie nicht, wir hörten eben nur von ihr. Aber wer wollte leugnen, daß es bildend sein kann, von unbekannter Größe auch nur zu hören? Allerdings hängt vieles ab von der Art, wie davon gesprochen wird. Aus Wendell Kretzschmars Vorlesung nach Hause gehend, hatten wir das Gefühl, die Missa gehört zu haben, zu welcher Illusion nicht wenig das Bild des übernächtigen und ausgehungerten Meisters im Türrahmen beitrug, das er uns eingeprägt hatte.

Das war Kretzschmar über ›Beethoven und die Fuge‹, und wahrlich, es gab uns Stoff für einiges Gespräch auf dem Heimweg – Stoff auch zum Miteinander-Schweigen und stillen, vagen Nachsinnen über das Neue, Ferner, Große, das als manchmal flink dahinlaufende, manchmal schrecklich hängenbleibende Rede in unsere Seelen gedrungen war. Ich sage: in unsere; aber natürlich ist es nur diejenige Adrians, die ich dabei im Sinne habe. Wovon ich hörte, was ich aufnahm, ist gänzlich irrelevant. Was ihn, wie sich beim Nachhausegehen und am nächsten Tag auf dem Schulhof zeigte, hauptsächlich impressioniert hatte, war Kretzschmars Unterscheidung zwischen kultischen und kulturellen Epochen und seine Äußerung gewesen, daß die Säkularisierung der Kunst, ihre Trennung vom Gottesdienst, einen nur oberflächlichen und episodischen Charakter trage. Der Obersekundaner zeigte sich ergriffen von dem Gedanken, den der Vortragende gar nicht ausgesprochen, aber in ihm entzündet hatte, daß die Trennung der Kunst vom liturgischen Ganzen, ihre Befreiung und Erhöhung ins Einsam-Persönliche und Kulturell-Selbstzweckhafte sie mit einer bezuglosen Feierlichkeit, einem absoluten Ernst, einem Leidenspathos belastet habe, das in Beethovens schreckhafter Erscheinung im Türrahmen zum Bilde werde, und das nicht ihr bleibendes Schicksal, ihre immerwährende Seelenverfassung zu sein brauche. Man höre den jungen Menschen! Noch fast ohne praktisch-reale Erfahrung auf dem Gebiete der Kunst, phantasierte er im Leeren und mit altklugen Worten von der wahrscheinlich bevorstehenden Wiederzurückführung ihrer heutigen Rolle auf eine bescheidenere, glücklichere im Dienst eines höheren Verbandes, der nicht gerade, wie einst, die Kirche zu sein brauche. Was er denn sein sollte, wußte er nicht zu sagen. Aber daß die Kultur-Idee eine geschichtlich transitorische Erscheinung sei; daß sie sich auch wieder in anderem verlieren könne; daß ihr nicht notwendig die Zukunft gehöre, diesen Gedanken hatte er entschieden aus Kretzschmars Vortrag ausgesondert.

»Aber die Alternative«, warf ich ihm ein, »zur Kultur ist die Barbarei.«

»Erlaube mir«, sagte er. »Die Barbarei ist das Gegenteil der Kultur doch nur innerhalb der Gedankenordnung, die diese uns an die Hand gibt. Außer dieser Gedankenordnung mag das Gegenteil ganz etwas anderes oder überhaupt kein Gegenteil sein.«

Ich ahmte Luca Cimabue nach, indem ich »Santa Maria!« sagte und mir die Brust bekreuzte. Er lachte kurz auf.

Ein andermal äußerte er:

»Für ein Kultur-Zeitalter scheint mir eine Spur zuviel die Rede zu sein von Kultur in dem unsrigen, meinst du nicht? Ich möchte wissen, ob Epochen, die Kultur besaßen, das Wort überhaupt gekannt, gebraucht, im Munde geführt haben. Naivität, Unbewußtheit, Selbstverständlichkeit scheint mir das erste Kriterium der Verfassung, der wir diesen Namen geben. Was uns abgeht, ist eben dies, Naivität, und dieser Mangel, wenn man von einem solchen sprechen darf, schützt uns vor mancher farbigen Barbarei, die sich mit Kultur, mit sehr hoher Kultur sogar, durchaus vertrug. Will sagen: unsere Stufe ist die der Gesittung, – ein sehr lobenswerter Zustand ohne Zweifel, aber keinem Zweifel unterliegt es auch wohl, daß wir sehr viel barbarischer werden müßten, um der Kultur wieder fähig zu sein. Technik und Komfort – damit *redet* man von Kultur, aber man hat sie nicht. Willst du mich hindern, in der homophon-melodischen Verfassung unserer Musik einen Zustand musikalischer Gesittung zu sehen – im Gegensatz zur alten kontrapunktisch-polyphonen Kultur?«

In solchen Reden, mit denen er mich neckte und irritierte, war vieles bloß nachgesprochen. Aber er hatte eine Art der Aneignung und persönlichen Reproduktion des Aufgegriffenen, die seinem Nachsprechen, wenn nicht alles knabenhaft Unselbständige, so doch alles Ridiküle nahm. Viel kommentierte er auch – oder kommentierten wir in bewegtem Wechselgespräch – einen Vortrag Kretzschmars, der ›Die Musik und das Auge‹ hieß, – ebenfalls eine Darbietung, die größeren Zulauf verdient hätte. Wie der Titel sagt, sprach unser Redner darin von seiner Kunst, insofern sie sich an den Gesichtssinn, oder doch *auch* an diesen wendet, was sie, so führte er aus, schon damit tue, daß man sie aufschreibe: durch die Notierung also, die Tonschrift, die seit den Tagen der alten Neumen, diesen Fixierungen aus Strichen und Punkten, welche die Klangbewegung ungefähr angedeutet hätten, immer und mit wachsender Sorgfalt geübt worden sei. Und nun waren seine Nachweise höchst unterhaltend – und auch schmeichelhaft, da es uns eine gewisse Lehrbuben- und Pinselwäscher-Intimität mit der Musik vorspiegelte –, wie manche Redensart des Musikanten-Jargons gar nicht aus dem Akustischen, sondern aus dem Visuellen, dem Notenbild abgeleitet sei; wie man von occhiali, Brillenbässen spreche, weil die gebrochenen Trommelbässe, halbe Noten, deren Hälse paarweise durch Balken verbunden sind, ein brillenähnliches Bild ergeben; oder wie man gewisse wohlfeile, sich stufenweis und in gleichen Intervallen aneinanderreihende Sequenzen (er schrieb uns Beispiele auf die Tafel) ›Schusterflecke‹ nenne. Er sprach von dem bloßen Augenschein notierter Musik und versicherte, daß dem Kenner ein Blick auf das Schriftbild genüge, um von dem Geist und Wert einer Komposition einen entscheidenden Eindruck zu empfangen. So sei es ihm vorgekommen, daß ein besuchender Kollege, sein Zimmer betretend, wo gerade ein ihm vorgelegtes dilettantisches Machwerk auf dem Pulte aufgeschlagen gewesen sei, noch an der Tür ausgerufen habe: »Ja, um Gottes willen, was für einen Mist hast du denn da?!« – Andererseits schilderte er uns den entzückenden Genuß, den schon das optische Bild einer Partitur von Mozart dem geübten Auge gewähre, die Klarheit der Disposition, die schöne Verteilung der Instrumentengruppen, die geistreich wandlungsvolle Führung der melodischen Linie. Ein Tauber, rief er aus, ganz unerfahren im Klange, müßte seine Freude an diesen holden Gesichten haben. »To hear with eyes belongs to love's fine wit«, zitierte er aus einem Shakespeare-Sonett und behauptete, zu allen Zeiten hätten die Komponisten in ihre Satzschriften manches hineingeheimnißt, was mehr für das lesende Auge als für das Ohr bestimmt gewesen. Wenn etwa die niederländischen Meister des polyphonen Stils bei ihren unendlichen Kunststücken der Stimmverschränkung die kontrapunktische Beziehung so gestaltet hätten, daß eine Stimme der anderen gleich gewesen sei, wenn

man sie von rückwärts gelesen habe, so habe das mit dem sinnlichen Klange nicht viel zu tun gehabt, er wolle sich verwetten,
daß die wenigsten den Spaß gehörweise vermerkt hätten, viel
eher dem Auge des Zünftlers sei er zugedacht gewesen. So habe
Orlandus Lassus in der ›Hochzeit von Kana‹ für die sechs Wasser-
krüge sechs Stimmen gebraucht, was man ihm auch beim Sehen
besser habe nachrechnen können als beim Hören; und in der Jo-
hannispassion des Joachim von Burck habe »der Diener *einer*«,
der Jesu einen Backenstreich gab, nur *eine* Note, auf das »zween«
aber in der nachfolgenden Phrase »mit ihm zween andere« fielen
deren *zwei*.

Er führte noch mehrere solche pythagoräischen, dem Auge mehr
als dem Ohre zugedachten, das Ohr gewissermaßen hinterge-
henden Scherze an, in denen die Musik sich je und je gefallen
habe, und rückte damit heraus, daß er sie, in letzter Analyse,
einer gewissen eingeborenen Unsinnlichkeit, ja Anti-Sinnlichkeit
dieser Kunst zuschreibe, einer heimlichen Neigung zur Askese. In
der Tat sei sie die geistigste aller Künste, was sich schon daran
erweise, daß Form und Inhalt in ihr, wie in keiner anderen, ineinander verschlungen und schlechthin ein und dasselbe seien.
Man sage wohl, die Musik »wende sich an das Ohr«; aber das tue
sie nur bedingtermaßen, nur insofern nämlich, als das Gehör, wie
die übrigen Sinne, stellvertretendes Mittel- und Aufnahmeorgan
für das Geistige sei. Vielleicht, sagte Kretzschmar, sei es der tiefste
Wunsch der Musik, überhaupt nicht gehört, noch selbst gesehen,
noch auch gefühlt, sondern, wenn das möglich wäre, in einem
Jenseits der Sinne und sogar des Gemütes, im Geistig-Reinen
vernommen und angeschaut zu werden. Allein an die Sinnes-
welt gebunden, müsse sie doch auch wieder nach stärkster, ja be-
rückender Versinnlichung streben, eine Kundry, die nicht wolle,
was sie tue, und weiche Arme der Lust um den Nacken des Toren
schlinge. Ihre mächtigste sinnliche Verwirklichung finde sie als
orchestrale Instrumentalmusik, wo sie denn, durch das Ohr, alle
Sinne zu affizieren scheine und das Genußreich der Klänge mit
denen der Farben und Düfte optiatisch verschmelzen lasse. Hier so
recht sei sie die Büßerin in der Hülle des Zauberweibes. Es gebe
aber ein Instrument, das heißt: ein musikalisches Verwirkli-
chungsmittel, durch das die Musik zwar hörbar, aber auf eine
halb unsinnliche, fast abstrakte und darum ihrer geistigen Natur
eigentümlich gemäße Weise hörbar werde, und das sei das Klavier, ein Instrument, das ein solches im Sinne der anderen gar
nicht sei, da ihm alles Spezialistische abgehe. Es könne zwar, wie
jene, solistisch behandelt und zum Mittel des Virtuosentums werden, aber das sei ein Sonderfall und, wenn man es überaus genau
nehme, ein Mißbrauch. Das Klavier sei, recht gesehen, der direkte
und souveräne Repräsentant der Musik selbst in ihrer Geistig-

keit, und darum müsse man es erlernen. Aber Klavierunterricht sollte nicht, oder nicht wesentlich und nicht zuerst und zuletzt, Unterricht in einer speziellen Fertigkeit sein, sondern Unterricht in der –

»Musik!« rief eine Stimme aus dem winzigen Publikum, denn der Redner konnte mit diesem letzten und vorher so oft gebrauchten Wort durchaus nicht fertig werden, sondern blieb mummelnd an seinem Eröffnungslaute hängen.

»Allerdings!« sagte er befreit, trank einen Schluck Wasser und ging. –

Nun aber möge man es mir verzeihen, wenn ich ihn noch einmal auftreten lasse. Denn noch um eine vierte Lesung ist es mir zu tun, die Wendell Kretzschmar uns bot, und eher, in der Tat, hätte ich eine oder die andere der vorigen beiseite lassen können als diese, da, um auch hier von mir nicht zu reden, keine einen so tiefen Eindruck auf Adrian machte wie eben sie.

Ich kann mich ihres Titels nicht mehr mit voller Genauigkeit entsinnen. Sie hieß ›Das Elementare in der Musik‹ oder ›Die Musik und das Elementare‹ oder ›Die musikalischen Elemente‹ oder noch etwas anders. Auf jeden Fall spielte die Idee des Elementaren, des Primitiven, des Uranfänglichen die entscheidende Rolle darin, sowie der Gedanke, daß unter allen Künsten gerade die Musik, zu einem wie hochkomplizierten, reich und fein entwickelten Wunderbau von historischer Creation sie im Lauf der Jahrhunderte emporgewachsen sei, niemals sich einer frommen Neigung entschlagen habe, ihrer anfänglichsten Zustände pietätvoll zu gedenken und sie feierlich beschwörend heraufzurufen, kurz, ihre Elemente zu zelebrieren. Sie feiere damit, sagte er, ihre kosmische Gleichnishaftigkeit; denn jene Elemente seien gleichsam die ersten und einfachsten Bausteine der Welt, ein Parallelismus, den ein philosophierender Künstler jüngstvergangener Tage – es war wieder Wagner, von dem er sprach – sich klug zunutze gemacht habe, indem er die Grundelemente der Musik in seinem kosmogonischen Mythos vom ›Ring des Nibelungen‹ sich mit denjenigen der Welt habe decken lassen. Bei ihm habe der Anfang aller Dinge seine Musik: die Musik des Anfangs sei das und auch der Anfang der Musik, der Es-Dur-Dreiklang der strömenden Rheinestiefe, die sieben Primitiv-Akkorde, aus denen, wie aus cyklopischen Quadern von Urgestein, die Burg der Götter sich aufbaue. Geistreich in großem Stil, habe er den Mythos der Musik zugleich mit demjenigen der Welt gegeben, habe, indem er die Musik an die Dinge band und diese in Musik sich aussprechen ließ, einen Apparat sinniger Simultaneität geschaffen, – höchst großartig und bedeutungsschwer, wenn auch am Ende wohl ein wenig zu gescheit im Vergleich mit gewissen Offenbarungen des Elementaren in der Kunst reiner Musiker, Beethovens und Bachs, zum Exempel in dem Präludium der Cello-Suite dieses letzteren, – auch einem Es-Dur-Stück und aufgebaut auf primitive Dreiklänge. – Und er gedachte Anton Bruckners, der es geliebt habe, sich an der Orgel oder am Klavier durch *das einfache Aneinanderreihen von Dreiklängen* zu erquicken. »Gibt es denn etwas Innigeres, Herrlicheres«, habe er gerufen, »als eine solche Folge bloßer Dreiklänge? Ist es nicht wie ein reinigendes Seelenbad?« – Auch dieses Wort, meinte Kretzschmar, sei ein merkwürdiger Beleg für die Neigung der Musik, ins Elementare zurückzutauchen und sich selbst in ihren Grundanfängen zu bewundern.

Ja, rief der Vortragende, es liege im Wesen dieser seltsamen Kunst, daß sie jeden Augenblick imstande sei, von vorn zu beginnen, aus dem Nichts, bar jeder Kenntnis ihrer schon durchlaufenen Kulturgeschichte, des durch die Jahrhunderte Errungenen, sich neu zu entdecken und wieder zu erzeugen. Dabei durchlaufe sie dann dieselben Primitiv-Stadien wie in ihren historischen Anfängen, und könne auf kurzer Bahn, abseits von dem Hauptgebirgsstock ihrer Entwicklung, einsam und unbelauscht von der Welt, wunderliche Höhen absonderlichster Schönheit erreichen. Und nun erzählte er uns eine Geschichte, die sich auf die skurrilste und nachdenklichste Weise in den Rahmen seiner diesmaligen Betrachtungen fügte.

Um die Mitte des achtzehnten Jahrhunderts hatte in seiner Heimat Pennsylvania eine deutsche Gemeinde frommer Sektierer, Wiedertäufer nach ihrem Ritus, geblüht. Ihre führenden, geistlich angesehensten Mitglieder hatten als Cölibatäre gelebt und waren dafür mit dem Namen der ›Einsamen Brüder und Schwestern‹ geehrt worden. Die Mehrzahl hatte mit dem Stande der Ehe eine exemplarisch reine und gottselige, arbeitsam streng geregelte und diätetisch gesunde Lebensweise voller Verzicht und Züchtigkeit zu verbinden gewußt. Ihrer Siedlungen waren zwei gewesen: die eine mit Namen Ephrata in Lancaster County, die andere in Franklin County, Snowhill genannt; und alle hatten in Ehrfurcht aufgeblickt zu ihrem Oberhaupt, Hirten und geistlichen Vater, dem Begründer der Sekte, einem Mann namens Beißel, in dessen Charakter sich innige Gottergebenheit mit den Eigenschaften eines Seelenführers und Menschenbeherrschers, schwärmerische Religiosität mit einer kurz angebundenen Energie vereinigt hatten.

Johann Conrad Beißel war von sehr armen Eltern aus Eberbach in der Pfalz gebürtig und früh verwaist. Er hatte das Bäckergewerbe erlernt und als wandernder Handwerksbursche mit Pietisten und Anhängern der baptistischen Brüderschaft Beziehungen angeknüpft, die schlummernde Neigungen, den Hang zu sonderlichem Wahrheitsdienst und freier Gottesüberzeugung in ihm geweckt hatten. Hierdurch einer Sphäre gefährlich nahe gebracht, die bei ihm zulande als ketzerisch galt, hatte der Dreißigjährige beschlossen, die Unduldsamkeit der alten Erde zu fliehen, und war nach Amerika ausgewandert, wo er an verschiedenen Orten, in Germantown und Conestoga, eine Weile das Handwerk eines Webers geübt hatte. Dann aber war ein neuer Schub religiöser Ergriffenheit über ihn gekommen, und er war dem inneren Rufe gefolgt, in der Wildnis als Klausner ein völlig einsames, karges und nur auf Gott bedachtes Leben zu führen. Wie es nun aber geht, daß gerade Menschenflucht wohl den Flüchtling ins Menschliche verflicht, so hatte er sich bald von einer Schar bewundernder Gefolgsleute und Nachahmer seiner Absonderung umgeben gesehen, und statt der Welt ledig zu werden, war er unversehens und im Handumdrehen zum Haupt einer Gemeinde geworden, die sich rasch zu einer selbständigen Sekte, der ›Wiedertäufer des Siebenten Tages‹, entwickelt hatte, und der er um so bedingungsloser gebot, als er seines Wissens Führerschaft niemals angestrebt hatte, sondern wider Wunsch und Absicht dazu berufen worden war.

Nie hatte Beißel eine nennenswerte Bildung genossen, aber des Lesens und Schreibens hatte der Erweckte sich im Selbstunterricht mächtig gemacht, und da sein Gemüt von mystischen Gefühlen und Ideen wogte, so geschah es, daß er hauptsächlich als Schriftsteller und Dichter sein Führeramt ausübte und die Seelen der Seinen speiste: ein Strom didaktischer Prosa und geistlicher Lieder ergoß sich aus seiner Feder zur Erbauung der Brüder und Schwestern in stillen Stunden und zur Bereicherung ihres Gottesdienstes. Sein Stil war verstiegen und kryptisch, beladen mit Metaphern, dunklen Anspielungen auf Stellen der Schrift und einer Art von erotischem Symbolismus. Ein Traktat über den Sabbath, ›Mystyrion Anomalias‹ und eine Sammlung von 99 ›Mystischen und sehr geheymen Sprüchen‹ machten den Anfang. Auf dem Fuße folgten ihnen eine Reihe von Hymnen, die nach bekannten europäischen Choralmelodien zu singen waren und unter solchen Titeln wie ›Göttliche Liebes- und Lobesgethöne‹, ›Jacobs Kampf- und Ritterplatz‹ und ›Zionistischer Weyhrauchhügel‹ im Druck erschienen. Es waren dies kleinere Sammlungen, die einige Jahre später, vermehrt und verbessert, zu dem offiziellen Gesangbuch der Täufer des Siebenten Tages von Ephrata unter dem süß-traurigen Titel ›Das Gesäng der einsamen und verlassenen Turtel-Taube, nemlich der Christlichen Kirche‹ zusammengefaßt wurden. Gedruckt und wiedergedruckt, bereichert durch mitentzündete Glieder der Sekte, einsame sowohl wie vermählte, Männer und noch mehr Frauen, wechselte das Standard-Werk den Titel und hieß auch wohl einmal ›Paradisisches Wunderspiel‹. Es umfaßte schließlich nicht weniger als siebenhundertsiebzig Hymnen, darunter solche von gewaltiger Strophenzahl.

Die Lieder waren bestimmt, gesungen zu werden, ermangelten aber der Noten. Es waren neue Texte zu alten Melodien, und so wurden sie jahrelang von der Gemeinde benutzt. Da kam eine neue Eingebung und Heimsuchung über Johann Conrad Beißel. Der Geist nötigte ihn, zu der Rolle des Dichters und Propheten diejenige des Komponisten an sich zu reißen.

Seit kurzem gab es einen jungen Adepten der Tonkunst zu Ephrata, Herr Ludwig geheißen, der Singschule hielt, und Beißel liebte es, seinem musikalischen Unterricht als Zuhörer beizuwohnen. Er mußte dabei die Entdeckung gemacht haben, daß die Musik zur Ausdehnung und Erfüllung des geistlichen Reiches Möglichkeiten bot, von denen der junge Herr Ludwig sich wenig träumen ließ. Der Beschluß des sonderbaren Mannes war rasch gefaßt. Nicht mehr der Jüngste, schon hoch in den Fünfzigern, machte er sich daran, eine eigene, für seine besonderen Zwecke brauchbare Musik-Theorie auszuarbeiten, stellte den Singlehrer kalt und nahm selbst die Sache in feste Hand – mit solchem Erfolg, daß er binnen kurzem die Musik zum wichtigsten Element im religiösen Leben der Siedelung machte.

Die Mehrzahl der aus Europa überkommenen Choral-Melodien war ihm recht sehr gezwungen, allzu verwickelt und künstlich erschienen, um recht für seine Schäfchen zu taugen. Er wollte es neu und besser machen und eine Musik ins Werk setzen, die der Einfachheit ihrer Seelen besser entsprach und sie instand setzen würde, es bei ihrer ausübenden Leistung zu einer eigenen, schlichten Vollendung zu bringen. Eine sinnvolle und nutzbare Melodie-Lehre war mit kühner Raschheit beschlossen. Er dekretierte, daß »Herren« und »Diener« sein sollten in jeder Tonleiter. Indem er den Dreiklang als das melodische Zentrum jeder gegebenen Tonart anzusehen beschloß, ernannte er die zu diesem Akkord gehörigen Töne zu Meistern, die übrigen Töne der Leiter aber zu Dienern. Die Silben eines Textes nun, auf denen der Akzent lag, hatten jeweils durch einen Meister, die unbetonten durch einen Diener dargestellt zu werden.

Die Harmonie angehend, so griff er zu einem summarischen Verfahren. Er stellte Akkord-Tabellen für alle möglichen Tonarten her, an deren Hand jedermann seine Weisen bequem genug vier- oder fünfstimmig ausschreiben konnte, und rief damit eine wahre Woge von Komponierwut in der Gemeinde hervor. Es gab bald keinen Baptisten des Siebenten Tages, ob männlich oder weiblich, mehr, der es bei solcher Erleichterung nicht dem Meister nachgetan und Töne gesetzt hätte.

Der Rhythmus war der Teil der Theorie, dessen Bereinigung dem rüstigen Manne noch übrigblieb. Er tat es mit dem entschiedensten Erfolge. Sorgfältig folgte er mit der Komposition dem Fall der Worte, einfach indem er betonte Silbe mit längeren Noten, unbetonte mit kürzeren versah. Eine feste Beziehung zwischen den Notenwerten herzustellen, kam ihm nicht in den Sinn, und gerade dadurch wahrte er seinem Metrum eine beträchtliche Biegsamkeit. Daß so gut wie alle Musik seiner Zeit in wiederkehrenden Zeitmaßen von gleicher Länge, in Takten also, geschrieben war, wußte er entweder nicht oder er kümmerte sich nicht darum. Diese Unwissenheit oder Rücksichtslosigkeit aber kam ihm, wie nichts andres, zustatten, denn der schwebende Rhythmus machte einige seiner Kompositionen, besonders die von Prosa, außerordentlich effektvoll.

Dieser Mann bestellte das Feld der Musik, da er es einmal betreten, mit derselben Hartnäckigkeit, mit der er jedes seiner Ziele verfolgte. Seine Gedanken zur Theorie sammelte er und gab sie dem Buche von der ›Turtel-Taube‹ als Vorwort mit. Er versah in ununterbrochener Arbeit sämtliche Poesien des ›Weyhrauchhügels‹ mit Tönen, manche von ihnen zwei- und dreimal, und komponierte alle Hymnen, die er selbst jemals geschrieben, dazu eine Menge derer, die von seinen Schülern und Schülerinnen stammten. Nicht genug damit, schrieb er eine Reihe umfangreicherer Chöre, deren Texte unmittelbar der Bibel entnommen waren. Es schien, als sei er im Begriffe, die ganze Heilige Schrift nach eigenem Rezept in Musik zu setzen; durchaus war er der Mann, einen solchen Gedanken ins Auge zu fassen. Wenn es nicht dazu kam, so nur darum, weil er einen großen Teil seiner Zeit der Ausführung des Geschaffenen, der Vortragskultur, dem Gesangsunterricht widmen mußte, – und hierin nun erzielte er das schlechthin Außerordentliche.

Die Musik von Ephrata, sagte uns Kretzschmar, sei zu ungewöhnlich, zu wunderlich-eigenwillig gewesen, um von der Außenwelt übernommen werden zu können, und darum sei sie in praktische Vergessenheit gesunken, als die Sekte der deutschen Baptisten vom Siebenten Tage zu blühen aufgehört habe. Aber eine leicht sagenhafte Erinnerung daran habe sich doch durch die Jahrzehnte erhalten, und ungefähr lasse sich aussprechen, wie so ganz eigentümlich und ergreifend es damit gewesen. Die vom Chore dringenden Töne hätten zarte Instrumental-Musik nachgeahmt und den Eindruck einer himmlischen Sanftmut und Frömmigkeit in dem Hörer hervorgerufen. Das Ganze sei im Falsett gesungen worden, und die Sänger hätten kaum dabei die Münder geöffnet noch die Lippen bewegt, mit wundersamster akustischer Wirkung. Der Klang sei nämlich dadurch zu der nicht hohen Decke des Betsaals emporgeworfen worden, und es habe geschienen, als ob die Töne, unähnlich allem menschlich Gewohnten, unähnlich jedenfalls jedem bekannten Kirchengesang, von dort herabgestiegen wären und engelhaft über den Köpfen der Versammlung geschwebt hätten.

Sein Vater, erzählte Kretzschmar, habe diesen Klängen als junger Mann noch öfters lauschen können und habe, nie ohne daß sich ihm die Augen genäßt hätten, den Seinen noch im Alter davon berichtet. Er habe damals nahe Snowhill einen Sommer verbracht und sei am Freitagabend, dem Beginn des Sabbaths, einmal hinübergeritten, um vor dem Andachtshause der frommen Leute den Zaungast zu machen. Dann aber sei er immer wiedergekommen, habe jeden Freitag, wenn die Sonne sich neigte, getrieben von unwiderstehlicher Sehnsucht, sein Pferd gesattelt und sei drei Meilen geritten, um dies zu hören. Es sei ganz unbeschreiblich gewesen, mit nichts anderem auf dieser Welt nur zu vergleichen. Er habe doch, so seien des alten Kretzschmar Worte gegangen, in englischen, französischen und italienischen Opernhäusern gesessen; das aber sei Musik für das Ohr gewesen, die Beißels aber ein Klang tief in die Seele und nicht mehr noch minder als ein Vorgeschmack de Himmels.

»Eine große Kunst«, so schloß der Referent, »die, gleichsam abseits der Zeit und des eigenen großen Ganges darin, eine kleine Sondergeschichte dieser Art zu entwickeln und auf verschollenem Nebenwege zu so eigentümlichen Beseligungen zu führen vermag!« –

Ich weiß es, als wäre es gestern gewesen, wie ich mit Adrian aus diesem Vortrag nach Hause ging. Obgleich wir nicht viel miteinander redeten, mochten wir uns lange nicht trennen, und von seines Onkels Hause, wohin ich ihn begleitet, gab er mir zur Apotheke das Geleit, worauf wieder ich in die Parochialstraße mit ihm ging. So machten wir es übrigens öfters. Beide erheiterten wir uns über den Mann Beißel, diesen Winkel-Diktator in seiner belustigenden Tatkraft, und kamen überein, daß seine Musik-Reform stark an die Stelle bei Terenz erinnere, wo es heißt: »Mit Vernunft albern zu handeln.« Aber Adrians Verhalten zu der kuriosen Erscheinung unterschied sich von meinem doch auf so kennzeichnende Art, daß sie mich bald mehr beschäftigte als der Gegenstand selbst. Anders nämlich als ich, hielt er darauf, sich im Spott die Freiheit zur Anerkennung zu salvieren, – auf das Recht, um nicht zu sagen: das *Vorrecht* also, einen Abstand zu wahren, der die Möglichkeit wohlwollenden Geltenlassens, bedingter Zustimmung, halber Bewunderung zusammen mit der Mokerie, dem Gelächter in sich schließt. Ganz allgemein ist mir dieser Anspruch auf ironische Distanzierung, auf eine Objektivität, der es sicherlich weniger um die Ehre der Sache als um die der freien Person zu tun ist, immer als ein Zeichen ungemeinen Hochmuts erschienen. Bei einem so jungen Menschen, wie Adrian es damals war, hat, das wird man mir zugeben, diese Haltung etwas Ängstigendes und Vermessenes und ist danach angetan, Sorge um sein Seelenheil einzuflößen. Freilich ist sie auch wieder sehr eindrucksvoll für den Kameraden von schlichterer Geistesform, und da ich ihn liebte, liebte ich seinen Hochmut mit – vielleicht liebte ich ihn um seinetwillen. Ja, es wird schon so sein, daß diese Hoffart das Hauptmotiv der erschrockenen Liebe war, die ich zeit meines Lebens für ihn im Herzen hegte.

»Laß mir«, sagte er, während wir, die Hände in unseren Manteltaschen, im Winternebel, der die Gaslaternen umspann, zwischen unseren Wohnungen hin und wider gingen, »laß mir den Kauz in Frieden, ich habe was für ihn übrig. Wenigstens hatte er Ordnungssinn, und sogar eine alberne Ordnung ist immer noch besser als gar keine.«

»Du willst nicht im Ernst«, antwortete ich, »ein so absurdes Ordnungsdiktat, einen so kindischen Rationalismus in Schutz nehmen, wie die Erfindung der Herren und Diener. Stelle dir vor, wie diese Beißel-Hymnen geklungen haben, in denen auf jede betonte Silbe ein Ton des Dreiklangs fallen mußte!«

»Jedenfalls nicht sentimental«, erwiderte er, »sondern streng gesetzmäßig, und das lob' ich mir. Tröste dich damit, daß ja der Phantasie, die du natürlich hoch über das Gesetz stellst, reichlicher Spielraum blieb bei freier Benutzung der ›Dienertöne‹.«

Er mußte lachen über das Wort, beugte sich vor im Gehen und lachte auf das feuchte Trottoir hinab.

»Komisch, sehr komisch ist es«, sagte er. »Aber eines wirst du mir zugeben: Das Gesetz, jedes Gesetz, wirkt erkältend, und die Musik hat soviel Eigenwärme, Stallwärme, Kuhwärme, möchte ich sagen, daß sie allerlei gesetzliche Abkühlung brauchen kann – und auch selber immer danach verlangt hat.«

»Daran mag etwas Wahres sein«, gab ich zu. »Aber unser Beißel gibt am Ende kein schlagendes Beispiel dafür ab. Du vergißt, daß sein ganz ungeregelter und dem Gefühl überlassener Rhythmus der Strenge seiner Melodie mindestens die Waage hielt. Und dann erfand er sich einen Gesangsstil – zur Decke hinauf und in seraphischem Falsett von dort herabschwebend –, der höchst berückend gewesen sein muß und gewiß der Musik alle ›Kuhwärme‹ zurückgab, die er ihr vorher durch pedantische Abkühlung genommen.«

»Durch asketische, würde Kretzschmar sagen«, erwiderte er, »durch asketische Abkühlung. Darin war Vater Beißel sehr echt. Die Musik tut immer im voraus geistige Buße für ihre Versinnlichung. Die alten Niederländer haben ihr zu Gottes Ehren die vertracktesten Kunststücke auferlegt, und es ging hart auf hart dabei her nach allem, was man hört, höchst unsinnlich und rein rechnerisch ausgeklügelt. Aber dann haben sie diese Bußübungen *singen* lassen, sie dem tönenden Atem der Menschenstimme überliefert, die denn doch wohl das stallwärmste Klangmaterial ist, das sich erdenken läßt . . .«

»Meinst du?«

»Wie soll ich das nicht meinen! An Stallwärme gar nicht zu vergleichen mit irgendeinem anorganischen Instrumentalklang. Abstrakt mag sie sein, die menschliche Stimme, – der abstrakte Mensch, wenn du willst. Aber das ist eine Art von Abstraktheit, ungefähr wie der entkleidete Körper abstrakt ist, – es ist ja beinahe ein pudendum.«

Ich schwieg betroffen. Meine Gedanken führten mich weit zurück in unserem, in seinem Leben.

»Da hast du sie«, sagte er, »deine Musik.« (Und ich ärgerte mich über seine Ausdrucksweise, die darauf ausging, mir die Musik zuzuschieben, als ob sie mehr meine Sache gewesen wäre als seine.) »Da hast du sie ganz, so war sie immer. Ihre Strenge, oder was du den Moralismus ihrer Form nennen magst, muß als Entschuldigung herhalten für die Berückungen ihrer Klangwirklichkeit.«

Einen Augenblick fühlte ich mich als der Ältere, Reifere.

»Einem Lebensgeschenk«, erwiderte ich, »um nicht zu sagen: einem Gottesgeschenk, wie der Musik, soll man nicht Antinomien höhnisch nachweisen, die nur von der Fülle ihres Wesens Zeugnis geben. Man soll sie lieben.«

»Hältst du die Liebe für den stärksten Affekt?« fragte er.

»Weißt du einen stärkeren?«

»Ja, das Interesse.«

»Darunter verstehst du wohl eine Liebe, der man die animalische Wärme entzogen hat?«

»Einigen wir uns auf die Bestimmung!« lachte er. »Gute Nacht!«

Wir waren wieder beim Leverkühn'schen Hause gelandet, und er öffnete sich das Tor.

IX

Ich blicke nicht zurück und hüte mich nachzuzählen, wieviel Blätter ich aufgehäuft zwischen der vorigen römischen Ziffer und der soeben gesetzten. Das Unglück – ein allerdings gänzlich unerwartetes Unglück – ist geschehen, und es wäre nutzlos, mich seinetwegen in Selbstanklagen und Entschuldigungen zu ergehen. Die Gewissensfrage, ob ich es einfach dadurch hätte vermeiden können und sollen, daß ich jedem einzelnen der Vorträge Kretschmars ein besonderes Hauptstück zugewiesen hätte, muß ich verneinen. Jede gesonderte Teil-Einheit eines Werkes bedarf eines Schwergehaltes, eines bestimmten Maßes förderlicher Bedeutung für das Ganze, und dieses Gewicht, dieses Bedeutungsmaß kommt den Vorträgen nur in ihrer Gesamtheit (soweit ich sie referiert habe), – sie kommt nicht dem einzelnen zu.

Warum aber messe ich ihnen eine solche Bedeutung bei? Warum habe ich mich bewogen gesehen, sie in dieser Ausführlichkeit wiederzugeben? Ich nenne den Grund dafür nicht zum ersten Mal. Es ist einfach der, daß Adrian diese Dinge damals hörte, daß sie seine Intelligenz herausforderten, sich in seinem Gemüte niederschlugen und seiner Phantasie einen Stoff boten, den man Nahrung nennen mag, oder Reizung, denn für die Phantasie ist das ein und dasselbe. Notwendigerweise war also auch der Leser dabei zum Zeugen zu machen; denn man schreibt keine Biographie, schildert nicht den Aufbau einer geistigen Existenz, ohne auch den, für den man schreibt, auf den Stand des Schülers, des lauschenden, lernenden, jetzt nahehin blickenden, jetzt ahnend voranschweifenden Neubeginners des Lebens und der Kunst zurückzuführen. Und was im besonderen die Musik betrifft, so ist es mein Wunsch und Bestreben, den Leser auf ganz dieselbe Art ihrer ansichtig werden zu lassen; ihn auf eben die Weise in Fühlung mit ihr zu bringen, wie es meinem verewigten Freunde geschah. Dazu aber erschienen mir die Reden seines Lehrers als ein unverächtliches, ja unentbehrliches Mittel.

Darum meine ich, scherzweise, daß mit solchen, die in dem allerdings monströsen Vortragskapitel sich der Sprünge und Überschlagungen schuldig gemacht haben, so verfahren werden sollte, wie Lawrence Sterne mit einer imaginierten Zuhörerin verfährt, die durch eine Zwischenrede verrät, daß sie zeitweise nicht achtgegeben hat, und deshalb vom Verfasser in ein früheres Kapitel zurückgeschickt wird, damit sie die Lücken ihres epischen Wissens ausfülle. Später dann, nachdem sie sich besser informiert, stößt die Dame wieder zu der erzählerischen Gemeinde und wird mit heiterem Gruß empfangen.

Dies kommt mir in den Sinn, weil Adrian als Primaner, zu der Zeit also, wo ich schon auf die Universität Gießen abgegangen war, unter der Einwirkung Wendell Kretzschmars privatim Englisch trieb, ein Fach, das ja außerhalb des humanistischen Lehrbereiches liegt, und mit großem Vergnügen die Schriften Sterne's las, namentlich aber die Werke Shakespeare's, von denen der Organist ein intimer Kenner und leidenschaftlicher Verehrer war. Shakespeare und Beethoven zusammen bildeten an seinem geistigen Himmel ein alles überleuchtendes Zwillingsgestirn, und sehr liebte er es, seinem Schüler merkwürdige Verwandtschaften und Übereinstimmungen in den Schaffensprinzipien und -methoden der beiden Giganten nachzuweisen, — ein Beispiel dafür, wie weit der erzieherische Einfluß des Stotterers auf meinen Freund über den eines Klavierlehrers hinausging. Als solcher hatte er ihm kindliche Anfangsgründe zu überliefern, und in sonderbarem Widerspruch dazu stand es, daß er ihn gleichzeitig und sozusagen nebenbei mit den größten Dingen in erste Berührung brachte, ihm die Reiche der Weltliteratur eröffnete, ihn durch Neugier erweckende Vorberichte in die ungeheuren Gebreite des russischen, englischen, französischen Romans verlockte, ihn zur Beschäftigung mit der Lyrik von Shelley und Keats, Hölderlin und Novalis anregte, ihm Manzoni und Goethe, Schopenhauer und Meister Ekkehart zu lesen gab. Durch seine Briefe sowohl wie mündlich, wenn ich in den Hochschulferien nach Hause kam, ließ Adrian mich an diesen Errungenschaften teilnehmen, und ich will nicht leugnen, daß ich mir trotz seiner mir bekannten Raschheit und Leichtigkeit zuweilen Sorgen machte der Überbelastung wegen, die diese doch wohl verfrühten Erkundungen für sein junges System bedeuteten. Unzweifelhaft bildeten sie ein bedenkliches Plus zu den Vorbereitungen auf die Abgangsexamina, in denen er stand und von denen er freilich wegwerfend redete. Oft sah er blaß aus — und das nicht nur an Tagen, wenn die ererbte Migräne ihren trübenden Druck auf ihn ausübte. Augenscheinlich hatte er zu wenig Schlaf, denn zum Lesen verwendete er Nachtstunden. Ich unterließ auch nicht, Kretzschmarn meine Besorgnis einzugestehen und bei ihm anzufragen, ob er nicht mit mir in Adrian eine Natur sähe, die geistig eher zurückzuhalten als vorwärtszustoßen sei. Aber der Musiker, obgleich so viel älter als ich, gab sich ganz als Parteigänger ungeduldig-erkenntnishungriger, sich selbst nicht schonender Jugend und war überhaupt der Mann einer gewissen idealistischen Härte und Gleichgültigkeit gegen den Körper und seine »Gesundheit«, die er für einen recht philiströsen, um nicht zu sagen: feigen Wert erachtete.

»Ja, lieber Freund«, sagte er (und ich lasse die Hemmungsvorkommnisse aus, die seine Polemik beeinträchtigten), »wenn Sie für Gesundheit sind, — mit Geist und Kunst hat die denn wohl freilich nicht viel zu tun, sie steht sogar in einem gewissen Kontrast dazu, und jedenfalls hat das eine ums andre sich nie viel gekümmert. Den Onkel Hausarzt zu machen, der vor verfrühter Lektüre warnt, weil sie nämlich für ihn all seiner Lebtage verfrüht wäre, dazu bin ich nicht da. Auch find' ich nichts taktloser und brutaler, als begabte Jugend beständig auf ihre ›Unreife‹ festnageln zu wollen und ›Das ist noch nichts für dich‹ das dritte Wort sein zu lassen. Soll doch er das beurteilen! Soll er doch überhaupt sehen, wie er durchkommt. Daß dem die Zeit lang wird, bis er aus der Eischale dieses altdeutschen Marktfleckens schlüpfen kann, ist nur zu begreiflich.«

Da hatte ich es, und da hatte es Kaisersaschern. Ich ärgerte mich, denn der Standpunkt des Onkel Doktors war ja gewiß auch der meine nicht. Zudem sah und begriff ich sehr wohl, daß Kretzschmar sich nicht nur nicht als Klavierlehrer und Trainer in einer Spezial-Technik genügte, sondern daß ihm auch die Musik selbst, das Ziel dieses Unterrichts, wenn sie einseitig und ohne Zusammenhang mit anderen Gebieten der Form, des Gedankens und der Bildung betrieben wurde, als ein menschlich verkümmernder Spezialismus erschien.

Tatsächlich pflegten, nach allem, was ich von Adrian hörte, seine

Klavierstunden in Kretzschmars altertümlicher Amtswohnung beim Dom zur guten Hälfte mit Unterhaltungen über Philosophie und Dichtung hinzugehen. Trotzdem konnte ich, solange ich noch mit ihm auf der Schule war, seine Fortschritte buchstäblich von Tag zu Tag verfolgen. Seine auf eigene Hand gewonnene Vertrautheit mit der Tastatur und den Tonarten beschleunigte natürlich seine ersten Schritte. Sein Skalen-Üben war gewissenhaft, aber eine Klavierschule wurde meines Wissens nicht benutzt, sondern Kretzschmar ließ ihn einfach gesetzte Choräle und – so wunderlich sie sich auf dem Klaviere ausnahmen – vierstimmige Psalmen von Palestrina spielen, bestehend aus reinen Akkorden nebst etwelchen harmonischen Spannungen und Kadenzen; dazu, etwas später, kleine Präludien und Fughetten von Bach, zweistimmige Inventionen von ebendemselben, die Sonata facile von Mozart, einsätzige Sonaten von Scarlatti. Außerdem ließ er es sich nicht verdrießen, selbst kleine Stücke, Märsche und Tänze für ihn zu schreiben, teils zum Alleinspiel, teils zu vierhändiger Ausführung, wobei das musikalische Gewicht im Secondo-Part lag, während der erste, für den Schüler bestimmte, ganz leicht gehalten war, so daß diesem die Genugtuung wurde, sogar führend an einer Produktion teilzunehmen, die sich als Ganzes auf einer höheren technischen Ausbildungsstufe als der seinen bewegte.

Alles in allem hatte das etwas von Prinzenerziehung, und ich erinnere mich, daß ich neckend dies Wort im Gespräch mit dem Freunde gebrauchte, erinnere mich auch, wie er dabei mit dem ihm eigentümlichen kurzen Auflachen den Kopf abwandte, als wollte er's nicht gehört haben. Zweifellos war er dem Lehrer dankbar für einen Unterrichtsstil, der dem Umstande Rechnung trug, daß der Schüler nach seinem allgemeinen geistigen Entwicklungsstande nicht auf die kindliche Stufe der Ausbildung gehörte, die er in diesem spät ergriffenen Fache einnahm. Kretzschmar hatte nichts dagegen und begünstigte es sogar, daß dieser von Gescheitheit vibrierende Jüngling auch musikalisch vorauseilte und sich mit Dingen zu schaffen machte, die ein pedantischer Mentor als Allotria verpönt haben würde. Denn kaum kannte er die Noten, als er auch schon zu schreiben und auf dem Papier mit Akkorden zu experimentieren begann. Die Manie, die er damals entwickelte: sich beständig musikalische Probleme auszudenken, die er wie Schachaufgaben löste, konnte Besorgnis einflößen, da die Gefahr nahe lag, daß er dieses Ersinnen und Bewältigen technischer Schwierigkeiten bereits für Komponieren hielt. So verbrachte er Stunden damit, auf möglichst knappem Raum Akkorde, die zusammen alle Töne der chromatischen Leiter enthielten, zu verbinden, und zwar ohne daß die Akkorde chromatisch verschoben wurden und ohne daß sich bei der Verbindung Härten ergaben. Oder er gefiel sich darin, sehr starke Dissonanzen zu konstruieren und alle möglichen Auflösungen dafür zu erfinden, die aber, eben weil der Akkord so viele widersprechende Töne enthielt, nichts miteinander zu tun hatten, so daß jener bittere Klang, einem Zauber-Sigel gleich, Beziehungen zwischen den entferntesten Klängen und Tonarten stiftete.

Eines Tages brachte der Anfänger in bloßer Harmonielehre Kretzschmarn, zu dessen Erheiterung, die auf eigene Hand gemachte Entdeckung des doppelten Kontrapunkts. Will sagen: er gab ihm zwei simultane Stimmen zu lesen, von denen jede sowohl Ober- wie Unterstimme sein konnte und die also vertauschbar waren. »Hast du den dreifachen heraus«, sagte Kretzschmar, »so behalt ihn für dich. Ich will nichts wissen von deinen Voreiligkeiten.«

Er behielt viel für sich und ließ nur mich allenfalls, in gelockerten Augenblicken, teilnehmen an seinen Spekulationen, – seiner Vertiefung besonders in das Problem der Einheit, Vertauschbarkeit, Identität von Horizontale und Vertikale. Bald besaß er eine in meinen Augen unheimliche Fertigkeit darin, melodische Linien zu erfinden, deren Töne man übereinanderstellen, simultan machen, in komplizierte Harmonien zusammenfalten konnte, – und umgekehrt vieltönige Akkorde zu gründen, die in die melodische Horizontale auseinanderzulegen waren.

Auf dem Schulhof, zwischen einer griechischen Stunde und einer in Trigonometrie, sprach er mir wohl, an den Vorsprung der glasierten Ziegelmauer gelehnt, von diesen magischen Unterhaltungen seiner Mußezeit: von der Umwandlung des Intervalls in den Akkord, die ihn beschäftigte wie nichts anderes, des Horizontalen also ins Vertikale, des Nacheinanders ins Gleichzeitige. Gleichzeitigkeit, behauptete er, sei dabei eigentlich das Primäre, denn der Ton selbst, mit seinen näheren und entfernteren Obertönen, sei ein Akkord und die Skala nur die analytische Auseinanderlegung des Klanges in die horizontale Reihe.

»Aber mit dem eigentlichen, aus mehreren Tönen bestehenden Akkord ist es doch etwas anderes. Ein Akkord will fortgeführt sein, und sobald du ihn weiterführst, ihn in einen anderen überleitest, wird jeder seiner Bestandteile zur Stimme. Ich finde, man sollte nie in einer akkordischen Verbindung von Tönen etwas anderes sehen als das Resultat der Stimmenbewegung und in dem akkordbildenden Ton die Stimme ehren, – den Akkord aber *nicht* ehren, sondern ihn als subjektiv-willkürlich verachten, solange er sich nicht durch den Gang der Stimmführung, das heißt: polyphonisch ausweisen kann. Der Akkord ist kein harmonisches Genußmittel, sondern er ist Polyphonie in sich selbst, und die Töne, die ihn bilden, sind Stimmen. Ich behaupte aber: sie sind das desto mehr, und desto entschiedener ist der polyphone Charakter des Akkordes, je dissonanter er ist. Die Dissonanz ist der

Gradmesser seiner polyphonen Würde. Je stärker ein Akkord dissoniert, je mehr voneinander abstechende und auf differenzierte Weise wirksame Töne er in sich enthält, desto polyphoner ist er, und desto ausgesprochener hat schon in der Gleichzeitigkeit des Zusammenklangs jeder einzelne Ton das Gepräge der Stimme.«

Ich blickte ihn längere Zeit humoristisch-fatal mit dem Kopfe nickend an.

»Du kannst gut werden«, sagte ich endlich.

»Ich?« erwiderte er, nach seiner Art sich abwendend. »Ich spreche ja von der Musik, nicht von mir, – ein kleiner Unterschied.«

Er hielt gar sehr auf diesen Unterschied und sprach über Musik nur wie über eine fremde Macht, ein wunderliches, ihn aber persönlich nicht berührendes Phänomen, sprach von ihr kritisch distanziert und gewissermaßen von oben herab, – aber er sprach von ihr und hatte desto mehr Stoff dazu, als in diesen Jahren, dem letzten, das ich mit ihm auf der Schule verbrachte, und meinen ersten Studentensemestern, seine musikalische Erfahrung, seine Kenntnis der musikalischen Weltliteratur sich rapide erweiterte, so daß freilich bald der Abstand zwischen dem, was er kannte und was er konnte, jener von ihm betonten Unterscheidung eine Art von Augenfälligkeit verlieh. Denn während er als Pianist sich an Stücken versuchte wie Schumanns ›Kinderszenen‹ und den beiden kleinen Sonaten von Beethoven, opus 49, und als Musikschüler sehr brav Choral-Themen so harmonisierte, daß das Thema in die Mitte der Akkorde zu liegen kam, gewann er mit großer Schnelle, ja fast überstürzter- und überlastenderweise einen zwar inkohärenten, im einzelnen aber intensiven Überblick über die vorklassische, klassische, romantische und spätromantisch-moderne Produktion, – natürlich durch Kretzschmar, der selbst zu verliebt war in alles – aber auch alles – in Tönen Geschaffene, als daß er nicht darauf hätte brennen sollen, einen Schüler, der zu hören wußte wie Adrian, in diese gestaltungsvolle, an Stilen, Nationalcharakteren, Traditionswerten und Persönlichkeitsreizen, historischen und individuellen Abwandlungen des Schönheitsideals unerschöpflich reiche Welt einzuführen: durch Vorspielen am Klavier, versteht sich – ganze Unterrichtsstunden, und zwar unbekümmert verlängerte Unterrichtsstunden, gingen einfach damit hin, daß Kretzschmar dem Jüngling vorspielte, wobei er von einem zum andern, vom Hundertsten ins Tausendste kam, hineinschreiend, kommentierend, charakterisierend, wie wir es von seinen »gemeinnützigen« Vorträgen her kennen, – man konnte in der Tat nicht fesselnder, eindringlicher, lehrreicher vorgespielt bekommen.

Ich brauche kaum darauf hinzuweisen, daß die Gelegenheiten, Musik zu hören, für einen Bewohner von Kaisersaschern außerordentlich spärlich waren. Wir hätten, wenn ich von den kammermusikalischen Unterhaltungen bei Nikolaus Leverkühn und den

Orgelkonzerten im Dom absehe, praktisch keine Gelegenheit dazu gehabt, denn höchst selten verirrte ein fahrender Virtuos oder ein auswärtiges Orchester mit seinem Dirigenten sich in unser Städtchen. Hier sprang nun Kretzschmar ein und sättigte mit seinem lebendigen Vorspielen, wenn auch nur vorläufig und andeutend, ein teils unbewußtes, teils uneingestandenes Bildungsverlangen meines Freundes, — so ausgiebig, daß ich von einer Sturzwelle musikalischen Erlebens sprechen möchte, die damals seine junge Rezeptivität überschwemmte. Nachher kamen Jahre der Verleugnung und Dissimulation, wo er viel weniger Musik aufnahm als damals, obgleich sich weit günstigere Gelegenheit dazu bot.

Es begann sehr natürlich damit, daß der Lehrer ihm an Werken von Clementi, Mozart und Haydn den Bau der Sonate demonstrierte. Aber nicht lange, so kam er von dieser auf die Orchester-Sonate, die Symphonie, und führte nun, in der Klavier-Abstraktion, dem Lauschenden, mit zusammengezogenen Brauen und geöffneten Lippen Beobachtenden die verschiedenen zeitlichen und persönlichen Abwandlungen dieser reichsten, zu Sinn und Geist vielfältigst sprechenden Erscheinungsform der absoluten Klangschöpfung vor, spielte ihm Instrumentalwerke von Brahms und Bruckner, Schubert, Robert Schumann und von Neueren und Neuesten, dazwischen solche von Tschaikowski, Borodin und Rimski-Korssakow, von Anton Dvořák, Berlioz, César Franck und Chabrier, wobei er durch laute Erläuterungen beständig seine Einbildungskraft aufforderte, den pianistischen Schatten orchestral zu beleben: »Cello-Kantilene!« rief er. »Das müssen Sie sich gezogen denken! Fagott-Solo! Und die Flöte macht diese Fiorituren dazu! Paukenwirbel! Das sind die Posaunen! Hier Einsatz der Violinen! Lesen Sie's in der Partitur nach! Die kleine Trompeten-Fanfare da lasse ich aus, ich habe nur zwei Hände!«

Er tat, was er konnte, mit diesen zwei Händen und fügte oft, krähend und krächzend, aber durchaus erträglich, ja hinreißend durch innere Musikalität und enthusiastische Richtigkeit des Ausdrucks, seine singende Stimme hinzu. Abspringend und nebeneinanderstellend, kam er vom Hundertsten ins Tausendste, erstens, weil er Unendliches im Kopfe hatte und ihm beim einen das andere einfiel, dann aber besonders, weil es seine Passion war, zu vergleichen, Beziehungen aufzudecken, Einflüsse nachzuweisen, den verschränkten Zusammenhang der Kultur bloßzulegen. Es freute ihn, und stundenlang hielt er sich dabei auf, seinem Schüler sinnfällig zu machen, wie Franzosen auf Russen, Italiener auf Deutsche, Deutsche auf Franzosen gewirkt. Er ließ ihn hören, was Gounod von Schumann hatte, was César Franck von Liszt, wie Debussy sich auf Mussorgski stützte, und wo d'Indy und Chabrier wagnerisierten. Zu zeigen, wie bloße Zeitgenossenschaft Wechselbeziehungen herstellt zwischen so verschiedenen Naturen wie Tschaikowski und Brahms, gehörte auch zu diesen Lehrunterhaltungen. Er führte ihm Stellen vor aus den Werken des einen, die ebensogut von dem anderen hätten sein können. Bei Brahms, den er sehr hochachtete, demonstrierte er ihm die Bezugnahme auf Archaisches, auf alte Kirchentonarten, und wie dies asketische Element bei ihm zum Mittel eines düsteren Reichtums und dunkler Fülle werde. Er gab seinem Schüler zu bemerken, wie in dieser Art von Romantik, unter vernehmbarer Berufung auf Bach, das stimmenmäßige Prinzip dem modulatorisch-farbigen ernst entgegentrete und es zurückdränge. Wahre Stimmen-Selbständigkeit, wahre Polyphonie sei das aber ja doch nicht, sei es auch schon bei Bach nicht gewesen, bei dem man zwar die kontrapunktischen Künste der Vokalzeit überliefert finde, der aber doch von Geblüt ein Harmoniker und nichts anderes gewesen sei, – schon als Mann des temperierten Klaviers sei er das gewesen, dieser Voraussetzung für alle neuere harmonische Modulationskunst, und sein harmonischer Kontrapunkt habe mit alter vokaler Mehrstimmigkeit im Grunde nicht mehr zu tun gehabt als Händels akkordisches al fresco.

Genau solche Äußerungen waren es nun, für die Adrian ein eigentümlich geschärftes Ohr hatte. Im Gespräch mit mir hielt er sich wohl darüber auf.

»Bachs Problem«, sagte er, »lautete: ›Wie ist harmonisch sinnvolle Polyphonie möglich?‹ Bei den Neueren stellt die Frage sich etwas anders. Sie heißt da eher: ›Wie ist eine Harmonik möglich, die den Anschein der Polyphonie erweckt?‹ Merkwürdig, es sieht nach schlechtem Gewissen aus – nach dem schlechten Gewissen der homophonen Musik vor der Polyphonie.«

Daß er durch so vieles Hören lebhaft zum Lesen von Partituren angeregt wurde, die er teils aus des Lehrers Privatbestande, teils aus der Stadtbibliothek entlieh, brauche ich nicht zu sagen. Ich betraf ihn oft bei solchem Studium und auch bei schriftlichem Instrumentierungswerk. Denn Bescheide über den Register-Umfang der einzelnen Orchester-Instrumente (Auskünfte, deren der Pflegesohn des Instrumentenhändlers übrigens kaum bedurfte) waren in den Unterricht eingeflossen, und Kretzschmar hatte angefangen, ihn mit der Orchestrierung kurzer klassischer Musikstücke, einzelner Klaviersätze von Schubert und Beethoven zu beauftragen, auch mit der Instrumentierung der Klavierbegleitung von Liedern: Übungsarbeiten, deren Schwächen und klangliche Mißgriffe er ihm dann nachwies und verbesserte. In diese Zeit fiel Adrians erste Bekanntschaft mit der glorreichen Kultur des deutschen Kunstliedes, welche nach leidlich trockenen Vorspielen in Schubert wunderbar entspringt, um dann durch Schumann, Robert Franz, Brahms, Hugo Wolf und Mahler ihre national durchaus unvergleichlichen Triumphe zu feiern. Eine herr-

liche Begegnung! Ich war glücklich, ihr beiwohnen, an ihr teilnehmen zu können. Eine Perle und ein Mirakel wie Schumanns
›Mondnacht‹ und die liebliche Sensitivität ihrer Sekunden-Beglei-
tung; andere Eichendorff-Kompositionen desselben Meisters, wie
jenes alle romantischen Gefahren und Bedrohungen der Seele beschwörende Stück, das mit der unheimlich moralischen Warnung
endigt: »Hüte dich! Sei wach und munter!«; ein Fund und Tref-
fer wie Mendelssohns ›Auf Flügeln des Gesanges‹, die Eingebung
eines Musikers, den Adrian sehr vor mir herauszustreichen
pflegte, indem er ihn den metrisch Reichsten von allen nannte, –
welche fruchtbaren Gesprächsgegenstände! Bei Brahms, dem Lie-
derkomponisten, schätzte mein Freund über alles die eigentümlich strenge und neue Stilgebung in den über Bibeltexte gesetzten
›Vier ernsten Gesängen‹, besonders die religiöse Schönheit des ›O
Tod, wie bitter bist du‹. Schuberts immer zwielichtiges, vom Tode
berührtes Genie aber suchte er dort mit Vorliebe auf, wo es einem
gewissen nur halb definierten, aber unabwendbaren Einsamkeits-
verhängnis zu höchstem Ausdruck verhilft, wie in dem großartig
eigenbrötlerischen ›Ich komme vom Gebirge her‹ des Schmidt von
Lübeck, und jenem ›Was vermeid' ich denn die Wege, wo die
andren Wandrer gehn‹ aus der ›Winterreise‹ mit dem allerdings
ins Herz schneidenden Strophenbeginn:

Habe ja doch nichts begangen,
Daß ich Menschen sollte scheu'n —.

Diese Worte habe ich ihn, nebst den anschließenden:

Welch ein törichtes Verlangen
Treibt mich in die Wüstenei'n?,

die melodische Diktion andeutend, vor sich hinsprechen hören
und dabei, zu meiner unvergessenen Bestürzung, Tränen in seine
Augen treten sehen.
Selbstverständlich litt sein Instrumentalsatz unter dem Mangel an
sinnlicher Erfahrung, und Kretzschmar ließ es sich angelegen sein,
dem abzuhelfen. In den Michaelis-, den Weihnachtsferien fuhr er
mit ihm (die Zustimmung des Onkels eingeholt) zu vorfallenden
Opern- und Konzertaufführungen in unferne Städte: nach Merseburg, nach Erfurt, sogar nach Weimar, damit ihm die klangliche
Verwirklichung dessen zuteil würde, was er im bloßen Auszuge
aufgenommen, allenfalls im Notenbild überblickt hatte. So mochte
er die kindlich feierliche Esoterik der ›Zauberflöte‹ in seine Seele
schließen; die bedrohliche Anmut des ›Figaro‹; die Dämonie der
tiefen Klarinetten in Webers ruhmreich gehobenem Singspiel vom
Freischützen; verwandte Gestalten schmerzlich düsterer Ausge-

schlossenheit wie die Hans Heilings und des Fliegenden Holländers, endlich die erhabene Humanität und Brüderlichkeit des ›Fidelio‹ mit der großen Ouvertüre in C, die vor dem Schlußbilde gespielt wurde. Diese nun war denn doch, wie man erkennen konnte, das Imponierendste und Beschäftigendste von allem, was seine junge Empfänglichkeit berührt hatte. Tagelang hielt er nach jenem auswärtigen Abend die Partitur der »Nummer 3« an sich und las darin, wo er ging und stand.

»Lieber Freund«, sagte er, »wahrscheinlich hat man nicht auf mich gewartet, daß ich es feststellte, aber das ist ein vollkommenes Musikstück! Klassizismus, — ja; raffiniert ist es in keinem Zuge, aber es ist groß. Ich sage nicht: *denn* es ist groß, weil es auch raffinierte Größe gibt, aber die ist im Grunde viel familiärer. Sag, was hältst du von der Größe? Ich finde, es hat sein Unbehagliches, ihr so Aug in Aug gegenüberzustehen, es ist eine Mutprobe, — kann man den Blick denn eigentlich aushalten? Man hält ihn nicht aus, man hängt an ihm. Laß dir sagen, ich neige mehr und mehr zu dem Eingeständnis, daß es schon etwas Eigentümliches ist um euere Musik. Eine Bekundung höchster Tatkraft – nichts weniger als abstrakt, aber gegenstandslos, einer Tatkraft im Reinen, im klaren Äther, – wo kommt denn so was im Weltall noch einmal vor! Wir Deutschen haben aus der Philosophie die Redewendung ›an sich‹ übernommen und brauchen sie alle Tage, ohne uns viel Metaphysik dabei zu denken. Aber hier hast du's, solche Musik ist die Tatkraft an sich, die Tatkraft selbst, aber nicht als Idee, sondern in ihrer Wirklichkeit. Ich gebe dir zu bedenken, daß das beinahe die Definition Gottes ist. Imitatio Dei – mich wundert, daß das nicht verboten ist. Vielleicht ist es verboten. Mindestens ist es bedenklich, – ich will damit nur sagen: ›bedenkenswert‹. Schau her: Die energischste, wechselvollste, spannendste Folge von Geschehnissen, Bewegungsvorgängen, nur in der Zeit, aus Zeitgliederung, Zeit-Erfüllung, Zeit-Organisation allein bestehend, ins konkret Handlungsmäßige einmal ungefähr gerückt durch das wiederholte Trompetensignal von außen. Höchst nobel und großsinnig ist das alles, gehalten geistvoll und eher nüchtern, auch an den ›schönen‹ Stellen, – weder sprühend, noch allzu prächtig, noch koloristisch sehr aufregend, nur eben meisterhaft, daß es nicht zu sagen ist. Wie das alles gebracht und gewendet und hingestellt ist, wie zu einem Thema hingeführt und ein Thema verlassen, aufgelöst wird, in der Auflösung sich Neues vorbereitet, die Füllfigur fruchtbar wird, so daß es nicht eine leere oder flaue Stelle gibt, wie der Rhythmus sich federnd umschaltet, eine Steigerung anläuft, Zuflüsse von mehreren Seiten aufnimmt, reißend anschwillt, in brausenden Triumph ausbricht, den Triumph selbst, den Triumph ›an sich‹, – ich mag es nicht schön nennen, das Wort Schönheit war mir immer halb widerwärtig, es hat so ein dummes Gesicht, und den Leuten ist lüstern und faul zumut, wenn sie's sagen. Aber es ist *gut*, gut im Extrem, es könnte nicht besser sein, es dürfte vielleicht nicht besser sein — —«

So sprach er. Es war eine Sprechweise, die in ihrer Mischung aus intellektueller Selbstkontrolle und leichter Fieberhaftigkeit auf mich unbeschreiblich rührend wirkte: rührend, weil er das Fieberhafte darin bemerkte und Anstoß daran nahm; des Tremolos in seiner noch knabenhaft spröden Stimme widerwillig gewahr wurde und sich errötend abwandte.

Ein mächtiger Schub musikalischer Kenntnisnahme und erregter Beteiligung ging damals in sein Leben, um dann für Jahre, wenigstens scheinbar, völlig zum Stillstand zu kommen.

X

Während seines letzten Schuljahres, als Oberprimaner, begann Leverkühn, zu allem übrigen, mit dem nicht obligatorischen und von mir auch nicht betriebenen Studium des Hebräischen und verriet damit die Richtung, in der seine beruflichen Pläne lagen. Es »stellte sich heraus« (absichtlich wiederhole ich diese Wendung, die ich gebrauchte, als ich von dem Augenblicke berichtete, wo mir mit einem Zufallswort sein religiöses Innenleben entdeckte) — es stellte sich heraus, daß er Theologie studieren wollte. Die Nähe des Abgangsexamens verlangte eine Entscheidung, die Wahl einer Fakultät, und er erklärte, seine Wahl getroffen zu haben: erklärte es auf Befragen seinem Onkel, der die Brauen hochzog und »Bravo!« sagte, erklärte es spontan seinen Eltern zu Buchel, die es noch wohlgefälliger aufnahmen, und hatte es mir schon früher kundgegeben, wobei er durchblicken ließ, daß er das Studium nicht als Vorbereitung für den praktischen Kirchen- und Seelsorgedienst, sondern für eine akademische Laufbahn auffasse.

Das sollte wohl eine Art von Beruhigung für mich sein und war es auch, denn ihn mir als Predigtamtskandidaten, Hauptpastor, oder selbst als Konsistorialrat und Generalsuperintendenten zu denken, war mir höchst unlieb. Wäre er wenigstens katholisch gewesen, wie wir es waren! Sein leicht einzubildender Aufstieg, die Stufen der Hierarchie hinan, zum Kirchenfürsten, hätte mich eine glücklichere, gemäßere Perspektive gedünkt. Aber sein Entschluß selbst, die Gottesgelahrtheit zum Beruf zu erwählen, war etwas wie ein Choc für mich und ich glaube wohl, daß ich die Farbe wechselte, als er ihn mir eröffnete. Warum? Ich hätte kaum zu sagen gewußt, welchen ich denn sonst hätte fassen sollen. Eigentlich war nichts mir gut genug für ihn; das heißt: Die bürgerliche, empirische Seite jeder Berufsart wollte mir seiner nicht würdig scheinen, und vergebens hatte ich mich immer nach einer umgesehen, bei deren praktischer, gewerbsmäßiger Ausübung ich ihn mir recht vorstellen konnte. Der Ehrgeiz, den ich für ihn hegte, war absolut, und dennoch fuhr mir ein Schrecken ins Gebein bei der Einsicht – der sehr deutlichen Einsicht –, daß er seinerseits seine Wahl aus *Hochmut* getroffen hatte.

Gelegentlich hatten wir uns wohl darüber geeinigt, oder richtiger: waren der oft geäußerten Ansicht beigetreten, daß die Philosophie die Königin der Wissenschaften sei. Sie nehme, hatten wir festgestellt, unter ihnen ungefähr einen Platz ein wie die Orgel unter den Instrumenten. Sie überblicke sie, fasse sie geistig zusammen, ordne und läutere die Ergebnisse aller Forschungsgebiete zum Weltbilde, zu einer überherrschenden und maßgebenden, den Sinn des Lebens erschließenden Synthese, zur schauenden Bestimmung der Stellung des Menschen im Kosmos. Mein Nachdenken über die Zukunft meines Freundes, über einen »Beruf« für ihn, hatte mich immer zu ähnlichen Vorstellungen geführt. Sein vielseitiges Streben, wie es mich auch ängstlich um seine Gesundheit machte, sein von kommentierender Kritik begleiteter Erfahrungsdrang rechtfertigten solche Träume. Das Universellste, die Existenzform eines souveränen Polyhistors und Weltweisen, war mir eben recht für ihn erschienen, und — weiter hatte meine Einbildungskraft mich nicht geführt. Nun mußte ich erfahren, daß er seinesteils im stillen weitergegangen war, daß er unterderhand, ohne sich freilich die Miene davon zu geben – denn er äußerte seinen Entschluß in sehr ruhigen, unscheinbaren Worten –, meinen Freundesehrgeiz überboten und beschämt hatte.

Wenn man so will, gibt es ja eine Disziplin, in welcher die Königin Philosophie selbst zur Dienerin, zur Hilfswissenschaft, akademisch gesprochen zum ›Nebenfach‹ wird, und das ist die Theologie. Wo die Weisheitsliebe sich zur Anschauung des höchsten Wesens, des Urquells des Seins, zur Lehre von Gott und den göttlichen Dingen erhebt, da, so könnte man sagen, ist der Gipfel wissenschaftlicher Würde, die höchste und vornehmste Sphäre der Erkenntnis, die Spitze des Denkens erreicht; dem beseelten Intellekt ist da sein erhabenstes Ziel gesetzt. Das erhabenste, weil hier die profanen Wissenschaften, zum Beispiel meine eigene, die Philologie, mit ihr die Historie und andere, zum bloßen Rüstzeug werden für den Dienst der Erkenntnis am Heiligen, – und das in tiefster Demut zu verfolgende Ziel auch wieder, weil es, nach dem Schriftworte, »höher ist als alle Vernunft« und der menschliche Geist dabei eine frömmere, gläubigere Bindung eingeht, als sonst irgendeine gelehrte Fachbeschränkung ihm auferlegt.

Dies ging mir durch den Sinn, als Adrian mir seinen Entschluß mitteilte. Wenn er ihn aus einem gewissen Instinkt seelischer Selbstzucht gefaßt habe, nämlich aus dem Verlangen, seinen kühlen und ubiquitären, alles leicht auffassenden, durch Superiorität

83

verwöhnten Intellekt im Religiösen einzufrieden und ihn darunter zu beugen, so wollte ich einverstanden sein. Es hätte nicht nur meine immer im stillen rege, unbestimmte Sorge um ihn beschwichtigt, es hätte mich auch tief gerührt; denn das Sacrificium intellectus, das die anschauende Kenntnis der anderen Welt notwendig mit sich bringt, muß desto höher veranschlagt werden, je stärker der Intellekt ist, der es bringt. — Aber ich glaubte im Grunde nicht an meines Freundes Demut. Ich glaubte an seinen Stolz, auf den ich meinesteils stolz war, und konnte im Grunde nicht zweifeln, daß dieser die Quelle seines Entschlusses gewesen war. Daher die Mischung von Freude und Angst, die den Schrekken ausmachte, der mich bei seiner Mitteilung durchfuhr.

Er sah meine Verwirrung und schien sie dem Gedanken an einen Dritten, seinen Musiklehrer, zuzuschreiben.

»Du meinst gewiß, Kretzschmar wird enttäuscht sein«, sagte er. »Ich weiß wohl, er möchte, daß ich mich ganz der Polyhymnia ergebe. Sonderbar, daß die Leute einen immer auf den eigenen Weg ziehen wollen. Man kann es nicht allen recht machen. Aber ihm werde ich zu bedenken geben, daß durch die Liturgie und ihre Geschichte die Musik stark ins Theologische hineinspielt, — praktischer und künstlerischer sogar als ins Mathematisch-Physikalische, in die Akustik.«

Indem er die Absicht kundgab, das Kretzschmarn zu sagen, sagte er es eigentlich mir, wie ich wohl merkte, und, wieder mit mir allein, ließ ich es mir wiederholt durch den Kopf gehen. Gewiß, im Verhältnis zur Wissenschaft von Gott und dem Gottesdienst nahmen, wie die weltlichen Wissenschaften, so auch die Künste, nahm gerade die Musik einen dienenden, hilfsmittelhaften Charakter an, und dieser Gedanke stand im Zusammenhang mit gewissen Diskussionen, die wir über das einerseits sehr förderliche, andererseits aber melancholisch belastende Schicksal der Kunst, ihre Emanzipation vom Kultus, ihre kulturelle Verweltlichung geführt hatten. Es war mir ganz klar: Der Wunsch, für ihn persönlich, für seine Berufsperspektive die Musik auf den Stand herabzusetzen, den sie einst, in seiner Meinung nach glücklicheren Zeiten, im Kultus-Verbande eingenommen, hatte bei seiner Berufswahl mitgewirkt. Wie die profanen Forschungsdisziplinen, so wollte er auch die Musik unterhalb der Sphäre sehen, der er selbst als Adept sich weihte, und unwillkürlich schwebte mir, seine Meinung versinnlichend, eine Art von Barock-Gemälde, ein riesiges Altarblatt vor, worauf alle Künste und Wissenschaften in unterwürfig darbringender Haltung der apotheosierten Gottesgelehrsamkeit ihre Huldigung darbrachten.

Adrian lachte laut über meine Vision, als ich ihm von ihr erzählte. Er war vorzüglicher Dinge damals, zum Spaßmachen sehr aufgelegt — begreiflicherweise; denn ist nicht der Augenblick des

Flüggewerdens und anbrechender Freiheit, wenn das Tor der Schule sich hinter uns schließt, das Stadtgehäuse, in dem wir herangezogen worden, sich auftut und die Welt uns offen liegt, der glücklichste oder doch der erregend erwartungsvollste in unser aller Leben? Durch seine musikalischen Ausflüge mit Wendell Kretzschmar in größere Nachbarstädte hatte Adrian ein paarmal am weltlichen Draußen im voraus genippt; nun sollte Kaisersaschern, die Stadt der Hexen und Sonderlinge, des Instrumentenlagers und des Kaisergrabes im Dom, ihn endgültig entlassen, und nur noch besuchsweise, lächelnd wie einer, der anderes kennt, sollte er wieder in ihren Gassen wandeln.

War es so? Hat Kaisersaschern ihn jemals freigegeben? Hat er es nicht mit sich genommen, wohin immer er ging, und ist er nicht von ihm bestimmt worden, wann immer er zu bestimmen glaubte? Was ist Freiheit! Nur das Gleichgültige ist frei. Das Charakteristische ist niemals frei, es ist geprägt, determiniert und gebunden. War es nicht »Kaisersaschern«, was aus meines Freundes Entschlusse sprach, Theologie zu studieren? Adrian Leverkühn und diese Stadt, – gewiß, das ergab zusammen wohl Theologie; nachträglich fragte ich mich, was ich denn sonst erwartet hatte. Er widmete sich später der Komposition. Aber wenn es sehr kühne Musik war, die er schrieb, — war es etwa »freie« Musik, Allerweltsmusik? Das war es nicht. Es war die Musik eines nie Entkommenen, war bis in die geheimste genialisch-skurrile Verflechtung hinein, in jedem Kryptenhall und -hauch, der davon ausging, charakteristische Musik, Musik von Kaisersaschern. —

Er war, sage ich, sehr aufgeräumt damals, und wie denn nicht! Vom mündlichen Examen auf Grund der Reife seiner schriftlichen Arbeiten dispensiert, hatte er sich mit Dank für alle Förderung von seinen Lehrern verabschiedet, bei denen der Respekt vor der Fakultät, die er gewählt, die geheime Kränkung zurückdrängte, die seine geringschätzige Mühelosigkeit ihnen immer zugefügt hatte. Immerhin hatte der würdige Direktor der ›Gelehrten Schule der Brüder vom gemeinen Leben‹, ein Pommer namens Dr. Stoientin, der sein Professor im Griechischen, Mittelhochdeutschen und Hebräischen gewesen war, es bei der privaten Abschiedsaudienz an einem Mahnwort in dieser Richtung nicht fehlen lassen.

»Vale«, hatte er gesagt, »und Gott mit Ihnen, Leverkühn! – Der Segensspruch kommt mir vom Herzen, und ob nun Sie dieser Meinung sind oder nicht, ich fühle, daß Sie ihn brauchen können. Sie sind ein Mensch von reichen Gaben, und Sie wissen es – wie sollten Sie es nicht wissen? Sie wissen auch, daß Der dort oben, von dem alles kommt, sie Ihnen anvertraute, denn ihm wollen Sie sie ja darbringen. Sie haben recht: Natürliche Verdienste sind Verdienste Gottes um uns, nicht unsere eigenen. Sein Widerpartner ist es, durch Hochmut zu Falle gekommen er selbst, der trachtet, es uns vergessen zu lassen. Das ist ein arger Gast und brüllender Löwe, der geht und sucht, welchen er verschlinge. Sie sind von denen, die allen Grund haben, vor seinen Schlichen auf der Hut zu sein. Es ist ein Kompliment, das ich Ihnen da mache, nämlich dem, was Sie von Gottes wegen sind. Seien Sie's in Demut, mein Freund, nicht in Trutz und Poch; und bleiben Sie eingedenk, daß Selbstgenüge dem Abfall gleichkommt und dem Undank gegen den Spender aller Gnaden!«

So der wackere Schulmann, unter dem ich später noch an dem Gymnasium Lehrdienst versah. Adrian berichtete mir lächelnd von der Kommunikation auf einem der vielen Feld- und Waldspaziergänge, die wir in jener Osterzeit vom Hofe Buchel aus machten. Denn dort verbrachte er nach dem Abitur einige Wochen der Freiheit, und mich hatten seine guten Eltern zu seiner Gesellschaft mit eingeladen. Ich erinnere mich wohl des Gesprächs, das wir damals im Schlendern über Stoientins Mahnworte führten, besonders über die Redensart »Natürliche Verdienste«, deren er sich bei seiner Handschlagrede bedient hatte. Adrian wies nach, daß er sie von Goethe übernommen habe, der sie gern gebrauchte oder auch häufig von »angeborenen Verdiensten« spreche, indem er durch die paradoxe Verbindung dem Wort ›Verdienst‹ seinen moralischen Charakter zu nehmen und, umgekehrt, das Natürlich-Angeborene zu einem außer-moralisch-aristokratischen Verdienst zu erheben suche. Darum habe er sich gegen die Forderung der Bescheidenheit gewandt, die immer von den Natürlich-Benachteiligten komme, und erklärt: »Nur die Lumpe sind bescheiden.« Direktor Stoientin aber habe das Goethe'sche Wort vielmehr im Geiste Schillers gebraucht, dem an der Freiheit alles gelegen sei, und der darum zwischen Talent und persönlichem Verdienst moralisch unterschieden, Verdienst und Glück, die Goethe untrennbar verschränkt sehe, scharf voneinander getrennt habe. Das tue auch der Direktor, wenn er die Natur Gott nenne und angeborene Talente als die Verdienste Gottes um uns bezeichne, die wir in Demut zu tragen hätten.

»Die Deutschen«, sagte der neugebackene Student, einen Grashalm im Munde, »haben eine doppelgeleisige und unerlaubt kombinatorische Art des Denkens, sie wollen immer eins und das andere, sie wollen alles haben. Sie sind imstande, antithetische Denk- und Daseinsprinzipien in großen Persönlichkeiten kühn herauszustellen. Aber dann vermantschen sie sie, gebrauchen die Prägungen der einen im Sinn der andern, bringen alles durcheinander und meinen, sie können Freiheit und Vornehmheit, Idealismus und Naturkindlichkeit unter einen Hut bringen. Das geht aber wahrscheinlich nicht.«

»Sie haben es eben beides in sich«, erwiderte ich, »sonst hätten sie's in jenen beiden nicht herausstellen können. Ein reiches Volk.«

»Ein konfuses Volk«, beharrte er, »und für die andern verwirrend.«

Übrigens philosophierten wir selten so in diesen ländlichen, unbeschwerten Wochen. Im ganzen war er damals zum Lachen und Unsinnmachen mehr aufgelegt als zu metaphysischen Gesprächen. Seinen Sinn für das Komische, sein Verlangen danach und seine Neigung zum Lachen, ja zum Tränen-Lachen habe ich schon früher zu bemerken gegeben, und ich hätte ein falsches Bild von ihm vermittelt, wenn der Leser solche Ausgelassenheit nicht mit seinem Charakter zu vereinigen wüßte. Von Humor möchte ich nicht sprechen; für mein Ohr lautet das Wort zu behaglich und mäßig, um auf ihn zu passen. Seine Lachlust schien vielmehr eine Art von Zuflucht und eine leicht orgiastische, mir niemals ganz liebe und geheure Auflösung der Lebensstrenge, die das Erzeugnis außerordentlicher Gaben ist. Ihr freien Lauf zu lassen, bot jetzt der Rückblick auf die vollendete Schulzeit, auf possenhafte Mitschüler- und Lehrertypen Gelegenheit, wozu Erinnerungen kamen an jüngste Bildungserlebnisse, mittelstädtische Opern-Aufführungen, in deren Empirie es an burlesken Einschlägen, unbeschadet der Weihe des verkörperten Werkes selbst, nicht hatte fehlen können. So mußte ein bauchiger und x-beiniger König Heinrich im ›Lohengrin‹ herhalten und das runde, schwarze Mundloch im fußsackartigen Barte, aus dem er seinen polternden Baß hatte verströmen lassen. Adrian wollte sich ausschütten über ihn, — und das ist nur ein Beispiel, vielleicht ein allzu konkretes, für die Anlässe seiner Lachtrunkenheit. Oft war diese viel gegenstandsloser, die reine Alberei, und ich gestehe, daß ich stets gewisse Schwierigkeiten hatte, ihm dabei zu sekundieren. Ich liebe das Lachen nicht so sehr und war, wenn er sich ihm überließ, immer gezwungen, an eine Geschichte zu denken, die ich nur durch seine eigene Überlieferung kannte. Sie stammte aus des Augustinus ›De civitate Dei‹ und lautete dahin, daß Cham, der Sohn des Noah und Vater Zoroasters, des Magiers, der einzige Mensch gewesen sei, der bei seiner Geburt gelacht habe, was nur mit Hilfe des Teufels habe geschehen können. Das war bei mir zu einer jeweils auftauchenden Zwangserinnerung geworden, aber es war wohl nur eine Zutat zu anderen Hemmungen, zum Beispiel daß der Blick, den ich innerlich auf ihn richtete, zu ernst und von ängstlicher Spannung nicht frei genug war, als daß ich ihm in der Ausgelassenheit recht hätte folgen können. Auch machte wohl einfach eine gewisse Trockenheit und Steifigkeit meiner Natur mich ungeschickt dazu.

Später fand er in dem Anglizisten und Schriftsteller Rüdiger Schildknapp, dessen Bekanntschaft er in Leipzig machte, einen weit besseren Partner für diese Laune, weshalb ich auf den Mann auch immer ein wenig eifersüchtig gewesen bin.

XI

Zu Halle an der Saale finden sich theologische und philologisch-pädagogische Überlieferungen vielfach verschränkt, vor allem in der historischen Figur August Hermann Francke's, des Schutzheiligen der Stadt, sozusagen, – jenes pietistischen Erziehers, der dort Ende des siebzehnten Jahrhunderts, also kurz nach Gründung der Universität, die berühmten ›Franckeschen Stiftungen‹, nämlich Schulen und Waisenhäuser schuf und in seiner Person und Wirksamkeit das gottselige Interesse mit dem humanistisch-sprachwissenschaftlichen verband. Stellt nicht auch die Canstein'sche Bibelanstalt, diese erste Autorität für die Revision von Luthers Sprachwerk, die Verbindung von Religion und Textkritik her? Außerdem wirkte in Halle zu jener Zeit ein hervorragender Latinist, Heinrich Osiander, zu dessen Füßen zu sitzen mich sehr verlangte, und zum Überfluß schloß, wie ich von Adrian hörte, das kirchengeschichtliche Kolleg des Professors D. Dr. Hans Kegel eine ungewöhnliche Menge profan-historischen Stoffes ein, was ich mir, da ich Geschichte als erstes Nebenfach ansah, zu Nutzen zu machen wünschte,
Es hatte also seine gute geistige Rechtfertigung, daß ich, nach einem je zweisemestrigen Studium in Jena und Gießen, die Brust der Alma Mater Hallensis anzunehmen beschloß, die übrigens für die Einbildungskraft den Vorzug der Identität mit der Universität Wittenberg besitzt; denn mit dieser wurde sie bei ihrer Wiedereröffnung nach den Napoleonischen Kriegen zusammengelegt. Leverkühn war dort schon seit einem halben Jahr immatrikuliert, als ich zu ihm stieß, und ich leugne natürlich nicht, daß der persönliche Grund seiner Anwesenheit stark, ja entscheidend mitgespielt hatte bei meinem Entschluß. Kurz nach seinem Eintreffen hatte er, offenbar aus einem gewissen Einsamkeits- und Verlassenheitsgefühl, mich sogar aufgefordert, zu ihm nach Halle zu kommen, und wenn auch noch einige Monate vergehen mußten, ehe ich seinem Rufe folgte, so war ich doch gleich bereit dazu gewesen, ja vielleicht hätte es seiner Einladung gar nicht bedurft. Mein eigener Wunsch, ihm nahe zu sein, zu sehen, wie er es trieb, welche Fortschritte er machte und wie seine Gaben sich in der Luft akademischer Freiheit entfalteten; dieser Wunsch, in täglichem Austausch mit ihm zu leben, ihn zu überwachen, von nahebei ein Auge auf ihn zu haben, hätte wahrscheinlich von sich aus genügt, mich zu ihm nach Halle zu führen. Und dazu kamen, wie gesagt, jene sachlich-studienmäßigen Gründe.
Selbstverständlich kann ich die beiden Jugendjahre, die ich zu

Halle mit dem Freunde verlebte, und deren Gang durch Ferien-Aufenthalte in Kaisersaschern und auf seinem väterlichen Hof unterbrochen war, in diesen Blättern nur als ebenso vermindertes Abbild sich spiegeln lassen wie seine Schülerzeit. Waren es glückliche Jahre? Ja, als Kernstück einer frei strebenden, mit frischen Sinnen Umschau haltenden und in die Scheuern sammelnden Lebensepoche – und sofern ich sie an der Seite eines Kindheitsgenossen verbrachte, an dem ich hing, ja dessen Sein, dessen Werden, dessen Lebensfrage mich im Grunde mehr interessierte als meine eigene. Diese war einfach; ich brauchte ihr nicht viele Gedanken zu widmen, sondern nur durch treue Arbeit die Voraussetzungen für ihre vorgegebene Lösung zu schaffen. Die seine war höher und in gewissem Sinne rätselhafter, ein Problem, dem nachzuhängen die Sorge um mein eigenes Fortkommen mir immer viel Zeit und seelische Kräfte übrigließ; und wenn ich zögere, jenen Jahren das übrigens immer fragwürdige Beiwort ›glücklich‹ zuzugestehen, so darum, weil ich durch das Zusammenleben mit ihm weit stärker in seine Studien-Sphäre hineingezogen wurde als er in die meine, und weil die theologische Luft mir nicht gemäß, nicht geheuer war, weil in ihr zu atmen mich bedrückte und mir innere Verlegenheit bereitete. Ich fühlte mich zu Halle, dessen geistiger Raum seit Jahrhunderten voll war von religiösen Kontroversen, das heißt: von jenem geistlichen Zank und Streit, der immer dem humanistischen Bildungstriebe so abträglich gewesen ist, – ich fühlte mich dort ein wenig wie einer meiner wissenschaftlichen Ahnen, Crotus Rubianus, der um 1530 zu Halle Canonicus war, und den Luther nicht anders als »den Epikuräer Crotus« oder auch »Dr. Kröte, des Cardinals zu Mainz Tellerlecker« nannte. Er sagte ja auch: »Des Teufels Saw, der Bapst« und war allerwegen ein unleidlicher Grobian, wiewohl ein großer Mann. Stets habe ich mit der Beklemmung sympathisiert, die die Reformation Geistern wie Crotus schuf, weil sie einen Einbruch subjektiver Willkür in die objektiven Satzungen und Ordnungen der Kirche in ihr sahen. Dabei war er von der gebildetsten Friedensliebe, zu vernünftigen Zugeständnissen gern geneigt, der Freigabe des Kelches nicht entgegen, – und wurde dann freilich gerade wieder dadurch in die peinlichste Verlegenheit gesetzt, nämlich durch die greuliche Härte, mit welcher sein Herr, der Erzbischof Albrecht, den zu Halle vorgekommenen Genuß des Abendmahls in beiderlei Gestalt bestrafte.

So geht es der Toleranz, der Kultur- und Friedensliebe zwischen den Feuern des Fanatismus. Es war Halle, das den ersten lutherischen Superintendenten hatte: Justus Jonas, der 1541 dorthin kam und einer von denen war, die zu des Erasmus Kummer aus dem humanistischen Lager ins reformatorische übergegangen waren, wie auch Melanchthon und Hutten. Noch ärger aber war dem Weisen von Rotterdam der Haß, den Luther und die Seinen den klassischen Studien zuzogen, von denen Luther persönlich wenig genug besaß, die man jedoch als die Quelle des geistlichen Aufruhrs betrachtete. Was aber damals im Schoße der Weltkirche sich ereignete, der Aufstand subjektiver Willkür nämlich gegen die objektive Bindung, das sollte sich hundert und einige Jahre später innerhalb des Protestantismus selbst wiederholen: als Revolution der frommen Gefühle und der inneren himmlischen Freude gegen eine versteinte Orthodoxie, von welcher freilich kein Bettelmann mehr ein Stück Brot hatte nehmen wollen; als Pietismus also, der bei Gründung der Universität Halle die ganze theologische Fakultät besetzte. Auch er, dessen Hochburg die Stadt dann lange blieb, war, wie einst das Luthertum, eine Erneuerung der Kirche, eine reformatorische Wiederbelebung der schon absterbenden, schon allgemeiner Gleichgültigkeit verfallenden Religion. Und meinesgleichen mag sich wohl fragen, ob diese immer wiederkehrenden Lebensrettungen eines schon zu Grabe sich Neigenden unter dem kulturellen Gesichtspunkt eigentlich zu begrüßen, ob nicht die Reformatoren eher als rückfällige Typen und Sendlinge des Unglücks zu betrachten sind. Es ist ja wohl kein Zweifel, daß der Menschheit unendliches Blutvergießen und die entsetzlichste Selbstzerfleischung erspart geblieben wäre, wenn Martin Luther die Kirche nicht wiederhergestellt hätte.

Ungern würde ich es sehen, wenn man mich nach dem Gesagten für einen durchaus irreligiösen Menschen hielte. Das bin ich nicht, halte es vielmehr mit Schleiermacher, auch einem Hallenser Gotteskundigen, der die Religion als »den Sinn und Geschmack für das Unendliche« definierte und sie einen im Menschen vorhandenen »Tatbestand« nannte. Nicht mit philosophischen Sätzen also habe die Wissenschaft von der Religion es zu tun, sondern mit einem innerlich gegebenen, seelischen Faktum. Das erinnert an den ontologischen Gottesbeweis, der mir immer von allen der liebste war, und der von der subjektiven Idee eines höchsten Wesens auf dessen objektives Dasein schließt. Daß er vor der Vernunft sowenig wie die anderen standhält, hat mit den energischsten Worten Kant bewiesen. Wissenschaft aber kann der Vernunft nicht entraten, und aus dem Sinn für das Unendliche und die ewigen Rätsel eine Wissenschaft machen zu wollen, heißt zwei einander grundfremde Sphären auf eine in meinen Augen unglückliche und fortwährend in Verlegenheit stürzende Weise zusammenzuzwingen. Religiosität, die ich als keineswegs meinem Herzen fremd betrachte, ist sicherlich etwas anderes als positive und konfessionell gebundene Religion. Wäre es nicht besser gewesen, die »Tatsache« des menschlichen Sinnes für das Unendliche dem frommen Gefühl, den schönen Künsten, der freien Kontemplation, ja auch der exakten Forschung zu überlassen, welche als Kosmologie, Astronomie, theoretische Physik diesem Sinn mit durchaus religiöser Hingabe an das Geheimnis der Schöpfung zu dienen vermag, – anstatt ihn als Geisteswissenschaft auszusondern und Dogmengebäude daraus zu entwickeln, deren Bekenner sich um einer Kopula willen aufs Blut befehden? Der Pietismus, seiner schwärmerischen Natur gemäß, wollte freilich eine scharfe Trennung von Frömmigkeit und Wissenschaft herstellen und behaupten, daß keine Bewegung, keine Veränderung im wissenschaftlichen Raum irgendwelchen Einfluß auf den Glauben ausüben könne. Aber das war eine Täuschung, denn allezeit hat die Theologie freiwillig-unfreiwillig von den wissenschaftlichen Strömungen der Epoche sich bestimmen lassen, hat immer ein Kind ihrer Zeit sein wollen, obgleich die Zeiten ihr das in wachsendem Maß erschwerten und sie in den anachronistischen Winkel drängten. Gibt es eine Disziplin, bei deren bloßem Namen wir uns dergestalt in die Vergangenheit, ins sechzehnte, ins zwölfte Jahrhundert zurückversetzt fühlen? Da hilft keine Anpassung, kein Zugeständnis an die wissenschaftliche Kritik. Was diese erzeugen, ist eine hybride Halb-und-Halbheit von Wissenschaft und Offenbarungsglauben, die auf dem Wege zur Selbstaufgabe liegt. Die Orthodoxie selbst beging den Fehler, die Vernunft in den religiösen Bezirk einzulassen, indem sie die Glaubenssätze vernunftgemäß zu beweisen suchte. Unter dem Druck der Aufklärung hatte die Theologie fast nichts zu tun, als sich gegen die unleidlichen Widersprüche, die man ihr nachwies, zu verteidigen, und um ihnen nur zu entgehen, nahm sie vom offenbarungsfeindlichen Geist so viel in sich auf, daß es auf die Preisgabe des Glaubens hinauslief. Es war die Zeit der »vernünftigen Gottesverehrung« und eines Theologengeschlechts, in dessen Namen Wolff zu Halle erklärte: »Alles muß geprüft werden an der Vernunft wie am Stein der Weisen«; eines Geschlechts, das von der Bibel alles, was nicht der »moralischen Ausbesserung« diente, für veraltet erklärte und zu verstehen gab, daß es in der Geschichte der Kirche und ihrer Lehre nur eine Komödie der Irrungen sähe. Da dies ein wenig weit ging, stellte eine Vermittlungstheologie sich ein, die zwischen Orthodoxie und einem durch Vernünftigkeit immer zur Verwilderung neigenden Liberalismus eine eher konservative Mitte einzuhalten suchte. Allein die Begriffe der ›Rettung‹ und der ›Preisgabe‹ haben seitdem das Leben der ›Wissenschaft von der Religion‹ bestimmt, – Begriffe, die beide etwas Fristendes haben; die Theologie hat damit ihr Leben gefristet. Sie hat, in ihrer konservativen Form, an der Offenbarung und der tradionellen Exegese festhaltend, von den Elementen der biblischen Religion zu ›retten‹ gesucht, was irgend davon zu retten war, und sie hat andererseits die historisch-kritische Methode der profanen Geschichtswissenschaft liberal akzeptiert und ihre wichtigsten Inhalte, den Wun-

derglauben, erhebliche Teile der Christologie, die leibliche Auf-
erstehung Jesu und was nicht noch, der wissenschaftlichen Kritik
›preisgegeben‹. Was für eine Wissenschaft ist aber das, die zur
Vernunft in einem so prekären, nötigungsvollen Verhältnis steht
und an den Kompromissen, die sie mit ihr schließt, immer zugrunde zu gehen droht? Nach meinem Dafürhalten ist ›liberale
Theologie‹ ein hölzernes Eisen, eine contradictio in adjecto. Kul-
turbejahend und willig zur Anpassung an die Ideale der bürgerlichen Gesellschaft, wie sie ist, setzt sie das Religiöse zur Funktion
der menschlichen Humanität herab und verwässert das Ekstatische
und Paradoxe, das dem religiösen Genius wesentlich ist, zu einer
ethischen Fortschrittlichkeit. Das Religiöse geht im bloß Ethischen
nicht auf, und so kommt es, daß der wissenschaftliche und der
eigentlich theologische Gedanke sich wieder scheiden. Die wissenschaftliche Überlegenheit der liberalen Theologie, heißt es nun,
sei zwar unbestreitbar, aber ihre theologische Position sei schwach,
denn ihrem Moralismus und Humanismus mangle die Einsicht in
den dämonischen Charakter der menschlichen Existenz. Sie sei
zwar gebildet, aber seicht, und von dem wahren Verständnis der
menschlichen Natur und der Tragik des Lebens habe die konservative Tradition sich im Grunde weit mehr bewahrt, habe darum
aber auch zur Kultur ein tieferes, bedeutenderes Verhältnis als die
fortschrittlich-bürgerliche Ideologie.
Hier beobachtet man deutlich die Infiltration des theologischen
Denkens durch irrationale Strömungen der Philosophie, in deren
Bereich ja längst das Untheoretische, das Vitale, der Wille oder
Trieb, kurz ebenfalls das Dämonische zum Hauptthema der Theologie geworden war. Man beobachtet gleichzeitig ein Aufleben
des Studiums der katholisch-mittelalterlichen Philosophie, eine
Hinwendung zum Neu-Thomismus und zur Neu-Scholastik. Auf
diese Weise kann freilich die liberal verblaßte Theologie wieder
tiefere und stärkere, ja glühendere Farben annehmen; sie kann
den ästhetisch-altertümlichen Vorstellungen, die man unwillkürlich mit ihrem Namen verbindet, wieder gerechter werden. Der
gesittete Menschengeist aber, nenne man ihn nun bürgerlich oder
lasse ihn eben einfach als gesittet gelten, kann sich dabei eines
Gefühls des Unheimlichen nicht erwehren. Denn die Theologie,
in Verbindung gebracht mit dem Geist der Lebensphilosophie,
dem Irrationalismus, läuft ihrer Natur nach Gefahr, zur Dämonologie zu werden. –
Dies alles sage ich nur, um zu erklären, was ich mit dem Unbehagen meine, das der Aufenthalt in Halle und die Teilnahme an
Adrians Studien, die Vorlesungen, denen ich als Hospitant, um
zu hören, was er hörte, an seiner Seite folgte, mir zuweilen erregten. Verständnis für diese Beklemmung fand ich bei ihm mitnichten, denn er liebte es wohl, sich über theologische Fragen, die

im Kolleg berührt, im Seminar erörtert worden waren, mit mir zu unterhalten, aber jedem Gespräch, das der Sache an die Wurzel gegangen wäre und der problematischen Stellung der Theologie unter den Wissenschaften selbst gegolten hätte, wich er aus und vermied also gerade das, was nach meiner leicht gequälten Empfindung allem übrigen hätte vorangehen sollen. So war es übrigens ja auch in den Vorlesungen, und so verhielt es sich beim Verkehr mit seinen Commilitonen, den Mitgliedern der christlichen Studentenverbindung ›Winfried‹, der er aus äußeren Gründen sich angeschlossen hatte, und deren Gast auch ich zuweilen war. Davon vielleicht noch später. Hier will ich nur sagen, daß diese jungen Leute, teils bläßlich kandidatenhafte, teils bäuerlich robuste, teils auch distinguiertere Gestalten mit dem Gepräge der Herkunft aus gut akademischer Umwelt, – daß sie eben Theologen waren und sich als solche mit anständigem Gottesfrohsinn gebärdeten. Aber wie man Theolog sein kann, wie man unter den geistigen Umständen der Gegenwart darauf verfällt, diesen Beruf zu wählen, es sei denn, man gehorche einfach dem Mechanismus einer Familienüberlieferung, darüber ließen sie sich nicht aus, und von meiner Seite wäre es zweifellos eine taktlose Anzapfung gewesen, sie deswegen ins Verhör zu nehmen. Eine so radikale Fragestellung wäre allenfalls bei alkoholisch enthemmten Gemütern, im Verlauf einer Kneiperei, am Platze und aussichtsvoll gewesen. Aber es versteht sich, daß die Verbindungsbrüder vom ›Winfried‹ den Vorzug hatten, nicht nur die Mensur, sondern auch das »In die Kanne steigen« zu verschmähen und also immer nüchtern, das heißt: kritisch aufrührenden Grundfragen unzugänglich waren. Sie wußten, daß Staat und Kirche geistliche Beamte brauchten, und darum bereiteten sie sich auf diese Laufbahn vor. Die Theologie war ihnen etwas Gegebenes, – und etwas historisch Gegebenes ist sie ja freilich auch.

Ich mußte es mir gefallen lassen, daß auch Adrian sie als ein solches hinnahm, obwohl es mich schmerzte, daß ungeachtet unserer in Kindertagen wurzelnden Freundschaft eine dringlichere Nachfrage mir bei ihm sowenig wie bei seinen Commilitonen erlaubt war. Darin zeigte sich, wie wenig er einen an sich heranließ und wie unüberschreitbare Grenzen bei ihm der Vertraulichkeit gesetzt waren. Aber sagte ich nicht, daß ich seine Berufswahl als bedeutend, als charakteristisch empfunden hätte? Habe ich sie nicht mit dem Namen ›Kaisersaschern‹ erklärt? Oft rief ich diesen zu Hilfe, wenn die Problematik von Adrians Studiengebiet mich plagte. Ich sagte mir, daß wir beide uns als rechte Kinder des Winkels deutscher Altertümlichkeit erwiesen, worin wir aufgebracht worden waren: ich als Humanist und er als Theolog; und wenn ich mich umsah in unserem neuen Lebenskreis, so fand ich, daß der Schauplatz sich zwar erweitert, aber nicht wesentlich verändert hatte.

XII

Halle war, wenn auch keine Großstadt, so doch eine große Stadt von mehr als zweihunderttausend Einwohnern, aber trotz allen neuzeitlichen Massenbetriebes verleugnete es, wenigstens im Stadtkern, wo wir beide wohnten, nicht den Stempel hoher Alterswürde. Meine ›Bude‹, wie man studentisch sagt, lag in der Hansastraße, einem Gäßchen hinter der Moritzkirche, das ebensogut zu Kaisersaschern seinen verschollenen Lauf hätte haben können; und Adrian hatte in einem gegiebelten Bürgerhause am Marktplatz ein Zimmer mit Alkoven gefunden, das er als Untermieter einer älteren Beamtenwitwe während der zwei Jahre seines Aufenthaltes bewohnte. Der Blick ging auf den Platz, das mittelalterliche Rathaus, die Gotik der Marienkirche, zwischen deren gekuppelten Türmen eine Art von Seufzerbrücke geht; er umfaßte dazu den frei dastehenden ›Roten Turm‹, ein sehr merkwürdiges Bauwerk von ebenfalls gotischem Stil, das Rolandsstandbild und die Bronzestatue Händels. Das Zimmer war nicht mehr als ordentlich, mit einer schwachen Andeutung bürgerlicher Pracht in Gestalt einer roten Plüschdecke über dem viereckigen Sofatisch, auf dem Bücher lagen, und an dem er morgens seinen Milchkaffee trank. Er hatte die Einrichtung durch ein geliehenes Pianino vervollständigt, das mit Noten, auch selbstgeschriebenen, bedeckt war. Darüber an der Wand war mit Reißnägeln ein arithmetischer Stich befestigt, den er in irgendeinem Altkramladen aufgetrieben: ein sogenanntes magisches Quadrat, wie es neben dem Stundenglase, dem Zirkel, der Waage, dem Polyeder und anderen Symbolen auch auf Dürers ›Melencolia‹ erscheint. Wie dort war die Figur in sechzehn arabisch bezifferte Felder eingeteilt, so zwar, daß die 1 im rechten unteren, die 16 im linken oberen Felde zu finden war; und die Magie – oder Kuriosität – bestand nun darin, daß diese Zahlen, wie man sie auch addierte, von oben nach unten, in die Quere oder in der Diagonale, immer die Summe 34 ergaben. Auf welchem Anordnungsprinzip dies zauberisch gleichmäßige Ergebnis beruhte, habe ich nie herausbringen können, aber schon vermöge des prominenten Platzes über dem Instrument, den Adrian dem Blatte gegeben, zog es immer wieder die Augen auf sich, und ich glaube, es verging mir wohl kein Besuch in seinem Logis, ohne daß ich mit einem raschen Blick querhin, schräg hinauf oder gerade hinunter die fatale Stimmigkeit nachgeprüft hätte.

Zwischen meinem und seinem Quartier war es ein Hin und Her wie einst zwischen den ›Seligen Boten‹ und seines Onkels Haus: abends sowohl, auf dem Heimwege von einem Theater, einem Konzert oder aus der ›Winfried‹-Vereinigung, wie auch am Morgen, wenn einer den anderen zur Universität abholte und wir, bevor wir uns auf den Weg machten, unsere Kolleghefte verglichen. Philosophie, die reguläres Prüfungsfach im ersten theologischen Examen ist, war der Ort, an dem unser beider Studienprogramme sich von selbst berührten, und beide hatten wir bei Kolonat Nonnenmacher, damals einer der Leuchten der Universität Halle, belegt, der mit viel Schwung und Geist über die Vor-Sokratiker, die ionischen Natur-Philosophen, über Anaximander und, am breitesten, über Pythagoras las, wobei viel Aristotelisches einfloß, da man ja über die pythagoräische Welterklärung fast nur durch den Stagiriten unterrichtet ist. Da lauschten wir denn, mitschreibend und von Zeit zu Zeit in das sanft lächelnde Gesicht des weiß bemähnten Professors aufblickend, dieser kosmologischen Frühkonzeption eines strengen und frommen Geistes, der seine Grundleidenschaft, die Mathematik, die abstrakte Proportion, die Zahl zum Prinzip der Weltentstehung und des Weltbestehens erhob und, der Allnatur als ein Wissender, ein Eingeweihter entgegenstehend, sie zuerst mit großer Gebärde als »Kosmos«, als Ordnung und Harmonie, als übersinnlich tönendes Intervall-System der Sphären ansprach. Die Zahl und das Zahlenverhältnis als konstituierender Inbegriff des Seins und der sittlichen Würde, – es war höchst eindrucksvoll, wie hier das Schöne, das Exakte, das Sittliche feierlich zusammenflossen zur Idee der Autorität, die den pythagoräischen Bund, die esoterische Schule religiöser Lebenserneuerung, des schweigenden Gehorsams und der strikten Unterwerfung unter das »Autòs épha« beseelte. Ich muß mich der Taktlosigkeit anklagen, weil ich bei solchen Worten unwillkürlich nach Adrian blickte, um in seiner Miene zu lesen. Zur Taktlosigkeit nämlich wurde es gemacht durch das Unbehagen, das verdrießlich errötende Sich-Abwenden, mit dem er es aufnahm. Er liebte anzügliche Blicke nicht, weigerte sich durchaus, darauf einzugehen, sie zu erwidern, und es ist fast unbegreiflich, daß ich, obgleich bekannt mit seiner Eigenheit, solche Nachschau nicht immer unterlassen konnte. Ich verscherzte mir dadurch die Möglichkeit, nachher über Dinge, mit denen mein stummes Blicken ihn in persönliche Verbindung gebracht, sachlich unbefangen mit ihm zu reden.

Desto besser, wenn ich der Versuchung widerstanden und die Diskretion geübt hatte, die er verlangte. Wie gut haben wir uns, aus Nonnenmachers Kolleg heimgehend, über den unsterblichen, durch die Jahrtausende wirksamen Denker unterhalten, dessen vermittelndem geschichtlichen Wissen man die Kenntnis der pythagoräischen Weltkonzeption verdankt! Des Aristoteles Lehre von Stoff und Form entzückte uns: vom Stoff als dem Potentiellen, Möglichen, das zur Form drängt, um sich zu verwirklichen; von der Form als dem bewegenden Unbewegten, das Geist ist und Seele, die Seele des Seienden, die er zur Selbstverwirklichung,

Selbstvollendung in der Erscheinung treibt; von der Entelechie also, die, ein Stück Ewigkeit, den Körper belebend durchdringt, sich im Organischen gestaltend manifestiert und sein Getriebe lenkt, sein Ziel kennt, sein Schicksal überwacht. Nonnenmacher hatte über diese Intuitionen sehr schön und ausdrucksvoll gesprochen, und Adrian zeigte sich außerordentlich bewegt davon. »Wenn«, sagte er, »die Theologie erklärt, daß die Seele von Gott sei, so ist das philosophisch richtig, denn als das Prinzip, das die Einzelerscheinungen formt, ist sie ein Teil der reinen Form alles Seins überhaupt, entstammt dem ewig sich selbst denkenden Denken, das wir ›Gott‹ nennen ... Ich glaube zu verstehen, was Aristoteles mit der Entelechie meinte. Sie ist der Engel des Einzelwesens, der Genius seines Lebens, auf dessen wissende Führung es gern vertraut. Was man Gebet nennt, ist eigentlich die mahnende oder beschwörende Anmeldung dieses Vertrauens. Gebet aber heißt es mit Recht, weil es im Grunde Gott ist, den wir damit anrufen.«

Ich konnte nur denken: Möge dein Engel sich klug und treu erweisen!

Wie gern hörte ich dieses Kolleg an Adrians Seite. Die theologischen, die ich – nicht regelmäßig – um seinetwillen besuchte, waren für mich ein zweifelhaftes Vergnügen, und nur, um nicht abgeschnitten zu sein von dem, was ihn beschäftigte, nahm ich hospitierend daran teil. Im Studienplan eines Theologie-Studenten liegt in den ersten Jahren das Schwergewicht auf den exegetischen und historischen Fächern, also auf Bibelwissenschaft, Kirchen- und Dogmengeschichte, Konfessionskunde; die mittleren gehören der Systematik, will sagen: der Religionsphilosophie, der Dogmatik, Ethik und Apologetik, und am Ende stehen die praktischen Disziplinen, das heißt: Liturgik, Predigtlehre, Katechetik, Seelsorge und Ekklesiastik nebst Kirchenrecht. Aber die akademische Freiheit läßt der persönlichen Vorliebe viel Spielraum, und von der Lizenz, die Reihenfolge auch einmal umzuwerfen, machte Adrian Gebrauch, indem er sich von Anfang an auf die Systematik warf, – aus allgemein geistigem Interesse gewiß, das in diesem Fache am meisten auf seine Rechnung kommt, dann aber auch, weil der Systematik lesende Professor, Ehrenfried Kumpf, der saftigste Sprecher an der ganzen Hochschule war und überhaupt den größten Zulauf von Studenten aller Jahrgänge, auch von nichttheologischen, hatte. Ich sagte ja zwar, daß wir bei Kegel Kirchengeschichte hörten, aber das waren vergleichsweise trockene Stunden, und mit Kumpf konnte der monotone Kegel keineswegs wetteifern.

Jener war durchaus das, was die Studenten eine »wuchtige Persönlichkeit« nannten, und auch ich konnte mich einer gewissen Bewunderung seines Temperamentes nicht entschlagen, liebte ihn aber gar nicht und habe niemals glauben können, daß nicht auch

Adrian öfters von seiner Herzhaftigkeit sollte peinlich berührt gewesen sein, obgleich er ihn nicht offen ironisierte. »Wuchtig« war er schon seiner Physis nach: ein großer, massiger, voller Mann mit gepolsterten Händen, dröhnender Stimme und einer vom vielen Sprechen leicht vorgebäumten, zum Spritzen geneigten Unterlippe. Es ist wahr, daß Kumpf gewöhnlich seinen Stoff nach einem gedruckten Lehrbuch, übrigens eigener Provenienz, vortrug; aber sein Ruhm waren die sogenannten »Ex-Pauken«, die er, die Fäuste bei zurückgerafftem Gehrock in seinen senkrechten Hosentaschen, auf dem breiten Katheder hin und her stapfend, in die Lesung einschaltete, und die dank ihrer Spontaneität, Derbheit, gesunden Aufgeräumtheit, auch wegen ihres pittoresk-altertümlichen Sprachstiles den Studenten außerordentlich gefielen. Seine Art war es, um ihn selbst zu zitieren, eine Sache »mit deutschen Worten« oder auch »auf gut altdeutsch, ohn' einige Bemäntelung und Gleisnerei«, das heißt deutlich und geradeaus, zu sagen und »fein deutsch mit der Sprache herauszugehen«. Statt »allmählich« sagte er »weylinger Weise«, statt »hoffentlich«: »verhoffentlicht« und sprach von der Bibel nicht anders als von der »Heiligen Geschrift«. Er sagte: »Es gehet mit Kräutern zu«, wenn er meinte »mit unrechten Dingen«. Von einem, der seiner Meinung nach in wissenschaftlichen Irrtümern befangen war, sagte er: »Er wohnt in der Fehlhalde«; von einem lasterhaften Menschen: »Er lebt auf den alten Kaiser hin wie eine Viehe« und liebte sehr Sprüche wie: »Wer kegeln will, muß aufsetzen« oder: »Was zur Nessel werden soll, brennt beizeiten.« Ausrufe wie »Potz Blut«, »Potz Strahl!«, »Potz hundert Gift!« oder auch »Potz Fickerment!« waren keine Seltenheiten in seinem Munde, und dieses letzte rief regelmäßig Beifallsgetrampel hervor.

Theologisch gesehen war Kumpf ein Vertreter jenes Vermittlungs-Konservativismus mit kritisch-liberalen Einschlägen, von dem ich sprach. In seiner Jugend war er, wie er uns in seinen peripatetischen Extempores erzählte, ein hellicht begeisterter Student unserer klassischen Dichtung und Philosophie gewesen und rühmte sich, alle »wichtigeren« Werke Schillers und Goethe's auswendig gewußt zu haben. Dann aber war etwas über ihn gekommen, was mit der Erweckungsbewegung der Mitte des vorigen Jahrhunderts zusammenhing, und die Paulinische Botschaft von Sünde und Rechtfertigung hatte ihn dem ästhetischen Humanismus abwendig gemacht. Man muß zum Theologen geboren sein, um solche geistigen Schicksale und Damaskus-Erlebnisse recht würdigen zu können. Kumpf hatte sich überzeugt, daß auch unser Denken gebrochen ist und der Rechtfertigung bedarf, und eben hierauf beruhte sein Liberalismus, denn es führte ihn dazu, im Dogmatismus die intellektuelle Form des Pharisäertums zu sehen. Er war also zur Kritik am Dogma auf gerade entgegengesetztem

97

Wege gekommen wie einst Descartes, dem im Gegenteil die Selbstgewißheit des Bewußtseins, des cogitare, rechtmäßiger erschienen war als alle scholastische Autorität. Das ist der Unterschied zwischen theologischen und philosophischen Befreiungen. Kumpf hatte die seine in Fröhlichkeit und gesundem Gottvertrauen vollzogen und reproduzierte sie vor uns Hörern »mit deutschen Worten«. Nicht nur anti-pharisäisch, anti-dogmatisch war er, sondern auch anti-metaphysisch, durchaus ethisch und erkenntnistheoretisch gerichtet, ein Verkünder des sittlich fundierten Persönlichkeitsideals und kräftig abhold der pietistischen Trennung von Welt und Frömmigkeit, vielmehr weltfromm, zu gesundem Genuß erbötig, ein Bejaher der Kultur, – besonders der deutschen, denn bei jeder Gelegenheit entpuppte er sich als ein massiver Nationalist lutherischer Prägung und konnte einem Manne nichts Grimmigeres nachsagen, als das er »wie ein windiger Wal«, das heißt wie ein Welscher denke und lehre. Im Zorn und mit rotem Kopf fügte er dann wohl hinzu: »Daß ihn der Teufel bescheiße, Amen!«, was wiederum mit großem Getrampel bedankt wurde.

Sein Liberalismus nämlich, der ja nicht in dem humanistischen Zweifel am Dogma, sondern in dem religiösen Zweifel an der Vertrauenswürdigkeit unseres Denkens gründete, hinderte ihn nicht nur nicht an einem strammen Offenbarungsglauben, sondern auch daran nicht, mit dem Teufel auf sehr vertrautem, wenn auch natürlich gespanntem Fuße zu stehen. Ich kann und will nicht untersuchen, wieweit er an die persönliche Existenz des Widersachers glaubte, sage mir aber, daß, wo überhaupt Theologie ist – und nun gar, wenn sie sich mit einer so saftigen Natur wie der Ehrenfried Kumpfs verbindet –, auch der Teufel zum Bilde gehört und seine komplementäre Realität zu derjenigen Gottes behauptet. Man hat leicht sagen, daß ein moderner Theolog ihn »symbolisch« nehme. Nach meiner Meinung kann Theologie überhaupt nicht modern sein, was man ihr als großen Vorzug anrechnen mag; und was die Symbolik betrifft, so sehe ich nicht ein, warum man die Hölle symbolischer nehmen sollte als den Himmel. Das Volk hat das jedenfalls niemals getan. Ihm stand sogar immer die drastische, obszön humoristische Figur des Teufels näher als die obere Majestät; und Kumpf war in seiner Art ein Volksmann. Wenn er von der »Hellen und ihrer Spelunck« sprach, was er gern tat – in dieser archaisierenden Form, in der es sich zwar halb scherzhaft, zugleich aber viel überzeugender ausnahm, als wenn er auf neudeutsch »Hölle« gesagt hätte, so hatte man keineswegs den Eindruck, daß er symbolisch redete, vielmehr entschieden den, daß es »gut altdeutsch, ohn' alle Bemäntelung und Gleisnerei« gemeint war. Nicht anders war es mit dem Widersacher selbst. Ich sagte ja, daß Kumpf als Gelehrter, als Mann der Wissenschaft, der rationalen Kritik am Bibelglauben Zugeständnisse machte und, wenigstens anfallsweise, im Ton intellektueller Biederkeit, manches ›preisgab‹. Im Grunde aber sah er den Lügner, den bösen Feind gerade in der Vernunft vorzüglich am Werke und ließ sie selten zu Worte kommen, ohne hinzuzufügen: »Si Diabolus non esset mendax et homicida!« Ungern nannte er den Schädling geradeaus bei Namen, sondern umschrieb und verdarb diesen auf volkstümliche Art mit »Teubel«, »Teixel« oder »Deixel«. Aber gerade dieses halb scheue, halb spaßhafte Vermeiden und Verändern hatte etwas von gehässiger Realitäts-Anerkennung. Außerdem verfügte er über eine Menge kerniger und ausgefallener Bezeichnungen für ihn, wie »Sankt Velten«, »Meister Klepperlin«, »Der Herr Dicis-et-non-facis« und »Der schwartze Kesperlin«, die ebenfalls in jokoser Weise sein kräftig persönliches und animoses Verhältnis zu Gottes Gegner zum Ausdruck brachten.

Da Adrian und ich bei Kumpf Visite gemacht hatten, wurden wir ein und das andere Mal in seinen Familienkreis geladen und hatten Abendessen mit ihm, seiner Gemahlin und ihren beiden grell rotwangigen Töchtern, deren gewässerte Zöpfe so fest geflochten waren, daß sie ihnen schräge vom Kopfe abstanden. Eine von ihnen sprach den Segen, während wir uns diskret über unsere Teller neigten. Dann aber legte sich der Hausherr, unter vielseitigen Expektorationen, die Gott und Welt, Kirche, Politik, Universität und sogar Kunst und Theater betrafen, und mit denen er unverkennbar Luthers Tischreden nachahmte, gewaltig ins Zeug mit Essen und Trinken, zum Zeichen und guten Exempel, daß er gegen Weltfreude und gesunden Kulturgenuß nichts einzuwenden habe; ermahnte auch uns wiederholt, brav mitzuhalten und die Gottesgabe, die Hammelkeule, das Moselblümchen, nicht zu verschmähen, und nahm nach verzehrter Süßspeise zu unserem Schrecken eine Gitarre von der Wand, um uns, vom Tische abgerückt, mit übergeschlagenem Bein, zum Schollern ihrer Saiten mit dröhnender Stimme Lieder zu singen wie ›Das Wandern ist des Müllers Lust‹, auch ›Lützows wilde, verwegene Jagd‹, die ›Loreley‹ und ›Gaudeamus igitur‹. — »Wer nicht liebt Wein, Weib und Gesang, der bleibt ein Narr sein Leben lang« — es mußte kommen, und es kam. Er rief es aus, indem er vor unseren Augen seine runde Frau um die Mitte faßte.Und dann wies er mit dem gepolsterten Zeigefinger in einen schattigen Winkel des Speisezimmers, wohin fast kein Strahl der über dem Eßtisch schwebenden Schirmlampe drang: »Seht!« rief er. »Da steht er im Eck, der Speivogel, der Wendenschimpf, der traurige, saure Geist und mag nicht leiden, daß unser Herz fröhlich sei in Gott bei Mahl und Sang! Soll uns aber nichts anhaben, der Kernbösewicht, mit seinen listigen, feurigen Pfeilen! Apage!« donnerte er, griff eine Semmel und schleuderte sie in den finsteren Winkel. Nach diesem

Strauß griff er wieder in die Saiten und sang ›Wer recht in Freuden wandern will‹.
Dies alles war ja eher ein Schrecknis, und ich mußte als sicher
annehmen, daß auch Adrian es so empfand, obgleich sein Stolz
ihm nicht erlaubte, seinen Lehrer preiszugeben. Immerhin hatte
er nach jenem Teufelsgefecht auf der Straße einen Lachanfall, der
sich nur langsam, unter ablenkenden Gesprächen beruhigte. –

XIII

Mit einigen Worten aber muß ich noch einer Lehrerfigur gedenken, die sich ihrer intrigierenden Zweideutigkeit wegen meinem
Gedächtnis stärker eingeprägt hat als alle anderen. Es war der
Privatdozent Eberward Schleppfuß, der damals zwei Semester
lang zú Halle die venia legendi ausübte, um dann allerdings, ich
weiß nicht, wohin, wieder von der Bildfläche zu verschwinden.
Schleppfuß war eine kaum mittelgroße, leibarme Erscheinung,
gehüllt in einen schwarzen Umhang, dessen er sich statt eines
Mantels bediente, und der am Halse mit einem Metallkettchen
geschlossen war. Dazu trug er eine Art von Schlapphut mit seitlich
gerollter Krempe, dessen Form sich dem Jesuitischen annäherte
und den er, wenn wir Studenten ihn auf der Straße grüßten, sehr
tief zu ziehen pflegte, wobei er »Ganz ergebener Diener!« sagte.
Nach meiner Meinung schleppte er wirklich etwas den einen Fuß,
doch wurde das bestritten, und auch ich konnte mich meiner Beobachtung nicht jedesmal, wenn ich ihn gehen sah, mit Bestimmtheit versichern, so daß ich nicht darauf bestehen und sie lieber
einer unterschwelligen Suggestion durch seinen Namen zuschreiben will, — die Vermutung wurde durch den Charakter seines
zweistündigen Kollegs gewissermaßen nahegelegt. Ich erinnere
mich nicht genau, unter welchem Titel dasselbe im Vorlesungs-
Index angezeigt war. Der Sache nach, die freilich etwas im Vagen
schwebte, hätte es ›Religionspsychologie‹ heißen können – hieß
übrigens auch wohl wirklich so. Es war exklusiver Natur, auch
keineswegs examenwichtig, und nur eine Handvoll intellektuell
und mehr oder weniger revolutionär gerichteter Studenten, zehn
oder zwölf, nahmen daran teil. Übrigens wunderte ich mich, daß
es nicht mehr waren, denn Schleppfußens Produktion war anzüglich genug, um verbreitetere Neugier zu erwecken. Nur zeigte sich
bei dieser Gelegenheit, daß auch das Pikante seine Popularität ein-
büßt, wenn es mit Geist verbunden ist.
Ich sagte ja schon, daß die Theologie ihrer Natur nach dazu neigt
und unter bestimmten Umständen jederzeit dazu neigen muß, zur
Dämonologie zu werden. Hierfür war Schleppfuß ein Beispiel,
wenn auch eines sehr fortgeschrittener und intellektueller Art,
da seine dämonische Welt- und Gottesauffassung psychologisch

illuminiert war und dadurch dem modernen, wissenschaftlichen Sinn annehmbar, ja schmackhaft gemacht wurde. Dazu trug noch seine Vortragsweise bei, die ganz danach angetan war, gerade jungen Leuten zu imponieren. Er sprach völlig frei, distinkt, mühe- und pausenlos, druckfertig gesetzt, in leicht ironisch gefärbten Wendungen, – nicht vom Katheerstuhl aus, sondern irgendwo seitlich halb sitzend an ein Geländer gelehnt, die Spitzen der Finger bei gespreizten Daumen im Schoße verschränkt, wobei sein geteiltes Bärtchen sich auf und ab bewegte und zwischen ihm und dem spitz gedrehten Schnurrbärtchen seine splittrig-scharfen Zähne sichtbar wurden. Der biderbe Teufelsumgang Professor Kumpfs war ein Kinderspiel im Vergleich mit der psychologischen Wirklichkeit, die Schleppfuß dem Zerstörer, diesem personifizierten Abfall von Gott, verlieh. Denn er nahm, wenn ich mich so ausdrücken darf, dialektisch den Lästerungsaffront in das Göttliche, die Hölle ins Empyreum auf, erklärte das Verruchte für ein notwendiges und mitgeborenes Korrelat des Heiligen und dieses für eine beständige satanische Versuchung, eine fast unwiderstehliche Herausforderung zur Schändung.

Dies wies er nach an dem Seelenleben der klassischen Epoche religiöser Daseinsdurchwaltung, des christlichen Mittelalters und namentlich der Jahrhunderte seines Ausgangs, einer Zeit vollständiger Übereinstimmung also zwischen dem geistlichen Richter und dem Delinquenten, zwischen Inquisitor und Hexe über die Tatsache des Verrates an Gott, des Teufelsbündnisses, der scheußlichen Gemeinschaft mit den Dämonen. Der vom Sakrosankten ausgehende Lästerungsreiz war dabei das Wesentliche, er war die Sache selbst, und er tat sich kund etwa in der Bezeichnung, die die Abgefallenen der Heiligen Jungfrau gaben: »Die dicke Frau«, oder in außerordentlich gemeinen Zwischenbemerkungen, greulichen Unflätereien, die beim Meßopfer heimlich auszustoßen der Teufel sie anhielt, und die Dr. Schleppfuß mit verschränkten Fingerspitzen wörtlich wiedergab, – ich versage mir dies aus Geschmacksgründen, mache ihm aber keinen Vorwurf daraus, daß er solche nicht gelten ließ, sondern der Wissenschaft die Ehre gab. Nur war es seltsam zu sehen, wie die Studenten dergleichen gewissenhaft in ihre Wachstuchhefte einzeichneten. Ihm zufolge war dies alles, war das Böse, war der Böse selbst ein notwendiger Ausfluß und ein unvermeidliches Zubehör der heiligen Existenz Gottes selbst; wie denn auch das Laster nicht aus sich selbst bestand, sondern seine Lust aus der Besudelung der Tugend zog, ohne welche es wurzellos gewesen wäre; anders gesagt: es bestand in dem Genuß der *Freiheit*, das heißt der Möglichkeit, zu sündigen, die dem Schöpfungsakt selbst inhärent war.

Hierin drückte sich eine gewisse logische Unvollkommenheit der Allmacht und Allgüte Gottes aus, denn was er nicht gekonnt hatte,

war, der Kreatur, also dem, was er aus sich entließ, und was nun
außer ihm war, die Unfähigkeit zur Sünde anzuschaffen. Dies
hätte geheißen, dem Geschaffenen den freien Willen vorzuenthalten, sich von Gott abzukehren, – was eine unvollkommene Schöpfung, ja eigentlich überhaupt keine Schöpfung und Entäußerung
Gottes gewesen wäre. Das logische Dilemma Gottes hatte darin
bestanden, daß er außerstande gewesen war, dem Geschöpf, dem
Menschen und den Engeln, zugleich die Selbständigkeit der Wahl,
also freien Willen, und die Gabe zu verleihen, nicht sündigen zu
können. Frömmigkeit und Tugend bestanden also darin, von der
Freiheit, die Gott dem Geschöpf als solchem hatte gewähren müssen, einen guten Gebrauch, das heißt: *keinen* Gebrauch zu machen,
– was nun freilich, wenn man Schleppfuß hörte, ein wenig so
herauskam, als ob dieser Nicht-Gebrauch der Freiheit eine gewisse
existentielle Abschwächung, eine Minderung der Daseinsintensität
der außergöttlichen Kreatur bedeutete.
Freiheit. Wie seltsam das Wort sich ausnahm in Schleppfußens
Munde! Nun, gewiß, es hatte darin eine religiöse Betonung, er
sprach als Theolog, und er sprach keineswegs wegwerfend davon,
im Gegenteil, er zeigte ja die hohe Bedeutung auf, die bei Gott
diesem Gedanken zukommen mußte, da er Menschen und Engel
lieber der Sünde bloßgestellt hatte, als daß er ihnen die Freiheit
vorenthalten hätte. Gut denn, Freiheit war das Gegenteil angebo-
rener Sündlosigkeit, Freiheit hieß, nach eigenem Willen Gott die
Treue wahren oder es mit den Dämonen treiben und beim Meßopfer Entsetzliches murmeln zu können. Das war eine Definition,
an der Hand gegeben von der Religionspsychologie. Aber die Freiheit hat ja auch schon in anderer, vielleicht weniger spiritueller
und doch des Enthusiasmus nicht barer Bedeutung im Leben der
Erdenvölker und in den Kämpfen der Geschichte eine Rolle gespielt. Sie tut das auch eben jetzt, während ich diese Lebensbeschreibung verfasse, – in dem gegenwärtig tobenden Kriege
und, wie ich in meiner Zurückgezogenheit glauben möchte, nicht
zuletzt in der Seele und den Gedanken unseres deutschen Volkes,
dem unter der Herrschaft kühnster Willkür vielleicht zum erstenn-
mal in seinem Leben ein Begriff davon dämmert, was es mit der
Freiheit auf sich hat. Nun, so weit waren wir damals noch nicht.
Die Frage der Freiheit war, oder schien, zu unserer Studentenzeit
nicht brennend, und Dr. Schleppfuß mochte dem Wort die Bedeutung geben, die ihm im Rahmen seines Kollegs zukam, andere
aber beiseite lassen. Wenn ich nur den Eindruck gehabt hätte,
daß er sie beiseite ließ und, rein vertieft in seine religionspsycho-
logische Auffassung, ihrer uneingedenk war. Er war aber ihrer
eingedenk, dieses Gefühls konnte ich mich nicht entschlagen, und
seine theologische Bestimmung der Freiheit hatte eine apologe-
tisch-polemische Spitze gegen »modernere«, das heißt: plattere

und bloß gang und gäbe Ideen, die seine Zuhörer etwa damit verbinden mochten. Seht, schien er sagen zu wollen, wir haben das Wort auch, es steht uns zu Gebote, glaubt nicht, daß es nur in euerem Wörterbuch vorkommt, und daß euere Idee davon die einzig vernunftgegebene ist. Freiheit ist eine sehr große Sache, die Bedingung der Schöpfung, das, was Gott hinderte, uns gegen den Abfall von ihm zu feien. Freiheit ist die Freiheit zu sündigen, Frömmigkeit besteht darin, von der Freiheit aus Liebe zu Gott, der sie geben mußte, keinen Gebrauch zu machen.

So kam es heraus, etwas tendenziös, etwas boshaft, wenn mich nicht alles täuschte. Kurzum, es irritierte mich. Ich liebe es nicht, wenn einer alles haben will, dem Gegner das Wort aus dem Munde nimmt, es umdreht und Begriffsverwirrung damit treibt. Das geschieht heute mit größter Kühnheit, und es ist die Hauptursache meiner Zurückgezogenheit. Gewisse Leute sollten nicht von Freiheit, Vernunft, Humanität sprechen, aus Reinlichkeitsgründen sollten sie es unterlassen. Aber gerade von Humanität sprach Schleppfuß auch — natürlich im Sinn der »klassischen Jahrhunderte des Glaubens«, auf deren Geistesverfassung er seine psychologischen Erörterungen gründete. Deutlich lag ihm daran, zu verstehen zu geben, daß Humanität keine Erfindung des freien Geistes sei, daß nicht ihm nur diese Idee zugehöre, daß es sie immer gegeben habe, und daß beispielsweise die Tätigkeit der Inquisition von rührendster Humanität beseelt gewesen sei. Ein Weib, erzählte er, war zu jener »klassischen« Zeit gefänglich angenommen, prozessiert und eingeäschert worden, die volle sechs Jahre Kundschaft mit einem Incubus gehabt hatte, sogar an der Seite ihres schlafenden Mannes, dreimal die Woche, vorzüglich aber zu heiligen Zeiten. Sie hatte dem Teufel dergestalt Promeß gemacht, daß sie nach sieben Jahren ihm mit Leib und Seele anheimgefallen wäre. Sie hatte aber Stern gehabt, denn noch gerade vor Ablauf der Frist ließ Gott in seiner Liebe sie in die Hände der Inquisition fallen, und schon unter leichten Graden der Befragung legte sie ein volles und ergreifend reuiges Geständnis ab, so daß sie höchstwahrscheinlich von Gott Verzeihung erlangte. Gar willig nämlich ging sie in den Tod, unter der ausdrücklichen Erklärung, daß, wenn sie auch loskommen könnte, sie doch ganz entschieden den Brandpfahl vorzöge, um nur der Macht des Dämons zu entgehen. So sehr war ihr das Leben durch die Unterworfenheit unter schmutzige Sünde zum Ekel geworden. Welche schöne Geschlossenheit der Kultur aber sprach aus diesem harmonischen Einvernehmen zwischen dem Richter und dem Delinquenten und welche warme Humanität aus der Genugtuung darüber, diese Seele noch im letzten Augenblick durch das Feuer dem Teufel entrissen und ihr die Verzeihung verschafft zu haben! Dies führte Schleppfuß uns zu Gemüte und ließ uns bemerken —

nicht nur, was Humanität *auch* sein könne, sondern was sie *eigentlich* sei. Ganz zwecklos wäre es gewesen, hier ein anderes Wort aus dem Vokabular des freien Geistes zu gebrauchen und von trostlosem *Aberglauben* zu sprechen. Schleppfuß verfügte auch über dieses Wort, im Namen der »klassischen« Jahrhunderte denen es nichts weniger als unbekannt gewesen war. Ungereimtem Aberglauben war jenes Weib mit dem Incubus unterlegen und sonst niemand. Denn sie war abgefallen von Gott, abgefallen vom Glauben, und das war Aberglaube. Aberglaube hieß nicht: an Dämonen und Incubi glauben, sondern es hieß, pestbringenderweise sich mit ihnen einlassen und von ihnen erwarten, was nur von Gott zu erwarten ist. Aberglauben bedeutete Leichtgläubigkeit für die Einflüsterungen und Anstiftungen des Feindes des menschlichen Geschlechtes; der Begriff deckte alle Invokationen, Lieder und Beschwörungen, alle zauberischen Übertretungen, Laster und Verbrechen, das Flagellum haereticorum fascinariorum, die illusiones daemonum. So konnte man den Begriff ›Aberglauben‹ bestimmen, so war er bestimmt worden, und es war doch interessant, wie der Mensch die Worte benutzen und wie er damit denken kann!

Natürlich spielte die dialektische Verbundenheit des Bösen mit dem Heiligen und Guten eine bedeutende Rolle in der Theodizee, der Rechtfertigung Gottes angesichts des Vorhandenseins des Bösen in der Welt, die in Schleppfußens Kolleg einen breiten Raum einnahm. Das Böse trug bei zur Vollkommenheit des Universums, und ohne jenes wäre dieses nicht vollkommen gewesen, darum ließ Gott es zu, denn er war vollkommen und mußte darum das Vollkommene wollen, – nicht im Sinne des vollkommenen Guten, sondern im Sinne der Allseitigkeit und der wechselseitigen Existenzverstärkung. Das Böse war weit böser, wenn es das Gute, das Gute weit schöner, wenn es das Böse gab, ja vielleicht — man konnte darüber streiten — wäre das Böse überhaupt nicht bös, wenn es das Gute, – das Gute überhaupt nicht gut, wenn es das Böse nicht gäbe. Augustinus war wenigstens so weit gegangen, zu sagen, die Funktion des Schlechten sei, das Gute deutlicher hervortreten zu lassen, das um so mehr gefalle und desto lobenswürdiger sei, wenn es mit dem Schlechten verglichen werde. Hier war freilich der Thomismus mit der Warnung eingeschritten, es sei gefährlich, zu glauben, Gott wolle, daß das Böse geschehe. Gott wolle das weder, noch wolle er, daß Böses *nicht* geschehe, sondern ohne Wollen und Nichtwollen *erlaube* er das Walten des Bösen, und das komme allerdings der Vollkommenheit zustatten. Aber Abirrung sei es, zu behaupten, Gott lasse das Böse zu um des Guten willen; denn nichts sei für gut zu erachten, außer, es entspreche der Idee ›gut‹ durch sich selbst, nicht durch Akzidens. Immerhin, sagte Schleppfuß, werfe hier das Problem des absolut Guten und Schönen sich auf, des Guten und Schönen ohne Beziehung zum Bösen und Häßlichen, – das Problem der vergleichslosen Qualität. Wo der Vergleich entfalle, sagte er, entfalle der Maßstab, und weder von Schwerem noch Leichtem, weder von Großem noch Kleinem könne da die Rede sein. Das Gute und Schöne wäre dann entwest zu einem qualitätslosen Sein, das dem Nichtsein sehr ähnlich und diesem vielleicht nicht vorzuziehen sei.

Wir schrieben das in unsere Wachstuchhefte, damit wir es mehr oder weniger getrost nach Hause trügen. Die wahre Rechtfertigung Gottes in Ansehung des Schöpfungsjammers, so fügten wir nach Schleppfußens Diktat hinzu, bestehe in seinem Vermögen, aus dem Bösen das Gute hervorzubringen. Diese Eigenschaft verlange, zu Gottes Ruhm, durchaus nach Betätigung, und sie könne sich nicht offenbaren, wenn Gott nicht die Kreatur der Sünde übermacht hätte. In diesem Fall wäre dem Universum jenes Gute vorenthalten worden, das Gott aus dem Bösen, aus Sünde, Leiden und Laster zu schaffen wisse, und weniger Anlaß also hätten die Engel zum Lobgesange gehabt. Nun entstehe freilich auch umgekehrt, wie die Geschichte fortwährend lehre, aus Gutem viel Böses, so daß Gott, um dieses zu vermeiden, auch das Gute verhindern müßte und überhaupt die Welt nicht sein lassen dürfte. Dies hätte jedoch seinem Wesen als Schöpfer widersprochen, und darum habe er die Welt, wie sie sei, nämlich mit Übel durchsetzt, erschaffen, das heißt sie zum Teil dämonischen Einflüssen überlassen müssen.

Niemals wurde ganz klar, ob es eigentlich Schleppfußens eigene Lehrmeinungen waren, die er uns vortrug, oder ob es ihm nur darum ging, uns mit der Psychologie der klassischen Jahrhunderte des Glaubens vertraut zu machen. Gewiß hätte er nicht Theolog sein dürfen, um sich nicht zu dieser Psychologie bis zum Einklange sympathisch zu verhalten. Der Grund aber, weshalb ich mich wunderte, daß nicht mehr junge Leute von seiner Vorlesung angezogen wurden, war der, daß, wann nur immer von der Macht der Dämonen über das Menschenleben darin die Rede war, das Geschlechtliche eine hervorstechende Rolle spielte. Wie hätte es auch anders sein können? Der dämonische Charakter dieser Sphäre war ein Hauptzubehör der »klassischen Psychologie«; für sie bildete dieses Gebiet den Vorzugstummelplatz der Dämonen, den gegebenen Ansatzpunkt für Gottes Gegenspieler, den Feind und Verderber. Denn größere Hexenmacht hatte ihm Gott zugestanden über den Beischlaf als sonst über jede menschliche Handlung: nicht nur wegen der äußeren Unflätigkeit dieser Verübung, sondern vor allem, weil die Verderbtheit des ersten Vaters als Erbsünde dabei auf das ganze Menschengeschlecht übergegangen war. Der Zeugungsakt, gekennzeichnet durch ästhetische Scheußlichkeit, war Ausdruck und Vehikel der Erbsünde, – was Wunder, daß dem Teufel besonders viel freie Hand dabei gelassen war?

Nicht umsonst hatte der Engel zu Tobias gesagt: »Über die, welche der Lust ergeben sind, gewinnt der Dämon Gewalt.« Denn die Macht der Dämonen lag in den Lenden des Menschen, und diese waren gemeint dort, wo der Evangelist sagte: »Wenn ein starker Gewappneter seinen Palast bewacht, so bleibt das Seine in Frieden.« Das war selbstverständlich geschlechtlich zu deuten; geheimnisvollen Worten war immer solche Bedeutung abzuhören, und hellhörig hörte gerade die Frömmigkeit sie ihnen ab.

Erstaunlich war nur, als wie schwach sich gerade bei den Heiligen Gottes die Engelswacht allezeit erwiesen hatte, soweit wenigstens der »Friede« in Frage kam. Das Buch von den heiligen Vätern war voll von Berichten, daß, wenn sie auch aller fleischlichen Lust getrotzt hätten, sie doch mehr als glaublich von der Begierde nach Weibern versucht worden waren. »Mir ist gegeben der Stachel meines Fleisches, der Engel des Satans, der mich mit Fäusten schlage.« Das war so ein Geständnis, abgelegt den Korinthern, und wenn auch der Briefschreiber vielleicht etwas anderes damit gemeint hatte, die fallende Sucht oder dergleichen, – die Frömmigkeit jedenfalls deutete es nach ihrer Art, – mit Recht wahrscheinlich am Ende, da wohl ihr Instinkt nicht fehlging, wenn er die Anfechtung des Gehirns in dunkle Beziehung zum Dämon des Geschlechtes brachte. Die Versuchung nun freilich, der man widerstand, war keine Sünde, sondern eben nur eine Prüfung der Tugend. Und doch war die Grenze zwischen Versuchung und Sünde schwer zu bestimmen, denn war nicht jene bereits das Toben der Sünde in unserem Blut, und lag nicht im Zustande der Lüsternheit bereits viel Hingabe ans Böse? Hier wieder tat sich die dialektische Einheit von Gut und Böse hervor, denn Heiligkeit war ohne Versuchung gar nicht zu denken, und nach der Fürchterlichkeit der Versuchung bemaß sie sich, nach dem Sünden-Potential eines Menschen.

Von wem aber ging die Versuchung aus? Wer war zu verfluchen um ihretwillen? Man hatte leicht sagen, sie komme vom Teufel. Der war ihre Quelle, die Verwünschung jedoch galt dem Gegenstand. Der Gegenstand, das instrumentum des Versuchers, war das Weib. Sie war damit freilich auch das instrumentum der Heiligkeit, denn diese gab es nicht ohne tobende Sündenlust. Doch wußte man ihr dafür nur bitteren Dank. Vielmehr war es das Merkwürdige und tief Bezeichnende, daß, obgleich doch der Mensch in beiderlei Gestalt ein Geschlechtswesen war, und obgleich die Lokalisierung des Dämonischen in den Lenden eher auf den Mann paßte als auf das Weib, dennoch der ganze Fluch der Fleischlichkeit und der Geschlechtssklaverei dem Weibe zugewälzt wurde, so daß es zu dem Spruch hatte kommen können: »Ein schönes Weib ist wie ein goldner Reif in der Nase der Sau.« Wie vieles dergleichen war nicht, aus tiefem Gefühl, von alters über das Weib gesagt worden! Es galt aber der Begehrlichkeit des Fleisches im allgemeinen, die mit dem Weibe in eines zu setzen war, so daß auch die Fleischlichkeit des Mannes aufs Konto des Weibes kam. Daher das Wort: »Ich fand das Weib bitterer als den Tod, und selbst ein gutes Weib ist unterlegen der Begehrlichkeit des Fleisches.«

Man hätte fragen können: Der gute Mann etwa nicht? Und der heilige Mann etwa nicht ganz besonders? Ja, aber das war das Werk des Weibes, als welche die Repräsentantin sämtlicher Fleischlichkeit auf Erden war. Das Geschlecht war ihre Domäne, und wie hätte sie also, die femina hieß, was teils von fides, teils von minus, von *minderem Glauben* kam, nicht mit den unflätigen Geistern, die diesen Raum bevölkerten, auf schlimmvertrautem Fuße stehen, des Umgangs mit ihnen, der Hexerei, nicht ganz besonders verdächtig sein sollen? Ein Beispiel dafür war jenes Eheweib, das es in vertrauensvoll schlummernder Gegenwart ihres Mannes mit einem Incubus getrieben, und das jahrelang. Allerdings gab es nicht nur Incubi, sondern auch Succubi, und tatsächlich hatte ein verworfener Jüngling des klassischen Zeitalters mit einem Idol gelebt, dessen teuflische Eifersucht er am Ende erfahren sollte. Denn nach einigen Jahren hatte er, aus Nützlichkeitsgründen mehr denn aus wahrer Neigung, mit einem anständigen Weibe die Ehe geschlossen, war aber gehindert gewesen, sie zu erkennen, weil stets das Idol sich dazwischengelegt hatte. Darum hatte das Weib, in gerechter Verstimmung, ihn wieder verlassen, der sich denn zeit seines Lebens auf das unduldsame Idol beschränkt gesehen hatte.

Viel kennzeichnender aber, meinte Schleppfuß, für die psychologische Sachlage war die Beschränkung gewesen, der ein anderer Jüngling jener Epoche unterworfen war; denn ganz ohne eigenes Verschulden, durch weibliche Hexerei hatte sie ihn getroffen, und schlechthin tragisch war das Mittel gewesen, durch das er ihrer wieder ledig geworden war. Zur Erinnerung an die mit Adrian gemeinsam betriebenen Studien will ich die Geschichte, bei der Privatdozent Schleppfuß sehr geistvoll verweilte, in Kürze hier einschalten.

Zu Mersburg bei Konstanz lebte gegen Ende des fünfzehnten Jahrhunderts ein ehrlicher Bursch, Heinz Klöpfgeißel geheißen und Faßbinder seines Zeichens, von guter Gestalt und Gesundheit. Er stand in inniger Wechselneigung mit einem Mädchen, Bärbel, der einzigen Tochter eines verwitweten Glöckners, und wollte sie ehelichen, doch stieß des Pärchens Wunsch auf väterlichen Widerstand, denn Klöpfgeißel war ein armer Kerl, und der Glöckner forderte erst eine stattliche Lebensstellung von ihm, daß er Meister würde in seinem Gewerbe, bevor er ihm seine Tochter gäbe. Die Neigung der jungen Leute aber war stärker gewesen als ihre Geduld, und aus dem Pärchen war vor der Zeit schon ein Paar geworden. Denn nächtlich, wenn der Glöckner glöckeln gegangen war, stieg Klöpfgeißel ein bei Bärbel, und ihre Umarmungen ließen das eine dem andern als das herrlichste Wesen auf Erden erscheinen.

So standen die Dinge, als eines Tages der Faßbinder sich mit anderen munteren Gesellen nach Konstanz begab, wo Kirchweih war und wo sie einen guten Tag hatten, so daß sie am Abend der Haber stach und sie beschlossen, in eine Schlupfbude zu Weibern zu gehen. Nach Klöpfgeißels Sinn war es nicht, er wollte nicht mithalten. Aber die Burschen verhöhnten ihn als einen Zümpferling und setzten ihm zu mit ehrrührigen Spottreden, ob es am Ende mit ihm nicht das Rechte und er gar nicht auf dem Posten sei; und da er dies nicht ertrug, dazu auch des Starkbiers sowenig geschont hatte wie die anderen, so ließ er sich breitschlagen, sagte »Hoho, das weiß ich anders« und stieg mit der Bande ins Zatzenstift.

Hier begab es sich, daß er eine arge Beschämung erlitt, so, daß er nicht wußte, welch Gesicht zu sich selber machen. Denn wider alles Erwarten war es bei der Schlumpe, einem ungrischen Weibe, ganz und gar nichts Rechtes mit ihm, und ganz und gar nicht war er bei ihr auf dem Posten, worüber sein Ärger unmäßig war und auch sein Schrecken. Denn das Mensch lachte ihn nicht nur aus, sondern schüttelte auch bedenklich den Kopf und meinte, da müsse was stinken und nicht geheuer sein; ein Bursche von seinem Bau, dem's plötzlich nicht mehr gelänge, der sei des Teufels Märtyrer, dem müsse man es gekocht haben, – und was solcher Reden noch mehr waren. Er schenkte ihr viel, damit sie es seinen Kumpanen nicht sagte, und kehrte niedergeschlagen nach Hause zurück.

Sobald wie möglich, wenn auch nicht ohne Besorgnis, gab er sich mit seiner Bärbel ein Stelldichein, und während der Glöckner glöckelte, hatten sie miteinander die wohlgeratenste Stunde. So fand er seine Jungmannsehre wiederhergestellt und hätte vergnügt sein können. Denn außer der Ersten und Einen war ihm an keiner gelegen, und warum sollte ihm also an *sich* viel gelegen sein, außer bei ihr? Aber eine Unruhe war seit jenem Fehlschlag in seiner Seele zurückgeblieben, und es bohrte in ihm, daß er sich auf die Probe stelle und einmal, wenn auch dann niemals wieder, der Herzallerliebsten ein Schnippchen schlüge. Darum lugte er heimlich nach einer Gelegenheit aus, sich zu versuchen, sich und auch sie; denn er konnte kein Mißtrauen hegen gegen sich selbst, ohne daß es als leiser, zwar zärtlicher, aber banger Verdacht zurückgegangen wäre auf die, an der seine Seele hing.

Nun fügte es sich, daß er im Keller des Weinwirts, eines kränkelnden Wanstes, die gelockerten Reifen zweier Fässer an den Dauben festzuschlagen bestellt war, und des Wirtes Weib, ein noch rösches Frauenzimmer, mit hinabstieg und ihm bei der Arbeit zusah. Da streichelte sie ihm den Arm und legte den ihren daran zum Vergleich und machte ihm solche Mienen, daß er ihr unmöglich abschlagen konnte, was zu leisten sein Fleisch bei aller Willigkeit des Geistes dann doch gänzlich gehindert war, so daß er ihr sagen mußte, es tanzerte ihn nicht, und er habe es eilig, und gewiß komme gleich ihr Mann die Treppe herunter, und Fersengeld gab, indem er der verbittert Hohnlachenden schuldig blieb, was kein rüstiger Bursche schuldig bleibt.

Er war tief verwundet, irregemacht an sich selbst und nicht nur an sich; denn der Verdacht, der sich schon nach dem ersten Mißgeschick in seine Seele geschlichen, besaß ihn nun ganz, und daß er des Teufels Märtyrer sei, litt für ihn keinen Zweifel mehr. Darum, weil das Heil einer armen Seele und seines Fleisches Ehre dazu auf dem Spiele standen, ging er zum Pfaffen und sagte ihm alles durchs Gitter ins Ohr: daß es mit ihm spuke, und daß er's nicht vermöchte, sondern gehindert sei, ausgenommen bei einer einzigen, und wie das zugehen möge, und ob die Religion gegen eine solche Unbilde nicht mütterliche Abhilfe wisse.

Nun war aber damals und dazulande die Pest des Hexenwesens nebst vielen einschlägigen Leichtfertigkeiten, Sünden und Lastern durch Anstiftung des Feindes des menschlichen Geschlechtes und zur Beleidigung göttlicher Majestät in arger Ausbreitung begriffen, und strenge Wachsamkeit war den Seelenhirten zur Pflicht gemacht worden. Der Pfaffe, dem diese Kategorie des Unwesens, daß Männer an ihrer besten Kraft waren verzaubert worden, nur allzu bekannt war, ging mit Klöpfgeißels Beichte an höhere Stellen, das Glöcknerskind wurde eingezogen, vernommen und gestand wahr und wahrhaftig, sie habe, in Herzensangst um die Treue des Jungen, damit er nicht anderweitig ihr möchte ausgespannt werden, bevor er vor Gott und den Menschen der Ihre geworden, von einer Vettel, Badefrau von Gewerb, ein Specificum angenommen, eine Salbe, angeblich aus dem Fett eines ungetauft verstorbenen Kindes hergestellt, mit der sie, um sich seiner nur fest zu versichern, ihrem Heinz bei der Umarmung heimlich und in bestimmter Figur den Rücken gesalbt habe. Nun ward auch das Badeweib inquiriert, das zähe leugnete. Sie mußte der weltlichen Behörde überstellt werden mit der Anheimgabe von Befragungsmitteln, die der Kirche nicht anstanden; und unter einigem Druck kam denn an den Tag, was man hatte erwarten müssen: daß die Vettel in der Tat eine Abrede mit dem Teufel hatte, der ihr in Gestalt eines bocksfüßigen Mönches erschienen war und sie beredet hatte, die göttlichen Personen und den christlichen Glauben mit greulichen Schmähreden zu verleugnen, wogegen er sie mit Anweisungen zur Herstellung nicht nur jener Liebessalbe, sondern auch noch anderer Schand-Panazeen versehen hatte, darunter eines Fettes, mit dem bestrichen jedes Holz sich mit dem Adepten flugs in die Lüfte erhob. Die Umständlichkeiten, durch die der Böse seinen Pakt mit der Alten besiegelt hatte, kamen nur stückweise, unter wiederholtem Druck, zum Vorschein und waren haarsträubend.

Für die nur mittelbar Verführte hing alles nunmehr davon ab, wie weit ihr eigenes Seelenheil durch die Annahme und den Gebrauch des verworfenen Präparates in Mitleidenschaft gezogen war. Zum Unglück des Glöcknerkindes legte die Alte nieder, daß der Drache ihr aufgegeben hatte, recht viele Proselyten zu machen, denn für jedes Menschenkind, das sie ihm zuführe, indem sie es zum Gebrauch seiner Gaben verleite, wolle er sie gegen das ewige Feuer etwas fester machen, so daß sie nach fleißiger Zutreibe-Arbeit mit einem asbestenen Panzer gegen die Flammen der Hölle gewappnet sein werde. – Dies brach Bärbeln den Hals. Die Notwendigkeit, ihre Seele vor ewigem Verderben zu retten, sie durch Darangabe des Leibes den Klauen des Teufels zu entreißen, lag auf der Hand. Und da überdies, einreißender Verderbnis wegen, ein Exemplum zu statuieren bitter notwendig war, so wurden an benachbarten Pfählen auf öffentlichem Platze zwei Hexen eingeäschert, die alte und die junge. Heinz Klöpfgeißel, der Verzauberte, stand entblößten Hauptes und Gebete murmelnd in der Zuschauermenge. Die vom Rauche erstickten und heiser verfremdeten Schreie seiner Geliebten erschienen ihm als die Stimme des Dämons, der widerwillig krächzend aus ihr fuhr. Von Stund an war die ihm angetane schnöde Beschränkung behoben, denn nicht sobald war seine Liebe verkohlt, als ihm die sündlich entwendete freie Verfügung über seine Männlichkeit zurückgegeben war. –

Ich habe diese revoltierende Geschichte, so kennzeichnend für den Geist des Schleppfuß'schen Kollegs, niemals vergessen und mich niemals recht über sie beruhigen können. Es war damals unter uns, zwischen Adrian und mir sowohl, wie auch bei Diskussionen des ›Winfried‹-Cirkels vielfach davon die Rede; aber weder bei ihm, der sich in bezug auf seine Lehrer und das von ihnen Vorgetragene immer zurückhaltend und schweigsam verhielt, noch bei seinen Fakultätsgenossen gelang es mir, das Maß von Empörung aufzuregen, das meinem eigenen Ärger über die Anekdote und namentlich über Klöpfgeißel genuggetan hätte. Noch heute fahre ich ihn in meinen Gedanken schnaubend an und nenne ihn in vollstem Wortsinne einen Mordsesel. Was mußte sich der Tölpel beklagen? Was mußte er das Ding mit anderen Frauen üben, da er die eine hatte, die er liebte, so sehr offenbar, daß es ihn gegen andere kalt und »unvermögend« machte? Was hieß hier »Unvermögen«, wenn er bei der einen das Vermögen der Liebe besaß? Die ist gewiß eine Art von edler Verwöhnung des Geschlechtlichen, und wenn es nicht natürlich ist, daß dieses die Betätigung ablehnt bei Absenz der Liebe, so ist es doch nichts weniger als unnatürlich, daß es das tut in Gegenwart und im Angesicht der Liebe. Allerdings hatte das Bärbel ihren Heinz fixiert und »beschränkt«, aber nicht durch das Teufelsarkanum, sondern durch ihren Liebreiz und durch den bannenden Willen, mit dem sie ihn hielt und ihn gegen andere Versuchungen feite. Daß dieser Schutz in seiner Kraft, seinem Einfluß auf die Natur des Burschen durch die Zaubersalbe und den Glauben des Mädchens daran psychologisch verstärkt wurde, bin ich bereit, zu akzeptieren, obgleich es mir viel richtiger und einfacher scheint, die Sache von seiner Seite aus zu betrachten und die wählerische Verfassung, in die ihn die Liebe versetzt, für die Gehemmtheit verantwortlich zu machen, an der er so törichten Anstoß nahm. Aber auch dieser Gesichtspunkt schließt ja die Anerkennung einer gewissen natürlichen Wunderkraft des Seelischen ein, seiner Fähigkeit, auf das Organisch-Körperliche bestimmend und verändernd einzuwirken, – und diese sozusagen magische Seite der Sache war es denn selbstverständlich auch, die Schleppfuß bei seinen Kommentaren zum Falle Klöpfgeißel geflissentlich hervorhob.

Er tat es in einem quasi-humanistischen Sinn, um die hohe Idee herauszustreichen, die jene angeblich finsteren Jahrhunderte von der erlesenen Kondition des menschlichen Leibes gehegt hätte. Für edler hätten sie ihn erachtet als alle anderen irdischen Stoffverbindungen, und in seiner Wandelbarkeit durch das Seelische hätten sie den Ausdruck seiner Vornehmheit, seines hohen Ranges in der Körper-Hierarchie erblickt. Er erkaltete und erhitzte sich vermöge der Furcht und des Zornes, er magerte ab vor Gram, erblühte vor Freude, bloßer Gedankenekel konnte die physiologische Wirkung verdorbener Speise hervorbringen, der Anblick eines Tellers mit Erdbeeren die Haut des Allergikers mit Pusteln bedecken, ja Krankheit und Tod konnten die Folge rein seelischer Einwirkungen sein. Von der Einsicht jedoch in das Vermögen der Seele, die eigene, ihr zugehörige Körpermaterie zu verändern, war es nur ein Schritt, und ein notwendiger, zu der durch reiche Erfahrungen der Menschheit gestützten Überzeugung, daß auch eine fremde Seele, wissentlich-willentlich, also durch Zauber, die fremde Körpersubstanz zu alterieren vermöge; mit anderen Worten: die Realität der Magie, des dämonischen Einflusses und der Verhexung war damit erhärtet, und dem Bereich des sogenannten Aberglaubens entrissen waren Erscheinungen wie etwa die des bösen Blicks, ein Erfahrungskomplex, konzentriert in der Sage vom tötenden Auge des Basilisken. Sträfliche Inhumanität wäre es gewesen, zu leugnen, daß eine unreine Seele durch den bloßen Blick, sei es willentlich oder auch unwillkürlich, körperlich schädigende Wirkungen an anderen hervorbringen könne, an kleinen Kindern zumal, deren zarte Substanz für das Gift eines solchen Auges besonders anfällig war.

So Schleppfuß in seinem exklusiven Kolleg — exklusiv durch Geist und Bedenklichkeit. »Bedenklich« ist ein vortreffliches Wort; ich habe ihm immer viel philologische Schätzung entgegengebracht. Es fordert zugleich zum Eingehen und zum Vermeiden auf, jedenfalls also zu einem sehr vorsichtigen Eingehen, und steht im Doppellicht des Bedenkenswerten und der Anrüchigkeit einer Sache — und eines Menschen.

Wir legten in unseren Gruß, wenn wir Schleppfußen auf der Straße oder auf den Korridoren der Universität begegneten, die ganze Achtung, welche das hohe intellektuelle Niveau seiner Vorlesung uns Stunde für Stunde einflößte, aber noch tiefer als wir zog er dagegen den Hut und sagte: »Ihr ganz ergebener Diener!«

XIV

Zahlenmystik ist nicht meine Sache, und immer nur mit Beklemmung habe ich diese Neigung an Adrian, bei dem sie sich von jeher still, aber deutlich hervortat, wahrgenommen. Daß aber auf das vorige Kapitel gerade die allgemein mit Scheu betrachtete und für unheilvoll geltende Ziffer XIII gefallen ist, hat denn doch meinen unwillkürlichen Beifall, und fast bin ich versucht, es für mehr als Zufall zu halten. Um einen Zufall allerdings handelt es sich, vernünftig gesprochen, dennoch, und zwar weil im Grunde dieser ganze Komplex von Hallenser Universitätserfahrungen, so gut wie weiter oben die Vorträge Kretzschmars, eine natürliche Einheit bildet, und weil ich nur aus Rücksicht auf den Leser, welcher immer nach Ruhepunkten, Zäsuren und Neubeginn ausschaut, in mehrere Kapitel aufgeteilt habe, was nach meiner, des Schriftstellers, wahrer Gewissensmeinung auf solche Gliederung gar keinen Anspruch hat. Ginge es also nach mir, so befänden wir uns immer noch im Kapitel XI, und nur meine Neigung zum Zugeständnis hat dem Doktor Schleppfuß die Ziffer XIII verschafft. Ich gönne sie ihm, – ja, mehr noch, ich hätte dieser ganzen Erinnerungsmasse an unsere Hallenser Studienjahre die Ziffer XIII gegönnt, denn ich sagte ja gleich, daß mir die Luft dieser Stadt, die theologische Luft, nicht wohltat, und daß meine hospitierende Teilnahme an Adrians Studium ein Opfer war, das ich, unter mancherlei Mißgefühlen, unserer Freundschaft brachte.

Unserer? Ich sage besser: der meinen; denn *er* bestand ja durchaus nicht darauf, daß ich mich neben ihm hielt, wenn er Kumpf oder Schleppfuß hörte, ja, daß ich darüber wohl gar Vorlesungen meines eigenen Programms versäumte. Ich tat es aus vollkommen freien Stücken, nur aus dem unabweislichen Wunsche, zu hören, was er hörte, zu wissen, was er aufnahm, kurz: *auf ihn achtzuhaben*, – denn das erschien mir immer höchst notwendig, wenn auch zwecklos. Eine eigentümlich schmerzliche Bewußtseins-

mischung, die ich da ausdrücke: von Dringlichkeit und Zweck-
losigkeit. Ich war mir klar darüber, ein Leben vor mir zu haben,
das man wohl überwachen, aber nicht ändern, nicht beeinflussen
konnte, und mein Drang, ein unverwandtes Auge darauf zu haben, dem Freunde nicht von der Seite zu gehen, hatte viel von der
Vorahnung, daß es mir eines Tages zur Aufgabe werden würde,
von den Eindrücken seiner Jugend biographische Rechenschaft ab-
zulegen. Denn soviel ist ja wohl klar, daß ich mich über die obigen
Dinge nicht hauptsächlich deshalb verbreitet habe, um zu erklären,
warum mir in Halle nicht sonderlich wohl war, sondern aus demselben Grunde, weshalb ich über Wendell Kretzschmars Kaisers-
ascherner Vorträge so ausführlich war: nämlich weil mir daran
liegt und liegen muß, den Leser zum Zeugen von Adrians geistigen Erfahrungen zu machen.
Aus demselben Grunde will ich ihn einladen, uns junge Musen-
söhne auf den gemeinsamen Wanderungen zu begleiten, die wir
bei besserer Jahreszeit von Halle aus wohl unternahmen. Denn
als Adrians Landsmann und Intimus, und weil ich ja, obgleich
Nicht-Theolog, ein entschiedenes Interesse an der Gottesgelehrsamkeit zu bekunden schien, war ich ein freundlich aufgenom-
mener Gast in der Corona der christlichen Verbindung ›Winfried‹ und durfte mich wiederholt an diesen gruppenweise unternommenen, dem Genusse von Gottes grüner Schöpfung gewidmeten Landfahrten beteiligen.
Sie fanden öfter statt, als wir beide dabei mithielten; denn ich
brauche kaum zu sagen, daß Adrian kein sehr eifriger Vereins-
bruder war und seine Mitgliedschaft mehr markierte, als daß er
sie pünktlich ausgeübt hätte und darin aufgegangen wäre. Aus
Höflichkeit und um seinen guten Willen zur Eingliederung zu beweisen, hatte er sich für die ›Winfried‹ gewinnen lassen, blieb
aber unter verschiedenen Vorwänden, meistens unter Berufung
auf seine Migräne, mehr als ein um das andere Mal von den
Zusammenkünften weg, die die Stelle der Kneipen vertraten, und
war noch nach Jahr und Tag mit dem siebzig Köpfe zählenden
Verbindungsvolk so wenig auf den frère-et-cochon-Fuß gekommen, daß selbst das brüderliche Du im Verkehr mit ihnen ihm
deutlich unnatürlich war und er sich öfters dabei versprach. Trotzdem war er angesehen unter ihnen, und das Hallo, das ihm ent-
gegenscholl, wenn er sich, man muß fast schon sagen: ausnahmsweise, zu einer Sitzung in dem verräucherten Separatzimmer von
Mütze's Gastlokal einfand, enthielt zwar einigen Spott über seine
Einzelgängerei, war dabei aber aufrichtig froh gemeint. Denn man
schätzte seine Teilnahme an den theologisch-philosophischen Debatten, denen er, ohne sie etwa zu führen, durch seine Einwürfe oft
eine interessante Wendung gab, besonders aber seine Musikalität,
die sehr hilfreich war, da er die obligaten Rundgesänge volltö-

niger und animierender als andere, die sich darin versuchten, am Klavier zu begleiten wußte und die Versammlung auch, aufgefordert dazu vom Ersten Chargierten, Baworinski, einem Langen, Brünetten, dessen Blick meist sanft von den Lidern bedeckt und dessen Mund wie zum Pfeifen zusammengezogen war, mit Solo-Vorträgen, einer Toccata von Bach, einem Satz Beethoven oder Schumann erfreute. Aber auch ungeheißen setzte er sich manches Mal an das dumpfklingende Piano des Vereinszimmers, das stark an das unzulängliche Instrument erinnerte, an dem Wendell Kretzschmar im Saal der ›Gemeinnützigen‹ uns seine Belehrungen erteilt hatte, und vertiefte sich in ein freies, experimentierendes Spiel, – namentlich vor Eröffnung der Sitzung, während man noch auf das Vollzähligwerden des Kreises wartete. Er hatte dabei eine mir unvergeßliche Art hereinzukommen, flüchtig zu grüßen und, zuweilen ohne auch nur abgelegt zu haben, mit nachdenklich verzogener Miene gerade auf das Klavier zuzugehen, als sei dieses das eigentliche Ziel seines Weges hierher gewesen, und stark anschlagend, Übergangstöne mit hochgezogenen Brauen hervorhebend, Klangverbindungen, Vorbereitungen und Auflösungen zu versuchen, die er unterwegs erwogen haben mochte. Es hatte aber dieses Losgehen auf das Klavier auch etwas nach Halt und Unterkunft Verlangendes, als ängstigten ihn der Raum und die ihn belebten, und als suche er Zuflucht dort, bei sich selbst also eigentlich, vor einer verwirrenden Fremde, in die er geraten.

Spielte er dann fort, einem fixen Gedanken nachhängend, ihn wandelnd und lose formend, so fragte wohl einer von denen, die ihn umstanden, der kleine Probst, vom Kandidatentyp, blond, mit halblangem öligem Haar:

»Was ist das?«

»Nichts«, antwortete der Spielende mit kurzem Kopfschütteln, das mehr der Bewegung glich, mit der man eine Fliege abwehrt.

»Wie kann es nichts sein«, fragte jener zurück, »da du es ja spielst?«

»Er phantasiert«, erläuterte der lange Baworinski verständig.

»Er phantasiert?!« rief Probst aufrichtig erschrocken und spähte mit seinen wasserblauen Augen von der Seite nach Adrians Stirn, als ob er erwartete, sie in Fieberhitze zu finden.

Alles brach in Lachen aus; auch Adrian tat es, indem er die geschlossenen Hände auf der Klaviatur liegen ließ und den Kopf darüber beugte.

»O Probst, was für ein Schaf bist du!« sagte Baworinski. »Er improvisierte da, verstehst du das nicht? Er hat sich das momentan so ausgedacht.«

»Wie kann er sich so viele Töne rechts und links auf einmal ausdenken«, verteidigte sich Probst, »und wie kann er sagen, es ist nichts, von etwas, was er doch spielt? Man kann doch nicht spielen, was es nicht gibt?«

114

»O doch«, sagte Baworinski sanft. »Man kann auch spielen, was noch nicht existiert.«

Und ich habe es noch im Ohr, wie ein gewisser Deutschlin, Konrad Deutschlin, ein Stämmiger, mit Stirnsträhne, hinzufügte:

»Es ist alles einmal nichts gewesen, guter Probst, was dann etwas geworden ist.«

»Ich kann Sie . . . ich kann euch versichern«, sagte Adrian, »daß es wirklich nichts war, in jedem Sinn.«

Er mußte sich nun aufrichten aus seiner vom Lachen gebeugten Haltung, wobei man seinem Gesicht ansah, daß es ihm nicht leicht wurde und er sich bloßgestellt fühlte. Ich erinnere mich aber, daß eine längere, und keineswegs uninteressante, hauptsächlich von Deutschlin geführte Diskussion über das Creative sich daran-schloß, wobei die Einschränkungen erörtert wurden, die dieser Begriff durch vielerlei Vorgegebenes, durch Kultur, Überlieferung, Nachfolge, Konvention, Schablone zu erdulden hat, nicht daß das Menschlich-Schöpferische denn endlich doch als ein ferner Abglanz göttlicher Seinsgewalt, als ein Widerhall des allmächtigen Werderufs, und die produktive Eingebung allerdings als von oben kommend theologisch anerkannt wurde. –

Übrigens, und völlig nebenbei gesagt, war es mir angenehm, daß auch ich, der Zugelassene von profaner Fakultät, durch mein Viola d'amore-Spiel gelegentlich, wenn man mich dazu aufforderte, zur Unterhaltung beitragen konnte. Die Musik nämlich galt viel in diesem Kreise, wenn auch nur auf eine gewisse, zugleich prinzipielle und verschwommene Weise: man sah eine Gotteskunst in ihr und hatte ›ein Verhältnis‹ zu ihr zu haben, ein romantisch-andächtiges, wie zur Natur, – Musik, Natur und fröhliche Andacht, das waren nahe verwandte und vorschriftsmäßige Ideen im Winfried-Verein, und wenn ich von »Musensöhnen« sprach, so findet dies Wort, das manchem vielleicht auf Theologie-Studenten nicht passen zu wollen scheint, eben doch seine Rechtfertigung in dieser Gesinnungskombination, in dem Geiste frommer Ungebundenheit und helläugiger Anschauung des Schönen, von dem auch jene Naturfahrten, auf die ich nun zurückkomme, bestimmt waren.

Zwei- oder dreimal im Lauf unserer vier Hallenser Semester wurden sie in corpore unternommen, so nämlich, daß Baworinski alle siebzig Mann dazu aufrief. An diesen Massen-Unternehmungen haben Adrian und ich uns nie beteiligt. Aber auch einzelne, untereinander vertrautere Gruppen schlossen sich zu solchen Wanderungen zusammen, und so, im Verein mit ein paar besseren Gesellen, machten wir beide uns wiederholt dazu auf. Es waren der Erste Chargierte selbst, ferner der stämmige Deutschlin, dann ein gewisser Dungersheim, ein Carl von Teutleben und noch ein paar junge Leute, die Hubmeyer, Matthäus Arzt und Schappeler hießen. An diese Namen erinnere ich mich und ungefähr auch an die Physiognomien ihrer Träger, die hier zu beschreiben sich aber erübrigt.

Die nächste Umgebung von Halle, eine sandige Ebene, ist als landschaftlich reizlos preiszugeben, aber in wenig Stunden trägt einen der Zug saaleaufwärts ins liebliche Thüringerland, und dort, meist schon in Naumburg oder Apolda (der Geburtsgegend von Adrians Mutter), verließen wir die Eisenbahn und setzten die Reise mit unseren Rucksäcken und Regenkapuzen, recht als freie Burschen, auf Schusters Rappen fort, in tagelangen Märschen, auf denen wir unsere Mahlzeiten in Dorf-Wirtshäusern, oft auch auf flacher Erde, am Rand eines Gehölzes gelagert, einnahmen und manche Nacht im Scheunenstroh eines Bauernhofes verbrachten, um bei Tagesgrauen unsere Morgen-Reinigung und -Erfrischung am langen Trog eines laufenden Brunnens vorzunehmen. Solche interimistische Lebensform, das hospitierende Einkehren von Städtern und geistig Bestrebten im Ländlich-Primitiven, bei Mutter Erde, in der Gewißheit ja doch, sehr bald wieder daraus in die gewohnte und ›natürliche‹ Sphäre bürgerlicher Bequemlichkeit zurückkehren zu müssen oder zu – dürfen: solche freiwillige Zurückschraubung und Vereinfachung hat leicht, ja fast notwendig einen Anflug von Künstlichkeit, Gönnerhaftigkeit, Dilettantismus, Komik, der unserem Bewußtsein keineswegs ganz fremd war, und auf den denn wohl auch das gutmütig spöttische Schmunzeln sich bezog, womit mancher Bauer, den wir um Schlafstroh angingen, uns musterte. Was diesem Schmunzeln einiges Wohlwollen, ja Zustimmung verlieh, war unsere Jugend; und man kann ja sagen, daß Jugend die einzig legitime Brücke zwischen dem Bürgerlichen und dem Natürlichen ist, ein vorbürgerlicher Zustand, aus dem alle Studenten- und Burschenromantik sich ableitet, das eigentlich romantische Lebensalter. Auf diese Formel brachte der im Gedanklichen immer energische Deutschlin die Sache, als wir uns in einem Scheunengespräch vor Einschlafen, im matten Licht eine Stallaterne, die in einer Ecke unseres Nachtquartiers brannte, über die Problematik unseres derzeitigen Lebens ergingen, indem er allerdings hinzufügte, es sei höchst geschmacklos, wenn Jugend die Jugend erörtere: Eine Lebensform, die sich selber bespräche und untersuche, löse eben damit als Form sich auf, und wahre Existenz habe nur das direkt und unbewußt Seiende.

Dem wurde nun widersprochen; Hubmeyer und Schappeler widersprachen dem, und auch Teutleben war nicht einverstanden. Es wäre doch noch schöner, meinten sie, wenn immer nur das Alter die Jugend beurteilen und diese immer nur Gegenstand fremder Betrachtung sein dürfe, als ob sie nicht teilhabe am objektiven Geist. Sie habe aber teil daran, auch sofern es sich um sie selber handle, und müsse mitreden dürfen als Jugend über die Jugend. Es gäbe doch etwas, was man Lebensgefühl nenne, und was dem Selbstbewußtsein gleichkomme, und wenn schon dadurch die Lebensform aufgehoben würde, dann wäre überhaupt kein beseeltes Leben möglich. Mit dem bloßen Sein in Dumpfheit und Unbewußtheit, dem Ichthyosaurus-Dasein, sei gar nichts getan, und heutzutage müsse man in Bewußtheit seinen Mann stehen und mit artikuliertem Selbstgefühl seine spezifische Lebensform behaupten – lange genug habe es gedauert, bis die Jugend als eine solche anerkannt worden sei.

»Die Anerkenntnis ist aber mehr von der Pädagogik, das heißt von den Alten ausgegangen«, hörte man Adrian sagen, »als von der Jugend selbst. Die fand sich eines Tages von einer Zeit, die ja auch vom Jahrhundert des Kindes spricht und die Frauenemanzipation erfunden hat, einer überhaupt sehr nachgiebigen Zeit, beschenkt mit dem Prädikat der selbständigen Lebensform und stimmte natürlich eifrig zu.«

»Nein, Leverkühn«, sagten Hubmeyer und Schappeler, und die anderen unterstützten sie, – da habe er unrecht, wenigstens zum großen Teile unrecht. Es sei das Lebensgefühl der Jugend selbst gewesen, das sich mit Hilfe der Bewußtwerdung durchgesetzt habe gegen die Welt, wenn diese auch zur Anerkennung nicht ganz ungestimmt gewesen sei.

»Nicht im mindesten«, sagte Adrian. – Gar nicht ungestimmt. Dieser Zeit brauchte man wohl nur zu sagen: »Ich habe ein spezifisches Lebensgefühl«, so mache sie gleich eine tiefe Verbeugung davor. Die Jugend habe da sozusagen in Butter geschnitten. Übrigens sei nichts dagegen zu sagen, wenn die Jugend und ihre Zeit einander verständen.

»Warum so kaltschnäuzig, Leverkühn? Findest du es nicht gut, daß heute der Jugend ihr Recht wird in der bürgerlichen Gesellschaft, und daß man die Eigenwürde der Entwicklungszeit anerkennt?«

»O doch«, sagte Adrian. »Aber Sie gingen aus, ihr gingt aus, wir gingen aus von dem Gedanken . . .«

Er wurde von Gelächter unterbrochen, seines Versprechens wegen. Ich glaube, es war Matthäus Arzt, der sagte:

»Das war echt, Leverkühn. Die Steigerung war gut. Erst sagst du ›Sie‹ zu uns, dann bringst du ein ›ihr‹ zustande, und ganz zuletzt kommt das ›wir‹, daran zerbrichst du dir fast die Zunge, das gewinnst du dir am allerschwersten ab, du hartgesottener Individualist.«

Den Namen wollte Adrian nicht annehmen. Das sei ganz falsch, sagte er, er sei gar kein Individualist, er bejahe durchaus die Gemeinschaft.

»Theoretisch vielleicht«, erwiderte Arzt, »mit Ausschluß Adrian

Leverkühns, von oben herab.« Über die Jugend spreche er auch von oben herab, so als ob er nicht dazu gehöre, und sei ganz unfähig, sich einzuschließen und einzufügen, denn was die Demut betreffe, von der wisse er nun wohl freilich nicht allzuviel.

Es sei doch hier nicht die Rede von Demut gewesen, parierte Adrian, sondern im Gegenteil von selbstbewußtem Lebensgefühl. Und Deutschlin stellte den Antrag, daß man Leverkühn zu Ende reden lassen solle.

»Es war weiter nichts«, sagte dieser. »Man ging hier von dem Gedanken aus, daß die Jugend ein näheres Verhältnis zur Natur habe als der bürgerlich ausgereifte Mensch, — also etwa wie die Frau, der man ja auch, im Vergleich mit dem Mann, eine größere Naturnähe nachsagt. Ich kann da aber nicht folgen. Ich finde nicht, daß die Jugend mit der Natur auf besonders vertrautem Fuße steht. Viel eher verhält sie sich scheu und spröde zu ihr, eigentlich fremd. An sein natürliches Teil gewöhnt sich der Mensch erst mit den Jahren und beruhigt sich langsam darüber. Gerade die Jugend, ich meine die höher geartete Jugend, erschrickt vielmehr davor, verachtet es, stellt sich feindselig dazu. Was heißt Natur? Wald und Wiese? Berge, Bäume und See, landschaftliche Schönheit? Dafür hat meiner Meinung nach die Jugend viel weniger Blick als der ältere, beruhigte Mensch. Der junge ist zum Sehen und zum Naturgenuß gar nicht sehr aufgelegt. Er ist nach innen gerichtet, geistig gestimmt, dem Sinnlichen abgeneigt, meiner Meinung nach.«

»Quod demonstramus«, sagte jemand, möglicherweise Dungersheim, »wir Wanderer hier im Stroh, die wir morgen den Thüringer Wald hinaufziehen wollen, nach Eisenach und zur Wartburg.«

»›Meiner Meinung nach‹, sagst du immer«, warf ein anderer ein. »Du willst wohl sagen: ›meiner Erfahrung nach‹.«

»Ihr werft mir vor«, versetzte Adrian, »ich spräche über die Jugend von oben herab und schlösse mich nicht ein. Nun auf einmal soll ich mich ihr substituiert haben.«

»Leverkühn«, sagte Deutschlin darauf, »hat über die Jugend seine eigenen Gedanken, aber als eine spezifische Lebensform, die als solche respektiert werden muß, betrachtet er sie offenbar auch, und das ist das Entscheidende. Gegen die Selbsterörterung der Jugend sprach ich nur, insofern als sie die Unmittelbarkeit des Lebens zersetzt. Als Selbstbewußtsein verstärkt sie die Existenz aber auch, und in diesem Sinn, das heißt also in diesem Maß, heiße ich sie gut. Der Jugendgedanke ist ein Vorrecht und Vorzug unseres Volkes, des deutschen, — die anderen kennen ihn kaum, Jugend als Selbstsinn ist ihnen so gut wie unbekannt, sie wundern sich über das wesensbetonte und von den höheren Altersklassen gebilligte Gebaren der deutschen Jugend und selbst über ihr unbürgerliches Kostüm. Mögen sie nur. Die deutsche Jugend repräsentiert, eben als Jugend, den Volksgeist selbst, den deutschen Geist, der jung ist und zukunftsvoll, — unreif, wenn man will, aber was will das besagen! Die deutschen Taten geschahen immer aus einer gewissen gewaltigen Unreife, und nicht umsonst sind wir das Volk der Reformation. Die war ein Werk der Unreife doch auch. Reif war der florentinische Renaissance-Bürger, der vorm Kirchgang zu seiner Frau sagte: ›Also, machen wir dem populären Irrtum unsere Reverenz!‹ Aber Luther war unreif genug, Volk genug, deutsches Volk genug, den neuen, gereinigten Glauben zu bringen. Wo bliebe die Welt auch, wenn Reife das letzte Wort wäre! Wir werden ihr in unserer Unreife noch manche Erneuerung, manche Revolution bescheren.«

Nach diesen Worten Deutschlins schwieg man eine Weile. Offenbar bewegte man im Dunkeln bei sich das Gefühl der persönlichen und nationalen Jugendlichkeit, die in *ein* Pathos verschmolzen. Das Wort von der »gewaltigen Unreife« hatte sicher viel Schmeichelhaftes für die meisten.

»Wenn ich nur wüßte«, höre ich Adrian, die Pause beendend, sagen, »wieso wir eigentlich gar so unreif sind, so jung, wie du sagst, ich meine als Volk. Wir sind doch schließlich so weither wie die anderen, und vielleicht spiegelt nur unsere Geschichte, daß wir ein bißchen verspätet zusammenfanden und ein gemeinsames Selbstbewußtsein ausbildeten, uns eine besondere Jugendlichkeit vor.«

»Es ist doch wohl anders«, versetzte Deutschlin. »Jugend im höchsten Sinn hat nichts mit politischer Geschichte, überhaupt nichts mit Geschichte zu tun. Sie ist eine metaphysische Gabe, etwas Essentielles, eine Struktur und Bestimmung. Hast du nie vom deutschen Werden gehört, von deutscher Wanderschaft, vom unendlichen Unterwegssein des deutschen Wesens? Wenn du willst, ist der Deutsche der ewige Student, der ewig Strebende unter den Völkern . . .«

»Und seine Revolutionen«, schaltete Adrian kurz auflachend ein, »sind der Budenzauber der Weltgeschichte.«

»Sehr geistreich, Leverkühn. Aber mich wundert doch, daß dein Protestantismus dir erlaubt, so witzig zu sein. Man kann es notfalls auch ernster nehmen, was ich Jugend nenne. Jung sein heißt ursprünglich sein, heißt den Quellen des Lebens nahe geblieben sein, heißt aufstehen und die Fesseln einer überlebten Zivilisation abschütteln können, wagen, wozu anderen die Lebenscourage fehlt, nämlich wieder unterzutauchen im Elementaren. Jugendmut, das ist der Geist des Stirb und Werde, das Wissen um Tod und Wiedergeburt.«

»Ist das so deutsch?« fragte Adrian. »Wiedergeburt hieß einmal rinascimento und ging in Italien vor sich. Und ›Zurück zur Natur‹, das wurde zuerst auf französisch empfohlen.«

»Das eine war eine Bildungserneuerung«, erwiderte Deutschlin, »das andere ein sentimentales Schäferspiel.«

»Aus dem Schäferspiel«, beharrte Adrian, »kam die Französische Revolution, und Luthers Reformation war nur ein Ableger und ethischer Seitenweg der Renaissance, ihre Anwendung aufs Religiöse.«

»Aufs Religiöse, da sagst du es. Und das Religiöse ist allerwege etwas anderes als archäologische Auffrischung und kritischer Gesellschaftsumsturz. Religiosität, das ist vielleicht die Jugend selbst, es ist die Unmittelbarkeit, der Mut und die Tiefe des personalen Lebens, der Wille und das Vermögen, die Naturhaftigkeit und das Dämonische des Daseins, wie es uns durch Kierkegaard wieder zum Bewußtsein gekommen ist, in voller Vitalität zu erfahren und zu durchleben.«

»Hältst du Religiosität für eine auszeichnend deutsche Gabe?« fragte Adrian.

»In dem Sinne, den ich ihr gab, als seelische Jugend, als Spontaneität, als Lebensgläubigkeit und Dürer'sches Reiten zwischen Tod und Teufel – allerdings.«

»Und Frankreich, das Land der Kathedralen, dessen König der Allerchristlichste hieß, und das Theologen wie Bossuet, wie Pascal hervorgebracht hat?«

»Das ist lange her. Seit Jahrhunderten ist Frankreich von der Geschichte zur antichristlichen Sendungsmacht in Europa ausersehen. Von Deutschland gilt das Gegenteil, das würdest du fühlen und wissen, Leverkühn, wenn du eben nicht Adrian Leverkühn wärest, das heißt: zu kühl, um jung, und zu gescheit, um religiös zu sein. Mit der Gescheitheit mag man es in der Kirche weit bringen, aber kaum im Religiösen.«

»Vielen Dank, Deutschlin«, lachte Adrian. »In gut altdeutschen Worten, wie Ehrenfried Kumpf sagen würde, ohn' alle Bemäntelung hast du's mir gegeben. Ich habe eine Ahnung, daß ich es auch in der Kirche nicht weit bringen werde, aber gewiß ist, daß ich ohne sie nicht Theolog geworden wäre. Ich weiß ja, daß es die Begabtesten von euch sind, die Kierkegaard gelesen haben, die Wahrheit, auch die ethische Wahrheit, ganz ins Subjektive verlegen und alles Herdendasein perhorreszieren. Aber ich kann euren Radikalismus, der übrigens bestimmt nicht lange vorhalten wird, der eine Studentenlizenz ist, – ich kann euere Kierkegaard'sche Trennung von Kirche und Christentum nicht mitmachen. Ich sehe in der Kirche auch noch, wie sie heute ist, säkularisiert und verbürgerlicht, eine Burg der Ordnung, eine Anstalt zur objektiven Disziplinierung, Kanalisierung, Eindämmung des religiösen Lebens, das ohne sie der subjektivistischen Verwilderung, dem numinosen Chaos verfiele, zu einer Welt phantastischer Unheimlichkeit, einem Meer von Dämonie würde. Kirche und Religion zu trennen, heißt darauf verzichten, das Religiöse vom Wahnsinn zu trennen . . .«

»Na, höre mal!« sagten mehrere. Aber:

»Recht hat er!« erklärte unumwunden Matthäus Arzt, den die anderen den ›Sozialarzt‹ nannten, denn das Soziale war seine Passion, er war christlicher Sozialist, und oft zitierte er Goethe's Äußerung, das Christentum sei eine politische Revolution gewesen, die, verfehlt, moralisch geworden sei. Politisch, sagte er auch jetzt, müsse es wieder werden, nämlich sozial: Das sei das wahre und einzige Mittel zur Disziplinierung des Religiösen, dessen Ausartungsverfahren Leverkühn gar nicht schlecht geschildert habe. Der religiöse Sozialismus, die sozial gebundene Religiosität, das sei es, denn die rechte Bindung zu finden, daran sei alles gelegen, und die theonome Bindung müsse mit der sozialen, mit der Bindung an die von Gott gestellte Aufgabe der Gesellschaftsvervollkommnung vereinigt werden. »Glaubt mir nur«, sagte er, »auf das Heranwachsen eines verantwortlichen Industrievolkes, einer internationalen Industrie-Nation kommt alles an, die einmal eine echte und rechte europäische Wirtschaftsgesellschaft bilden kann. In der werden alle Gestaltungsimpulse liegen, und liegen keimhaft schon jetzt, nicht bloß zur technischen Durchführung einer neuen Wirtschaftsorganisation, nicht nur zu einer durchgreifenden Hygienisierung der naturalen Lebensbezüge, sondern auch zur Begründung neuer politischer Ordnungen.«

Ich gebe die Reden dieser jungen Leute so wieder, wie sie gehalten wurden, in ihren Ausdrücken, die einem gelehrten Jargon angehörten, dessen Gespreiztheit ihnen nicht im mindesten zum Bewußtsein kam; vielmehr bedienten sie sich seiner in aller Vergnügtheit und Bequemlichkeit, ganz natürlich, indem sie sich das gestelzt Anspruchsvolle mit virtuoser Anspruchslosigkeit zuwarfen. »Naturale Lebensbezüge« und »theonome Bindung«, das waren solche Preziositäten; man hätte es auch einfacher sagen können, aber dann wäre es nicht ihre geisteswissenschaftliche Sprache gewesen. Gern stellten sie »die Wesensfrage«, redeten vom »sakralen Raum« oder dem »politischen Raum« oder vom »akademischen Raum«, von »Strukturprinzip«, von »dialektischem Spannungsverhältnis«, von »seinshaften Entsprechungen« und so fort. Deutschlin, die Hände hinter dem Kopfe gefaltet, stellte also jetzt die Wesensfrage nach dem genetischen Ursprung von Arztens Wirtschaftsgesellschaft. Der sei doch kein anderer als die ökonomische Vernunft, und immer nur diese könne in der Wirtschaftsgesellschaft auch repräsentiert werden. »Wir müssen uns doch klar darüber sein, Matthäus«, sagte er, »daß das Gesellschaftsideal der ökonomischen Sozialorganisation einem aufklärerisch-autonomen Denken entstammt, kurz, einem Rationalismus, der von der Mächtigkeit über- und untervernünftiger Gewalten noch gar nicht erfaßt ist. Aus der bloßen Einsicht und Vernunft des Menschen glaubst du eine gerechte Ordnung entwickeln zu können, wobei du ›gerecht‹ und ›sozialnützlich‹ gleichsetzest, und daraus, meinst du, werden neue politische Ordnungen kommen. Der ökonomische Raum ist aber ein ganz anderer als der politische, und vom ökonomischen Nützlichkeitsdenken zum geschichtsbezogenen politischen Bewußtsein gibt es gar keinen direkten Übergang. Ich verstehe nicht, wie du das verkennen kannst. Politische Ordnung bezieht sich auf den Staat, und der ist eine nicht von der Nützlichkeit her bestimmte Macht und Herrschaftsform, worin denn doch andere Qualitäten repräsentiert werden, als Unternehmervertreter und Gewerkschaftssekretäre sie kennen, zum Beispiel Ehre und Würde. Für solche Qualitäten, mein Lieber, bringen die Leute des ökonomischen Raums nicht die nötigen seinshaften Entsprechungen mit.«

»Ach, Deutschlin, was redest du«, sagte Arzt. »Wir wissen doch als moderne Soziologen ganz gut, daß auch der Staat von nützlichen Funktionen bestimmt ist. Da ist die Rechtsprechung, da ist die Sicherheitsgewährung. Und dann leben wir doch überhaupt in einem ökonomischen Zeitalter, das Ökonomische ist einfach der geschichtliche Charakter dieser Zeit, und Ehre und Würde helfen dem Staat keinen Deut, wenn er es nicht versteht, die ökonomischen Verhältnisse von sich aus richtig zu erkennen und zu leiten.«

Deutschlin gab das zu. Aber er leugnete, daß Nützlichkeitsfunktionen die *wesentliche* Begründung des Staates seien. Die Legitimierung des Staates liege in seiner Hoheit, seiner Souveränität, die darum unabhängig vom Wertschätzen einzelner bestehe, weil sie — sehr im Gegensatz zu den Flausen des Contrat Social — *vor* dem einzelnen da sei. Die überindividuellen Zusammenhänge hätten nämlich ebensoviel Daseinsursprünglichkeit wie die einzelnen Menschen, und ein Ökonom könne vom Staat eben darum nichts verstehen, weil er von seiner transzendentalen Grundlegung nichts verstehe.

Von Teutleben sagte darauf:

»Ich bin gewiß nicht ohne Sympathie mit der sozialreligiösen Bindung, die Arzt befürwortet; besser als gar keine ist sie allemal, und Matthäus hat nur zu recht, wenn er sagt, daß alles darauf ankommt, die rechte Bindung zu finden. Um aber recht zu sein, um zugleich religiös und politisch zu sein, muß sie volkhaft sein, und was ich mich frage, ist, ob aus der Wirtschaftsgesellschaft heraus ein neues Volkstum entstehen kann. Seht euch im Ruhrgebiet um: Da habt ihr Sammelzentren von Menschen, aber doch keine neuen Volkstumszellen. Fahrt mal im Personenzug von Leuna nach Halle! Da seht ihr Arbeiter zusammensitzen, die über Tariffragen ganz gut zu sprechen wissen, aber daß sie aus ihrer

gemeinsamen Betätigung irgendwelche Volkstumskräfte gezogen
hätten, das geht aus ihren Gesprächen nicht hervor. In der Wirtschaft herrscht mehr und mehr die nackte Endlichkeit . . .«

»Das Volkstum ist aber auch endlich«, erinnerte ein anderer, es
war entweder Hubmeyer oder Schappeler, ich kann es nicht mit
Bestimmtheit sagen. »Das dürfen wir als Theologen nicht zulassen, daß das Volk etwas Ewiges sei. Begeisterungsfähigkeit ist
etwas sehr Gutes und Gläubigkeitsbedürfnis etwas der Jugend
sehr Natürliches, aber eine Versuchung ist es auch, und man muß
sich die Substanz der neuen Bindungen, die heute, wo der Liberalismus abstirbt, überall angeboten werden, sehr genau ansehen,
ob sie auch Echtheit hat, und ob denn das die Bindung schaffende
Objekt auch etwas Wirkliches ist oder vielleicht nur das Produkt
einer, sagen wir einmal: Strukturromantik, die sich ideologische
Objekte auf nominalistischem, um nicht zu sagen fiktionalisti-
schem Wege schafft. Meiner Meinung nach, oder meiner Befürchtung nach sind das vergötzte Volkstum und der utopisch gesehene
Staat solche nominalistischen Bindungen, und das Bekenntnis zu
ihnen, also sagen wir: das Bekenntnis zu Deutschland, hat etwas
Unverbindliches, weil es gar nichts mit der personalen Substanz
und Qualitätshaltigkeit zu tun hat. Nach der wird überhaupt
nicht gefragt, und wenn einer ›Deutschland!‹ sagt und das für
seine Bindung erklärt, so braucht er gar nicht nachzuweisen und
wird von niemandem gefragt, auch von sich selbst nicht, wieviel
Deutschtum er eigentlich im personalen und das heißt: qualitati-
ven Sinn verwirklicht und wieweit er imstande ist, der Behauptung einer deutschen Lebensform in der Welt zu dienen. Das ist
es, was ich Nominalismus, oder besser: Namensfetischismus
nenne, und was nach meiner Meinung ideologischer Götzendienst
ist.«

»Gut, Hubmeyer«, sagte Deutschlin, »das ist alles ganz richtig,
was du sagst, und jedenfalls gebe ich dir zu, daß du uns mit deiner
Kritik näher an das Problem herangeführt hast. Ich habe Matthäus
Arzt widersprochen, weil mir die Vorherrschaft des Nützlichkeits-
prinzips im ökonomischen Raum nicht paßt; aber darin stimme
ich ganz mit ihm überein, daß die theonome Bindung an sich,
also das Religiöse im allgemeinen, etwas Formalistisches und
Ungegenständliches hat, daß es einer irdisch-empirischen Aus-
füllung oder Anwendung oder Bewährung bedarf, einer Prakti-
zierung im Gehorsam gegen Gott. Und da hat nun Arzt den
Sozialismus erwählt und Carl Teutleben das Völkische. Das sind
aber die beiden Bindungen, zwischen denen wir heute die Wahl
haben. Ich leugne, daß es ein Überangebot an Ideologien gibt, seit
die Freiheitsphrase keinen Hund mehr vom Ofen lockt. Es gibt
tatsächlich nur diese beiden Möglichkeiten religiösen Gehorsams
und religiöser Verwirklichung: die soziale und die nationale. Das

Unglück will aber, daß sie beide ihre Bedenken und Gefahren haben, und zwar sehr ernste. Über eine gewisse, so häufig vorkommende nominalistische Hohlheit und personale Substanzlosigkeit des völkischen Bekenntnisses hat Hubmeyer sich ganz zutreffend geäußert, und verallgemeinernd sollte man hinzufügen, daß es gar nichts heißen will, sich auf die Seite lebenerhöhender Objektivierungen zu schlagen, wenn das für die persönliche Lebensgestaltung keine Bedeutung hat, sondern nur für feierliche Anlässe gilt, wozu ich sogar den rauschhaften Opfertod noch rechne. Zum echten Opfer gehören zwei Wertbestände und Qualitätshaltigkeiten: die der Sache und die des Opfers... Wir haben aber Fälle, wo die persönliche Substanz, sagen wir: an Deutschtum, sehr groß war und ganz unwillkürlich sich auch als Opfer objektivierte, wo es aber an Bekenntnis zu völkischer Bindung nicht nur völlig fehlte, sondern auch die heftigste Negation davon statthatte, so daß das tragische Opfer gerade in dem Widerstreit von Sein und Bekenntnis bestand ... Soviel für heute abend über die nationale Bindung. Was aber die soziale betrifft, so hat sie den Haken, daß, wenn im ökonomischen Raum alles bestmöglich reguliert ist, die Frage nach der Sinnerfüllung des Daseins und nach würdiger Lebensführung noch genau so offenbleibt wie heute. Eines Tages werden wir die universelle ökonomische Verwaltung der Erde haben, den kompletten Sieg des Kollektivismus, – gut, damit wird dann die relative Unsicherheit des Menschen verschwunden sein, die der soziale Katastrophencharakter des kapitalistischen Systems noch bestehen läßt, das heißt: verschwunden sein wird der letzte Erinnerungsrest an die Gefährdung des menschlichen Lebens und damit die geistige Problematik überhaupt. Man fragt sich, wozu dann noch leben ...«

»Möchtest du das kapitalistische System erhalten, Deutschlin«, fragte Arzt, »weil es die Erinnerung an die Gefährdung des menschlichen Lebens wach erhält?«

»Nein, das möchte ich nicht, lieber Arzt«, antwortete Deutschlin ärgerlich. »Man wird ja wohl noch auf die tragischen Antinomien hinweisen dürfen, von denen das Leben voll ist.«

»Auf die braucht man gar nicht hingewiesen zu werden«, seufzte Dungersheim. »Es ist ja eine wahre Not damit, und als religiöser Mensch muß man sich fragen, ob die Welt wirklich das alleinige Werk eines gütigen Gottes ist oder nicht vielmehr eine Gemeinschaftsarbeit, ich sage nicht, mit wem.«

»Was ich wissen möchte«, bemerkte von Teutleben, »das ist, ob die Jugend anderer Völker auch so auf dem Stroh liegt und sich mit den Problemen und Antinomien plagt.«

»Kaum«, antwortete Deutschlin wegwerfend. »Die haben es alle geistig viel einfacher und bequemer.«

»Die russische revolutionäre Jugend«, meinte Arzt, »sollte man

ausnehmen. Da gibt es, wenn ich nicht irre, eine unermüdliche diskursive Angeregtheit und verdammt viel dialektische Spannung.«
»Die Russen«, sagte Deutschlin sentenziös, »haben Tiefe, aber
keine Form. Die im Westen Form, aber keine Tiefe. Beides zusammen haben nur wir Deutsche.«
»Na, wenn das keine völkische Bindung ist!« lachte Hubmeyer.
»Es ist bloß die Bindung an eine Idee«, versicherte Deutschlin. »Es
ist die Forderung, von der ich spreche. Unsere Verpflichtung ist
exzeptionell, durchaus nicht das Maß, in dem wir sie bereits erfüllen. Sollen und Sein klaffen bei uns weiter auseinander als bei
anderen, weil eben das Sollen sehr hoch gesetzt ist.«
»Man sollte bei alldem doch wohl vom Nationellen absehen«,
warnte Dungersheim, »und die Problematik mit der Existenz des
modernen Menschen überhaupt verbunden sehen. Es ist doch so,
daß, seit das unmittelbare Seinsvertrauen abhanden gekommen
ist, das in früheren Zeiten das Ergebnis des Hineingestelltseins
in vorgefundene Ganzheitsordnungen war, ich meine sakral im-
prägnierten Ordnungen, die eine bestimmte Intentionalität auf die
geoffenbarte Wahrheit hatten . . . daß seit ihrem Zerfall und dem
Entstehen der modernen Gesellschaft unser Verhältnis zu Menschen und Dingen unendlich reflektiert und kompliziert geworden
ist und es nichts als Problematik und Ungewißheit mehr gibt, so
daß der Entwurf auf die Wahrheit in Resignation und Verzweiflung zu enden droht. Die Ausschau aus der Zersetzung nach Ansätzen zu neuen Ordnungskräften ist allgemein, wenn man auch
zugeben kann, daß sie bei uns Deutschen besonders ernst und
dringlich ist, und daß die anderen nicht so an dem geschichtlichen
Schicksal leiden, entweder weil sie stärker, oder weil sie stumpfer sind . . .«
»Stumpfer«, entschied von Teutleben.
»So sagst du, Teutleben. Aber wenn wir nun so die Schärfe und
Bewußtheit der historisch-psychologischen Problematik uns zur
nationalen Ehre rechnen und das Trachten nach neuen Ganzheitsordnungen mit dem Deutschtum identifizieren, so sind wir schon
im Begriff, uns einem Mythos von zweifelhafter Echtheit und
unzweifelhafter Hoffart zu verschreiben, nämlich dem völkischen
mit seiner Strukturromantik des Kriegertypus, die nichts weiter
ist als christlich verbrämtes, naturales Heidentum und Christus
zum ›Herrn der himmlischen Heerscharen‹ stempelt. Das ist aber
eine entschieden dämonisch bedrohte Position . . .«
»Nun, und?« fragte Deutschlin. »Dämonische Kräfte stecken neben
Ordnungsqualitäten in jeder vitalen Bewegung.«
»Nennen wir doch die Dinge bei Namen«, verlangte Schappeler;
es kann auch sein, daß es Hubmeyer war. »Das Dämonische, das
heißt doch auf deutsch: die Triebe. Und das ist es ja gerade, daß
heute sogar schon mit den Trieben Propaganda für allerlei Bin-

dungsangebote gemacht wird, indem man nämlich auch sie noch mit einbezieht und den alten Idealismus mit Triebpsychologie aufputzt, damit der bestechende Eindruck einer größeren Wirklichkeitsdichte entsteht. Deswegen kann aber das Angebot doch noch Schwindel sein . . .«

Hier kann ich nur »Und so weiter« sagen, denn es ist Zeit, daß ich der Wiedergabe dieses Gesprächs – oder eines solchen Gesprächs – ein Ende setze. In Wirklichkeit hatte es keines oder ging doch noch lange, bis tief in die Nacht hinein, weiter, mit »doppelpoliger Haltung« und »geschichtsbewußter Analyse«, mit »überzeitlichen Qualitäten«, »ontischer Naturhaftigkeit«, »logischer Dialektik« und »Real-Dialektik«, gelehrt, bemüht und uferlos, um dann im Sande zu verlaufen, das heißt: im Schlaf, zu dem der Chargierte Baworinski ermahnte, da man morgen – aber es war schon fast morgen – zeitig zur Wanderung aufbrechen wollte. Daß die gütige Natur den Schlaf bereit hielt, um das Gespräch darin aufzunehmen und es in Vergessenheit zu wiegen, war ein dankenswerter Umstand, und Adrian, der lange nichts mehr gesagt hatte, gab dem Ausdruck mit ein paar im Zurechtkuscheln hingesprochenen Worten:

»Ja, gute Nacht. Ein Glück, daß man's sagen kann. Diskussionen sollte man immer nur vorm Einschlafen halten, mit der Rückendeckung des wartenden Schlafs. Wie peinlich, nach einem geistigen Gespräch noch wachen Sinnes umhergehen zu müssen!«

»Das ist aber eine Fluchtposition«, murrte noch jemand, und dann ertönten die ersten Schnarchlaute in unserer Scheune, befriedete Kundgebungen der Anheimgabe ans Vegetative, von der ein paar Stunden genügten, um der lieben Jugend die Spannkraft zur Vereinigung von dankbar atmendem und schauendem Naturgenuß mit den obligaten theologisch-philosophischen Debatten zurückzugeben, die fast niemals abrissen, und in denen man einander opponierte und imponierte, sich wechselseitig belehrte und förderte. Zur Juni-Zeit etwa, wenn aus den Schluchten der bewaldeten Höhen, die das Thüringer Becken durchziehen, die schweren Düfte des Jasmins, des Faulbaums quollen, waren es köstliche Wandertage hier durch das von Industrie fast freie, mild-begünstigte, fruchtbare Land mit seinen freundlichen Haufendörfern aus Fachwerkbauten; und kam man dann aus der Gegend des Ackerbaus in die der vorwiegenden Viehzucht und verfolgte den sagenumwobenen Höhenpfad des mit Fichten und Buchen bestandenen Kammgebirges, den ›Rennsteig‹, der mit seinen Tiefblicken ins Werratal sich vom Frankenwald gegen Eisenach, die Hörselstadt, erstreckt, so wurde es immer schöner, bedeutender, romantischer, und weder was Adrian über die Sprödigkeit der Jugend vor der Natur, noch was er über die Wünschbarkeit gesagt hatte, bei geistigen Disputen auf den Schlaf rekurrieren zu können, schien irgendwelche typische Gültigkeit zu haben. Auch für ihn selbst galt es kaum, denn, falls nicht etwa die Migräne ihn schweigsam machte, trug er lebhaft zu den Tagesgesprächen bei, und wenn die Natur ihm auch keine begeisterten Ausrufungen entlockte und er mit einer gewissen sinnenden Zurückhaltung auf sie blickte, so zweifle ich nicht, daß ihre Bilder, Rhythmen, hochhingetragenen Melodien ihm tiefer in die Seele drangen als den Genossen, und habe bei manchem Vorübergang reiner, gelöster Schönheit, der sich aus seinem geistgespannten Werk hervortut, später an jene gemeinsamen Eindrücke denken müssen.

Ja, das waren angeregte Stunden, Tage und Wochen. Die Sauerstofflabung durch das Freiluftleben, Eindrücke der Landschaft und der Geschichte begeisterten diese jungen Leute und hoben ihre Gemüter zu Gedanken auf, die das Luxuriöse und frei Experimentierende der Studentenzeit hatten, und für die sie im späteren trockenen Berufsleben, im Zustande des Philisteriums – und ob es auch ein geistiges Philisterium sein würde – gar keine Verwendung mehr haben würden. Oft betrachtete ich sie bei ihren theologisch-philosophischen Debatten und stellte mir vor, daß manchem von ihnen später einmal seine ›Winfried‹-Zeit als der größte Abschnitt seines Lebens erscheinen werde. Ich betrachtete sie und betrachtete Adrian – mit dem überdeutlichen Vorgefühl, daß sie ihm bestimmt nicht so erscheinen werde. War ich, als Nicht-Theolog, ein Hospitant unter ihnen, – er war es, obgleich Theolog, noch mehr. Warum? Ich spürte, nicht ohne Beklemmung, einen Schicksalsabgrund zwischen dieser strebend gehobenen Jugend und seiner Existenz, den Unterschied der Lebenskurve zwischen gutem, ja vortrefflichem Durchschnitt, dem bald aus dem vagierenden, versuchenden Burschentum ins bürgerliche Leben einzulenken bestimmt war, und dem unsichtbar Gezeichneten, der den Weg des Geistes und der Problematik nie verlassen, ihm wer weiß wohin weitergehen sollte, und dessen Blick, dessen nie ganz ins Brüderliche sich lösende Haltung, dessen Hemmungen beim Du- und Ihr- und Wir-Sagen mich und wahrscheinlich auch die anderen empfinden ließ, daß auch er diesen Unterschied ahnte.

Schon zu Beginn seines vierten Semesters hatte ich Anzeichen, daß mein Freund das theologische Studium noch vor dem ersten Examen abzubrechen gedachte.

XV

Adrians Beziehungen zu Wendell Kretzschmar hatten sich niemals gelöst oder gelockert. Der junge Beflissene der Gotteswissenschaft sah den musikalischen Mentor seiner Gymnasialzeit in jeden Ferien, wenn er nach Kaisersaschern kam, besuchte ihn und beredete sich mit ihm in der Dom-Wohnung des Organisten, sah ihn auch im Hause seines Onkels Leverkühn und bestimmte ein- oder zweimal seine Eltern, ihn für das Wochenende nach Hof Buchel einzuladen, wo er ausgedehnte Spaziergänge mit ihm machte und Jonathan Leverkühn bewog, seinem Gast die Chladni'schen Klangfiguren und den fressenden Tropfen vorzuführen. Mit dem alternden Buchelwirt stand Kretzschmar sehr gut, weniger unbefangen dagegen, wenn auch keineswegs auf irgendwie wirklich gespanntem Fuß, mit Frau Elsbeth, vielleicht weil diese durch sein Stotterleiden geängstigt wurde, das sich wohl eben darum in ihrer Gegenwart, hauptsächlich im direkten Gespräch mit ihr, verschlimmerte. Es war merkwürdig: In Deutschland genießt doch die Musik das populäre Ansehen, dessen sich in Frankreich die Literatur erfreut, und niemand ist bei uns befremdet, eingeschüchtert, unangenehm berührt oder zu Mißachtung und Spott bestimmt durch die Tatsache, daß einer ein Musiker ist. Ich bin auch überzeugt, daß Elsbeth Leverkühn der Existenz von Adrians älterem Freund, der seine Tätigkeit noch dazu als bestallter Mann im Dienste der Kirche übte, vollen Respekt entgegenbrachte. Dennoch beobachtete ich während der zweieinhalb Tage, die ich einmal gleichzeitig mit ihm und Adrian auf Buchel verbrachte, eine gewisse, durch Freundlichkeit nicht ganz verhüllte Gezwungenheit, Zurückhaltung, Ablehnung in ihrem Verhalten gegen den Organisten, die dieser, wie gesagt, mit einer ein paarmal bis zum Kalamitosen gehenden Verstärkung seines Stotterns beantwortete — schwer zu sagen, ob nur aus dem Grunde, weil er ihr Unbehagen, ihr Mißtrauen, oder wie man es nennen soll, spürte, oder weil er schon von sich aus, spontan, bestimmten Hemmungen der Scheu und der Verlegenheit vor der Natur dieser Frau unterlag.

Was mich betraf, so zweifelte ich nicht, daß die eigentümliche Spannung zwischen Kretzschmar und Adrians Mutter sich auf diesen bezog, daß er ihr Gegenstand war, und ich spürte das, weil ich in dem stillen Streit, der hier herrschte, mit meinen eigenen Empfindungen zwischen den Parteien die Mitte hielt, mich der einen und auch wieder der anderen zuneigte. Was Kretzschmar wollte, und wovon er auf jenen Spaziergängen mit Adrian sprach, war mir klar, und meine eigenen Wünsche unterstützten ihn insgeheim. Ich gab ihm recht, wenn er, auch im Gespräch mit mir, die Berufung seines Schülers zum Musiker, zum Komponisten mit Entschiedenheit, ja mit Dringlichkeit vertrat. »Er hat«, sagte er, »auf die Musik den kompositorischen Blick des Initiierten, nicht den der Außenstehenden, vag Genießenden. Seine Art, Motivzusammenhänge aufzudecken, die ein solcher nicht sieht, die Gliederung eines kurzen Abschnitts gleichsam in Frage und Antwort wahrzunehmen, überhaupt zu sehen, von innen zu sehen, wie es gemacht ist, versichert mich meines Urteils. Daß er noch nicht schreibt, nicht produktiven Trieb bekundet und mit Jugendkompositionen naiv loslegt, gereicht ihm nur zur Ehre; es ist Sache seines Stolzes, der ihn hindert, epigonenhafte Musik in die Welt zu setzen.«

Ich konnte alldem nur beipflichten. Auf die beschützende Sorge der Mutter aber verstand ich mich aus dem Grunde und fühlte mich oft bis zur Feindseligkeit gegen den Werber mit ihr solidarisch. Nie vergesse ich ein Bild, eine Szene im Wohnzimmer des Buchelhauses, als wir dort zufällig zu viert, Mutter und Sohn, Kretzschmar und ich, beisammensaßen und Elsbeth im Gespräch mit dem blubbernd und pustend inhibierten Musiker – einer bloßen Unterhaltung, bei der durchaus nicht von Adrian die Rede war – den Kopf des bei ihr sitzenden Sohnes auf eigentümliche Weise an sich zog. Sie schlang gleichsam den Arm um ihn, aber nicht um seine Schultern, sondern um sein Haupt, die Hand auf seiner Stirn, und so, den Blick ihrer schwarzen Augen auf Kretzschmar gerichtet und mit ihrer wohllautenden Stimme zu ihm sprechend, lehnte sie Adrians Kopf an ihre Brust. –

Übrigens hielten nicht nur diese persönlichen Wiederbegegnungen das Verhältnis zwischen Meister und Schüler aufrecht, sondern auch ein ziemlich häufiger, ich glaube: etwa vierzehntägiger Briefwechsel zwischen Halle und Kaisersaschern tat das, über den Adrian mir von Zeit zu Zeit berichtete, und von dem ich auch einzelne Stücke zu sehen bekommen habe. Daß Kretzschmar wegen der Übernahme einer Klavier- und Orgelklasse mit dem Hase'schen Privat-Konservatorium in Leipzig verhandelte, welches damals neben der berühmten staatlichen Musikschule dieser Stadt sich eines wachsenden Ansehens zu erfreuen begann und dieses in den nächsten zehn Jahren, bis zum Tode des ausgezeichneten Pädagogen, Clemens Hase, noch immer mehrte (jetzt spielt es längst keine Rolle mehr, wenn es noch existiert) – erfuhr ich schon Michaelis 1904. Zu Beginn des nächsten Jahres verließ Wendell dann Kaisersaschern, um seine neue Stellung anzutreten, und von da an ging denn also jener Briefwechsel zwischen Halle und Leipzig hin und her: Kretzschmars einseitig beschriebene, mit großen, steifen, gekratzten und spritzenden Buchstaben bedeckten Blätter und Adrians auf rauhem, gelblichem Papier in seiner ebenmäßigen und leicht altertümlich gestalteten, etwas schnörkelhaften Handschrift ausgeführten Botschaften, denen man es ansah, daß sie mit der Rundschriftfeder hergestellt waren. In den Entwurf zu einer von ihnen, sehr gedrängt und chiffrenmäßig geschrieben, voll winziger Interpolationen und Korrekturen – aber ich war früh mit seiner Schreibtechnik vertraut und konnte stets alles von seiner Hand ohne Schwierigkeit lesen –, in einen Briefentwurf von ihm also gewährte er mir Einblick und zeigte mir auch Kretzschmars Antwort. Er tat es offenbar, damit ich von dem Schritt, den er vorhatte, nicht allzu überrascht sein möchte, wenn er sich tatsächlich zu ihm entschlösse. Denn noch war er nicht entschlossen, zögerte sogar stark, in zweifelnder Selbstprüfung, wie aus seinem Schreiben hervorging, und wünschte offenbar, auch von mir beraten zu sein, — Gott wußte, ob lieber im warnenden oder im anspornenden Sinn.

Von Überraschung auf meiner Seite konnte nicht die Rede sein und hätte nicht die Rede sein können, auch wenn ich eines Tages vor vollendete Tatsachen gestellt worden wäre. Ich wußte, was sich vorbereitete, — ob es sich vollenden würde, war eine andere Frage; aber auch das war mir klar, daß seit Kretzschmars Übersiedelung nach Leipzig seine Gewinnchancen bedeutend gestiegen waren.

In seinem Brief, der eine superiore Fähigkeit des Schreibers bekundete, kritisch auf sich selbst herabzublicken, und mich als Bekenntnis, in seiner spöttischen Zerknirschtheit, außerordentlich ergriff, setzte Adrian dem ehemaligen Mentor, der es wieder, und auf entschiedenere Weise wieder zu werden wünschte, die Skrupel auseinander, die ihn von dem Entschluß zurückhielten, den Beruf zu wechseln und sich ganz der Musik in die Arme zu werfen. Halb und halb gab er ihm zu, daß die Theologie als empirisches Studium ihn enttäuscht habe, — wofür die Gründe natürlich nicht in dieser ehrwürdigen Wissenschaft, auch nicht bei seinen akademischen Lehrern, sondern in ihm selbst zu suchen seien. Das erweise sich schon darin, daß er durchaus nicht zu sagen wisse, welche andere, bessere, richtigere Wahl er denn hätte treffen sollen. Zuweilen, wenn er über Möglichkeiten des Umsattelns mit sich rätig geworden sei, habe er in diesen Jahren daran gedacht, zur Mathematik überzugehen, bei der er auf der Schule immer gute Unterhaltung gefunden habe. (Der Ausdruck »gute Unterhaltung« ist wörtlich seinem Briefe entnommen.) Aber mit einer Art von Schrecken vor sich selber sehe er es kommen, daß er auch von dieser Disziplin, wenn er sie zu der seinen mache, sich ihr verschwöre, sich mit ihr identifiziere, sehr bald ernüchtert werden, sich an ihr langweilen, der Sache so müd und satt sein werde, als wenn er's mit eisernen Kochlöffeln gegessen. (Auch dieser barocken Redewendung erinnere ich mich wörtlich aus seinem Brief.) »Ich kann es Euch nicht verhalten«, schrieb er (denn obgleich er den Adressaten in der Regel mit Sie anredete, verfiel er zuweilen in die altertümliche Ihr-Form), »— weder Euch noch mir, daß es mit Euerem apprendista eine gottverlassene Bewandtnis hat, keine ganz wochentägliche, ich verstecke mich nicht so, aber eine, die eher Anlaß gibt zur Erbärmde, als daß sie einem sollte die Augen im Kopfe leuchten lassen.« Er habe von Gott einen versatilen Verstand zur Gabe erhalten und von seinen kindlichen Tagen auf ohn' sonderbare Mühe alles aufgefaßt, was die Erziehung ihm dargeboten — zu leicht wohl eigentlich, als daß irgend etwas davon bei ihm zu rechtem Ansehen hätte kommen können. Zu leicht, als daß Blut und Sinn sich um eines Gegenstandes willen und durch die Bemühung um ihn je recht hätten erwärmen sollen. »Ich fürchte«, schrieb er, »lieber Freund und Meister, ich bin ein schlechter Kerl, denn ich habe keine Wärme. Es heißt zwar, verflucht und ausgespien seien die, die weder kalt noch warm, sondern lau sind. Lau möchte ich mich nicht nennen; ich bin entschieden kalt, – aber in meinem Urteil über mich selbst bitte ich mir Unabhängigkeit aus von dem Geschmack der Segen und Fluch verteilenden Macht.«

Er fuhr fort:

»Lächerlich zu sagen, aber auf dem Gymnasium war es noch am besten, ich war dort ziemlich recht noch am Ort, darum, weil die höhere Vorschule das Verschiedenste, eins nach dem anderen, austeilt, von fünfundvierzig zu fünfundvierzig Minuten die Gesichtspunkte einander ablösen, kurz, weil es noch keinen Beruf gibt. Aber schon diese fünfundvierzig Fach-Minuten weilten mir zu lange, machten mir Langeweile – das kälteste Ding von der Welt. Nach fünfzehn, spätestens, hatte ich los, woran der gute Mann mit den Buben noch dreißig kaute; beim Lesen der Schriftsteller las ich voran, hatte übrigens schon zu Hause voran gelesen, und blieb ich eine Antwort schuldig, so darum nur, weil ich voran und eigentlich schon in der nächsten Stunde war, dreiviertel Stunden Anabasis, das war zuviel von ein und demselben für meine Geduld, und des zum Zeichen stellte das Hauptweh sich ein« (damit meinte er seine Migräne), »– das Hauptweh kam nie von Ermüdung durch Mühe, es kam von Überdruß, von kalter Langerweile, und, lieber Meister und Freund, seit ich kein von Fach zu Fach springender Junggeselle mehr bin, sondern verheiratet mit einem Beruf, einem Studium, hat es sich zusammen mit ihr ins oft schon recht Arge verstärkt.

Großer Gott, Sie werden nicht glauben, daß ich mich für zu schade halte für jeden Beruf. Im Gegenteil: es ist mir schade um jeden, den ich zu dem meinen mache, und Sie mögen eine Huldigung für – eine Liebeserklärung an die Musik darin sehen, eine Ausnahmestellung zu ihr, daß es mir um sie ganz besonders schade wäre.

Sie werden fragen: ›Es war dir nicht schade um die Theologie?‹ – Ich habe mich ihr unterstellt, nicht sowohl – wenn auch aus diesem Grunde zugleich – weil ich die höchste Wissenschaft in ihr sah, sondern weil ich mich demütigen, mich beugen, mich disziplinieren, den Dünkel meiner Kälte bestrafen wollte, kurz, aus contritio. Mich verlangte nach dem härenen Kleid, dem Stachelgürtel darunter. Ich tat, was Frühere taten, wenn sie ans Tor pochten eines Klosters von strenger Observanz. Es hat seine absurden und lächerlichen Seiten, dies wissenschaftliche Klosterleben, aber wollen Sie verstehen, daß ein geheimer Schrecken mich abmahnt, es aufzugeben, die Heilige Schrift unter die Bank zu legen und in die Kunst zu entlaufen, in die Sie mich einführten, und um die es mir, als Beruf für mich, so ausnehmend schade wäre?

Sie halten mich für berufen zu dieser Kunst und geben mir zu verstehen, daß der ›Schritt vom Wege‹ zu ihr nicht gar groß wäre. Mein Luthertum stimmt dem zu, denn es sieht in Theologie und Musik benachbarte, nahe verwandte Sphären, und persönlich ist mir obendrein die Musik immer als eine magische Verbindung aus Theologie und der so unterhaltenden Mathematik erschienen. Item, sie hat viel von dem Laborieren und insistenten Betreiben der Alchimisten und Schwarzkünstler von ehemals, das auch im Zeichen der Theologie stand, zugleich aber in dem der Emanzipation und Abtrünnigkeit, – sie *war* Abtrünnigkeit, nicht vom Glauben, das war gar nicht möglich, sondern im Glauben; Abtrünnigkeit ist ein Akt des Glaubens, und alles ist und geschieht in Gott, besonders auch der Abfall von ihm.«

Meine Anführungen sind nahezu wörtlich, wo sie es nicht ganz sind. Ich kann mich auf mein Gedächtnis recht wohl verlassen und habe außerdem mehreres gleich nach der Lesung des Konzeptes für mich zu Papier gebracht, insonderheit die Stelle von der Abtrünnigkeit.

Er entschuldigte sich danach wegen der Abschweifung, die kaum eine war, und ging zu den praktischen Fragen über, welche Art von musikalischer Betätigung er denn ins Auge fassen solle, wenn er dem Drängen Kretzschmars folge. Er hielt ihm vor, daß er ja fürs solistische Virtuosentum von vornherein und anerkanntermaßen verloren sei; denn: »Was zur Nessel werden soll, brennt beizeiten«, schrieb er, und viel zu spät sei er mit dem Instrument in Berührung — überhaupt auf den Gedanken gekommen, es zu berühren, woraus ja der mangelnde Instinkt-Antrieb in diese Richtung klar hervorgehe. Er sei an die Tastatur geraten nicht aus Lust, sich zu ihrem Meister aufzuwerfen, sondern aus heimlicher Neugier auf die Musik selbst, und ganz und gar fehle ihm das Zigeunerblut des konzertierenden Künstlers, der durch die Musik und anläßlich ihrer sich vor dem Publikum produziere. Dazu gehörten seelische Voraussetzungen, sagte er, die bei ihm nicht erfüllt seien: das Verlangen nach Liebesaustausch mit der Menge, nach Kränzen, nach Katzbuckelei und Kußhänden im Beifallsgeprassel. — Er vermied die Ausdrücke, die eigentlich die Sache bei Namen genannt hätten, nämlich daß er, selbst wenn er nicht zu spät daran gewesen wäre, zu schamhaft, zu stolz, zu spröde, zu einsam fürs Virtuosentum sei.

Dieselben Gegengründe, fuhr er fort, ständen einer Laufbahn als Dirigent im Wege. Sowenig wie zum Instrumental-Gaukler fühle er sich zur stabführenden Frack-Primadonna vor dem Orchester, zum interpretierenden Botschafter und Gala-Repräsentanten der

Musik auf Erden berufen. Hier entschlüpfte ihm doch ein Wort, das in den Bereich derer gehörte, die ich soeben als eigentlich sachdienlich einsetzte: er sprach von Weltscheu. »Weltscheu« nannte er sich und wollte damit nichts zu seinem Lobe gesagt haben. Diese Eigenschaft, urteilte er, sei der Ausdruck des Mangels an Wärme, an Sympathie, an Liebe, – und frage sich allzusehr, ob man mit ihr überhaupt zum Künstler, das heiße denn doch wohl immer: zum Liebhaber und zum Geliebten der Welt tauge. – Falle dies beides denn aber weg, das Solisten-, das Dirigentenziel, – was bleibe? Nun, allerdings, die Musik als solche, die Versprechung und Verlobung mit ihr, das hermetische Laboratorium, die Goldküche, die Komposition. Wundervoll! »Ihr werdet mich, Freund Albertus Magnus, in die theoretische Geheimlehre einführen, und gewiß, ich fühle es, ich weiß es im voraus, wie ich es ein wenig schon aus Erfahrung weiß, ich werde keinen ganz blöden Adepten abgeben. Alle Tricks und Zwänge werde ich auffassen, und zwar leicht, weil mein Geist ihnen entgegenkommt, der Boden für sie bereitet ist, manche Saat schon in sich hegt. Ich werde die prima materia veredeln, indem ich ihr das magisterium beisetze und mit Geist und Feuer den Stoff durch viele Engen und Retorten zur Läuterung treibe. Herrliches Geschäft! Ich kenne kein spannenderes, heimlicheres, höheres, tieferes, besseres, keines, für das mich zu gewinnen es geringerer Überredung bedürfte.

Und dennoch, warum warnt eine inwendige Stimme mich: ›O homo fuge?‹ Ich kann die Frage nicht vollständig artikuliert beantworten. Nur soviel kann ich sagen: Ich fürchte mich davor, der Kunst Promission zu machen, weil ich zweifle, ob meine Natur – ganz abseits von der Begabungsfrage – geschaffen ist, ihr Genüge zu tun, weil ich mir die robuste Naivität absprechen muß, die, soviel ich sehe, unter anderem, und nicht zuletzt, zum Künstlertum gehört. Statt ihrer ist eine rasch gesättigte Intelligenz mein Teil, von der ich wohl sprechen darf, da ich bei Himmel und Hölle schwören kann, daß ich mir keinen Deut darauf einbilde; und sie, nebst der damit verbundenen Ermüdbarkeit und Neigung zum Ekel (beigleitet von Hauptweh), ist der Grund meiner Scheu und Sorge, sie wird, sie sollte mich zur Abstinenz bestimmen. Seht, guter Meister, so jung ich bin, hab' ich von der Kunst ein Hinlängliches los, um zu wissen – und müßte nicht Euer Schüler sein, es nicht zu wissen –, daß sie über das Schema, die Übereinkunft, die Überlieferung, darüber, was einer vom andern lernt, über den Trick, über das ›Wie es gemacht wird‹ weit hinausgeht, aber unleugbar ist von alldem doch immer viel in ihr einschlägig, und ich sehe es kommen (denn das Antizipieren liegt leider oder glücklicherweise auch in meiner Natur), daß ich mich vor der Abgeschmacktheit, die das tragende Gerüst, die ermöglichende Festigkeitssubstanz auch des genialen Kunstwerks ist, vor dem, was Gemeingut, Kultur daran ist, vor den Gepflogenheiten in der Erzielung des Schönen – daß ich mich davor genieren, davor erröten, daran ermatten, Hauptweh daran kriegen werde, und das in aller Bälde.

Wie albern und anspruchsvoll wäre es, zu fragen: ›Verstehen Sie das?‹ Denn wie sollten Sie nicht! So geht es zu, wenn es schön ist: Die Celli intonieren allein, ein schwermütig sinnendes Thema, das nach dem Unsinn der Welt, dem Wozu all des Hetzens und Treibens und Jagens und einander Plagens biederphilosophisch und höchst ausdrucksvoll fragt. Die Celli verbreiten sich eine Weile weise kopfschüttelnd und bedauernd über dieses Rätsel, und an einem bestimmten Punkt ihrer Rede, einem wohl erwogenen, setzt ausholend, mit einem tiefen Eratmen, das die Schultern emporzieht und sinken läßt, der Bläserchor ein zu einer Choral-Hymne, ergreifend feierlich, prächtig harmonisiert und vorgetragen mit aller gestopften Würde und mild gebändigten Kraft des Blechs. So dringt die sonore Melodie bis in die Nähe eines Höhepunkts vor, den sie aber, dem Gesetz der Ökonomie gemäß, fürs erste noch vermeidet; sie weicht aus vor ihm, spart ihn aus, spart ihn auf, sinkt ab, bleibt sehr schön auch so, tritt aber zurück und macht einem anderen Gegenstande Platz, einem liedhaft-simplen, scherzhaft-gravitätisch-volkstümlichen, scheinbar derb von Natur, der's aber hinter den Ohren hat und sich, bei einiger Ausgepichtheit in den Künsten der orchestralen Analyse und Umfärbung, als erstaunlich deutungs- und sublimierungsfähig erweist. Mit dem Liedchen wird nun eine Weile klug und lieblich gewirtschaftet, es wird zerlegt, im einzelnen betrachtet und abgewandelt, eine reizende Figur daraus wird aus mittleren Klanglagen in die zauberischsten Höhen der Geigen- und Flötensphäre hinaufgeführt, wiegt sich dort oben ein wenig noch, und wie es am schmeichelhaftesten darum steht, nun, da nimmt wieder das milde Blech, die Choral-Hymne von vorhin das Wort an sich, tritt in den Vordergrund, fängt nicht gerade, ausholend wie das erste Mal, von vorne an, sondern tut, als sei ihre Melodie schon eine Weile wieder dabei gewesen, und setzt sich weihesam fort gegen jenen Höhepunkt hin, dessen sie sich das erste Mal weislich enthielt, damit die ›Ah!‹-Wirkung, die Gefühlsschwellung desto größer sei, jetzt, wo sie in rückhaltlosem, von harmonischen Durchgangstönen der Baßtuba wuchtig gestütztem Aufsteigen ihn glorreich beschreitet, um sich dann, gleichsam mit würdiger Genugtuung auf das Vollbrachte zurückblickend, ehrsam zu Ende zu singen.

Lieber Freund, warum muß ich lachen? Kann man mit mehr Genie das Hergebrachte benutzen, die Kniffe weihen? Kann man mit gewiegterem Gefühl das Schöne erzielen? Und ich Verworfener muß lachen, namentlich bei den grunzenden Stütztönen des Bombordons — Wum, wum, wum — Pang! —, ich habe vielleicht zugleich Tränen in den Augen, aber der Lachreiz ist übermächtig, — ich habe verdammterweise von jeher bei den geheimnisvoll-eindrucksvollsten Erscheinungen lachen müssen und bin von diesem übertriebenen Sinn für das Komische in die Theologie geflohen, in der Hoffnung, daß sie dem Kitzel Ruhe gebieten werde, — um dann eine Menge entsetzlicher Komik in ihr zu finden. Warum müssen fast alle Dinge mir als ihre eigene Parodie erscheinen? Warum muß es mir vorkommen, als ob fast alle, nein, alle Mittel und Konvenienzen der Kunst *heute nur noch zur Parodie taugten?* — Das sind wahrhaftig rhetorische Fragen, — es fehlte gerade, daß ich auch noch Antwort auf sie erwartete. Aber ein solch verzweifelt Herz, eine solche Hundeschnauze erachten Sie als ›begabt‹ für die Musik und rufen mich zu ihr, zu sich, statt mich lieber in Demut bei der Gotteswissenschaft ausharren zu lassen?«

So Adrians abwehrendes Bekenntnis. Auch Kretzschmars Antwort liegt mir als Dokument nicht vor. In Leverkühns Nachlaß hat sie sich nicht gefunden. Er wird sie eine Weile bewahrt und bei sich gehalten haben, und bei einem Aufenthaltswechsel, dem Umzuge nach München, nach Italien, nach Pfeiffering wird sie verlorengegangen sein. Übrigens habe ich sie in fast ebenso genauer Erinnerung wie Adrians Äußerungen, wenn ich damals auch keine Aufzeichnungen darüber machte. Der Stotterer beharrte bei seinem Ruf, seiner Mahnung und Lockung. Kein Wort in Adrians Brief, schrieb er, habe ihn auch nur augenblicksweise an der Überzeugung irremachen können, daß es die Musik sei, für die das Schicksal ihn, den Schreiber, eigentlich bestimmt habe, nach der es ihn verlange, die nach ihm verlange, und vor der er sich, halb feig, halb kokettisch, hinter halbwahren Analysen seines Charakters und seiner Konstitution verstecke, wie er sich hinter der Theologie, seiner ersten, absurden Berufswahl, vor ihr versteckt habe. »Ziererei, Adri, — und die Verstärkung Ihres Hauptwehs ist die Strafe dafür.« Der Sinn für Komik, den er sich nachrühme, oder dessen er sich anklage, werde sich mit der Kunst weit besser vertragen als mit seiner gegenwärtigen künstlichen Beschäftigung, denn jene, im Gegensatz zu dieser, könne ihn brauchen, — sie könne überhaupt die abstoßenden Charaktereigenschaften, die er sich nachsage, viel besser brauchen, als er glaube oder, der Ausrede halber, zu glauben vorgebe. Er, Kretzschmar, wolle die Frage offenlassen, wieweit es sich dabei um Selbstverleumdung handle, bestimmt, die korrespondierende Verleumdung der Kunst zu entschuldigen; denn diese als Kopulation mit der Menge, Kußhändewerfen, Gala-Repräsentation, als Blasebalg der Gefühlsschwellung hinzustellen sei ja eine leichte Verkennung, und zwar eine wissentliche. Es passiere ihm aber, daß er sich mit Eigenschaften von der Kunst entschuldigen wolle, nach denen diese gerade verlange. Leute wie ihn, genau solche, habe die Kunst heute nötig, — und der

Witz, der heuchlerisch versteckspielende Witz sei eben der, daß Adrian das ganz genau wisse. Die Kühle, die »rasch gesättigte Intelligenz«, der Sinn für das Abgeschmackte, die Ermüdbarkeit, die Neigung zum Überdruß, die Fähigkeit zum Ekel – dies alles sei ganz danach angetan, die damit verbundene Begabung zur Berufung zu erheben. Warum? Weil es nur zum Teil der privaten Persönlichkeit angehöre, zum anderen Teil aber über-individueller Natur und Ausdruck sei eines kollektiven Gefühls für die historische Verbrauchtheit und Ausgeschöpftheit der Kunstmittel, der Langenweile daran und des Trachtens nach neuen Wegen. »Die Kunst schreitet fort«, schrieb Kretzschmar, »und sie tut es vermittelst der Persönlichkeit, die das Produkt und Werkzeug der Zeit ist, und in der objektive und subjektive Motive sich bis zur Ununterscheidbarkeit verbinden, die einen die Gestalt der anderen annehmen. Das vitale Bedürfnis der Kunst nach revolutionärem Fortschritt und nach dem Zustandekommen des Neuen ist angewiesen auf das Vehikel stärksten subjektiven Gefühls für die Abgestandenheit, das Nichts-mehr-zu-sagen-Haben, das Unmöglich-geworden-Sein der noch gang und gäben Mittel, und es bedient sich des scheinbar Unvitalen, der persönlichen Ermüdbarkeit und intellektuellen Gelangweiltheit, des durchschauenden Ekels vor dem ›Wie es gemacht wird‹, der verfluchten Neigung, die Dinge im Licht ihrer eigenen Parodie zu sehen, des ›Sinnes für Komik‹, – ich sage: der Lebens- und Fortschrittswille der Kunst nimmt die Maske dieser mattherzigen persönlichen Eigenschaften vor, um sich darin zu manifestieren, zu objektivieren, zu erfüllen. Ist Ihnen das zuviel der Metaphysik? Es ist aber nur gerade genug davon, nur gerade die Wahrheit, – die Ihnen im Grunde bekannte Wahrheit. Spute dich, Adrian, und entschließe dich! Ich warte. Sie sind schon zwanzig, und Sie haben sich noch eine Menge knifflichen Handwerks anzueignen, schwierig genug, um Sie zu reizen. Es ist besser, von Kanon-, Fugen- und Kontrapunkt-Exerzitien Hauptweh zu bekommen als von der Widerlegung der Kant'schen Widerlegung der Gottesbeweise. Genug des theologischen Jungfernstandes!

> Die Jungfrauschaft ist wert, doch muß sie Mutter werden,
> Sonst ist sie wie ein Plan von unbefruchter Erden.«

Mit diesem Zitat aus dem ›Cherubinischen Wandersmann‹ schloß der Brief, und als ich davon aufblickte, begegnete ich Adrians verschmitztem Lächeln.

»Nicht schlecht pariert, was meinst du?« fragte er.

»Keineswegs«, erwiderte ich.

»Er weiß, was er will«, fuhr er fort, »und es ist ziemlich beschämend, daß ich es nicht so recht weiß.«

»Ich denke, du weißt es auch«, sagte ich. Denn tatsächlich hatte ich in seinem eigenen Brief niemals eine wirkliche Ablehnung gesehen, — freilich auch nicht geglaubt, er sei aus »Ziererei« geschrieben. Das ist gewiß nicht das rechte Wort für den Willen, sich einen Entschluß, mit dem man umgeht, schwer zu machen, ihn mit Zweifeln zu vertiefen. Daß der Entschluß gefaßt werden würde, sah ich mit Bewegung voraus, und dem anschließenden Gespräch über unsere beiderseitige nächste Zukunft lag er schon als so gut wie gefaßt zum Grunde. Ohnedies schieden sich unsere Wege. Trotz starker Myopie war ich zum Militärdienst für tauglich befunden worden und gedachte mein Dienstjahr jetzt einzuschalten; in Naumburg beim 3. Feld-Artillerie-Regiment wollte ich es absolvieren. Adrian seinerseits, der aus irgendwelchen Gründen, sei es wegen Schmalheit oder seiner habituellen Kopfschmerzen halber, auf unbestimmte Zeit vom Dienst befreit war, hatte vor, einige Wochen auf Hof Buchel zu verbringen, um, wie er sagte, die Frage seines Berufswechsels mit seinen Eltern zu beraten. Dabei gab er aber die Absicht zu erkennen, es ihnen so hinzustellen, als handle es sich nur um einen Wechsel der Universität — gewissermaßen stellte er es vor sich selbst so hin. Er wolle, so würde er ihnen sagen, die Beschäftigung mit der Musik »mehr in den Vordergrund treten lassen« und daher die Stadt aufsuchen, in der der musikalische Mentor seiner Schülerzeit wirke. Nur daß er der Theologie absage, war dabei nicht ausgesprochen. Sich auch auf der Universität wieder einzuschreiben und philosophische Vorlesungen zu hören, um in diesem Fach seinen Doktor zu machen, war in der Tat seine Absicht.

Zum Winter-Semester-Beginn 1905 ging Leverkühn nach Leipzig.

XVI

Daß unser Abschied kühl und gehalten in seinen Formen war, erübrigt sich wohl zu sagen. Kaum kam es dabei zu einem Ins-Auge-Blicken, einem Händedruck. Zu oft in unserem jungen Leben waren wir auseinandergegangen und wieder zusammengetroffen, als daß der Händedruck dabei zwischen uns hätte üblich sein sollen. Er verließ Halle einen Tag früher als ich, den Abend hatten wir zu zweien, ohne Winfried-Leute, in einem Theater verbracht; am nächsten Morgen sollte er reisen, und wir trennten uns auf der Straße, wie wir uns hundertmal getrennt hatten, — wir wandten uns eben nach verschiedenen Seiten. Ich konnte nicht umhin, mein Lebewohl mit der Nennung seines Namens zu betonen, — des Vornamens, wie es mir natürlich war. Er tat das nicht. »So long«, sagte er nur, — er hatte die Redensart von Kretzschmar und benutzte sie auch nur spöttisch-zitatweise, wie er überhaupt für das Zitat, die erinnernde wörtliche Anspielung auf irgend etwas und irgend jemanden einen ausgesprochenen Geschmack hatte; fügte noch einen Scherz über die martialische Lebensepisode hinzu, der ich entgegennahm, und ging seiner Wege.

Er hatte ja recht, die Trennung nicht zu schwerzunehmen. Spätestens übers Jahr, wenn meine militärische Dienstzeit abgelaufen, würde man da oder dort wieder zusammentreffen. Und doch war es gewissermaßen ein Abschnitt, das Ende einer Epoche, der Beginn einer neuen, und wenn er das nicht zu beachten schien, – ich machte es mir mit einer gewissen erregten Wehmut bewußt. Dadurch, daß ich in Halle zu ihm gestoßen war, hatte ich sozusagen unserer Schülerzeit eine Verlängerung gegeben; wir hatten dort nicht viel anders gelebt als in Kaisersaschern. Auch die Zeit, da ich schon Student und er noch auf der Schule gewesen war, konnte ich nicht in Vergleich stellen mit der jetzt eintretenden Veränderung. Ich hatte ihn damals in dem vertrauten Rahmen der Vaterstadt und des Gymnasiums zurückgelassen und war alle Augenblicke dort wieder bei ihm eingekehrt. Erst jetzt, so schien es mir, lösten sich unsere Existenzen voneinander ab, begann für jeden von uns das Leben auf den eigenen zwei Beinen, und ein Ende sollte es haben mit dem, was mir doch so notwendig (wenn auch zwecklos) erschien, und was ich wieder nur mit denselben Worten, wie weiter oben, bezeichnen kann: nicht mehr sollte ich wissen, was er tat und erfuhr, nicht mehr mich neben ihm halten können, um auf ihn acht-, ein unverwandtes Auge auf ihn zu haben, sondern mußte ihm von der Seite gehen gerade in dem Augenblick, wo mir die Beobachtung seines Lebens, obgleich sie gewiß an diesem nichts ändern konnte, am allerwünschenswertesten schien, nämlich da er die gelehrte Laufbahn verließ, »die Heilige Schrift unter die Bank legte«, um mich seines Ausdrucks zu bedienen, und sich ganz der Musik in die Arme warf.

Das war ein bedeutender, für mein Gefühl eigentümlich verhängnishaft geprägter Entschluß, der, gewissermaßen unter Annullierung der Zwischenzeit, an weit zurückliegende Augenblicke unseres gemeinsamen Lebens wieder anknüpfte, deren Andenken ich im Herzen trug: an die Stunde, wo ich den Knaben am Harmonium seines Onkels experimentierend betroffen hatte, und, noch weiter zurück, an unser Kanon-Singen mit der Stall-Hanne unter der Linde. Mir erhob er freudig das Herz, dieser Entschluß, – und preßte es zugleich ängstlich zusammen. Ich kann das Gefühl nur dem Leibziehen vergleichen, das man als Kind auf der sehr hoch ausschwingenden Schaukel erprobt, und in dem Jauchzen und Beklemmung des Fluges sich mischen. Die Rechtmäßigkeit, Notwendigkeit, der richtigstellende Charakter des Schrittes, und daß die Theologie nur ein Ausweichen vor ihm, eine Dissimulation gewesen war, das alles war mir klar, und stolz war ich darauf, daß mein Freund nicht länger anstand, sich zu seiner Wahrheit zu bekennen. Überredung freilich war nötig gewesen, ihn zu dem

Bekenntnis zu bringen, und, so außerordentliche Resultate ich mir davon versprach, – ich fand es beruhigend in aller freudigen Beunruhigung, mir sagen zu können, daß ich an der Überredung keinen Teil gehabt, – höchstens durch ein gewisses fatalistisches Verhalten, durch Worte wie »Ich denke, du weißt es selbst«, ihr allenfalls Sukkurs geleistet hatte. –

Hier lasse ich einen Brief folgen, den ich zwei Monate nach meinem Dienstantritt in Naumburg von ihm erhielt, und den ich mit Empfindungen las, wie sie wohl eine Mutter bei solchen Mitteilungen eines Kindes bewegen mögen, – nur daß man freilich einer Mutter dergleichen schicklich vorenthält. Ich hatte ihm etwa drei Wochen zuvor, noch unkundig seiner Adresse, über das Hase'sche Konservatorium zu Händen des Herrn Wendell Kretzschmar geschrieben, ihm von meinen neuen und rauhen Zuständen berichtet und ihn gebeten, doch auch mich, sei es noch so kurz, über sein Sichbehagen und -befinden in der großen Stadt und über die Organisation seiner Studien gefälligst ein wenig ins Bild zu setzen. Seiner Antwort schicke ich nur noch voraus, daß ihre altertümliche Ausdrucksweise natürlich parodisch gemeint und Anspielung auf skurrile Hallenser Erfahrungen, das sprachliche Gebaren Ehrenfried Kumpfs ist, – zugleich aber auch Persönlichkeitsausdruck und Selbststilisierung, Kundgebung eigener innerer Form und Neigung, die auf eine höchst kennzeichnende Weise das Parodische verwendet, sich dahinter verbirgt und erfüllt.

Er schrieb:

>»Leipzig, Freitags nach Purificationis 1905
>In der Petersstraße, das 27. Haus

Ehrbar, hochgelahrter, lieber, günstiger Herr Magister
und Ballisticus!

Wir danken uns gar freundlich für Euer Sorgen und Schreiben, und daß Ihr mir von Euren jetzigen schmucken, dummen und harten Bewandtnissen, Eurem Springen, Striegeln, Putzen und Knallen anschauliche und hochkomische Zeitung thatet. Hat uns alles innig gelächert, insonderheit der Unteroffizier, der, wie er Euch auch hobelt und rülpt, so große Bewunderung für Euere hohe Erziehung und Bildung hat, und dem Ihr in der Cantine alle Versmaße nach Füßen und Moren habt aufzeichnen müssen, weil ihn diese Kenntnis der Gipfel geistiger Veredelung dünkt. Will dir dafür, wenn ich auslange, mit einer recht schimpflichen Facetie und Büffelposse erwidern, die mir hie zugestoßen, daß du auch was zu wundern und lachen habest. Sage dir nur erst mein freundlich Hertz und guten Willen und verhoffe, daß du solche Ruthe fast fröhlich und gerne leidest, wird dir in seiner Zeit wohl davon geholfen werden, daß du am Ende mit Knöpfen und Tressen als ein Reserve-Wachtmeister daraus hervorgehest.

Hie nun heißt es: ›Gott vertrauen, landt und leut beschauen, thut niemand gerauen.‹ Ist an der Pleiße, Parthe und Elster doch unleugbar ein ander Dasein und geht ein anderer Puls als an der Saala, weil nämlich ein ziemlich groß Volk hier versammlet ist, mehr als siebenhunderttausend, was von vornherein zu einer gewissen Sympathie und Duldung stimmt, wie der Prophet schon für Ninives Sünde ein wissend und humorhaft verstehend Herz hat, wenn er entschuldigend sagt: ›Solche große Stadt, darinnen mehr als hunderttausend Menschen.‹ Da magstu denken, wie's erst bei siebenhunderttausend Nachsicht erheischend zugeht, wo sie in den Messe-Zeiten, von deren herbstlicher ich als Neu-Kömmling eben noch eine Probe hatte, aus allen Teilen Europas, dazu aus Persien, Armenien und anderen asiatischen Ländern noch erklecklichen Zustrom haben.

Nicht als ob mir dies Ninive sonderlich gefiele, ist gewiß nicht die schönste Stadt meines Vaterlandes, Kaisersaschern ist schöner, hat aber auch leichter schön sein und würdig, da es nichts weiter als alt und still zu sein braucht und keinen Puls hat. Ist schon prächtig gebaut, mein Leipzig, recht wie aus einem teueren Steinbaukasten, und dazu reden die Leute überaus teuflisch gemein, daß man vor jedem Laden scheut, ehe man was erhandelt, – ist, als ob unser sanft verschlafenes Thüringisch aufgeweckt wäre zu einer Siebenhunderttausend-Mann-Frechheit und Ruchlosigkeit des Maulwerks mit vorgeschobenem Unterkiefer, greulich, greulich, aber bewahre Gott, gewißlich nicht böse gemeint und mit Selbstverspottung vermischt, die sie sich leisten können auf Grund ihres Weltpulses. Centrum musicae, centrum des Druckwesens und der Buchgremplerei, hochleuchtende universitet, – übrigens baulich zersplittert: das Hauptgebäude ist am Augustusplatz, die Bibliothek beim Gewandhaus, und zu den unterschiedlichen Facultäten gehören besondre Collegiengebäude, wie zu der philosophischen das Rothe Haus an der Promenade und zur jristischen das Collegium Beatae Virginis, in meiner Petersstraße, wo ich sogleich, nur frisch vom Hauptbahnhof, auf dem ersten Weg in die Stadt, passende Herberg und Unterkunft fand. Kam am frühen Nachmittag an, ließ mein Sach in der Niederlage, ging wie geführt hieher, las den Zettel am Regenrohr, schellte und war gleich mit der dicken, teuflisch redenden Vermieterin handelseins von wegen der beiden Gezimmer im Erdgeschoß. War noch so früh an der Zeit danach, daß ich den Tag noch in erster Ankunftslaune beinahe die ganze Stadt besah, – diesmal wirklich geführt, nämlich von dem Dienstmann, der mein Felleisen vom Bahnhof geholt: daher eben zu letzten der Schwanck und das Speiwerk, davon ich geredt und dir vielleicht noch erzählen will.

Wegen des Klavizimbels hat die Dicke auch keine Faxen gemacht; sie sind's gewöhnt hier. Liege ihr auch nicht allzuviel in den Ohren damit, denn ich's vornehmlich theoretisch treibe zur Zeit, mit Büchern und Schreibzeug, die Harmoniam und den punctum contra punctum, ganz auf eigene Faust, ich will sagen: unter Aufsicht und Maßregelung amici Kretzschmars, dem ich das Geübte und Gemachte alle paar Täg zur Gut- und Schlechtheißung hintrage. Hat sich baß gefreut, der Mann, wie ich kam, und mich in die Arme geschlossen, denn ich ihm seine Zuversicht nicht wöllen hindern. Will auch nichts wissen für mich vom Konservatorium, weder vom großen noch von dem Haseschen, wo er lehrt; wär, sagt er, keine Atmosphäre für mich, sondern solls eher machen wie Vater Haydn, der überall keinen praeceptor gehabt, sondern sich den Gradus ad Parnassum von Fux und etwelche Musik von damals, insonderheit des Hamburger Bach, verschafft und sich daraus brav das Handwerck erübt. Unter uns gesagt, macht die Harmonielehre mir viel Gähnens, da ich doch bei dem Kontrapunkt sofort lebendig werde, nicht genug kurtzweiliger Bossen auf diesem Zauberfelde anstellen kann, mit wohl-lustbarlicher Versessenheit die nicht endenden Probleme löse und schon einen ganzen Stapel schnurriger Canon- und Fugen-Studien zusammengeschrieben, auch mir vom Meister manches Lob dafür geholt habe. Das ist produktive, Phantasie und Erfindung aufrufende Arbeit, da das Dominospiel mit den Akkorden ohne Thema meim Bedünken nach der Welt weder zu sieden noch zu braten taugt. Sollte man nicht alldas von Vorhalten, Durchgangsnoten, Modulation, Vorbereitungen und Auflösungen viel besser in praxi, vom Hören, Erfahren und Selbstfinden lernen, denn aus dem Buch? Überhaupt nun aber und per aversionem ist's eine Narrheit, die mechanische Trennung von Kontrapunkt und Harmonie, sintemal sie einander so unlöslich durchdringen, daß man nicht jedes für sich, sondern nur das Ganze, nämlich Musik lehren kann, — sofern man es kann.

Bin also fleißig, zelo virtutis, ja fast überladen und übermengt mit Sachen, da noch auf der Hohen Schul Geschichte der Philosophie höre bei Lautensack und Enzyklopädie der philosophischen Wissenschaften sowie Logik bei dem berühmten Bermeter. – Vale. Iam satis est. Hiemit dem lieben Gott befohlen, der Euch und alle unschuldigen Herzen behüte. ›Ihr ganz ergebener Diener‹, hieß es zu Halla. – Mit dem Schwanck und Bossen und wegen dessen, was zwischen mir und dem Satan vorgeht, hab ich dich viel zu neugierig gemacht: war nichts weiter damit, als daß jener Dienstmann am ersten Tag gegen die Nacht mich irreführte, – so ein Kerl, einen Strick um den Leib, mit roter Mütze und Messingschild, im Wetterumhang, teuflisch redend wie alle Welt dahier mit gesträubtem Unterkiefer, sah meiner Meinung nach entfernt unserem Schleppfuß ähnlich von wegen des Bärtchens, sah ihm sogar recht ähnlich, wenn ich's bedenk, oder ist ihm seitdem in meiner Erinnerung ähnlicher worden, – übrigens stärker und dikker war er von der Gose. Stellt sich mir auch als Fremdenführer vor und wies sich als solcher aus durch ein Messingschild und durch zwei, drei englische und französische Brocken, teuflisch gesprochen, peaudiful puilding und antiquidé exdrèmement indéressant.

Item, wir wurden der Sache eins, und hat der Kerl mir zwei Stunden lang alles geeigt und gezeigt, mich überall hingeführt: zu der Pauluskirchen mit wunderlich gekehltem Kreuzgang, zu der Thomaskirchen, wegen Johann Sebastians, und zu seinem Grabe in der Johanniskirchen, wo auch das Reformationsdenkmal ist und das neue Gewandhaus. Lustig wars in den Straßen, denn, wie ich zuvor geredt, währte noch gerade die Herbstmesse, und allerlei Fahnen und Tücher mit Anpreisungen von Pelzwerk und anderen Waren hingen aus den Fenstern an den Häusern herunter, war auch ein groß Gewimmel in allen Gassen, sonderlich in der innersten Stadt, beim alten Rathaus, wo mir der Kerl das Königshaus und Auerbachs Hof und den stehengebliebenen Turm der Pleißenburg zeigte, – Luther hielt da seine Disputation mit Eck. Und nun erst das Geschieb und Gewühl in den engen Straßen hinter dem Marktplatz, altertümlich, mit steilen Dachschrägen, durch gedeckte Höfe und Gänge, an denen Speicher und Keller liegen, in die Kreuz und Quer labyrinthisch verbunden. Das ist alles mit Waren vollgepfropft, und die Leute, die sich da drängen, sehen dich wohl mit exotischen Augen an und reden in Zungen, von denen du nie einen Laut gehört. War recht aufregend, und du fühltest den Puls der Welt dir im eigenen Leibe schlagen.

Allgemach dunkelt es, Lichter gingen an, leerten sich auch die Gassen, und ich war müde und hungrig. Sollt mir zuguterletzt ein Gasthaus zeigen zum Essen, sag ich dem Führer. Ein gutes? fragt er und blinzelt. Ein gutes, sag ich, wenns nicht zu teuer. Führt er mich vor ein Haus in einer Gasse hinter der Hauptstraße, – war ein Geländer aus Messing an den Stufen zur Thür, just so blitzend wie sein Mützenschild, und eine Laterne über der Thür, just so rot wie die Mütze des Kerls. Guten Appetit wünscht er mir, wie ich ihn ausgezahlt, und macht sich abwegs. Ich schelle, die Thür geht von selber auf, und auf dem Flur kommt mir eine geputzte Madam entgegen, mit rosinfarbenen Backen, einen Rosenkranz wachsfarbener Perlen auf ihrem Speck, und begrüßt mich fast züchtiger berden, hocherfreut flötend und scharmutzierend, wie einen Langerwarteten, komplimentiert mich danach durch Portièren in ein schimmernd Gemach mit eingefaßter Bespannung, einem Kristall-Lüster, Wandleuchtern vor Spiegeln, und seidnen Gautschen, darauf sitzen dir Nymphen und Töchter der Wüste, sechs oder sieben, wie soll ich sagen, Morphos, Glasflügler, Esmeralden wenig gekleidet, durchsichtig gekleidet, in Tüll, Gaze und

Glitzerwerk, das Haar lang offen, kurzlockig das Haar, gepuderte Halbkugeln, Arme mit Spangen, und sehen dich mit erwartungsvollen, vom Lüster gleißenden Augen an.

Mich sehen sie an, nicht dich. Hat mich der Kerl, der Gose-Schleppfuß in eine Schlupfbude geführt! Ich stand und verbarg meine Affecten, sehe mir gegenüber ein offen Klavier, einen Freund, geh über den Teppich drauf los und schlage im Stehen zwei, drei Akkorde an, weiß noch, was es war, weil mir das Klangphänomen gerade im Sinne lag, Modulation von H- nach C-Dur, aufhellender Halbton-Abstand wie im Gebet des Eremiten im Freischütz-Finale, bei dem Eintritt von Pauke, Trompeten und Oboen auf dem Quartsextakkord von C. Weiß es im Nachher, wußte es aber damals nicht, sondern schlug eben nur an. Neben mich stellt sich eine Bräunliche, in spanischem Jäckchen, mit großem Mund, Stumpfnase und Mandelaugen, Esmeralda, die streichelt mir mit dem Arm die Wange. Kehr ich mich um, stoß mit dem Knie die Sitzbank bei Seite und schlage mich über den Teppich zurück durch die Lusthölle, an der schwadronierenden Zatzenmutter vorbei, durch den Flur und die Stufen hinab auf die Straße, ohne das Messinggeländer nur anzufassen.

Da hast du den Fetzen, so mir begegnete, nach der lenge erzält, zum Entgelt für den brüllenden Rottenführer, den du artem metrificandi lehrst. Amen hiemit und betet für mich! Nur ein Gewandhaus-Konzert bis dato gehört mit Schumanns Dritter als pièce de résistance. Ein Kritiker von damals rühmte dieser Musik ›umfassende Weltanschauung‹ nach, was sehr nach unsachlichem Geschwätz klingt, und worüber denn auch die Klassizisten sich weidlich lustig machten. Hatte aber doch seinen guten Sinn, da es die Standeserhöhung bezeichnet, die Musik und Musiker der Romantik verdanken. Sie hat die Musik aus der Sphäre eines krähwinkligen Spezialistentums und der Stadtpfeiferei emanzipiert und sie mit der großen Welt des Geistes, der allgemeinen künstlerisch-intellektuellen Bewegung der Zeit in Kontakt gebracht, — man sollte es ihr nicht vergessen. Von dem letzten Beethoven und seiner Polyphonie geht das alles aus, und ich finde es außerordentlich vielsagend, daß die Gegner der Romantik, das heißt: einer aus dem bloß Musikalischen ins allgemein Geistige hinaustretenden Kunst, immer auch Gegner und Bedauerer der Beethoven'schen Spätentwicklung waren. Hast du je darüber nachgedacht, wie anders, wieviel leidend-bedeutender die Individualisierung der Stimme in seinen höchsten Werken sich ausnimmt als in der älteren Musik, *wo sie gekonnter ist?* Es gibt Urteile, die durch ihre krasse, den Urteilenden kräftig kompromittierende Wahrheit belustigen. Händel sagte von Gluck: ›Mein Koch versteht mehr vom Kontrapunkt als er‹, — ein mir teures Kollegenwort.

Spiele viel Chopin und lese über ihn. Ich liebe das Engelhafte seiner Gestalt, das an Shelley erinnert, das eigentümlich und sehr geheimnisvoll Verschleierte, Unzulassende, Sichentziehende, Abenteuerlose seines Daseins, das Nichts-wissen-Wollen, das Ablehnen stofflicher Erfahrung, die sublime Inzucht seiner phantastisch delikaten und verführerischen Kunst. Wie sehr spricht für den Menschen die tief aufmerksame Freundschaft Delacroix', der ihm schreibt: ›J'espère vous voir ce soir, mais ce moment est capable de me faire devenir fou.‹ Alles mögliche für den Wagner der Malerei! Aber nicht ganz weniges gibt's ja bei Chopin, was Wagner, nicht nur harmonisch, sondern im Allgemein-Seelischen, mehr als antizipiert, nämlich gleich überholt. Nimm das cis-Moll-Notturno opus 27 No. 1 und den Zwiegesang, der angeht nach der enharmonischen Vertauschung von Cis- mit Des-Dur. Das übertrifft an desperatem Wohlklang alle Tristan-Orgien – und zwar in klavieristischer Intimität, nicht als Hauptschlacht der Wollust und ohne das Corridahafte einer in der Verderbtheit robusten Theatermystik. Nimm vor allem auch sein ironisches Verhältnis zur Tonalität, das Vexatorische, Vorenthaltende, Verleugnende, Schwebende, die Verspottung des Vorzeichens. Es geht weit, belustigend und ergreifend weit . . .«

Mit dem Ausruf »Ecce epistola!« schließt der Brief. Hinzugefügt ist: »Daß du dies hier *sofort vernichtest,* versteht sich.« Die Unterschrift ist ein Initial, dasjenige des Familiennamens, das L, nicht das A. –

XVII

Der kategorischen Weisung, diesen Brief zu vernichten, bin ich nicht gefolgt – wer will es einer Freundschaft verargen, welche das darin auf Delacroix' Freundschaft für Chopin gemünzte Beiwort »tief aufmerksam« für sich in Anspruch nehmen darf? Ich gehorchte der Zumutung anfangs darum nicht, weil ich das Bedürfnis hatte, das zuerst nur rasch durchflogene Schriftstück wieder und wieder – nicht sowohl zu lesen, als es stilkritisch und psychologisch zu studieren, und mit der Zeit schien mir dann der Augenblick, es, zu zerstören, versäumt; ich lernte, es als ein Dokument zu betrachten, von dem der Vernichtungsbefehl ein Bestandteil war, so daß er eben durch seinen dokumentarischen Charakter sozusagen sich selber aufhob.

Soviel war mir von Anfang an gewiß: zu der Vorschrift am Schluß hatte nicht der ganze Brief Anlaß gegeben, sondern nur ein Teil davon, die sogenannte Facetie und Büffelposse, das Erlebnis mit dem fatalen Dienstmann. Aber wiederum: dieser Teil war der ganze Brief; um seinetwillen war er geschrieben worden – nicht zu meiner Erheiterung; zweifellos hatte der Schreiber gewußt, daß der »Schwanck« nichts Erheiterndes für mich haben werde; sondern zur Entlastung von einem erschütternden Eindruck, für welche ich, der Kindheitsfreund, allerdings die einzige Stelle war. Alles übrige war Zutat, Einhüllung, Vorwand, Aufschub und, nachher, ein gesprächiges Wiederzudecken mit musikkritischen Aperçus, als ob nichts gewesen wäre. Auf die *Anekdote*, um ein sehr sachliches Wort zu gebrauchen, steuert alles zu; sie steht im Hintergrunde von Anfang an, meldet sich an in den ersten Zeilen und wird verschoben. Noch unerzählt spielt sie hinein in das Scherzen mit der großen Stadt Ninive und dem skeptisch-entschuldigenden Wort des Propheten. Sie ist nahe daran, erzählt zu werden, dort, wo zum erstenmal des Dienstmannes Erwähnung geschieht — und verschwindet aufs neue. Der Brief wird scheinbar geschlossen, bevor sie berichtet ist — »Iam satis est« —, und als wäre sie dem Schreiber fast aus dem Sinn gekommen, als brächte nur der zitierte Gruß des Schleppfuß sie ihm wieder in Erinnerung, wird sie, ›eben noch rasch‹ sozusagen, unter sonderbarer Rückbeziehung auf des Vaters Schmetterlingskunde, mitgeteilt, darf aber nicht den Schluß des Briefes bilden, sondern es werden Betrachtungen über Schumann, die Romantik, Chopin darangehängt, die offenbar den Zweck verfolgen, ihr das Gewicht zu nehmen, sie wieder in Vergessenheit zu bringen, — oder richtiger wohl: die sich von Stolzes wegen den Anschein geben, als verfolgten sie diesen Zweck; denn ich glaube nicht, daß wirklich die Absicht bestand, ich, der Leser, möchte über das Kernstück des Briefes hinweglesen.

Sehr merkwürdig war mir schon bei zweiter Durchsicht, daß die Stilgebung, die Travestie oder persönliche Adaption des Kumpf'schen Altdeutsch nur vorhält, bis jenes Abenteuer erzählt ist, danach aber achtlos fallengelassen wird, so daß die Schlußseiten ganz davon entfärbt sind und eine rein moderne sprachliche Haltung zeigen. Ist es nicht, als hätte der archaisierende Ton seinen Zweck erfüllt, sobald die Geschichte der Fehlführung auf dem Papier steht, und danach aufgegeben wird, nicht sowohl, weil er für die ablenkenden Schlußbetrachtungen nicht paßt, sondern weil er, vom Datum an, nur eingeführt war, um *die Geschichte* darin erzählen zu können, die dadurch die ihr angemessene Atmosphäre erhält? Und welche denn? Ich will es aussprechen, so wenig die Bezeichnung, die ich im Sinne habe, auf eine Farce anwendbar scheint. Es ist die religiöse Atmosphäre. Dies war mir klar: wegen seiner historischen Affinität zum Religiösen war das Reformationsdeutsch für einen Brief gewählt worden, der mir diese Geschichte bringen sollte. Wie hätte ohne das Spiel mit ihm das Wort hingeschrieben werden können, das doch hingeschrieben sein wollte: »Betet für mich!«? Es gab kein besseres Beispiel für das Zitat als Deckung, die Parodie als Vorwand. Und kurz davor steht ein anderes Wort, das mir schon bei erstem Lesen in die

Glieder fuhr und ebenfalls nichts mit Humoreske zu tun hat, sondern ein ausgemacht mystisches, also religiöses Gepräge trägt: das Wort »Lusthölle«.

Wenige werden sich durch die Kühlheit der Analyse, der ich soeben und damals gleich Adrians Brief unterzog, über die wirklichen Gefühle haben täuschen lassen, mit denen ich ihn wieder und wieder las. Analyse hat notwendig den Anschein der Kühle, auch wenn sie im Zustande tiefer Erschütterung geübt wird. Erschüttert aber war ich, mehr noch, ich war außer mir. Meine Wut über den obszönen Streich des Gose-Schleppfuß kannte keine Grenzen, — und darin möge der Leser keine Kennzeichnung meiner selbst, kein Merkmal meiner eigenen Prüderie sehen — ich war niemals prüde und hätte, wäre mir jene Leipziger Nasführung zugestoßen, schon gute Miene dazu zu machen gewußt —; sondern er möge durch meine Gefühle Adrians Sein und Wesen gekennzeichnet finden, für welches freilich das Wort ›Prüderie‹ nun auch wieder das albern unpassendste wäre, das aber selbst der Derbheit scheue Rücksicht und den Wunsch nach Schutz und Schonung hätte einflößen können.

An meiner Bewegung hatte ja keinen geringen Anteil die Tatsache, daß er mir das Abenteuer, und zwar Wochen nachdem es ihm zugestoßen, überhaupt mitteilte, was die Durchbrechung einer sonst unbedingten und von mir stets respektierten Verschlossenheit bedeutete. So sonderbar es in Ansehung unserer alten Kameradschaft klingen mag, — das Gebiet der Liebe, des Geschlechtes, des Fleisches war niemals in unseren Gesprächen auf eine irgend persönliche und intime Weise berührt worden; niemals anders als durch das Medium von Kunst und Literatur, anläßlich der Manifestationen der Leidenschaft in der Sphäre des Geistes, hatte dies Wesen in unseren Austausch hineingespielt, und dabei waren sachlich wissende Äußerungen von seiner Seite gefallen, bei denen seine Person völlig aus dem Spiele blieb. Wie hätte ein Geist wie der seine dies Element nicht einschließen sollen! Daß er es tat, dafür waren Beweis genug seine Wiedergabe gewisser von Kretzschmar übernommener Lehren über die Unverächtlichkeit des Sinnlichen in der Kunst, und nicht nur in dieser; dann manche seiner Bemerkungen über Wagner und solche spontanen Äußerungen wie die über die Nudität der menschlichen Stimme und ihre geistige Kompensation durch ausgeklügelte Kunstformen in der alten Vokal-Musik. Dergleichen hatte nichts Jüngferliches; es zeugte von einem freien und gelassenen Ins-Auge-Fassen der Welt der Begierde. Aber wiederum war es nicht charakteristisch für *mich*, sondern für *ihn*, wenn ich jedesmal bei solchen Wendungen des Gesprächs etwas wie einen Choc, eine Bestürzung, ein leises Sichzusammenziehen meines Innern empfunden hatte. Es war, um mich emphatisch auszudrücken, wie wenn man einen Engel über die Sünde sich ergehen hörte: auch bei einem solchen würde man sich keiner Frivolität und Frechheit, keiner banalen Lustigkeit im Verhalten zum Gegenstande versehen müssen und wäre doch, bei aller Einsicht in sein geistiges Anrecht auf ihn, verletzt und zu der Bitte versucht: »Schweig, Lieber! Dein Mund ist zu rein und streng für diese Dinge.«

Tatsächlich war Adrians Abneigung gegen laszive Plumpheiten von verbietender Ausgesprochenheit, und ich kannte genau das verächtlich angewiderte und abwehrende Sichverziehen seines Gesichts, wenn dergleichen auch nur im Anzuge war. Zu Halle, im Winfried-Kreise, war er vor solchen Angriffen auf sein Feingefühl so ziemlich sicher gewesen; die geistliche Wohlanständigkeit — des Wortes wenigstens — hielt sie hintan. Von Frauen, Weibern, Mädchen, Liebesverhältnissen war zwischen den Commilitonen nicht die Rede. Ich weiß nicht, wie diese jungen Theologen es in der Tat, jeder für sich, damit hielten, ob sie sich alle in Züchten für die christliche Ehe aufsparten. Was mich selbst betrifft, so will ich nur gestehen, daß ich vom Apfel gekostet hatte und damals sieben oder acht Monate lang Beziehungen zu einem Mädchen aus dem Volk, einer Küferstochter, unterhielt, — ein Verhältnis, das vor Adrian geheimzuhalten schwer genug war (ich glaube wirklich nicht, daß er es beachtete), und das ich nach dieser Frist auf gute Art wieder löste, da der Bildungstiefstand des Dinges mich ennuyierte und ich mir nichts mit ihr zu sagen hatte als immer nur das eine. Nicht sowohl Heißblütigkeit als Neugier, Eitelkeit und der Wunsch, den antikischen Freimut im Verhalten zum Geschlechtlichen, der zu meinen theoretischen Überzeugungen gehörte, in die Praxis zu übersetzen, hatten mich vermocht, diese Bindung einzugehen.

Gerade dies Element nun aber, das einer geistreichen Vergnügtheit, wie ich sie wenigstens, mag sein ein wenig schulmäßig, prätendierte, fehlte der Stellung Adrians zu der fraglichen Sphäre vollkommen. Ich will nicht von christlicher Verhemmtheit sprechen und nicht das teils kleinbürgerlich-moralische, teils mittelalterlich-sündenscheue Kennwort ›Kaisersaschern‹ darauf anwenden. Das würde der Wahrheit sehr unzulänglich gerecht und hätte nicht ausgereicht, die liebende Rücksicht, den Haß auf jede mögliche Verletzung hervorzurufen, die seine Haltung mir einflößte. Wenn man sich ihn in einer ›galanten‹ Situation überhaupt nicht vorstellen konnte — und wollte —, so lag das an dem Harnisch von Reinheit, Keuschheit, intellektuellem Stolz, kühler Ironie, der ihn umgab und der mir heilig war, — heilig auf eine gewisse schmerzliche und heimlich beschämende Weise. Denn schmerzlich und beschämend — außer etwa für die Bosheit — ist der Gedanke, daß Reinheit dem Leben im Fleische nicht gegeben ist, daß der Trieb den geistigsten Stolz nicht scheut und der verweigerndste

Hochmut der Natur seinen Zoll entrichten muß, so daß man nur hoffen kann, diese Demütigung ins Menschliche, und damit denn auch ins Tierische, nach Gottes Willen, möge sich in der schonend verschöntesten, seelisch gehobensten Form, verhüllt von Liebeshingebung, von läuternder Empfindung vollziehen.

Muß ich hinzufügen, daß eben hierauf in Fällen wie dem meines Freundes am wenigsten Hoffnung besteht? Die Verschönung, Verhüllung, Veredelung, von der ich sprach, ist das Werk der Seele, einer mittleren, vermittelnden und stark poetisch angehauchten Instanz, in der Geist und Trieb einander durchdringen und sich auf eine gewisse illusionäre Weise versöhnen, — einer ganz eigentlich sentimentalen Lebensschicht also, in der, wie ich gestehe, meine eigene Menschlichkeit sich recht wohl behagt, die aber nicht nach dem strengsten Geschmacke ist. Naturen wie Adrian haben nicht viel ›Seele‹. Es ist eine Tatsache, über die tief beobachtende Freundschaft mich belehrt hat, daß die stolzeste Geistigkeit dem Tierischen, dem nackten Triebe am allerunvermitteltsten gegenübersteht, ihm am allerschnödesten preisgegeben ist; und das ist der Grund für die sorgende Apprehension, die meinesgleichen durch eine Natur wie Adrians auszustehen hat, — es ist auch der Grund, weshalb ich das verdammte Abenteuer, von dem er mir berichtete, als etwas so erschreckend Symbolisches empfand.

Ich sah ihn stehen auf der Schwelle des Freudensalons und nur langsam begreifend, auf die harrenden Wüstentöchter blicken. Wie durch die Fremde von Mütze's Gastlokal in Halle — ich hatte das Bild so deutlich vor mir — sah ich ihn blind hindurchgehen, auf das Klavier zu, und Akkorde anschlagen, von denen er sich erst nachträglich Rechenschaft geben sollte. Ich sah die Stumpfnäsige neben ihm — Hetaera esmeralda — gepuderte Halbkugeln im spanischen Mieder —, sah sie mit dem nackten Arm seine Wange streicheln. Heftig, über den Raum hinweg und in der Zeit zurück, verlangte es mich dorthin. Ich hatte Lust, die Hexe mit dem Knie von ihm wegzustoßen, wie er den Schemel beiseite stieß, um den Weg ins Freie zu gewinnen. Tagelang spürte ich die Berührung ihres Fleisches auf meiner eigenen Wange und wußte dabei mit Widerwillen, mit Schrecken, daß sie seither auf der seinen brannte. Wiederum kann ich nur bitten, es nicht als bezeichnend für mich, sondern für ihn zu betrachten, daß ich außerstande war, den Vorfall von der heiteren Seite zu nehmen. Es war absolut nichts Heiteres daran. Wenn es mir im entferntesten gelungen ist, dem Leser von der Natur meines Freundes ein Bild zu geben, so muß er mit mir das unbeschreiblich Schändende, das höhnisch Erniedrigende und das Gefährliche dieser Berührung empfinden.

Daß er bis dato kein Weib ›berührt‹ hatte, war und ist mir eine unumstößliche Gewißheit. Nun hatte das Weib ihn berührt — und er war geflohen. Auch an dieser Flucht ist nicht eine Spur des Komischen, ich kann es dem Leser versichern, falls er geneigt sein sollte, dergleichen darin zu suchen. Komisch allenfalls war dieses Entweichen in dem bitter-tragischen Sinn der Vergeblichkeit. In meinen Augen war Adrian nicht entkommen, und sehr vorübergehend, gewiß, hat er sich als ein Entkommener gefühlt. Der Hochmut des Geistes hatte das Trauma der Begegnung mit dem seelenlosen Triebe erlitten. Adrian sollte zurückkehren an den Ort, wohin der Betrüger ihn geführt.

XVIII

Bei meiner Darstellung, meinen Berichten möge der Leser nicht fragen, woher denn das einzelne mir so genau bekannt ist, da ich ja nicht immer dabei, dem verewigten Helden dieser Biographie nicht immer zur Seite war. Es ist richtig, daß ich wiederholt durch längere Zeiträume getrennt von ihm lebte: so während meines Militärjahrs, nach dessen Ablauf ich allerdings an der Universität Leipzig meine Studien wieder aufnahm und seinen dortigen Lebenskreis genau kennenlernte. So auch für die Dauer meiner klassischen Bildungsreise, die in die Jahre neunzehnhundertacht und -neun fiel. Nur flüchtig war unsere Wiederbegegnung bei meiner Rückkehr von dieser, als er bereits die Absicht hegte, Leipzig zu verlassen und nach Süddeutschland zu gehen. Und daran schloß sich sogar die längste Periode unserer Trennung: es waren die Jahre, die er, nach einem kurzen Aufenthalt in München, mit seinem Freunde, dem Schlesier Schildknapp, in Italien verbrachte, während ich am Bonifatius-Gymnasium zu Kaisersaschern zuerst meine Probe-Kandidatur absolvierte und dann in fester Anstellung mein Lehramt ausübte. Erst 1913, als Adrian seinen Wohnsitz im oberbayerischen Pfeiffering genommen hatte und ich nach Freising übersiedelte, gelangte ich wieder in seine Nähe, um dann freilich sein längst verhängnishaft tingiertes Leben, sein zunehmend erregtes Schaffen siebzehn Jahre lang, bis zur Katastrophe von 1930, ohne — oder so gut wie ohne — Unterbrechung unter meinen Augen sich abspielen zu sehen.

Längst war er kein Anfänger mehr im Studium der Musik, ihres seltsam kabbalistischen, zugleich spielerischen und strengen, ingeniösen und tiefsinnigen Handwerks, als er sich zu Leipzig wieder der Leitung, Anweisung, Aufsicht Wendell Kretzschmars unterstellte. Seine raschen, von einer alles im Fluge auffassenden Intelligenz befeuerten, höchstens von vorgreifender Ungeduld gestörten Fortschritte auf dem Felde des Überlieferbaren, in der Satztechnik, der Formenlehre, der Orchestrierung, bewiesen, daß die zweijährige theologische Episode in Halle sein Verhältnis zur Musik nicht gelockert, keine wirkliche Unterbrechung seiner Be-

schäftigung mit ihr bedeutet hatte. Von seinen eifrigen und ge-
häuften kontrapunktischen Übungen hat sein Brief einiges gemel-
det. Kretzschmar legte fast noch größeres Gewicht auf die Instrumentationstechnik und ließ ihn, wie schon in Kaisersaschern, viel
Klaviermusik, Sonatensätze, selbst Streichquartette orchestrieren,
um dann das Geleistete in langen Besprechungen mit ihm zu erörtern, zu bemängeln, zu korrigieren. Er ging so weit, ihn mit der
Orchestrierung des Klavierauszuges einzelner Akte von Opern zu
beauftragen, die Adrian nicht kannte, und der Vergleich dessen,
was der Schüler versucht, der Berlioz, Debussy und die deutsche,
österreichische Spät-Romantik gehört und gelesen hatte, mit dem,
was Grétry oder Cherubini selbst getan hatten, gab Meister und
Lehrling zu lachen. Kretzschmar arbeitete damals an seinem eigenen Bühnenwerk, dem ›Marmorbild‹, und auch davon gab er dem
Adepten eine oder die andere Szene im Particell zur Instrumentierung und zeigte ihm dann, wie er selbst es gehalten, oder wie
er es vorhabe, — Anlaß zu reichlichen Debatten, bei denen, versteht sich, in der Regel die überlegene Erfahrung des Meisters das
Feld behauptete, einmal aber wenigstens doch die Intuition des
Neulings den Sieg davontrug. Denn eine Klangkombination, die
Kretzschmar auf den ersten Blick als unklug und mißlich verworfen, leuchtete ihm schließlich als charakteristischer ein, als was er
selbst im Sinn gehabt, und bei der nächsten Zusammenkunft erklärte er, Adrians Idee übernehmen zu wollen.
Dieser war weniger stolz darauf, als man denken sollte. Lehrer
und Schüler waren nach ihren musikalischen Instinkten und Willensmeinungen im Grunde recht weit auseinander, wie ja in der
Kunst fast notwendig der Strebende sich auf die handwerkliche
Führung durch ein generationsmäßig schon halb entfremdetes
Meistertum angewiesen sieht. Es ist dann nur gut, wenn dieses
die heimlichen Tendenzen der Jugend doch errät und versteht, sie
allenfalls ironisiert, aber sich hütet, ihrer Entwicklung im Wege
zu sein. So lebte Kretzschmar der selbstverständlichen, stillschwei-
genden Überzeugung, daß die Musik ihre endgültig höchste Er-
scheinungs- und Wirkungsform im Orchestersatz gefunden habe,
— was Adrian nicht mehr glaubte. Für seine zwanzig Jahre war,
anders als noch für die Älteren, die Gebundenheit der aufs höchste entwickelten Instrumentaltechnik an die harmonische Musik-
Konzeption mehr als eine historische Einsicht, — es war bei ihm
etwas wie eine Gesinnung daraus geworden, in der Vergangenheit und Zukunft verschmolzen; und sein kühler Blick auf den
hypertrophischen Klangapparat des nachromantischen Riesen-
orchesters; das Bedürfnis nach seiner Kondensierung und seiner
Zurückführung auf die dienende Rolle, die er zur Zeit der vor-
harmonischen, der polyphonen Vokalmusik gespielt; die Neigung
zu dieser und also zum Oratorium, einer Gattung, in der der

Schöpfer der ›Offenbarung S. Johannis‹ und der ›Weheklag Dr. Fausti‹ später sein Höchstes und Kühnstes leisten sollte, — dies alles tat sich sehr früh bei ihm in Wort und Haltung hervor.

Seine Orchestrationsstudien unter Kretzschmars Leitung waren darum nicht weniger eifrig, denn er stimmte diesem darin zu, daß man Errungenes beherrschen müsse, auch wenn man es nicht mehr für wesentlich erachte, und sagte einmal zu mir: Ein Komponist, der den Orchester-Impressionismus satt habe und darum nicht mehr instrumentieren lerne, komme ihm vor wie ein Zahnarzt, der keine Wurzelbehandlung mehr studiere und sich zum Reißbader rückbilde, weil neuestens entdeckt worden sei, daß man von toten Zähnen Gelenkrheumatismus bekommen könne. Dieser sonderbar hergeholte und dabei für die geistige Zeitlage so charakteristische Vergleich blieb dann als oft benutztes kritisches Zitat zwischen uns bestehen, und der durch kunstreiche Wurzelbalsamierung erhaltene ›tote Zahn‹ wurde zum Symbolwort für gewisse Spätererzeugnisse orchestralen Paletten-Raffinements, — einschließlich seiner eigenen symphonischen Phantasie ›Meerleuchten‹, die er noch in Leipzig unter Kretzschmars Augen, nach einer zusammen mit Rüdiger Schildknapp unternommenen Ferienreise an die Nordsee schrieb, und deren halb öffentliche Aufführung Kretzschmar gelegentlich herbeiführte. Es ist ein Stück ausgesuchter Tonmalerei, das von einem erstaunlichen Sinn für berückende, dem Ohr beim ersten Hören fast unenträtselbare Klangmischungen Zeugnis gibt, und ein wohltrainiertes Publikum sah in dem jungen Verfasser einen hochbegabten Fortsetzer der Linie Debussy-Ravel. Er war es nicht und hat sein Leben lang diese Demonstration koloristisch-orchestralen Könnens fast sowenig zu seiner eigentlichen Produktion gerechnet wie die Handgelenklockerungen und Schönschreib-Übungen, deren er sich vorher unter Kretzschmars Aufsicht befleißigte: die sechs- bis achtstimmigen Chöre, die Fuge mit drei Themen für Streichquintett und Klavierbegleitung, die Symphonie, deren Particell er ihm stückweise brachte und deren Instrumentation er mit ihm beriet, die Cello-Sonate in a-Moll mit dem sehr schönen langsamen Satz, dessen Thema er in einem seiner Brentano-Gesänge wieder aufnehmen sollte. Jenes klangfunkelnde ›Meerleuchten‹ war ein in meinen Augen sehr merkwürdiges Beispiel dafür, wie ein Künstler sein Bestes an eine Sache zu setzen vermag, an die er insgeheim nicht mehr glaubt, und darauf besteht, in Kunstmitteln zu exzellieren, die für sein Bewußtsein schon auf dem Punkte der Verbrauchtheit schweben. »Es ist gelernte Wurzelbehandlung«, sagte er zu mir. »Für Streptokokken-Überschwemmung komm' ich nicht auf.« Daß er das Genre des ›Tongemäldes‹, der musikalischen ›Naturstimmung‹, für gründlich abgestorben erachtete, bewies jedes seiner Worte.

Um aber alles zu sagen, so trug schon dies glaubenslose Meisterstück koloristischer Orchesterbrillanz heimlich die Züge der Parodie und der intellektuellen Ironisierung der Kunst überhaupt, die sich in Leverkühns späterem Werk so oft auf eine unheimlichgeniale Weise hervortat. Viele fanden das erkältend, ja zurückstoßend und empörend, und es waren noch die Besseren, wenn auch die Besten nicht, die so urteilten. Die ganz Oberflächlichen nannten es nur witzig und amüsant. In Wahrheit war hier das Parodische die stolze Auskunft vor der Sterilität, mit welcher Skepsis und geistige Schamhaftigkeit, der Sinn für die tödliche Ausdehung des Bereichs des Banalen eine große Begabung bedrohten. Ich hoffe, das richtig zu sagen. Meine Unsicherheit und mein Verantwortungsgefühl sind gleich groß, indem ich Gedanken in Worte zu kleiden suche, die nicht primär meine eigenen sind, sondern die mir nur durch meine Freundschaft für Adrian eingeflößt wurden. Von Mangel an Naivität möchte ich nicht sprechen, denn zuletzt liegt Naivität dem Sein selbst, allem Sein, auch dem bewußtesten und kompliziertesten, zum Grunde. Der fast unschlichtbare Konflikt zwischen der Hemmung und dem produktiven Antriebe mitgeborenen Genies, zwischen Keuschheit und Leidenschaft, — das eben ist die Naivität, aus der ein solches Künstlertum lebt, der Boden für das schwierig-charakteristische Wachstum seines Werkes; und das unbewußte Trachten, der ›Begabung‹, dem hervorbringenden Impuls das notwendige knappe Übergewicht zu verschaffen über die Hemmungen des Spottes, des Hochmutes, der intellektuellen Scham, — dieses instinktive Trachten regt sich gewiß schon und wird bestimmend in dem Augenblick, wo die rein handwerklichen Vorstudien zur Kunstübung sich mit ersten eigenen, wenn auch selbst noch völlig vorläufigen und vorbereitenden Gestaltungsversuchen zu verbinden anfangen.

XIX

Ich spreche von diesem Augenblick, indem ich, nicht ohne Erbeben, nicht ohne daß sich mir das Herz zusammenkrampft, auf das verhängnisvolle Geschehnis zu sprechen komme, das eintrat ungefähr ein Jahr nachdem ich in Naumburg den angeführten Brief Adrians empfangen, etwas mehr als ein Jahr nach seiner Ankunft in Leipzig und jener ersten Besichtigung der Stadt, von der er mir in dem Brief berichtete, — also nicht lange bevor ich, vom Militär entlassen, wieder zu ihm stieß und ihn äußerlich unverändert, in Wahrheit aber als einen Gezeichneten, vom Pfeil des Schicksals Getroffenen, wiederfand. Mir ist, als sollte ich Apollon und die Musen anrufen, daß sie mir bei der Mitteilung jenes Geschehnisses die lautersten, schonendsten Worte eingeben mögen: schonend für den feinfühligen Leser, schonend für das Andenken des verewigten Freundes, schonend zuletzt für mich selbst, den es wie ein schweres persönliches Geständnis ankommt, dies zu überliefern. Aber die Richtung, in der diese Anrufung gehen möchte, zeigt mir so recht den Widerspruch zwischen meiner eigenen geistigen Kondition und der Eigenfärbung der Geschichte, die ich vorzutragen habe, einer Tönung, die aus ganz anderen, klassischer Bildungsheiterkeit ganz fremden Überlieferungsschichten stammt. Ich habe diese Aufzeichnungen ja mit dem Ausdruck des Zweifels begonnen, ob ich der rechte Mann sei für meine Aufgabe. Die Argumente, die ich gegen solchen Zweifel ins Feld zu führen hatte, wiederhole ich nicht. Genug, daß ich, gestützt auf sie, gestärkt von ihnen, meinem Unternehmen treu zu bleiben gedenke.

Ich sagte, daß Adrian an den Ort, wohin ein frecher Sendbote ihn verschleppt, zurückkehrte. Man sieht nun, daß das nicht so bald geschah: Ein ganzes Jahr lang behauptete sich der Stolz des Geistes gegen die empfangene Verwundung, und eine Art von Trost war es immer für mich, daß sein Erliegen vor dem nackten Triebe, der ihn hämisch berührt hatte, denn doch nicht all und jeder seelischen Verhüllung und menschlichen Veredelung entbehrte. Eine solche nämlich sehe ich in jeder, wenn auch noch so kruden *Fixierung* der Begierde auf ein bestimmtes und individuelles Ziel; ich sehe sie in dem Moment der *Wahl*, sei diese auch unfreiwillig und von ihrem Gegenstande dreist provoziert. Ein Einschlag von Liebesläuterung ist wahrzuhaben, sobald der Trieb ein Menschenantlitz, und sei es das anonymste, verächtlichste, trägt. Und dies ist zu sagen, daß Adrian an jenen Ort um einer bestimmten Person willen zurückkehrte: derjenigen, deren Berührung auf seiner Wange brannte, der »Bräunlichen« im Jäckchen und mit dem großen Mund, die sich ihm am Klavier genähert, und die er Esmeralda nannte; daß sie es war, die er dort suchte — und daß er sie nicht mehr fand.

Die Fixierung, so unheilvoll sie war, bewirkte, daß er jene Stätte nach seinem zweiten, freiwilligen Besuch als derselbe verließ wie nach dem ersten, unfreiwilligen, aber nicht ohne sich des Aufenthaltes des Weibes versichert zu haben, das ihn berührt hatte. Sie bewirkte ferner, daß er, unter einem musikalischen Vorwand, eine ziemlich weite Reise tat, um die Begehrte zu erreichen. Es fand nämlich damals, Mai 1906, unter des Komponisten eigener Leitung, in Graz, der Hauptstadt Steiermarks, die österreichische Première der ›Salome‹ statt, zu deren überhaupt erster Aufführung Adrian einige Monate früher mit Kretzschmar nach Dresden gefahren war, und er erklärte seinem Lehrer und den Freunden, die er unterdessen in Leipzig gemacht, er wünsche das glückhaft-revolutionäre Werk, dessen ästhetische Sphäre ihn keineswegs anzog, das ihn aber natürlich in musikalisch-technischer Beziehung und besonders noch als Vertonung eines Prosa-Dialogs interessierte, bei dieser festlichen Gelegenheit wiederzuhören. Er reiste allein, und es ist nicht mit Sicherheit zu bezeugen, ob er sein angebliches Vorhaben ausführte und von Graz nach Preßburg, möglicherweise auch von Preßburg nach Graz fuhr, oder ob er den Aufenthalt in Graz nur vorspiegelte und sich auf den Besuch von Preßburg, ungarisch Pozsony genannt, beschränkte. In ein dortiges Haus nämlich war diejenige, deren Berührung er trug, verschlagen worden, da sie ihren vorigen Gewerbsplatz um einer Hospitalbehandlung willen hatte verlassen müssen; und an ihrer neuen Stätte machte der Getriebene sie ausfindig.

Wohl zittert die Hand mir beim Schreiben, aber mit stillen, gefaßten Worten werde ich sagen, was ich weiß, — getröstet immer bis zu einem gewissen Grade durch den Gedanken, dem ich vorhin schon Zutritt gewährte, den Gedanken der Wahl, den Gedanken, daß etwas einer Liebesbindung Ähnliches hier waltete, was der Vereinigung dieser kostbaren Jugend mit dem unseligen Geschöpf einen Schimmer des Seelenhaften verlieh. Freilich ist dieser Trostgedanke unlösbar an den anderen, desto grausigeren gekettet, daß Liebe und Gift hier einmal für immer zur furchtbaren Erfahrungseinheit wurden: der mythologischen Einheit, welche der *Pfeil* verkörpert.

Es hat ganz den Anschein, als habe in dem armen Gemüt der Dirne etwas den Gefühlen geantwortet, die ihr der Jüngling entgegenbrachte. Kein Zweifel, sie erinnerte sich des flüchtigen Besuchers von damals. Ihre Annäherung, dies Streicheln seiner Wange mit dem nackten Arm, mochte der niedrig-zärtliche Ausdruck ihrer Empfänglichkeit gewesen sein für alles, was ihn von der üblichen Klientele unterschied. Sie erfuhr auch aus seinem Munde, daß er die Reise hierher um ihretwillen zurückgelegt habe, — und sie dankte es ihm, *indem sie ihn vor ihrem Körper warnte.* Ich weiß es von Adrian: sie warnte ihn; und kommt nicht dies einer wohltuenden Unterscheidung gleich zwischen der höheren Menschlichkeit des Geschöpfes und ihrem der Gosse verfallenen, zum elenden Gebrauchsgegenstand herabgesunkenen physischen Teil? Die Unglückliche warnte den Verlangenden vor ›sich‹, das bedeutete einen Akt freier seelischer Erhebung über ihre erbarmungswürdige physische Existenz, einen Akt menschlicher Abstandnahme davon, einen Akt der Rührung, — das Wort sei mir gewährt — einen Akt der Liebe. Und, gütiger Himmel, war es nicht Liebe auch, oder was war es, welche Versessenheit, welcher Wille zum gottversuchenden Wagnis, welcher Trieb, die Strafe in die Sünde einzubeziehen, endlich: welches tief geheimste Verlangen nach dämonischer Empfängnis, nach einer tödlich entfesselnden chymischen Veränderung seiner Natur wirkte dahin, daß der Gewarnte die Warnung verschmähte und auf dem Besitz dieses Fleisches bestand?

Nie habe ich ohne ein religiöses Erschauern dieser Umarmung gedenken können, in welcher der eine sein Heil darangab, der andere es fand. Reinigend, rechtfertigend, emportragend muß es die Elende beglückt haben, daß der weither Gereiste auf jede Gefahr hin den Verzicht auf sie verweigerte; und es scheint, daß sie alle Süßigkeit ihres Weibtums aufbot, um ihn zu entschädigen für das, was er für sie wagte. Es war dafür gesorgt, daß er sie nicht vergaß; aber auch um ihrer selbst willen hat er, der sie nie wiedersah, sie niemals vergessen, und ihr Name — derjenige, den er ihr von Anfang an gegeben — geistert runenhaft, von niemandem wahrgenommen als von mir, durch sein Werk. Möge man es mir als Eitelkeit auslegen, — ich kann es mir nicht versagen, schon hier der Entdeckung zu gedenken, die er mir eines Tages schweigend bestätigte. Leverkühn war nicht der erste Komponist und wird nicht der letzte gewesen sein, der es liebte, Heimlichkeiten formel- und sigelhafter Art in seinem Werk zu verschließen, die den eingeborenen Hang der Musik zu abergläubischen Begehungen und Befolgungen, zahlenmystischen und buchstabensymbolischen, bekunden. So findet sich in den Tongeweben meines Freundes eine fünf- bis sechsköpfige Notenfolge, mit h beginnend, mit es endigend und mit wechselndem e und a dazwischen, auffallend häufig wieder, eine motivische Grundfigur von eigentümlich schwermütigem Gepräge, die in vielfachen harmonischen und rhythmischen Einkleidungen, bald der, bald jener Stimme zugeteilt, oft in vertauschter Reihenfolge, gleichsam um ihre Achse gedreht, so daß bei gleichbleibenden Intervallen die Abfolge der Töne verändert ist, darin ihr Wesen treibt: zuerst in dem wohl schönsten der noch in Leipzig komponierten dreizehn Brentano-Gesänge, dem herzzerwühlenden Liede ›O lieb Mädel, wie schlecht bist du‹, das ganz davon beherrscht ist, dann namentlich in dem Spätwerk, worin Kühnheit und Verzweiflung sich auf eine so einzigartige Weise mischen, der in Pfeiffering geschriebenen ›Weheklag Dr. Fausti‹, wo sich noch mehr die Neigung zeigt, die melodischen Intervalle auch harmonisch-simultan zu bringen.

Es bedeutet aber diese Klang-Chiffre h e a e es: Hetaera esmeralda.

Adrian kehrte nach Leipzig zurück und äußerte sich mit amüsierter Bewunderung über das schlagkräftige Opernwerk, das er wiedergehört haben wollte, möglicherweise wirklich wiedergehört hatte. Noch höre ich ihn über dessen Urheber sagen: »Was für ein begabter Kegelbruder! Der Revolutionär als Sonntagskind,

keck und konziliant. Nie waren Avantgardismus und Erfolgs-
sicherheit vertrauter beisammen. Affronts und Dissonanzen genug, — und dann das gutmütige Einlenken, den Spießer versöh-
nend und ihn bedeutend, daß es so schlimm nicht gemeint war . . .
Aber ein Wurf, ein Wurf . . .« — Fünf Wochen nach der Wieder-
aufnahme seiner musikalischen und philosophischen Studien bestimmte eine lokale Erkrankung ihn, sich in ärztliche Behandlung
zu geben. Der Spezialist, den er aufsuchte, Dr. Esrami mit Namen — Adrian hatte seine Wohnung im Adreßbuch aufgeschlagen —, war ein gewichtiger Mann mit rotem Gesicht und schwar-
zem Spitzbart, dem es offenbar schwerfiel, sich zu bücken, der
aber nicht nur dabei, sondern auch sonst, wenn er aufrecht war,
die Luft pustend zwischen den aufgeworfenen Lippen auszustoßen pflegte. Diese Gewohnheit zeugte wohl von Bedrängnis,
hatte aber zugleich den Ausdruck wegblasender Gleichgültigkeit,
wie wenn einer eine Sache mit einem »Pah!« abtut oder sie doch
damit abzutun versucht. So blies der Doktor andauernd bei der
Untersuchung und erklärte sich dann, in einem gewissen Widerspruch zu dem Ausdruck seines Pustens, für die Notwendigkeit
einer eingreifenden und ziemlich langwierigen Behandlung, die
er auch sofort in Angriff nahm. An drei aufeinanderfolgenden
Tagen war Adrian zur Fortsetzung dieser Behandlung bei ihm;
dann ordnete Erasmi eine Unterbrechung von drei Tagen an und
bestellte ihn auf den vierten. Als sich der Patient — der übrigens
nicht litt, sein Allgemeinbefinden war überhaupt nicht berührt —
zur festgesetzten Stunde, nachmittags um vier Uhr, wieder einfand, begegnete ihm etwas gänzlich Unerwartetes und Erschrek-
kendes.

Während er sonst an der Wohnungstür, drei steile Treppen hoch,
in einem etwas düsteren Hause der Altstadt, stets hatte schellen
müssen, worauf eine Magd ihm geöffnet hatte, fand er diesmal
jene Tür weit offenstehen, und ebenso verhielt es sich mit den
Türen im Innern der Wohnung: Offen stand die Tür zum Warte-
und darin wieder die zum Ordinationszimmer, offen aber auch,
geradeaus, diejenige zum Wohnzimmer, einer zweifenstrigen
›Guten Stube‹. Ja, hier standen auch die Fenster weit offen, und
vom Zugwinde gebläht und aufgehoben, wurden alle vier Gar-
dinen abwechselnd weit in den Raum hineingetrieben und wieder
in die Fensternischen zurückgezogen. Mitten im Zimmer aber lag
Dr. Erasmi mit erhobenem Spitzbart und tief gesenkten Augen-
lidern, in weißem Manschettenhemd und auf einem Troddelkis-
sen im offenen, auf zwei Böcken stehenden Sarge.

Wie das zuging, warum der Tote da so allein und offen im Winde
lag, wo die Magd, wo Frau Dr. Erasmi waren, ob etwa gerade die
Leute der Bestattungsgesellschaft zur Aufschraubung des Deckels
sich in der Wohnung aufhielten oder sie vorübergehend verlassen

hatten, welcher sonderbare Augenblick den Besucher zur Stelle geführt, ist niemals klar geworden. Adrian konnte mir, als ich nach Leipzig kam, nur die Verwirrung schildern, in der er, nach gehabtem Anblick, die drei Treppen wieder hinabgestiegen war. Dem plötzlichen Tode des Doktors scheint er nicht weiter nachgeforscht, sich nicht dafür interessiert zu haben. Er meinte, das ewige »Pah« des Mannes sei gewiß schon immer ein schlechtes Zeichen gewesen.

Mit geheimem Widerwillen, ein unvernünftiges Grauen bekämpfend, muß ich nun berichten, daß die zweite Wahl, die er traf, unter einem verwandten Unheilssterne stand. Er brauchte zwei Tage, um sich von dem erlittenen Choc zu erholen. Dann, wiederum nur beraten vom Leipziger Adreßbuch, gab er sich in die Behandlung eines gewissen Dr. Zimbalist, wohnhaft in einer der Geschäftsstraßen, die am Marktplatz zusammenlaufen. Unten im Hause befand sich ein Restaurant, darüber ein Klavierlager, und einen Teil des zweiten Stockwerks nahm die Wohnung dieses Arztes ein, dessen porzellanenes Namensschild schon unten neben der Haustür in die Augen stach. Die beiden Wartezimmer des Dermatologen, eines davon weiblichen Patienten vorbehalten, waren mit Topfpflanzen, Zimmerlinden und Palmen geschmückt. Medizinische Zeitschriften und Bücher zum Blättern, eine illustrierte Sittengeschichte zum Beispiel, lagen in demjenigen auf, worin Adrian einmal und ein zweites Mal noch seinem Empfange entgegensah.

Dr. Zimbalist war ein kleiner Mann mit Hornbrille, einer ovalen Glatze, die sich zwischen rötlichem Haar von der Stirn zum Hinterkopf zog, und einem nur unter den Nasenlöchern stehengelassenen Schnurrbärtchen, wie es damals in den oberen Klassen Mode geworden war und später zum Attribut einer welthistorischen Maske werden sollte. Seine Redeweise war salopp und männerwitzig, zum Kalauern geneigt. Er war imstande, sich der Bezeichnung »Rheinfall von Schaffhausen« in dem Sinne zu bedienen, den die Weglassung des h in dem Namen des Flusses hervorbringt, also im Sinn eines groben Mißgeschicks, eines Hineinfalls. Man hatte indessen nicht den Eindruck, daß ihm selber sehr wohl dabei war. Ein tickartiges Empor-gezogen-Werden seiner einen Wange, zusammen mit dem Mundwinkel und unter zwinkernder Mitbeteiligung des Auges, war von mißlich-säuerlichem Ausdruck, hatte etwas Für-nichts-Gutstehendes, Verlegenes und Fatales. So hat Adrian ihn mir geschildert, und so sehe ich ihn vor mir.

Es geschah nun folgendes. Adrian hatte sich zweimal der Behandlung bei seinem zweiten Arzt unterzogen und ging ein drittes Mal zu ihm. Beim Ersteigen der Treppe, zwischen dem ersten und zweiten Stockwerk, begegnete er demjenigen, den er aufzusuchen gedachte; er kam ihm zwischen zwei stämmig gebauten Männern, die ihre steifen Hüte im Nacken trugen, entgegen. Dr. Zimbalists Augen waren niedergeschlagen wie die eines Mannes, der beim Treppensteigen nach seinen Tritten sieht. Sein eines Handgelenk war durch Spange und Kettchen mit demjenigen eines seiner Begleiter verbunden. Aufblickend und seinen Patienten erkennend, zuckte er säuerlich mit der Wange, nickte ihm zu und sagte: »Ein andermal!« Adrian, der, mit dem Rücken zur Wand, gegen die drei hatte Front machen müssen, ließ sie verdutzt vorüber, sah den Hinabsteigenden eine Weile nach und folgte ihnen dann die Treppe hinunter. Vor dem Hause sah er sie einen Wagen besteigen, der dort wartete, und in schnellem Tempo davonfahren.

So endéte die Fortsetzung von Adrians Kur, nach ihrer ersten Unterbrechung, bei Dr. Zimbalist. Ich muß hinzufügen, daß er sich um die Hintergründe dieses zweiten Fehlschlages sowenig kümmerte wie um das Seltsame, das jener ersten Erfahrung angehaftet hatte. Warum Zimbalist abgeholt worden war, obendrein zu der Stunde gerade, auf die ihn der Doktor bestellt hatte, — er ließ es auf sich beruhen. Die Kur aber nahm er, gleichsam verschreckt, danach nicht wieder auf, wandte sich an keinen dritten Arzt. Er tat es um so weniger, als der lokale Affekt auch ohne weitere Behandlung binnen kurzem abheilte und verschwand und, wie ich versichern kann und gegen jeden fachmännischen Zweifel aufrechterhalten werde, irgendwelche manifeste Sekundär-Symptome vollkommen ausblieben. Adrian erlitt einmal, in Wendell Kretzschmars Wohnung, dem er eben eine Kompositionsstudie vorlegte, eine heftige Anwandlung von Schwindel, die ihn taumeln ließ und ihn zwang, sich niederzulegen. Sie ging in eine zweitägige Migräne über, die sich höchstens nach der Stärke der Unpäßlichkeit von früheren Anfällen dieser Art unterschied. Als ich, dem Zivilleben zurückgegeben, nach Leipzig kam, fand ich meinen Freund nach Wandel und Wesen unverändert.

XX

Oder doch nicht? — War er während des Jahres unserer Trennung kein andrer geworden, so war er doch ausgesprochener noch er selbst geworden, und das genügte, mich zu beeindrucken, besonders da ich wohl ein wenig vergessen hatte, wie er war. Die Kühle unseres Abschiedes in Halle habe ich geschildert. Unser Wiedersehen, auf das ich mich unendlich gefreut hatte, stand ihm in dieser Eigenschaft nicht nach, so daß ich, verblüfft, zugleich erheitert und betrübt, alles zu verschlucken und niederzuhalten hatte, was sich an Gefühl dabei über den Rand meines Wesens drängte. Daß er mich vom Bahnhof abholen würde, hatte ich nicht erwartet, hatte ihn auch gar nicht genau die Stunde meiner Ankunft wissen lassen. Ich suchte ihn einfach, noch ohne für eigene Unterkunft gesorgt zu haben, in seiner Wohnung auf. Seine Wirtin meldete mich ihm, und ich betrat das Zimmer, indem ich mit froher Stimme seinen Namen rief.

Er saß an seinem Schreibtisch, einem altmodischen Sekretär mit Rolldeckel und aufgesetztem Schrank, und schrieb Noten. »Hallo«, sagte er, ohne aufzublicken. »Gleich können wir reden.« Und fuhr noch einige Minuten in seiner Arbeit fort, indem er es mir überließ, ob ich stehen bleiben oder es mir bequem machen wollte. Man muß das sowenig mißverstehen, wie ich es tat. Es war ja ein Beweis altgesicherter Intimität, eines Zusammenlebens, das durch die einjährige Trennung gar nicht hatte berührt werden können. Es war einfach, als wäre unser Abschied gestern gewesen. Trotzdem war ich ein wenig enttäuscht und beschnien, wenn auch erheitert zugleich, wie das Charakteristische uns erheitert. Längst hatte ich mich auf einem der mit Teppichstoff überzogenen Fauteuils ohne Armlehnen niedergelassen, die den Büchertisch flankierten, als er den Füllfederhalter zuschraubte und zu mir trat, ohne mich auch nur recht anzusehen.

»Du kommst gerade recht«, sagte er und setzte sich an die andere Seite des Tisches. »Das Schaffgosch-Quartett spielt Opus 132 heute abend. Du gehst doch mit?«

Ich verstand, daß er von Beethovens Spätwerk, dem Streichquartett in a-Moll sprach.

»Wie ich da bin«, erwiderte ich, »gehe ich mit. Es wird gut sein, den lydischen Satz, den ›Dankgesang eines Genesenden‹ nach langer Zeit einmal wieder zu hören.«

»Den Becher«, sagte er, »leer' ich jeden Schmaus. Die Augen gehen einem über!« Und er fing an, von den Kirchentonarten und dem Ptolemäischen Tonsystem, dem ›natürlichen‹, zu sprechen, dessen sechs verschiedene Klangcharaktere durch die temperierte, i. e. die falsche Stimmung auf zwei, Dur und Moll, reduziert wurden, und von der modulatorischen Überlegenheit der richtigen Tonleiter über die temperierte. Diese nannte er einen Kompromiß für den Hausgebrauch, wie ja auch das temperierte Klavier ein Ding sei recht für den Hausgebrauch, einen vorläufigen Friedensvertrag, keine hundertfünfzig Jahre alt, der allerlei Beträchtliches zuwege gebracht habe, oh, sehr Beträchtliches, von dem wir uns aber nicht einbilden sollten, daß er für die Ewigkeit geschlossen sei. Er sprach sein großes Gefallen darüber aus, daß es ein Astronom und Mathematiker gewesen sei, Claudius Ptolemäus, ein Mann aus Ober-Ägypten, wohnhaft in Alexandria, der die beste aller bekannten Skalen, die natürliche oder richtige, aufgestellt habe. Das beweise aufs neue, sagte er, die Verwandtschaft von Musik und Himmelskunde, wie sie schon durch die kosmische Harmonielehre des Pythagoras bewiesen worden sei. Zwischendurch kam er auf das Quartett und seinen dritten Satz, die fremde Luft, die Mondlandschaft desselben zurück und auf die enorme Schwierigkeit der Aufführung.

»Im Grunde«, sagte er, »muß jeder der viere ein Paganini sein und dabei nicht nur den eigenen Part beherrschen, sondern die der drei anderen auch, sonst ist kein Auskommen. Gottlob ist auf die Schaffgosch-Leute Verlaß. Man kann es heute, aber es steht an der Grenze des Spielbaren und war zu seiner Zeit einfach nicht spielbar. Die erbarmungslose Gleichgültigkeit eines Entstiegenen gegen das Irdisch-Technische gehört für mich zum Allerbelustigendsten. ›Was geht mich Ihre verdammte Geige an!‹ sagte er zu einem, der sich beklagte.«

Wir lachten — und das Eigentümliche war nur, daß wir uns überhaupt nicht begrüßt hatten.

Übrigens, sagte er, sei da auch noch der vierte Satz, das unvergleichliche Finale mit der kurzen marschartigen Einleitung und jenem stolz hingelegten Rezitativ der ersten Geige, womit so passend wie möglich das Thema vorbereitet wird. »Es ist nur ärgerlich — wenn du es nicht erfreulich nennen willst —, daß es in der Musik — wenigstens in dieser Musik — Dinge gibt, für die im ganzen Bereich der Sprache beim besten Willen kein wirklich charakterisierendes Beiwort, auch keine Kombination von Beiworten aufzutreiben ist. Ich habe mich dieser Tage damit geplagt, — du findest keine adäquate Bezeichnung für den Geist, die Haltung, die Gebärde dieses Themas. Denn es ist viel Gebärde darin. Tragisch-kühn? Trotzig, emphatisch, das Elanhafte ins Erhabene getrieben? Alles nicht gut. Und ›herrlich!‹ ist natürlich nur eine alberne Kapitulation. Man landet zuletzt bei der sachlichen Vorschrift, dem Namen: Allegro appassionato, das ist noch das Beste.«

Ich stimmte ihm zu. Vielleicht, meinte ich, würde uns abends noch etwas einfallen.

»Du mußt Kretzschmar bald sehen«, fiel ihm ein. »Wo wohnst du?«

Ich sagte ihm, daß ich für heute irgendein Hotelzimmer nehmen und mich morgen nach etwas Passendem umsehen wolle.

»Ich verstehe«, sagte er, »daß du mich nicht beauftragt hast, dir etwas zu suchen. Man kann das keinem anderen überlassen. Ich habe«, setzte er hinzu, »den Leuten im ›Café Central‹ von dir und deinem Kommen erzählt. Ich muß dich da bald einmal einführen.«

Mit den »Leuten« war der Kreis junger Intellektueller gemeint, deren Bekanntschaft er durch Kretzschmar gemacht hatte. Ich war überzeugt, daß er sich ungefähr zu ihnen verhielt wie zu den Winfried-Brüdern in Halle, und als ich sagte, es sei ja erfreulich, daß er rasch schicklichen Anschluß gefunden habe in Leipzig, erwiderte er denn auch:

»Nun, Anschluß . . .«

Schildknapp, der Dichter und Übersetzer, fügte er hinzu, sei noch das Wohltuendste. Aber er habe es an sich, daß er aus einer Art von nicht gerade superiorem Selbstgefühl immer versage, sobald er merke, daß man etwas von ihm wolle, ihn brauche, ihn in Anspruch zu nehmen versuche. Ein Mensch von sehr starkem oder vielleicht auch etwas schwächlichem Unabhängigkeitssinn, sagte er. Aber sympathisch, unterhaltlich und übrigens geldlich so knapp gestellt, daß er selber sehen müsse, wie er durchkomme.

Was er von Schildknapp gewollt hätte, der als Übersetzer in nahem Verhältnis zur englischen Sprache lebte und überhaupt ein warmer Verehrer alles Englischen war, stellte sich in weiteren Gesprächen noch diesen Abend heraus. Ich erfuhr, daß Adrian nach einem Opern-Sujet Ausschau hielt, und daß er schon damals, Jahre bevor er sich ernstlich der Aufgabe näherte, ›Love's Labour's Lost‹ dafür ins Auge gefaßt hatte. Was er von dem auch musikalisch bewanderten Schildknapp wünschte, war die Einrichtung des Textes; aber jener wollte, teils um seiner eigenen Arbeiten willen, teils auch wohl, weil Adrian ihn vorderhand kaum hätte entschädigen können, nichts davon wissen. Nun, später habe ich dem Freunde diesen Dienst geleistet und denke gern an das erste, vortastende Gespräch zurück, das wir schon an jenem Abend über den Gegenstand führten. Ich stellte fest, daß die Tendenz zur Vermählung mit dem Wort, zur vokalen Artikuliertheit ihn mehr und mehr beherrschte: er versuchte sich jetzt fast ausschließlich in der Komposition von Liedern, kurzen und längeren Gesängen, ja epischen Bruchstücken, wobei er seinen Stoff einer mittelmeerischen Blütenlese entnahm, die, in ziemlich glücklicher deutscher Übersetzung, provençalische und catalonische Lyrik des zwölften und dreizehnten Jahrhunderts, italienische Dichtung, visionäre Höhepunkte der ›Divina Commedia‹, dann Spanisches und Portugiesisches umfaßte. Es war, der musikalischen Stunde nach und nach den Jahren des Adepten, fast unvermeidlich, daß hier und dort der Einfluß Gustav Mahlers spürbar war. Aber schon wollten ein Laut, eine Haltung, ein Blick, eine allein wandelnde Weise wahrgenommen sein, die fremd und streng auf sich selbst bestanden, und an denen man heute den Meister der grotesken Gesichte der ›Apocalypsis‹ wiedererkennt.

Am deutlichsten meldete dieser sich an in den Gesängen der Reihe, die dem ›Purgatorio‹, dem ›Paradiso‹ entnommen und mit klugem Sinn für ihre Affinität zur Musik gewählt sind: so etwa in dem Stück, das mich besonders einnahm, und das auch Kretzschmar sehr gut geheißen hatte, wo der Dichter im Licht des Venusgestirns die kleineren Lichter — es sind die Geister der Seligen —, die einen rascher, die anderen langsamer, »je nach der Art ihrer Gottbetrachtung«, ihre Kreise ziehen sieht und dies den Funken vergleicht, die man in der Flamme, den *Stimmen*, die man im Gesange unterscheidet, »wenn sich die eine um die andre schlingt«. Ich war erstaunt und entzückt über die Wiedergabe der Funken im Feuer, der sich verschlingenden Stimmen. Und doch wußte ich nicht, ob ich diesen Phantasien über das Licht im Lichte oder den grüblerischen, mehr gedachten als geschauten Stücken den Vorzug geben sollte, — denen, wo alles zurückgewiesene Frage, Ringen ums Unergründliche ist, wo »der Zweifel am Fuß der Wahrheit sprießt« und selbst der Cherub, der in Gottes Tiefe blickt, den Abgrund des ewigen Entschlusses nicht ermißt. Adrian hatte da etwa die furchtbar harte Folge von Versen gewählt, wo von der Verdammnis der Unschuld, der Unbelehrtheit die Rede ist und nach der unbegreiflichen Gerechtigkeit gefragt wird, die den Guten und Reinen, nur eben nicht Getauften, vom Glauben nicht Erreichten der Hölle überantwortet. Er hatte es über sich gewonnen, die donnernde Erwiderung in Töne zu setzen, welche die Ohnmacht des geschöpflich Guten vor dem Guten an sich verkündet, das, als Quelle der Gerechtigkeit, durch nichts, was unser Verstand ungerecht zu nennen versucht ist, von sich selber weichen kann. Mich empörte diese Verleugnung des Menschlichen zugunsten einer unzugänglich absoluten Vorbestimmung, wie ich überhaupt wohl Dante's dichterische Größe anerkenne, von seinem Hang zur Grausamkeit und zu Marterszenen aber mich immer abgestoßen fühlte, und ich erinnere mich, daß ich Adrian schalt, weil er sich zur Komposition der schwer erträglichen Episode entschlossen hatte. Es war bei dieser Gelegenheit, daß ich einem Blick seiner Augen begegnete, den ich früher nicht an ihm gekannt hatte, und an den ich dachte, als ich mich fragte, ob ich ganz recht hätte, zu behaupten, ich hätte ihn nach unserer einjährigen Trennung unverändert vorgefunden. Dieser Blick, der ihm nun eigentümlich blieb, wenn man ihn auch nicht oft, nur von Zeit zu Zeit und manchmal ohne jeden besonderen Anlaß zu erfahren hatte, war in der Tat etwas Neues: stumm, verschleiert, distanzierend bis zum Beleidigenden, dabei sinnend und von kalter Traurigkeit, endete er mit einem nicht unfreundlichen, aber doch spöttischen Lächeln des verschlossenen Mundes und jenem Sichabwenden, das nun wieder zu den altvertrauten Bewegungen gehörte.

Der Eindruck war schmerzlich und, ob gewollt oder ungewollt, kränkend. Aber ich vergaß ihn rasch bei weiterem Zuhören, beim Lauschen auf die bewegende musikalische Diktion, die dem Purgatorio-Gleichnis von dem Manne verliehen war, der in der Nacht ein Licht auf seinem Rücken trägt, das ihm nicht leuchtet, aber hinter ihm den Weg der Kommenden erhellt. Ich hatte Tränen dabei in den Augen. Aber noch glücklicher machte mich die über-aus gelungene Gestaltung der nur aus neun Versen bestehenden Anrede des Dichters an sein allegorisches Lied, das so dunkel und mühevoll spreche und keine Aussicht habe, von der Welt nach seinem verborgenen Sinn verstanden zu werden. So möge es, trägt ihm sein Schöpfer auf, die Leute bitten, wenn schon nicht seine Tiefe, so doch seine Schönheit wahrzunehmen. »So achtet wenigstens, wie schön ich bin!« Wie die Komposition aus der Schwierigkeit, künstlichen Verworrenheit, fremdartigen Mühsal der ersten Verse zu dem zarten Licht dieses Ausrufs hinstrebt und sich rührend darin erlöst, das fand ich gleich damals bewunderns-wert und machte keinen Hehl aus meiner freudigen Zustim-mung.

»Desto besser, wenn es schon etwas taugt«, sagte er; und in an-schließenden Gesprächen wurde klar, daß er das »schon« nicht auf sein jugendliches Alter, sondern darauf bezog, daß er die Lieder-Komposition, wieviel Hingabe er auch der einzelnen Aufgabe widmete, im ganzen doch nur als Vorübung zu einem geschlos-senen Wort-Ton-Werk betrachtete, das ihm vorschwebte, und dessen Gegenstand eben die Shakespeare-Komödie abgeben soll-te. Den Bund mit dem Worte, den er betrieb, trachtete er theore-tisch zu verherrlichen. Musik und Sprache, insistierte er, gehörten zusammen, sie seien im Grunde eins, die Sprache Musik, die Mu-sik eine Sprache, und getrennt berufe immer das eine sich auf das andere, ahme das andere nach, bediene sich der Mittel des ande-ren, gebe immer das eine sich als das Substitut des anderen zu verstehen. Wie Musik zunächst Wort sein, wortmäßig vorgedacht und geplant werden könne, wollte er mir durch die Tatsache de-monstrieren, daß man Beethoven beim Komponieren in Worten beobachtet habe. »Was schreibt er da in sein Taschenbuch?« habe es geheißen. »Er komponiert.« — »Aber er schreibt Worte, nicht Noten.« — Ja, das war so seine Art. Er zeichnete gewöhnlich in Worten den Ideengang einer Komposition auf, indem er höch-stens ein paar Noten zwischenhinein streute. — Hierbei verweilte Adrian, sichtlich davon angetan. Der künstlerische Gedanke, meinte er, bilde wohl überhaupt eine eigene und einzige geistige Kategorie, aber schwerlich werde je der erste Entwurf zu einem Bilde, einer Statue in Worten bestanden haben, — was für die be-sondere Zusammengehörigkeit von Musik und Sprache zeuge. Es sei sehr natürlich, daß die Musik am Wort entbrenne, das Wort aus der Musik hervorbräche, wie es sich gegen Ende der Neunten Symphonie ereigne. Schließlich sei es doch wahr, daß die ganze deutsche Musikentwicklung zu dem Wort-Ton-Drama Wagners hinstrebe und ihr Ziel darin finde.

»*Ein* Ziel«, sagte ich, indem ich auf Brahms hinwies und auf das, was an absoluter Musik in dem »Lichte auf seinem Rücken« herangekommen sei, und er willigte in die Einschränkung um so leichter, als das, was er von weitem vorhatte, so unwagnerisch wie möglich, der Natur-Dämonie und dem mythischen Pathos am allerfernsten war: eine Erneuerung der opera buffa im Geist künstlichster Persiflage und der Persiflage der Künstlichkeit, etwas von hoch-spielerischer Preziosität, die Verspottung affektierter Askese und jenes Euphuismus, der die gesellschaftliche Frucht der klassischen Studien war. Er sprach mir mit Begeisterung von dem Gegenstand, der Gelegenheit bot, das Naturwüchsig-Tölpelhafte neben das Komisch-Sublime zu stellen und eines im anderen lächerlich zu machen. Archaisches Heldentum, die rodomontierende Etikette ragte aus verstorbener Epoche hinein in der Person des Don Armado, den er mit Recht für eine vollendete Opernfigur erklärte. Und er zitierte mir, auf englisch, Verse des Stükkes, die er offenbar tief ins Herz geschlossen hatte: die Verzweiflung des witzigen Biron über seine eidbrüchige Verliebtheit in die mit den Pechkugeln statt der Augen im Kopf; sein Ächzen-und-Beten-Müssen um eine, die »bei Gott, das Ding will tun, wär' Argus auch ihr Wächter und Eunuch«. Dann die Verurteilung eben dieses Biron dazu, ein Jahr seinen Zungenwitz am Lager stöhnender Kranker zu üben, und seinen Ausruf: »Es kann nicht sein! Scherz rührt die Seele nicht in Todespein.« — »Mirth cannot move a soul in agony«, wiederholte er und erklärte, das eines Tages unbedingt komponieren zu wollen, — dies und das unvergleichliche Gespräch im fünften Akt über die Narrheit des Weisen, über den hilflosen, verblendeten und entwürdigenden Mißbrauch des Geistes, die Narrenkappe der Leidenschaft damit zu schmücken. Solche Aussprüche, meinte er, wie die beiden Verse, die besagen, daß kein Jugendblut so töricht ausschweifend entbrenne wie der von Torheit befallene Ernst, »as gravity's revolt to wantonness«, gediehen nur auf den Geniehöhen der Dichtung.

Ich war glücklich über seine Bewunderung, seine Liebe, obgleich mir die Stoffwahl nicht einmal behagte und ich immer etwas unglücklich war über eine Verspottung von Auswüchsen des Humanismus, die doch schließlich auch die Sache selbst ins Lächerliche zieht. Das hat mich später nicht gehindert, ihm das Libretto einzurichten. Was ich ihm aber gleich mit aller Macht auszureden suchte, war sein sonderbares und gänzlich unpraktisches Vorhaben, die Komödie auf englisch zu komponieren, weil er das als das einzig Richtige, Würdige, Authentische empfand, auch weil es ihm um der Wortspiele und des alten englischen Volksverses, des Doggerel-Reimes willen geboten schien. Den Haupteinwand, daß er sich durch einen fremdsprachigen Text jede Aussicht auf Verwirklichung des Werkes durch die deutsche Opernbühne verbauen werde, ließ er nicht gelten, weil er es überhaupt ablehnte, sich ein zeitgenössisches Publikum für seine exklusiven, abseitigskurrilen Träume vorzustellen. Es war eine barocke Idee, die aber tief in seinem aus hochmütiger Weltscheu, dem altdeutschen Provinzialismus von Kaisersaschern und einem ausgesprochenen Gesinnungskosmopolitismus sich zusammensetzenden Wesen wurzelte. Nicht umsonst war er der Sohn der Stadt, in der Otto III. begraben lag. Seine Abneigung gegen das Deutschtum, das er verkörperte (ein Widerwille, der ihn übrigens mit dem Anglisten und Anglomanen Schildknapp zusammenführte), trat in die beiden Erscheinungsformen versponnener Schüchternheit vor der Welt und eines inneren Bedürfnisses nach Welt und Weite auseinander, das ihn darauf bestehen ließ, dem deutschen Konzertsaal Gesänge in fremder Sprache zuzumuten, oder richtiger: sie ihm durch die fremde Sprache vorzuenthalten. Tatsächlich brachte er noch in meinem Leipziger Jahr Kompositionen von Originalgedichten Verlaine's und des von ihm besonders geliebten William Blake zum Vorschein, die jahrzehntelang nicht gesungen worden sind. Die nach Verlaine habe ich später in der Schweiz gehört. Eines davon ist das wundervolle Gedicht mit der Schlußzeile »C'est l'heure exquise«; ein anderes das ebenso zauberhafte ›Chanson d'Automne‹; ein drittes der phantastisch melancholische, unsinnig melodiöse Dreistropher, der mit den Zeilen beginnt: »Un grand sommeil noir — Tombe sur ma vie.« Auch ein paar ausschweifend närrische Stücke aus den ›Fêtes galantes‹ waren darunter, das »Hé! bonsoir, la Lune!« und vor allem der makabre, mit Kichern beantwortete Antrag: »Mourons ensemble, voulez-vous?« — Was Blake's seltsame Poesien betrifft, so hatte er die Strophen von der Rose in Töne gesetzt, deren Leben von der dunklen Liebe des Wurms zerstört wird, welcher den Weg in ihr karmesinfarbenes Bett gefunden hat. Dazu den unheimlichen Sechzehnzeiler vom ›Poison Tree‹, worin der Dichter seinen Grimm mit Tränen bewässert, mit Lächeln und tückischen Listen besonnt, so daß am Baume ein lockender Apfel wächst, mit dem sich der diebische Feind vergiftet: zur Freude des Hassers liegt er morgens tot unterm Baum. Die böse Schlichtheit des Gedichtes war in der Komposition vollkommen wiedergegeben. Aber einen noch tieferen Eindruck machte mir gleich beim ersten Hören ein Lied über Worte von Blake, die von einer goldenen Kapelle träumen, vor welcher Weinende, Trauernde, Betende stehen, ohne zu wagen, sie zu betreten. Es erhebt sich nun das Bild einer Schlange, die mit zäher Mühe Eingang in das Heiligtum zu erzwingen weiß, die schleimige Länge ihres Leibes über den kostbaren Fußboden zieht und den Altar gewinnt, wo sie Brot und Wein mit ihrem Gifte bespeit. »So«, schließt der Dichter mit verzweiflungsvoller Logik, »darum« und »daraufhin«, sagte er, »begab ich mich in einen Koben und legte mich zwischen den Schweinen nieder.« — Die Traumbangigkeit der Vision, der wachsende

Schrecken, das Grauen der Besudelung, endlich der wilde Verzicht auf ein durch den Anblick entehrtes Menschentum waren in Adrians Musik mit erstaunlicher Eindringlichkeit wiedergegeben.

Doch das sind spätere Dinge, wenn sie auch alle in einen Abschnitt gehören, der Leverkühns Leipziger Jahre behandelt. An jenem Abend nach meiner Ankunft also hörten wir das Konzert des Schaffgosch-Quartetts zusammen und besuchten am nächsten Tage Wendell Kretzschmar, der mir unter vier Augen von Adrians Fortschritten auf eine Weise sprach, die mich stolz und glücklich machte. Nichts, sagte er, fürchte er weniger, als je bereuen zu müssen, daß er ihn zur Musik gerufen. Ein Mensch von solcher Selbstkontrolle und solcher Heiklichkeit gegen das Abgeschmackte und alles dem Publikum Bequeme werde es zwar schwer haben, äußerlich wie innerlich; aber das sei hier gerade recht, denn nur die Kunst könne einem Leben Schwere verleihen, das sonst an seiner Facilität sich zu Tode langweilen würde. — Auch bei Lautensack und dem berühmten Bermeter schrieb ich mich ein, froh, daß ich um Adrians willen keine Theologie mehr zu hören brauchte, und ließ mich von ihm in den Kreis des ›Café Central‹ einführen, eine Art von Bohème-Club, der ein verräuchertes Sonderzimmer des Lokals mit Beschlag belegt hatte, wo die Mitglieder nachmittags Zeitungen lasen, Schach spielten und die kulturellen Ereignisse besprachen. Es waren Konservatoristen, Maler, Schriftsteller, junge Verlagsbuchhändler, auch musisch interessierte angehende Rechtsanwälte, dazu ein paar Schauspieler, Mitglieder der sehr literarisch geleiteten ›Leipziger Kammerspiele‹, und so fort. Rüdiger Schildknapp, der Übersetzer, uns an Jahren beträchtlich voran, wohl Anfang Dreißig, gehörte, wie schon erwähnt, zu der Runde, und da er der einzige war, an den Adrian sich enger anschloß, so trat auch ich ihm näher und verbrachte manche Stunde in beider Gesellschaft. Daß ich dabei ein kritisches Auge auf den Mann hatte, den Adrian seiner Freundschaft würdigte, wird, fürchte ich, der vorläufigen Skizze abzumerken sein, die ich hier von seiner Person entwerfen will, obgleich ich mich bemühen werde und mich immer bemüht habe, ihm Gerechtigkeit widerfahren zu lassen.

Schildknapp war in einer schlesischen Mittelstadt als Sohn eines Postbeamten geboren, dessen Stellung sich über das Subalterne erhob, ohne in den eigentlich höheren, Akademikern vorbehaltenen Verwaltungsdienst, in die Regierungsrat-Sphäre weiterführen zu können. Ein solcher Posten fordert kein Abiturienten-Zeugnis, keine juristische Vorbildung; man erlangt ihn nach einigen Jahren Vorbereitungsdienst durch Ablegung der Obersekretär-Prüfung. Dies war der Weg Schildknapps des Älteren gewesen; und da er ein Mann von Erziehung und guter Form, auch gesellschaftlich ehrgeizig war, die preußische Hierarchie ihn aber von den oberen Cirkeln der Stadt entweder ausschloß oder, wenn sie ihn ausnahmsweise zuließ, ihm dort Demütigungen zu kosten gab, so haderte er mit seinem Lose und war ein verstimmter Mann, ein Schmoller, der den verfehlten Aufbau seines Lebens die Seinen durch schlechte Laune entgelten ließ. Rüdiger, sein Sohn, schilderte uns sehr anschaulich, indem er Komik vor Pietät setzte, wie die soziale Verbitterung des Vaters ihm, zusammen mit der Mutter, den Geschwistern, das Leben vergällt hatte, — dies um so empfindlicher, als sie sich, der Kultur des Mannes gemäß, nicht in grobem Zank, sondern als feinere Leidigkeit, ausdrucksvolle Selbstbemitleidung kundgegeben hatte. Er war etwa zu Tische gekommen, um sogleich bei der Fruchtsuppe, in der Kirschen schwammen, heftig auf einen Kern zu beißen und sich eine Zahnkrone zu verletzen. »Ja, seht«, hatte er mit bebender Stimme gesagt, indem er die Arme ausbreitete, »so ist es, so geht es mir, so sieht es mir gleich, es ist in mich gelegt, es soll so sein! Ich hatte mich auf diese Mahlzeit gefreut, hatte einigen Appetit verspürt, der Tag ist warm, von der kalten Schale hatte ich mir Erfrischung versprochen. Da muß dies geschehen. Gut, ihr seht wohl, Freude ist mir nicht gewährt. Ich verzichte auf Weiteres. Ich ziehe mich auf mein Zimmer zurück. Laßt es euch schmecken!« hatte er mit versagender Stimme geschlossen und war von Tische gegangen, wohl wissend, daß es ihnen bestimmt nicht schmecken würde, da er sie in tiefer Depression zurückließ.

Man kann sich denken, wie erheitert Adrian durch die trübselig lustige Wiedergabe solcher mit jugendlicher Intensität erlebter Szenen war. Dabei hatten wir unser Lachen immer etwas zu dämpfen und im schonend Verständnisvollen zu halten, da es sich schließlich um des Erzählers Vater handelte. Rüdiger versicherte, das soziale Inferioritätsleiden des Familienhauptes habe sich mehr oder weniger ihnen allen mitgeteilt, er selbst habe es als eine Art von seelischem Knacks aus dem Elternhause davongetragen; aber gerade der Verdruß darüber schien einer der Gründe gewesen zu sein, weshalb er dem Vater nicht den Gefallen getan, in seiner Person die Scharte auszuwetzen, ihm die Hoffnung vereitelt hatte, doch wenigstens in dem Sohne noch Regierungsrat zu werden. Man hatte ihn das Gymnasium absolvieren lassen, ihn auf die Universität geschickt. Aber nicht einmal bis zum Assessor-Examen war er gediehen, sondern hatte sich der Literatur ergeben und lieber auf jede geldliche Versorgung von zu Hause verzichtet, als daß er den heißen, aber ihm widrigen Wünschen des Vaters genügt hätte. Er schrieb Gedichte in freien Rhythmen, kritische Aufsätze und kurze Erzählungen in reinlicher Prosa, hatte aber, teils unter wirtschaftlichem Zwang, teils auch, weil seine Produktion nicht eben übermächtig sprudelte, seine

Tätigkeit vorwiegend auf das Gebiet der Übersetzung, namentlich aus seiner Lieblingssprache, dem Englischen, verlegt und bediente nicht nur mehrere Verlage mit Verdeutschungen englischer und amerikanischer Unterhaltungsbelletristik, sondern ließ sich auch von einem Münchener Luxus- und Kuriositätenverlage mit der Übersetzung älteren englischen Schrifttums, der dramatischen Moralitäten Skeltons, einiger Stücke von Fletcher und Webster, gewisser Lehrgedichte von Pope beauftragen und besorgte vorzügliche deutsche Ausgaben von Swift und Richardson. Dergleichen Werke versah er mit wohlfundierten Einleitungen und betreute die Übertragung mit viel Gewissenhaftigkeit, Stilgefühl und Geschmack, bis zur Versessenheit bemüht um die Genauigkeit der Wiedergabe, das Sichdecken des sprachlichen Ausdrucks und mehr und mehr den intrigierenden Reizen und Mühen der Reproduktion verfallend. Dies nun aber brachte eine Seelenlage mit sich, die, auf anderer Ebene, derjenigen seines Vaters glich. Denn er fühlte sich zum selbst hervorbringenden Schriftsteller geboren und sprach bitter von dem notgedrungenen Dienst an fremdem Gut, der ihn verzehrte, und durch den er sich auf eine ihn kränkende Weise abgestempelt fand. Dichter wollte er sein, war es auch seiner Überzeugung nach, und daß er um des leidigen Broterwerbes willen den vermittelnden Literaten abgeben mußte, stimmte ihn absprechend kritisch gegen die Beiträge anderer und war Gegenstand seiner täglichen Klage. »Wenn ich bloß Zeit hätte«, pflegte er zu sagen, »und arbeiten dürfte, statt schuften zu müssen, so wollte ich es ihnen schon zeigen!« Adrian war geneigt, ihm das zu glauben, ich aber, vielleicht zu hart urteilend, vermutete in seiner Verhinderung immer einen im Grunde willkommenen Vorwand, mit dem er sich selbst über den Mangel eines genuinen und durchschlagenden Schaffensimpulses täuschte.

Bei alldem darf man ihn sich nicht griesgrämlich denken; im Gegenteil war er sehr lustig, ja albern, begabt mit einem ausgesprochen angelsächsischen Sinn für Humor, und von Charakter ganz das, was die Engländer ›boyish‹ nennen, — sofort war er immer mit allen Söhnen Albions bekannt, die als Touristen, Kontinental-Bummler, Musikbeflissene nach Leipzig kamen, redete in vollkommener, wahlverwandtschaftlicher Anpassung ihre Sprache mit ihnen, talking nonsense nach Lust und Liebe, und wußte sehr komisch ihre eigenen Versuche im Deutschen nachzuahmen, ihren Akzent, ihr allzu korrektes Verfehlen des umgangssprachlichen Ausdrucks, ihre Ausländer-Schwäche für das sehr schriftliche Pronomen »jener, jenes«, wie sie also sagten: »Besichtigen Sie jenes!«, wenn sie nur sagen wollten: »Sehen Sie das da!« Auch sah er geradeso aus wie sie — ich habe noch gar nicht von seiner Erscheinung gesprochen. Sie war sehr gut und ungeachtet der ärmlichen, immer gleichen Kleidung, zu der seine Verhältnisse ihn nötigten, elegant und sportlich herrenhaft. Er war von markanten Gesichtszügen, deren geradezu edler Charakter nur durch eine etwas zerrissene und zugleich weichliche Mundbildung, wie ich sie bei Schlesiern öfters beobachtet habe, leicht beeinträchtigt wurde. Hochgewachsen, breitschultrig, schmalhüftig, langbeinig, trug er tagein, tagaus dieselben schon recht mitgenommenen gewürfelten Breeches, wollene Langstrümpfe, derbe gelbe Schuhe, ein Hemd aus grobem Leinen, dessen Kragen offenstand, und darüber irgendeine Jacke von schon unbestimmt gewordener Farbe und mit zu kurzen Ärmeln. Die Hände aber waren vornehm langfingrig, mit schön geformten, ovalen, gewölbten Nägeln, und so unverleugbar gentlemanlike war das Gesamtbild, das er bot, daß er es wagen konnte, in seinem salonwidrigen Alltagsaufzuge Gesellschaften zu besuchen, bei denen Abenddreß herrschend war, — den Frauen gefiel er immer noch besser, wie er da war, als seine Nebenbuhler in korrektem Schwarz und Weiß, und man sah ihn bei solchen Empfängen umringt von unverhohlen bewundernder Weiblichkeit.

Und doch! Und wiederum! Konnte seine dürftige, durch banalen Geldmangel entschuldigte Hülle seinem Kavalierstum nichts anhaben, das als die natürliche Wahrheit hindurchschien und sich gegen sie durchsetzte, so war wieder diese Wahrheit zum Teil eine Täuschung, und in diesem komplizierten Sinn war Schildknapp ein Blender. Die Sportlichkeit seiner Erscheinung war irreführend, denn er trieb gar keinen Sport, ausgenommen ein wenig Skilauf mit seinen Engländern zur Winterzeit in der ›Sächsischen Schweiz‹, wobei er sich aber leicht Darmkatarrhe zuzog, die meiner Meinung nach nicht ganz harmlos waren; denn trotz seiner braunen Gesichtsfarbe, seinen breiten Schultern stand seine Gesundheit nicht auf den festesten Füßen, und als noch jüngerer Mensch hatte er eine Lungenblutung gehabt, neigte also zur Tuberkulose. Seinem Glück bei Frauen entsprach meiner Beobachtung nach nicht ganz das Glück, dessen sie sich bei ihm erfreuten, — wenigstens individuell; denn in ihrer Gesamtheit genossen sie seine ganze Verehrung, eine vagierende, umfassende Verehrung, die so sehr dem Geschlecht als solchem, den Glücksmöglichkeiten der ganzen Welt galt, daß der Einzelfall ihn unaktiv, sparsam, zurückhaltend fand. Daß er so viel Liebesabenteuer hätte haben können, wie er wollte, schien ihm zu genügen, und es war, als scheute er vor jeder Bindung ans Wirkliche zurück, weil er einen Raub am Potentiellen darin sah. Das Potentielle war seine Domäne, der unendliche Raum des Möglichen sein Königreich, — darin und soweit war er wirklich ein Dichter. Aus seinem Namen schloß er, daß seine Vorfahren reisige Begleiter von Edlen und Fürsten gewesen waren, und obgleich er nie auf einem Pferd gesessen hatte, auch gar nicht nach der Gelegenheit trachtete, eines zu besteigen, fühlte er sich zum Reiter geboren. Er schrieb es atavistischer Erinnerung, einem Bluterbe zu, daß er sehr oft vom Reiten träumte, und machte uns ungemein überzeugend vor, wie natürlich es ihm war, mit der Linken den Zügel zu halten und mit der Rechten dem Gaule den Hals zu klopfen. Die häufigste Redensart in seinem Munde war das Wort »Man sollte«. Es war die Formel für ein wehmütiges Erwägen von Möglichkeiten, vor deren Erfüllung die Entschlußunfähigkeit stand. Man sollte dies und jenes tun, dies und jenes sein oder haben. Man sollte einen Leipziger Gesellschaftsroman schreiben, sollte, sei es auch als Tellerwäscher, eine Weltreise machen, sollte Physik, Astronomie studieren, ein Gütchen erwerben und nur noch im Schweiße seines Angesichts die Scholle bestellen. Hatten wir uns in einem Kolonialwarengeschäft ein wenig Kaffee mahlen lassen, so war er imstande, beim Hinaustreten mit nachdenklichem Kopfnicken zu äußern: »Einen Kolonialwarenladen sollte man haben!«

Von Schildknapps Unabhängigkeitssinn habe ich schon gesprochen. Es drückte sich dieser ja schon in seiner Verabscheuung des Staatsdienstes, seiner freien Berufswahl aus. Doch war er auch wieder vieler Herren Diener und hatte manches vom Krippenreiter. Warum hätte er übrigens bei seinen schmalen Verhältnissen nicht von seinem guten Aussehen, seiner gesellschaftlichen Beliebtheit einen nützlichen Gebrauch machen sollen? Er ließ sich viel einladen, aß da und dort zu Mittag in Leipziger Häusern, auch in reichen jüdischen, obgleich man antisemitische Äußerungen von ihm hören konnte. Leute, die sich zurückgesetzt, nicht nach Gebühr gewürdigt fühlen und sich dabei einer edlen Physis erfreuen, suchen oft ihre Genugtuung in rassischem Selbstgefühl. Das Besondere seines Falles war nur, daß er auch die Deutschen nicht mochte, von ihrer völkergesellschaftlichen Inferiorität durchdrungen war und es nun wieder damit erklärte, daß er es eher noch oder lieber gleich mit den Juden hielt. Diese ihrerseits, die jüdischen Verlegersfrauen und Bankiersdamen, blickten mit der tiefgefühlten Bewunderung ihrer Rasse für deutsches Herrenblut und lange Beine zu ihm auf und genossen es sehr, ihn zu beschenken: die Sportstrümpfe, Gürtel, Sweater und Halstücher, die er trug, waren meistens Geschenke, und nicht immer ganz unprovozierte. Denn wenn er eine Dame beim shopping begleitete, konnte er wohl auf einen Gegenstand weisen und sagen: »Nun, Geld würde ich dafür nicht geben. Höchstens geschenkt würde ich's nehmen.« Und er nahm es geschenkt, mit der Miene eines, der ja gesagt hatte, daß er kein Geld dafür geben würde. Im übrigen bewies er sich und anderen seine Unabhängigkeit durch die grundsätzliche Weigerung, sich gefällig zu erweisen, — also dadurch, daß er, wenn man ihn brauchte, bestimmt nicht zu haben war. Fehlte ein Tischherr und bat man ihn, einzuspringen, so sagte er unfehlbar ab. Wünschte jemand, für eine Reise, einen vom Arzte vorgeschriebenen Kuraufenthalt sich seiner angenehmen Gesellschaft zu versichern, so war seine Weigerung desto gewisser, je deutlicher dem anderen an seiner Unterhaltung gelegen war. So hatte er sich ja auch dem Ansinnen Adrians verweigert, ihm ›Love's Labour's Lost‹ als Textbuch einzurichten. Dabei liebte er Adrian sehr, war ihm aufrichtig anhänglich, und dieser nahm ihm das Versagen nicht übel, war überhaupt voller Duldsamkeit gegen seine Schwächen, über die ja auch Schildknapp selber lachte, und viel zu dankbar für sein sympathisches Gespräch, seine Vatergeschichten, seine englische Albernheit, als daß er ihm etwas hätte nachtragen mögen. Nie habe ich ihn so viel lachen, und zwar Tränen lachen, sehen wie beim Zusammensein mit Rüdiger Schildknapp. Ein echter Humorist, wußte der den unscheinbarsten Dingen eine momentan überwältigende Komik abzugewinnen. So ist es ja eine Tatsache, daß das Zerbeißen von sprödem Zwieback das Gehör des Essers mit betäubendem Geräusch belegt, es gegen die Außenwelt absperrt; und Schildknapp demonstrierte nun also beim Tee, wie eine zwiebackessende Gesellschaft einander gar nicht verstehen könne und ihre Konversation auf »Wie beliebt?«, »Haben Sie etwas gesagt?«, »Einen Augenblick, bitte!« beschränken müsse. Wie konnte Adrian auch lachen, wenn Schildknapp mit seinem Spiegelbild haderte! Er war nämlich eitel, — nicht auf banale Art, sondern in dichterischer Hinsicht auf das unendliche, seine Entschlußfähigkeit weit übersteigende Glückspotential der Welt, für das er sich jung und schön zu halten wünschte, und grämte sich über die Neigung seines Gesichtes zu verfrühter Runzelbildung, vorzeitigem Verwittern. Ohnehin hatte sein Mund etwas Greisenhaftes, und zusammen mit der gerade darauf niedergehenden, etwas hängenden Nase, die man gern noch als klassisch anzusprechen bereit war, ließ er Rüdigers Altersphysiognomie vorwegnehmen. Dazu kamen Stirnfalten, Strichfurchen von der Nase zum Mund und sonst allerlei Krähenfüße. So brachte er denn mißtrauisch sein Gesicht dem Spiegelglas nahe, schnitt sich eine sauere Grimasse, hielt sein Kinn mit Daumen und Zeigefinger, strich sich angewidert die Wangen hinunter und winkte seinem Bilde so ausdrucksvoll mit der Rechten ab, daß wir beide, Adrian und ich, in lautes Lachen ausbrachen.

Was ich noch nicht erwähnt habe, ist, daß seine Augen genau die gleiche Farbe wie diejenigen Adrians hatten. Das war sogar eine merkwürdige Gemeinsamkeit: Ganz ebendieselbe Mischfarbe aus Grau-Blau-Grün wiesen sie auf wie bei jenem, und selbst ein identischer rostfarbener Ring um die Pupillen ließ sich bei beiden feststellen. Klinge es nun so sonderbar wie es mag, aber es schien mir immer, schien mir gewissermaßen zu meiner Beruhigung so, als hätte Adrians lachlustige Freundschaft für Schildknapp mit dieser Gleichheit ihrer Augenfarbe zu tun, — was dem Gedanken gleichkam, daß sie auf einer ebenso tiefen wie heiteren *Indifferenz* beruhte. Kaum brauche ich hinzuzufügen, daß sie einander allezeit mit Nachnamen und mit »Sie« anredeten. Wußte ich Adrian auch nicht so zu amüsieren wie Schildknapp, — das Kindheits-Du zwischen ihm und mir hatte ich doch vor dem Schlesier voraus.

XXI

Heute morgen, während Helene, meine gute Frau, uns den Morgentrank bereitete und ein frischer oberbayerischer Herbsttag sich aus den obligaten Frühnebeln hervorzuklären begann, las ich im Blatt von dem glückhaften Wiederaufleben unseres Unterseeboot-Krieges, dem binnen vierundzwanzig Stunden nicht weniger als zwölf Schiffe, darunter zwei große Passagierdampfer, ein englischer und ein brasilianischer, mit fünfhundert Reisenden zum Opfer gefallen sind. Wir verdanken diesen Erfolg einem neuen Torpedo von fabelhaften Eigenschaften, das der deutschen Technik zu konstruieren gelungen ist, und ich kann eine gewisse Genugtuung nicht unterdrücken über unseren immer regen Erfindungsgeist, die durch noch so viele Rückschläge nicht zu beugende nationale Tüchtigkeit, welche immer noch voll und ganz dem Regime zur Verfügung steht, das uns in diesen Krieg geführt hat und uns tatsächlich den Kontinent zu Füßen gelegt, den Intellektuellentraum von einem europäischen Deutschland durch die allerdings etwas beängstigende, etwas brüchige und, wie es scheint, der Welt unerträgliche Wirklichkeit eines deutschen Europa ersetzt hat. Jenes unwillkürliche Genugtuungsgefühl gibt denn auch immer wieder dem Gedanken Raum, daß solche zwischeneinfallende Triumphe, wie die neuen Versenkungen oder der an und für sich prächtige Husarenstreich der Entführung des gestürzten italienischen Diktators, nur noch dazu dienen können, falsche Hoffnungen zu erwecken und einen Krieg zu verlängern, der nach der Einsicht der Verständigen nicht mehr gewonnen werden kann. Dies ist auch die Meinung des Hauptes unserer Freisinger theologischen Hochschule, Monsignore Hinterpförtner, wie er mir beim Abendschoppen unter vier Augen unumwunden eingestand, — ein Mann, der keine Ähnlichkeit hat mit dem leidenschaftlichen Gelehrten, um den sich im Sommer der gräßlich im Blut erstickte Münchener Studentenaufruhr zentrierte, aber dessen Weltverstand ihm keine Illusionen erlaubt, auch die nicht, die sich an den Unterschied klammert zwischen dem Nichtgewinnen und dem Verlieren des Krieges, also den

Menschen die Wahrheit verschleiert, daß wir va banque gespielt haben, und daß das Fehlschlagen unseres Welteroberungsunternehmens einer nationalen Katastrophe ersten Ranges gleichkommen muß.

Dies alles sage ich, um den Leser daran zu erinnern, unter welchen zeitgeschichtlichen Umständen die Niederschrift von Leverkühns Lebensgeschichte vonstatten geht, und ihn bemerken zu lassen, wie die mit meiner Arbeit verbundene Aufregung ständig bis zur Ununterscheidbarkeit in eins verschmilzt mit derjenigen, die durch die Erschütterungen des Tages erzeugt wird. Nicht von Zerstreutheit rede ich, denn mich von meinem biographischen Vorhaben abzulenken, vermögen, wie mir scheinen will, die Geschehnisse eigentlich nicht. Dennoch, und trotz meiner persönlichen Geborgenheit, darf ich wohl sagen, daß diese Zeiten der steten Förderung einer Aufgabe wie der meinen nicht eben günstig sind. Und da überdies, gerade während der Münchener Unruhen und Hinrichtungen, eine mit Schüttelfrost einsetzende Grippe mich befiel, die mich für zehn Tage ans Bett fesselte und die geistigen und körperlichen Kräfte des Sechzigjährigen noch lange beeinträchtigte, so ist es kein Wunder, daß aus Frühling und Sommer schon vorgeschrittener Herbst geworden ist, seit ich die ersten Zeilen dieser Mitteilungen zu Papier brachte. Unterdessen haben wir die Zerstörung unserer würdigen Städte aus der Luft erlebt, die zum Himmel schreien würde, wenn nicht wir Schuldbeladenen es wären, die sie erleiden. Da aber wir es sind, erstickt der Schrei in den Lüften und kann, wie König Claudius' Gebet, »nicht zum Himmel dringen«. Wie wunderlich nimmt sich doch auch das gegen diese von uns heraufbeschworenen Untaten erhobene Kulturlamento im Munde derjenigen aus, die als die Künder und Bringer einer weltverjüngenden, in Ruchlosigkeit schwelgenden Barbarei den Schauplatz der Geschichte betraten! Mehrmals rückte das schütternde, stürzende Verderben meiner Klause atemberaubend nahe. Das fürchterliche Bombardement der Stadt Dürers und Willibald Pirckheimers war kein weit entferntes Ereignis mehr; und als das Jüngste Gericht auch München traf, saß ich bleich und wie die Wände, die Türen, die Fensterscheiben des Hauses bebend in meinem Studio und — schrieb mit zitternder Hand an vorliegender Lebensgeschichte. Denn diese Hand zittert ja ohnedies dabei, aus Gründen des Gegenstandes, und so ließ ich es mir nichts ausmachen, daß die gewohnte Erscheinung durch das äußere Schrecknis noch ein wenig verstärkt wurde.

Wir haben, sage ich, mit der Art von Hoffnung und Stolz, die deutsche Kraftentfaltung uns erregt, den Anbruch eines neuen Sturmes unserer Wehrmacht gegen die russischen Horden erlebt, die ihr unwirtliches, aber offenbar sehr geliebtes Land verteidigen, — eine Offensive, die nach wenigen Wochen in eine russische umschlug und seitdem zu nicht endenden, nicht aufzuhaltenden Geländeverlusten, um nur vom Gelände zu reden, geführt hat. Mit tiefer Verblüffung nahmen wir die Landung amerikanischer und kanadischer Truppen an der Südost-Küste Siziliens, den Fall von Syrakus, Catania, Messina, Taormina zur Kenntnis und erfuhren mit einer Mischung aus Schrecken und Neid, mit dem durchdringenden Gefühl, daß wir weder im guten noch schlechten Sinn dazu fähig wären, wie ein Land, dessen Geistesverfassung ihm noch erlaubt, aus einer Folge skandalöser Niederlagen und Verluste die nüchtern übliche Konsequenz zu ziehen, sich seines großen Mannes entledigte, um etwas später der Welt das zu gewähren, was man auch von uns verlangt, aber worein zu willigen die tiefste Not uns viel zu heilig und teuer sein wird: die unbedingte Übergabe. Ja, wir sind ein gänzlich verschiedenes, dem Nüchtern-Üblichen widersprechendes Volk von mächtiger tragischer Seele, und unsere Liebe gehört dem Schicksal, jedem Schicksal, wenn es nur eines ist, sei es auch der den Himmel mit Götterdämmerungsröte entzündende Untergang!

Das Vordringen der Moskowiter in unserer zukünftigen Kornkammer, der Ukraine, und das elastische Zurückgehen unserer Truppen auf die Dnjepr-Linie begleitete meine Arbeit — oder vielmehr, diese begleitete die Ereignisse. Seit einigen Tagen scheint die Unhaltbarkeit auch dieser Verteidigungsbarre erwiesen, obgleich unser Führer, herbeieilend, dem Rückzug ein mächtiges Halt gebot, das treffende Rügewort von der »Stalingrad-Psychose« sprach und die Dnjepr-Linie um jeden Preis zu halten befahl. Der Preis, jeder Preis, wurde erlegt, allein vergebens; und wohin, wie weit die rote Flut, von der die Zeitungen sprechen, sich noch ergießen wird, ist unserer schon zu abenteuerlichen Ausschweifungen geneigten Einbildungskraft überlassen. Denn ins Gebiet des Phantastischen und gegen alle Ordnung und Vorhersicht Verstoßenden gehört es ja, daß Deutschland selbst zum Schauplatz eines unserer Kriege werden könnte. Wir haben das vor fünfundzwanzig Jahren im letzten Augenblick zu verhindern gewußt, aber unsere zunehmend tragisch-heroische Seelenlage scheint uns nicht mehr zu erlauben, eine verlorene Sache zu quittieren, bevor das Undenkbare sich verwirklicht. Gottlob liegen noch weite Strecken zwischen dem östlich andringenden Verderben und unseren heimatlichen Gefilden, und wir mögen bereit sein, an dieser Front vorerst manche kränkende Einbuße hinzunehmen, um mit desto zäherer Kraft unseren europäischen Lebensraum gegen die westlichen Todfeinde deutscher Ordnung zu verteidigen. Die Invasion unseres schönen Siziliens bewies alles andere, als daß auch ein Fußfassen des Feindes auf dem italienischen Haupt- und Festlande möglich sei. Unglücklicherweise hat es sich ermöglichen lassen, und vorige Woche ist in Neapel ein kommunistischer, den Alliierten behilflicher Aufstand ausgebrochen, der die Stadt nicht länger als einen deutscher Truppen würdigen Aufenthalt erscheinen ließ, so daß wir sie, nach gewissenhafter Zerstörung der Bibliothek und mit Hinterlassung einer Zeitbombe im Hauptpostamt, erhobenen Hauptes geräumt haben. Unterdessen spricht man von Invasionsproben im Kanal, der mit Schiffen bedeckt sein soll, und der Bürger fragt sich, gewiß unerlaubterweise, ob nicht, was in Italien geschah und weiter, die Halbinsel hinauf, geschehen mag, gegen allen vorgeschriebenen Glauben an die Unverletzlichkeit der Feste Europa, auch in Frankreich, oder wo sonst immer, geschehen kann.

Ja, Monsignore Hinterpförtner hat recht: wir sind verloren. Will sagen: der Krieg ist verloren, aber das bedeutet mehr als einen verlorenen Feldzug, es bedeutet tatsächlich, daß *wir* verloren sind, verloren unsere Sache und Seele, unser Glaube und unsere Geschichte. Es ist aus mit Deutschland, wird aus mit ihm sein, ein unnennbarer Zusammenbruch, ökonomisch, politisch, moralisch und geistig, kurz allumfassend, zeichnet sich ab, — ich will es nicht gewünscht haben, was droht, denn es ist die Verzweiflung, ist der Wahnsinn. Ich will es nicht gewünscht haben, weil viel zu tief mein Mitleid, mein jammervolles Erbarmen ist mit diesem unseligen Volk, und wenn ich an seine Erhebung und blinde Inbrunst, den Aufstand, den Aufbruch, Ausbruch und Umbruch, den vermeintlich reinigenden Neubeginn, die völkische Wiedergeburt von vor zehn Jahren denke — diesen scheinbar heiligen Taumel, in den sich freilich, zum warnenden Zeichen seiner Falschheit, viel wüste Roheit, viel Schlagetot-Gemeinheit, viel schmutzige Lust an Schänden, Quälen, Erniedrigen mischte, und der, jedem Wissenden unverkennbar, den Krieg, diesen ganzen Krieg schon in sich trug —, so krampft sich mir das Herz zusammen vor der ungeheuren Investition an Glauben, Begeisterung, historischem Hochaffekt, die damals getätigt wurde und nun in einem Bankerott ohnegleichen verpuffen soll. Nein, ich will's nicht gewünscht haben — und hab' es doch wünschen müssen — und weiß auch, daß ich's gewünscht habe, es heute wünschen und es begrüßen werde: aus Haß auf die frevlerische Vernunftverachtung, die sündhafte Renitenz gegen die Wahrheit, den ordinär schwelgerischen Kult eines Hintertreppenmythos, die sträfliche Verwechslung des Heruntergekommenen mit dem, was es einmal war, den schmierenhaften Mißbrauch und elenden Ausverkauf des Alt- und Echten, des Treulich-Traulichen, des Ur-Deutschen, woraus Laffen und Lügner uns einen sinnberaubenden Giftfusel bereitet. Der Riesenrausch, den wir immer Rauschlüsternen uns daran tranken, und in dem wir durch Jahre trügerischen Hochlebens ein Übermaß des Schmählichen verübten, — er muß bezahlt sein. Womit? Ich habe das Wort schon genannt, in Verbindung mit dem Worte »Verzweiflung« sprach ich es aus. Ich werde es nicht wiederholen. Nicht zweimal überwindet man das Grauen, mit dem ich es dort weiter oben, unter einem bedauerlichen Ausfahren der Buchstaben, niederschrieb.

*

Auch Sternchen sind eine Erquickung für Auge und Sinn des Lesers; es muß nicht immer gleich der stärker gliedernde Neu-Anhub einer römischen Ziffer sein, und unmöglich konnte ich dem vorstehenden Exkurs ins Gegenwärtige, von Adrian Leverkühn nicht mehr Erlebte, den Charakter eines eigenen Hauptstückes zugestehen. Nach Klärung des Druckbildes durch die beliebte Figur werde ich vielmehr diesen Abschnitt mit einigen weiteren Mitteilungen über Adrians Leipziger Jahre vervollständigen, ohne mir zu verbergen, daß er auf diese Weise, als Kapitel genommen, ein recht uneinheitliches Aussehen gewinnt, aus heterogenen Bestandteilen zusammengesetzt erscheint, — da es doch genug wäre, daß es mir schon mit dem vorigen nicht besser ergangen ist. Lese ich nach, was da alles zur Sprache kam: Adrians dramatische Wünsche und Pläne, seine frühesten Lieder, die schmerzliche Art zu blicken, die er während unserer Trennung angenommen, geistig verlockende Schönheiten der Shakespeare'schen Komödie, Leverkühns Vertonungen fremdsprachiger Gedichte und sein scheuer Kosmopolitismus, dazu der Bohème-Club des ›Café Central‹, an dessen Erwähnung sich das mit anfechtbarer Breite ausgeführte Portrait Rüdiger Schildknapps schließt, — so frage ich mich mit Recht, ob so krause Elemente eigentlich eine Kapitel-Einheit zu bilden imstande sind. Aber erinnere ich mich nicht, daß ich mir das Verfehlen eines beherrschten und regelmäßigen Aufbaus von Anfang an bei dieser Arbeit zum Vorwurf machen mußte? Auch meine Entschuldigung ist immer dieselbe. Mein Gegenstand steht mir zu nahe. Allzusehr fehlte es hier wohl überhaupt an dem Gegensatz, dem bloßen Unterschied von Stoff und Gestalter. Habe ich nicht mehr als einmal gesagt, daß das Leben, von dem ich handle, mir näher, teurer, erregender war als mein eigenes? Das Nächste, Erregendste, Eigenste ist kein ›Stoff‹; es ist die Person — und nicht danach angetan, eine künstlerische Gliederung von ihr zu empfangen. Fern sei es von mir, den Ernst der Kunst zu leugnen; aber wenn es ernst wird, verschmäht man die Kunst und ist ihrer nicht fähig. Ich kann nur wiederholen, daß Paragraphen und Sternchen in diesem Buche ein reines Zugeständnis an die Augen des Lesers sind, und daß ich, wenn es nach mir ginge, das Ganze in einem Zuge und Atem, ohne jede Einteilung, ja ohne Einrückung und Absatz herunterschreiben würde. Ich habe nur nicht den Mut, ein so rücksichtsloses Druck-werk der lesenden Welt vor Augen zu bringen.

*

Da ich ein Jahr mit Adrian in Leipzig verlebte, weiß ich auch, wie er die übrigen vier seines Aufenthaltes dort zubrachte: der Kon-servatismus seiner Lebensweise lehrt es mich, der oft wie Starr-heit anmutete und für mich etwas Bedrückliches haben konnte. Nicht umsonst hatte er in jenem Brief seine Sympathie für das »Nichts-wissen-Wollen«, die Abenteuerlosigkeit Chopins ausge-drückt. Auch er wollte nichts wissen, nichts sehen, eigentlich nichts erleben, wenigstens nicht im manifesten, äußerlichen Sinn des Wortes; auf Abwechslung, neue Sinneseindrücke, Zerstreu-ung, Erholung war er nicht aus, und was besonders diese, die Er-holung betrifft, so machte er sich gern über all die Leute lustig, die sich beständig erholen, bräunen und stärken — und niemand wisse, wozu. »Erholung«, sagte er, »ist für die, denen sie zu gar nichts taugt.« Sehr wenig lag ihm an Reisen zum Zweck des Schauens, des Aufnehmens, der ›Bildung‹. Er war ein Verächter der Augenlust, und so sensitiv sein Gehör war, so wenig hatte es ihn von jeher gedrängt, sein Auge an den Gestaltungen der bil-denden Kunst zu schulen. Die Unterscheidung zwischen den Ty-pen des Augen- und des Ohrenmenschen hieß er gut und unum-stößlich richtig und rechnete sich entschieden zu dem zweiten. Was mich betrifft, so habe ich diese Einteilung nie für reinlich durchführbar gehalten und ihm persönlich die Verschlossenheit und Unwilligkeit des Auges nie recht geglaubt. Zwar sagt auch Goethe, daß die Musik ganz etwas Angeborenes, Inneres sei, das von außen keiner großen Nahrung und keiner aus dem Leben ge-zogenen Erfahrung bedürfe. Aber es gibt ja ein inneres Gesicht, gibt die Vision, die etwas anderes ist und mehr umfaßt als das bloße Sehen. Und außerdem liegt ein tiefer Widerspruch darin, daß ein Mensch sollte für das menschliche Auge, das doch eben nur dem Auge erglänzt, einen Sinn haben, wie Leverkühn, und dabei die Perzeption der Welt durch dieses Organ wirklich ab-lehnen. Ich brauche nur die Namen *Marie Godeau, Rudi Schwerdt-feger* und *Nepomuk Schneidewein* zu nennen, um mir Adrians Empfänglichkeit, ja Schwäche für den Zauber des Auges, des schwarzen, des blauen, zu vergegenwärtigen, — wobei ich mir natürlich klar darüber bin, daß es ein Fehler ist, den Leser mit Namen zu bombardieren, mit denen er noch nicht das Geringste anzufangen weiß, und deren Verkörperung noch in weitem Felde steht, — ein Fehler, dessen grobe Offenkundigkeit auf seine Frei-willigkeit schließen lassen mag. Aber was, freilich, heißt auch wieder freiwillig? Ich bin mir wohl bewußt, diese leer-verfrüh-ten Namen unter einem Zwange hierher gesetzt zu haben. —

Adrians Reise nach Graz, die nicht um das Reisens willen geschah, war eine Durchbrechung der Gleichmäßigkeit seines Lebens. Eine andere war die mit Schildknapp unternommene Fahrt ans Meer, als deren Frucht man jenes einsätzige symphonische Klanggebilde ansprechen kann. Damit nun wieder hing die dritte dieser Ausnahmen zusammen: eine Reise nach Basel, die er in Gesellschaft seines Lehrers Kretzschmar zur Teilnahme an Aufführungen sakraler Musik des Barock unternahm, die der Basler Kammerchor in der Martinskirche veranstaltete, und bei denen Kretzschmar den Orgelpart versehen sollte. Man hörte Monteverdi's Magnificat, Orgelstudien von Frescobaldi, ein Oratorium von Carissimi und eine Kantate Buxtehude's. Der Eindruck dieser ›Musica riservata‹ auf Leverkühn, einer Affektmusik, die als Rückschlag auf den Konstruktivismus der Niederländer das Bibelwort mit erstaunlicher menschlicher Freiheit, deklamatorischer Ausdruckskühnheit behandelte und es mit einer rücksichtslos schildernden instrumentalen Gestik umkleidete, — dieser Eindruck war sehr stark und nachhaltig; viel sprach er mir damals brieflich und mündlich von dieser bei Monteverdi hervorbrechenden Modernität der musikalischen Mittel, saß auch viel danach in der Leipziger Bibliothek und exzerpierte Carissimi's ›Jephta‹ und die ›Psalmen Davids‹ von Schütz. Wer wollte in der quasi-geistlichen Musik seiner späteren Jahre, der ›Apokalypse‹ und dem ›Dr. Faustus‹, den stilistischen Einfluß jenes Madrigalismus verkennen? Das Element eines zum Äußersten gehenden Ausdruckswillens war immer herrschend in ihm, zusammen mit der intellektuellen Leidenschaft für herbe Ordnung, das niederländisch Lineare. Mit anderen Worten: Hitze und Kälte walteten nebeneinander in seinem Werk, und zuweilen, in den genialsten Augenblicken, schlugen sie ineinander, das Espressivo ergriff den strikten Kontrapunkt, das Objektive rötete sich von Gefühl, so daß man den Eindruck einer glühenden Konstruktion hatte, die mir, wie nichts anderes, die Idee des Dämonischen nahebrachte und mich stets an den feurigen Riß erinnerte, welchen der Sage nach ein Jemand dem zagenden Baumeister des Kölner Doms in den Sand zeichnete.

Der Zusammenhang von Adrians erster Reise in die Schweiz mit der früheren nach Sylt bestand aber in folgendem. Das kulturell so regsame und unbeschränkte kleine Land hatte und hat einen Tonkünstler-Verein, zu dessen Veranstaltungen sogenannte Orchester-Leseproben, Lectures d'Orchestre, gehören, — das heißt: der die Jury abgebende Vorstand ließ jungen Komponisten von einem der Symphonie-Orchester des Landes und seinem Dirigenten ihre Werke mit Ausschluß der Öffentlichkeit und nur mit Zulassung von Fachleuten im Probespiel vorführen, um ihnen Gelegenheit zu geben, ihre Schöpfungen abzuhören, Erfahrungen zu sammeln, ihre Phantasie von der Klangwirklichkeit belehren zu lassen. Eine solche Lesung wurde eben, fast gleichzeitig mit dem Basler Konzert, in Genf, durch das Orchestre de la Suisse Romande abgehalten, und durch seine Verbindungen war es Wendell Kretzschmar gelungen, Adrians ›Meerleuchten‹ — das Werk eines jungen Deutschen, das war eine Ausnahme — auf das Programm setzen zu lassen. Für Adrian war es eine vollkommene Überraschung; Kretzschmar hatte sich den Spaß gemacht, ihn im Dunkeln zu lassen. Er ahnte sogar noch nichts, als er mit seinem Lehrer von Basel nach Genf zum Probespiel fuhr. Und dann erklang unter Herrn Ansermets Stabe seine »Wurzelbehandlung«, dieses Stück nächtlich funkelnden Impressionismus, das er selber nicht ernst nahm, schon beim Schreiben nicht ernst genommen hatte, und bei dessen kritischer Aufführung er auf Kohlen saß. Sich von der Hörerschaft mit einer Leistung identifiziert zu wissen, über die er innerlich hinaus ist, und die für ihn nur ein Spiel mit etwas Ungeglaubtem war, ist für den Künstler eine komische Qual. Gottlob waren Beifalls- und Mißfallenskundgebungen bei diesen Darbietungen ausgeschlossen. Privat nahm er Lobsprüche, Beanstandungen, Fehlernachweise, Ratschläge auf französisch und deutsch entgegen, indem er den Entzückten sowenig wie den Unzufriedenen widersprach. Übrigens stimmte er auch niemandem zu. Etwa eine Woche oder zehn Tage blieb er mit Kretzschmar in Genf, Basel und Zürich und kam mit den Künstler-Cirkeln dieser Städte in flüchtige Berührung. Viel Freude wird man nicht an ihm gehabt — nicht eben viel mit ihm anzufangen gewußt haben, wenigstens nicht, soweit man Anspruch auf Harmlosigkeit, Expansivität, kameradschaftliche Ausgiebigkeit erhob. Einzelne, hie und dort, mögen von seiner Scheuheit, der Einsamkeit, die ihn umhüllte, der hohen Schwierigkeit seiner Existenz verständnisvoll berührt gewesen sein, — vielmehr, ich weiß, daß das vorkam, und finde es einleuchtend. Meiner Erfahrung nach gibt es in der Schweiz viel Sinn für das Leiden, viel Wissen darum, welches überdies, mehr als an anderen Stätten hochgetriebener Kultur, etwa im intellektuellen Paris, mit dem Altstädtisch-Bürgerlichen verbunden ist. Hier war ein geheimer Berührungspunkt. Andererseits begegnete das introvertierte Schweizer Mißtrauen gegen den Reichsdeutschen hier einem besonderen Fall deutschen Mißtrauens gegen die ›Welt‹, — so sonderbar es scheinen mag, wenn man das enge Nachbarländchen im Gegensatz zum weiten und mächtigen deutschen Reich mit seinen Riesenstädten als ›Welt‹ bezeichnet. Es hat aber damit seine unbestreitbare Richtigkeit: Die Schweiz, neutral, mehrsprachig, französisch beeinflußt, von westlicher Luft durchweht, ist tatsächlich, ihres winzigen Formates ungeachtet, weit mehr ›Welt‹, weit mehr europäisches Parkett als der politische Koloß im Norden, wo das Wort ›international‹ seit langem ein Schimpfwort ist und ein dünkelmütiger Provinzialismus die Atmosphäre verdorben und stockig gemacht hat. Nun habe ich von Adrians innerem Kosmopolitismus schon gesprochen. Aber deutsche Weltbürgerlichkeit war wohl immer etwas anderes als Weltlichkeit, und mein Freund war ganz die Seele, sich vom Mondänen beklemmt, sich nicht davon aufgenommen zu fühlen. Um einige Tage früher schon als Kretzschmar kehrte er nach Leipzig zurück, dieser gewiß welthaltigen Stadt, wo aber das Weltliche mehr zu Gast als zu Hause ist, — dieser lächerlich redenden Stadt, wo zuerst die Begierde seinen Stolz angerührt hatte: eine tiefe Erschütterung, ein Erlebnis von Tiefe, wie er es der Welt nicht zutraute, und das, wenn ich alles recht sehe, nicht wenig dazu beitrug, ihn scheu gegen diese zu machen.

Adrian behielt, ohne zu wechseln, während der ganzen viereinhalb Jahre, die er in Leipzig verbrachte, seine Zwei-Zimmer-Wohnung in der Petersstraße, nahe dem Collegium Beatae Virginis, wo er das ›Magische Quadrat‹ wieder über dem Pianino befestigt hatte. Er hörte philosophische und musikhistorische Vorlesungen, las und exzerpierte auf der Bibliothek und brachte Kretzschmar seine kompositorischen Übungen zur Kritik: Klavierstücke, ein ›Konzert‹ für Streichorchester und ein Quartett für Flöte, Klarinette, Corno di Bassetto und Fagott, — ich nenne die Stücke, die mir bekannt wurden, und die auch erhalten geblieben, wenn auch niemals veröffentlicht worden sind. Was Kretzschmar tat, war, ihn auf flaue Stellen hinzuweisen, ihm Tempokorrekturen, die Belebung eines starr wirkenden Rhythmus, die stärkere Profilierung eines Themas zu empfehlen. Er wies ihn auf eine Mittelstimme hin, die im Sande verlief, auf einen Baß, der liegenblieb, statt sich zu bewegen. Er legte den Finger auf einen Übergang, der nur äußerlich zusammenhielt, sich nicht organisch ergab, den natürlichen Fluß der Komposition in Frage stellte. Er sagte ihm eigentlich nur, was der Kunstverstand des Schülers ihm selbst hätte sagen können, und was er ihm schon gesagt hatte. Ein Lehrer ist das personifizierte Gewissen des Adepten, das ihn in seinen Zweifeln bestätigt, ihm seine Unzufriedenheit erläutert, seinen Verbesserungsdrang spornt. Ein Schüler wie Adrian aber brauchte im Grunde gar keinen Korrektor und Meister. Bewußt brachte er ihm Unfertiges, um sich darüber sagen zu lassen, was er selber schon wußte, — und sich dann über den Kunstverstand lustig zu machen, denjenigen des Lehrers, der mit dem seinen durchaus zusammentraf, — den Kunst*verstand* — man muß den Ton auf den zweiten Bestandteil des Wortes legen —, der der eigentliche Anwalt der Werk-Idee ist, — nicht der Idee *eines* Werkes, sondern der Idee des Opus selbst, des in sich ruhenden, objektiven und harmonischen Gebildes überhaupt, — der Manager seiner Geschlossenheit, Einheit, Organik, der Risse verklebt, Löcher stopft, jenen ›natürlichen Fluß‹ zuwege bringt, der ursprünglich nicht vorhanden war, und also gar nicht natürlich, sondern ein Kunstprodukt ist, — kurz, nachträglich erst und mittelbar stellt dieser Manager den Eindruck des Unmittelbaren und Organischen her. An einem Werk ist viel Schein, man könnte weitergehen und sagen, daß es scheinhaft ist in sich selbst, als ›Werk‹. Es hat den Ehrgeiz, glauben zu machen, daß es nicht gemacht, sondern entstanden und entsprungen sei, gleichwie Pallas Athene im vollen Schmuck ihrer ciselierten Waffen aus Jupiters Haupt entsprang. Doch das ist Vorspiegelung. Nie ist ein Werk so hervorgetreten. Es ist ja Arbeit, Kunstarbeit zum Zweck des Scheins — und nun fragt es sich, ob bei dem heutigen Stande unseres Bewußtseins, unserer Erkenntnis, unseres Wahrheitssinnes dieses Spiel noch erlaubt, noch geistig möglich, noch ernst zu nehmen ist, ob das Werk als solches, das selbstgenügsam und harmonisch in sich geschlossene Gebilde, noch in irgendeiner legitimen Relation steht zu der völligen Unsicherheit, Problematik und Harmonielosigkeit unserer gesellschaftlichen Zustände, ob nicht aller Schein, auch der schönste, und gerade der schönste, heute zur *Lüge* geworden ist.

Es fragt sich dies, sage ich, das heißt: ich lernte, mich so zu fragen, durch den Umgang mit Adrian, dessen Scharfblick oder, wenn man das Wort bilden darf, Scharfgefühl in diesen Dingen von letzter Unbestechlichkeit war. Meiner eigenen Gutmütigkeit lagen von Hause aus Einsichten fern, wie er sie gesprächsweise, als hingeworfene Aperçus, äußerte, und sie taten mir weh, — nicht um meiner verletzten Gutmütigkeit, sondern um seinetwillen; sie schmerzten, bedrückten, ängstigten mich, weil ich gefährliche Erschwerungen seines Daseins, lähmende Inhibitionen bei der Entfaltung seiner Gaben darin erblickte. Ich habe ihn sagen hören:

»Das Werk! Es ist Trug. Es ist etwas, wovon der Bürger möchte, es gäbe das noch. Es ist gegen die Wahrheit und gegen den Ernst. Echt und ernst ist allein das ganz Kurze, der höchst konsistente musikalische Augenblick . . .«

Wie hätte mich das nicht bekümmern sollen, da ich doch wußte, daß er selbst auf das Werk aspirierte, die Komposition einer Oper plante!

Ich habe ihn ebenso sagen hören:

»Schein und Spiel haben heute schon das Gewissen der Kunst gegen sich. Sie will aufhören, Schein und Spiel zu sein, sie will Erkenntnis werden.«

Was aber aufhört mit seiner Definition übereinzustimmen, hört das nicht überhaupt auf? Und wie will Kunst als Erkenntnis leben? Ich erinnerte mich an das, was er aus Halle über die Ausdehnung des Reiches des Banalen an Kretzschmar geschrieben hatte. Dieser hatte sich dadurch nicht im Glauben an die Berufung seines Schülers erschüttern lassen. Aber diese neueren, gegen Schein und Spiel, das heißt: gegen die Form selbst gerichteten Aufstellungen schienen auf eine solche Erweiterung des Reichs des Banalen, nicht mehr Zulässigen zu deuten, daß es die Kunst überhaupt zu verschlingen drohte. Mit tiefer Sorge fragte ich mich, welche Anstrengungen, intellektuellen Tricks, Indirektheiten und Ironien nötig sein würden, sie zu retten, sie wiederzuerobern und zu einem Werk zu gelangen, das als Travestie der Unschuld den Zustand der Erkenntnis einbekannte, dem es abgewonnen sein würde!

Mein armer Freund hat sich eines Tages, eines Nachts vielmehr, aus fürchterlichem Munde, von einem entsetzlichen Helfer über das hier Angedeutete Genaueres sagen lassen. Das Protokoll darüber liegt vor, und an seinem Ort werde ich es mitteilen. Mir hat es den instinktiven Schrecken, den Adrians Äußerungen mir damals erregten, erst recht erläutert und verdeutlicht. Was ich aber oben die »Travestie der Unschuld« nannte, — wie oft tat sich das von früh an in seiner Produktion so eigentümlich hervor! Es gibt darin, auf entwickeltster musikalischer Stufe, vor einem Hintergrund äußerster Spannungen, ›Banalitäten‹ — natürlich nicht im sentimentalen Sinn oder in dem schwunghafter Gefälligkeit, sondern Banalitäten im Sinn eines technischen Primitivismus, Naivitäten oder Scheinnaivitäten also, die Meister Kretzschmar dem ungewöhnlichen Zögling schmunzelnd durchgehen ließ: gewiß weil er sie nicht als Naivitäten ersten Grades, wenn ich mich so ausdrücken darf, sondern als ein Jenseits von Neu und Abgeschmackt, als Kühnheiten im Gewande des Anfänglichen verstand.

Nur so sind auch die dreizehn Brentano-Gesänge zu begreifen, denen ich, bevor ich diesen Abschnitt schließe, durchaus noch ein Wort widmen muß, und die oft wie eine Verspottung zugleich und Verherrlichung des Fundamentalen, eine schmerzlich erinnerungsvolle Ironisierung der Tonalität, des temperierten Systems, der traditionellen Musik selber wirken.

Daß Adrian in diesen Leipziger Jahren die Liederkomposition so eifrig pflegte, geschah zweifellos, weil er die lyrische Vermählung der Musik mit dem Wort als eine Vorbereitung auf die dramatische betrachtete, die er im Sinne hatte. Wahrscheinlich hing es aber auch mit den Skrupeln zusammen, die sein Geist wegen des Schicksals, der historischen Lage der Kunst selbst, des autonomen Werkes hegte. Er bezweifelte die Form als Schein und Spiel, — so mochte ihm die kleine und lyrische Form des Liedes noch als die annehmbarste, ernsteste, wahrste gelten; sie mochte ihm seine theoretische Forderung gedrängter Kürze am ehesten zu erfüllen scheinen. Dabei sind nicht nur mehrere dieser Gesänge, wie gleich das ›O lieb Mädel‹ mit dem Buchstaben-Symbol, wie ferner die ›Hymne‹, ›Die lustigen Musikanten‹, ›Der Jäger an den Hirten‹ und andere, recht umfangreich, sondern Leverkühn wollte sie auch alle zusammen immer als ein Ganzes, also als ein Werk betrachtet und behandelt wissen, das aus einer bestimmten stilistischen Konzeption, einem Grundlaut, der kongenialen Berührung mit einem bestimmten, wundersam hoch und tief verträumten Dichtergeist hervorgegangen war, und wollte niemals den Vortrag einzelner Stücke daraus, sondern stets nur die geschlossene cyklische Darbietung zulassen, von dem unsäglich irren und wirren ›Eingang‹ mit den geisterhaften Schlußzeilen:

O Stern und Blume, Geist und Kleid,
Lieb, Leid und Zeit und Ewigkeit!

bis zu dem düster geharnischten und gewaltigen Schlußstück: ›Einen kenne ich . . . Tod so heißt er‹, — ein rigoroser Vorbehalt, der der öffentlichen Aufführung zeit seines Lebens außerordentlich im Wege war, besonders da eines der Lieder, ›Die lustigen Musikanten‹, für ein ganzes Quintett von Stimmen, Mutter, Tochter, die beiden Brüder und den Knaben, der »früh das Bein gebrochen« hat, geschrieben ist, also für Alt, Sopran, Bariton, Tenor und eine Kinderstimme, die teils im Ensemble, teils einzeln, teils auch im Duett (nämlich der beiden Brüder) diese Nummer 4 des Cyklus vorzutragen haben. Sie war die erste, die Adrian orchestrierte, richtiger: gleich für ein kleines Orchester von Streichern, Holzbläsern und Schlagzeug setzte; denn viel ist in dem seltsamen Gedicht ja die Rede von den Pfeifen, dem Tamburin, den Schellen und Becken, den lustigen Geigentrillern, mit denen die phantastisch-kummervolle kleine Truppe bei Nacht, »wenn uns kein menschlich Auge sieht«, die Liebenden in ihrer Kammer, die trunkenen Gäste, das einsame Mädchen in den Zauberbann ihrer Weisen zieht. Geist und Stimmung des Stückes, das Gespenstisch-Bänkelsängerische, zugleich Liebliche und Gequälte seiner Musik sind einzig. Und doch zögere ich, ihm die Palme zu reichen und den dreizehn, von denen mehrere die Musik in einem innerlicheren Sinn herausfordern, als dieses im Wort von Musik handelnde, und sich tiefer in ihr erfüllen. ›Großmutter Schlangenköchin‹ — das ist ein anderes der Lieder, dieses »Maria, wo bist du zur Stube gewesen?«, dieses siebenmalige »Ach weh! Frau Mutter, wie weh!«, das mit unglaublicher Kunst der Einfühlung die traulich-bangste und schaurigste Region des deutschen Volksliedes beschwört. Denn es ist ja so, daß diese wissende, wahre und überkluge Musik um die Volksweise hier immerfort in Schmerzen wirbt. Stets bleibt diese unverwirklicht, ist da und nicht da, klingt fragmetarisch auf, klingt an und verschwindet wieder in einem ihr seelisch fremden musikalischen Stil, aus dem sie sich doch beständig zu gebären sucht. Es ist ein ergreifender künstlerischer Anblick und nicht weniger als ein kulturelles Paradox, wie, in Umkehrung des natürlichen Entwicklungsvorganges, bei dem aus dem Elementaren das Verfeinerte, Geistige wächst, dieses hier die Rolle des Ursprünglichen spielt, dem sich das Einfältige zu entringen strebt.

> Wehet der Sterne
> heiliger Sinn
> leis durch die Ferne
> bis zu mir hin.

Das ist der fast im Raum verlorene Laut, der kosmische Ozon eines anderen Stückes, worin Geister in goldenen Kähnen den himmlischen See befahren und der klingende Lauf glänzender Lieder sich niederringelt, — hinaufwallt.

> Alles ist freundlich wohlwollend verbunden,
> bietet sich tröstend und trauernd die Hand,
> sind durch die Nächte die Lichter gewunden,
> alles ist ewig im Innern verwandt.

Gewiß ganz selten in aller Literatur haben Wort und Klang einander gefunden und bestätigt wie hier. Es wendet Musik hier ihr Auge auf sich selbst und schaut ihr Wesen an. Dieses sich tröstend und trauernd Einander-die-Hand-Bieten der Töne, dieses verwandelnd-verwandt ineinander Verwoben- und Verschlungensein aller Dinge, — das ist sie, und Adrian Leverkühn ist ihr jugendlicher Meister. —
Kretzschmar sorgte, noch bevor er Leipzig verließ, um als Erster Kapellmeister ans Stadttheater von Lübeck zu gehen, für die Drucklegung der Brentano-Gesänge. Schott in Mainz nahm sie in Kommission, das heißt: Adrian hatte, mit Kretzschmars und meiner Hilfe (wir beteiligten uns beide daran), die Druckkosten zu tragen und blieb Eigentümer, indem er dem Kommissionär einen Gewinnanteil von 20% an der Netto-Einnahme zusicherte. Er überwachte die Herstellung des Klavierauszugs sehr genau, verlangte ein rauhes, unsatiniertes Papier, Quart-Format, einen breiten Rand, ein nicht zu enges Beieinander der Noten. Dazu bestand er auf dem vorgedruckten Vermerk, daß die Wiedergabe in Konzerten und Vereinen nur mit Bewilligung des Autors und nur im Ganzen, bei Vorführung aller dreizehn Stücke gestattet sei. Dies wurde ihm als prätentiös verargt und trug zusammen mit den Kühnheiten der Musik dazu bei, den Liedern den Weg in die

Öffentlichkeit zu erschweren. 1922 erklangen sie, nicht in Adrians Gegenwart, wohl aber in meiner, in der Tonhalle von Zürich unter dem Stabe des trefflichen Dr. Volkmar Andreae, wobei die Partie des Knaben, der »früh das Bein gebrochen«, in den ›Lustigen Musikanten‹ von einem leider wirklich verkrüppelten, an einem Krückchen gehenden Kinde, dem kleinen Jakob Nägli, mit glockenreiner, unbeschreiblich zu Herzen gehender Stimme gesungen wurde.

Übrigens und ganz nebenbei gesagt, war die hübsche Original-Ausgabe von Clemens Brentano's Gedichten, auf die Adrian sich bei seiner Arbeit stützte, ein Geschenk von mir: aus Naumburg hatte ich ihm das Bändchen nach Leipzig mitgebracht. Selbstverständlich war die Auswahl der dreizehn Gesänge ganz seine Sache; ich nahm nicht den geringsten Einfluß darauf. Aber ich darf sagen, daß sie fast Stück für Stück meinen Wünschen, meinen Erwartungen entsprach. — Ein unstimmiges Geschenk, so wird der Leser finden; denn was hatte ich, was hatte meine Sittlichkeit und Bildung wohl eigentlich mit den überall aus dem Kindlich-Volksklanglichen ins Geisterhafte entschwebenden, um nicht zu sagen: entartenden Sprachträumereien des Romantikers zu schaffen? Es war die Musik, kann ich darauf nur antworten, die mich zu der Gabe vermochte, — die Musik, die in diesen Versen in so leichtem Schlummer liegt, daß die leiseste Berührung von berufener Hand genügte, sie zu erwecken.

XXII

Als Leverkühn im September 1910, zu der Zeit also, da ich bereits am Gymnasium von Kaisersaschern zu unterrichten begonnen hatte, Leipzig verließ, wandte er sich zunächst ebenfalls der Heimat zu, nach Buchel, um an seiner Schwester Hochzeit teilzunehmen, die dort eben begangen wurde, und zu der nebst meinen Eltern auch ich geladen war. Ursula, nun zwanzigjährig, vermählte sich dem Optiker Johannes Schneidewein von Langensalza, einem vortrefflichen Mann, dessen Bekanntschaft sie bei dem Besuch einer Freundin in dem reizenden Salza-Städtchen, nahe Erfurt, gemacht hatte. Schneidewein, zehn oder zwölf Jahre älter als seine Braut, war Schweizer von Geburt, aus Berner Bauernblut. Sein Handwerk, die Brillenschleiferei, hatte er in der Heimat erlernt, war aber durch irgendwelche Fügung ins Reich verschlagen worden und hatte an jenem Platz ein Ladengeschäft mit Augengläsern und optischen Apparaten aller Art erworben, das er mit Glück betrieb. Er war von sehr gutem Aussehen und hatte sich seine angenehm zu hörende, bedächtig-würdige, mit stehengebliebenen-altdeutschen Ausdrücken von eigentümlich feierlichem Klange durchsetzte schweizerische Redeweise bewahrt, die

Ursel Leverkühn schon jetzt von ihm anzunehmen begann. Auch sie, obgleich keine Schönheit, war eine anziehende Erscheinung, in den Gesichtszügen dem Vater, nach der Art sich zu geben der Mutter ähnlicher, braunäugig, schlank und von natürlicher Freundlichkeit. So gaben die beiden ein Paar, auf dem mit Beifall das Auge weilte. In den Jahren von 1911 bis 23 hatten sie vier Kinder miteinander: Rosa, Ezechiel, Raimund und Nepomuk, schmucke Geschöpfe allesamt; der Jüngste aber, Nepomuk, war ein Engel. Doch davon später, ganz gegen das Ende erst meiner Erzählung. —

Die Hochzeitsgesellschaft war nicht zahlreich: der Geistliche, der Lehrer, der Gemeindevorsteher von Oberweiler mit ihren Frauen; von Kaisersaschern außer uns Zeitbloms nur Oheim Nikolaus; Verwandte Frau Elsbeths aus Apolda; ein den Leverkühns befreundetes Ehepaar mit Tochter aus Weißenfels; dazu Bruder Georg, der Agronom, und die Verwalterin, Frau Luder, — das war schon alles. Wendell Kretzschmar sandte von Lübeck ein Glückwunschtelegramm, das während des Mittagsmahls im Buchelhause eintraf. Es war kein abendliches Fest. Man hatte sich zeitig am Vormittag zusammengefunden; nach der Trauung in der Dorfkirche vereinigte ein vortreffliches Frühstück uns alle in dem mit schönem Kupfergerät geschmückten Speisezimmer des Brauthauses, und bald danach schon fuhren die Neuvermählten mit dem alten Thomas nach der Station Weißenfels ab, um von dort die Reise nach Dresden anzutreten, während die Hochzeitsgäste noch einige Stunden bei den guten Fruchtlikören Frau Luders zusammenblieben.

Adrian und ich taten an jenem Nachmittag einen Gang um die Kuhmulde und zum Zionsberg. Wir hatten zu reden über die Texteinrichtung von ›Love's Labour's Lost‹, die ich übernommen, und über die es schon viel Gespräch und Korrespondenz zwischen uns gegeben hatte. Aus Syrakus und Athen hatte ich ihm das Szenarium und Teile der deutschen Versifikation schicken können, bei der ich mich auf Tieck und Hertzberg stützte und gelegentlich, wenn Zusammenziehungen es nötig machten, aus Eigenem möglichst stilvoll etwas hinzutat. Unbedingt nämlich wollte ich ihm eine deutsche Fassung des Librettos wenigstens auch unterbreiten, obgleich er immer noch an dem Vorhaben festhielt, die Oper auf englisch zu komponieren.

Sichtlich war er froh, der Hochzeitsgesellschaft ins Freie entkommen zu sein. Die Verschleierung seiner Augen zeigte an, daß Kopfschmerz ihn drückte, — und übrigens war es seltsam gewesen, in der Kirche und bei Tische dasselbe Anzeichen bei seinem Vater zu beobachten. Daß dieses nervöse Leiden gerade bei festlichen Gelegenheiten, unter dem Einfluß von Rührung und Erregung, sich einstellt, ist begreiflich. So war es beim Alten. In des

Sohnes Fall war wohl die psychische Ursache vielmehr die, daß er nur notgedrungen und unter Widerständen an diesem Opferfest der Magdschaft, bei dem es sich obendrein um seine Schwester handelte, teilgenommen hatte. Allerdings kleidete er sein Mißbehagen in Worte der Anerkennung für die Schlichtheit und geschmackvolle Unaufdringlichkeit, mit der die Sache in unserem Falle war gehandhabt worden, für den Wegfall von ›Tänzen und Bräuchen‹, wie er sich ausdrückte. Er lobte es, daß alles am hellen Tage sich abgespielt hatte, die Trauungspredigt des alten Pfarrers kurz und schlicht gewesen war, und daß es bei Tisch keine anzüglichen Reden, zur Sicherheit überhaupt keine Reden gegeben habe. Wenn auch noch der Schleier, das weiße Sterbekleid der Jungfräulichkeit, die atlasnen Totenschuhe vermieden worden wären, so wäre es noch besser gewesen. Besonders günstig sprach er sich über den Eindruck aus, den Ursels Verlobter und nunmehriger Gatte auf ihn gemacht hatte.

»Gute Augen«, sagte er, »gute Rasse, ein braver, intakter, sauberer Mann. Er durfte um sie werben, durfte sie anschauen, ihrer zu begehren, — sie zum christlichen Weib zu begehren, wie wir Theologen sagen, mit berechtigtem Stolz darauf, daß wir dem Teufel die fleischliche Vermischung weggepascht haben, indem wir ein Sakrament, das Sakrament der christlichen Ehe draus machten. Sehr komisch eigentlich, diese Kaperung des Natürlich-Sündhaften für das Sakrosankte durch die bloße Voranstellung des Wortes ›christlich‹, — wodurch sich ja im Grunde nichts ändert. Aber man muß zugeben, daß die Domestizierung des Naturbösen, des Geschlechts, durch die christliche Ehe ein gescheiter Notbehelf war.«

»Gern höre ich es nicht«, erwiderte ich, »daß du die Natur dem Bösen vermachst. Der Humanismus, der alte und neue, nennt das die Verleumdung der Quellen des Lebens.«

»Mein Lieber, da gibt es nicht viel zu verleumden.«

»Man gerät«, sagte ich unbeirrt, »damit in die Rolle des Verneiners der Werke, man wird zum Anwalt des Nichts. Wer an den Teufel glaubt, der gehört ihm schon.«

Er lachte kurz auf.

»Du verstehst keinen Spaß. Ich habe doch als Theolog und also notwendig *wie* ein Theolog gesprochen.«

»Laß das gut sein!« sagte ich ebenfalls lachend. »Du pflegst deine Scherze ernster zu meinen als deinen Ernst.«

Wir führten dies Gespräch auf der Gemeindebank unter den Ahornen auf der Höhe des Zionsberges, im herbstlich-nachmittäglichen Sonnenschein. Tatsache war, daß ich damals selbst schon auf Freiersfüßen ging, wenn auch die Hochzeit und selbst die öffentliche Verlobung noch bis zu meiner festen Anstellung zu warten hatten, und daß ich ihm von Helenen und meinem vorhabenden Schritt zu erzählen wünschte. Seine Betrachtungen erleichterten es mir nicht gerade.

»Und sollen sein ein Fleisch«, fing er wieder an. »Ist es nicht ein kurioser Segen? Pastor Schröder hat sich gottlob das Zitat geschenkt. So angesichts des bräutlichen Paars ist es eher peinlich zu hören. Ist aber nur allzu gut gemeint und genau das, was ich Domestizierung nenne. Offenbar soll damit das Element der Sünde, der Sinnlichkeit, der bösen Lust überhaupt aus der Ehe wegeskamotiert werden, — denn Lust ist ja wohl nur bei zweierlei Fleisch, nicht bei einem, und daß sie ein Fleisch sein sollen, ist demnach ein friedlicher Unsinn. Andererseits kann man sich nicht genug darüber wundern, daß ein Fleisch Lust hat zum andern — es ist ja ein Phänomen, — nun ja, das vollkommen exzeptionelle Phänomen der Liebe. Natürlich sind Sinnlichkeit und Liebe auf keine Weise zu trennen. Man entschuldigt die Liebe von dem Vorwurf der Sinnlichkeit am besten, indem man umgekehrt das Liebeselement nachweist in der Sinnlichkeit. Die Lust zu fremdem Fleisch bedeutet eine Überwindung sonst vorhandener Widerstände, die auf der Fremdheit von Ich und Du, des Eigenen und des Anderen beruhen. Das Fleisch — um den christlichen Terminus beizubehalten — ist normalerweise nur sich selber nicht widerwärtig. Mit fremdem will es nichts zu tun haben. Wird auf einmal das Fremde zum Objekt der Begierde und Lust, so ist das Verhältnis von Ich und Du in einer Weise alteriert, für die ›Sinnlichkeit‹ nur ein leeres Wort ist. Man kommt nicht ohne den Begriff der Liebe aus, auch wenn angeblich nichts Seelisches dabei im Spiele ist. Jede sinnliche Handlung bedeutet ja Zärtlichkeit, ist Geben im Nehmen der Lust, Glück durch Beglückung, Liebeserweisung. ›Ein Fleisch‹ sind Liebende nie gewesen, und die Verordnung will mit der Lust aus der Ehe die Liebe vertreiben.«

Ich war eigentümlich ergriffen und verwirrt von seinen Worten und hütete mich, ihn von der Seite anzusehen, obwohl ich dazu versucht war. Was man jedesmal empfand, wenn er von voluptuösen Dingen sprach, habe ich weiter oben angedeutet. Er war aber nie so aus sich herausgegangen, und es kam mir vor, als läge in seiner Redeweise etwas fremdartig Explizites, eine leise Taktlosigkeit gegen sich selbst und also auch gegen den Hörer, die mich beunruhigte, zusammen mit der Vorstellung, daß er dies alles mit von der Migräne getrübten Augen gesagt hatte. Dabei war der Sinn seiner Äußerung mir ja durchaus sympathisch.

»Gut gebrüllt, Löwe!« sagte ich so aufgeräumt wie möglich. »Das nenne ich zu den Werken stehen! Nein, mit dem Teufel hast du nichts zu schaffen. Du bist dir doch klar darüber, daß du eben weit mehr als Humanist denn als Theolog gesprochen hast?«

»Sagen wir: als Psycholog«, erwiderte er. »Ein neutraler Mittelstand. Aber es sind das, glaub' ich, die wahrheitsliebendsten Leute.«

»Und wie wäre es«, schlug ich vor, »wenn wir einmal ganz schlicht persönlich und bürgerlich sprächen? Ich wollte dir mitteilen, daß ich im Begriffe bin . . .«

Ich sagte ihm, wozu ich im Begriffe war, erzählte ihm von Helenen, wie ich sie kennengelernt, wie wir uns gefunden. Wenn ich seine Gratulation dadurch herzlicher gestalten könne, sagte ich, so möge er versichert sein, daß ich ihn von der Teilnahme an den ›Tänzen und Bräuchen‹ meines Hochzeitsfestes im voraus dispensierte.

Er war sehr erheitert.

»Wundervoll!« rief er. »Guter Jüngling, du willst dich ehelich verheiraten. Was für eine rechtschaffene Idee! Dergleichen kommt immer als Überraschung, obgleich so gar nichts Überraschendes dabei ist. Nimm meinen Segen! But, if thou marry hang me by the neck, if horns that year miscarry!«

»Come, come, you talk greasily«, zitierte ich aus derselben Szene. »Wenn du das Mädchen kenntest und den Geist unseres Bündnisses, so wüßtest du, daß für meine Ruhe nichts zu befürchten, sondern im Gegenteil alles auf die Gründung von Ruhe und Frieden, eines gesetzten und ungestörten Glückes abgesehen ist.«

»Ich zweifle nicht daran«, sagte er, »und zweifle nicht am Gelingen.«

Einen Augenblick schien er versucht, mir die Hand zu drücken, stand aber ab davon. Das Gespräch ruhte eine Weile und wandte sich, als wir zum Heimweg aufbrachen, wieder dem Hauptgegenstand, der geplanten Oper, zu, nämlich der Szene im vierten Akt, mit deren Text wir gescherzt hatten, und die zu denen gehörte, welche ich unbedingt weglassen wollte. Ihr Wortgeplänkel war recht anstößig und dabei dramaturgisch entbehrlich. Zusammenziehungen waren auf jeden Fall unvermeidlich. Ein Lustspiel darf nicht vier Stunden dauern, — das war und blieb der Haupteinwand gegen die ›Meistersinger‹. Aber Adrian schien gerade die »Old sayings« der Rosaline und des Boyet, das »Thou can'st not hit it, hit it, hit it« etc. für die Kontrapunktik der Ouvertüre vorgesehen zu haben und feilschte überhaupt um jede Episode, obgleich er lachen mußte, als ich sagte, daß er mich an Kretzschmars Beißel und seinen naiven Eifer erinnere, die halbe Welt unter Musik zu setzen. Übrigens leugnete er, sich durch den Vergleich geniert zu fühlen. Von der humoristischen Hochachtung, die er schon beim ersten Hörensagen für den wunderlichen Neubeginner und Gesetzgeber der Musik empfunden habe, sei immer etwas in ihm hängengeblieben. Absurd zu sagen, aber er habe nie ganz aufgehört, an ihn zu denken, und denke neuerdings öfter an ihn als je.

»Erinnere dich nur«, sagte er, »wie ich damals gleich seine tyrannische Kinderei mit den Herren- und Dienertönen gegen deinen Vorwurf des albernen Rationalismus verteidigte. Was mir instinktiv daran gefiel, war selbst etwas Instinktives, und mit dem Geist der Musik naiv Übereinstimmendes: der Wille, der sich auf komische Art darin andeutete, irgend etwas wie einen strengen Satz zu konstituieren. Auf anderer, weniger kindlicher Ebene hätten wir seinesgleichen heute so nötig, wie seine Schäfchen damals ihn nötig hatten, — einen Systemherrn brauchten wir, einen Schulmeister des Objektiven und der Organisation, genial genug, das Wiederherstellende, ja das Archaische mit dem Revolutionären zu verbinden. Man sollte . . .«

Er mußte lachen.

»Ich spreche schon ganz wie Schildknapp. Man sollte! Was sollte man nicht alles!«

»Was du da sagst«, warf ich ein, »von dem archaisch-revolutionären Schulmeister, hat etwas sehr Deutsches.«

»Ich nehme an«, erwiderte er, »daß du das Wort nicht zum Lobe, sondern eben nur kritisch charakterisierender Weise brauchst, wie es sich gehört. Es könnte aber außerdem etwas zeitlich Notwendiges ausdrücken, etwas Remedurverheißendes in einer Zeit der zerstörten Konventionen und der Auflösung aller objektiven Verbindlichkeiten, kurzum einer Freiheit, die anfängt, sich als Meltau auf das Talent zu legen und Züge der Sterilität zu zeigen.«

Ich erschrak bei diesem Wort. Schwer zu sagen, warum, aber es hatte in seinem Munde, überhaupt im Zusammenhange mit ihm, etwas Apprehensives für mich, etwas, worin Bangigkeit sich eigentümlich mit Ehrerbietung mischte. Dies rührte daher, daß in seiner Nähe Sterilität, drohende Lähmung und Unterbindung der Produktivität nur als etwas beinahe Positives und Stolzes, nur zusammen mit hoher und reiner Geistigkeit zu denken war.

»Es wäre tragisch«, sagte ich, »wenn Unfruchtbarkeit je das Ergebnis der Freiheit sein sollte. Es ist doch immer die Hoffnung auf die Entbindung produktiver Kräfte, um derentwillen Freiheit erobert wird!«

»Wahr«, erwiderte er. »Und sie leistet auch eine Weile, was man sich von ihr versprach. Aber Freiheit ist ja ein anderes Wort für Subjektivität, und eines Tages hält die es nicht mehr mit sich aus, irgendwann verzweifelt sie an der Möglichkeit, von sich aus schöpferisch zu sein, und sucht Schutz und Sicherheit beim Objektiven. Die Freiheit neigt immer zum dialektischen Umschlag. Sie erkennt sich selbst sehr bald in der Gebundenheit, erfüllt sich in der Unterordnung unter Gesetz, Regel, Zwang, System — erfüllt sich darin, das will sagen: hört darum nicht auf, Freiheit zu sein.«

»Ihrer Meinung nach«, lachte ich. »Soviel sie weiß! Aber in Wirklichkeit ist sie doch dann nicht Freiheit mehr, sowenig wie die aus der Revolution geborene Diktatur noch Freiheit ist.«

»Bist du dessen sicher?« fragte er. »Übrigens ist das ein politisch Lied. In der Kunst jedenfalls verschränken das Subjektive und Objektive sich bis zur Ununterscheidbarkeit, eines geht aus dem andern hervor und nimmt den Charakter des anderen an, das Subjektive schlägt sich als Objektives nieder und wird durch das Genie wieder zur Spontaneität erweckt, — ›dynamisiert‹, wie wir sagen; es redet auf einmal die Sprache des Subjektiven. Die heute zerstörten musikalischen Konventionen waren nicht allezeit gar so objektiv, so äußerlich auferlegt. Sie waren Verfestigungen lebendiger Erfahrungen und erfüllten als solche lange eine Aufgabe von vitaler Wichtigkeit: die Aufgabe der Organisation. Organisation ist alles. Ohne sie gibt es überhaupt nichts, am wenigsten Kunst. Und nun war es die ästhetische Subjektivität, die sich der Aufgabe annahm; sie machte sich anheischig, das Werk aus sich heraus, in Freiheit, zu organisieren.«

»Du denkst an Beethoven.«

»An ihn und an das technische Prinzip, durch das die herrische Subjektivität sich der musikalischen Organisation bemächtigte, also die Durchführung. Die Durchführung war ein kleiner Teil der Sonate gewesen, eine bescheidene Freistatt subjektiver Beleuchtung und Dynamik. Mit Beethoven wird sie universell, wird zum Zentrum der gesamten Form, die, auch wo sie als Konvention vorgegeben bleibt, vom Subjektiven absorbiert und in Freiheit neu erzeugt wird. Die Variation, also etwas Archaisches, ein Residuum, wird zum Mittel spontaner Neuschöpfung der Form. Die variative Durchführung breitet sich über die ganze Sonate aus. Sie tut das bei Brahms, als thematische Arbeit, noch durchgreifender und umfassender. Nimm ihn als Beispiel dafür, wie Subjektivität in Objektivität sich wandelt! Bei ihm entäußert sich die Musik aller konventionellen Floskeln, Formeln und Rückstände und erzeugt sozusagen die Einheit des Werks jeden Augenblick neu, aus Freiheit. Aber gerade damit wird die Freiheit zum Prinzip allseitiger Ökonomie, das der Musik nichts Zufälliges läßt und noch die äußerste Mannigfaltigkeit aus identisch festgehaltenen Materialien entwickelt. Wo es nichts Unthematisches mehr gibt, nichts, was sich nicht als Ableitung eines immer Gleichen ausweisen könnte, da läßt sich kaum noch von freiem Satze sprechen . . .«

»Aber auch nicht von strengem im alten Sinn.«

»Alt oder neu, ich werde dir sagen, was ich unter strengem Satz verstehe. Ich meine damit die vollständige Integrierung aller musikalischen Dimensionen, ihre Indifferenz gegeneinander kraft vollkommener Organisation.«

»Siehst du einen Weg dazu?«

»Weißt du«, fragte er dagegen, »wo ich einem strengen Satz am nächsten war?«

Ich wartete. Er sprach bis zur Schwerverständlichkeit leise und zwischen den Zähnen, wie er zu tun pflegte, wenn er Kopfschmerzen hatte.

»Einmal im Brentano-Cyklus«, sagte er, »im ›O lieb Mädel‹. Das ist ganz aus einer Grundgestalt, einer vielfach variablen Intervallreihe, den fünf Tönen h-e-a-e-es abgeleitet, Horizontale und Vertikale sind davon bestimmt und beherrscht, soweit das eben bei einem Grundmotiv von so beschränkter Notenzahl möglich ist. Es ist wie ein Wort, ein Schlüsselwort, dessen Zeichen überall in dem Lied zu finden sind und es gänzlich determinieren möchten. Es ist aber ein zu kurzes Wort und in sich zu wenig beweglich. Der Tonraum, den es bietet, ist zu beschränkt. Man müßte von hier aus weitergehen und aus den zwölf Stufen des temperierten Halbton-Alphabets größere Wörter bilden, Wörter von zwölf Buchstaben, bestimmte Kombinationen und Interrelationen der zwölf Halbtöne, Reihenbildungen, aus denen das Stück, der einzelne Satz oder ein ganzes mehrsätziges Werk strikt abgeleitet werden müßte. Jeder Ton der gesamten Komposition, melodisch und harmonisch, müßte sich über seine Beziehung zu dieser vorbestimmten Grundreihe auszuweisen haben. Keiner dürfte wiederkehren, ehe alle anderen erschienen sind. Keiner dürfte auftreten, der nicht in der Gesamtkonstruktion seine motivische Funktion erfüllte. Es gäbe keine freie Note mehr. Das würde ich strengen Satz nennen.«

»Ein frappierender Gedanke«, sagte ich. »Rationale Durchorganisation dürfte man das schon nennen. Eine außerordentliche Geschlossenheit und Stimmigkeit, eine Art von astronomischer Gesetzmäßigkeit und Richtigkeit wäre damit gewonnen. Aber, wenn ich's mir vorstelle, — das unveränderliche Abspielen einer solchen Intervallreihe, wenn auch noch so wechselnd gesetzt und rhythmisiert, würde wohl unvermeidlich eine arge Verdürftigung und Stagnation der Musik erzeugen.«

»Wahrscheinlich«, antwortete er mit einem Lächeln, das anzeigte, daß er auf das Bedenken vorbereitet gewesen war. Es war das Lächeln, das die Ähnlichkeit mit seiner Mutter stark hervortreten ließ, aber in einer mir vertrauten mühsamen Art hervorgebracht, wie es ihm eben unter Migränedruck gelingen wollte.

»Es geht auch so einfach nicht. Man müßte alle Techniken der Variation, auch die als künstlich verschrienen, ins System aufnehmen, also das Mittel, das einmal der Durchführung zur Herrschaft über die Sonate verhalf. Ich frage mich, wozu ich so lange unter Kretzschmar die alten kontrapunktischen Praktiken geübt und so viel Notenpapier mit Umkehrungsfugen, Krebsen und Umkehrungen des Krebses vollgeschrieben habe. Nun also, all das wäre zur sinnreichen Modifizierung des Zwölftönewortes nutzbar zu machen. Außer als Grundreihe könnte es so Verwendung finden, daß jedes seiner Intervalle durch das in der Gegenrichtung ersetzt wird. Ferner könnte man die Gestalt mit dem letzten Ton beginnen und mit dem ersten schließen lassen, dann auch diese Form wieder in sich umkehren. Da hast du vier Modi, die sich ihrerseits auf alle zwölf verschiedenen Ausgangstöne der chromatischen Skala transponieren lassen, so daß die Reihe also in achtundvierzig verschiedenen Formen für eine Komposition zur Verfügung steht, und was sonst noch für Variationsscherze sich anbieten mögen. Eine Komposition kann auch zwei oder mehrere Reihen als Ausgangsmaterial benutzen, nach Art der Doppel- und Tripelfuge. Das Entscheidende ist, daß jeder Ton darin, ohne jede Ausnahme, seinen Stellenwert hat in der Reihe oder einer ihrer Ableitungen. Das würde gewährleisten, was ich die Indifferenz von Harmonik und Melodik nenne.«

»Ein magisches Quadrat«, sagte ich. »Aber hast du Hoffnung, daß man das alles auch hören wird?«

»Hören?« erwiderte er. »Erinnerst du dich an einen gewissen gemeinnützigen Vortrag, der uns einmal gehalten wurde, und aus dem hervorging, daß man in der Musik durchaus nicht alles hören muß? Wenn du unter ›Hören‹ die genaue Realisierung der Mittel im einzelnen verstehst, durch die die höchste und strengste Ordnung, eine sternensystemhafte, eine kosmische Ordnung und Gesetzlichkeit zustande kommt, nein, so wird man's nicht hören. Aber diese Ordnung wird oder würde man hören, und ihre Wahrnehmung würde eine ungekannte ästhetische Genugtuung gewähren.«

»Sehr merkwürdig«, sagte ich, »wie du die Sache beschreibst, läuft sie auf eine Art von Komponieren vor dem Komponieren hinaus. Die ganze Material-Disposition und -Organisation müßte ja fertig sein, wenn die eigentliche Arbeit beginnen soll, und es fragt sich nur, welches die eigentliche ist. Denn diese Zubereitung des Materials geschähe ja durch Variation, und die Produktivität der Variation, die man das eigentliche Komponieren nennen könnte, wäre ins Material zurückverlegt — samt der Freiheit des Komponisten. Wenn er ans Werk ginge, wäre er nicht mehr frei.«

»Gebunden durch selbstbereiteten Ordnungszwang, also frei.«

»Nun ja, die Dialektik der Freiheit ist unergründlich. Aber als Gestalter der Harmonik wäre er kaum frei zu nennen. Bliebe die Akkordbildung nicht dem Geratewohl, dem blinden Verhängnis überlassen?«

»Sage lieber: der Konstellation. Die polyphone Würde jedes akkordbildenden Tons wäre durch die Konstellation gewährleistet. Die geschichtlichen Ergebnisse, die Emanzipation der Dissonanz von ihrer Auflösung, das Absolutwerden der Dissonanz, wie es sich schon an manchen Stellen des späten Wagner-Satzes findet, würde jeden Zusammenklang rechtfertigen, der sich vor dem System legitimieren kann.«

»Und wenn die Konstellation das Banale ergäbe, die Konsonanz, Dreiklangharmonik, das Abgenutzte, den verminderten Septimenakkord?«

»Das wäre eine Erneuerung des Verbrauchten durch die Konstellation.«

»Ich sehe da ein wiederherstellendes Element in deiner Utopie. Sie ist sehr radikal, aber sie lockert das Verbot, das doch eigentlich schon über die Konsonanz verhängt war. Das Zurückgehen auf die altertümlichen Formen der Variation ist ein ähnliches Merkmal.«

»Interessantere Lebenserscheinungen«, erwiderte er, »haben wohl immer dies Doppelgesicht von Vergangenheit und Zukunft, wohl immer sind sie progressiv und regressiv in einem. Sie zeigen die Zweideutigkeit des Lebens selbst.«

»Ist das nicht eine Verallgemeinerung?«

»Wovon?«

»Von häuslichen nationalen Erfahrungen?«

»Oh, keine Indiskretionen. Und keine Selbstgratulation! Alles, was ich sagen will, ist, daß deine Einwände — wenn sie als Einwände gemeint sind — nicht zählen würden gegen die Erfüllung des uralten Verlangens, was immer klingt, ordnend zu erfassen und das magische Wesen der Musik in menschliche Vernunft aufzulösen.«

»Du willst mich bei meiner Humanistenehre nehmen«, sagte ich. »Menschliche Vernunft! Und dabei, entschuldige, ist ›Konstellation‹ dein drittes Wort. Es gehört aber doch schon mehr der Astrologie. Die Rationalität, nach der du rufst, hat viel vom Aberglauben, — vom Glauben an das ungreifbar und vag Dämonische, das im Glücksspiel, im Kartenschlagen und Loseschütteln, in der Zeichendeutung sein Wesen treibt. Umgekehrt wie du sagst, scheint dein System mir eher danach angetan, die menschliche Vernunft in Magie aufzulösen.«

Er führte die geschlossene Hand an die Schläfe.

»Vernunft und Magie«, sagte er, »begegnen sich wohl und werden eins in dem, was man Weisheit, Einweihung nennt, im Glauben an die Sterne, die Zahlen . . .«

Ich antwortete nicht mehr, da ich sah, daß er Schmerzen hatte. Auch schien mir alles, was er gesagt hatte, das Gepräge der Schmerzen zu tragen, in ihrem Zeichen zu stehen, so geistvoll und bedenkenswert es gewesen sein mochte. Er selbst schien unserem Gespräch nicht weiter nachzuhängen; sein gleichgültiges Seufzen und Summen im Fortschlendern deutete darauf hin. Ich aber tat es natürlich, verdutzt und innerlich kopfschüttelnd, übrigens aber mit der stillen Überlegung, daß Gedanken zwar möglicherweise charakterisiert, aber keineswegs entwertet werden dadurch, daß sie mit Schmerzen zusammenhängen.

Wir sprachen wenig auf der verbleibenden Strecke des Heimwegs. Ich erinnere mich, daß wir einige Augenblicke an der Kuhmulde haltmachten; wir taten ein paar Schritte seitwärts vom Feldwege und blickten, den Schein der sich schon neigenden Sonne im Gesicht, auf das Wasser. Es war klar; man sah, daß nur in der Nähe des Ufers der Grund flach war. Schnell fiel er schon in geringer Entfernung davon ins Dunkle ab. Bekanntlich war der Weiher in der Mitte sehr tief.

»Kalt«, sagte Adrian mit dem Kopfe hindeutend; »viel zu kalt jetzt zum Baden.« — »Kalt«, wiederholte er einen Augenblick später, diesmal mit merklichem Zusammenschaudern, und wandte sich zum Gehen.

Noch an diesem Abend mußte ich um meiner dienstlichen Pflichten willen nach Kaisersaschern zurückkehren. Er selbst verzögerte seine Abreise nach München, das er sich zum Wohnsitz ersehen, noch um einige Tage. Ich sehe ihn seinem Vater — zum letzten Mal, er wußte es nicht — zum Abschied die Hand drücken, sehe seine Mutter ihn küssen und vielleicht auf dieselbe Art, wie damals in der Wohnstube beim Gespräch mit Kretzschmar, seinen Kopf an ihre Schulter lehnen. Er sollte und wollte ihr nicht wiederkehren. Sie kam zu ihm.

XXIII

»Wer's nicht anpacken will, kann's nicht fortschieben«, schrieb er mir, Kumpf parodierend, ein paar Wochen später aus der bayerischen Hauptstadt, zur Anzeige, daß er die Komposition von ›Love's Labour's Lost‹ begonnen habe, und um auf die rasche Zustellung der restlichen Textbearbeitung zu dringen. Er brauche den Überblick, schrieb er, und wünsche zur Herstellung mancher musikalischen Verknüpfung und Beziehung gelgentlich auf spätere Teile vorzugreifen.

Er wohnte in der Rambergstraße, nahe der Akademie, als Untermieter einer Senatorswitwe aus Bremen, namens Rodde, die dort in einem noch neuen Hause mit ihren beiden Töchtern eine Wohnung zu ebener Erde innehatte. Das nach der stillen Straße gelegene Zimmer, gleich rechts neben der Entreetür, das man ihr abtrat, sagte ihm wegen seiner Reinlichkeit und sachlich-familiären Einrichtung zu, und bald hatte er es sich mit seiner persönlichen Habe, seinen Büchern und Noten vollends gerecht gemacht. Ein allenfalls etwas unsinniges Dekorationsstück bildete der umfangreiche, in Nußholz gerahmte Stich an der linken Seitenwand, welcher, Relikt eines verschollenen Enthusiasmus, Giacomo Meyerbeer am Klavier, eingebungsvoll erhobenen Blicks in die Tasten greifend und umschwebt von den Gestalten seiner Opern, darstellte. Indessen gefiel dem jungen Mieter die Apotheose nicht einmal so übel, und überdies wandte er ihr, wenn er im Korbstuhl an seinem Arbeitstisch, einem einfachen grün gedeckten Ausziehtisch, saß, den Rücken zu. So ließ er sie an ihrem Ort.

Ein kleines Harmonium, das ihn an alte Tage erinnern mochte, stand in dem Zimmer und war ihm dienlich. Da aber die Senatorin sich meistens in einem rückwärtigen, gegen das Hausgärtchen gelegenen Zimmer aufhielt und auch die Töchter vormittags gleichfalls unsichtbar blieben, so stand ihm auch der Flügel im Salon, ein etwas abgespielter, aber weichtöniger Bechstein, zu freier Verfügung. Dieser Salon nun, ausgestattet mit gesteppten Fauteuils, bronzierten Kandelabern, vergoldeten Gitterstühlchen, einem Sofa-Tisch mit Brokatdecke und einem reich gerahmten, stark nachgedunkelten Ölgemälde von 1850, welches das Goldene Horn mit dem Blick auf Galata darstellte — kurz, mit Dingen, die sich als Reste eines einst wohlhäbigen bürgerlichen Haushalts zu erkennen gaben —, war abends nicht selten der Schauplatz einer Geselligkeit in kleinem Kreise, zu der auch Adrian sich, anfangs widerstrebend, dann gewohnheitsmäßig hinzuziehen ließ, um schließlich, wie die Umstände es mit sich brachten, ein wenig die Rolle des Haussohnes dabei zu spielen. Es war künstlerische oder halbkünstlerische Welt, die sich da zusammenfand, eine sozusagen stubenreine Bohème, gesittet und dabei frei, locker, amüsant genug, um die Erwartungen zu erfüllen, die Frau Senator Rodde bestimmt hatten, ihren Wohnsitz von Bremen nach der süddeutschen Hauptstadt zu verlegen.

Ihre Bewandtnisse waren leicht zu durchschauen. Dunkeläugig, das braune, zierlich gekräuselte Haar nur wenig ergraut, von damenhafter Haltung, elfenbeinfarbenem Teint und angenehmen, noch ziemlich wohlerhaltenen Gesichtszügen, hatte sie ein Leben lang als gefeiertes Mitglied einer patrizischen Gesellschaft repräsentiert, einem dienstbotenreichen und verpflichtungsvollen Haushalt vorgestanden. Nach dem Tode ihres Gatten (dessen ernstes Portrait, im Amtsornat, ebenfalls den Salon schmückte), bei stark herabgesetzten Verhältnissen und wohl nicht ganz zu bewahrender Stellung in dem gewohnten Milieu, waren Wünsche einer unerschöpften und wahrscheinlich nie recht befriedigten Lebenslust in ihr frei geworden, die auf ein interessanteres Nachspiel ihres Lebens in menschlich wärmerer Sphäre abgezielt hatten. Ihre Gesellschaften gab sie, so wollte sie es wahrhaben, im Interesse ihrer Töchter, vorwiegend aber doch, wie ziemlich deutlich war, um selbst zu genießen und sich den Hof machen zu lassen. Man unterhielt sie am besten durch kleine, nicht zu weitgehende Schlüpfrigkeiten, Anspielungen auf die gemütlich-unbedenklichen Sitten der Kunststadt, Anekdoten von Kellnerinnen,

Modellen, Malern, die ihr ein hohes und zierlich-sinnliches Lachen bei geschlossenem Munde entlockten.

Augenscheinlich liebten ihre Töchter, Ines und Clarissa, dies Lachen nicht; sie tauschten kalt mißbilligende Blicke dabei, die alle Reizbarkeit erwachsener Kinder gegen das Unerledigt-Menschliche im Wesen der Mutter erkennen ließen. Dabei war wenigstens im Falle der Jüngeren, Clarissa's, die Entwurzelung aus dem Bürgerlichen bewußt, gewollt und betont. Die hochgewachsene Blondine mit dem großen, kosmetisch geweißten Gesicht, der gerundeten Unterlippe und dem wenig entwickelten Kinn bereitete sich auf die dramatische Laufbahn vor und nahm Unterricht bei dem Heldenvater des Hof- und Nationaltheaters. Sie trug ihr goldgelbes Haar in gewagter Frisur unter Hüten von Radgröße und liebte exzentrische Federboas. Übrigens ertrug ihre imposante Gestalt diese Dinge sehr wohl und absorbierte ihre Auffälligkeit. Eine Neigung zum Skurril-Makabren belustigte die ihr huldigende Herrenwelt. Ihr gehörte ein schwefelgelber Kater namens Isaak, den sie Trauer tragen ließ um den verstorbenen Papst, indem sie ihm eine schwarze Atlasschleife an den Schwanz band. Das Zeichen des Totenkopfes wiederholte sich in ihrem Zimmer, es war sowohl als wirkliches zähnebleckendes Skelettpräparat als auch in Form eines bronzenen Briefbeschwerers vorhanden, der das hohläugige Symbol der Vergänglichkeit und der ›Genesung‹ auf einem Folianten liegend darstellte. Dieser trug in griechischen Lettern den Namen des Hippokrates. Das Buch war hohl, seine glatte Unterseite von vier kleinen, nur sehr sorgfältig mit einem feinen Instrument zu lösenden Schräubchen gehalten. Als später Clarissa sich mit dem Gift, das in der Höhlung verschlossen war, das Leben genommen hatte, überließ mir Frau Senator Rodde den Gegenstand zum Andenken, und ich bewahre ihn noch.

Auch Ines, die ältere Schwester, war zu einer tragischen Tat bestimmt. Sie vertrat — soll ich sagen: jedoch? — das erhaltende Element in der kleinen Familie, lebte im Protest gegen die Entwurzelung, das Süddeutsche, die Kunststadt, die Bohème, die Abendgesellschaften ihrer Mutter, rückwärts gewandt mit Betonung zum Alten, Väterlichen, Bürgerlich-Strengen und Würdigen. Doch hatte man den Eindruck, daß dieser Konservatismus eine Schutzvorrichtung war gegen Spannungen und Gefährdungen ihres Wesens, auf die sie doch auch wieder ein intellektuelles Gewicht legte. Sie war zierlicher von Gestalt als Clarissa, mit der sie sich sehr wohl vertrug, während sie die Mutter still und deutlich ablehnte. Schweres aschblondes Haar belastete ihr Haupt, das sie bei gedehntem Halse und gespitzt lächelndem Munde schräg vorgeschoben trug. Die Nase war etwas höckerig, der Blick ihrer blassen Augen fast von den Lidern verhängt, matt, zart und unvertrauend, ein Blick des Wissens und der Trauer, wenn auch nicht ohne einen Versuch der Schalkhaftigkeit. Ihre Erziehung war nicht mehr als hochkorrekt gewesen; zwei Jahre hatte sie in einem vornehmen, vom Hofe protegierten Karlsruher Mädchenpensionat verbracht. Sie befleißigte sich keiner Kunst oder Wissenschaft, sondern legte Wert darauf, sich als Haustochter in der Wirtschaft zu betätigen, las aber viel, schrieb außerordentlich wohlstilisierte Briefe ›nach Hause‹, in die Vergangenheit, an ihre Pensionsvorsteherin, an ehemalige Freundinnen und dichtete unterderhand. Ihre Schwester ließ mich eines Tages ein Poem von ihr, betitelt ›Der Bergmann‹, sehen, dessen erste Strophe mir gegenwärtig ist. Sie lautete:

> Ich bin ein Bergmann in der Seele Schacht
> Und steige still und furchtlos dunkelwärts
> Und seh' des Leidens kostbar Edelerz
> Mit scheuem Schimmer leuchten durch die Nacht.

Ich habe das Weitere vergessen. Nur die Schlußzeile ist mir noch geblieben:

> Und nie verlang' ich mehr empor zum Glück.

Soviel für jetzt von den Töchtern, zu denen Adrian in hausgenössisch freundschaftliche Beziehungen trat. Sie schätzten ihn nämlich beide und beeinflußten auch ihre Mutter dahin, ihn wertzuhalten, obgleich sie ihn wenig künstlerisch fand. Die Gäste des Hauses angehend, so mochte es so sein, daß eine wechselnde Auswahl von ihnen, darunter auch Adrian oder, wie es hieß, »unser Mieter, Herr Dr. Leverkühn«, schon zum Abendessen in das mit einem für den Raum viel zu monumentalen und überreich geschnitzten Eichenbuffet geschmückte Speisezimmer der Roddes gebeten waren; die anderen fanden sich um neun Uhr oder später zum Musizieren, Teetrinken und Plaudern ein. Es waren Kollegen und Kolleginnen Clarissa's, ein oder der andere feurige junge Mann mit Zungen-R und Fräulein mit gut vornsitzenden Stimmen; sodann ein Ehepaar Knöterich, — der Mann, Konrad Knöterich, autochthon münchnerisch, dem Ansehen nach einem alten Germanen, Sugambier oder Ubier gleich — es fehlte nur obenauf der gedrehte Haarschopf —, von unbestimmt künstlerischer Beschäftigung — er wäre wohl eigentlich Maler gewesen, dilettierte aber im Instrumentenbau und spielte recht wild und ungenau das Cello, wobei er heftig durch seine Adlernase schnob —, die Frau, Natalia, brünett, mit Ohrringen und schwarzen, in die Wangen sich biegenden Ringellöckchen, von spanisch-exotischem Einschlag und ebenfalls malerisch tätig; dann ein Gelehrter, Dr. Kranich, Numismatiker und Konservator des Münzkabinetts, klar, fest und heiter-verständig von Redeweise, jedoch bei asthmatisch belegter Stimme; ferner zwei befreundete Maler und Mitglieder der Sezession, Leo Zink und Baptist Spengler, — Österreicher der eine, aus der Gegend von Bozen, und Spaßmacher seiner gesellschaftlichen Technik nach, ein einschmeichelnder Clown, der unaufhörlich in sanft schleppender Sprache sich selbst und seine überlange Nase ironisierte, ein etwas faunischer Typ, die Frauen mit dem wirklich sehr komischen Blick seiner dicht beeinanderliegenden Rundaugen zum Lachen reizend, was immer ein guter Anfang ist, — der andere, Spengler, aus Mitteldeutschland gebürtig, mit sehr starkem blondem Schnurrbart, ein skeptischer Weltmann, vermögend, wenig arbeitend, hypochondrisch, belesen, stets lächelnd im Gespräch und rasch mit den Augen blinzelnd. Ines Rodde mißtraute ihm höchlichst, — inwiefern, sagte sie weiter nicht, sprach aber zu Adrian von ihm als einem versteckten Menschen und heimlichen Schleicher. Dieser gestand, daß Baptist Spengler etwas intelligent Beruhigendes für ihn habe, und er unterhielt sich gern mit ihm, — gab aber viel weniger den Werbungen eines weiteren Gastes nach, der sich um seine Sprödigkeit zutraulich bemühte. Es war Rudolf Schwerdtfeger, ein begabter junger Geiger, Mitglied des Zapfenstößer-Orchesters, das neben der Hofkapelle eine bedeutende Rolle im musikalischen Leben der Stadt spielte, und in welchem er unter den ersten Violinen arbeitete. In Dresden geboren, aber seiner Herkunft nach eher niederdeutsch, ein Blondkopf, von mittlerer, netter Statur, besaß er den Schliff, die einnehmende Gewandtheit sächsischer Zivilisation und war, ebenso gutmütig wie gefallsüchtig, ein eifriger Salonbesucher, der jeden freien Abend in mindestens einer, meistens aber zwei bis drei Gesellschaften verbrachte, dem Flirt mit dem schönen Geschlecht, jungen Mädchen sowohl wie reiferen Frauen, selig hingegeben. Leo Zink und er standen auf kühlem, zuweilen häkligem Fuß, — ich habe oft bemerkt, daß die Liebenswürdigen sich untereinander wenig mögen, und daß dies ebensowohl auf männliche Eroberer wie auf schöne Frauen zutrifft. Für mein Teil hatte ich nichts gegen Schwerdtfeger, ja mochte ihn aufrichtig gern, und sein früher, tragischer Tod, der für mich noch mit besonderen, unheimlichen Schauern umkleidet war, erschütterte mich in tiefster Seele. Wie deutlich sehe ich den jungen Menschen noch vor mir mit seiner knabenhaften Manier, eine Schulter in den Kleidern zurechtzurücken und dabei einen Mundwinkel kurz grimassierend nach unten zu ziehen; mit seiner weiteren naiven Gewohnheit, jemanden im Gespräch gespannt und gleichsam entrüstet anzusehen: seine stahlblauen Augen wühlten dabei förmlich in dem Gesicht des anderen, indem sie sich bald auf das eine, bald auf das andere Auge desselben einstellten, indes seine Lippen aufgeworfen waren. Was hatte er nicht auch für gute Eigenschaften, ganz abgesehen von seinem Talent, das man in seine Liebenswürdigkeit einrechnen mochte. Freimut, Anständigkeit, Vorurteilslosigkeit, künstlerisch neidlose Gleichgültigkeit gegen Geld und Gut, kurz, eine gewisse Reinheit, die auch aus dem Blick seiner — ich wiederhole es — schön stahlblauen Augen in dem allenfalls etwas bulldoggenhaft oder möpslich gebildeten, aber jugendlich anziehenden Gesicht strahlte, waren ihm eigen. Oft musizierte er mit der Senatorin, die keine üble Pianistin war, — wobei er nun wieder jenem Knöterich ins Gehege kam, den es verlangte, sein Cello zu fegen, da doch die Gesellschaft es weit mehr auf Rudolfs Vorträge abgesehen hatte. Sein Spiel war sauber und kultiviert, nicht großen Tons, aber von süßem Wohllaut und technisch nicht wenig brillant. Selten hat man gewisse Sachen von Vivaldi, Vieuxtemps und Spohr, die c-Moll-Sonate von Grieg, aber selbst auch die Kreutzer-Sonate und Stücke von César Franck untadeliger gehört. Dabei war er schlichten Sinnes, von Literatur nicht berührt, jedoch besorgt um die gute Meinung geistig hochstehender Menschen, — nicht nur aus Eitelkeit, sondern weil er ernstlich Wert auf den Umgang mit ihnen legte und sich durch ihn zu heben, zu vervollkommnen wünschte. Auf Adrian hatte er es gleich abgesehen, machte ihm den Hof, indem er geradezu die Damen darüber vernachlässigte, bat um sein Urteil, wollte von ihm begleitet sein, was aber Adrian damals stets ablehnte, zeigte sich begierig nach musikalischem und außer-musikalischem Gespräch mit ihm und war — ein Zeichen ungewöhnlicher Treuherzigkeit, aber auch von unbekümmertem Verständnis und einer natürlichen Kultur — durch keine Kühle, Zurückhaltung, Fremdheit zu ernüchtern, einzuschüchtern und abzustoßen. Einmal, als Adrian wegen Kopfschmerzen und völliger gesellschaftlicher Unlust der Senatorin abgesagt hatte und auf seinem Zimmer geblieben war, erschien plötzlich Schwerdtfeger bei ihm, in seinem Cutaway und seiner schwarzen Plastron-Krawatte, um ihn, angeblich im Auftrage mehrerer oder aller Gäste, zu überreden, doch zur Gesellschaft zu stoßen. Es sei so langweilig ohne ihn . . . Das hatte etwas Verblüffendes, denn Adrian war ja keineswegs ein belebender Gesellschafter. Auch weiß ich nicht, ob er sich damals gewinnen ließ. Allein trotz der Vermutung, daß er nur den Gegenstand abgab für ein ganz allgemeines Bedürfnis, gewinnend zu wirken, konnte er sich eines gewissen glücklichen Erstaunens über solche unverwüstliche Zutunlichkeit nicht enthalten. —

Damit habe ich den Personenbestand des Rodde'schen Salons, lauter Erscheinungen, deren Bekanntschaft, nebst derjenigen vieler anderer Mitglieder der Münchener Gesellschaft, ich als Freisinger Professor später selber machte, zeimlich vollständig aufgeführt. Wer über ein kleines noch hinzukam, war Rüdiger Schildknapp, — er, der nach Adrians Beispiel gefunden hatte, daß man, statt in Leipzig, in München leben sollte, und dem die Entschlußkraft zuteil geworden war, diese Ratsamkeit Tat werden zu lassen. Der Verleger seiner Übersetzungen aus älterer englischer Literatur hatte ja hier seinen Sitz, was von praktischem Wert für Rüdiger war; und außerdem hatte er wohl den Umgang mit Adrian entbehrt, den er denn auch sogleich wieder mit seinen Vatergeschichten und seinem »Besichtigen Sie jenes!« zum Lachen brachte. Er hatte nicht weit von der Wohnung des Freundes, im dritten Stock eines Hauses in der Amalienstraße, ein Zimmer genommen, und dort saß er nun, ausnehmend luftbedürftig von Natur, den ganzen Winter bei offenem Fenster, in Mantel und Plaid gehüllt, an seinem Tisch und rang, halb haßerfüllt und halb in leidenschaftlicher Verfallenheit, von Schwierigkeiten umgeben und Zigaretten verdampfend, um den genauen deutschen Gegenwert für englische Wörter, Phrasen und Rhythmen. Er pflegte mit Adrian zu Mittag zu essen, im Hoftheater-Restaurant oder in einer der Keller-Gaststätten der inneren Stadt, hatte aber bald, durch Leipziger Verbindungen, Zugang zu Privathäusern gefunden und es erreicht, daß, von abendlichen Einladungen zu schweigen, da und dort auch mittags ein Gedeck für ihn auflag, — etwa nachdem er mit der von seiner herrenmäßigen Armut bezauberten Hausfrau shopping gegangen war. So war es bei seinem Verleger, Inhaber der Firma Radbruch & Co. in der Fürstenstraße; so bei den Schlaginhaufens, einem älteren, vermögenden und kinderlosen Ehepaar, welches, der Mann von schwäbischer Herkunft und Privatgelehrter, die Frau aus Münchener Familie, in der Brienner Straße eine etwas düstere, aber prächtige Wohnung innehatte. Ihr säulengeschmückter Salon war der Treffpunkt einer das Künstlerische und das Aristokratische umfassenden Gesellschaft, wobei es der Hausfrau, einer geborenen von Plausig, das liebste war, wenn beide Elemente sich in ein und derselben Person vereinigten, wie in der des Generalintendanten der Königlichen Schauspiele, Exzellenz von Riedesel, der dort verkehrte. — Ferner speiste Schildknapp bei dem Industriellen Bullinger, einem reichen Papierfabrikanten, der in der Widenmayerstraße am Fluß die Bel-Etage des von ihm errichteten Mietshauses bewohnte; in der Familie eines Direktors der Pschorrbräu-Aktiengesellschaft und noch an anderen Orten.

Bei Schlaginhaufens hatte Rüdiger auch Adrian eingeführt, der dort denn also, ein einsilbiger Fremdling, mit geadelten Malergrößen, der Wagner-Heroine Tanja Orlanda, auch noch mit Felix Mottl, bayerischen Hofdamen, dem ›Urenkel Schillers‹, Herrn von Gleichen-Rußwurm, der kulturgeschichtliche Bücher schrieb, und mit solchen Schriftstellern, die überhaupt nichts schrieben, sondern sich nur als Sprechliteraten gesellschaftlich interessant verausgabten, oberflächlich und folgenlos zusammentraf. Allerdings war es auch hier, wo er zuerst die Bekanntschaft Jeannette Scheurls machte, einer vertrauenswürdigen Person von eigentümlichem Charme, gut zehn Jahre älter als er, Tochter eines verstorbenen bayerischen Verwaltungsbeamten und einer Pariserin, — einer gelähmt im Stuhl verharrenden, aber geistig energischen alten Dame, die sich niemals die Mühe gegeben hatte, Deutsch zu lernen: mit Recht, da ihr im Glücke phraseologischer Konvention auf Schienen laufendes Französisch geradezu für Geld und Stand aufkam. In der Nähe des Botanischen Gartens bewohnte Madame Scheurl mit ihren drei Töchtern, von denen Jeannette die Älteste, ein recht beschränktes Appartement, in dessen vollständig pariserisch anmutendem kleinen Salon sie außerordentlich beliebte musikalische Tee-Empfänge gab. Hier überfüllten die Standard-Stimmen von Kammersängern und -sängerinnen die engen Räume zum Bersten. Oft hielten blaue Hofkutschen vor dem bescheidenen Hause.

Jeannette angehend, so war sie Verfasserin, Romandichterin. Zwischen den Sprachen aufgewachsen, schrieb sie in einem reizend inkorrekten Privatidiom damenhafte und originelle Gesellschaftsstudien, die des psychologischen und musikalischen Reizes nicht entbehrten und unbedingt zur höheren Literatur zählten. Auf Adrian war sie sofort aufmerksam geworden und hielt sich zu ihm, der sich denn auch in ihrer Nähe, ihrem Gespräch geborgen fühlte. Von mondäner Häßlichkeit, mit elegantem Schafsgesicht, darin sich das Bäuerliche mit dem Aristokratischen mischte, ganz ähnlich wie in ihrer Rede das bayerisch Dialekthafte mit dem Französischen, war sie außerordentlich intelligent und zugleich gehüllt in die naiv nachfragende Ahnungslosigkeit des alternden Mädchens. Ihr Geist hatte etwas Flatterndes, drollig Konfuses, worüber sie selbst aufs herzlichste lachte, — keineswegs in der Art, wie Leo Zink sich durch Selbstverspottung insinuierte, sondern ganz reinen und amüsablen Herzens. Zu alldem war sie sehr musikalisch, Pianistin, für Chopin entflammt, um Schubert literarisch bemüht, befreundet mit mehr als einem zeitgenössischen Namensträger im Reich der Musik, und ein befriedigender Austausch über Mozarts Polyphonie und sein Verhältnis zu Bach war der erste gewesen, der zwischen ihr und Adrian gepflogen worden. Er war und blieb ihr durch viele Jahre vertrauensvoll zugetan.

Übrigens wird niemand erwarten, daß die Stadt, die er sich zum Aufenthalt gewählt, ihn wirklich in ihre Atmosphäre aufnahm, daß sie ihn je zu dem Ihren machte. Ihre Schönheit, die monumentale und bergbachdurchrauschte Dörflichkeit des Stadtbildes unter föhnblauem Alpenhimmel mochte auch seinem Auge wohltun, die Bequemlichkeit ihrer Sitten, die etwas von permanenter

Maskenfreiheit hatte, auch ihm das Dasein leichter machen. Ihr Geist — sit venia verbo! —, ihre töricht harmlose Lebensstimmung, die sinnlich-dekorative und karnevalistische Kunstgesinnung dieses selbstvergnügten Capua mußte einem tiefen und strengen Menschen wie ihm in der Seele fremd bleiben, — es war dies Stadtwesen ganz der rechte Gegenstand für den Blick, den ich seit Jahr und Tag an ihm kannte, den verschleierten, kalten und sinnend entfernten, dem das lächelnde Sichabwenden folgte.

Wovon ich spreche, ist das München der späten Regentschaft, nur vier Jahre noch vom Kriege entfernt, dessen Folgen seine Gemütlichkeit in Gemütskrankheit verwandeln und eine trübe Groteske nach der anderen darin zeitigen sollten, — diese perspektivenschöne Hauptstadt, deren politische Problematik sich auf den launigen Gegensatz zwischen einem halb separatistischen Volkskatholizismus und einem lebfrischen Liberalismus reichsfrommer Observanz beschränkte, — München mit seinen Wachtparade-Konzerten in der Feldherrnhalle, seinen Kunstläden, Dekorationsgeschäftspalästen und Saison-Ausstellungen, seinen Bauernbällen im Fasching, seiner Märzenbier-Dicktrunkenheit, der wochenlangen Monstre-Kirmes seiner Oktoberwiese, wo eine trotzig-fidele Volkhaftigkeit, korrumpiert ja doch längst von modernem Massenbetrieb, ihre Saturnalien feierte; München mit seiner stehengebliebenen Wagnerei, seinen esoterischen Koterien, die hinter dem Siegestor ästhetische Abendfeiern zelebrierten, seiner in öffentliches Wohlwollen gebetteten und grundbehaglichen Bohème. Adrian sah das alles an, wandelte darin, kostete davon während der neun Monate, die er für diesmal in Oberbayern verbrachte, einen Herbst, einen Winter, ein Frühjahr hindurch. Auf Künstlerfesten, die er mit Schildknapp besuchte, im Illusionsdämmer stilvoll dekorierter Säle, traf er mit Zugehörigen des Roddeschen Kreises, den jungen Schauspielern, den Knöterichs, Dr. Kranich, Zink und Spengler, den Töchtern des Hauses selbst wieder zusammen, saß mit Clarissa und Ines, dazu mit Rüdiger, Spengler und Kranich, auch wohl mit Jeannette Scheurl an einem Tische zusammen, von welchem Schwerdtfeger — als Bauernbursch gekleidet oder in der Tracht des florentinischen fünfzehnten Jahrhunderts, die seinen hübschen Beinen zustatten kam und ihn Botticelli's Jünglingsportrait mit der roten Mütze nicht unähnlich machte —, in Festlust aufgelöst und des Bedürfnisses, sich geistig zu heben, nun einmal gänzlich vergessen, die Rodde'schen Mädchen »in netter Weise« zum Tanze holte. »In netter Weise« war seine Vorzugsredensart; er hielt darauf, daß alles in Nettigkeit geschähe und unnette Unterlassungen vermieden würden. Er hatte viele Verpflichtungen und dringende Flirt-Interessen im Saal, aber es wäre ihm wenig nett erschienen, die Damen der Rambergstraße, mit denen er auf eher geschwisterlichem Fuße stand, ganz zu vernachlässigen, und diese Nettigkeitsbeflissenheit war auch so sichtbar in seiner geschäftigen Annäherung, daß Clarissa hochmütig sagte:

»Lieber Gott, Rudolf, wenn Sie nur nicht eine so strahlende Erlösermiene aufsetzen wollten, sobald Sie kommen! Ich versichere Sie, wir haben genug getanzt und brauchen Sie gar nicht.«

»Brauchen?« erwiderte er lustig entrüstet mit seiner etwas gaumigen Stimme. »Und die Bedürfnisse *meines* Herzens sollen wohl überhaupt nicht gelten?«

»Keinen Pfifferling«, sagte sie. »Außerdem bin ich zu groß für Sie.«

Und sie ging mit ihm, das geringe Kinn, dem es an der Vertiefung unter der runden Lippe fehlte, stolz erhoben. Oder es war Ines, die er gebeten hatte, und die ihm verhängten Blicks und mit gespitztem Munde zum Tanze folgte. Übrigens war er nett nicht nur gegen die Schwestern. Er kontrollierte seine Vergeßlichkeit. Plötzlich, besonders wenn jene es abgelehnt hatten zu tanzen, konnte er nachdenklich werden und sich an den Tisch setzen, zu Adrian und Baptist Spengler, der immer im Domino war und Rotwein trank. Blinzelnd, ein Grübchen in der Wange über dem starken Schnurrbart, zitierte er eben das Goncourt'sche Tagebuch oder die Briefe des Abbé Galiani, und mit jenem Ausdruck, entrüstet geradezu vor Aufmerksamkeit, blickte Schwerdtfeger bohrend in das Gesicht des Plaudernden. Er unterhielt sich mit Adrian über das Programm des nächsten Zapfenstößer-Konzerts, verlangte, als ob es keine dringlicheren Interessen und Verpflichtungen an allen Enden gäbe, nach der Erweiterung und Erläuterung von etwas, was Adrian kürzlich bei Roddes über Musik, über den Zustand der Oper oder dergleichen gesagt hatte, und widmete sich ihm. Er nahm seinen Arm und schlenderte mit ihm am Rande des Festgedränges um den Saal, indem er sich des karnevalistischen Du gegen ihn bediente, unbekümmert darum, daß jener nicht darauf einging. Jeannette Scheurl hat mir später berichtet, daß, als Adrian einst von solchem Wandel an den Tisch zurückkehrte, Ines Rodde zu ihm sagte:

»Sie sollten ihm den Gefallen nicht tun. Er möchte alles haben.«

»Vielleicht möchte auch Herr Leverkühn alles haben«, bemerkte Clarissa, das Kinn in die Hand gestützt.

Adrian zuckte die Achseln.

»Was er möchte«, erwiderte er, »ist, daß ich ein Violinkonzert für ihn schreibe, mit dem er sich in der Provinz hören lassen kann.«

»Tun Sie das nicht!« sagte wieder Clarissa. »Es würden Ihnen nichts als Artigkeiten einfallen, wenn Sie sich dabei auf ihn bezögen.«

»Sie denken zu hoch von meiner Biegsamkeit«, gab er zurück und hatte das meckernde Gelächter Baptist Spenglers auf seiner Seite.

Aber genug von Adrians Teilnahme am Münchener Lebens-
genuß! Fahrten in die notorisch wundervolle, wenn auch vom
Fremdenbetrieb etwas ridikülisierte Umgebung zu machen, hatte
er in Gesellschaft Schildknapps und meist auf dessen Drängen
schon im Winter begonnen und hart glänzende Schneetage mit
ihm in Ettal, Oberammergau, Mittenwald verbracht. Als der
Frühling kam, mehrten sich sogar diese Ausflüge, sie galten den
berühmten Seen, den Theaterschlössern des volkstümlichen
Wahnsinnigen, und öfters fuhr man zu Rade (denn Adrian liebte
das Fahrrad als Mittel unabhängiger Wanderung) aufs Geratewohl ins grünende Land hinein und nächtigte, wie es sich traf,
im Bedeutenden oder Unscheinbaren. Ich gedenke dessen, weil
Adrian auf eben diese Weise schon damals die Bekanntschaft des
Ortes machte, den er sich später zum persönlichen Lebensrahmen
erwählen sollte: Pfeifferings bei Waldshut und des Hofes der
Schweigestills.

Das Städtchen Waldshut, ohne Reiz und Sehenswürdigkeit übrigens, liegt an der Bahnlinie Garmisch-Partenkirchen, eine Stunde
von München, und die nächste Station, nur zehn Minuten weiter,
ist Pfeiffering oder Pfeffering, wo aber Schnellzüge nicht halten.
Sie lassen den Zwiebelturm der Kirche Pfeifferings beiseite liegen,
der sich aus der hier noch anspruchslosen Landschaft erhebt. Der
Besuch Adrians und Rüdigers an dem Fleck war eine reine Impro-
visation und ganz flüchtig für diesmal. Sie übernachteten nicht
einmal bei Schweigestills, denn beide hatten am nächsten Morgen
zu arbeiten und wollten vor Abend mit dem Zuge von Waldshut
nach München zurückkehren. Sie hatten im Wirtshaus am Haupt-
platz des Städtchens zu Mittag gegessen, und da ihnen der Fahr-
plan mehrere Stunden ließ, fuhren sie auf der baumbestandenen
Landstraße weiter nach Pfeiffering, führten ihre Räder durchs
Dorf, ließen sich von einem Kinde den Namen des nahen Weihers, des Klammerweihers sagen, warfen einen Blick auf die
baumgekrönte Anhöhe ›Rohmbühel‹ und baten unter dem Bellen
des Kettenhundes, den eine barfüßige Magd mit seinem Namen
»Kaschperl« berief, um ein Glas Limonade unter dem mit einem
geistlichen Wappen geschmückten Tor des Gutshauses, — weniger von Durstes wegen, als weil ihnen das massive und charak-
tervolle Bauernbarock des Gebäudes gleich in die Augen gesto-
chen hatte.

Ich weiß nicht, wieweit Adrian damals etwas ›merkte‹, ob er sofort oder erst allmählich, nachträglich und in erinnerndem Abstand, gewisse Verhältnisse, in eine andere, aber nicht ferne Tonart transponiert, wiedererkannte. Ich neige zu dem Glauben, daß
ihm die Entdeckung zunächst unbewußt blieb, und daß sie ihm
später erst, vielleicht im Traum, überraschend aufging. Jedenfalls
äußerte er zu Schildknapp keine Silbe, wie er ja auch gegen mich

der sonderbaren Entsprechung niemals gedacht hat. Aber selbstverständlich kann ich mich irren. Weiher und Hügel, der riesige alte Baum im Hof — allerdings eine Ulme — mit seiner grüngestrichenen Rundbank und weitere, noch hinzukommende Einzelheiten mögen auf den ersten Blick frappierend gewirkt haben; kein Traum mag nötig gewesen sein, ihm die Augen zu öffnen, und daß er nichts sagte, beweist ganz gewiß nicht das geringste.

Es war Frau Else Schweigestill, die den Besuchern im Haustor stattlich entgegentrat, sie freundlich anhörte und ihnen in hohen Gläsern mit langgestielten Löffeln die Limonade mischte. Sie kredenzte sie ihnen in einer fast saalartigen, gewölbten guten Stube links an der Diele, einer Art von Bauernsalon mit gewaltigem Tisch, Fensternischen, die die Dicke der Mauern erkennen ließen, und der geflügelten Nike von Samothrake in Gips oben auf dem buntbemalten Spind. Auch ein braunes Klavier stand in dem Saal. Er werde nicht von der Familie benutzt, erklärte Frau Schweigestill, indem sie sich zu ihren Gästen setzte; der ihnen ein kleineres Zimmer schräg gegenüber, gleich bei der Haustür, zum abendlichen Aufenthalt. Das Haus biete viel überflüssigen Raum; weiterhin an dieser Seite gebe es noch ein ansehnliches Gelaß, die sogenannte Abtsstube, wohl so genannt, weil es dem Vorsteher der Augustiner-Mönche, die hier einst gewirtschaftet, als Studio gedient habe. Daß der Hof ein Klostergut gewesen war, bestätigte sie damit. Seit drei Generationen saßen die Schweigestills darauf.

Adrian erwähnte, daß er selbst vom Lande stamme, allerdings schon lange in Städten lebe, erkundigte sich, wieviel Grund das Gut umfasse, und erfuhr, daß es rund vierzig Tagwerk Äcker und Wiesen nebst einem Walde seien. Auch die an dem freien Platz gegenüber dem Hof gelegenen niederen Gebäude mit den Kastanien davor gehörten zu dem Besitztum. Ehemals hätten dienende Brüder dort gewohnt, jetzt ständen sie fast immer leer und seien auch kaum zum Wohnen eingerichtet. Vorvorigen Sommer habe ein Kunstmaler aus München sich dort eingemietet, der in der Umgegend, dem Waldshuter Moor und so weiter, habe landschaftern wollen und auch mehrere hübsche Ansichten, allerdings etwas traurig, grau in grau gemalt, zustande gebracht habe. Drei davon seien im Glaspalast ausgestellt gewesen, wo sie sie selbst wiedergesehen, und eine habe Direktor Stiglmayer von der Bayerischen Wechselbank käuflich erworben. Die Herren seien wohl auch Kunstmaler?

Sie mochte auf jenen Mieter nur zu sprechen gekommen sein, um die Vermutung zu äußern und herauszubekommen, mit wem sie es ungefähr zu tun habe. Als sie erfuhr, daß es sich um einen Schriftsteller und einen Musiker handelte, hob sie respektvoll die Brauen und meinte, das sei seltener und interessanter. Kunstmaler gebe es wie Gänseblumen. Die Herren seien ihr auch gleich recht ernst vorgekommen, wo doch die Kunstmaler meistens ein lockeres, sorgloses Völkchen seien, ohne viel Sinn für den Ernst des Lebens, — sie meine nicht den praktischen Ernst, das Geldverdienen und diese Dinge, sondern wenn sie Ernst sage, meine sie eher das Schwere des Lebens, seine dunklen Seiten. Übrigens wolle sie der Gattung der Kunstmaler nicht unrecht tun, denn ihr Mieter von damals, zum Beispiel, habe schon gleich eine Ausnahme von der Vergnügtheit gemacht und sei ein sehr stiller, verschlossener Mann gewesen, eher von schwerem Mut, — danach hätten ja auch seine Bilder, die Moorstimmungen und einsamen Waldwiesen im Nebel, ausgesehen, ja man dürfe sich wundern, daß Direktor Stiglmayer sich eines davon, und gerade das allerdüsterste, zum Kaufe ausersehen habe: er müsse, obgleich Finanzmann, selbst einen Stich ins Melancholische haben.

Aufrecht, den braunen, nur leicht melierten Scheitel glatt und fest angezogen, so daß man die weiße Kopfhaut sah, in ihrer gewürfelten Wirtschaftsschürze, eine ovale Brosche am runden Halsausschnitt, saß sie bei ihnen, die kleinen, wohlgeformten und tüchtigen Hände, deren rechte den glatten Ehereif trug, auf der Tischplatte zusammengefügt.

Sie habe die Künstler gern, sagte sie in ihrer mit »halt« und »fei« und »Gellen S' ja?« dialekthaft gefärbten, aber doch recht geläuterten Sprechweise, denn sie seien Leute von Verständnis, und Verständnis sei im Leben das Allerbeste und Wichtigste, — die Lustigkeit der Kunstmaler beruhe im Grunde wohl auch daruf, es gebe eben eine lustige und eine ernste Art des Verständnisses, und noch nicht heraus sei, welcher der Vorzug gebühre. Vielleicht sei das passendste etwas Drittes: ein ruhiges Verständnis. Künstler müßten natürlich in der Stadt leben, weil dort die Kultur statthabe, mit der sie es zu tun hätten; eigentlich aber gehörten sie mit Bauersleuten, die in der Natur und darum dem Verständnis näher lebten, viel richtiger zusammen als mit den Stadtbürgern, deren Verständnis entweder verkümmert sei, oder die es um der bürgerlichen Ordnung willen unterdrücken müßten, was aber eben auf Verkümmerung hinauslaufe. Sie wolle aber auch gegen die Stadtleute nicht ungerecht sein; immer gebe es Ausnahmen, vielleicht heimliche Ausnahmen, und Direktor Stiglmayer, um ihn wieder zu nennen, habe durch den Ankauf jenes schwermütigen Bildes viel Verständnis, und zwar nicht nur künstlerisches, bewiesen.

Hierauf bot sie ihren Gästen Kaffee und Pfundskuchen an, aber Schildknapp und Adrian wollten die ihnen verbleibende Zeit lieber dazu benutzen, einen Blick auf Haus und Hof zu werfen, wenn sie so freundlich sein wolle, sie ihnen zu zeigen.

»Gern«, sagte sie. »Nur schad', daß mein Max« (das war Herr

Schweigestill) »draußen ist auf dem Feld mit Gereon, das ist unser Sohn. Sie wollten eine neue Düngerstreu-Maschine ausprobieren, die der Gereon angeschafft hat. Müssen die Herren halt vorliebnehmen mit mir.«

Das könne man nicht vorliebnehmen nennen, antworteten sie und gingen mit ihr durch das gediegene Haus, sahen gleich vorn die Familienwohnstube an, wo der Pfeifenknastergeruch, den man überall spürte, am eingesessensten war; und weiterhin dann die Abtsstube, einen sympathischen Raum, nicht gar groß und hinter dem Stil der Außenarchitektur des Hauses etwas zurück, im Charakter eher von 1600 als von 1700, getäfelt, mit teppichlosem Bretterboden und einer gepreßten Ledertapete unter der Balkendecke, mit Heiligenbildern an den Wänden der flachgewölbten Fensternische und in Bleiringe gefaßten Scheiben, in welche Vierecke aus bunter Glasmalerei eingelassen waren; mit einer Wandnische, in der ein kupferner Wasserkessel über einem ebensolchen Becken hing, und einem Wandschrank, der mit eisernen Spangen und Schlössern beschlagen war. Es gab eine Eckbank, mit Lederkissen belegt, und einen schweren eichenen Tisch nicht weit vom Fenster, kastenartig gebaut, mit tiefen Schubladen unter der polierten Platte. Sie zeigte ein vertieftes Mittelstück, einen höheren Rand, und ein geschnitztes Studienpult war ihr aufgesetzt. Darüber schwebte von der Balkendecke ein riesiger Kronleuchter, in dem noch Reste von Wachskerzen staken, ein unregelmäßig ausladendes, in Hörner, Geweihschaufeln und sonstige phantastische Bildungen nach allen Seiten endendes Dekorationsstück der Renaissance.

Die Besucher lobten die Abtsstube aufrichtig. Schildknapp meinte sogar mit nachdenklichem Kopfnicken, daß man sich hier niederlassen, hier leben sollte, aber Frau Schweigestill hatte Zweifel, ob es für einen Schriftsteller nicht zu einsam sein würde, zu fern von Leben und Kultur. Auch die Treppe hinauf, in den Oberstock, führte sie ihre Gäste, um ihnen ein paar von den zahlreichen Schlafzimmern zu zeigen, die sich dort an dem geweißten, moderig riechenden Korridor aneinanderreihten. Sie waren mit Bettstellen und Kästen im Geschmack des bunten Spindes im Saal ausgestattet, und nur in einigen war aufgebettet: turmhoch nach Bauerngeschmack, mit plustrigen Federdeckbetten. »Wie viele Schlafzimmer!« sagten die beiden. Ja, die stünden meistens fast alle leer, erwiderte die Wirtin. Vorübergehend nur sei eines oder das andere bewohnt gewesen. Zwei Jahre lang, noch bis vorigen Herbst, habe eine Baronin von Handschuchsheim hier gelebt und sei durch das Haus gewandelt, eine Dame, deren Gedanken, wie Frau Schweigestill sich ausdrückte, nicht recht mit denen der übrigen Welt hätten übereinstimmen wollen, und die vor dieser Unstimmigkeit hier Schutz gesucht habe. Sie selbst sei recht gut mit ihr ausgekommen, habe sich gern mit ihr unterhalten, und manchmal sei es ihr gelungen, sie über ihre abweichenden Ideen selbst zum Lachen zu bringen. Aber leider seien diese doch eben weder zu beseitigen noch im Wachstum aufzuhalten gewesen, so daß man die liebe Baronin schließlich in sachgemäße Pflege habe geben müssen.

Hiervon erzählte Frau Schweigestill schon beim Wiederzurücklegen der Treppe und während man auf den Hof hinaustrat, um auch in die Ställe noch einen Blick zu tun. Ein andermal, sagte sie, noch früher, sei eines der vielen Schlafzimmer von einem Fräulein der besten Gesellschaftskreise besetzt gewesen, die hier ihr Kind zur Welt gebracht habe, — da sie mit Künstlern rede, könne sie ja die Dinge, wenn auch nicht die Personen, bei Namen nennen. Der Vater des Fräuleins habe dem hohen Richterstande angehört, droben in Bayreuth, und habe sich ein elektrisches Automobil angeschafft, das sei der Anfang aller Heimsuchung gewesen. Denn auch einen Chauffeur habe er dazu gemietet, der ihn zu Amte habe fahren müssen, und dieser junge Mann, gar nichts Besonderes, nur gerade schmuck in seiner Litzen-Livrée, habe es dem Fräulein bis zur Selbstvergessenheit angetan. Sie habe ein Kind von ihm empfangen, und wie das klar und deutlich geworden sei, habe es Ausbrüche von Wut und Verzweiflung, von Händeringen und Haareraufen, von Fluch, Jammer und Schimpf bei den Eltern gegeben, wie man es gar nicht für möglich halten sollte. Verständnis habe da eben nicht obgewaltet, weder ländliches noch künstlerisches, sondern nur wilde stadtbürgerliche Angst um die Gesellschaftsehre, und das Fräulein habe sich ganz richtig vor ihren Eltern am Boden gewunden, flehend und schluchzend unter ihren verfluchenden Fäusten, und sei schließlich gleichzeitig mit ihrer Mutter ohnmächtig geworden. Der Gerichtspräsident aber habe sich eines Tages hier eingefunden und mit ihr, Frau Schweigestill, geredet: ein kleiner Mann mit grauem Spitzbart und goldener Brille, von Gram ganz niedergebeugt. Sie hätten es abgeredet, daß das Fräulein hier in der Stille niederkommen und danach, immer unter dem Vorwande der Blutarmut, noch eine Zeit hier verbringen sollte. Und als der kleine hohe Beamte sich schon zum Gehen gewandt hatte, sei er noch einmal umgekehrt und habe ihr, Tränen hinter seinen goldgerahmten Gläsern, nochmals die Hand gedrückt mit den Worten: »Ich danke Ihnen, liebe Frau, für Ihr wohltuendes Verständnis!« Er habe aber damit das Verständnis gemeint für die tiefgebeugten Eltern, nicht das für das Fräulein.

Dieses sei denn auch eingetroffen, ein armes Ding, das immer den Mund offengehalten habe bei emporgezogenen Augenbrauen; und während sie hier ihre Stunde erwartet, habe sie ihr, der Schweigestill, viel anvertraut, durchaus geständig wegen ihrer

Schuld und ohne vorzugeben, daß sie verführt worden sei, — im Gegenteil, Carl, der Chauffeur, habe sogar gesagt: »Es tut nicht gut, Fräulein, lassen wir's lieber!« Aber es sei stärker gewesen als sie, und immer sei sie bereit gewesen, es mit dem Tode zu büßen, wie sie auch tun werde, und die Bereitschaft zum Tode, so habe ihr geschienen, die komme auf für alles. Sie sei auch recht tapfer gewesen zu ihrer Stunde und habe ihr Kind, ein Mädchen, zur Welt gebracht mit Hilfe des guten Doktor Kürbis, des Kreisarztes hier, dem es ganz einerlei sei, wie ein Kind zustandekomme, wenn nur sonst alles in Ordnung sei und man es nicht mit Querlage zu tun habe. Aber recht schwach halt, trotz Landluft und guter Pflege, sei das Fräulein geblieben nach der Entbindung, habe auch nie darauf verzichtet, den Mund offenzuhalten und die Brauen emporzuziehen, wodurch ihre Wangen noch magerer erschienen seien, und als nach einer Weile ihr kleiner, hochgestellter Vater sie abgeholt habe, hätten bei ihrem Anblick wieder Tränen hinter seiner Goldbrille geblinkt. Das Kind sei zu den Grauen Fräulein in Bamberg gekommen, aber die Mutter sei fortan auch nur noch ein graues Fräulein gewesen: mit einem Kanarienvogel und einer Schildkröte, die ihr die Eltern aus Barmherzigkeit geschenkt, sei sie in ihrer Stube an Auszehrung dahingekümmert, wozu wohl der Keim schon immer in ihr gelegen habe. Schließlich habe man sie noch nach Davos geschickt, aber das scheine ihr den Rest gegeben zu haben, denn dort sei sie beinahe sofort gestorben, — nach Wunsch und Willen; und wenn sie recht gehabt habe mit ihrer Meinung, daß mit der Bereitschaft zum Tode alles im voraus beglichen sei, dann sei sie quitt gewesen und habe das Ihre dahin gehabt.

Man besuchte den Kuhstall, sah bei den Rössern ein und tat einen Blick in den Schweinekoben, während die Wirtin von dem Fräulein erzählte, das sie beherbergt. Auch zu den Hühnern ging man und zu den Bienen hinter dem Hause, und dann fragten die Freunde nach ihrer Zeche, die aber für Null erklärt wurde. Sie dankten für alles und radelten nach Waldshut zurück, ihren Zug zu gewinnen. Daß der Tag nicht verloren gewesen und Pfeiffering ein bemerkenswerter Flecken sei, darin stimmten sie überein.

Adrians Seele bewahrte das Bild dieser Örtlichkeit, ohne daß es vorläufig seine Entschlüsse bestimmt hätte. Er wollte fort, aber weiter fort als bloß eine Eisenbahnstunde gegen die Berge. Von der Musik zu ›Love's Labour's Lost‹ war damals die Klavierskizze der exponierenden Szenen geschrieben; aber die Arbeit stockte; die parodistische Künstlichkeit des Stils war schwer durchzuhalten, sie bedingte eine stets sich erneuernde Exzentrizität der Laune und machte den Wunsch nach Fernluft, tieferer Fremde der Umgebung rege. Unruhe beherrschte ihn. Seines Familienzimmers in der Rambergstraße, das ihm nur unsichere Einsamkeit bot, und in das plötzlich jemand eintreten mochte, um ihn zur Gesellschaft zu rufen, war er müde. »Ich suche«, schrieb er mir, »frage innerlich in der Welt herum und lausche auf Weisung nach einem Ort, wo ich mich recht vor der Welt vergraben und ungestört mit meinem Leben, meinem Schicksal Zwiesprache halten könnte...« Seltsame, ominöse Worte! Soll mir nicht kalt werden in der Magengrube, mir die Schreibhand nicht zittern bei dem Gedanken, für welche Zwiesprache, welche Begegnung und Abrede er, bewußt oder unbewußt, den Schauplatz suchte?

Es war Italien, für das er sich entschloß, und wohin er, zu touristisch ungewöhnlicher Jahreszeit, just als der Sommer kam, gegen Ende Juni, aufbrach. Rüdiger Schildknapp hatte er zum Mitkommen beredet.

XXIV

Als ich in den großen Ferien 1912, noch von Kaisersaschern aus, mit meiner jungen Gattin Adrian und Schildknapp in dem sabinischen Bergnest besuchte, das sie sich zum Aufenthalt gewählt hatten, war es schon der zweite Sommer, den die Freunde dort verlebten: Sie hatten den Winter in Rom zugebracht und im Mai, als die Wärme wuchs, das Gebirge und dasselbe gastliche Haus wieder aufgesucht, wo sie voriges Jahr während eines Aufenthalts von drei Monaten sich heimisch zu fühlen gelernt hatten.

Der Ort war Palestrina, die Geburtsstätte des Komponisten, Praeneste mit ihrem antiken Namen und als Penestrino, Trutzburg der Fürsten Colonna, von Dante im 27. Gesange des ›Inferno‹ erwähnt, — eine pittoresk am Berge lehnende Siedlung, in welche vom unteren Kirchplatz eine von den Häusern beschattete, nicht eben reinliche Treppengasse hineinführte. Eine Sorte kleiner schwarzer Schweine lief darauf herum, und leicht konnte von den breitbepackten Eseln einer, die dort ebenfalls auf und ab schritten, mit seiner ausladenden Last den unachtsamen Fußgänger an die Häuserwand drücken. Über die Ortschaft hinaus führte die Straße als Bergsteig weiter, an einem Kapuzinerkloster vorbei auf den Gipfel des Hügels zu der nur noch in geringen Trümmern vorhandenen Akropolis, bei der auch die Ruinen eines antiken Theaters gelegen waren. Helene und ich stiegen während unseres kurzen Aufenthalts mehrmals zu diesen würdigen Resten hinauf, während Adrian, der ja »nichts sehen wollte«, in Monaten nie über den schattigen Garten der Kapuziner, seinen Lieblingsaufenthalt, hinausgelangt war.

Das Haus Manardi, Adrians und Rüdigers Herberge, war wohl das stattlichste am Platze und bot, obgleich die Familie sechs

Köpfe zählte, auch uns Hospitanten noch mühelos Unterkunft. An der Stufengasse gelegen, war es ein massiver und ernster, fast palazzo- oder kastellartiger Bau, den ich auf das zweite Drittel des siebzehnten Jahrhunderts schätzte, mit kargem Gesimseschmuck unter dem flachen und wenig vorspringenden Schindeldach, kleinen Fenstern und einem im Geschmack des Früh-Barock dekorierten Haustor, in dessen Bretterverschalung die eigentliche, mit einer Bimmelglocke versehene Eingangstür geschnitten war. Unseren Freunden hatte man ein geradezu weitläufiges Bereich zu ebener Erde eingeräumt, bestehend aus einem zweifenstrigen Wohnraum von saalmäßigen Proportionen, mit steinernem Fußboden, wie alle Zimmer des Hauses, verschattet, kühl, ein wenig dunkel und sehr einfach mit Strohstühlen und Roßhaarsofas möbliert, aber in der Tat so ausgedehnt, daß zwei Personen dort, ungestört der eine vom anderen, durch beträchtliche Räume getrennt, ihren Beschäftigungen nachgehen konnten. Daran stießen die geräumigen, wenn auch gleichfalls sehr schlicht ausgestatteten Schlafzimmer, von denen uns Gästen ein ebensolches drittes eröffnet wurde.

Das Familieneßzimmer nebst anstoßender Küche, die viel größer war als jenes, und in der man Freunde aus dem Städtchen empfing, mit düster gewaltigem Rauchfang und vollgehängt mit märchenhaften Schöpflöffeln sowie Tranchiergabeln und -messern, die einem Oger hätten gehören können, die Borte angefüllt mit Kupfergerät, Tiegeln, Schüsseln, Platten, Terrinen und Mörsern, lagen im Oberstock, und hier waltete Signora Manardi, von den Ihren Nella genannt — ich glaube, sie hieß Peronella —, eine stattliche Matrone römischen Typs, mit gewölbter Oberlippe, — nicht sehr brünett, nur kastanienbraun die guten Augen und der silbrig durchwirkte, glatt und fest gezogene Scheitel, ländlich schlicht und tüchtig die ebenmäßig füllige Erscheinung, — oft sah man sie die kleinen, aber arbeitsgewohnten Hände mit dem doppelten Witwenreif an der rechten in die rüstigen, vom Schürzenbund fest umspannten Hüften stemmen.

Aus ihrer Ehe war ihr eine junge Tochter geblieben, Amelia, dreizehn oder vierzehn Jahre alt, ein leicht zum Närrischen geneigtes Kind, das die Gewohnheit hatte, bei Tische den Löffel oder die Gabel vor ihren Augen hin und her zu bewegen und dabei irgendein Wort, das ihr im Sinn hängengeblieben, mit fragender Betonung wiederholt vor sich hin zu sprechen. So hatte vor Jahr und Tag eine vornehme russische Familie bei Manardis logiert, deren Oberhaupt, der Graf oder Fürst, ein Gespensterseher gewesen war und den Hausbewohnern von Zeit zu Zeit unruhige Nächte bereitet hatte, indem er nach wandelnden Geistern, die ihn in seinem Schlafzimmer heimgesucht, mit der Pistole geschossen hatte. Aus dieser begreiflicherweise lebendig gebliebenen Erinnerung erklärte es sich, daß Amelia oft und beharrlich ihren Löffel befragte »Spiriti? Spiriti?« Aber Geringeres schon vermochte sie tiefsinnig zu fixieren. Es war vorgekommen, daß ein deutscher Tourist das Wort ›Melone‹, im italienischen männlichen Geschlechts, nach deutschem Muster als weiblich behandelt hatte, und nun saß das Kind, mit dem Kopfe wackelnd und mit den betrübten Augen den Bewegungen des Löffels folgend, und murmelte: »La melona? La melona?« Signora Peronella und ihre Brüder übersahen und überhörten dies Betragen als etwas Altgewohntes und lächelten nur etwa dem Gast, wenn sie sein Befremden sahen, mehr gerührt und zärtlich als entschuldigend, ja fast glücklich zu, so, als handelte es sich um etwas Liebliches. Auch Helene und ich hatten uns bald an Amelia's dumpfe Betrachtungen bei Tische gewöhnt. Adrian und Schildknapp nahmen sie schon überhaupt nicht mehr wahr.

Die Brüder der Hausfrau, von denen ich sprach, und zwischen denen sie dem Alter nach ungefähr die Mitte hielt, waren: Advokat Ercolano Manardi, meist kurz und mit Genugtuung l'avvocato genannt, der Stolz der sonst ländlich schlichten und ungelehrten Familie, ein Mann von Sechzig, mit struppigem grauem Schnurrbart und heiser heulender Stimme, die mühsam ansetzte wie die eines Esels, — und Sor Alfonso, der Jüngere, etwa Mitte Vierzig, von den Seinen vertraulich ›Alfo‹ angeredet, ein Landmann, den wir, von unserem Nachmittagsspaziergang in die Campagna nach Hause zurückkehrend, auf seinem kleinen Langohr, die Füße beinahe am Boden, unter einem Sonnenschirm und die blaue Schutzbrille auf der Nase, von seinen Feldern heimreiten sahen. Der Advokat übte allem Anschein nach seinen Beruf nicht mehr aus, sondern las nur noch die Zeitung, — dies allerdings unausgesetzt, wobei er sich an heißen Tagen erlaubte, in seinem Zimmer bei offener Tür in Unterhosen zu sitzen. Er zog sich dadurch die Mißbilligung Sor Alfo's zu, der fand, daß der Rechtsgelehrte — »quest' uomo« sagte er bei solcher Gelegenheit — sich zuviel damit herausnähme. Laut tadelte er, hinter dem Rücken des Bruders, die herausfordernde Lizenz und ließ sich nicht umstimmen durch die begütigenden Worte der Schwester, die vorbrachte, daß die Vollblütigkeit des Advokaten und die Gefahr, in der er schwebe, durch die Hitze einen apoplektischen Anfall zu erleiden, ihm eine leichte Bekleidung zur Notwendigkeit mache. Dann solle quest' uomo wenigstens die Tür geschlossen halten, versetzte Alfo, statt sich in so überbequemem Zustand den Blicken der Seinen und der distinti forestieri auszusetzen. Höhere Bildung rechtfertige nicht eine so anmaßende Nachlässigkeit. Es war klar, daß eine gewisse Animosität des Contadino gegen das studierte Familienmitglied sich hier unter einem allerdings gut gewählten Vorwande Luft machte, obgleich

— oder eben weil — Sor Alfo die Bewunderung aller Manardis für den Advokaten, in dem sie eine Art Staatsmann sahen, in tiefster Seele teilte. Es gingen aber auch die Weltansichten der Brüder vielfach auseinander, denn der Advokat war von eher konservativer, würdig-devoter Gesinnung, Alfonso dagegen ein Freigeist, libero pensatore und Kritikus, aufsässig gesinnt gegen Kirche, Königtum und governo, die er sämtlich als schwer durchsetzt von skandalöser Verderbnis schilderte. »Ha capito, che sacco di birbaccione?« »Hast du verstanden, was für ein Sack voll Spitzbüberei?« pflegte er seine Anklagen zu schließen, — viel mundfertiger als der Advokat, der sich nach wenigen Ansätzen krächzenden Protestes ärgerlich hinter seine Zeitung zurückzog.

Noch ein Vetter der drei Geschwister, ein Bruder von Frau Nella's verstorbenem Gatten, Dario Manardi, ein sanfter und graubärtiger am Stocke gehender Mann von ländlichem Typ, lebte mit seiner unscheinbaren und kränklichen Gattin in dem Familienhaus. Diese aber führten ihren eigenen Tisch, während uns sieben, die Brüder, Amelia, die beiden Dauergäste und das Besucher-Paar, Signora Peronella mit einer Freigebigkeit, die zu dem bescheidenen Pensionspreis in keinem Verhältnis stand, aus ihrer romantischen Küche verpflegte, — unermüdlich in Angeboten. Denn, wenn wir schon eine gehaltvolle Minestra, Singvögelchen mit Polenta, Scaloppini in Marsala, ein Hammelgericht oder Wildschwein mit süßer Zukost, auch viel Salat, Käse und Früchte genossen und unsere Freunde zum schwarzen Kaffee ihre Regie-Zigaretten angezündet hatten, so konnte sie im Ton eines anregenden Vorschlags und guten Einfalls fragen: »Signori, jetzt — ein wenig Fisch?« — Ein purpurner Landwein, den der Advokat unter Krächzen in großen Schlucken wie Wasser trank, ein Gewächs, zu heiß eigentlich, um sich als täglich zweimaliges Tafelgetränk zu empfehlen, und zu schade wiederum, ihn zu verwässern, diente uns, unseren Durst zu stillen. Ihm zuzusprechen, ermahnte uns die Padrona mit den Worten: »Trinkt! Trinkt! Fa sangue il vino.« Doch verwies ihr Alfonso diese Lehre als Aberglauben.

Die Nachmittage führten uns auf schönen Spaziergängen, bei denen manch herzliches Lachen über Rüdiger Schildknapps angelsächsische Späße erscholl, talwärts, auf von Maulbeerbüschen gesäumten Wegen, ein Stück in das wohlbestellte Land hinaus, mit seinen Ölbäumen und Weingirlanden, seinen in Gütchen aufgeteilten Fruchtfeldern, von Mauern eingefaßt, in denen fast monumentale Eingangstore sich eröffneten. Muß ich sagen, wie sehr mich, den das Wiederzusammensein mit Adrian ohnedies bewegte, der klassische Himmel, an dem während der Wochen unseres Aufenthaltes kein Wölkchen erschien, die antikische

Stimmung wieder beglückte, die über dem Lande lag und je und je, in einem Brunnenrand, einer malerischen Hirtengestalt, in dem dämonischen Pan-Haupt eines Ziegenbocks bildhaft wurde? Es versteht sich, daß Adrian nur mit lächelndem Kopfnicken, nicht ohne Ironie, das Entzücken meines Humanistenherzens teilte. Diese Künstler geben wenig acht auf eine umgebende Gegenwart, die zu der Arbeitswelt, in der sie leben, nicht in direkter Beziehung steht, und in der sie folglich nicht mehr als einen indifferenten, der Produktion mehr oder weniger günstigen Lebensrahmen sehen. — Wir blickten gegen den Sonnenuntergang, wenn wir zum Städtchen zurückkehrten, und eine ähnliche Pracht des Abendhimmels habe ich nie gesehen. Eine ölig dick aufgetragene Goldschicht schwamm, von Karmesin umgeben, am westlichen Horizont, — durchaus phänomenal und so schön, daß der Anblick die Seele wohl mit einem gewissen Übermut erfüllen konnte. Dennoch war es mir leise unlieb, wenn Schildknapp, auf die wundervolle Darbietung hinweisend, sein »Besichtigen Sie jenes!« rief und Adrian in das dankbare Lachen ausbrach, das Rüdigers Humoristica ihm immer entlockten. Denn mir schien, daß er die Gelegenheit wahrnahm, über meine und Helenens Ergriffenheit und über die Herrlichkeit der Naturerscheinung selber gleich mit zu lachen.

Des Klostergartens über dem Städtchen, zu dem unsere Freunde jeden Morgen mit ihren Mappen hinaufstiegen, um an getrennten Plätzen zu arbeiten, gedachte ich schon. Sie hatten bei den Mönchen um die Erlaubnis nachgesucht, sich dort aufzuhalten, und milde war sie ihnen gewährt worden. Auch wir begleiteten sie öfters in den würzig duftenden Schatten des gärtnerisch wenig geordneten, von bröckelnder Mauer eingefaßten Areals hinauf, um sie an Ort und Stelle diskret ihren Beschäftigungen zu überlassen und, unsichtbar ihnen beiden, die selber einander unsichtbar waren, isoliert von Oleander-, Lorbeer- und Ginstergesträuch, auf eigene Hand den wachsend heißen Vormittag zu verbringen: Helene mit ihrer Häkelarbeit und ich, indem ich, befriedigt und gespannt von dem Bewußtsein, daß Adrian nahebei die Komposition seiner Oper vorwärtstrieb, in einem Buche las.

Auf dem recht verstimmten Tafelklavier im Wohnsaal der Freunde spielte er uns einmal während unseres Aufenthalts — leider nur einmal — aus den vollendeten und meist auch schon für ein ausgesuchtes Orchester instrumentierten Teilen der »angenehmen, launischen Komödie, ›Verlorene Liebesmüh‹ genannt«, wie das Stück im Jahre 1598 geheißen hatte, charakteristische Stellen und ein paar geschlossene Szenenzusammenhänge vor: den ersten Akt, einschließlich des Auftritts in Armado's Hause, und mehreres Spätere, das er stückweise antizipiert hatte: besonders die Monologe Birons, auf die er es von jeher besonders abgesehen gehabt hatte, — denjenigen in Versen sowohl, am Ende des dritten Aufzugs, wie auch den rhythmisch ungebundenen im vierten — they have pitch'd a toil, I am toiling in a pitch, pitch, that defiles —, der in seiner immer im Komischen, Grotesken sich haltenden und dennoch echten und tiefen Verzweiflung des Ritters über seine Verfallenheit an die verdächtige black beauty, in seiner wütned ausgelassenen Selbstverhöhnung — By the Lord, this love is as mad as Ajax: it kills sheep, it kills me, I a sheep — musikalisch noch besser als der erste gelungen war. Dies teils aus dem Grunde, weil die geschwinde und abgerissene, wortwitzig kurz ausgestoßene Prosa dem Komponisten Akzenterfindungen von ganz besonderer Skurrilität eingegeben hatte, teils aber auch, weil in der Musik das bedeutend Wiederkehrende und schon Vertraute, die geistreiche oder tiefsinnige Anmahnung immer das Sprechend-Eindrucksvollste ist, und weil in dem zweiten Monolog sich Elemente des ersten auf köstliche Art wieder in Erinnerung brachten. Das galt vor allem für die erbitterte Selbstbeschimpfung des Herzens wegen seiner Vernarrtheit in den »bleichen Kobold mit den samtenen Brauen, statt Augen zwei Pechkugeln im Gesicht« und wiederum ganz besonders von dem musikalischen Bilde dieser verdammten, geliebten Pechaugen: einem dunkel blitzenden, aus dem Klange des Cellos und der Flöte gemischten, halb lyrisch-leidenschaftlichen und halb grotesken Melisma, das in der Prosa an der Stelle »O, but her eye, — by this light, but for her eye I would not love her« auf eine wild karikierte Weise wiederkehrt, wobei des Auges Dunkelheit durch die Tonlage noch vertieft, der Lichtblitz darin diesmal aber sogar der *kleinen* Flöte zugeteilt ist.

Es kann ja keinem Zweifel unterliegen, daß die sonderbar insistente und dabei unnötige, dramatisch wenig gerechtfertigte Charakterisierung der Rosaline als eines verbuhlten, treulosen, gefährlichen Weibsstückes, — eine Kennzeichnung, die ihr nur durch Birons Reden zuteil wird, während sie in der Wirklichkeit der Komödie nichts weiter als keck und witzig ist, — es ist ja kein Zweifel, daß diese Charakterisierung einem zwanghaften, um Kunstfehler unbekümmerten Drange des Dichters entspringt, persönliche Erfahrungen unterzubringen und sich, passe es oder nicht, dichterisch dafür zu rächen. Rosaline, wie der Verliebte nicht müde wird, sie zu schildern, ist die dunkle Dame der zweiten Sonettenreihe, die Ehrendame der Elisabeth, Shakespeare's Geliebte, die ihn mit dem schönen jungen Freunde betrog; und das »Stück Reimerei und Schwermut«, mit dem Biron zu jenem Prosa-Monolog auf die Bühne erscheint — »Well, she has one o' my sonnets already« —, ist eines von denen, die Shakespeare an diese schwarzbleiche Schöne richtete. Wie kommt auch Rosaline dazu, auf den scharfzüngigen und durchaus fidelen Biron des Stückes ihre Weisheit anzuwenden:

> Der Jugend Blut brennt nicht mit solcher Glut,
> Als Ernst, einmal empört zur Sinneswut?

Er *ist* ja jung und gar nicht ›ernst‹ und keineswegs die Person, die Anlaß zu der Betrachtung geben könnte, wie kläglich es ist, wenn Weise zu Narren werden und all ihre Geisteskraft daransetzen, der Albernheit den Schein des Wertes zu verleihen. Biron fällt im Munde Rosaline's und ihrer Freundinnen völlig aus der Rolle; er ist nicht Biron mehr, sondern Shakespeare in seinem unseligen Verhältnis zur dunklen Dame; und Adrian, der die Sonette, dies grundsonderbare Trio von Dichter, Freund und Geliebter, in einer englischen Taschenausgabe immer bei sich hatte, war bei seinem Werk von Anfang an bestrebt gewesen, den Charakter seines Biron jener ihm teuren Dialogstelle anzupassen und ihm eine Musik zu geben, die ihn — in gehöriger Relation zu dem karikierenden Stil des Ganzen — als ›ernst‹ und geistig bedeutend, wahrhaft als das Opfer einer beschämenden Leidenschaft kennzeichnet.

Das war schön, und ich lobte es sehr. Übrigens, wie viel Grund zum Lobe und zu freudiger Verblüffung gab es nicht auch sonst bei dem, was er uns spielte! Es ließe sich im Ernst darauf anwenden, was der gelehrte Silbenstecher Holofernes von sich selber sagt:

»Dies ist eine Gabe, die ich besitze, einfach, einfach! ein närrisch extravaganter Sinn, voll von Formen, Figuren, Gestalten, Gegenständen, Ideen, Erscheinungen, Erregungen, Wandlungen. Diese werden empfangen in dem Uterus des Gedächtnisses, genährt im Mutterleibe der pia mater, und geboren durch die reifende Kraft der Gelegenheit.« Delivered upon the mellowing of occasian. Wundervoll! Bei ganz nebensächlicher, spaßhafter Gelegenheit gibt da der Dichter eine unübertrefflich volle Beschreibung des Künstlergeistes, und unwillkürlich bezog man sie auf den Geist, der hier am Werke war, Shakespeare's satirisches Jugendwerk in die Sphäre der Musik zu übertragen.

Soll ich dabei die leise persönliche Kränkung oder Bekümmerung ganz verschweigen, welche die Verspottung der antiken Studien mir zufügte, die in dem Stück als asketische Preziosität erscheinen? An der Karikatur des Humanismus war nicht Adrian schuld, sondern Shakespeare, und von ihm ist auch die verschrobene Ideenordnung vorgegeben, in der die Begriffe ›Bildung‹ und ›Barbarei‹ eine so sonderbare Rolle spielen. Jene ist geistiges Mönchstum, eine Leben und Natur aufs tiefste verachtende, gelehrte Überfeinerung, welche in Leben und Natur eben, in Unmittelbarkeit, Menschlichkeit, Gefühl das Barbarische sieht. Selbst Biron, der bei den preziösen Verschworenen des Akademoshains gute Worte einlegt für das Natürliche, gibt zu, daß er »für Barbarei mehr gesprochen habe als für den Engel Weisheit«. Dieser Engel wird zwar lächerlich gemacht, aber doch wieder nur durch das Lächerliche; denn die ›Barbarei‹, in die die Verbündeten zurückfallen, die sonettenselige Verliebtheit, die ihnen zur Strafe für ihr falsches Bündnis auferlegt wird, ist ebenfalls geistreich stilisierte Karikatur, Liebespersiflage, und nur zu gut sorgten Adrians Klänge dafür, daß das Gefühl am Ende nicht besser dastand als seine vermessene Abschwörung. Gerade die Musik, meinte ich, wäre ihrer innersten Natur nach berufen gewesen, die Führerin abzugeben aus der Sphäre absurder Künstlichkeit hinaus ins Freie, in die Welt der Natur und Menschlichkeit. Allein sie enthielt sich dessen. Das, was der Ritter Biron »barbarism« nennt, das Spontane und Natürliche also eben, feierte in ihr keine Triumphe.

Es war eine in artistischer Beziehung höchst bewundernswerte Musik, die mein Freund da wob. Er hatte, allen Massenaufwand verschmähend, die Partitur ursprünglich nur für das klassische Beethoven'sche Orchester ausschreiben wollen und allein um der Figur des komisch-pompösen Spaniers Armado willen ein zweites Paar Hörner, drei Posaunen und eine Baßtuba in sein Orchester aufgenommen. Aber alles war streng kammermusikalischen Stils, von filigranhafter Arbeit, eine kluge Groteske in Tönen, kombinatorisch-humoristisch, an Einfällen eines feinen Übermuts reich, und ein Musikliebhaber, der, müde der romantischen Demokratie und der moralischen Volksharanguierung, nach einer Kunst um der Kunst willen, einer ehrgeizlosen oder doch nur im exklusivsten Sinne ehrgeizigen Kunst für Künstler und Kenner verlangt hätte, würde sein Entzücken haben finden müssen in dieser selbstzentrierten und vollkommen kühlen Esoterik, — die nun aber, *als* Esoterik, im Geist des Stückes auf alle Weise sich selbst verspottete und parodistisch übertrieb, was einen Tropfen Traurigkeit, ein Gran Hoffnungslosigkeit in das Entzücken mischte.

Ja, Bewunderung und Traurigkeit gingen beim Anschauen dieser Musik ganz eigentümlich ineinander. »Wie schön!« sagte sich das Herz — das meine wenigstens sagte sich so — »— Und wie traurig!« Denn die Bewunderung galt einem witzig-melancholischen Kunststück, einer heroisch zu nennenden intellektuellen Leistung, einer knappen Not, die sich als übermütige Travestie gebärdete, und die ich nicht anders zu kennzeichnen weiß, als indem ich sie ein nie entspanntes und spannend halsbrecherisches Spielen der Kunst am Rande der Unmöglichkeit nenne. Dies eben stimmte traurig. Aber Bewunderung und Trauer, Bewunderung und Sorge, ist das nicht beinahe die Definition der Liebe? Schmerzlich gespannte Liebe zu ihm und dem Seinen war es, mit dem ich Adrians Vorführung lauschte. Ich vermochte nicht viel zu sagen; Schildknapp, der immer ein sehr gutes, empfängliches Publikum abgab, kommentierte das Gebotene viel schlagfertiger und intelligenter als ich, — der ich noch nachher, beim Pranzo, benommen und in mich gekehrt am Tische der Manardis saß, von Gefühlen bewegt, denen die Musik, die wir gehört, sich so völlig verschloß. »Bevi! Bevi!« sagte dazu die Padrona. »Fa sangue il vino!« Und Amelia bewegte den Löffel vor ihren Augen hin und her, indem sie murmelte: »Spiriti? . . . Spiriti? . . .«

Dieser Abend war schon einer der letzten, die wir, mein gutes Weib und ich, in dem originellen Lebensrahmen der Freunde verbrachten. Wenige Tage später mußten wir, nach einem Aufenthalt von drei Wochen, uns wieder daraus lösen, um die Heimreise nach Deutschland anzutreten, während jene dem idyllischen Gleichmaß ihres Daseins zwischen Klostergarten, Familientafel, ölig golden gerandeter Campagna und steinernem Wohnsaal, wo sie mit Lesen im Lampenschein den Abend verbrachten, noch monatelang, bis in den Herbst hinein, treu blieben. So hatten sie's voriges Jahr schon den ganzen Sommer gehalten, und auch ihre Lebensweise in der Stadt, den Winter hin, hatte sich nicht wesentlich von dieser hier unterschieden. Sie wohnten in der Via Torre Argentina nahe dem Teatro Costanzi und dem Pantheon, drei Treppen hoch bei einer Vermieterin, die ihnen Frühstück und Kollation bereitete. In einer benachbarten Trattoria nahmen sie die Hauptmahlzeit zu einem monatlichen Pauschalpreise. Die Rolle des Klostergartens von Palestrina spielte in Rom die Villa Doria Panfili, wo sie an warmen Frühlings- und Herbsttagen bei einem schön gestalteten Brunnen, an den von Zeit zu Zeit eine Kuh oder ein frei weidendes Pferd zum Trinken trat, ihren Arbeiten nachhingen. Adrian fehlte selten bei den Nachmittagskonzerten der Munizipalkapelle auf der Piazza Colonna. Gelegentlich gehörte der Abend der Oper. In der Regel verbrachte man ihn mit Dominospiel bei einem Glase heißen Orangenpunsches in einem stillen Kaffeehauswinkel.

Sie pflogen keinerlei weiteren Umgang — oder so gut wie keinen, ihre Abgeschlossenheit war in Rom fast so vollkommen wie auf dem Lande. Das deutsche Element mieden sie gänzlich, — Schildknapp zumal ergriff unfehlbar die Flucht, sobald ein Laut der Muttersprache an sein Ohr schlug: Er war ja imstande, aus einem Omnibus, einem Eisenbahnwagen wieder auszusteigen, wenn sich »Germans« darin vorfanden. Aber auch einheimische Bekanntschaften zu machen, bot ihre einsiedlerische, oder denn also zweisiedlerische, Lebensweise kaum Gelegenheit. Zweimal während des Winters waren sie zu einer Kunst und Künstler begönnernden Dame unbestimmter Herkunft geladen: Madame de Coniar, an die Rüdiger Schildknapp eine Münchener Empfehlung hatte. In ihrer mit Widmungsphotographien in Plüsch- und Silberrahmen geschmückten Wohnung am Corso trafen sie mit einem Gemenge internationalen Artistentums, Theatervolk, Malern und Musikern, Polen, Ungarn, Franzosen und auch Italienern, zusammen, dessen Einzelerscheinungen sie alsbald wieder aus den Augen verloren. Zuweilen trennte sich Schildknapp von Adrian, um mit jungen Engländern, die Sympathie ihm in die Arme getrieben, Malvasierkneipen aufzusuchen, nach Tivoli auszufliegen oder bei den Trappisten von Quattro Fontane Eukalyptusschnaps zu trinken und zur Erholung von den verzehrenden Schwierigkeiten der Übersetzungskunst Nonsense mit ihnen zu reden.

Kurzum, in der Stadt wie in der Abgeschiedenheit des Gebirgsstädtchens führten die beiden das Welt und Menschen vermeidende Leben gänzlich von den Sorgen ihrer Arbeit beanspruchter Menschen. So wenigstens kann man es ausdrücken. Und soll ich nun sagen, daß der Abschied vom Hause Manardi für mich persönlich, so ungern ich, wie immer, von Adrians Seite ging, doch auch wieder mit einem gewissen heimlichen Erleichterungsgefühl verbunden war? Es auszusprechen kommt der Verpflichtung gleich, das Gefühl auch zu begründen, und schwerlich wird sich das tun lassen, ohne daß ich mir selbst und anderen dabei in einem etwas lächerlichen Lichte erschiene. Die Wahrheit ist: in einem bestimmten Punkte, in puncto puncti, wie junge Leute gerne sagen, bildete ich unter den Hausgenossen eine etwas komische Ausnahme; ich fiel sozusagen aus dem Rahmen: nämlich in meiner Eigenschaft und Lebensweise als Ehemann, welcher dem, was wir halb entschuldigend, halb verherrlichend ›Natur‹ nennen, seinen Tribut entrichtete. Niemand tat das sonst in dem Haus-Kastell an der Treppengasse. Unsere treffliche Wirtin, Frau Peronella, war langjährige Witwe, ihre Tochter Amelia ein etwas unkluges Kind. Die Brüder Manardi, der Advokat wie der Landmann, erschienen als verhärtete Junggesellen, ja von beiden Männern mochte man sich wohl vorstellen, daß sie nie ein Weib berührt hatten. Da war noch Vetter Dario, grau und mild, mit einer sehr kleinen, kränkelnden Frau, ein Paar, das sich gewiß nur im caritativsten Sinn des Wortes etwas zuliebe tat. Und da waren endlich Adrian und Rüdiger Schildknapp, die Monat auf Monat in dem friedlich-strengen Zirkel, mit dem wir vertraut geworden, ausharrten, nicht anders es haltend als die Mönche des oberen Klosters. Sollte das für mich, den gemeinen Mann, nicht etwas Beschämendes und Bedrückendes haben?

Von Schildknapps besonderem Verhältnis zur weiten Welt der Glücksmöglichkeiten und von seinem Hange, mit diesem Schatz zu geizen, indem er mit sich selber geizte, habe ich oben gesprochen. Ich sah darin den Schlüssel zu seiner Lebensweise, es diente mir zur Erklärung für die mir schwer verständliche Tatsache, daß er sie zustande brachte. Anders war es mit Adrian, — obgleich ich mir bewußt war, daß die Gemeinschaft der Keuschheit das Fundament ihrer Freundschaft, oder, wenn das ein zu weitgehendes Wort ist, ihres Zusammenlebens bildete. Ich vermute, daß es mir nicht gelungen ist, dem Leser eine gewisse Eifersucht auf das Verhältnis des Schlesiers zu Adrian zu verbergen; so möge er denn auch verstehen, daß es dieses Gemeinsame, das Bindemittel der Enthaltsamkeit war, dem letzten Endes jene Eifersucht galt.

Lebte Schildknapp, wenn ich so sagen darf, als Roué des Potentiellen, so führte Adrian — ich konnte nicht daran zweifeln — seit jener Reise nach Graz, beziehungsweise nach Preßburg, das Leben eines Heiligen, — wie er es bis dahin getan hatte. Ich erbebte nun aber bei dem Gedanken, daß seine Keuschheit *seitdem*, seit jener Umarmung, seit seiner vorübergehenden Erkrankung und dem Verlust seiner Ärzte während derselben, nicht mehr dem Ethos der Reinheit, sondern dem Pathos der Unreinheit entsprang.

Immer hatte in seinem Wesen etwas vom ›Noli me tangere‹ gelegen, — ich kannte das; seine Abneigung gegen die allzu große physische Nähe von Menschen, das Einander-in-den-Dunstkreis-Geraten, die körperliche Berührung, war mir wohlvertraut. Er war im eigentlichen Sinn des Wortes ein Mensch der ›Abneigung‹, des Ausweichens, der Zurückhaltung, der Distanzierung. Physische Herzlichkeiten erschienen ganz unvereinbar mit seiner Natur; schon sein Händedruck war selten und wurde mit einer gewissen Eile vollzogen. Deutlicher als je trat diese ganze Eigenheit während unseres neuerlichen Zusammenseins hervor, und dabei war mir, ich kann kaum sagen, warum, als hätte das ›Rühre mich nicht an!‹, das ›Drei Schritte vom Leibe!‹ gewissermaßen seinen Sinn verändert, als werde damit nicht sowohl eine Zumutung zurückgewiesen, als eine umgekehrte Zumutung gescheut und vermieden, — womit denn auch offenbar die Enthaltung vom Weibe zusammenhing.

Nur einer so dringlich beobachtenden Freundschaft wie der meinen konnte ein solcher Bedeutungswechsel der Dinge fühlbar oder ahnbar werden, und Gott sei davor, daß die Wahrnehmung mir die Freude an Adrians Nähe beeinträchtigt hätte! Was mit ihm vorging, konnte mich erschüttern, mich aber niemals von ihm entfernen. Es gibt Menschen, mit denen zu leben nicht leicht, und die zu lassen unmöglich ist.

XXV

Das Dokument, auf das in diesen Blättern wiederholt Hinweise geschahen, Adrians geheime Aufzeichnung, seit seinem Abscheiden in meinem Besitz und gehütet als ein teurer, furchtbarer

Schatz, — hier ist es, ich teile es mit. Der biographische Augenblick seiner Einschaltung ist gekommen. Da ich seinem eigenwillig gewählten, mit dem Schlesier geteilten Refugium, worin ich ihn aufgesucht, im Geiste wieder den Rücken gekehrt habe, setzt meine Rede aus, und unmittelbar vernimmt in diesem fünfundzwanzigsten Kapitel der Leser die seine.

Wäre es nur seine? Es ist ja ein Zwiegespräch, das vorliegt. Ein anderer, ganz anderer, ein entsetzlich anderer führt sogar vornehmlich das Wort, und der Schreibende in seinem Steinsaal legt nur nieder, was er von ihm vernahm. Ein Dialog? Ist es in Wahrheit ein solcher? Ich müßte wahnsinnig sein, es zu glauben. Und darum kann ich auch nicht glauben, daß er in tiefster Seele für wirklich hielt, was er sah und hörte: während er es hörte und sah und nachher, als er es zu Papier brachte, — ungeachtet der Zynismen, mit denen der Gesprächspartner ihn von seinem objektiven Vorhandensein zu überzeugen suchte. Gab es ihn aber nicht, den Besucher — und ich entsetze mich vor dem Zugeständnis, das darin liegt, auch nur konditionell und als Möglichkeit seine Realität zuzulassen —, so ist es grausig zu denken, daß auch jene Zynismen, Verhöhnungen und Spiegelfechtereien aus der eigenen Seele des Heimgesuchten kamen . . .

Es versteht sich von selbst, daß ich Adrians Handschrift nicht dem Drucker zu überantworten gedenke. Mit dem eigenen Kiel übertrage ich sie Wort für Wort von dem Notenpapier, das mit seinen schon früher charakterisierten kleinen und altertümlich schnörkelhaften, tiefschwarzen Rundschriftfederzügen, einer Mönchsschrift, möchte man sagen, bedeckt ist, in mein Manuskript. Des Notenpapiers hat er sich bedient offenbar, weil ihm im Augenblick kein anderes zur Hand war, oder weil der Kramladen drunten am Kirchplatz des heiligen Agapitus ihm kein genehmes Schreibpapier bot. Es fallen immer zwei Zeilen auf das obere Fünfliniensystem und zwei auf das Baß-System; aber auch der weiße Raum dazwischen ist durchweg mit je zwei Schreibzeilen ausgefüllt.

Nicht mit voller Bestimmtheit ist der Zeitpunkt der Niederschrift auszumachen, denn das Dokument weist kein Datum auf. Soll meine Überzeugung etwas gelten, so ist es keinesfalls nach unserem Besuch in dem Bergstädtchen oder während unseres Aufenthaltes dortselbst abgefaßt. Entweder stammt es aus einer früheren Periode des Sommers, von dem wir drei Wochen mit den Freunden zubrachten, oder es datiert aus dem Sommer vorher, dem ersten, den sie als Gäste der Manardis verlebten. Daß zu der Zeit, als wir einsprachen, das dem Manuskript zugrunde liegende Erlebnis bereits zurücklag, daß Adrian damals mit ihm eine Gewißheit; ebenso, daß die schriftliche Niederlegung unmittelbar im Anschluß an die Erscheinung, am nächsten Tage vermutlich, geschah.

So schreibe ich denn ab, — und ich fürchte, kein Rütteln ferner Explosionen an meiner Klause wird nötig sein, um meine Hand zittern und meine Buchstaben ausfahren zu lassen beim Schreiben . . .

— Weistu was so schweig. Werde schon schweigen, wenn auch schamhalben bloß und um die Menschen zu schonen, ei, aus sozialer Rücksicht. Habe es willens steif und fest, daß mir die Anstandskontrolle der Vernunft bis aufs letzte nicht locker werde. Aber gesehen hab ich Ihn doch, endlich, endlich; war bei mir hier im Saal, hat mich visitiert, unerwartet und doch längst erwartet, bin recht ausgiebig mit Ihm zusprach kommen und hab den einen Ärger nur hinterdrein, nicht gewiß zu sein, wovon ich zitterte die ganze Zeit, ob nur vor Kälte oder vor Ihm. Macht ich mir irgend wohl vor, machte Er mir vor, daß es kalt war, damit ich zittern und mich daran vergewissern möcht, daß Er da war, ernstlich, Einer für sich? Denn doch männiglich weiß, daß kein Narr vor dem eigenen Hirngespinst zittert, sondern ein solches ist ihm gemütlich, und ohne Verlegenheit noch Beben läßt er sich damit ein. Hielt Er mich wohl zum Narren, da Er mir vormacht, durch die Hundskälte, ich sei kein Narr, und Er kein Hirngespinst, denn ich in Furcht und Blödigkeit vor Ihm zitterte? Er ist durchtrieben.

Weistu was so schweig. Schweige so vor mich hin. Schweige es alles hier aufs Musikpapier nieder, während mein Kumpan in eremo, mit dem ich lache, weit weg von mir im Saal, sich mit translation des lieben Fremden ins heimisch Verhaßte plackt. Denkt, ich komponiere, und wenn er säh, daß ich Worte schreib, würd er denken, daß auch Beethoven das wohl tat.

Hatte den ganzen Tag, schmerzhafte Creatur, mit dem leidigen Hauptweh im Dunkeln gelegen und mehrmals würgen und speien müssen, wie's bei schweren Anfällen ist, aber gegen den Abend kam Besserung unverhofft und fast plötzlich. Konnte die Suppe behalten, die die Mutter mir brachte (›Poveretto!‹), trank auch wohlgemut ein Glas von dem Roten danach (›Bevi, bevi!‹) und war meiner auf einmal so sicher, daß mir sogar eine Zigarette gönnte. Hätte auch ausgehen können, wie es tags vorher abgesprochen worden. Dario M. wollt uns einführen drunten im Club der höheren Praenestenser Bürger, uns präsentieren, uns die Räume zeigen, das Billard, das Lesezimmer. Wollten den Guten nicht kränken und hatten ihm zugesagt, — was denn nun ausging an Sch. allein, da ich durch den Anfall entschuldigt. Vom Pranzo weg stapft er ohne mich sauren Mundes an Dario's Seite die Gasse hinab zu den Acker-, den Pfahlbürgern, und ich blieb für mich.

Saß allein hier im Saal, nahend bei den Fenstern, die mit den Läden vermacht, vor mir die Länge des Raums, bei meiner Lampe und las Kierkegaard über Mozarts Don Juan.

Da fühl ich mich auf den Plotz von schneidender Kälte getroffen, so als säße einer im winterwarmen Zimmer und auf einmal ginge ein Fenster auf nach außen gegen den Frost. Kam aber nicht von hinter mir, wo die Fenster sind, sondern fällt mich von vorn an. Rucke auf vom Buch und schau in den Saal, sehe, daß wohl Sch. schon zurückgekehrt, denn ich bin nicht mehr allein: Jemand sitzt im Dämmer auf dem Roßhaarsofa, das mit Tisch und Stühlen nahe der Tür ungefähr mitten im Raume steht, wo wir morgens das Frühstück nehmen, — sitzt in der Sofaecke mit übergeschlagenem Bein, aber es ist nicht Sch., ist ein anderer, kleiner als er, lange so stattlich nicht und überhaupt kein rechter Herr. Aber fortwährend dringt mich die Kälte an.

»Chi è costà!« ist, was ich rufe mit etwas verschnürter Kehle, aufgestützt mit den Händen den Armen des Stuhls, so, daß das Buch mir von den Knien zu Boden fällt. Antwortet die ruhige, langsame Stimme des anderen, eine gleichsam geschulte Stimme mit angenehmer Nasenresonanz:

»Sprich nur deutsch! Nur fein altdeutsch mit der Sprache heraus, ohn einige Bemäntelung und Gleisnerei. Ich versteh es. Ist gerad recht meine Lieblingssprache. Manchmal versteh ich überhaupt nur deutsch. Hol dir übrigens den Paletot, auch den Hut und das Plaid. Es geht kalt zu dir. Du wirst schnattern, mag es auch nicht zum Verkühlen sein.«

»Wer sagt Du zu mir?« frage ich aufgebracht.

»Ich«, sagt er. »Ich, mit Gunst. Ach, du meinst, weil du niemandem Du sagst, nicht einmal deinem Humoristen, dem Gentleman, außer allein dem Kindgespiel, dem Getreuen, der dich mit Vornamen nennt, du aber nicht ihn? Laß das gut sein. Es ist schon so ein Verhältnis mit uns, zum Du sagen. Wird es nun? Holst du dir etwas Warmes?«

Ich starre ins Halblicht, fasse ihn zornig ins Auge. Ist ein Mann, eher spillerig von Figur, längst nicht so groß wie Sch., aber auch kleiner als ich, — eine Sportmütze übers Ohr gezogen, und auf der anderen Seite steht darunter rötlich Haar von der Schläfe hinauf; rötliche Wimpern auch an geröteten Augen, käsig das Gesicht, mit etwas schief abgebogener Nasenspitze; über quer gestreiftem Trikothemd eine karierte Jacke mit zu kurzen Ärmeln, aus denen die plumpfingrigen Hände kommen; widrig knapp sitzende Hose und gelbe, vertragene Schuhe, die man nicht länger putzen kann. Ein Strizzi. Ein Ludewig. Und mit der Stimme, der Artikulation eines Schauspielers.

»Wird es?« wiederholt er.

»Ich wünsche vor allem zu wissen«, sage ich mit bebender Beherrschung, »wer sich herausnimmt, hier einzudringen und bei mir Platz zu nehmen.«

»Vor allem«, wiederholt er. »Vor allem ist gar nicht schlecht.

Aber du bist überempfindlich gegen jedweden Besuch, den du für unerwartet achtest und unerwünscht. Ich komme ja nicht, dich zur Gesellschaft zu holen, dich zu beschmeicheln, daß du zum musikalischen Kränzchen stößt. Sondern um die Geschäfte mit dir zu besprechen. Holst du dir deine Sachen? Es ist kein Reden beim Zähneklappern.«

Saß einige Sekunden noch, ohne ihn aus den Augen zu lassen. Und der Frost, von ihm her, dringt mich an, schneidend, daß ich mich schutzlos und bloß fühle davor in meinem leichten Anzug. So ging ich. Stehe tatsächlich auf und geh durch die nächste Tür zur Linken, wo mein Schlafzimmer ist (das andere ist weiterhin an derselben Seite), nehme aus dem Spind den Wintermantel, den ich in Rom trage an Tramontana-Tagen, und der hat mitkommen müssen, denn ich sonst nicht weiß, wo ihn lassen; setz auch den Hut auf, greife das Reiseplaid und kehre, so ausgerüstet, an meinen Platz zurück.

Nach wie vor sitzt er an dem seinen.

»Ihr seid noch da«, sage ich, indem ich den Mantelkragen hochschlage und mir das Plaid um die Knie schlinge, »selbst nachdem ich gegangen und wiedergekommen? Das wundert mich. Denn nach meiner starken Vermutung seid Ihr nicht da.«

»Nicht?« fragt er wie geschult, mit Nasenresonanz. »Wie denn nicht?«

Ich: »Weil es höchst unwahrscheinlich ist, daß einer sich hier am Abend zu mir setzt, deutsch redend und Kälte lassend, angeblich, um Geschäfte mit mir zu erörtern, von denen ich nichts weiß und nichts wissen will. Viel wahrscheinlicher ist, daß eine Krankheit bei mir im Ausbruch ist und ich den Fieberfrost, gegen den ich mich einhülle, in meiner Benommenheit hinausverlege auf Eure Person und Euch sehe, nur um in Euch seine Quelle zu sehen.«

Er (ruhig und überzeugend wie ein Schauspieler lachend): »Was für ein Unsinn! Was für einen intelligenten Unsinn du redest! Es ist recht, was auf gut altdeutsch Aberwitz heißt. Und so künstlich! Eine gescheite Künstlichkeit, wie aus deiner Oper gestohlen! Aber wir machen hier doch keine Musik, augenblicklich. Außerdem ist es pure Hypochondrie. Bilde dir doch, bitte, keine Schwachheiten ein! Sei ein bißchen stolz und gib nicht gleich deinen fünf Sinnen den Laufpaß! Bei dir ist keine Krankheit im Ausbruch, sondern bist nach dem bißchen Anfall von der besten jugendlichen Gesundheit. Übrigens, pardon, ich möchte nicht taktlos sein, denn was heißt Gesundheit. Aber so, mein Lieber, bricht deine Krankheit nicht aus. Du hast keine Spur von Fieber, und ist gar kein Anlaß, daß du je welches haben solltest.

Ich: »Ferner, weil Ihr mit jedem dritten Wort, das Ihr sagt, Euere Nichtigkeit bloßstellt. Ihr sagt lauter Dinge, die in mir sind und aus mir kommen, aber nicht aus Euch. Ihr äfft den Kumpf nach mit Redensarten und sehet nicht dabei aus, als wäret Ihr je in einer Universität, auf einer Hohen Schule gewesen und hättet neben mir auf dem Affenbänklein gesessen. Ihr sprecht vom armen Gentleman und von dem, dem ich Du sage, sogar von solchen, die mir Du gesagt haben ganz unverdankt. Und von der Oper sprecht Ihr auch noch. Woher solltet Ihr denn das alles wissen?«

Er (lacht wieder geübt und kopfschüttelnd, wie über eine köstliche Kinderei): »Woher sollte ich? Aber du siehst doch, daß ich es weiß. Und daraus willst du zu deiner eigenen Unehre schließen, daß du nicht recht siehst? Das heißt doch wirklich alle Logik auf den Kopf stellen, wie man sie auf der Hohen Schulen lernt. Statt aus meiner Informiertheit zu folgern, daß ich nicht leibhaftig bin, solltest du lieber schließen, daß ich nicht nur leibhaftig, sondern auch der bin, für den du mich die ganze Zeit schon hältst.«

Ich: »Und für wen halte ich Euch?«

Er (höflich vorwurfsvoll): »Aber geh, das weißt du doch! Solltest dich auch nicht so verquanten, daß du tust, als ob du mich nicht schon lange erwartet hättest. Weißt doch so gut wie ich, daß unser Verhältnis denn doch einmal nach einer Aussprache drängt. Wenn ich bin — und das gibst du nun, denke ich, zu —, so kann ich nur Einer sein. Meinst du mit Wer ich bin: Wie ich heiße? Aber du hast ja all die skurrilen Necknämchen noch von der Hohen Schulen her im Gedächtnis, von deinem ersten Studium her, als du noch nicht die Heilige Geschrift vor die Tür und unter die Bank gelegt hattest. Hast sie alle am Schnürchen und magst darunter wählen, — ich habe ja fast nur solche, fast nur Necknämchen, mit denen man mir, so zu reden, mit zwei Fingern unter dem Kinn spielt: Das kommt von meiner kerndeutschen Popularität. Man läßt sie sich ja gefallen, die Popularität, nicht wahr, auch wenn man sie nicht gesucht hat und im Grund überzeugt ist, daß sie auf einem Mißverständnis beruht. Ist immer schmeichelhaft, ist immer wohltuend. Suche dir also, wenn du mich schon nennen willst, obgleich du ja meistens die Leute gar nicht bei Namen nennst, weil du aus Uninteressiertheit ihren Namen nicht weißt, — suche dir unter den bäurischen Zärtlichkeiten eine aus nach Belieben! Nur eine will und mag ich nicht hören, weil sie entschieden eine boshafte Nachrede ist und nicht im geringsten auf mich paßt. Wer mich den Herrn Dicis et non facis nennt, der wohnt in der Fehlhalde. Soll zwar auch ein Fingerspiel sein unterm Kinn, ist aber eine Verleumdung. Ich tue schon, was ich sage, halte aufs Tüpfelchen mein Versprechen, das ist geradezu mein Geschäftsprinzip, ungefähr wie die Juden die verlässigsten Händler sind, und wenns zum Betruge kam, nun, so ist es ja sprichwörtlich, daß immer ich, der an Treu und Redlichkeit glaubt, der Betrogene war . . .«

Ich: »Dicis et non es. Ihr wollt wirklich da vor mir in dem Sofa sitzen und von außen her zu mir reden auf gut Kumpfisch, in altdeutschen Brocken? Ausgerechnet hier in Welschland wollt Ihr mich visitieren, wo Ihr gänzlich aus Euerer Zone seid und nicht im geringsten populär? Was für eine absurde Stillosigkeit! In Kaisersaschern hätt ich Euch mir gefallen lassen. Zu Wittenberg oder auf der Wartburg, sogar in Leipzig noch wärt Ihr mir glaubhaft gewesen. Aber doch hier nicht, unter heidnisch-katholischem Himmel!«

Er (kopfschüttelnd und bekümmert mit der Zunge schnalzend): »T, t, t, immer dieselbe Zweifelsucht, immer derselbe Mangel an Selbstvertrauen! Wenn du den Mut hättest, dir zu sagen: ›Wo ich bin, da ist Kaisersaschern‹, gelt, so stimmte die Sache auf einmal, und der Herr Ästheticus brauchte nicht mehr über Stillosigkeit zu seufzen. Potz Strahl! Du hättest schon recht, so zu sprechen, hast nur eben den Mut nicht dazu oder tust so, als fehlte er dir. Selbstunterschätzung mein Freund, — und mich unterschätzest du auch, wenn du mich dermaßen einschränkst und willst mich gänzlich zum deutschen Provinzler machen. Ich bin zwar deutsch, kerndeutsch meinetwegen, aber doch eben auf alte, bessere Art, nämlich von Herzen kosmopolitisch. Willst mich hier wegleugnen und bringst die alte deutsche Sehnsucht und den romantischen Wandertrieb gar nicht in Anschlag nach dem schönen Lande Italia! Deutsch soll ich sein, aber daß es mich auf einmal auf gut Dürerisch nach der Sonne fröre, das will der Herr mir nicht gönnen, — nicht einmal, wo ich doch außerdem, von der Sonne ganz abgesehen, dringlich schöne Geschäfte hier habe, von wegen einer feinen, erschaffenen Creatur ...«

Hier kam ein unaussprechlicher Ekel mich an, so daß ich wild zusammenschauderte. War aber kein rechter Unterscheidt zwischen den Ursachen meines Schauderns; mochte zugleich und in einem damit auch vor Kälte sein, dann sich der Froststrom von ihm her jäh verschärft hatte, so daß es mir durch das Manteltuch ins Mark der Knochen schnitt. Unwillig frage ich:

»Könnt Ihr denn das Unwesen nicht abstellen, diesen eisigen Zug?!«

Er darauf: »Leider nein. Es tut mir leid, dir hierin nicht gefällig sein zu können. Ich bin nun einmal so kalt. Wie sollte ich's sonst auch aushalten und es wohnlich befinden dort, wo ich wohne?«

Ich (unwillkürlich): »Ihr meint in der Hellen und ihrer Spelunck?«

Er (lacht wie gekitzelt): »Ausgezeichnet! Derb und deutsch und schalkhaft gesagt! Hat ja noch viele hübsche Benennungen, gelehrt-pathetische, die der Herr Ex-Theologus alle kennen, sowie Carcer, Exitium, Confutatio, Pernicies, Condemnatio und so fort. Aber die zutraulich deutschen und humoristischen, ich kann mir

227

nicht helfen, bleiben mir immer die liebsten. Übrigens lassen wir
fürerst noch den Ort und seine Beschaffenheit! Ich seh dirs am
Gesichte an, daß du im Begriffe bist, mich danach zu fragen. Das
steht aber in weitem Felde und ist nicht im geringsten brennend
— du verzeihst mir das Scherzwort, daß es nicht brennend ist! —
es hat Zeit damit, reichliche, unabsehbare Zeit, — Zeit ist das
Beste und Eigentliche, das wir geben, und unsere Gabe das
Stundglas, — ist ja so fein, die Enge, durch die der rote Sand
rinnt, so haardünn sein Gerinnsel, nimmt für das Auge gar nicht
ab im oberen Hohlraum, nur ganz zuletzt, da scheints schnell zu
gehen und schnell gegangen zu sein, — aber das ist so lange hin,
bei der Enge, daß es der Rede und des Darandenkens nicht wert
ist. Nur eben daß das Stundglas gestellt ist, der Sand immerhin
zu rinnen begonnen hat, darüber wollt ich mich gern mit dir,
mein Lieber verständigen.«

Ich (recht höhnisch): »Außerordentlich Dürerisch liebt Ihrs, —
erst ›Wie wirds mich nach der Sonne frieren‹ und nun die Sand-
uhr der Melencolia. Kommt auch das stimmige Zahlenquadrat?
Bin auf alles gefaßt und gewöhne mich an alles. Gewöhne mich
an Euere Unverschämtheit, daß Ihr mich Du nennt und ›mein
Lieber‹, was mir allerdings besonders zuwider. ›Du‹ sag ich ja
schließlich auch zu mir selbst, — was wahrscheinlich erklärt, daß
Ihr so sagt. Nach Eurer Behauptung konversier ich mit dem
schwartzen Kesperlin, — Kesperlin, das ist Kaspar, und so sind
Kaspar und Samiel ein und derselbe.«

Er: »Fängst du wieder an?«

Ich: »Samiel. Es ist zum Lachen! Wo ist denn dein c-Moll-For-
tissimo aus Streichertremoli, Holz und Posaunen, das, ingeniöser
Kinderschreck für das romantische Publikum, aus dem fis-Moll
der Schlucht hervortritt wie du aus deinem Felsen? Mich wundert, daß ichs nicht höre!«

Er: »Laß das gut sein. Wir haben auch viel löblicher Instrument,
und du sollst sie schon hören. Werden dir schon aufspielen, wenn
du erst reif bist, es zu vernehmen. Ist alles eine Sache der Reife
und der lieben Zeit. Eben darüber möcht ich ja mit dir reden. Aber
Samiel — die Form ist dumm. Ich bin wahrlich fürs Volkstümliche, aber Samiel, zu dumm, das hat Johann Balhorn von Lübeck
verbessert. Sammael heißt es. Und was heißt Sammael?«

Ich (schweige vertrotzt).

Er: »Weistu was so schweig. Ich habe was übrig für die Diskretion, mit der du die Verdeutschung mir überläßt. ›Engel des Giftes‹ heißt es.«

Ich (zwischen den Zähnen, die nicht recht wollten aufeinander
bleiben): »Ja, entschieden, so seht Ihr aus! Ganz wie ein Engel,
genau! Wißt Ihr, wie Ihr aussehet? Ordinär ist gar nicht das Wort
dafür. Wie ein frecher Abschaum, ein Mannsluder, ein blutiger

Ludewig seht Ihr aus, das ist Euer Aussehen, in dem Ihr's für gut befunden habt, mich zu besuchen, — und keines Engels!«

Er (an sich herunterblickend mit gespreizten Armen): »Wie denn, wie denn? Wie seh ich denn aus? Nein, es ist wirklich gut, daß du mich fragst, ob ich weiß, wie ich aussehe, denn wahrhaftig, ich weiß es nicht. Oder ich wußte es nicht, du bringst es mir erst zur Bemerkung. Sei versichert, ich schenke meinem Äußeren gar keine Aufmerksamkeit, überlasse es sozusagen sich selbst. Das ist reiner Zufall, wie ich aussehe, oder vielmehr, es macht sich so, es stellt sich so je nach den Umständen her, ohne daß ich auch nur acht darauf gebe. Anpassung, Mimikry, du kennst das ja, Mummschanz und Vexierspiel der Mutter Natur, die immer die Zunge im Mundwinkel hat. Aber du wirst doch, mein Lieber, die Anpassung, von der ich so viel und so wenig weiß wie der Blattschmetterling, nicht auf dich beziehen und sie mir für übel halten! Du mußt zugeben, daß sie nach der anderen Seite hin ihr Passendes hat, — nach der Seite, wo du dirs geholt hast, und zwar gewarnt, nach der Seite von deinem hübschen Lied mit dem Buchstabensymbol, — oh, wirklich sinnreich gemacht und beinah schon wie unter Inspiration:

> Als du mir einst gegeben
> Zur Nacht den kühlen Trank,
> Vergiftetest du mein Leben ...

Ausgezeichnet.

> Es hat sich an der Wunde
> Die Schlange festgesaugt ...

Wirklich begabt. Das ist es ja, was wir beizeiten erkannt, und weshalb wir von früh an ein Auge auf dich gehabt haben, — wir sahen, daß dein Fall ganz ausgesprochen der Mühe wert, daß es ein Fall war von günstigster Lagerung, aus dem sich, nur ein bißchen von unserem Feuer darunter gebracht, nur ein bißchen Anheizung, Beschwingung und Beschwipsung vorausgesetzt, etwas Glänzendes würde machen lassen. Hat nicht Bismarck so was gesagt, wie daß der Deutsche eine halbe Flasche Champagner braucht, um auf seine natürliche Höhe zu kommen? Ist mir doch ganz, als ob er so was gesagt hätte. Und das zu Recht. Begabt, aber lahm ist der Deutsche, — begabt genug, sich an seiner Lahmheit zu ärgern und sie auf Teufel komm raus durch Illumination zu überkommen. Du, mein Lieber, hast wohl gewußt, was dir fehlte, und bist recht in der Art geblieben, als du deine Reise tatest und dir, salva venia, die lieben Franzosen holtest.«

»Schweig!«

»Schweig? Siehe da, das ist ein Fortschritt auf deiner Seite. Du wirst warm. Endlich einmal lässest du die pluralische Höflichkeit fallen und sagst mir Du, wie es sich ziemt zwischen Leuten, die im Vertrage sind und in der Abrede auf Zeit und Ewigkeit.«

»Ihr sollt schweigen!«

»Schweigen? Aber wir schweigen ja schon an die fünf Jahre lang und müssen doch irgend einmal miteinand zusprach kommen und rätig werden über das Ganze und über die interessanten Umstände, in denen du dich befindest. Dies ist natürlich eine Sache zum Schweigen, aber doch nicht zwischen uns auf die Dauer, — wo doch das Stundglas gestellt ist, der rote Sand zu rinnen begonnen hat durch die fein-feine Enge, — oh, eben nur begonnen! Es ist noch fast nichts, was unten liegt, im Vergleich mit der oberen Menge, — wir geben Zeit, reichliche, unabsehbare Zeit, an deren Ende man gar nicht zu denken braucht, noch lange nicht, nicht einmal um den Zeitpunkt, wo man anfangen könnte, ans Ende zu denken, wo es heißen könnte: ›Respice finem‹, braucht man sich vorerst zu kümmern, sintemalen es ein schwankender Zeitpunkt ist, der Willkür und dem Temperament überlassen, und weiß niemand nicht, wo man ihn ansetzen, und wie weit man ihn hinauslegen soll gegen das Ende. Dies ist ein guter Witz und eine treffliche Vorrichtung: Die Unsicherheit und Beliebigkeit des Augenblicks, wo es Zeit wird, ans Ende zu denken, vernebelt scherzhaft den Augenblick auf das gesetzte Ende.«

»Faseley!«

»Geh, dir ist es nicht recht zu machen. Sogar gegen meine Psychologie bist du grob, — wo du doch selbst einmal auf dem heimischen Zionsberg die Psychologie einen netten, neutralen Mittelstand und die Psychologen die wahrheitsliebendsten Leute genannt hast. Ich fasele keineswegs und mitnichten, wenn ich von der gegebenen Zeit spreche und von dem gesetzten Ende, sondern rede strikte zur Sache. Überall, wo das Stundglas gestellt und Zeit gegeben ist, unausdenkbare, aber befristete Zeit und ein gesetztes Ende, da sind wir wohl auf dem Plan, da blüht unser Weizen. Zeit verkaufen wir, — sagen wir einmal vierundzwanzig Jahre, — ist das abzusehen? Ist das eine gehörige Masse? Da mag einer leben auf den alten Kaiser hin wie eine Viehe und die Welt in Erstaunen setzen als ein großer Nigromant durch viel Teufelswerk; da mag einer je länger je mehr aller Lahmheit vergessen und hoch illuminiert über sich selbst hinaussteigen, ohne sich selber doch fremd zu werden, sondern er ist und bleibt er selbst, nur auf seine natürliche Höhe gebracht durch die halbe Flasche Champagner, und darf in trunkenem Selbstgenuß alle Wonnen beinahe unerträglicher Eingießung kosten, daß er mit mehr oder weniger Recht überzeugt sein mag, so etwas von Eingießung sei seit Jahrtausenden nicht mehr dagewesen, daß er sich schlecht und recht für einen Gott halten mag in gewissen ausgelassenen Augenblicken. Wie kommt so einer dazu, sich um den Zeitpunkt zu kümmern, wo es Zeit wird, ans Ende zu denken! Nur, das Ende ist unser, am Ende ist er unser, das will ausgemacht sein, und nicht bloß schweigend, so verschwiegen es sonst auch zugehen mag, sondern von Mann zu Mann und ausdrücklich.«

Ich: »So wollt Ihr mir Zeit verkaufen?«

Er: »Zeit? Bloß so Zeit? Nein, mein Guter, das ist keine Teufelsware. Dafür verdienten wir nicht den Preis, daß das Ende uns gehöre. Was für 'ne Sorte Zeit, darauf kommts an! Große Zeit, tolle Zeit, ganz verteufelte Zeit, in der es hoch und überhoch hergeht, — und auch wieder ein bißchen miserabel natürlich, sogar tief miserabel, das gebe ich nicht nur zu, ich betone es sogar mit Stolz, denn so ist es ja recht und billig, so ists doch Künstlerart und -natur. Die, bekanntlich, neigt allezeit zur Ausgelassenheit nach beiden Seiten, ist ganz normalerweise ein bißchen ausschreitend. Da schlägt immer der Pendel weit hin und her zwischen Aufgeräumtheit und Melencolia, das ist gewöhnlich, ist sozusagen noch bürgerlich-mäßiger, nürrembergischer Art im Vergleich mit dem, was wir liefern. Denn wir liefern das Äußerste in dieser Richtung: Aufschwünge liefern wir und Erleuchtungen, Erfahrungen von Enthobenheit und Entfesselung, von Freiheit, Sicherheit, Leichtigkeit, Macht- und Triumphgefühl, daß unser Mann seinen Sinnen nicht traut, — eingerechnet noch obendrein die kolossale Bewunderung für das Gemachte, die ihn sogar auf jede fremde, äußere leicht könnte verzichten lassen, — die Schauer der Selbstverehrung, ja des köstlichen Grauens vor sich selbst, unter denen er sich wie ein begnadetes Mundstück, wie ein göttliches Untier erscheint. Und entsprechend tief, ehrenvoll tief, geht's zwischendurch denn auch hinab, — nicht nur in Leere und Öde und unvermögende Traurigkeit, sondern auch in Schmerzen und Übelkeiten, — vertraute übrigens, die schon immer da waren, die zur Anlage gehören, nur höchst ehrenvoll verstärkt sind sie durch die Illumination und den bewußten Haarbeutel. Das sind Schmerzen, die man für das enorm Genossene mit Vergnügen und Stolz in Kauf nimmt, Schmerzen, die man aus dem Märchen kennt, die Schmerzen, die die kleine Seejungfrau, wie von schneidenden Messern, in ihren schönen Menschenbeinen hatte, als sie sie statt des Schwanzes erworben. Du kennst doch die kleine Seejungfrau von Andersen? Das wäre ein Schätzchen für dich! Es kostet dich ein Wort, und ich führe sie dir zu Bette.«

Ich: »Wenn du schweigen könntest, läppisches Wesen!«

Er: »Nun, nun, nur nicht immer gleich Grobheiten. Immer willst du nur Schweigen haben. Ich bin doch nicht von der Familie

Schweigestill. Und übrigens hat dir Mutter Else in aller verständnisvollen Diskretion eine Menge vorgeplaudert von ihren Gelegenheitsgästen. Ich aber bin ganz und gar nicht Schweigens wegen zu dir ins heidnische Ausland gekommen, sondern zur ausdrücklichen Bekräftigung unter vier Augen und zum festen Rezeß über Leistung und Zahlung. Ich sage dir ja, daß wir schon mehr als vier Jahre schweigen, — und dabei ist alles im feinsten, ausgesuchtesten, verheißungsvollen Gange, und ist die Glock schon halb gegossen. Soll ich dir sagen, wie's steht und was los ist?«

Ich: »Es scheint ja, ich muß hören.«

Er: »Möchtest darneben auch gern und bist wohl content, daß du hören kannst. Ich glaube sogar, es tanzert dich gar nicht wenig, zu hören, und tätest greinen und grannen mit dir, wenn ichs dir verhielte. Recht hättest auch. Ist ja so traulich, heimliche Welt, in der wir mitsammen sind, du und ich, — sind beide recht zu Hause darin, das reine Kaisersaschern, gut altdeutsche Luft von anno fünfzehnhundert oder so, kurz bevor Dr. Martinus kam, der auf so derbem, herzlichem Fuß mit mir stand und mit der Semmel, nein, mit dem Tintenfaß nach mir warf, längst also vor der dreißigjährigen Lustbarkeit. Erinnere dich nur, wie munter volksbewegt es war bei euch in Deutschlands Mitten, am Rheine und überall, seelenvoll aufgeräumt und krampfig genug, ahndungsreich und beunruhigt, — Wallfahrtsdrang zum Heiligen Blut nach Niklashausen im Taubertal, Kinderzüge und blutende Hostien, Hungersnot, Bundschuh, Krieg und die Pest zu Köllen, Meteore, Kometen und große Anzeichen, stigmatisierte Nonnen, Kreuze, die auf den Kleidern der Menschen erscheinen, und mit dem wundersam bekreuzten Mädchenhemd als Banner wollen sie gegen die Türken ziehen. Gute Zeit, verteufelt deutsche Zeit! Wird dir nicht herzlich wohlig zu Sinn beim Gedenken? Da traten die rechten Planeten im Zeichen des Skorpions zusammen, wie Meister Dürer es gar wohlbelehrt gezeichnet hat im medizinischen Flugblatt, da kamen die zarten Kleinen, das Volk der Lebeschräubchen, die lieben Gäste aus Westindien ins deutsche Land, die Geißelschwärmer, — gelt, da horchst du auf? Als ob ich von der ziehenden Büßerzunft, den Flagellanten, redete, die sich für ihre und aller Sünden den Rücken walkten. Ich meine aber die Flagellaten, die untersichtig Winzigen von der Sorte, die Geißeln haben, wie unsre bleiche Venus, die spirochaeta pallida, das ist die rechte Sorte. Hast aber recht, es klingt so traulich nach hohem Mittelalter und nach dem Flagellum haereticorum fascinariorum. O ja, als fascinarii mögen sie sich wohl erweisen, unsere Schwärmer, in besseren Fällen, wie dem deinigen. Sind übrigens recht gesittet und domestiziert schon längst und machen in alten Landen, wo sie so viele Jahrhunderte zu Hause sind, nicht mehr so grobe Büffelpossen wie ehedem, mit offener Beul und Pestilenz und abgefallenen Nasen, Kunstmaler Baptist Spengler sieht auch nicht aus, als müßte er, den Leichnam hären vermummt, wo er geht und steht die Warnungsklapper schwingen.«

Ich: »Steht es mit Spengler — so?«

Er: »Wie denn nicht? Es soll wohl mit dir allein so stehen? Ich weiß, du hättest das Deine gern ganz apart für dich und ärgerst dich über jeden Vergleich. Mein Lieber, man hat immer eine Menge Genossen! Natürlich ist Spengler ein Esmeraldus. Nicht umsonst blinzelt er immer so verschämt und listig mit den Augen, und nicht umsonst nennt Ines Rodde ihn einen heimlichen Schleicher. So geht es, Leo Zink, der faunus ficarius, ist noch immer davongekommen, aber den sauberen, gescheiten Spengler hats früh erwischt. Übrigens sei ruhig und spare dir die Eifersucht auf den. Es ist ein langweiliger, banaler Fall, bei dem nicht das geringste herauskommt. Das ist kein Pythone, an dem wir sensationelle Taten vollbringen. Ein bißchen heller, am Geistigen beteiligter mag er geworden sein durch den Empfang und würde vielleicht nicht so gern das Tagebuch der Goncourts und den Abbé Galiani lesen, hätt er nicht die Verbindung zum Höheren, hätt er den geheimen Denkzettel nicht. Psychologie, mein Lieber. Krankheit, und nun gar anstößige, diskrete, geheime Krankheit, schafft einen gewissen kritischen Gegensatz zur Welt, zum Lebensdurchschnitt, stimmt aufsässig und ironisch gegen die bürgerliche Ordnung und läßt ihren Mann Schutz suchen beim freien Geist, bei Büchern, beim Gedanken. Aber weiter ist es auch nichts mit Spengler. Die Zeit, die ihm zum Lesen, Zitieren, Rotweintrinken und Faulenzen noch gegeben ist, haben wir ihm verkauft, es ist nichts weniger als genialisierte Zeit. Ein angebrannter und matter, halb interessanter Weltmann, sonst nichts. Er kröpelt so dahin an Leber, Niere, Magen, Herz und Darm, wird eines Tages stockheiser oder taub und kratzt, ein skeptisches Scherzwort auf den Lippen, nach einigen Jahren ruhmlos ab — was weiter? Daran ist nichts gelegen, das war nie eine Illumination, Erhöhung und Begeisterung, denn es war nicht gehirnlich, nicht zerebral, verstehst du, — unsere Kleinen kümmerten sich da ums Edle, Obere nicht, es hatte offenbar keine Verführung für sie, es kam nicht zur Metastasierung ins Metaphysische, Metavenerische, Metainfektiose . . .«

Ich (mit Haß): »Wie lange werde ich sitzen und frieren und Euerem unerträglichen Gefasel zuhören müssen?«

Er: »Gefasel? Zuhören müssen? Du machst da einen drolligsten Gassenhauer auf. Meim Bedunken nach hörst du sehr aufmerksam zu und bist nur ungeduldig, mehr und alles zu wissen. Eben noch hast du dich angelegentlich nach deinem Freunde Spengler zu München erkundigt, und hätt ich dir nicht das Wort abgeschnitten, so fragtest du mich gierig die ganze Zeit nach der

Hellen aus und ihrer Spelunck. Spiele, bitte, nicht den Belästigten! Ich habe auch mein Selbstgefühl und weiß, daß ich kein ungebetener Gast bin. Kurzum, die Metaspirochaetose, das ist der meningeale Prozeß, und ich versichere dich, es ist gerade, als hätten gewisse von den Kleinen eine Passion fürs Obere, eine besondere Vorliebe für die Kopfregion, die Meningen, die dura mater, das Hirnzelt und die Pia, die das zarte Parenchym im Inneren schützen, und schwärmten vom Augenblick der ersten Allgemeindurchseuchung leidenschaftlich dorthin.«

Ich: »Es steht Euch, wie Ihr sprecht. Der Ludewig scheint medicinam studiert zu haben.«

Er: »Nicht mehr, als du theologiam, will sagen: fragmentarisch und spezialistisch. Willst du leugnen, daß du die beste der Künste und Wissenschaften auch nur als Spezialist und Liebhaber studiert hast? Dein Interesse galt — mir. Ich bin dir sehr verbunden. Wie sollte aber ich, Esmeralda's Freund und Zuhalt, als den du mich vor dir siehst, nicht ein besondres Interesse haben an dem betreffenden, dem anzüglichen, dem nächstliegenden Gebiet der Medizin und spezialistisch darin zu Hause sein? Tatsächlich verfolge ich auf diesem Gebiet beständig mit größter Aufmerksamkeit die letzten Forschungsergebnisse. Item, einige doctores wollen wahrhaben und schwören Stein und Bein, es müsse Hirnspezialisten unter den Kleinen geben, Liebhaber der zerebralen Sphäre, kurz, ein virus nerveux. Sie wohnen aber in der bekannten Halde. Es ist umgekehrt. Es ist das Gehirn, das nach ihrem Besuche lüstern ist und ihm erwartungsvoll entgegensieht, wie du dem meinen, das sie zu sich einlädt, sie an sich zieht, als ob es sie gar nicht erwarten könnte. Weißt du noch? Der Philosoph, De anima: ›Die Handlungen der Handelnden geschehen an den vorher disponierten Leidenden.‹ Da siehst du's, auf die Disponiertheit, die Bereitschaft, die Einladung kommt alles an. Daß einige Menschen zur Vollbringung von Hexentaten mehr beanlagt sind als die anderen, und wir sie wohl zu ersehen wissen, des gedenken ja schon die würdigen Autoren des Malleus.«

Ich: »Verleumder, ich habe keine Kundschaft mit dir. Ich habe dich nicht geladen.«

Er: »Ach, ach, die liebe Unschuld! Der weitgereiste Kunde meiner Kleinen war wohl nicht gewarnt? Und deine Ärzte hast du dir auch mit sicherem Instinkte ausgesucht.«

Ich: »Im Adreßbuch hab ich sie aufgeschlagen. Wen hätt ich fragen sollen? Und wer hätte mir sagen können, daß sie mich im Stiche lassen würden? Was habt Ihr mit meinen beiden Ärzten gemacht?«

Er: »Beseitigt, beseitigt. Oh, die Stümper haben wir doch natürlich in deinem Interesse beseitigt. Und zwar im rechten Augenblick, zu früh nicht und nicht zu spät, als sie mit ihrem Queck und Quack die Sache auf den rechten Weg gebracht und, hätten wir sie gelassen, den schönen Fall nur noch hätten verpfuschen können. Wir haben ihnen die Provokation erlaubt — und damit basta und weg mit ihnen. Sobald sie mit ihrer spezifischen Behandlung die erste, kutan betonte allgemeine Infiltration gehörig eingeschränkt und damit der Metastasierung nach oben einen kräftigen Antrieb gegeben, war ihr Geschäft getan, sie waren abzuschaffen. Die Tröpfe wissen nämlich nicht, und wenn sie's wissen, können sie's nicht ändern, daß durch die Allgemeinbehandlung die oberen, die metavenerischen Prozesse kräftig beschleunigt werden. Sie werden zwar auch durch Nichtbehandlung der frischen Stadien oft genug gefördert, kurz, wie mans macht, ists falsch. Auf keinen Fall durften wir die Provokation durch das Queck und Quack andauern lassen. Der Rückgang der Allgemeindurchdringung war sich selbst zu überlassen, damit die Progredienz dort oben hübsch langsam vonstatten ging, damit dir Jahre, Jahrzehnte schöner, nigromantischer Zeit salviert wären, ein ganzes Stundglas voll genialer Teufelszeit. Eng und klein und fein umschrieben ist heute, vier Jahre nachdem du dirs geholt, das Plätzchen da oben bei dir — aber es ist vorhanden — der Herd, das Arbeitsstübchen der Kleinen, die auf dem Liquorwege, dem Wasserwege sozusagen, dorthin gelangt, die Stelle der inzipienten Illuminierung.«

Ich: »Ertappe ich dich, Dummkopf? Verrätst dich und nennst mir selber die Stelle in meinem Hirn, den Fieberherd, der dich mir vorgaukelt, und ohne den du nicht wärst! Verrätst mir, daß ich dich erregterweise zwar sehe und höre, daß du aber nur ein Geplerr bist vor meinen Augen!«

Er: »Du liebe Logik! Närrchen, umgekehrt wird ein Schuh daraus. Ich bin nicht das Erzeugnis deines pialen Herdes dort oben, sondern der Herd *befähigt* dich, verstehst du?, mich wahrzunehmen, und ohne ihn, freilich, sähest du mich nicht. Ist darum meine Existenz an deinen inzipienten Schwips gebunden? Gehör ich darum in dein Subjekt? Da möcht ich bitten! Nur Geduld, was sich da tut und progrediert, das wird dich noch zu ganz anderem befähigen, ganz andere Hindernisse noch niederlegen und sich mit dir über Lahmheit und Hemmung schwingen. Warte bis Charfreitag, so wird bald Ostern werden! Warte ein, zehn, zwölf Jahre, bis die Illuminierung, der hellichte Ausfall aller lahmen Skrupel und Zweifel auf seine Höhe kommt, und du wirst wissen, wofür du zahlst, weswegen du uns Leib und Seele vermacht. Da werden dir sine pudore aus der Apothekensaat osmotische Gewächse sprießen . . .«

Ich (fahre auf): »So halte dein ungewaschen Maul! Ich verbiete dir, von meinem Vater zu sprechen!«

Er: »Oh, dein Vater ist in meinem Maule gar nicht so fehl am

Ort. Er hatt es hinter den Ohren, mochte immer gern die elementa spekulieren. Das Hauptwee, den Ansatzpunkt für die Messerschmerzen der kleinen Seejungfrau, hast du doch auch von ihm ... Im übrigen, ich habe ganz recht gesprochen, um Osmose, um Liquordiffusion, um den Proliferationsvorgang handelt sichs bei dem ganzen Zauber. Ihr habt da den Lumbalsack mit der pulsierenden Liquorsäule darin, der reicht ins Zerebrale, zu den Hirnhäuten, in deren Gewebe die schleichende venerische Meningitis am leisen, verschwiegenen Werke ist. Aber ins Innere, ins Parenchym könnten unsere Kleinen gar nicht gelangen, so sehr es sie dorthin zieht und so sehnlich sie dorthin gezogen werden, — ohne die Liquordiffusion, die Osmose mit dem Zellsaft der Pia, die ihn verwässert, das Gewebe auflöst und den Geißlern den Weg ins Innere bahnt. Es kommt alles von der Osmose, mein Freund, an deren neckischen Erzeugnissen du dich so früh ergötztest.«

Ich: »Ihr Elend machte mich lachen. Ich wollte, Schildknapp kehrte zurück, daß ich mit ihm lachen könnte. Ich wollte ihm Vatergeschichten erzählen, ich auch. Von den Tränen in meines Vaters Auge wollte ich ihm erzählen, wenn er sagte: ›Und dabei sind sie tot!‹«

Er: »Potz hundert Gift! Du hattest recht, ob seiner erbarmungsvollen Tränen zu lachen, — unangesehen noch, daß, wers von Natur mit dem Versucher zu tun hat, immer mit den Gefühlen der Leute auf konträrem Fuße steht und immer versucht ist, zu lachen, wenn sie weinen, und zu weinen, wenn sie lachen. Was heißt ›tot‹, wenn die Flora doch so bunt und vielgestaltig wuchert und sprießet, und wenn sie sogar heliotropisch ist? Was heißt denn ›tot‹, wenn der Tropfen doch solchen gesunden Appetit bekundet? Was krank ist, und was gesund, mein Junge, darüber soll man dem Pfahlbürger lieber das letzte Wort nicht lassen. Ob der sich so recht aufs Leben versteht, bleibt eine Frage. Was auf dem Todes-, dem Krankheitswege entstanden, danach hat das Leben schon manches Mal mit Freuden gegriffen und sich davon weiter und höher führen lassen. Hast du vergessen, was du auf der Hohen Schul gelernt hast, daß Gott aus dem Bösen das Gute machen kann, und daß die Gelegenheit dazu ihm nicht verkümmert werden darf? Item, einer muß immer krank und toll gewesen sein, damit die anderen es nicht mehr zu sein brauchen. Und wo die Tollheit anfängt, krank zu sein, macht niemand so leicht nicht aus. Schreibt einer im Raptus an den Rand: ›Bin selig! Bin außer mir! Das nenn ich neu und groß! Siedende Wonne des Einfalls! Meine Wangen glühen wie geschmolzenes Eisen! Bin rasend, und ihr alle werdet rasend werden, wenn dies zu euch kommt! Gott helfe dann euren armen Seelen!‹ — ist das noch tolle Gesundheit, normale Tollheit, oder hat ers in den Meningen? Der Bürger ist der Letzte, es auszumachen; lange jedenfalls fällt ihm nichts weiter daran auf, weil Künstler nun mal 'nen Vogel haben. Ruft einer nächsten Tags im Rückschlag: ›O blöde Öde! O Hundedasein, wenn man nichts machen kann! Gäbs doch nur Krieg da draußen, damit was los wär! Könnt ich abkratzen auf gute Manier! Möge die Hölle sich meiner erbarmen, denn ich bin ein Höllensohn!‹ — ist das eigentlich ernst zu nehmen? Ist es die wörtliche Wahrheit, was er da von der Höllen sagt, oder ists nur Metapher für ein bißchen normale Dürer'sche Melencolia? In summa, wir liefern euch bloß, wofür der klassische Dichter, der höchst Würdige, sich so schön bei seinen Göttern bedankt:

> Alles geben die Götter, die unendlichen,
> Ihren Lieblingen ganz:
> Alle Freuden, die unendlichen,
> Alle Schmerzen, die unendlichen, ganz.«

Ich: »Höhnischer Lügner! Si Diabolus non esset mendax et homicida! Muß ich dich schon hören, sprich mir wenigstens nicht von heiler Größe und gewachsenem Gold! Ich weiß, daß das mit Feuer statt durch die Sonne gemachte Gold nicht echt ist.«

Er: »Wer sagt das? Hat die Sonne beßres Feuer als die Küche? Und heile Größe! Wenn ich davon nur höre! Glaubst du an so was, an ein Ingenium, das gar nichts mit der Höllen zu tun hat? Non datur! Der Künstler ist der Bruder des Verbrechers und des Verrückten. Meinst du, daß je ein irgend belustigendes Werk zustande gekommen, ohne daß sein Macher sich dabei auf das Dasein des Verbrechers und des Tollen verstehen lernte? Was krankhaft und gesund! Ohne das Krankhafte ist das Leben sein Lebtag nicht ausgekommen. Was echt und unecht! Sind wir Landbescheißer? Ziehen wir die guten Dinge dem Nichts aus der Nase? Wo nichts ist, hat auch der Teufel sein Recht verloren, und keine bleiche Venus richtet da was Gescheites aus. Wir schaffen nichts Neues — das ist andrer Leute Sache. Wir entbinden nur und setzen frei. Wir lassen die Lahm- und Schüchternheit, die keuschen Skrupel und Zweifel zum Teufel gehn. Wir pulvern auf und räumen, bloß durch ein bißchen Reiz-Hyperämie, die Müdigkeit hinweg, — die kleine und die große, die private und die der Zeit. Das ist es, du denkst nicht an die Läufte, du denkst nicht historisch, wenn du dich beklagst, daß der und der es *ganz* haben konnte, Freuden und Schmerzen unendlich, ohne daß ihm das Stundglas gestellt war, die Rechnung endlich präsentiert wurd. Was der in seinen klassischen Läuften allenfalls ohne uns haben konnte, das haben heutzutage nur wir zu bieten. Und wir bieten Beßres, wir bieten erst das Rechte und Wahre, — das ist schon nicht mehr das Klassische, mein Lieber, was wir erfahren lassen, das ist das Archaische, das Urfrühe, das längst nicht mehr Erprobte. Wer weiß heute noch, wer wußte auch nur in klassischen Zeiten, was Inspiration, was echte, alte, urtümliche Begeisterung ist, von Kritik, lahmer Besonnenheit, tötender Verstandskontrolle ganz unangekränkelte Begeisterung, die heilige Verzuckung? Ich glaube gar, der Teufel gilt für den Mann zersetzender Kritik? Verleumdung — wieder einmal, mein Freund! Potz Fickerment! Wenn er etwas haßt, wenn ihm in aller Welt etwas konträr ist, so ist es die zersetzende Kritik. Was er will und spendet, das ist gerade das triumphierende Über-sie-hinaus-Sein, die prangende Unbedenklichkeit!«

Ich: »Marktschreier.«

Er: »Gewiß doch! Wenn einer die gröbsten Mißverständnisse über sich, mehr noch aus Wahrheits-, denn aus Eigenliebe, richtigstellt, ist er ein Maulaufreißer. Ich werde mir von deiner ungnädigen Verschämtheit den Mund nicht stopfen lassen und weiß, daß du nur deine Affecten bei dir verdruckst und mir mit so viel Vergnügen zuhörst wie das Mägdlein dem Flüsterer in der Kirche . . . Nimm gleich einmal den Einfall, — was ihr so nennt, was ihr seit hundert oder zweihundert Jahren so nennt, — denn früher gabs die Kategorie ja gar nicht, so wenig wie musikalisches Eigentumsrecht und all das. Der Einfall also, eine Sache von drei, vier Takten, nicht wahr, mehr nicht. Alles übrige ist Elaboration, ist Sitzfleisch. Oder nicht? Gut, nun sind wir aber experte Kenner der Literatur und merken, daß der Einfall nicht neu ist, daß er gar zu sehr an etwas erinnert, was schon bei Rimski-Korsakow oder bei Brahms vorkommt. Was tun? Man ändert ihn eben. Aber ein geänderter Einfall, ist das überhaupt noch ein Einfall? Nimm Beethovens Skizzenbücher! Da bleibt keine thematische Conception, wie Gott sie gab. Er modelt sie um und schreibt hinzu: ›Meilleur.‹ Geringes Vertrauen in Gottes Eingebung, geringer Respekt davor drückt sich aus in diesem immer noch keineswegs enthusiastischen ›Meilleur‹! Eine wahrhaft beglückende, entrückende, zweifellose und gläubige Inspiration, eine Inspiration, bei der es keine Wahl, kein Bessern und Basteln gibt, bei der alles als seliges Diktat empfangen wird, der Schritt stockt und stürzt, sublime Schauer den Heimgesuchten vom Scheitel zu den Fußspitzen überrieseln, ein Tränenstrom des Glücks ihm aus den Augen bricht, — die ist nicht mit Gott, der dem Verstande zu viel zu tun übrigläßt, die ist nur mit dem Teufel, dem wahren Herrn des Enthusiasmus möglich.«

Mit dem Kerl vor mir war unterdes, während seiner letzten Reden weylinger Weis was andres vorgegangen: Sah ich recht hin, kam er mir verschieden vor gegen früher: saß da nicht länger als Ludewig und Mannsluder, sondern, bitte doch sehr, als was Besseres, hatt einen weißen Kragen um und einen Schleifenschlips, auf der gebogenen Nase eine Brille mit Hornrahmen, hinter dem feucht-dunkle, etwas gerötete Augen schimmern, — eine Mischung von Schärfe und Weichheit das Gesicht: die Nase scharf, die Lippen scharf, aber weich das Kinn, mit einem Grübchen darin, ein Grübchen in der Wange noch obendrein, — bleich und gewölbt die Stirn, aus der das Haar wohl erhöhend zurückgeschwunden, aber von ders zu den Seiten dicht, schwarz und wollig dahinstand, — ein Intelligenzler, der über Kunst, über Musik, für die gemeinen Zeitungen schreibt, ein Theoretiker und Kritiker, der selbst komponiert, soweit eben das Denken es ihm erlaubt. Weiche, magere Hände dazu, die mit Gesten von feinem Ungeschick seine Rede begleiten, manchmal zart über das dicke Schläfen- und Nackenhaar streichen. Dies war nun des Besuchers Bild in der Sofaecke. Größer war er nicht geworden; und vor allem die Stimme, nasal, deutlich, gelernt wohllautend, war dieselbe geblieben; sie bewahrte die Identität bei fließender Erscheinung. Höre ich ihn denn sagen und sehe seinen breiten, an den Winkeln verkniffenen Mund unter der mangelhaft rasierten Oberlippe, sich vorn artikulierend bewegen:

»Was ist heute die Kunst? Eine Wallfahrt auf Erbsen. Gehört mehr zum Tanz heutzutag als ein rot Paar Schuh, und du bists nicht allein den der Teufel betrübt. Sieh sie dir an, deine Kollegen, — ich weiß wohl, du siehst sie nicht an, du siehst nicht nach ihnen hin, du pflegst die Illusion des Alleinseins und willst alles für dich, allen Fluch der Zeit. Aber sieh sie zum Troste doch an, die Mit-Inauguratoren der neuen Musik, ich meine die ehrlichen, ernsten, die die Konsequenzen der Lage ziehen! Ich rede nicht von den folkloristischen und neo-klassischen Asylisten, deren Modernität darin besteht, daß sie sich den musikalischen Ausbruch verbieten und mit mehr oder weniger Würde das Stilkleid vorindividualistischer Zeiten tragen. Reden sich und anderen ein, das Langweilige sei interessant geworden, weil das Interessante angefangen hat, langweilig zu werden ...«

Ich mußte lachen, denn obschon die Kälte fortfuhr, mir zuzusetzen, muß ich gestehen, daß mir seit seiner Veränderung in seiner Gesellschaft wohler geworden war. Er lächelte mit, nur indem seine geschlossenen Mundwinkel sich fester strafften, wobei er ein wenig die Augen schloß.

»Ohnmächtig sind sie auch«, fuhr er fort, »aber ich glaube, du und ich ziehen die achtbare Ohnmacht derer vor, die es verschmähen, die allgemeine Erkrankung unter würdiger Mummschanz zu hehlen. Allgemein aber ist die Krankheit, und die Redlichen stellen an sich so gut wie an den Rückbildlern ihre Symptome fest. Droht nicht die Produktion auszugehen? Und was an Ernstzunehmendem noch zu Papier kommt, zeugt von Mühsal und Unlust. Äußere, gesellschaftliche Gründe? Mangel an Nachfrage, — und wie in der vorliberalen Ära hängt die Möglichkeit der Produktion weithin vom Zufall der Mäzenatengunst ab? Richtig, aber als Erklärung genügts nicht. Das Komponieren selbst ist zu schwer geworden, verzweifelt schwer. Wo Werk sich nicht mehr mit Echtheit verträgt, wie will einer arbeiten? Aber so steht es, mein Freund, das Meisterwerk, das in sich ruhende Gebilde, gehört der traditionellen Kunst an, die emanzipierte verneint es. Die Sache fängt damit an, daß euch beileibe nicht das Verfügungsrecht zukommt über alle jemals verwendeten Tonkombinationen. Unmöglich der verminderte Septimakkord, unmöglich gewisse chromatische Durchgangsnoten. Jeder Bessere trägt in sich einen Kanon des Verbotenen, des Sichverbietenden, der nachgerade die Mittel der Tonalität, also aller traditionellen Musik umfaßt. Was falsch, was verbrauchtes Cliché geworden, der Kanon bestimmt es. Tonale Klänge, Dreiklänge in einer Komposition mit dem technischen Horizont von heute — überbieten jede Dissonanz. Als solche allenfalls sind sie zu brauchen, — aber behutsam und nur in extremis, denn der Choc ist ärger als früher der bitterste Mißklang. Auf den technischen Horizont kommt alles an. Der verminderte Septimakkord ist richtig und voller Ausdruck am Anfang von opus 111. Er entspricht Beethovens technischem Gesamtniveau, nicht wahr?, der Spannung zwischen der äußersten ihm möglichen Dissonanz und der Konsonanz. Das Prinzip der Tonalität und seine Dynamik verleiht dem Akkord sein spezifisches Gewicht. Er hat es verloren — durch einen historischen Prozeß, den niemand umkehrt. Höre den abgestorbenen Akkord, — selbst in seiner Versprengtheit steht er für einen technischen Gesamtstand, der dem wirklichen widerspricht. Jeder Klang trägt das Ganze, auch die ganze Geschichte in sich. Aber darum ist die Erkenntnis des Ohrs, was richtig und falsch ist, unweigerlich und direkt an ihn, diesen einen, an sich nicht falschen Akkord gebunden, ganz ohne abstrakte Beziehung aufs technische Gesamtniveau. Wir haben da einen Anspruch von Richtigkeit, den das Gebilde an den Künstler stellt, — ein wenig streng, was meinst du? Erschöpft sich nicht nächstens sein Tun in der Vollstreckung des in den objektiven Bedingungen der Produktion Enthaltenen? In jedem Takt, den einer zu denken wagt, präsentiert der Stand der Technik sich ihm als Problem. Jeden Augenblick verlangt die Technik als ganze von ihm, daß er ihr gerecht werde und die allein richtige Antwort, die sie in jedem Augenblick zuläßt. Es kommt dahin, daß diese Kompositionen nichts mehr als solche Antworten sind, nur noch die Auflösung technischer Vexierbilder. Kunst wird Kritik — etwas sehr Ehrenhaftes, wer leugnets! Viel Ungehorsam im strengen Gehorchen, viel Selbständigkeit, viel Mut gehört dazu. Aber die Gefahr des Unschöpferischen, — was meinst du? Ist sie wohl Gefahr noch oder schon fix und fertiges Faktum?«

Er pausierte. Er sah mich mit feuchten, geröteten Augen durch die Brille an, hob mit zarter Bewegung die Hand und strich mit zwei mittleren Fingern sein Haupthaar. Ich sagte:

»Worauf wartet Ihr? Soll ich Eueren Hohn bewundern? Ich habe nie gezweifelt, daß Ihr mir zu sagen wißt, was ich weiß. Euere Art, es vorzubringen, ist recht absichtsvoll. Mit allem wollt Ihr mich bedeuten, wie ich niemands sonsten zu meinem Fürnehmen und Werk könnte brauchen und haben denn den Teufel. Dabei könnt Ihr die theoretische Möglichkeit spontaner Harmonie nicht ausschließen zwischen den eigenen Bedürfnissen und dem Augenblick, der ›Richtigkeit‹, — die Möglichkeit eines natürlichen Einklangs, aus dem einer zwang- und gedankenlos schüfe.«

Er (lachend): »Eine sehr theoretische Möglichkeit, in der Tat! Mein Lieber, die Situation ist zu kritisch, als daß die Kritiklosigkeit ihr gewachsen wäre! Übrigens weise ich den Vorwurf einer tendenziösen Beleuchtung der Dinge zurück. Deinetwegen brauchen wir uns nicht mehr in dialektische Unkosten zu stürzen. Was ich nicht leugne, ist eine gewisse Genugtuung, die die Lage des ›Werkes‹ ganz allgemein mir gewährt. Ich bin gegen die Werke im großen ganzen. Wie sollte ich nicht einiges Vergnügen finden an der Unpäßlichkeit, von der die Idee des musikalischen Werkes befallen ist! Schiebe sie nicht auf gesellschaftliche Zustände! Ich weiß, du neigst dazu und pflegst zu sagen, daß diese Zustände nichts vorgeben, was verbindlich und bestätigt genug wäre, die Harmonie des selbstgenügsamen Werks zu gewährleisten. Wahr, aber nebensächlich. Die prohibitiven Schwierigkeiten des Werks liegen tief in ihm selbst. Die historische Bewegung des musikalischen Materials hat sich gegen das geschlossene Werk gekehrt. Es schrumpft in der Zeit, es verschmäht die Ausdehnung in der Zeit, der das Raum des musikalischen Werkes ist, und läßt ihn leer stehen. Nicht aus Ohnmacht, nicht aus Unfähigkeit zur Formbildung. Sondern ein unerbittlicher Imperativ der Dichtigkeit, der das Überflüssige verpönt, die Phrase negiert, das Ornament zerschlägt, richtet sich gegen die zeitliche Ausbreitung, die Lebensform des Werkes. Werk, Zeit und Schein, sie sind eins, zusammen verfallen sie der Kritik. Sie erträgt Schein und Spiel nicht mehr, die Fiktion, die Selbstherrlichkeit der Form, die die Leidenschaften, das Menschenleid zensuriert, in Rollen aufteilt, in Bilder überträgt. Zulässig ist allein noch der nicht fiktive, der nicht verspielte, der unverstellte und unverklärte Ausdruck des Leides in seinem realen Augenblick. Seine Ohnmacht und Not sind so angewachsen, daß kein scheinhaftes Spiel damit mehr erlaubt ist.«

Ich (sehr ironisch): »Rührend, rührend. Der Teufel wird pathetisch. Der leidige Teufel moralisiert. Das Menschenleid liegt ihm am Herzen. Zu seinen Ehren hofiert er in die Kunst hinein. Ihr hättet besser getan, Euerer Antipathie gegen die Werke nicht zu gedenken, wenn Ihr nicht wolltet, daß ich in Eueren Deduktionen eitel Teufelsfürze zu Schimpf und Schaden des Werks erkenne.«

Er (ohne Empfindlichkeit): »So weit, so gut. Du findest im Grunde wohl aber mit mir, daß es weder sentimental noch boshaft zu nennen ist, wenn man die Tatsachen der Weltstunde anerkennt. Gewisse Dinge sind nicht mehr möglich. Der Schein der Gefühle als kompositorisches Kunstwerk, der selbstgenügsame Schein der Musik selbst ist unmöglich geworden und nicht zu halten, — als welcher seit alters darin besteht, daß vorgegebene und formelhaft niedergeschlagene Elemente so eingesetzt werden, als ob sie die unverbrüchliche Notwendigkeit dieses einen Falles wären. Oder laß es umgekehrt sein: der Sonderfall gibt sich die Miene, als wäre er mit der vorgegebenen, vertrauten Formel identisch. Seit vierhundert Jahren hat alle große Musik ihr Genügen darin gefunden, diese Einheit als bruchlos geleistete vorzutäuschen, — sie hat sich darin gefallen, die konventionelle Allgemeingesetzlichkeit, der sie untersteht, mit ihren eigensten Anliegen zu verwechseln. Freund, es geht nicht mehr. Die Kritik des Ornaments, der Konvention und der abstrakten Allgemeinheit ist ein und dasselbe. Was der Kritik verfällt, ist der Scheincharakter des bürgerlichen Kunstwerks, an dem die Musik teilhat, obgleich sie kein Bild macht. Gewiß, sie hat vor anderen Künsten den Vorzug, kein Bild zu machen, aber durch die unermüdliche Aussöhnung ihrer spezifischen Anliegen mit der Herrschaft der Konventionen hat sie an dem höheren Schwindel gleichwohl nach Kräften teilgenommen. Die Subsumtion des Ausdrucks unters versöhnlich Allgemeine ist das innerste Prinzip des musikalischen Scheins. Es ist aus damit. Der Anspruch, das Allgemeine als im Besonderen harmonisch enthalten zu denken, dementiert sich selbst. Es ist geschehen um die vorweg und verpflichtend geltenden Konventionen, die die Freiheit des Spiels gewährleisteten.«

Ich: »Man könnte das wissen und sie jenseits aller Kritik wieder anerkennen. Man könnte das Spiel potenzieren, indem man mit Formen spielte, aus denen, wie man weiß, das Leben geschwunden ist.«

Er: »Ich weiß, ich weiß. Die Parodie. Sie könnte lustig sein, wenn sie nicht gar so trübselig wäre in ihrem aristokratischen Nihilismus. Würdest du dir viel Glück und Größe von solchen Schlichen versprechen?«

Ich (erwidere ihm zornig): »Nein.«

Er: »Kurz und unwirsch! Warum aber unwirsch? Weil ich dir freundschaftliche Gewissensfragen stelle, unter vier Augen? Weil ich dir dein verzweifelt Herz gezeigt und dir mit der Einsicht des Kenners die geradezu unüberwindlichen Schwierigkeiten heutigen Komponierens vor Augen rücke? Magst mich als Kenner nur immerhin ästimieren. Es sollte der Teufel wohl was von Musik verstehen. Wenn ich nicht irre, lasest du da vorhin in dem Buch des in die Ästhetik verliebten Christen? Der wußte Bescheid und verstand sich auf mein besondres Verhältnis zu dieser schönen Kunst, — der allerchristlichsten Kunst, wie er findet, — mit negativem Vorzeichen natürlich, vom Christentum zwar eingesetzt und entwickelt, aber verneint und ausgeschlossen als dämonisches Bereich, — und da hast du es denn. Eine hochtheologische Angelegenheit, die Musik — wie die Sünde es ist, wie ich es bin. Die Leidenschaft des Christen da für die Musik ist wahre Passion, als welche nämlich Erkenntnis und Verfallenheit ist in einem. Wahre Leidenschaft gibt es nur im Ambiguosen und als Ironie. Die höchste Passion gilt dem absolut Verdächtigen . . . Nein, musikalisch bin ich schon, laß das gut sein. Und da hab ich dir nun den armen Judas gesungen von wegen der Schwierigkeiten, in die, wie alles heut, die Musik geraten. Hätt ich es nicht tun sollen? Aber ich tat es doch nur, um dir anzuzeigen, daß du sie durchbrechen, daß du dich zur schwindlichten Bewunderung deiner selbst über sie erheben und Dinge machen sollst, daß dich das heilige Grauen davor ankommen soll.«

Ich: »Auch eine Verkündigung. Ich werde osmotische Gewächse ziehen.«

Er: »Ist doch gehupft wie gesprungen! Eisblumen oder solche aus Stärke, Zucker und Zellulose, — beides ist Natur, und fragt sich noch, wofür Natur am meisten zu beloben. Deine Neigung, Freund, dem Objektiven, der sogenannten Wahrheit nachzufragen, das Subjektive, das reine Erlebnis als unwert zu verdächtigen, ist wahrhaft spießbürgerlich und überwindenswert. Du siehst mich, also bin ich dir. Lohnt es zu fragen, ob ich wirklich bin? Ist wirklich nicht, was wirkt, und Wahrheit nicht Erlebnis und Gefühl? Was dich erhöht, was dein Gefühl von Kraft und Macht und Herrschaft vermehrt, zum Teufel, das ist die Wahrheit, — und wäre es unterm tugendlichen Winkel gesehen zehnmal eine Lüge. Das will ich meinen, daß eine Unwahrheit von kraftsteigernder Beschaffenheit es aufnimmt mit jeder unersprießlich tugendhaften Wahrheit. Und ich wills meinen, daß schöpferische, Genie spendende Krankheit, Krankheit, die hoch zu Roß die Hindernisse nimmt, in kühnem Rausch von Fels zu Felsen sprengt, tausendmal dem Leben lieber ist als die zu Fuße latschende Gesundheit. Nie hab ich etwas Dümmeres gehört, als daß von Krankem nur Krankes kommen könne. Das Leben ist nicht heikel, und von Moral weiß es einen Dreck. Es ergreift das kühne Krankheitserzeugnis, verspeist, verdaut es, und wie es sich seiner nur annimmt, so ists Gesundheit. Vor dem Faktum der Lebenwirksamkeit, mein Guter, wird jeder Unterscheidt von Krankheit und Gesundheit zunichte. Eine ganze Horde und Generation empfänglich-kerngesunder Buben stürzt sich auf das Werk des kranken Genius, des von Krankheit Genialisierten, bewundert, preist, erhebt es, führt es mit sich fort, wandelt es unter sich ab, vermacht es der Kultur, die nicht von hausbackenem Brote allein lebt, sondern nicht weniger von Gaben und Giften aus der Apotheke ›Zu den Seligen Boten‹. Das sagt dir der unverballhornte Sammael. Er garantiert dir nicht nur, daß gegen das Ende deiner Stundglas-Jahre das Gefühl deiner Macht und Herrlichkeit die Schmerzen der kleinen Seejungfrau mehr und mehr überwiegen und schließlich zu triumphalstem Wohlsein, zum enthusiastischen Gesundheitsaffekt, zum Wandel eines Gottes sich steigern soll, — das ist nur die subjektive Seite der Sache, ich weiß, es wäre dir nicht genug damit, es würde dir unsolid scheinen. So wisse: Wir stehen dir für die Lebenswirksamkeit dessen, was du mit unserer Hilfe vollbringen wirst. Du wirst führen, du wirst der Zukunft den Marsch schlagen, auf deinen Namen werden die Buben schwören, die dank deiner Tollheit es nicht mehr nötig haben, toll zu sein. Von deiner Tollheit werden sie in Gesundheit zehren, und in ihnen wirst du gesund sein. Verstehst du? Nicht genug, daß du die lähmenden Schwierigkeiten der Zeit durchbrechen wirst, — die Zeit selber, die Kulturepoche, will sagen, die Epoche der Kultur und ihres Kultus wirst du durchbrechen und dich der Barbarei erdreisten, die's zweimal ist, weil sie nach der Humanität, nach der erdenklichsten Wurzelbehandlung und bürgerlichen Verfeinerung kommt. Glaube mir! sogar auf Theologie versteht sie sich besser als eine vom Kultus abgefallene Kultur, die auch im Religiösen nur eben Kultur sah, nur Humanität, nicht den Exzeß, das Paradox, die mystische Leidenschaft, die völlig unbürgerliche Aventüre. Ich hoffe doch, du wunderst dich nicht, daß dir Sankt Velten vom Religiösen spricht? Potz Stern! Wer anders, möcht ich wissen, soll dir wohl heute davon sprechen? Der liberale Theolog doch nicht? Bin ich doch nachgerade der einzige, ders konserviert! Wem willst du theologische Existenz zuerkennen, wenn nicht mir? Und wer will eine theologische Existenz führen ohne mich? Das Religiöse ist so gewiß mein Fach, wie es kein Fach der bürgerlichen Kultur ist. Seit die Kultur vom Kultus abgefallen ist und aus sich selber einen gemacht hat, ist sie denn auch nichts anderes mehr als ein Abfall, und alle Welt ist ihrer nach bloßen fünfhundert Jahren so müd und satt, als wenn sie's, salva venia, mit eisernen Kochkesseln gefressen hätt . . .«

Es war hier, es war schon etwas früher, schon bei dem Speiwerk, das er über sich selbst als den Wahrer des religiösen Lebens, über des Teufels theologische Existenz in dozierend fließender Rede geäußert hatte, daß ich gewahr ward: es sah wieder anders aus mit dem Kerl vor mir im Sofa, er schien der bebrillte Musikintelligenzler nicht mehr, als der er eine Weile zu mir gesprochen, saß auch nicht mehr recht in seiner Ecke, sondern ritt légèrement im Halbsitz auf der gerundeten Seitenlehne des Sofas, die Fingerspitzen im Schoße durcheinander gesteckt und beide Daumen starr davon wegstreckend. Ein geteiltes Bärtchen am Kinn ging ihm beim Reden auf und ab, und überm offenen Munde, drin kleine scharfe Zähne sich sehen ließen, stand ihm das spitzgedrehte Schnurrbärtchen strack dahin.

Mußt ich doch lachen in meiner Frostvermummung ob seiner Metamorphose ins Altvertraute.

»Ganz ergebener Diener!« sag ich. »So sollt ich Euch kennen, und recht artig find ichs von Euch, daß Ihr mir hier im Saal ein Privatissimum lest. Wie's jetzo die Mimikry mit Euch gemacht hat, hoff ich Euch bereit zu finden, meine Wißbegier zu kühlen und mir fein Euer freies Vorhandensein zu beweisen, indem Ihr mir nicht nur von Dingen lest, die ich schon aus mir selber weiß, sondern von solchen einmal, die ich erst wissen möcht. Ihr habt mir viel von der Stundglas-Zeit gelesen, die Ihr verhandelt, auch von den Schmerzensanzahlungen, die zwischenein fürs hohe Leben zu leisten, aber nicht vom Ende, von dem, was nachher kommt, der ewigen Tilgung. Danach geht meine Neugier, und Ihr habt, solange Ihr da hockt, der Frage nicht Raum geben mit Eurem Gerede. Soll ich beim Geschäft den Preis nicht kennen nach Kreuz und Münz? Steht Rede! Wie lebt sichs in Klepperlins Haus? Was wartet derer, die Euch zu Huld genommen, in der Spelunke?«

Er (lacht hoch und gicksend): »Von der pernicies, der confutatio willst du Wissenschaft? Nenn ich Fürwitz, nenn ich gelehrten Jugendmut! Hat ja so viel Zeit damit, unabsehbar, und kommt erst zuvor so viel Aufregendes, daß du andres zu tun haben wirst, als ans Ende zu denken, oder auch nur auf den Augenblick achtzuhaben, wo es Zeit werden könnte, ans Ende zu denken. Will dir aber die Auskunft nicht weigern und brauche nicht schön zu färben, denn wie kann dich ernstlich kümmern, was noch so lange hin? Nur, nicht leicht ist es, eigentlich davon zu reden, — das will sagen: eigentlich kann man überhaupt und ganz und gar nicht davon reden, weil sich das Eigentliche mit den Worten nicht deckt; man mag viel Worte brauchen und machen, aber allesamt sind sie nur stellvertretend, stehen für Namen, die es nicht gibt, können nicht den Anspruch erheben, das zu bezeichnen, was nimmermehr zu bezeichnen und in Worten zu denunzieren ist. Das ist die geheime Lust und Sicherheit der Höllen, daß sie nicht denunzierbar, daß sie vor der Sprache geborgen ist, daß sie eben nur ist, aber nicht in die Zeitung kommen, nicht publik werden, durch kein Wort zur kritisierenden Kenntnis gebracht werden kann, wofür eben die Wörter ›unterirdisch‹, ›Keller‹, ›dicke Mauern‹, ›Lautlosigkeit‹, ›Vergessenheit‹, ›Rettungslosigkeit‹, die schwachen Symbole sind. Mit symbolis, mein Guter, muß man sich durchaus begnügen, wenn man von der Höllen spricht, denn dort hört alles auf, — nicht nur das anzeigende Wort, sondern überhaupt alles, — dies ist sogar das hauptsächliche Charakteristikum, und das, was im allgemeinsten darüber auszusagen, zugleich das, was der Neukömmling dort zuerst erfährt, und was er zunächst mit seinen sozusagen gesunden Sinnen gar nicht fassen kann und nicht verstehen will, weil die Vernunft oder welche Beschränktheit des Verstehens nun immer ihn darin hindert, kurz, weil es unglaublich ist, unglaublich zum Kreideweißwerden, unglaublich, obgleich es einem gleich zur Begrüßung in bündig nachdrücklichster Form eröffnet wird, daß ›hier alles aufhört‹, jedes Erbarmen, jede Gnade, jede Schonung, jede letzte Spur von Rücksicht auf den beschwörend ungläubigen Einwand ›Das könnt und könnt ihr doch mit einer Seele nicht tun‹: Es wird getan, es geschieht, und zwar ohne vom Worte zur Rechenschaft gezogen zu werden, im schalldichten Keller, tief unter Gottes Gehör, und zwar in Ewigkeit. Nein, es ist schlecht davon reden, es liegt abseits und außerhalb der Sprache, diese hat nichts damit zu tun, hat kein Verhältnis dazu, weshalb sie auch nie recht weiß, welche Zeitform sie darauf anwenden soll und sich aus Not mit dem Futurum behilft, wie es ja heißt: ›Da wird sein Heulen und Zähneklappern‹. Gut, das sind ein paar Wortlaute, aus ziemlich extremer Sphäre der Sprache gewählt, aber eben doch nur schwache Symbole und ohne rechte Beziehung zu dem, was da ›sein wird‹, — rechenschaftslos, in Vergessenheit, zwischen dicken Mauern. Richtig ist, daß es in der Schalldichtigkeit recht laut, maßlos und bei weitem das Ohr überfüllend laut sein wird von Gilfen und Girren, Heulen, Stöhnen, Brüllen, Gurgeln, Kreischen, Zetern, Griesgramen, Betteln und Folterjubel, so daß keiner sein eigenes Singen vernehmen wird, weils in dem allgemeinen erstickt, dem dichten, dicken Höllengejauchz und Schandgetriller, entlockt von der ewigen Zufügung des Unglaublichen und Unverantwortlichen. Nicht zu vergessen das ungeheure Ächzen der Wollust, das sich hineinmischt, denn eine unendliche Qual, der kein Versagen des Erleidens, kein Kollaps, keine Ohnmacht als Grenze gesetzt ist, artet statt dessen in Schandvergnügen aus, weshalb solche, die einige intuitive Kunde haben, ja auch von der ›Wollust der Hölle‹ sprechen. Damit aber hängt das Element des Hohnes und der extremen Schmach zusammen, das sich mit der Marter verbindet; denn diese Höllenwonne kommt einer grunderbärmlichen Verhöhnung des maßlosen Erleidens gleich und ist von schnödem Fingerzeig und wiehernsdem Gelächter begleitet: daher die Lehre, daß die Verdammten zur Qual auch noch den Spott und die Schande haben, ja, daß die Hölle als eine ungeheuerliche Verbindung von völlig unerträglichem, dennoch aber ewig auszustehendem Leiden — und Verspottung zu definieren ist. Da werden sie ihre Zungen fressen für große Schmerzen, bilden darum aber keine Gemeinschaft, sondern sind untereinander voller Hohn und Verachtung und rufen einander beim Trillern und Ächzen die schmutzigsten Schimpfworte zu, wobei die Feinsten und Stolzesten, die nie ein gemeines Wort über ihre Lippen ließen, gezwungen sind, die allerschmutzigsten zu gebrauchen. Ein Teil ihrer Qual und Schandlust besteht darin, über die äußerst schmutzigsten nachzudenken.«

Ich: »Erlaubt, dies ist das erste Wort, das Ihr mir über die Art der Leiden sagt, die die Verdammten dort zu erdulden haben. Bemerkt gefälligst, daß Ihr mir eigentlich nur über die Effekte der Höllen gelesen habt, nicht aber über das, was nun der Sache nach und in der Tat die Verdammten dort zu erwarten haben.«

Er: »Deine Neugier ist knabenhaft und indiskret. Ich stelle das in den Vordergrund, bin aber recht wohl dessen gewahr, mein Guter, was sich dahinter verbirgt. Du versuchst, mich auszufragen, um dir bange machen zu lassen, bange vor der Hölle. Denn der Gedanke an Umkehr und Rettung, an dein sogenanntes Seelenheil, an Rückzug von der Promission lauert bei dir im Hintergrunde, und du trachtest danach, dir die attritio cordis, die Herzensangst vor dem Dortigen zuzuziehen, von der du wohl gehört haben magst, daß durch sie der Mensch die sogenannte Seligkeit erlangen könne. Laß dir sagen, daß das eine völlig veraltete Theologie ist. Die Attritionslehre ist wissenschaftlich überholt. Als notwendig erwiesen ist die contritio, die eigentliche und wahre protestantische Zerknirschung über die Sünde, die nicht bloß Angstbuße nach der Kirchenordnung, sondern innere, religiöse Umkehr bedeutet, — und ob du deren fähig bist, das frage dich selbst, dein Stolz wird die Antwort nicht schuldig bleiben. Je länger, je weniger wirst du fähig und willens sein, dich zur contritio herbeizulassen, sintemal das extravagante Dasein, das du führen wirst, eine große Verwöhnung ist, aus der man nicht mir nichts, dir nichts ins Mittelmäßig-Heilsame zurückfindet. Darum, zu deiner Beruhigung sei es gesagt, wird dir denn auch die Hölle nichts wesentlich Neues, — nur das mehr oder weniger Gewohnte, und mit Stolz Gewohnte, zu bieten haben. Sie ist im Grunde nur eine Fortsetzung des extravaganten Daseins. Um es in zwei Worten zu sagen: ihr Wesen oder, wenn du willst, ihre Pointe ist, daß sie ihren Insassen nur die Wahl läßt zwischen extremer Kälte und einer Glut, die den Granit zum Schmelzen bringen könnte, — zwischen diesen beiden Zuständen flüchten sie brüllend hin und her, denn in dem einen erscheint der andre immer als himmlisches Labsal, ist aber sofort und in des Wortes höllischster Bedeutung unerträglich. Das Extreme daran muß dir gefallen.«

Ich: »Es gefällt mir. Unterdessen möchte ich Euch davor warnen, Euch meiner allzu sicher zu fühlen. Eine gewisse Seichtheit Eurer Theologie könnte Euch dazu verführen. Ihr verlaßt Euch darauf, daß der Stolz mich an der zur Rettung notwendigen Zerknirschung hindern wird, und stellt dabei nicht in Rechnung, daß es eine stolze Zerknirschung gibt. Die Zerknirschung Kains, der der festen Meinung war, seine Sünde sei größer, als daß sie ihm je verziehen werden möchte. Die contritio ohne jede Hoffnung und als völliger Unglaube an die Möglichkeit der Gnade und Verzeihung, als die felsenfeste Überzeugung des Sünders, er habe es zu grob gemacht, und selbst die unendliche Güte reiche nicht aus, seine Sünde zu verzeihen, — erst das ist die wahre Zerknirschung, und ich mache Euch darauf aufmerksam, daß sie der Erlösung am allernächsten, für die Güte am allerunwiderstehlichsten ist. Ihr werdet zugeben, daß der alltäglich-mäßige Sünder der Gnade nur mäßig interessant sein kann. In seinem Fall hat der Gnadenakt wenig Impetus, er ist nur eine matte Betätigung. Die Mittelmäßigkeit führt überhaupt kein theologisches Leben. Eine Sündhaftigkeit, so heillos, daß sie ihren Mann von Grund aus am Heile verzweifeln läßt, ist der wahrhaft theologische Weg zum Heil.«

Er: »Schlaukopf! Und woher will deinesgleichen die Einfalt nehmen, die naive Rückhaltlosigkeit der Verzweiflung, die die Voraussetzung wäre für diesen heillosen Weg zum Heil? Es ist dir nicht klar, daß die bewußte Spekulation auf den Reiz, den große Schuld auf die Güte ausübt, dieser den Gnadenakt nun schon aufs äußerste unmöglich macht?«

Ich: »Und doch kommt es erst durch dies Non plus ultra zur höchsten Steigerung der dramatisch-theologischen Existenz, das heißt: zur verworfensten Schuld und dadurch zur letzten und unwiderstehlichsten Herausforderung an die Unendlichkeit der Güte.«

Er: »Nicht schlecht. Wahrlich ingeniös. Und nun will ich dir sagen, daß genau Köpfe von deiner Art die Population der Hölle bilden. Es ist nicht so leicht, in die Hölle zu kommen; wir litten längst Raummangel, wenn Hinz und Kunz hineinkämen. Aber dein theologischer Typ, so ein abgefeimter Erzvogel, der auf die Spekulation spekuliert, weil er das Spekulieren schon von Vaters Seite im Blut hat, — das müßte mit Kräutern zugehen, wenn der nicht des Teufels wär.«

Wie er das sagt, und schon etwas vorher, wandelt der Kerl sich wieder, wie Wolken tun, und weiß es nach seiner Angabe gar nicht: sitzt nicht mehr auf der Armrolle des Kanapees vor mir im Saal, sondern wieder im Eck als das Mannsluder, der käsige Ludewig in der Kappe, mit roten Augen. Und sagt mit seiner langsamen, nasigen Schauspielerstimme:

»Daß wir zum Ende und zum Beschluß kommen, wird dir genehm

sein. Habe dir viel Zeit und Weile gewidmet, das Ding mit dir durchzureden, — verhoffentlich erkennst du's an. Bist aber auch ein attraktiver Fall, das bekenne ich frei. Von früh an hatten wir ein Auge auf dich, auf deinen geschwinden, hoffärtigen Kopf, dein trefflich ingenium und memoriam. Da haben sie dich die Gotteswissenschaft studieren lassen, wie's dein Dünkel sich ausgeheckt, aber du wolltest dich bald keinen Theologum mehr nennen, sondern legtest die Heilige Geschrift unter die Bank und hieltest es ganz hinfort mit den figuris, characteribus und incantationibus der Musik, das gefiel uns nicht wenig. Denn deine Hoffart verlangte es nach dem Elementarischen, und du gedachtest es zu gewinnen in der dir gemäßesten Form, dort, wo's als algebraischer Zauber mit stimmiger Klugheit und Berechnung vermählt und doch zugleich gegen Vernunft und Nüchternheit allzeit kühnlich gerichtet ist. Wußten wir denn aber nicht, daß du zu gescheit und kalt und keusch seist fürs Element, und wußten wir nicht, daß du dich darob ärgertest und dich erbärmlich ennuyiertest mit deiner schamhaften Gescheitheit? So richteten wirs dir mit Fleiß, daß du uns in die Arme liefst, will sagen: meiner Kleinen, der Esmeralda, und daß du dirs holtest, die Illumination, das Aphrodisiacum des Hirns, nach dem es dich mit Leib und Seel und Geist so gar verzweifelt verlangte. Kurzum, zwischen uns brauchts keinen vierigen Wegscheid im Spesser Wald und keine Cirkel. Wir sind im Vertrage und im Geschäft, — mit deinem Blut hast du's bezeugt und dich gegen uns versprochen und bist auf uns getauft — dieser mein Besuch gilt nur der Konfirmation. Zeit hast du von uns genommen, geniale Zeit, hochtragende Zeit, volle vierundzwanzig Jahre ab dato recessi, die setzen wir dir zum Ziel. Sind die herum und vorübergelaufen, was nicht abzusehen, und ist so eine Zeit auch eine Ewigkeit, — so sollst du geholt sein. Herwiderumb wollen wir dir unterweilen in allem untertänig und gehorsam sein, und dir soll die Hölle frommen, wenn du nur absagst allen, die da leben, allem himmlischen Heer und allen Menschen, denn das muß sein.«

Ich (äußerst kalt angeweht): »Wie? Das ist neu. Was will die Klausel sagen?«

Er: »Absage will sie sagen. Was sonst? Denkst du, Eifersucht ist nur in den Höhen zu Hause und nicht auch in den Tiefen? Uns bist du, feine, erschaffene Creatur, versprochen und verlobt. Du darfst nicht lieben.«

Ich (muß wahrlich lachen): »Nicht lieben! Armer Teufel! Willst du dem Ruf deiner Dummheit Ehre machen und dir selbst ein Schellen anhängen als einer Katzen, daß du Geschäft und Versprechen gründen willst auf einen so nachgiebigen, so verfänglichen Begriff wie — Liebe? Will der Teufel die Lust prohibieren? Wo nicht, so muß er die Sympathie in Kauf nehmen und sogar die Caritas, sonst ist er betrogen, wie es im Buche steht. Was ich mir zugezogen, und weswegen du willst, ich sei dir versprochen, — was ist denn die Quelle davon, sag, als die Liebe, wenn auch die von dir mit Zulassung Gottes vergiftete? Das Bündnis, worin wir nach deiner Behauptung stehen, hat ja selbst mit Liebe zu tun, du Dummkopf. Willst, daß ichs wollte und in den Wald ging, an den vierigen Wegscheid, um Werkes willen. Aber man sagt ja, Werk habe selbst mit Liebe zu tun.«

Er (durch die Nase lachend): »Do, re, mi! Sei versichert, daß deine psychologischen Finten bei mir nicht besser verfangen als die theologischen! Psychologie — daß Gott erbarm, hältst du's noch mit der? Das ist ja schlechtes, bürgerliches, neunzehntes Jahrhundert! Die Epoche ist ihrer jämmerlich satt, bald wird sie das rote Tuch für sie sein, und der wird einfach eins über den Schädel bekommen, der das Leben stört durch Psychologie. Wir leben in Zeiten hinein, mein Lieber, die nicht chikaniert sein wollen von Psychologie ... Dies beiseite. Mein Bedingnis war klar und rechtschaffen, bestimmt vom legitimen Eifer der Hölle. Liebe ist dir verboten, insofern sie wärmt. Dein Leben soll kalt sein — darum darfst du keinen Menschen lieben. Was denkst du dir denn? Die Illumination läßt deine Geisteskräfte bis zum Letzten intakt, ja steigert sie zeitweise bis zur hellichten Verzückung, — woran soll es am Ende denn ausgehen, als an der lieben Seele und am werten Gefühlsleben? Eine Gesamterkältung deines Lebens und deines Verhältnisses zu den Menschen liegt in der Natur der Dinge, — vielmehr sie liegt bereits in deiner Natur, wir auferlegen dir beileibe nichts Neues, die Kleinen machen nichts Neues und Fremdes aus dir, sie verstärken und übertreiben nur sinnreich alles, was du bist. Ist etwa die Kälte bei dir nicht vorgebildet, so gut wie das väterliche Hauptwee, aus dem die Schmerzen der kleinen Seejungfrau werden sollen? Kalt wollen wir dich, daß kaum die Flammen der Produktion heiß genug sein sollen, dich darin zu wärmen. In sie wirst du flüchten aus deiner Lebenskälte ...«

Ich: »Und aus dem Brande zurück ins Eis. Es ist augenscheinlich die Hölle im voraus, die Ihr mir schon auf Erden bereitet.«

Er: »Es ist das extravagante Dasein, das einzige, das einem stolzen Sinn genügt. Dein Hochmut wird es wahrlich nie mit einem lauen vertauschen wollen. Schlägst du mirs dar? Eine werkgefüllte Ewigkeit von Menschenleben lang sollst du's genießen. Lief das Stundglas aus, will ich gut Macht haben, mit der feinen, geschaffenen Creatur nach meiner Art und Weise und nach meinem Gefallen zu schalten und zu walten, zu führen und zu regieren, — mit allem, es sei Leib, Seel, Fleisch, Blut und Gut in alle Ewigkeit ...«

Da war er wieder, der unbändige Ekel, der mich schon einmal

vorher gepackt, und der mich schüttelte, zusammen mit der gletscherhaft verstärkten Welle von Frost, die wieder von dem knapp behosten Mannsluder auf mich eindrang. Ich vergaß meinselbst vor wildem Dégoût, es war wie Ohnmacht. Und dann hört ich Schildknapps Stimme, der in der Sofaecke saß, gemächlich zu mir sagen:

»Natürlich haben Sie nichts versäumt. Giornali und zwei Billards, eine Runde Marsala, und die Biedermänner haben das governo durch die Hechel gezogen.«

Saß ich doch im Sommeranzug bei meiner Lampe, auf den Knien das Buch des Christen! Ist nicht anders: Muß in meiner Empörung das Luder verjagt und meine Hüllen ins Nebenzimmer zurückgetragen haben, bevor der Gefährte kam. —

XXVI

Es ist tröstlich, mir sagen zu können, daß der Leser den außerordentlichen Umfang des vorigen Abschnitts, der ja die beunruhigende Seitenzahl des Kapitels über Kretzschmars Vorträge noch beträchtlich übertrifft, nicht mir wird zur Last legen dürfen. Die damit verbundene Zumutung liegt außer meiner Autorenverantwortung und darf mich nicht kümmern. Adrians Niederschrift irgendeiner erleichternden Redaktion zu unterwerfen; das »Zwiegespräch« (man beachte die protestierenden Gänsefüßchen, mit denen ich dies Wort versehe, ohne mir freilich zu verhehlen, daß sie ihm nur einen Teil des ihm innewohnenden Grauens zu entziehen vermögen) — dies Gespräch also in einzeln bezifferte Paragraphen aufzulösen, konnte keine Rücksicht auf die ermüdbare Rezeptionsfähigkeit des Publikums mich bewegen. Mit leidvoller Pietät hatte ich ein Gegebenes wiederzugeben, es von Adrians Notenpapier in mein Manuskript zu übertragen; und das habe ich nicht nur Wort für Wort, sondern, ich darf wohl sagen: Buchstaben für Buchstaben getan, — oft die Feder niederlegend, oft zu meiner Erholung mich unterbrechend, um mit gedankenschweren Schritten mein Arbeitszimmer zu durchmessen oder mich, die Hände über der Stirn gefaltet, aufs Sofa zu werfen, so daß mir tatsächlich, wie sonderbar das klingen möge, ein Kapitel, das ich nur zu kopieren hatte, nicht schneller von der so manches Mal zitternden Hand gegangen ist als irgendein früheres eigener Komposition.

Ein sinn- und gedankenvolles Abschreiben ist in der Tat (wenigstens für mich; aber auch Monsignore Hinterpförtner stimmt mir hierin bei) eine ebenso intense und zeitverzehrende Beschäftigung wie das Niederlegen eigener Gedanken, und wie schon an früheren Punkten der Leser die Zahl der Tage und Wochen, die ich der Lebensgeschichte meines verewigten Freundes schon gewidmet hatte, unterschätzt haben mag, so wird er auch jetzt bei seiner Vorstellung hinter dem Zeitpunkt zurückgeblieben sein, zu dem ich die gegenwärtigen Zeilen abfasse. Möge er meine Pedanterie belächeln, aber ich halte es für richtig, ihn wissen zu lassen, daß, seit ich diese Aufzeichnungen begann, schon fast ein Jahr ins Land gegangen und über der Abfassung der jüngsten Kapitel der April 1944 herangekommen ist.

Selbstverständlich meine ich mit diesem Datum dasjenige, unter dem ich selbst mit meiner Tätigkeit stehe, — nicht das, bis zu welchem meine Erzählung fortgeschritten ist, und das ja auf den Herbst 1912, zweiundzwanzig Monate vor Ausbruch des vorigen Krieges, lautet, als Adrian mit Rüdiger Schildknapp von Palestrina nach München zurückkehrte und für sein Teil zunächst in einer Schwabinger Fremdenpension (Pension Gisella) Wohnung nahm. Ich weiß nicht, warum diese doppelte Zeitrechnung meine . Aufmerksamkeit fesselt, und weshalb es mich drängt, auf sie hinzuweisen: die persönliche und die sachliche, die Zeit, in der der Erzähler sich fortbewegt, und die, in welcher das Erzählte sich abspielt. Es ist dies eine ganz eigentümliche Verschränkung der Zeitläufte, dazu bestimmt übrigens, sich noch mit einem Dritten zu verbinden: nämlich der Zeit, die eines Tages der Leser sich zur geneigten Rezeption des Mitgeteilten nehmen wird, so daß dieser es also mit einer dreifachen Zeitordnung zu tun hat: seiner eigenen, derjenigen des Chronisten und der historischen.

Ich will mich in diese Spekulationen, die in meinen eigenen Augen das Gepräge einer gewissen erregten Müßigkeit tragen, nicht weiter verlieren und nur hinzufügen, daß das Wort »historisch« mit weit düstererer Vehemenz auf die Zeit zutrifft, *in* welcher —, als auf die, *über* welche ich schreibe. In den letzten Tagen wütete der Kampf um Odessa, eine verlustreiche Schlacht, die mit dem Fall der berühmten Stadt am Schwarzen Meer in die Hände der Russen geendet hat, ohne daß freilich der Gegner vermocht hätte, unsere Ablösungsoperationen zu stören. Er wird dazu auch gewiß in Sebastopol nicht imstande sein, ein anderes unserer Faustpfänder, das der offenbar überlegene Gegner uns nunmehr entreißen zu wollen scheint. Unterdessen wächst der Schrecken der fast täglichen Luftangriffe auf unsere wohlumgürtete Festung Europa ins Überdimensionale. Was hilft es, daß viele dieser ein immer sprengmächtigeres Verderben niedersendenden Ungeheuer unserer heldenhaften Abwehr zum Opfer fallen? Tausende verdunkeln den Himmel des kühn geeinten Kontinents, und immer weitere unserer Städte sinken in Trümmer. Leipzig, das in Leverkühns Werdegang, seiner Lebenstragödie eine so bedeutsame Rolle spielt, hat es letzthin mit voller Wucht getroffen: sein berühmtes Verlagsviertel ist, wie ich hören muß, nur noch eine

Schutthalde und unermeßliches literarisches Lehr- und Nutzgut ein Raub der Zerstörung geworden — ein schwerster Verlust nicht nur für uns Deutsche, sondern für die bildungsbeflissene Welt überhaupt, die ihn aber verblendeter- oder richtigerweise — ich wage das nicht zu entscheiden — in Kauf nehmen zu wollen scheint.

Ja, ich fürchte, es wird uns zum Verderben ausschlagen, daß eine fatal inspirierte Politik uns zugleich mit der menschenreichsten, überdies revolutionär gehobenen Macht und der an Erzeugungskapazität gewaltigsten in Konflikt gebracht hat, — wie es ja aussieht, als ob diese amerikanische Produktionsmaschine nicht einmal auf höchsten Touren zu laufen brauchte, um eine alles erdrückende Fülle von Kriegsgerät hervorzuschleudern. Daß die entnervten Demokratien diese furchtbaren Mittel sogar zu benutzen wissen, ist eine verblüffende, eine ernüchternde Erfahrung, unter der wir uns täglich mehr des Irrtums entwöhnen, als sei der Krieg ein deutsches Prärogativ, und in der Kunst der Gewalt müßten andere sich als dilettantische Stümper erweisen. Wir haben angefangen (Monsignore Hinterpförtner und ich sind darin keine Ausnahme mehr), uns von der Kriegstechnik der Anglosachsen durchaus aller Dinge zu versehen, und die Invasionsspannung wächst: Der Angriff von allen Seiten, mit überlegenem Material und Millionen Soldaten auf unser europäisches Kastell — oder soll ich sagen: unser Gefängnis, soll ich sagen: unser Narrenhaus? — wird *erwartet*, und nur die eindrucksvollsten Schilderungen der gegen die feindliche Landung getroffenen Vorkehrungen, die wahrhaftig großartig zu sein scheinen — Vorkehrungen, dazu bestimmt, uns und den Erdteil vor dem Verlust unserer gegenwärtigen Führer zu schützen —, vermögen dem allgemeinen Grauen vor dem Kommenden ein seelisches Gegengewicht zu halten.

Gewiß, die Zeit, in der ich schreibe, hat ungleich mächtigeren geschichtlichen Impetus als die, von der ich schreibe, die Zeit Adrians, die ihn nur an die Schwelle unserer unglaubwürdigen Epoche führte, und mir ist zumute, als sollte man ihm, als sollte man all denen, die nicht mehr mit uns sind und nicht mehr mit uns waren, als dies begann, ein »Wohl euch!«, ein herzliches »Ruht in Frieden!« zurufen. Die Geborgenheit Adrians vor unseren Lebetagen ist mir teuer, ich halte sie wert vor mir und nehme dafür, daß ich mir ihrer bewußt sein darf, gern die Schrecken der Zeit in Kauf, in der ich fortwähre. Es ist mir, als stände und lebte ich für ihn, statt seiner, als trüge ich die Last, die seinen Schultern erspart geblieben, kurz, als erwiese ich ihm ein Liebes, indem ich's ihm abnähme zu leben; und diese Vorstellung, so illusorisch, ja närrisch sie sei, tut mir wohl, sie schmeichelt dem stets gehegten Wunsch, ihm zu dienen, zu helfen, ihn zu schützen, — diesem

Bedürfnis, dem zu Lebzeiten des Freundes nur so geringfügige Befriedigung vergönnt war.

*

Bemerkenswert bleibt mir, daß Adrians Aufenthalt in der Schwabinger Pension nur einige Tage währte, und daß er überhaupt keinen Versuch machte, in der Stadt eine passende Dauerwohnung aufzutreiben. Schildknapp hatte schon von Italien aus an seine früheren Mietsleute in der Amalienstraße geschrieben und sich die gewohnte Unterkunft aufs neue gesichert. Adrian dachte nicht daran, etwa bei der Senatorin Rodde wieder Wohnung zu nehmen, noch überhaupt in München zu bleiben. Seine Entschlüsse schienen seit langem stillschweigend festgestanden zu haben — und zwar so, daß er auch nicht erst eine vorläufige Fahrt nach Pfeiffering bei Waldshut, zur Rekognoszierung und Abrede unternahm, sondern sie durch ein bloßes Telephon-Gespräch, noch dazu ein ganz bündiges, ersetzte. Er rief aus der Pension Gisella die Schweigestills an — es war Mutter Else selbst, die ihm am Apparat respondierte —, stellte sich als einen der beiden Radfahrer vor, die einst Haus und Hof hatten inspizieren dürfen, und fragte an, ob und zu welchem Preise man ihm ein Schlafzimmer im Oberstock und als Tagesaufenthalt die Abtsstube im Erdgeschoß überlassen wolle. Den Preis, der sich dann, Verköstigung und Bedienung eingeschlossen, als sehr mäßig erwies, ließ Frau Schweigestill zunächst noch dahinstehen; sie machte erst einmal aus, um welchen der beiden Besucher von damals es sich handelte, den Schriftsteller oder den Musiker, nahm mit einem spürbaren Nachprüfen ihres Eindrucks von damals zur Kenntnis, daß es der Musiker sei, und erhob Bedenken gegen sein Ansuchen dann allein in seinem eigenen Interesse und unter seinem eigenen Gesichtspunkt, — übrigens auch dies nur in der Form, daß sie meinte, er müsse am besten wissen, was ihm fromme. Sie, Schweigestills, sagte sie, seien keine Gewohnheitsvermieter von Erwerbs wegen, sondern nähmen nur gelegentlich, sozusagen von Fall zu Fall, Mieter und Kostgänger auf; das hätten die Herren ja damals gleich aus ihren Mitteilungen entnehmen können, und ob er, Sprecher, nun eine solche Gelegenheit und einen solchen Fall darstelle, das zu beurteilen müsse sie ihm überlassen. Recht still und einförmig werde er es halt haben bei ihnen, übrigens auch primitiv, was die Bequemlichkeiten angehe: kein Badezimmer, kein WC, sondern was Bäurisches statt dessen, außer dem Hause, und sie wundere sich doch, daß ein Herr von, wenn sie recht verstanden habe, noch nicht Dreißig, der einer von den schönen Künsten nachgehe, so abseits von den Stätten, wo die Kultur sich abspiele, auf dem Lande, sein Quartier machen wolle.

Vielmehr »wundern« sei nicht das rechte Wort, es liege nicht in ihrer und ihres Mannes Art, sich zu wundern, und wenn es vielleicht gerade das sei, was er suche, weil sich ja wirklich die meisten Leut zu viel wunderten, dann möge er nur kommen. Zu überlegen aber sei es, besonders da Max, ihr Mann, und sie selbst Wert darauf legten, daß ein solches Verhältnis nicht bloßer Laune entspringe, kündbar nach kurzem Versuch, sondern daß ihm von vornherein eine gewisse Dauer zugedacht sei, net wahr, gellen S' ja? und so weiter.

Er komme für die Dauer, antwortete Adrian, und überlegt sei die Sache seit Jahr und Tag. Die Lebensform, die ihn erwarte, sei innerlich geprüft, gut befunden und angenommen. Mit dem Preis, einhundertzwanzig Mark monatlich, sei er einverstanden. Die Auswahl des Schlafzimmers droben lasse er ihre Sache sein und freue sich auf die Abtsstube. Über drei Tage wolle er einziehen.

Und so geschah es. Adrian benutzte seinen kurzen Aufenthalt in der Stadt zu Verabredungen mit einem ihm empfohlenen (ich glaube: von Kretzschmar empfohlenen) Kopisten, erstem Fagottbläser des Zapfenstößer-Orchesters, Griepenkerl mit Namen, der sich durch diesen Nebenberuf ein Stück Geld verdiente, und ließ einen Teil der Partitur von ›Love's Labour's Lost‹ schon in seinen Händen zurück. Ganz fertig war er in Palestrina mit seinem Werk nicht geworden, instrumentierte noch an den beiden letzten Akten, war auch mit der sonatenförmigen Ouvertüre noch nicht im reinen, deren ursprüngliche Konzeption sich ihm durch die Einführung jenes frappierenden und der Oper selbst ganz fremden, in der Wiederholung und im Schluß-Allegro eine so geistvolle Rolle spielenden Nebenthemas stark verändert hatte, und hatte überdies viel Mühe mit der Eintragung der Vortrags- und Tempobezeichnungen, die er während des Komponierens über weite Strecken hin anzumerken versäumt hatte. Übrigens war mir klar, daß es nicht zufällig mit der Beendigung seines italienischen Aufenthaltes und dem Abschluß des Werkes nicht hatte stimmen wollen. Selbst wenn er bewußterweise nach dieser Koinzidenz gestrebt hatte, war sie nach heimlicher Absicht nicht zustande gekommen. Viel zu sehr war er der Mann des Semper idem und der Selbstbehauptung gegen die Umstände, um es als wünschenswert anzusehen, bei einem Szenenwechsel des Lebens mit der im vorigen Zustand betriebenen Sache rein zu Rande gekommen zu sein. Besser, um der inneren Kontinuität willen, sei es, so sagte er selbst, in die neuen Verhältnisse einen Rest der den alten zugehörigen Beschäftigung mitzubringen und innerlich Neues erst ins Auge zu fassen, wenn das äußerlich Neue Routine geworden sei.

Mit seinem niemals schweren Gepäck, zu dem eine die Partitur bergende Aktenmappe und die Gummiwanne gehörten, die ihm schon in Italien das Bad ersetzt hatte, fuhr er vom Starnberger Bahnhof in einem der Personenzüge, die nicht nur in Waldshut, sondern, zehn Minuten später, auch in Pfeiffering halten, an sein Ziel, indem er zwei Kisten mit Büchern und Utensilien der Fracht überließ. Es ging der Oktober zu Ende, das Wetter, noch trocken, war rauh schon und düster. Die Blätter fielen. Der Sohn des Hauses Schweigestill, Gereon, derselbe, der die neue Dünger-streu-Maschine eingeführt hatte, ein eher unverbindlicher und kurz angebundener, aber offenbar seiner Angelegenheiten siche-rer junger Ackerbürger, erwartete vor der kleinen Station den Gast auf dem Bock eines Char à bancs, das hoch von Gestell und hart gefedert war, und ließ, während der Träger die Handkoffer einlud, die Peitschenschnur über den Rücken des Gespanns, zwei-er muskulöser Braunen, spielen. Es wurden auf der Fahrt nicht viele Worte gewechselt. Den Rohmbühel mit seinem Baumkranz, den grauen Spiegel des Klammerweihers hatte Adrian schon vom Zuge aus wiedergesehen; jetzt ruhte sein Auge von nahebei auf diesen Erscheinungen. Bald war das Klosterbarock von Haus Schweigestill in Sicht; im offenen Viereck des Hofes beschrieb das Gefährt einen Bogen um die im Wege stehende alte Ulme herum, deren Blätter zum guten Teil schon auf der sie einfassenden Rundbank lagen.

Frau Schweigestill stand mit Clementine, ihrer Tochter, einem braunäugigen Landmädchen in züchtig bäuerlicher Tracht, vor dem Haustor mit dem geistlichen Wappen. Ihre Begrüßungsworte gingen unter in dem Gebell des Kettenhundes, der vor Aufregung in seine Schüsseln trat und fast seine strohbelegte Hütte von der Stelle gerissen hätte. Es fruchtete nichts, daß sowohl Mutter wie Tochter wie auch die beim Abladen des Gepäcks behilfliche mist-füßige Stallmagd (Waltpurgis) ihm ihr »Geh, Kaschperl, sei stat!« zuriefen (das im Dialekt stehengebliebene althochdeutsche »stâti«, im Mittelhochdeutschen »Staete«, dann »stet«, das ist: »ruhig« und »unbeweglich«). Der Hund tobte weiter, und Adrian, nach-dem er eine Weile lächelnd hinübergesehen, ging zu ihm heran. »Suso, Suso«, sagte er, ohne die Stimme zu erheben, mit einer ge-wissen erstaunt mahnenden Betonung, und siehe: wohl rein unter dem Einfluß des beschwichtigend summenden Lautes kam fast ohne Übergang das Tier zur Ruhe und ließ es zu, daß der Be-schwörer die Hand ausstreckte und sanft seine von alten Beiße-reien narbige Schädeldecke streichelte, wobei es mit seinen gel-ben Augen in tiefem Ernst zu ihm emporblickte.

»Mut haben S', Respekt!« sagte Frau Else, als Adrian zum Tor zurückkehrte. »Die meisten Leut haben Angst vor dem Viech, und wenn sich's anstellt wie grad jetzt, kann man's auch keinem verdenken. Der junge Lehrer vom Dorf, den wo früher die Kinder g'habt ham — o mei, er war bloß ein Krischperl — hat alleweil g'sagt: ›Den Hund, Frau Schweigestill, fiacht i nämlich!‹«

»Ja, ja!« lachte Adrian kopfnickend, und sie gingen ins Haus, in die Knaster-Atmosphäre, gingen hinauf in den Oberstock, wo die Frau ihn in das ihm zugedachte Schlafzimmer am weißen, modrig riechenden Gang einführte, mit dem bunten Spind, dem hoch aufgemachten Bett. Man hatte ein übriges getan und noch einen grünen Lehnstuhl hineingestellt mit einer Flickendecke zu Füßen davor auf dem fichtenen Boden. Gereon und Waltpurgis stellten die Handkoffer dorthin.

Schon hier und auf dem Wege die Treppe wieder hinab begannen die Verabredungen für des Gastes Bedienung und Lebensordnung, die dann in der Abtsstube drunten, diesem charaktervoll altväterlichen Raum, von dem Adrian längst innerlich Besitz ergriffen hatte, fortgesetzt und festgelegt wurden: der große Krug heißen Wassers am Morgen, der starke Kaffee im Schlafzimmer, die Stunde der Mahlzeiten, — Adrian sollte sie nicht mit der Familie nehmen, man hatte das nicht erwartet, auch lagen für ihn die Zeiten zu früh; um ein einhalb und acht Uhr sollte ihm einzeln aufgedeckt sein, am besten im großen Zimmer vorn (dem Bauernsaal mit der Nike und dem Tafelklavier), meinte Frau Schweigestill, das ihm ohnehin auch nach Bedarf zur Verfügung stehe. Und sie versprach leichte Kost, Milch, Eier, geröstetes Brot, Gemüsesuppen, ein gutes rohes Beefsteak mit Spinat zu Mittag und hinterdrein eine handliche Omelette mit Apfel-Marmelade darin, kurz, Dinge, die nährten und dabei einem heikligen Magen genehm seien wie also dem seinen.

»Der Magen, mei Liaba, das ist meist gar net der Magen, es ist der Kopf, der heiklige, angestrengte Kopf, der wo einen so großen Einfluß hat auf den Magen, auch wenn dem selber gar nichts fehlt«, wie man es ja an der Seekrankheit kenne und an der Migräne ... Aha, Migräne habe er manchmal, und zwar recht schwer? Sie habe sich's doch gedacht! Sie habe sich's tatsächlich vorhin schon gedacht, als er im Schlafzimmer die Läden und die Verdunkelungsmöglichkeit so genau untersucht habe; denn Dunkelheit, im Dunkeln liegen, Nacht, Finsternis, überhaupt kein Licht in die Augen, das sei ja das Rechte, solang die Misere daure, und dazu recht starken Tee, recht sauer von viel Zitrone. Frau Schweigestill war nicht unbekannt mit der Migräne, — will sagen: sie selbst hatte sie nie gekannt, wohl aber hatte ihr Max in früheren Jahren periodisch daran gelitten; mit der Zeit habe bei ihm sich das Übel verloren. Von Entschuldigungen des Gastes seiner Infirmität wegen, und daß er mit seiner Person sozusagen einen Quartalspatienten ins Haus geschmuggelt habe, wollte sie nichts hören und sagte nur: »A, geh!« dazu. Irgend etwas dergleichen, meinte sie, habe man sich doch gleich denken müssen;

denn wenn einer wie er sich von dort, wo die Kultur vor sich gehe, nach Pfeiffering zurückziehe, so werde er ja seine Gründe dafür haben, und offenbar handle es sich denn doch um einen Fall, der Anspruch auf Verständnis habe, »gellen S', Herr Leverkühn?« Dies aber sei ein Ort des Verständnisses, wenn auch nicht der Kultur. Und was die brave Frau sonst noch sagte.

Zwischen ihr und Adrian wurden damals im Stehen und Umhergehen Abmachungen getroffen, die, unerwartet vielleicht für beide, auf achtzehn Jahre sein äußeres Leben ordnen sollten. Es wurde der Dorfschreiner gerufen, daß er in der Abtsstube zu seiten der Tür den Raum ausmäße für Borte zur Aufnahme von Adrians Büchern, nicht höher jedoch als die alte Holzverkleidung unter der Ledertapete; auch wurde die Elektrifizierung des Kronleuchters mit den Wachskerzenstummeln gleich ausgemacht. Noch diese und jene Veränderung erfuhr mit der Zeit das Zimmer, dem es bestimmt war, die Geburt so vieler, der öffentlichen Kenntnisnahme und Bewunderung heute noch mehr oder weniger vorenthaltener Meisterwerke zu sehen. Ein fast die Fläche füllender Teppich bedeckte bald, im Winter nur allzu notwendig, die schadhaften Bretterdielen; und zu der, außer dem Savonarola-Sessel vorm Arbeitstisch, die einzige Sitzgelegenheit bildenden Eckbank kam, ohne Stilzärtelei, die nicht Adrians Sache war, schon nach einigen Tagen ein sehr tiefer, mit grauem Sammet bezogener, bei Bernheimer in München erworbener Lese- und Ruhestuhl, ein löbliches Stück, das im Verein mit dem heranzuschiebenden Fußteil, einem Kissen-Taburett, eher den Namen der ›Chaiselongue‹ verdiente als der übliche Diwan, und seinem Besitzer fast zwei Jahrzehnte lang gute Dienste leistete.

Die Einkäufe (Teppich und Stuhl) in dem Ausstattungspalast am Maximiliansplatz erwähne ich teilweise zu dem Zweck, um deutlich zu halten, daß dem Verkehr mit der Stadt durch reichliche Zugverbindungen, darunter mehrere Schnellzüge, die weniger als eine Stunde brauchten, bequemer Vorschub geleistet war und Adrian sich denn doch nicht, wie die Ausdrucksweise Frau Schweigestills vermuten lassen könnte, durch seine Niederlassung in Pfeiffering völlig in Einsamkeit vergrub und vom ›Kulturleben‹ abschnitt. Selbst wenn er eine abendliche Veranstaltung, ein Akademie-Konzert oder ein solches der Zapfenstößer-Kapelle, eine Opern-Aufführung oder eine Gesellschaft — auch das kam vor — besuchte, stand ihm ein Elf-Uhr-Zug zur nächtlichen Heimkehr zur Verfügung. Freilich durfte er dann nicht auf Abholung von der Station durch Schweigestill'sches Fuhrwerk rechnen; Abmachungen mit einem Waldshuter Fuhrgeschäft galten in solchen Fällen, und übrigens liebte er es sogar, in klaren Winternächten den Weg am Weiher entlang zum schlummernden Schweigestill-Hof zu Fuße zu machen, wobei er dem um diese

Stunde der Kette ledigen Kaschperl oder Suso von weitem ein Zeichen zu geben wußte, damit er nicht Lärm schlüge. Er tat es auf einem durch Schraubwerk umzustimmenden Metallpfeifchen, dessen oberste Töne von so extrem hoher Schwingungszahl waren, daß das menschliche Ohr sie selbst in der Nähe kaum aufnahm. Dagegen wirkten sie sehr stark und aus erstaunlich weiter Ferne auf das ganz anders geartete Trommelfell des Hundes, und Kaschperl verhielt sich mucksmäuschenstill, wenn der geheime, sonst von niemandem vernommene Laut durch die Nacht zu ihm gedrungen war.

Es war Neugier, es war aber auch die Anziehungskraft, die meines Freundes kühl verschlossene, ja in Hochmut scheue Person auf so manchen ausübte, daß umgekehrt bald auch dieser oder jener Besuch aus der Stadt sich in seinem Refugium einfand. Ich will Schildknappen den Vortritt lassen, der es in Wirklichkeit besaß: Natürlich war er der erste, der herüberkam, um zu sehen, wie Adrian es an der gemeinsam ausfindig gemachten Stätte triebe; und in der Folge, besonders zur Sommerszeit, verbrachte er oft das Wochenende bei ihm in Pfeiffering. Zink und Spengler sprachen zu Rade vor, denn Adrian hatte, zu Einkäufen in der Stadt, die Roddes in der Rambergstraße wieder begrüßt, und durch die Töchter hatten die Malerfreunde von seiner Rückkehr gehört, seinen Aufenthalt erfahren. Aller Vermutung nach war die Initiative zu dem Besuch in Pfeiffering bei Spengler gewesen, denn Zink, als Maler begabter und antriebsvoller als jener, aber menschlich viel unfeiner, hatte gar keinen Sinn für Adrians Wesen und gewiß eben nur, als der Unzertrennliche, dabei, — österreichisch einschmeichelnd, mit »Küß die Hand« und falscher Jessasja-Bewunderung für alles, was man ihm zeigte, im Grunde feindselig. Seine Clownerien, die possierlichen Wirkungen, die er aus seiner langen Nase, seinen dicht beieinanderliegenden, die Frauen lächerlich hypnotisierenden Augen zog, verfingen nun wieder bei Adrian nicht, so dankbar empfänglich der sonst für das Komische war. Es leidet aber dieses unter der Eitelkeit; und dann war da bei dem faunischen Zink eine schon langweilige Art, im Gespräch auf jedes Wort aufzupassen, ob ihm nicht ein geschlechtlicher Doppelsinn beizulegen sei, in den er einhaken konnte, — eine Manie, die Adrian, wie Zink wohl merkte, auch nicht eben entzückte.

Spengler, blinzelnd und ein Grübchen in der Wange, lachte herzlich meckernd bei diesen Zwischenfällen. Das Geschlechtliche amüsierte ihn in einem literarischen Sinn; sexus und Geist hingen ihm eng zusammen, — was an sich nicht falsch ist. Seine Bildung (wir wissen es ja), sein Sinn für Verfeinerung, Esprit, Kritik gründete in seinem akzidentellen und malheurhaften Verhältnis zur geschlechtlichen Sphäre, der körperlichen Festlegung darauf,

die das reine Pech und für sein Temperament, seine Leidenschaft-
lichkeit in dieser Beziehung weiter gar nicht charakteristisch war.
Lächelnd plauderte er, in der Art jener ästhetischen Kulturepoche,
die heute so tief versunken scheint, von künstlerischen Vor-
kommnissen, literarischen und bibliophilen Erscheinungen, refe-
rierte Münchener Stadtklatsch und verweilte sehr drollig auch bei
einer Geschichte, wie der Großherzog von Weimar und der Thea-
terdichter Richard Voß, zusammen in den Abruzzen reisend, von
einer echten Räuberbande überfallen worden waren, — was bestimmt von Voß arrangiert gewesen sei. Adrianen sagte er gescheite Artigkeiten über die Brentano-Gesänge, die er gekauft und
am Piano studiert hatte. Er tat damals die Äußerung, daß die
Beschäftigung mit diesen Liedern eine entschiedene und fast gefährliche *Verwöhnung* bedeute: nicht leicht wolle einem etwas
anderes von der Gattung danach noch gefallen. Sagte auch weiter
noch ganz gute Dinge über die Verwöhnung, — als welche ja zuerst den hochbedürftigen Künstler selbst betreffe und ihm gefährlich werden könne. Denn mit jedem zurückgelegten Werk
mache er sich das Leben schwerer und endlich doch wohl unmöglich, da die Selbstverwöhnung durch das Außergewöhnliche und
an allem anderen den Geschmack Verderbende ihn zuletzt in die
Disintegration, ins Unmachbare, nicht mehr zu Bewerkstelligende
treiben müsse. Das Problem für den Hochbegabten sei, wie er
sich, trotz der immer fortschreitenden Verwöhnung und um sich
greifenden Ekeligkeit, immer doch noch im Machbaren halte.
So gescheit war Spengler — nur auf Grund seiner spezifischen
Festgelegtheit, wie sein Blinzeln und Meckern andeuteten. — Nach
diesen kamen Jeannette Scheurl und Rudi Schwerdtfeger zum
Tee, um zu sehen, wie Adrian wohnte.
Jeannette und Schwerdtfeger musizierten manchmal zusammen,
sowohl vor den Gästen der alten Madame Scheurl wie auch privatim, und so hatten sie sich zu der Fahrt nach Pfeiffering verab-
redet, wobei Rudolf die telephonische Anmeldung übernommen
hatte. Ob auch die Anregung sein gewesen oder diese von Jeannette ausgegangen war, blieb dahingestellt. Sie stritten sogar darüber in Adrians Gegenwart und schoben einander das Verdienst
an der Aufmerksamkeit zu, welche sie ihm erwiesen. Jeannettens
drollige Impulsivität spricht für ihre Autorschaft; aber gar zu
gut stimmte der Einfall doch auch wieder mit Rudi's erstaunlicher
Zutraulichkeit zusammen. Er schien der Meinung zu sein, daß er
sich vor zwei Jahren mit Adrian geduzt habe, während es doch
nur ganz gelegentlich, im Karneval, und auch dann durchaus einseitig, nämlich auf Rudi's Seite, zu dieser Anrede gekommen war.
Nun nahm er sie treuherzig wieder auf und stand — übrigens
ohne jede Empfindlichkeit — erst davon ab, als Adrian schon zum
zweiten oder dritten Mal das Eingehen darauf verweigert hatte.

Die unverhohlene Erheiterung der Scheurl über diese Niederlage seiner Zutunlichkeit berührte ihn gar nicht. Kein Anflug von Verwirrung zeigte sich in seinen blauen Augen, die mit so dringlicher Naivität in den Augen dessen wühlen konnten, der etwas Gescheites, Gelehrtes oder Gebildetes sagte. Noch heute denke ich nach über Schwerdtfeger und frage mich, wie weit er sich eigentlich auf Adrians Einsamkeit und damit auch auf die Bedürftigkeit, Verführbarkeit solchen Alleinseins verstand und seine gewinnenden oder, um mich derb auszudrücken, herumkriegenden Talente daran zu bewähren wünschte. Zweifellos war er zum Gewinnen und Erobern geboren; aber ich müßte fürchten, ihm unrecht zu tun, wenn ich ihn nur von dieser Seite sähe. Er war auch ein guter Kerl und ein Künstler, und daß Adrian und er einander später tatsächlich duzten und mit Vornamen nannten, möchte ich nicht als einen schnöden Erfolg von Schwerdtfegers Gefallsucht betrachten, sondern darauf zurückzuführen, daß er den Wert des außerordentlichen Menschen redlich empfand, ihm wahrhaft zugetan war und daraus die verblüffende Unbeirrbarkeit schöpfte, die schließlich über die Kälte der Melancholie den Sieg — übrigens einen verhängnisvollen Sieg — davontrug. — Aber nach alter, fehlerhafter Gewohnheit greife ich vor.

In ihrem großen Hut, von dessen Rand sich ein feiner Schleier zur Nasenspitze spannte, spielte Jeannette Scheurl Mozart auf dem Tafelklavier im Schweigestill'schen Bauersalon, und Rudi Schwerdtfeger pfiff dazu mit einer bis zur Lächerlichkeit erfreulichen Kunstfertigkeit: Ich habe das später auch bei Roddes und Schlaginhaufens gehört und mir von ihm erzählen lassen, wie er schon als ganz kleiner Junge, bevor er Violinunterricht bekam, diese Technik auszubilden begonnen und sich im reinen Nachpfeifen vernommener Musikstücke, fast wo er ging und stand, geübt, auch später an dem Erworbenen immer fortentwickelt hatte. Es war glänzend, — eine kabarettreife Fertigkeit, die fast mehr imponierte als sein Geigenspiel, und für die er organisch besonders glücklich angelegt sein mußte. Die Kantilene war höchst angenehm, mehr von Violin- als von Flötencharakter, die Phrasierung meisterhaft, und die kleinen Noten kamen, im staccato wie in der Gebundenheit, nie oder fast nie versagend, mit ergötzlicher Präzision. Kurzum, es war vorzüglich, und die Vereinigung des Schusterbubenhaften, das nun einmal dieser Technik anhaftet, mit dem künstlerisch Ernstzunehmenden erregte eine besondere Heiterkeit. Unwillkürlich applaudierte man lachend, und auch Schwerdtfeger lachte knabenhaft, indem er die Schulter in den Kleidern rückte und mit dem Mundwinkel jene kurze Grimasse vollführte. —

Dies also waren Adrians erste Gäste in Pfeiffering. Und bald denn nun auch kam ich selbst und wandelte an seiner Seite sonntags um seinen Weiher und den Rohmbühel hinauf. Nur den Winter noch, nach seiner Rückkehr von Italien, verlebte ich fern von ihm; zu Ostern 1913 hatte ich meine Anstellung am Freisinger Gymnasium erreicht, wobei mir das katholische Bekenntnis meiner Familie zustatten gekommen war. Ich verließ Kaisersaschern und siedelte mit Weib und Kind an den Strand der Isar über, an diesen würdigen Ort und vielhundertjährigen Bischofssitz, wo ich, in bequemem Kontakt mit der Hauptstadt und also auch mit meinem Freunde, einige Kriegsmonate ausgenommen, mein Leben verbracht und der Tragödie des seinen in liebender Erschütterung beigewohnt habe.

XXVII

Fagottist Griepenkerl hatte mit der Abschrift der Partitur von ›Love's Labour's Lost‹ sehr Anerkennenswertes geleistet. Ziemlich die ersten Worte, die Adrian beim Wiedersehen zu mir sprach, galten der fast vollkommenen Fehlerlosigkeit der Kopie und seiner Freude daran. Auch zeigte er mir einen Brief, den der Mann ihm mitten aus der peniblen Arbeit heraus geschrieben, und worin intelligenterweise eine Art von besorgtem Enthusiasmus für das Objekt seiner Mühewaltung zum Ausdruck kam. Er könne nicht sagen, meldete er dem Autor, wie das Werk ihn durch seine Kühnheit, die Neuheit seiner Ideen in Atem halte. Nicht genug könnte er die Feingliedrigkeit der Faktur, die rhythmische Versatilität bewundern, die Instrumentationstechnik, durch welche ein oft kompliziertes Stimmengewebe vollkommen klar gehalten sei, vor allem die kompositorische Phantasie, die sich in der Abwandlung eines Gegebenen in vielfachen Variationen bekunde: zum Beispiel die Verwendung der schönen und dabei halb komischen Musik, die der Figur der Rosaline zugehöre oder vielmehr Birons desperates Gefühl für sie ausdrücke, in dem Mittelstück der dreiteiligen Bourrée im Schlußakt, dieser witzigen Erneuerung der altfranzösischen Tanzform, sei überaus geistvoll und wendig in einem höchsten Sinn zu nennen. Er fügte hinzu: Diese Bourrée sei nicht wenig charakteristisch für das verspielt-archaische Element gesellschaftlicher Gebundenheit, das so reizvoll aber auch herausfordernd mit den »modernen«, den freien und überfreien, rebellischen, auch die tonale Bindung verschmähenden Partien des Werks kontrastiere; und da müsse er nun befürchten, daß diese Gegenden der Partitur in all ihrer Unvertrautheit und frondierenden Ketzerei der Rezeption fast unzugänglicher sein würden als die frommen und strengen. Hier komme es oft zu einer erstarrenden, mehr denkerischen als künstlerischen Spekulation in Noten, einem musikalisch kaum noch wirksamen Töne-Mosaik, das eher zum Lesen als zum Hören bestimmt scheine, – etc.

Wir lachten.

»Wenn ich vom Hören höre!« sagte Adrian. »Nach meiner Meinung genügt es völlig, wenn etwas *einmal* gehört worden ist, nämlich, als der Komponist es erdachte.«

Nach einer Weile setzte er hinzu:

»Als ob die Leute je hörten, was da gehört worden ist. Komponieren heißt: einen Engelschor dem Zapfenstößer-Orchester zur Exekution auftragen. Übrigens halte ich die Chöre der Engel für äußerst spekulativ.«

Meinerseits gab ich Griepenkerln unrecht in seiner scharfen Unterscheidung zwischen den »archaischen« und den »modernen« Elementen des Werkes. Das gehe ineinander über und durchdringe einander, sagte ich, und er ließ es gelten, zeigte aber wenig Neigung, das Fertiggestellte zu erörtern, sondern schien es als abgetan und nicht weiter interessant hinter sich liegenzulassen. Erwägungen, was etwa damit anzufangen, wohin es zu schicken, wem es vorzulegen sei, überließ er mir. Daß Wendell Kretzschmar die Partitur zu lesen bekomme, daran war ihm gelegen. Er sandte sie ihm nach Lübeck, wo der Stotterer noch amtierte, und dieser brachte die Oper dort tatsächlich ein Jahr später, schon nach Kriegsausbruch, in einer deutschen Bearbeitung, an der ich nicht unbeteiligt war, zur Aufführung, — mit dem Erfolg, daß während der Vorstellung zwei Drittel des Publikums das Theater verließen, — ganz so, wie es sechs Jahre zuvor in München bei der Première von Debussy's ›Pelléas und Mélisande‹ sich ereignet haben soll. Es kam nur zu zwei Wiederholungen, und das Werk sollte vorläufig nicht über die Hansestadt an der Trave hinausdringen. Auch schloß sich die lokale Kritik fast einstimmig dem Urteil der Laien-Hörerschaft an und spöttelte über die »dezimierende Musik«, deren Herr Kretzschmar sich da angenommen. Nur im ›Lübischen Börsen-Kurier‹ sprach ein alter, seither zweifellos längst verstorbener Musikprofessor namens Jimmerthal von einem Justizirrtum, den die Zeit richtigstellen werde, und erklärte in schrullig altfränkisch gesetzten Worten die Oper für ein zukunftshaltiges Werk voll tiefer Musik, deren Autor wohl ein Spötter, dabei aber »ein gottgeistiger Mensch« sei. Diese rührende Wendung, die ich vorher nie gehört oder gelesen hatte, und die mir auch nachher nie wieder vorgekommen ist, machte mir den eigentümlichsten Eindruck, und wie ich sie dem wissenden Kauz, der sich ihrer bediente, nie vergessen habe, so, denke ich, wird sie ihm zu Ehren angerechnet sein von der Nachwelt, die er gegen seine kritisch schlaffen und stumpfen Schreibkollegen als Zeugen beschwor.

Adrian war zu der Zeit, als ich nach Freising kam, mit der Komposition einiger Lieder und Gesänge beschäftigt, deutscher und fremdsprachiger, nämlich englischer. Erstens war er auf William

263

Blake zurückgekommen und hatte ein sehr sonderbares Poem dieses ihm so lieben Autors, ›Silent, silent night‹, in Töne gesetzt,
jenen Vierstropher zu je drei gleichlautend gereimten Versen,
deren letzte Gruppe, befremdlich genug, lautet:

> But an honest joy
> Does itself destroy
> For a harlot coy.

Diesen geheimnisvoll anstößigen Versen nun hatte der Komponist sehr simple Harmonien verliehen, die im Verhältnis zu der
Tonsprache des Ganzen — ›falscher‹, zerrissener, umheimlicher
wirkten als die gewagtesten Spannungen, tatsächlich das Unge-
heuerlich-Werden des Dreiklangs erfahren ließen. — ›Silent, silent night‹ ist für Klavier und Singstimme gesetzt. Dagegen hatte
Adrian zwei Hymnen von Keats, die achtstrophige ›Ode to a
nightingale‹ und die kürzere ›An die Melancholie‹ mit einer
Begleitung von Streichquartett versehen, die nun freilich den Begriff der Begleitung in seiner Herkömmlichkeit weit hinter und
unter sich ließ. Denn in Wahrheit handelte es sich um eine
äußerst kunstvolle Form der Variation, in welcher kein Ton der
Singstimme und der vier Instrumente unthematisch war. Ohne
Unterbrechung herrscht hier zwischen den Stimmen die engste
Beziehung, so daß das Verhältnis nicht das von Melodie und Begleitung, sondern in aller Strenge das von stetig alternierenden
Haupt- und Nebenstimmen ist.
Es sind herrliche Stücke — und fast stumm geblieben bis heute
durch Schuld der Sprache. Zum Lächeln merkwürdig war mir dabei der tiefe Ausdruck, womit der Komponist in der ›Nightingale‹
auf das Verlangen nach südlicher Lebenssüße eingeht, das der
Gesang des »immortal bird« in der Seele des Dichters wachruft, —
wo doch Adrian in Italien nie viel enthusiastische Dankbarkeit
an den Tag gelegt hatte für die Tröstungen einer Sonnenwelt,
welche vergessen läßt — »The weariness, the fever, and the fret —
Here, where men sit and hear each other groan«. Das musikalisch
Kostbarste und Kunstvollste, ohne Zweifel, ist die Auflösung
und das Verwehen des Traumes am Schluß, dieses

> Adieu! the fancy cannot cheat so well
> As she is fame'd to do, deceiving elf.
> Adieu! adieu! thy plaintive anthem fades
> ————————————————
> Fled is that music: — Do I wake or sleep?

Ich kann die Herausforderung wohl verstehen, die von der vasen-
haften Schönheit dieser Oden auf die Musik ausgegangen war, sie

zu umkränzen: nicht um sie vollkommener zu machen — denn sie sind vollkommen —, sondern um ihre stolze, schwermutsvolle Anmut stärker zu artikulieren und ins Relief zu treiben, dem kostbaren Augenblick ihrer Einzelheiten vollere Dauer zu verleihen, als dem gehauchten Wort vergönnt ist: solchen Augenblicken gedrängter Bildhaftigkeit, wie, in der dritten Strophe der ›Melancholie‹, die Aussagen von dem »sovran shrine«, den die verschleierte Schwermut im Tempel des Entzückens selbst besitze, — von niemandem gesehen freilich als von dem, dessen kühne Zunge die Weinbeere der Lust an zartem Gaumen zu sprengen wisse, — was einfach glänzend ist und schwerlich der Musik etwas zu sagen übrigläßt. Mag sein, daß sie nur vermeiden kann, ihm zu schaden, indem sie es verlangsamend mitspricht. Ich habe oft sagen hören, ein Gedicht dürfe nicht zu gut sein, um ein gutes Lied abzugeben. Die Musik sei viel besser daran bei der Aufgabe, das Mäßige zu vergolden. So glänzt virtuose Schauspielkunst am hellsten in schlechten Stücken. Aber Adrians Verhältnis zur Kunst war zu stolz und kritisch, als daß er Lust gehabt hätte, sein Licht in der Finsternis leuchten zu lassen. Er mußte geistig wahrhaft hochachten, wo er sich als Musiker aufgerufen fühlen sollte, und so war auch das deutsche Gedicht, dem er sich produktiv hingegeben, vom höchsten Range, wenngleich ohne die intellektuelle Distinktion der Keats'schen Lyrik. Für diese literarische Erlesenheit trat hier ein Monumentaleres, das hochgestimmte und rauschende Pathos religiös-hymnischer Lobpreisung ein, das mit seinen Anrufungen und Schilderungen von Majestät und Milde der Musik sogar mehr vorgab, ihr treuherziger entgegenkam als der griechische Adel jener britischen Bildungen.

Es war Klopstocks Ode ›Die Frühlingsfeyer‹, der berühmte Gesang am »Tropfen am Eimer«, den Leverkühn, mit wenigen textlichen Kürzungen, für Bariton, Orgel und Streichorchester komponiert hatte, — ein erschütterndes Stück Werk, das während des ersten deutschen Weltkrieges und einige Jahre nach ihm an mehreren deutschen Musik-Zentren und auch in der Schweiz unter der enthusiastischen Zustimmung einer Minorität, und freilich natürlich auch hämisch-banausischem Widerspruch, durch mutige und der neuen Musik freundliche Dirigenten zur Aufführung gelangt ist und sehr dazu beigetragen hat, daß, spätestens in den zwanziger Jahren, eine Aura esoterischen Ruhms sich um den Namen meines Freundes zu breiten begann. Ich will aber folgendes sagen: So tief ich bewegt — wenn auch nicht eigentlich überrascht — war von diesem Ausbruch religiösen Gefühls, der desto reiner und frommer wirkte durch die Enthaltsamkeit von billigen Wirkungsmitteln (kein Harfengetön, zu dem der Wortlaut doch geradezu auffordert; keine Pauke zur Wiedergabe des Donners des Herrn); so nahe ans Herz mir gewisse, keineswegs durch verbrauchte Tonmalerei gewonnene Schönheiten oder großartige Wahrheiten des Lobliedes gingen, wie der bedrückend langsame Wandel der schwarzen Wolke, der zweimalige »Jehovah!«-Ruf des Donners, wenn der »geschmetterte Wald dampft« (eine mächtige Stelle), der so neue und verklärte Zusammenklang der hohen Register der Orgel mit den Streichern am Schluß, wenn die Gottheit nicht mehr im Wetter, sondern in stillem Säuseln kommt und unter ihr »sich der Bogen des Friedens neigt«, – so habe ich doch damals das Werk nicht nach seinem wahren seelischen Sinn, nicht nach seiner geheimsten Not und Absicht, nach seiner Angst, die im Preisen Gnade sucht, verstanden. Kannte ich denn das Dokument, das nun auch meine Leser kennen, die Niederschrift des »Zwiegesprächs« im steinernen Saal? Nur bedingt hätte ich mich »a partner in your sorrow's mysteries«, wie es einmal in der ›Ode on Melancholy‹ heißt, vor ihm nennen können: nur mit dem Recht einer schon aus Knabenzeiten stammenden vagen Sorge um sein Seelenheil, nicht von wirklichen Wissens wegen, wie es darum stand. Erst später habe ich die Komposition der ›Frühlingsfeyer‹ als das werbende Sühneopfer an Gott verstehen gelernt, das es war: als ein Werk der attritio cordis, geschaffen, wie ich schaudernd vermute, unter den Drohungen jenes auf seinem Schein bestehenden Besuchers.

Aber noch in einem andern Sinn habe ich die persönlichen und geistigen Hintergründe dieser auf Klopstocks Gedicht fußenden Produktion damals nicht verstanden. Ich hätte sie in Verbindung bringen sollen mit Gesprächen, die ich um jene Zeit mit ihm führte, oder die vielmehr er mit mir führte, indem er mir, höchst lebhaft, höchst angelegentlich, von Studien und Forschungen erzählte, die meiner Neugier, meiner Art von wissenschaftlichem Sinn immer ganz ferne lagen: aufregende Bereicherungen seines Wissens von der Natur und vom Kosmos, mit denen er mich sehr an seinen Vater und dessen sinnige Manie erinnerte, »die elementa zu spekulieren«.

Für den Komponisten der ›Frühlingsfeyer‹ traf nämlich die Aussage des Dichters nicht zu, daß er davon abstehe, »sich in den Ozean der Welten alle zu stürzen«, und nur um den »Tropfen am Eimer«, um die Erde nur schweben und anbeten wolle. Er stürzte sich allerdings in das Unermeßliche, das die astrophysische Wissenschaft zu messen sucht, nur um dabei zu Maßen, Zahlen, Größenordnungen zu gelangen, zu denen der Menschengeist gar kein Verhältnis mehr hat, und die sich im Theoretischen und Abstrakten, im völlig Unsinnlichen, um nicht zu sagen: Unsinnigen verlieren. Übrigens will ich nicht vergessen, daß es mit einem Schweben über den »Tropfen«, der ja diesen Namen nicht übel verdient, da er überwiegend aus Wasser, aus den Wassern der Meere besteht, und der bei Gelegenheit des Gesamtwurfes

266

»auch der Hand des Allmächtigen entrann«, — daß es, sage ich, mit Erkundungen über ihn und seine dunklen Verstecktheiten doch seinen Anfang nahm; denn die Wunder der Meerestiefe, die Tollheiten des Lebens dort unten, wohin kein Sonnenstrahl dringt, waren das erste, wovon Adrian mir erzählte — und zwar auf eine besondere, wunderliche Weise, die mich zugleich amüsierte und verwirrte, nämlich im Stil eigener Anschauung und persönlichen Dabeigewesenseins.

Selbstverständlich hatte er von diesen Dingen nur gelesen, hatte sich Bücher darüber verschafft und seine Phantasie damit gespeist; aber sei es nun, weil er so sehr bei der Sache gewesen war, sich dieser Bilder so klar bemächtigt hatte, oder aus was für einer Laune immer: er fingierte, daß er selber hinabgefahren sei, nämlich in der Gegend der Bermuda-Inseln, einige Seemeilen östlich von St. Georg, und sich die natürlichen Phantastereien des Abgrundes von einem Begleiter habe zeigen lassen, den er als einen amerikanischen Gelehrten namens Capercailzie charakterisierte, und mit dem er einen neuen Tiefenrekord aufgestellt haben wollte.

Ich erinnere mich dieser Unterhaltung sehr lebhaft. Ich genoß sie an einem Wochenende, das ich in Pfeiffering verbrachte, nach der einfachen Abendmahlzeit, die Clementine Schweigestill uns im großen Klavierzimmer aufgetischt hatte. Freundlich hatte die streng Gekleidete dann einem jeden von uns einen irdenen Halbliter-Krug Bier in die Abtsstube gebracht, und dort saßen wir, Zechbauer-Zigarren rauchend, leichte und gute. Es war um die Stunde, wo Suso, der Hund, Kaschperl also, schon von der Kette los war und frei um den Hof strich.

Da also gefiel Adrian sich in dem Scherz, mir höchst anschaulich vorzuerzählen, wie er mit Mr. Capercailzie eine kugelförmige Tauchergondel von nur 1,20 m Innendurchmesser und ausgerüstet ungefähr wie ein Stratosphärenballon bestiegen habe und sich mit ihm darin durch den Kran des Begleitschiffes in das hier ungeheuer tiefe Meer habe versenken lassen. Es war mehr als aufregend gewesen, — wenigstens für ihn, wenn auch nicht für seinen Mentor oder Cicerone, dem er dies Erlebnis abgefordert hatte, und den die Sache kühler ließ, da es nicht seine erste Niederfahrt war. Ihre Lage im engen Inneren der zwei Tonnen schweren Hohlkugel war nichts weniger als bequem gewesen, dafür aber hatte das Bewußtsein der absoluten Zuverlässigkeit ihrer Behausung sie entschädigt: durchaus wasserdicht gebaut, wie sie war, einem gewaltigen Druck gewachsen, versehen mit einem ergiebigen Sauerstoff-Vorrat, Telephon, Starkstrom-Scheinwerfern und Quarzfenstern zur Ausschau nach allen Seiten. Etwas länger als drei Stunden, alles in allem, hatten sie unter dem Meeresspiegel darin verweilt, die ihnen im Fluge vergangen waren dank den Gesichten und Einblicken, die ihnen gestattet gewesen in eine Welt, deren stille, närrische Fremdheit sich durch ihre angeborene Kontaktlosigkeit mit der unsrigen rechtfertigte, sich gewissermaßen aus ihr erklärte.

Immerhin war es ein seltsamer, das Herz ein wenig stocken machender Augenblick gewesen, als, eines Morgens um neun Uhr, die vierhundert Pfund schwere Panzertür sich hinter ihnen geschlossen hatte und sie vom Schiffe herabgeschwebt und dann ins Element getaucht waren. Anfangs hatte das kristallklare, von der Sonne durchleuchtete Wasser sie umgeben. Aber diese Erhellung des Inneren unseres »Tropfens am Eimer« durch das obere Licht reicht nur etwa 57 Meter hinab; dann hört alles auf, vielmehr: eine neue, bezuglose und nicht mehr heimatliche Welt beginnt, in welche Adrian mit seinem Führer bis zum beinahe Vierzehnfachen dieser Tiefe, auf rund 2500 Fuß vorgedrungen sein und dort wohl eine halbe Stunde verweilt haben wollte, beinahe jeden Augenblick eingedenk der Tatsache, daß nun ein Druck von 500 000 Tonnen auf ihrer Wohnung lastete.

Allmählich, auf dem Weg dorthin, hatte das Wasser eine graue Farbe angenommen, — diejenige eines Dunkels also, das mit einigem unverzagtem Licht noch vermischt gewesen war. Nicht leicht stand dieses von jedem weiteren Vordringen ab; es war sein Wesen und Wille, zu erleuchten, und es tat es bis zum Äußersten, indem es das nächste Stadium der Ermüdung und des Zurückbleibens sogar farbiger gestaltete als das vorige: durch ihre Quarzfenster blickten die Reisenden nun in ein schwer zu beschreibendes Blauschwarz hinaus, am ehesten vergleichbar der Düsternis am Horizont eines klaren Föhnhimmels. Dann freilich, und zwar lange schon bevor der Tiefenanzeiger auf 750, auf 765 Meter wies, herrschte vollkommene Schwärze ringsum, die von keinem schwächsten Sonnenstrahl seit Ewigkeiten erlangte Finsternis des interstellaren Raumes, die ewig stille und jungfräuliche Nacht, welche es sich nun hatte gefallen lassen müssen, von einem aus der Oberwelt mitgebrachten gewaltsamen Kunstlicht nicht kosmischer Herkunft durchhellt und durchsichtet zu werden.

Adrian sprach von dem Erkenntniskitzel, den es bereitete, das Unerschaute, nicht zu Erschauende, des Geschautwerdens nicht sich Versehende dem Blicke bloßzustellen. Das damit verbundene Gefühl der Indiskretion, ja der Sündhaftigkeit wurde nicht ganz beschwichtigt und ausgeglichen durch das Pathos der Wissenschaft, der erlaubt sein muß, so weit vorzudringen, wie es ihrem Witz eben gegeben ist. Allzu deutlich war, daß die unglaublichen, teils grausigen, teils lächerlichen Exzentrizitäten, die Natur und Leben sich hier geleistet, Formen und Physiognomien, die mit den oberirdischen kaum noch Verwandtschaft zu haben und einem anderen Planeten anzugehören schienen, das Produkt der Verstecktheit, des Pochens auf das Gehülltsein in ewiges Dunkel waren. Die Ankunft eines menschlichen Raum-Fahrzeuges auf dem Mars, oder sagen wir lieber auf der der Sonne ewig abgewandten Hälfte des Merkur, hätte denn auch unter etwaigen Bewohnern dieser »nahen« Körper keine größere Sensation erregen können als das Erscheinen der Capercailzie'schen Senkglocke hier unten. Die volkstümliche Neugier, mit der die abstrusen Kreaturen des Abgrundes das Haus der Gäste umdrängt hatten, war unbeschreiblich gewesen — und unbeschreiblich, was da in verwirrtem Flitzen an tollen Geheimfratzen des Organischen, an räuberischen Mäulern, schamlosen Gebissen, Teleskopaugen, an Papierbootfischen, Silberbeilen mit aufwärts gerichteten Glotzern, Kiel- und Flossenfüßern, bis zwei Meter lang, vor den Fenstern der Gondel vorüberhuschte. Selbst die willenlos in der Flut schwebenden, fangarmigen Ungeheuer aus Schleim, die Staatsquallen, Polypen und Skyphomedusen, schienen von krampfig zappelnder Erregung ergriffen gewesen zu sein.

Übrigens hatte es wohl sein mögen, daß alle diese »natives« der Tiefe den zu ihnen niedergestiegenen scheinwerfenden Gast als eine überdimensionierte Abart ihrer selbst betrachteten, denn die meisten von ihnen konnten auch, was er konnte, nämlich aus eigenen Kräften leuchten. Die Besucher hätten, erzählte Adrian, ihr Dynamo-Licht nur verlöschen dürfen, damit ein Schauspiel anderer absonderlicher Art sich ihnen enthüllte. Denn weithin sei dann das Meeresdunkel von kreisenden und dahinschießenden Irrlichtern illuminiert gewesen, dem Selbstleuchten der Fische, mit dem sehr viele von ihnen begabt waren, und zwar so, daß einige am ganzen Körper phosphoreszierten, andere aber wenigstens mit einem Leuchtorgan, einer elektrischen Laterne ausgestattet waren, mit der sie sich mutmaßlich nicht nur in der ewigen Nacht den Weg erhellten, sondern auch Beute anlockten oder zur Liebe winkten. Einige größere hätten tatsächlich ein so intensives Weißlicht vor sich hingestrahlt, daß die Augen der Beobachter davon geblendet gewesen seien. Die röhrenförmig vorgebauten Stielaugen mancher von ihnen seien aber wahrscheinlich dafür gemacht, aus möglichst weiter Ferne schon den leisesten Lichtschimmer zu ihrer Warnung oder Lockung wahrzunehmen.

Der Berichterstatter bedauerte, daß nicht daran zu denken gewesen sei, einige dieser Larven der Tiefe, die allerunbekanntesten wenigstens, zu fangen und nach oben zu bringen. Dazu wäre vor allem eine Vorrichtung nötig gewesen, ihren Leibern bei der Auffahrt den ungeheuren Atmosphärendruck zu bewahren, den sie gewohnt und dem sie angepaßt seien, — denselben, der, beklemmend, wenn man es bedachte, auf den Wänden der Gondel wuchtete. Sie glichen ihn aus durch eine ebenso hohe Innen-

spannung ihrer Gewebe und Körperhöhlen, so daß sie bei nach-
lassendem Druck notwendig zerplatzen mußten. Einigen, leider,
sei dies schon bei der Begegnung mit dem Fahrzeug von oben
geschehen, — wie denn ein besonders großer, fleischfarbener und
fast edel gestalteter Nix, den man gesichtet, bei nur leisem Zu-
sammenstoß mit der Gondel in tausend Stücke zersprungen
sei ...

In dieser Weise erzählte Adrian bei der Zigarre, ganz in dem
Geist, als sei er selber mit niedergefahren und habe dies alles sich
zeigen lassen, — eine scherzhafte Form, die er mit nur halbem
Lächeln so konsequent durchführte, daß ich nicht umhinkonnte,
ihn unterm Lachen und Wundern auch ein wenig erstaunt anzusehen. Sein Lächeln war wohl auch der Ausdruck neckenden
Amüsements über einen gewissen Widerstand von meiner Seite,
der ihm spürbar sein mußte, gegen seine Mitteilungen; denn er
kannte wohl meine bis zur Abneigung gehende Interesselosigkeit
an den Faxen und Geheimnissen des Natürlichen, an ›Natur‹
überhaupt, und meine Anhänglichkeit an die Sphäre des Sprach-
lich-Humanen. Offenbar war es nicht zuletzt das Wissen darum,
das ihn reizte, mir diesen Abend immer weiter mit seinen Erkundungen oder, wie er tat, Erfahrungen in den Gebieten des
ungeheuerlich Außermenschlichen zuzusetzen und sich nun dennoch, mich mit sich reißend, »in den Ozean der Welten alle zu
stürzen«.

Der Übergang dazu war ihm leicht gemacht durch seine vorangegangenen Schilderungen. Das Grotesk-Fremdartige des Tief-
seelebens, das nicht mehr unserm Planeten anzugehören schien,
war ein Anknüpfungspunkt. Ein zweiter war die Klopstock'sche
Redewendung vom »Tropfen am Eimer«, die in ihrer bewundernden Demut nur zu gerechtfertigt war durch die ganz nebensäch-
lich-abseitige und wegen der Geringfügigkeit des Objektes für
den großen Blick fast unauffindbare Situiertheit nicht nur der
Erde, sondern unseres ganzen Planetensystems, also der Sonne
mit ihren sieben Trabanten, innerhalb des Milchstraßenwirbels,
dem es angehört, ›unserer‹ Milchstraße, — von den Millionen
anderer hier noch zu schweigen. Das Wort ›unsere‹ verleiht der
Ungeheuerlichkeit, auf die es sich bezieht, eine gewisse Intimität,
es vergrößert auf eine fast komische Weise den Begriff des Heimatlichen ins sinnbenehmend Ausgedehnte, als dessen bescheiden, aber sicher untergebrachte Bürger wir uns zu fühlen haben.
In dieser Geborgenheit, einer tief inneren Geborgenheit, scheint
die Neigung der Natur zum Sphärischen sich durchzusetzen, —
und dies war ein dritter Punkt, an den Adrian seine kosmischen
Erörterungen knüpfte: zum Teil kam er auf sie durch die seltsame Erfahrung des Aufenthaltes in einer Hohlkugel, nämlich
der Capercailzie'schen Tiefseegondel, die er einige Stunden mit-

bewohnt haben wollte. In einer Hohlkugel, so war er belehrt, lebten wir allesamt alle Tage, denn um den galaktischen Raumbezirk, worin uns irgendwo seitab ein winziger Platz zugewiesen sei, stehe es so:

Er sei ungefähr gestaltet wie eine flache Taschenuhr, das heißt rund und viel weniger dick als umfangreich, — eine nicht unermeßliche, aber freilich ungeheuere Wirbelscheibe konzentrierter Mengen von Sternen, Sterngruppen, Sternhaufen, Doppelsternen, welche elliptische Bahnen umeinander beschrieben, von Nebelflecken, Leuchtnebeln, Ringnebeln, Nebelsternen und so fort. Diese Scheibe aber gleiche nur dem ebenen Rundplan, der entstehe, wenn man eine Orange in der Mitte durchschneide; denn rundum sei sie eingeschlossen von einem Dunstmantel anderer Sterne, den man wieder nicht als unermeßlich, aber als ungeheuer in hoher Potenz bezeichnen müsse, und in dessen Räumen, vorwiegend leeren Räumen, die gegebenen Objekte so verteilt seien, daß die ganze Struktur eine Kugel bilde. Tief im Innern dieser unsinnig geräumigen Hohlkugel also, der Scheibe verdichteten Weltengewimmels zugehörig, befinde sich, ganz nebensächlicher, schwer auffindbarer und kaum erwähnenswerter Weise, der Fixstern, um den, nebst größeren und kleineren Genossen, die Erde und ihr Möndchen spielten. »Die Sonne«, die so wenig den bestimmten Artikel verdiente, ein auf seiner Oberfläche 6000 Grad heißer Gasball von mäßigen anderthalb Millionen Kilometern im Durchmesser, sei vom Mittelpunkt des galaktischen Innenplanes ebenso weit entfernt, wie dieser dick sei, nämlich 30 000 Lichtjahre.

Meine allgemeine Bildung erlaubte mir, mit diesem Wort ›Lichtjahr‹ einen ungefähren Begriff zu verbinden. Es war, versteht sich, ein räumlicher Begriff, und das Wort bezeichnete die Strecke, die das Licht im Lauf eines ganzen Erdenjahres zurücklegt — bei einer ihm eigenen Geschwindigkeit, von der ich eine vage Vorstellung hegte, die aber Adrian exakt als 297 600 Kilometer per Sekunde im Kopfe hatte. Damit kam ein Lichtjahr auf rund und nett 9,5 Billionen Kilometer zu stehen, und auf dreißigtausendmal soviel belief sich also die Exzentrizität unseres Solarsystems, während der Gesamtdurchmesser der galaktischen Hohlkugel 200 000 Lichtjahre betrug.

Nein, er war nicht unermeßlich, aber so war er zu bemessen. Was soll man auf einen solchen Angriff auf den Menschenverstand sagen? Ich bekenne, so geartet zu sein, daß mir nichts als ein verzichtendes, aber auch etwas verächtliches Achselzucken übrigbleibt für das Unrealisierbar-Überimposante. Bewunderung der Größe, Enthusiasmus für sie, ja Überwältigtsein von ihr, ein seelischer Genuß ohne Zweifel, ist nur möglich in faßlich-irdischen und menschlichen Verhältnissen. Die Pyramiden sind groß,

der Montblanc und das Innere des Petersdomes sind groß, wenn
man dies Attribut nicht überhaupt lieber der moralischen und
geistigen Welt, der Erhabenheit des Herzens und des Gedankens
vorbehalten will. Die Daten der kosmischen Schöpfung sind ein
nichts als betäubendes Bombardement unserer Intelligenz mit
Zahlen, ausgestattet mit einem Kometenschweif von zwei Dutzend Nullen, die so tun, als ob sie mit Maß und Verstand noch
irgend etwas zu tun hätten. Es ist in diesem Unwesen nichts, was
meinesgleichen als Güte, Schönheit, Größe ansprechen könnte,
und nie werde ich die Hosianna-Stimmung verstehen, in die gewisse Gemüter durch die sogenannten ›Werke Gottes‹, sofern sie
Weltphysik sind, sich versetzen lassen. Ist überhaupt eine Veranstaltung als Gottes Werk anzusprechen, zu der man ebensogut
›Wenn schon‹ wie ›Hosianna‹ sagen kann? Mir scheint eher das
erste als das zweite die rechte Antwort zu sein auf zwei Dutzend
Nullen hinter einer Eins oder auch hinter einer Sieben, was schon
gleich nichts mehr ausmacht, und keinerlei Grund kann ich sehen,
anbetend vor der Quinquillion in den Staub zu sinken.
Kennzeichnend war ja auch, daß der hochgestimmte Dichter,
Klopstock, sich zum Ausdruck und zur Erregung enthusiasti-
scher Ehrfurcht auf das Irdische, den »Tropfen am Eimer«, beschränkte und die Quinquillionen beiseite ließ. Der Komponist
seiner Hymne, mein Freund Adrian, wie gesagt, erging sich über
diese; aber ich täte unrecht, den Eindruck zu erwecken, daß er es
mit irgendwelcher Rührung oder Emphase getan hätte. Seine Art
und Weise, diese Tollheiten zu behandeln, war kalt, lässig, von
Belustigung gefärbt über meine unverhohlene Abneigung, dabei
aber auch von einer gewissen initiierten Vertrautheit mit diesen
Verhältnissen, will sagen: von der fortdauernden Fiktion, als
habe er seine Kenntnisse nicht unterderhand, durch Lektüre, sondern durch persönliche Überlieferung, Belehrung, Demonstration, Erfahrung gewonnen, etwa mit Hilfe seines obgenannten
Mentors, des Professors Capercailzie, der, so kam es heraus, nicht
nur mit ihm in die Nacht der Tiefsee, sondern auch ins Gestirn
gefahren war ... Er tat halb und halb, als habe er es von ihm,
und zwar mehr oder weniger durch Anschauung, daß das physische Weltall — dies Wort in seiner umfassenden, auch das Fern-
ste mit einschließenden Bedeutung genommen — weder endlich
noch unendlich zu nennen sei, weil beide Ausdrücke doch etwas
irgendwie Statisches bezeichneten, während der wahre Sachverhalt durch und durch dynamischer Natur sei und der Kosmos
sich, seit langem wenigstens, genauer gesagt: seit 1900 Millionen
Jahren, im Zustande rasender *Ausdehnung*, das heiße: der Explosion befinde. Hieran lasse die Rotverschiebung des Lichtes keinen Zweifel, welches uns von zahlreichen Milchstraßensystemen
erreiche, deren Entfernung von uns allenfalls bekannt sei, — die

um so stärkere Veränderung der Farbe dieses Lichtes nach dem roten Ende des Spektrums hin, in je größerem Abstand von uns sich diese Nebelflecke befänden. Offenbar strebten sie von uns weg, und bei den am weitesten, um 150 Millionen Lichtjahre, abliegenden Komplexen komme die Geschwindigkeit, mit der sie das täten, derjenigen gleich, die die Alpha-Teilchen radioaktiver Substanzen entwickelten, und die 25 000 Kilometer in der Sekunde betrage, eine Schnellkraft, gegen die der Splitterflug einer krepierenden Granate ein Schneckentempo annehme. Wenn also alle Milchstraßensysteme in übertriebenstem Zeitmaß voneinander wegjagten, so reiche das Wort ›Explosion‹ gerade eben noch, oder auch schon längst nicht mehr, hin, den Zustand des Weltmodells und seine Art von Ausgedehntheit zu bezeichnen. Diese mochte früher einmal statisch gewesen sein und einfach eine Milliarde Lichtjahre im Durchmesser betragen haben. Wie die Dinge jetzt lägen, könne zwar von Ausdehnung, aber nicht von irgendwelcher stehenden Ausgedehntheit, ›endlich‹ oder ›unendlich‹, die Rede sein. Alles, was, wie es schien, Capercailzie dem Frager hatte zusichern können, war, daß die Summe sämtlicher überhaupt vorhandenen Milchstraßenbildungen in der Größenordnung von hundert Milliarden liege, von denen nur eine geringe Million unseren heutigen Fernrohren erreichbar sei.

So Adrian, rauchend und lächelnd. Ich redete ihm nun ins Gewissen und verlangte von ihm das Eingeständnis, daß dieser ganze ins Nichts entweichende Zahlenspuk unmöglich das Gefühl von Gottes Herrlichkeit erregen, irgendwelche sittliche Erhebung schenken könne. Nach einem Teufelsjux viel eher sähe das alles ja aus.

»Gib zu«, sagte ich ihm, »daß die Horrendheiten der physikalischen Schöpfung auf keine Weise religiös produktiv sind. Welche Ehrfurcht und welche der Ehrfurcht entstammende Sittigung des Gemütes kann ausgehen von der Vorstellung eines unermeßlichen Unfugs wie des explodierenden Weltalls? Absolut keine. Frömmigkeit, Ehrfurcht, seelischer Anstand, Religiosität sind nur über den Menschen und durch den Menschen, in der Beschränkung auf das Irdisch-Menschliche möglich. Ihre Frucht sollte, kann und wird ein religiös tingierter Humanismus sein, bestimmt von dem Gefühl für das transzendente Geheimnis des Menschen, von dem stolzen Bewußtsein, daß er kein bloß biologisches Wesen ist, sondern mit einem entscheidenden Teil seines Wesens einer geistigen Welt angehört; daß ihm das Absolute gegeben ist, die Gedanken der Wahrheit, der Freiheit, der Gerechtigkeit, daß ihm die Verpflichtung auferlegt ist zur Annäherung an das Vollkommene. In diesem Pathos, dieser Verpflichtung, dieser Ehrfurcht des Menschen vor sich selbst ist Gott; in hundert Milliarden Milchstraßen kann ich ihn nicht finden.«

»So bist du gegen die Werke«, antwortete er, »und gegen die physische Natur, der der Mensch entstammt und mit ihm sein Geistiges, das sich am Ende auch noch an anderen Orten des Kosmos findet. Die physische Schöpfung, dieses dir ärgerliche Ungeheuer von Weltveranstaltung, ist unstreitig die Voraussetzung für das Moralische, ohne die es keinen Boden hätte, und vielleicht muß man das Gute die Blüte des Bösen nennen — une fleur du mal. Dein Homo Dei ist doch schließlich — oder nicht schließlich, ich bitte um Entschuldigung, aber vor allem einmal — ein Stück scheußlicher Natur mit einem nicht gerade freigebig zugemessenen Quantum potentieller Vergeistigung. Übrigens ist es amüsant zu sehen, wie sehr dein Humanismus, und wohl aller Humanismus, zum Mittelalterlich-Geozentrischen neigt, — mit Notwendigkeit offenbar. Populärerweise hält man den Humanismus für wissenschaftsfreundlich; aber er kann es nicht sein, denn man kann nicht die Gegenstände der Wissenschaft für Teufelswerk erachten, ohne auch in ihr selbst dergleichen zu sehen. Das ist Mittelalter. Das Mittelalter war geozentrisch und anthropozentrisch. Die Kirche, in der es überlebte, hat sich gegen die astronomischen Erkenntnisse im humanistischen Geist zur Wehr gesetzt, hat sie verteufelt und verboten zu Ehren des Menschen, hat auf Unwissenheit bestanden aus Humanität. Du siehst, dein Humanismus ist reines Mittelalter. Seine Sache ist eine Kaisers-ascherner Kirchturmskosmologie, die zur Astrologie, zur Beachtung des Planetenstandes, der Konstellation und ihrer glücklichen oder verderblichen Ansagen führt, — ganz natürlich und mit Recht; denn die intime Abhängigkeit der Körper einer so eng zusammengehörigen kosmischen Winkelgruppe wie unseres Sonnensystems voneinander, ihr innig-nachbarlicher gegenseitiger Bezug liegt ja auf der Hand.«

»Von astrologischer Konjunktur haben wir schon einmal gesprochen«, fiel ich ein. »Es ist lange her, wir gingen um die Kuhmulde spazieren, und es war ein musikalisches Gespräch. Damals hast du die Konstellation verteidigt.«

»Ich verteidige sie auch heute«, antwortete er. »Astrologische Zeiten wußten sehr viel. Sie wußten oder ahnten Dinge, auf die heute die ausgedehnteste Wissenschaft wieder verfällt. Daß Krankheiten, Seuchen, Epidemien mit dem Sternenstande zu tun haben, war jenen Zeiten eine intuitive Gewißheit. Heute ist man soweit, darüber zu debattieren, ob nicht Keime, Bakterien, Organismen, die, sagen wir, eine Influenza-Epidemie auf Erden erregen, von anderen Planeten, Mars, Jupiter oder Venus, stammen.«

Ansteckende Krankheiten, Seuchen wie die Pest, der Schwarze Tod, seien wahrscheinlich nicht von diesem Stern, zumal, da fast gewiß das Leben selbst und überhaupt seinen Ursprung nicht auf Erden habe, sondern von außen eingewandert sei. Er habe es aus bester Quelle, daß es von Nachbarsternen stamme, die in eine ihm ungleich günstigere, viel Methan und Ammoniak enthaltende Atmosphäre gehüllt seien, wie Jupiter, Mars und Venus. Von ihnen, oder von einem von ihnen, er überlasse mir die Wahl, sei das Leben einmal, getragen von kosmischen Wurfgeschossen, oder einfach durch Strahlendruck, auf unseren eher sterilen und unschuldigen Planeten gelangt. Mein humanistischer Homo Dei, diese Krone des Lebens, sei also mitsamt seiner Verpflichtung aufs Geistige mutmaßlich das Produkt der Sumpfgas-Fertilität eines Nachbargestirns . . .

»Die Blüte des Bösen«, wiederholte ich kopfnickend.

»Und blühend in Bosheit zumeist«, setzte er hinzu.

So neckte er mich, nicht nur mit meiner wohlwollenden Weltanschauung, sondern auch mit der während dieses Gespräches in grillenhafter Laune immer festgehaltenen Vortäuschung einer gewissen besonderen, persönlichen, direkten Informiertheit seinerseits über die Bewandtnisse von Himmel und Erde. Ich wußte nicht, hätte es mir aber sagen können, daß es mit alldem auf ein Werk hinauswollte, nämlich auf die kosmische Musik, mit der er sich damals, nach der Episode der neuen Lieder, trug. Es war die erstaunliche einsätzige Symphonie oder Orchester-Phantasie, die er während der letzten Monate des Jahres 1913 und der ersten von 1914 ausarbeitete, und die den Titel ›Die Wunder des Alls‹ erhielt, — sehr gegen meinen Wunsch und Vorschlag. Denn ich scheute die Frivolität jener Überschrift und riet zu dem Namen ›Symphonia cosmologica‹. Aber Adrian bestand lachend auf der anderen scheinpathetisch-ironischen Benennung, die den Wissenden allerdings besser auf den durch und durch skurrilen und grotesken, wenn auch oft auf eine streng-feierliche, mathematisch-zeremoniöse Weise grotesken Charakter dieser Schilderungen des Ungeheuerlichen vorbereitet. Mit dem Geist der ›Frühlingsfeyer‹, die doch auch wieder in gewissem Sinn die Vorbereitung dazu bildete, mit dem Geist demütiger Verherrlichung also, hat diese Musik nichts zu tun, und wenn nicht gewisse persönliche Merkmale der musikalischen Handschrift auf denselben Autor deuteten, sollte man kaum glauben, daß die gleiche Seele beides hervorgebracht. Wesen und Essenz jenes ungefähr dreißig Minuten dauernden orchestralen Welt-Portraits ist der Spott, — ein Spott, der meine im Gespräch behauptete Meinung, daß die Beschäftigung mit dem Maßlos-Außermenschlichen der Frömmigkeit keine Nahrung gebe, nur zu sehr bestätigt; eine luziferische Sardonik, ein travestierendes Schalkslob, das nicht nur dem fürchterlichen Uhrwerk des Weltenbaus, sondern auch dem Medium zu gelten scheint, in dem es sich malt, ja wiederholt: der Musik, dem Kosmos der Töne, und nicht wenig dazu beigetragen hat, dem Künst-

lertum meines Freundes den Vorwurf einer virtuos antikünstlerischen Gesinnung, der Lästerung, des nihilistischen Frevels zuzuziehen.
Doch hiervon genug. Die nächsten beiden Kapitel gedenke ich einigen gesellschaftlichen Erfahrungen zu widmen, die ich um jene Jahres- und Zeitenwende 1913—14, während des letzten Münchener Faschings vor Ausbruch des Krieges, mit Adrian Leverkühn teilte.

XXVIII

Daß der Mietgast der Schweigestills sich nicht ganz in seiner von Kaschperl-Suso bewachten klösterlichen Einsamkeit vergrub, sondern, wenn auch sporadisch und mit Zurückhaltung, einer gewissen städtischen Geselligkeit pflog, sagte ich schon. Lieb und beruhigend schien ihm allerdings dabei die stehende und allen bekannte Notwendigkeit seines frühzeitigen Aufbruchs, die Gebundenheit an den Elf-Uhr-Zug zu sein. Wir trafen bei den Roddes in der Rambergstraße zusammen, mit deren Kreise, den Knöterichs, Dr. Kranich, Zink und Spengler, Schwerdtfeger, dem Geiger und Pfeifer, ich denn also auf recht freundschaftlichen Fuß kam; ferner bei Schlaginhaufens, auch wohl bei Schildknapps Verleger Radbruch in der Fürstenstraße und in der eleganten Bel-Etage des Papierindustriellen Bullinger (übrigens rheinischer Herkunft), bei dem gleichfalls Rüdiger uns eingeführt hatte.
Bei Roddes sowohl wie im Schlaginhaufen'schen Säulen-Salon hörte man gern mein Viola d'amore-Spiel, das allerdings der gesellschaftliche Beitrag war, den ich, der schlichte und in der Konversation niemals sehr vive Gelehrte und Schulmann, vornehmlich zu bieten hatte. In der Rambergstraße waren es namentlich der asthmatische Dr. Kranich und Baptist Spengler, die mich dazu anhielten: der eine aus numismatisch-antiquarischem Interesse (er unterhielt sich gern mit mir in seiner wohlartikulierten und klar gesetzten Sprechweise über die geschichtlichen Formen der Violen-Familie), der andere aus allgemeiner Sympathie für das Unalltägliche, ja Ausgefallene. Doch hatte ich in jenem Hause Rücksicht zu nehmen auf Konrad Knöterichs Begier, sich schnaubend auf dem Cello vernehmen zu lassen, und auf die übrigens berechtigte Vorliebe des kleinen Publikums für Schwerdtfegers einnehmendes Violinspiel. Desto mehr schmeichelte es meiner Eitelkeit (ich leugne das gar nicht), daß die Nachfrage des viel weiteren und gehobeneren Kreises, den der Ehrgeiz der Frau Dr. Schlaginhaufen, geborene von Plausig, um sich und ihren schwäbelnden, dabei sehr schwerhörigen Gatten zu versammeln wußte, nach meiner doch immer nur als Liebhaberei gepflegten Produktion sehr lebhaft war und mich fast immer nötigte, mein

Instrument in die Brienner Straße mitzubringen, um die Gesellschaft mit einer Chaconne oder Sarabande aus dem siebzehnten Jahrhundert, einem ›Plaisir d'Amour‹ aus dem achtzehnten zu regalieren oder ihnen eine Sonate von Ariosti, dem Freunde Händels, oder eines der von Haydn für die Viola di Bordone geschriebenen, aber auf der Viola d'amore wohl spielbaren Stücke vorzuführen.

Nicht nur von Jeannette Scheurl pflegte die Anregung auszugehen, sondern auch von dem Generalintendanten, Exzellenz von Riedesel, dessen Gönnertum für das alte Instrument und die alte Musik nun freilich nicht, wie bei Kranich, gelehrt-antiquarischer Neigung entstammte, sondern rein konservativer Tendenz war. Das ist, versteht sich, ein großer Unterschied. Dieser Hofmann, ein ehemaliger Reiteroberst, der auf seinen gegenwärtigen Posten einzig und allein aus dem Grunde befohlen worden war, weil er dafür bekannt gewesen war, ein wenig Klavier zu spielen (wie viele Jahrhunderte scheint heute die Zeit zurückzuliegen, wo man Generalintendant wurde, weil man von Adel war und dabei etwas Klavier spielte!) — Baron Riedesel also sah in allem Alten und Historischen eine Trutzburg gegen das Neuzeitliche und Umstürzlerische, eine Art von feudaler Polemik dagegen, und unterstützte es in dieser Gesinnung, ohne in Wahrheit irgend etwas davon zu verstehen. Denn sowenig man das Neue und Junge verstehen kann, ohne in der Tradition zu Hause zu sein, so unecht und steril muß die Liebe zum Alten bleiben, wenn man sich dem Neuen verschließt, das mit geschichtlicher Notwendigkeit daraus hervorgegangen. So schätzte und protegierte Riedesel das Ballett, und zwar, weil es ›graziös‹ sei. Das Wort ›graziös‹ bedeutete ihm ein konservativ-polemisches Schibboleth gegen das Modern-Aufrührerische. Von der künstlerischen Traditionswelt des russisch-französischen Balletts, deren Repräsentanten etwa Tschaikowski, Ravel und Strawinski sind, hatte er gar keine Ahnung und war weit entfernt von Ideen, wie der zuletzt genannte russische Musiker sie später über das klassische Ballett äußerte: es sei, als Triumph maßvoller Planung über das schweifende Gefühl, der Ordnung über den Zufall, als Muster apollinisch bewußten Handelns, das Paradigma der Kunst. Was ihm vielmehr dabei vorschwebte, waren einfach Gazeröckchen, Spitzengetrippel und ›graziös‹ über den Kopf gebogene Arme — unter den Augen einer das ›Ideale‹ behauptenden, das Häßlich-Problematische verpönenden Hofgesellschaft in den Logen und eines gezügelten Bürgertums im Parterre.

Nun wurde freilich bei Schlaginhaufens viel Wagner produziert, da ja die dramatische Sopranistin Tanja Orlanda, eine gewaltige Frau, und der Heldentenor Harald Kjoejelund, ein schon dicker Mann mit Zwicker und erzener Stimme, dort häufig Gäste waren. Aber Wagners Werk, ohne das sein Hoftheater auch nicht hätte bestehen können, hatte Herr von Riedesel, laut und heftig wie es war, mehr oder weniger ins Bereich des Feudal->Graziösen< einbezogen und brachte ihm Achtung entgegen, um so bereitwilliger, als es schon Neueres, darüber Hinausgehendes gab, das man ablehnen und gegen das man Wagner konservativ ausspielen konnte. So kam es sogar vor, daß Seine Exzellenz die Sänger selbst am Flügel begleitete, was ihnen schmeichelte, obgleich seine pianistischen Künste dem Klavierauszug wenig gewachsen waren und ihnen mehr als einmal die Effekte gefährdeten. Ich hatte es gar nicht gern, wenn Kammersänger Kjoejelund Siegfrieds endlose und recht stumpfsinnige Schmiedelieder schmetterte, so daß die empfindlicheren Dekorationsstücke des Salons, Vasen und Kunstgläser in ein erregtes Mitschwingen und -schwirren gerieten. Aber ich gestehe, daß ich der Erschütterung durch eine heroische Frauenstimme, wie die der Orlanda es damals war, schwer widerstehe. Die Wucht der Person, die Macht des Organs, die Geübtheit der dramatischen Akzente geben uns die Illusion einer königlichen Frauenseele in hohem Affekt, und nach dem Vortrage etwa von Isoldens »Frau Minne kenntest du nicht?« bis zu ihrem ekstatischen: »Die Fackel, und wär's meines Lebens Licht, lachend sie zu löschen zag' ich nicht« (wobei die Sängerin das theatralische Tun durch eine energisch niederstoßende Bewegung ihres Armes markierte) hätte nicht viel gefehlt, daß ich, Tränen in den Augen, vor der mit Beifall überschütteten, triumphierend Lächelnden hingekniet wäre. Übrigens war es diesmal Adrian, der sich bereit gefunden hatte, sie zu begleiten, und auch er lächelte, als er sich vom Klaviersessel davonmachte und sein Blick meine bis zum Weinen erschütterte Miene streifte.

Es tut wohl, unter solchen Eindrücken selbst etwas zur künstlerischen Unterhaltung der Gesellschaft beitragen zu können, und so rührte es mich, wenn danach Exzellenz von Riedesel, sogleich unterstützt von der hochbeinig eleganten Hausfrau, mich in seiner zwar süddeutsch gefärbten, aber vom Offizierston geschärften Sprechweise ermutigte, das Andante und Menuett von Milandre (1770) zu wiederholen, das ich schon kürzlich einmal auf meinen sieben Saiten hier zum besten gegeben. Wie schwach ist der Mensch! Ich war ihm dankbar, ich vergaß völlig meinen Widerwillen gegen seine glatte und leere, ja vor unverwüstlicher Unverschämtheit gewissermaßen klare Aristokratenphysiognomie mit dem gezwirbelten blonden Schnurrbart vor den rasierten Rundbacken und der blitzenden Monokelscheibe im Auge unter der weißlichen Braue. Für Adrian, das wußte ich wohl, stand die Figur des Ritters sozusagen jenseits jeder Bewertung, jenseits von Haß und Verachtung, ja jenseits des Gelächters; sie war ihm kein Achselzucken wert, und so empfand eigentlich auch ich. In solchen Augenblicken aber, wenn er mich zu spendender Aktivität aufforderte, damit die Gesellschaft sich vom Ansturm des Arriviert-Revolutionären bei etwas ›Graziösem‹ erhole, konnte ich nicht umhin, ihm gut zu sein.

Sehr seltsam, teils peinlich und teils komisch war es nun aber, wenn von Riedesels Konservativismus auf einen anderen stieß, bei dem es sich nicht sowohl um ein ›Noch‹ als um ein ›Schon wieder‹ handelte, einen nach- und gegenrevolutionären Konservativismus, ein Frondieren gegen bürgerlich-liberale Wertsetzungen von der anderen Seite, nicht von vorher, sondern von nachher. Zu solcher für den alten und unkomplizierten Konservatismus sowohl ermutigenden wie auch verblüffenden Begegnung bot der Zeitgeist nachgerade Gelegenheit, und auch in dem ehrgeizigerweise so farbig wie möglich komponierten Salon der Frau Schlaginhaufen war Gelegenheit dazu geboten: nämlich durch die Person des Privatgelehrten Dr. Chaim Breisacher, eines hochgradig rassigen und geistig fortgeschrittenen, ja waghalsigen Typs von faszinierender Häßlichkeit, der hier, offenbar mit einem gewissen boshaften Vergnügen, die Rolle des fermentösen Fremdkörpers spielte. Die Hausfrau schätzte seine dialektische Redefertigkeit, die übrigens stark pfälzerisch getönt war, und seine Paradoxalität, die die Damen mit einer Art von prüdem Jubel die Hände über dem Kopf zusammenschlagen ließ. Ihn selbst angehend, so war es wohl Snobismus, der ihn sich in diesem Kreise gefallen ließ, nebst dem Bedürfnis, die elegante Einfalt mit Ideen in Erstaunen zu setzen, die am Literaten-Stammtisch wahrscheinlich weniger Sensation gemacht hätten. Ich mochte ihn nicht im mindesten, sah immer einen intellektuellen Quertreiber in ihm und hielt mich überzeugt, daß er auch Adrianen widerwärtig war, obgleich es aus mir nicht ganz klaren Gründen niemals zu einem näheren Austausch zwischen uns über Breisacher kam. Aber seine witternde Fühlung mit der geistigen Bewegung der Zeit, seine Nase für ihre neuesten Willensmeinungen habe ich nie geleugnet, und manches davon trat mir in seiner Person und seinem Salongespräch zuallererst entgegen.

Er war ein Polyhistor, der über alles und jedes zu reden wußte, ein Kulturphilosoph, dessen Gesinnung aber insofern *gegen* die Kultur gerichtet war, als er in ihrer ganzen Geschichte nichts als einen Verfallsprozeß zu sehen vorgab. Die verächtlichste Vokabel in seinem Munde war das Wort ›Fortschritt‹; er hatte eine vernichtende Art, es auszusprechen, und man fühlte wohl, daß er den konservativen Hohn, den er dem Fortschritt widmete, als den wahren Rechtsausweis für seinen Aufenthalt in dieser Gesellschaft, als Merkmal seiner Salonfähigkeit verstand. Es hatte Geist, aber keinen so recht sympathischen, wie er den Fortschritt der Malerei von der primitiv flächenhaften zur perspektivischen

Darstellung verhohnigelte. Die Ablehnung der perspektivischen Augentäuschung durch die vor-perspektivische Kunst für Unfähigkeit, für Hilflosigkeit, eben für linkischen Primitivismus zu halten und wohl gar mitleidig die Achseln darüber zu zucken, das war es, was er für einen Gipfel alberner neuzeitlicher Arroganz erklärte. Ablehnung, Verzicht, Geringschätzung seien nicht Unvermögen, Unbelehrtheit, kein Armutszeugnis. Als ob nicht die Illusion das allerniedrigste, dem Pöbel gerechteste Prinzip der Kunst, als ob es nicht einfach ein Zeichen noblen Geschmacks sei, nichts von ihr wissen zu wollen! Von gewissen Dingen nichts wissen zu wollen, diese Fähigkeit, der Weisheit sehr nahestehend oder vielmehr ein Teil von ihr, sei leider abhanden gekommen, und die ordinäre Naseweisheit heiße sich Fortschritt.

Irgendwie fühlte die Salonbesatzung der geborenen von Plausig sich von diesen Ansichten angeheimelt, und eher noch, glaube ich, hatte sie ein Gefühl dafür, daß Breisacher nicht ganz der Rechte war, sie zu vertreten, als dafür, daß sie nicht die rechten Leute sein möchten, ihnen zu applaudieren.

Ähnlich, sagte er, verhalte es sich mit dem Übergang der Musik von der Monodie zur Mehrstimmigkeit, zur Harmonie, den man so gern als einen kulturellen Fortschritt betrachte, wo er doch gerade eine Akquisition der Barbarei gewesen sei.

»Das heißt ... pardon ... der Barbarei?« krähte Herr von Riedesel, der wohl gewohnt war, in der Barbarei eine, wenn auch leicht kompromittierende, Form des Konservativen zu sehen.

»Allerdings, Exzellenz. Die Ursprünge der mehrstimmigen Musik, das heißt des Gesanges in Quinten- oder Quartenzusammenklängen, liegen weitab vom Zentrum der musikalischen Zivilisation, von Rom, wo die schöne Stimme und ihr Kultus zu Hause waren; sie liegen im rauhkehligen Norden und scheinen eine Art von Kompensierung der Rauhkehligkeit gewesen zu sein. Sie liegen in England und Frankreich, namentlich im wilden Britannien, das sogar zuerst die Terz in die Harmonie aufnahm. Die sogenannte Höherentwicklung, die Komplizierung, der Fortschritt sind also zuweilen die Leistung der Barbarei. Ich stelle anheim, ob man diese dafür loben soll ...«

Es war klar und deutlich, daß er die Exzellenz und die ganze Gesellschaft zum besten hatte, indem er sich zugleich konservativ bei ihnen anbiederte. Offenbar war ihm nicht wohl, solange noch irgend jemand wußte, was er denken sollte. Selbstverständlich wurde die polyphone Vokal-Musik, diese Erfindung fortschrittlicher Barbarei, zum Gegenstand seiner konservativen Protektion, sobald der geschichtliche Übergang von ihr zum harmonisch-akkordischen Prinzip und damit zur Instrumental-Musik der jüngsten beiden Jahrhunderte sich vollzog. Nun war *diese* der Verfall, nämlich der Verfall der großen und einzig wahren

Kunst des Kontrapunkts, des heilig kühlen Spieles der Zahlen, welches gottlob mit Gefühlsprostitution und frevelhafter Dynamik noch nichts zu tun gehabt habe; und in diesen Verfall gehöre der große Bach aus Eisenach, den Goethe ganz zu Recht einen Harmoniker genannt habe, schon mitten hinein. Man sei nicht der Erfinder des temperierten Klaviers, *also* der Möglichkeit, jeden Ton mehrdeutig zu verstehen und ihn enharmonisch zu verwechseln, *also* der neueren harmonischen Modulationsromantik, ohne den harten Namen zu verdienen, den der Bescheidwisser von Weimar ihm gegeben habe. Harmonische Kontrapunktik? Das gebe es nicht. Das sei nicht Fleisch und nicht Fisch. Die Erweichung, Verweichlichung und Verfälschung, die Umdeutung der alten und echten, als Ineinanderklingen verschiedener Stimmen empfundenen Polyphonie ins Harmonisch-Akkordische habe schon im sechzehnten Jahrhundert begonnen, und Leute wie Palestrina, die beiden Gabrieli und unser braver Orlando di Lasso hier auf dem Platz hätten bereits schimpflich daran teilgehabt. Diese Herrschaften brächten uns den Begriff der vokal-polyphonen Kunst ›menschlich‹ am nächsten, o ja, und erschienen uns darum als die größten Meister dieses Stils. Das komme aber einfach daher, daß sie sich großenteils schon in einer rein akkordischen Satzart gefielen und ihre Art, den polyphonen Stil zu traktieren, schon recht erbärmlich von der Rücksicht auf den harmonischen Zusammenklang, auf die Beziehung von Konsonanz und Dissonanz erweicht gewesen sei.

Während alles sich wunderte und erheiterte und sich auf die Knie schlug, suchte ich nach Adrians Augen bei diesen ärgerlichen Reden; doch gewährte er mir nicht seinen Blick. Was von Riedesel anging, so war er die Beute völliger Konfusion.

»Pardon«, sagte er, »erlauben Sie . . . Bach, Palestrina . . .«

Diese Namen besaßen für ihn den Nimbus konservativer Autorität, und nun wurden sie dem Bereich modernistischer Zersetzung überwiesen. Er sympathisierte — und war zugleich so unheimlich berührt, daß er sogar sein Monokel aus dem Auge nahm, wodurch sein Gesicht jedes Schimmers von Intelligenz beraubt war. Auch ging es ihm nicht besser, wenn Breisachers kulturkritisches Perorieren ins Alt-Testamentarische fiel, sich also seiner persönlichen Ursprungssphäre, dem jüdischen Stamm oder Volk und dessen Geistesgeschichte zuwandte und auch hier einen höchst equivoquen, ja hanebüchenen und dabei boshaften Konservativismus bewährte. Wenn man ihn hörte, setzten da Verfall, Verdummung und der Verlust jeder Fühlung mit dem Alten und Echten so frühzeitig und an so respektabler Stelle ein, wie niemand es sich hatte träumen lassen. Ich kann nur sagen: es war im ganzen wahnsinnig komisch. Für ihn waren solche jedem Christenkinde ehrwürdigen biblischen Personnagen wie die Könige David und

Salomo, sowie die Propheten mit ihrem Salbadern vom lieben Gott im Himmel, bereits die heruntergekommenen Repräsentanten einer verblasenen Spät-Theologie, die von der alt- und echten hebräischen Wirklichkeit des Volks-Elohim Jahwe keine Ahnung mehr hatte und in den Riten, mit denen man zur Zeit echten Volkstums diesem Nationalgott diente oder vielmehr ihn zu körperlicher Gegenwart zwang, nur noch »Rätsel der Urzeit« sah. Besonders auf den »weisen« Salomo war er scharf und sprang mit ihm um, daß die Herren durch die Zähne pfiffen und die Damen ein erstauntes Jauchzen hören ließen.

»Pardon!« sagte von Riedesel. »Ich bin, gelinge gesagt . . . König Salomo in seiner Herrlichkeit . . . Sollten Sie nicht . . .«

»Nein, Exzellenz, ich sollte nicht«, erwiderte Breisacher. »Der Mann war ein von erotischen Genüssen entnervter Ästhet und in religiöser Beziehung ein fortschrittlicher Dummkopf, typisch für die Rückbildung vom Kult des wirkend gegenwärtigen Nationalgottes, dieses Inbegriffs der metaphysischen Volkskraft, zur Predigt eines abstrakten und allgemeinmenschlichen Gottes im Himmel, von der Volksreligion also zur Allerweltsreligion. Des zum Beweise brauchen wir nur die skandalöse Rede nachzulesen, die er nach Fertigstellung des ersten Tempels hielt, und worin er fragte: ›Kann denn Gott bei den Menschen auf Erden wohnen?‹ — als ob nicht Israels ganze und alleinige Aufgabe darin bestünde, Gott eine Wohnung, ein Zelt zu schaffen und mit allen Mitteln für seine ständige Anwesenheit zu sorgen. Salomo aber entblödet sich nicht, zu deklamieren: ›Die Himmel fassen dich nicht, wieviel weniger dies Haus, das ich gebaut habe!‹ Das ist Geschwätz und der Anfang vom Ende, nämlich von der entarteten Gottesvorstellung der Psalmenpoeten, bei denen Gott bereits vollständig in den Himmel verbannt ist, und die beständig von Gott im Himmel singen, wo doch der Pentateuch den Himmel als Sitz der Gottheit gar nicht kennt. Dort geht der Elohim dem Volk in einer Feuersäule voran, dort will er im Volke wohnen, im Volke umhergehen und seinen *Schlachttisch* haben, — um das dünne und menschheitliche Spätwort ›Altar‹ zu vermeiden. Sollte man es für möglich halten, daß ein Psalmist Gott fragen läßt: ›Esse ich denn das Fleisch der Stiere, und trinke ich das Blut der Böcke?‹ So etwas Gott in den Mund zu legen, ist nun schon einfach unerhört, ein Schlag impertinenter Aufklärung ins Gesicht des Pentateuch, der das Opfer ausdrücklich als ›das Brot‹ also als die wirkliche Nahrung Jahwe's bezeichnet. Es ist nur ein Schritt von dieser Frage, aber auch schon von den Redensarten des weisen Salomo, bis zu Maimonides, dem angeblich größten Rabbiner des Mittelalters, einem Aristotelischen Assimilanten in Wahrheit, der es fertigbringt, die Opfer als eine Konzession Gottes an die heidnischen Instinkte des Volkes zu ›erklären‹, ha, ha! Gut, das Opfer von

Blut und Fett, das einst, gesalzen und mit Reizgerüchen gewürzt, den Gott speiste, ihm einen Körper machte, ihn zur Gegenwart anhielt, ist für den Psalmisten nur noch ein ›Symbol‹« (ich höre noch den Akzent unbeschreiblicher Verachtung, mit dem Dr. Breisacher dies Wort aussprach); »man schlachtet nicht mehr das Tier, sondern, es ist kaum zu glauben, Dank und Demut. ›Wer Dank schlachtet‹, heißt es nun, ›der ehrt mich.‹ Und ein ander Mal: ›Die Schlachtopfer Gottes sind ein reuiges Gemüt.‹ Kurzum, Volk und Blut und religiöse Wirklichkeit ist das längst nicht mehr, sondern humane Wassersuppe . . .«

Dies als Probe von Breisachers hoch-konservativen Expektorationen. Es war so amüsant wie widerwärtig. Er konnte sich nicht genug darin tun, den echten Ritus, den Kult des realen und keineswegs abstrakt universellen, darum auch nicht ›allmächtigen‹ und ›allgegenwärtigen‹ Volksgottes als eine magische Technik, eine körperlich nicht ungefährliche Manipulation des Dynamischen hinzustellen, bei der es leicht zu Unglücksfällen, katastrophalen Kurzschlüssen infolge von Fehlern und Mißgriffen kommen konnte. Die Söhne Aarons waren gestorben, weil sie »artfremdes Feuer« herangebracht hatten. Das war so ein technischer Unglücksfall, die kausale Folge eines Fehlers. Einer namens Usa hatte unbesonnen den Kasten, die sogenannte Bundeslade, angefaßt, als sie beim Transport vom Wagen zu gleiten drohte, und war sofort tot umgefallen. Das war ebenfalls so eine transzendental-dynamische Entladung, entstanden durch Fahrlässigkeit, und zwar durch die Fahrlässigkeit des allzuviel die Harfe spielenden Königs David, der nämlich auch schon nichts mehr verstand und nach Philisterart den Kasten auf einem Wagen befördern ließ, statt ihn nach der nur zu wohl begründeten Vorschrift des Pentateuch auf Tragstangen tragen zu lassen. David war eben bereits nicht weniger ursprungsfremd und verdummt, um nicht zu sagen: verroht gewesen wie Salomo. Von den dynamischen Gefahren einer Volkszählung etwa hatte er nichts mehr gewußt und durch die Veranstaltung einer solchen einen schweren biologischen Schlag, eine Epidemie, ein Sterben herbeigeführt, als voraussehbare Reaktion der metaphysischen Volkskräfte. Denn ein echtes Volk ertrug einfach nicht solche mechanisierende Registrierung, die numerierende Auflösung des dynamischen Ganzen in gleichartige Einzelne . . .

Es war Breisachern nur lieb, daß eine Dame einschaltete, sie habe gar nicht gewußt, daß eine Volkszählung eine solche Sünde sei.

»Sünde??« erwiderte er in übertriebenem Frageton. Nein, in der echten Religion eines echten Volkes kämen solche matt theologischen Begriffe wie ›Sünde‹ und ›Strafe‹ in ihrem bloß noch ethischen Kausalzusammenhang gar nicht vor. Um was es sich handle, sei die Kausalität von Fehler und Betriebsunfall. Religion und

Ethik hätten nur insofern etwas miteinander zu tun, als diese den Verfall der ersteren darstelle. Alles Moralische war ein ›rein geistiges‹ Mißverständnis des Rituellen. Gab es etwas Gottverlasseneres als das ›Rein Geistige‹? Den charakterlosen Weltreligionen sei es vorbehalten geblieben, aus dem ›Gebet‹, sit venia verbo, eine Bettelei, ein Gnadengesuch, ein ›Ach, du Herr‹ und ›Gott, erbarme dich‹, ein ›Hilf‹ und ›Gib‹ und ›Sei so gut‹ zu machen. Das sogenannte Gebet ...

»Pardon!« sagte von Riedesel, diesmal mit wirklichem Nachdruck. »Alles, was recht ist, aber das ›Helm ab zum Gebet‹ war mir immer ...«

»Das Gebet«, vollendete Dr. Breisacher unerbittlich, »ist die vulgarisierte und rationalistisch verwässerte Spätform von etwas sehr Energischem, Aktivem und Starkem: der magischen Beschwörung, des Gotteszwanges.«

Der Baron tat mir wahrhaftig leid. Seinen Kavalierskonservativismus übertrumpft zu sehen durch das fürchterlich gescheite Ausspielen das Atavistischen, durch einen Radikalismus der Bewahrung, der nichts Kavaliermäßiges mehr, sondern eher etwas Revolutionäres hatte und zersetzender anmutet als jeder Liberalismus, dabei aber eben doch, wie zum Hohn, einen löblich konservativen Appell besaß, mußte ihn in tiefster Seele verwirren, — ich stellte mir vor, daß es ihm eine schlaflose Nacht bereiten würde, wobei ich in meinem Mitgefühl aber vielleicht zu weit ging. Dabei war in Breisachers Reden durchaus nicht alles in Ordnung; man hätte ihm leicht widersprechen, ihn etwa darauf hinweisen können, daß die spirituelle Geringschätzung des Opfers nicht erst bei den Propheten, sondern im Pentateuch selbst zu finden ist, nämlich bei Moses, der das Opfer unumwunden für nebensächlich erklärt und alles Gewicht auf den Gehorsam gegen Gott, das Halten seiner Gebote, legt. Aber dem zarter empfindenden Menschen widersteht es, zu stören; es widersteht ihm, mit logischen oder historischen Gegenerinnerungen in eine erarbeitete Gedankenordnung einzubrechen, und noch im Anti-Geistigen ehrt und schont er das Geistige. Heute sieht man wohl, daß es der Fehler unserer Zivilisation war, diese Schonung und diesen Respekt allzu hochherzig geübt zu haben, — wo sie es doch auf der Gegenseite mit barer Frechheit und der entschlossensten Intoleranz zu tun hatte.

An alle diese Dinge dachte ich schon, als ich gleich am Beginn dieser Aufzeichnungen das Bekenntnis meiner Judenfreundlichkeit durch die Bemerkung einschränkte, daß mir auch recht ärgerliche Beispiele dieses Gebläts über den Weg gelaufen seien, und der Name des Privatgelehrten Breisacher mir verfrüht aus der Feder schlüpfte. Kann man es übrigens dem jüdischen Geist verargen, wenn seine hellhörige Empfänglichkeit für das Kommende, Neue sich auch in vertrackten Situationen bewährt, wo das Avantgardistische mit dem Reaktionären zusammenfällt? Jedenfalls habe ich die neue Welt der Anti-Humanität, von der meine Gutmütigkeit gar nichts wußte, damals bei Schlaginhaufens durch eben diesen Breisacher zuerst zu spüren bekommen.

XXIX

Der Münchener Fasching von 1914, diese lockeren und verbrüdernden Wochen der festheißen Backen zwischen Epiphanias und Aschermittwoch mit ihren mancherlei öffentlichen und privaten Veranstaltungen, an denen ich, der noch jugendliche Gymnasialprofessor von Freising, auf eigene Hand oder auch in Gesellschaft Adrians teilnahm, ist mir in lebhafter, ich sage besser: verhängnisschwerer Erinnerung geblieben. War es ja der letzte vor Eintritt des vierjährigen Krieges, der sich jetzt für unseren geschichtlichen Blick mit den Schrecken unserer Tage zu *einer* Epoche zusammenschließt: des sogenannten ersten Weltkrieges, der der ästhetischen Lebensunschuld der Isarstadt, ihrer dionysischen Behaglichkeit, wenn ich mich so ausdrücken darf, für immer ein Ende machte. War es ja doch auch die Zeit, in der gewisse individuelle Schicksalsentwicklungen in unserem Bekanntenkreis unter meinen Augen sich anspannen, die, von der weiteren Welt natürlich fast unbeachtet, zu Katastrophen führen sollten, von denen in diesen Blättern die Rede sein muß, weil sie sich zum Teil mit dem Leben und Schicksal meines Helden, Adrian Leverkühns, nahe berührten, ja, weil er in eine davon nach meinem tiefsten Wissen auf eine geheimnisvoll-tödliche Weise handelnd verwickelt war.

Damit ist nicht das Los Clarissa Rodde's gemeint, dieser stolzen und spöttischen, mit dem Makabren spielenden Hochblondine, die damals noch unter uns weilte, noch bei ihrer Mutter lebte und an den Karnevalsbelustigungen teilnahm, aber sich schon darauf vorbereitete, die Stadt zu verlassen, um ein Engagement als jugendliche Liebhaberin an einer Provinzbühne anzutreten, welches ihr Lehrer, der Hoftheater-Heldenvater, ihr verschafft hatte. Das sollte sich als ein Unglück erweisen, und ihr theatralischer Mentor, Seiler mit Namen, ein erfahrener Mann, ist von jeder Verantwortung dafür zu entlasten. Er hatte eines Tages der Senatorin Rodde einen Brief geschrieben, worin er erklärte, seine Schülerin sei zwar außerordentlich intelligent und von Enthusiasmus für das Theater erfüllt, aber ihr natürliches Talent reiche nicht aus, eine erfolgreiche Bühnenlaufbahn zu gewährleisten; es fehle ihr an der primitiven Grundlage alles dramatischen Künstlertums, an komödiantischem Instinkt, an dem, was man Theaterblut nenne, und er müsse gewissenhafterweise davon abraten, daß sie den eingeschlagenen Weg weiter verfolge. Das aber hatte zu einer Tränenkrise, einem Verzweiflungsausbruch auf seiten Clarissa's geführt, der der Mutter zu Herzen ging, und Hofschauspieler Seiler, der sich ja mit dem Briefe gedeckt hatte, war bestimmt worden, die Ausbildung zu beenden und durch seine Verbindungen dem jungen Mädchen zum Start in einer Anfängerstellung zu verhelfen.

Es sind nun schon zweiundzwanzig Jahre, seit sich das beklagenswerte Schicksal Clarissa's erfüllte, und in chronologischer Ordnung werde ich davon berichten. Hier habe ich dasjenige ihrer zarten und schmerzlichen, die Vergangenheit und das Leid kultivierenden Schwester Ines im Auge — nebst demjenigen des armen Rudi Schwerdtfeger, an welches ich mit Schrecken dachte, als ich soeben von der Involviertheit des einsamen Adrian Leverkühn in diese Vorgänge vorläufig zu sprechen nicht unterlassen konnte. Solche Antizipationen ist ja der Leser bei mir schon gewohnt, und er möge sie nicht als schriftstellerische Zügellosigkeit und Wirrköpfigkeit deuten. Es ist einfach so, daß ich gewisse Dinge, die ich dann und dann werde zu erzählen haben, mit Furcht und Sorge, ja mit Grauen von weitem ins Auge fasse, daß sie mir sehr drükkend vorstehen, und daß ich ihr Gewicht zu verteilen suche, indem ich sie schon vorzeitig anspielungsweise und freilich nur mir selbst verständlich zu Worte kommen — sie halb und halb bereits aus dem Sacke lasse. Damit meine ich mir ihre künftige Mitteilung zu erleichtern, ihnen den Stachel des Entsetzens zu nehmen, ihre Unheimlichkeit zu verdünnen. Soviel zur Entschuldigung einer ›fehlerhaften‹ Vortragstechnik und zum Verständnis meiner Nöte. — Daß Adrian den Anfängen der Entwicklungen, von denen hier die Rede ist, ganz ferne stand, ihnen kaum Augenmerk schenkte und nur durch mich, dem viel mehr gesellschaftliche Neugier, oder soll ich sagen: menschliche Teilnahme, eigen war als ihm, in gewissem Grade darauf hingelenkt wurde, brauche ich nicht erst zu sagen. Es handelt sich um folgendes.

Wie früher schon angedeutet, harmonierten beide Schwestern Rodde, Clarissa sowohl wie Ines, nicht sonderlich mit ihrer Mutter, der Senatorin, und gaben nicht selten zu erkennen, daß ihnen die zahme, leicht lüsterne Halb-Bohème ihres Salons, ihres entwurzelten, wenn auch mit Resten patrizischer Bürgerlichkeit möblierten Daseins auf die Nerven ging. Beide strebten in verschiedenen Richtungen aus dem hybriden Zustande fort: die stolze Clarissa hinaus in ein entschiedenes Künstlertum, zu dem es ihr doch, wie ihr Meister nach einiger Zeit hatte feststellen müssen, an der rechten Blutsberufung fehlte; die fein-melancholische und von Grund aus lebensängstliche Ines dagegen zurück in das Obdach, den seelischen Schutz gesicherten Bürgerstandes, wozu der Weg eine respektable, womöglich aus Liebe, sonst aber in Gottes

Namen auch ohne Liebe geschlossene Heirat war. Ines beschritt, natürlich mit der herzlich sentimentalen Zustimmung ihrer Mutter, diesen Weg — und scheiterte auf ihm ebenso wie ihre Schwester auf dem ihren. Es stellte sich tragisch heraus, daß weder ihr persönlich dies Ideal eigentlich zukam, noch die alles verändernde und unterwühlende Epoche seine Erfüllung länger gestattete.

Damals näherte sich ihr ein gewisser Dr. Helmut Institoris, Ästhetiker und Kunsthistoriker, Privatdozent an der Technischen Hochschule, wo er, Photographien im Hörsaal herumschickend, über die Theorie des Schönen und die Baukunst der Renaissance las, aber mit guten Aussichten, eines Tages auch an die Universität berufen und Professor, Ordinarius, Mitglied der Akademie etc. zu werden, besonders wenn er, der Junggeselle aus vermöglicher Würzburger Familie, Anwärter eines bedeutenden Erbteils, die Stattlichkeit seines Daseins durch die Gründung eines die Gesellschaft versammelnden Hausstandes erhöhte. Er ging auf Freiersfüßen und brauchte dabei nicht Sorge zu tragen um die finanziellen Verhältnisse des Mädchens seiner Wahl, — im Gegenteil, er gehörte wohl zu den Männern, die in der Ehe ganz allein das wirtschaftliche Heft in Händen zu haben und die Gattin ganz von sich abhängig zu wissen wünschen.

Von Stärkegefühl zeugt das nicht, und Institoris war in der Tat kein starker Mann, — was sich auch an der ästhetischen Bewunderung erkennen ließ, die er für alles Starke und rücksichtslos Blühende hegte. Er war ein blonder Langschädel, eher klein und recht elegant, mit glattem, gescheiteltem, etwas geöltem Haar. Den Mund überhing leicht ein blonder Schnurrbart, und hinter der goldenen Brille blickten die blauen Augen mit zartem, edlem Ausdruck, der es schwerverständlich — oder vielleicht eben gerade verständlich — machte, daß er die Brutalität verehrte, natürlich nur, wenn sie schön war. Er gehörte dem von jenen Jahrzehnten gezüchteten Typ an, der, wie Baptist Spengler es einmal treffend ausdrückte, »während ihm die Schwindsucht auf den Wangenknochen glüht, beständig schreit: Wie ist das Leben so stark und schön!«

Nun, Institoris schrie nicht, er sprach vielmehr leise und lispelnd, selbst wenn er die italienische Renaissance als eine Zeit verkündete, die »von Blut und Schönheit geraucht« habe. Und er war auch nicht schwindsüchtig, hatte höchstens, wie fast jedermann, in früher Jugend eine leichte Tuberkulose durchgemacht. Aber zart und nervös war er, litt am Sympathikus, dem Sonnengeflecht, von dem so viele Beängstigungen und verfrühte Todesgefühle ausgehen, und war Stammgast eines Sanatoriums für reiche Leute in Meran. Sicherlich versprach er sich — und versprachen seine Ärzte ihm — von dem Gleichmaß eines gepflegten Ehelebens auch eine Stärkung seiner Gesundheit.

Winter 1913-14 also näherte er sich unserer Ines Rodde auf eine Weise, die erraten ließ, daß es auf eine Verlobung hinauslaufen würde. Diese ließ zwar noch eine geraume Weile, bis in die erste Kriegszeit hinein, auf sich warten: Ängstlichkeit und Gewissenhaftigkeit auf beiden Seiten drangen wohl auf längere, sorgfältige Prüfung der Frage, ob man auch wirklich füreinander geboren sei. Aber eben diese Frage schien, wenn man das ›Pärchen‹, sei es im Salon der Senatorin, wo Institoris sich schicklich eingeführt hatte, oder auf öffentlichen Festen, oft in gesondertem Plauderwinkel, beieinander sah, zwischen ihnen, geradezu oder in halben Worten, erörtert zu werden, und der beobachtende Menschenfreund, der etwas wie eine Vor- und Probeverlobung schweben sah, fühlte sich unwillkürlich gehalten, an dieser Erörterung innerlich teilzunehmen.

Daß Helmut gerade auf Ines seine Augen geworfen, darüber mochte man sich wundern, um es am Ende doch ganz wohl zu verstehen. Ein Renaissance-Weib war sie nicht, — nichts weniger als das in ihrer seelischen Gebrechlichkeit, mit ihrem verhängten Blick voll distinguierter Trauer, ihrem schräg vorgeschobenen Hälschen und ihrem zu schwacher und prekärer Schelmerei gespitzten Mund. Aber mit seinem ästhetischen Ideal hätte dieser Freier ja auch gar nicht zu leben gewußt; seine männliche Überlegenheit wäre dabei völlig zu kurz gekommen, — man brauchte ihn sich nur an der Seite einer tönenden Vollnatur wie der Orlanda vorzustellen, um sich davon humoristisch zu überzeugen. Auch war Ines keineswegs ohne weiblichen Reiz; daß ein Umschau haltender Mann sich in ihr schweres Haar, ihre kleinen, Grübchen bildenden Hände, ihre vornehm auf sich haltende Jugend verliebt hatte, war sehr begreiflich. Sie mochte sein, was er brauchte. Ihre Umstände zogen ihn an: nämlich ihre patrizische Abkunft, die sie betonte, die aber durch ihren gegenwärtigen Zustand, ihre Verpflanztheit, eine gewisse Deklassiertheit leicht herabgesetzt war, so daß sie sein Übergewicht nicht bedrohte; vielmehr konnte er das Gefühl haben, sie zu heben, zu rehabilitieren, indem er sie zu der Seinen machte. Eine Mutter, die Witwe, halb verarmt und ein wenig vergnügungssüchtig war; eine Schwester, die zum Theater ging; ein mehr oder weniger zigeunerischer Umgangskreis, — das waren Verhältnisse, die ihm im Interesse seiner eigenen Würde nicht mißfielen, besonders, da er sich durch diese Verbindung auch wieder gesellschaftlich nichts vergab, seine Carrière nicht durch sie gefährdete und sicher sein konnte, daß Ines, von der Senatorin korrekt und gemütvoll mit einer Leinen-, vielleicht auch Silbermitgift ausgestattet, ihm eine tadellos repräsentierende Hausfrau sein werde.

So stellten sich mir die Dinge, von Dr. Institoris aus gesehen, dar. Versuchte ich, mit den Augen des Mädchens auf ihn zu blikken, so verlor die Sache an Stimmigkeit. Ich konnte dem durchaus kleinlichen und um sich selbst besorgten, zwar feinen und trefflich gebildeten, aber körperlich durchaus unherrlichen Mann (er hatte übrigens auch einen trippelnden Gang) mit dem Aufgebot meiner ganzen Phantasie keinen Appell für das andere Geschlecht zuschreiben, — während ich doch fühlte, daß Ines, bei aller verschlossenen Strenge ihrer Magdschaft, eines solchen Appells im Grunde bedurfte. Hinzu kam der Gegensatz zwischen den philosophischen Gesinnungen, der theoretischen Lebensstimmung der beiden, — der diametral und geradezu exemplarisch zu nennen war. Es war, auf die kürzeste Formel gebracht, der Gegensatz zwischen Ästhetik und Moral, der ja zu einem guten Teil die kulturelle Dialektik jener Epoche beherrschte und sich in diesen beiden jungen Leuten gewissermaßen personifizierte: der Widerstreit zwischen einer schulmäßigen Glorifizierung des ›Lebens‹ in seiner prangenden Unbedenklichkeit — und der pessimistischen Verehrung des Leidens mit seiner Tiefe und seinem Wissen. Man kann sagen, daß an seiner schöpferischen Quelle dieser Gegensatz eine persönliche Einheit gebildet hatte und erst in der Zeit streitbar auseinandergefallen war. Dr. Institoris war — man muß hinzufügen: Du lieber Gott! — mit Haut und Haar ein Renaissancemensch und Ines Rodde ganz ausgesprochen ein Kind des pessimistischen Moralismus. Für eine Welt, die »von Blut und Schönheit rauchte«, hatte sie nicht das geringste übrig, und was das ›Leben‹ betraf, so suchte sie ja gerade Schutz davor in einer streng bürgerlichen, vornehmen und wirtschaftlich wohlgepolsterten Ehe, die nach Möglichkeit jeden Stoß abhielt. Es war eine Ironie, daß der Mann — oder das Männchen —, der ihr diese Zuflucht bieten zu wollen schien, so sehr für schöne Ruchlosigkeit und italienische Giftmorde schwärmte.

Ich bezweifle, daß die beiden sich in weltanschaulichen Kontroversen ergingen, wenn sie allein waren. Sie sprachen dann wohl von näherliegenden Dingen und versuchten einfach, wie es sein würde, wenn sie sich verlobten. Die Philosophie war mehr ein Gegenstand höherer gesellschaftlicher Unterhaltung, und ich erinnere mich allerdings an mehrere Gelegenheiten, bei denen, in größerem Kreise, am Rast- und Weintisch in einer Ballsaal-Laube, ihre Gesinnungen konversationell aufeinanderstießen: wenn etwa Institoris behauptete, nur Menschen mit starken, brutalen Trieben könnten große Werke schaffen, und Ines dagegen protestierte, indem sie geltend machte, es seien oft höchst christliche, vom Gewissen gebeugte, vom Leiden verfeinerte und gegen das Leben düster gestimmte Verfassungen gewesen, aus denen in der Kunst das Große hervorgegangen sei. Mir schienen solche Antithesen müßig und zeitgebunden, der Wirklichkeit, nämlich dem selten geglückten und gewiß immer prekären Gleichgewicht von

Vitalität und Infirmität, das offenbar das Genie ausmacht, schienen sie mir gar nicht gerecht zu werden. Aber hier vertrat nun einmal der eine Part das, was er *war*, nämlich die Lebenskränklichkeit, und der andere das, was er *anbetete*, nämlich die Kraft, und so mußte man sie gewähren lassen.

Einmal, wie ich mich erinnere, als wir so beisammen saßen (auch Knöterichs, Zink und Spengler, Schildknapp und sein Verleger Radbruch waren von der Partie), entspann sich der freundschaftliche Streit gar nicht zwischen den Liebesleuten, wie man wohl anfangen konnte sie zu nennen, sondern, fast, komischerweise, zwischen Institoris und Rudi Schwerdtfeger, der, sehr nett als Jägerbursche gekleidet, eben einmal bei uns saß. Ich weiß wirklich nicht mehr genau, um was es sich handelte; jedenfalls war die Meinungsverschiedenheit aus einer ganz unschuldigen Bemerkung Schwerdtfegers hervorgegangen, bei der er sich wenig oder nichts gedacht hatte. Sie betraf das ›Verdienst‹, soviel weiß ich, ein Erkämpftes, Errungenes, durch Willensanstrengung und Selbstüberwindung Geleistetes, und Rudolf, der das Vorkommnis von Herzen gelobt und verdienstvoll genannt hatte, konnte gar nicht verstehen, was Institoris nur einfiel, daß er ihm das verwies und kein Verdienst anerkennen wollte, welches schwitzte. Vom Standpunkt der Schönheit, sagte er, sei nicht der Wille zu loben, sondern die Gabe und diese allein als verdienstlich anzusprechen. Die Anstrengung sei pöbelhaft, vornehm allein und darum allein auch verdienstvoll, was aus Instinkt, unwillkürlich und mit Leichtigkeit geschehe. Nun war der gute Rudi gar kein Held und Überwinder und hatte seiner Lebtag nie etwas getan, was ihm nicht leichtgefallen wäre, wie zum Beispiel, und hauptsächlich, sein ausgezeichnetes Violinspiel. Aber was der andere da sagte, ging ihm doch gegen das Gemüt, und obgleich er dunkel fühlte, daß es eine irgendwie ›höhere‹, ihm nicht zugängliche Bewandtnis damit habe, wollt' er es sich nicht bieten lassen. Mit entrüstet aufgeworfenen Lippen blickte er in Institoris' Gesicht, und seine blauen Augen bohrten sich abwechselnd in dessen rechtes und linkes.

»Nein, wie denn, das ist doch Unsinn«, sagte er eher leise und gedrückt, worin sich andeutete, daß er seiner Sache nicht so ganz sicher war. »Verdienst ist Verdienst, und Gabe ist eben keines. Du sprichst immer von Schönheit, Doktor, aber es ist doch sehr schön, wenn einer es über sich gewinnt und es besser macht, als ihm von Natur gegeben ist. Was sagst du, Ines?« wandte er sich hilfesuchend an diese, eine Anfrage, in der nun wieder völlige Naivität sich äußerte, denn er hatte keine Ahnung von der Grundsätzlichkeit, mit der Ines in solchen Dingen entgegengesetzter Meinung war als Helmut.

»Du hast recht«, antwortete sie, indem eine feine Röte ihr Gesicht überzog. »Jedenfalls gebe ich dir recht. Die Gabe ist belustigend, aber in dem Worte ›Verdienst‹ liegt eine Bewunderung, die ihr und überhaupt dem Instinktiven nicht zukommt.«

»Da hast du's!« rief Schwerdtfeger triumphierend, und Institoris lachte zurück:

»Allerdings. Du bist vor die rechte Schmiede gegangen.«

Nun war hier aber etwas Sonderbares, das wenigstens flüchtig zu empfinden wohl niemand umhinkonnte, und das sich auch in Ines' nicht gleich wieder verschwindendem Erröten bezeugte. Es lag ja durchaus in ihrer Linie, daß sie ihrem Freier in dieser und jeder ähnlichen Frage unrecht gab. Aber daß sie dem Knaben Rudolf recht gab, das lag nicht in ihrer Linie. Diesem war ja ganz unbekannt, daß es so etwas gäbe wie Immoralismus, und man kann nicht gut jemandem recht geben, der die Gegenthesis gar nicht versteht, — wenigstens nicht, bevor man sie ihm erklärt hat. In Ines' Urteilsspruch lag, obgleich er logisch ganz natürlich und gerechtfertigt war, dennoch etwas Befremdliches, und für mich wurde es unterstrichen durch das Auflachen, mit dem ihre Schwester Clarissa Schwerdtfegers unverdienten Sieg begleitete, — diese stolze Person mit zu kurzem Kinn, der es sicher nicht entging, wenn die Überlegenheit, aus Gründen, die nichts mit Überlegenheit zu tun haben, sich etwas vergab, und die ebenso gewiß der Meinung war, daß sie sich *nichts* damit vergab.

»Nun«, rief sie, »Rudolf, hopp! bedanken Sie sich, steh auf, Jüngling, und neige dich! Hole deiner Retterin ein Eis und engagier sie zum nächsten Walzer!«

So machte sie es immer. Sie hielt sehr stolz mit ihrer Schwester zusammen und sagte immer »Hopp!«, wenn es deren Würde galt. »Na, hopp!« sagte sie auch zu Institoris, dem Bewerber, wenn der sich in der Galanterie irgendwie langsam und begriffsstutzig erwies. Sie hielt überhaupt, aus Stolz, mit der Überlegenheit zusammen, sorgte für sie und zeigte sich höchlichst erstaunt, wenn ihr nicht gleich nach Gebühr geschah. »Wenn *der* von *dir* etwas will«, schien sie sagen zu wollen, »so hast du zu *springen.*« Ich erinnere mich wohl, wie sie zu Schwerdtfeger auch einmal »Hopp!« sagte um Adrians willen, der in Sachen eines Zapfenstößer-Konzerts irgendeinen Wunsch (ich glaube, es handelte sich um eine Karte für Jeannette Scheurl) geäußert hatte, gegen dessen Erfüllung Schwerdtfeger dies oder das einzuwenden hatte. »Ja, Rudolf! Hopp!« rief sie. »Um Gottes willen, was ist denn? Muß man Ihnen Beine machen?«

»Nein doch, das muß man gar nicht«, erwiderte er. »Ich bin doch gewiß . . . Nur . . .«

»Da gibt es kein ›Nur‹«, trumpfte sie von oben herab, halb humoristisch, halb ernstlich strafend. Und Adrian sowohl wie Schwerdtfeger lachten, — dieser, indem er seine bekannte Jungengrimasse mit dem Mundwinkel, der Schulter vollführte und alles zu ordnen versprach.

Es war, als ob Clarissa in Rudolf eine Art von Bewerber sah, der zu ›springen‹ hatte; und tatsächlich bemühte er sich ja beständig in der naivsten und zutraulich-unabschreckbarsten Weise um Adrians Gunst. Wegen des wirklichen Bewerbers, desjenigen, der um ihre Schwester warb, suchte sie mich öfters um meine Meinung auszuholen, — was übrigens in zarterer, scheuerer Weise, gleich wieder zurückzuckend gleichsam und so, als wollte sie hören und auch wieder nichts hören und wissen, Ines selber ebenfalls tat. Beide Schwestern hatten Vertrauen zu mir, das heißt: sie schienen mir den Wert beizulegen, der dazu befähigt und berechtigt, andere zu bewerten, wozu allerdings, das Vertrauen zu vollenden, auch noch ein gewisses Außerhalb-des-Spieles-Stehen, eine ungetrübte Neutralität gehört. Die Rolle des Vertrauten ist immer zugleich wohltuend und schmerzlich, denn man spielt sie ja immer nur unter der Voraussetzung, daß man selber nicht in Betracht kommt. Aber wieviel besser ist es doch, habe ich mir oft gesagt, der Welt Vertrauen einzuflößen, als ihre Leidenschaften zu erregen! Wieviel besser, ihr ›gut‹, als ihr ›schön‹ zu erscheinen!

Ein ›guter Mensch‹, das war in Ines Rodde's Augen wohl ein solcher, zu dem die Welt in einem rein moralischen, nicht in einem ästhetisch gereizten Verhältnis steht; daher ihr Vertrauen zu mir. Ich muß aber sagen, daß ich die Schwestern etwas ungleich bediente und meine Meinungsauskünfte über den Freier Institoris doch ein wenig nach der Person der Fragerin einrichtete. Im Gespräch mit Clarissa ging ich weit mehr aus mir heraus, äußerte mich über die Motive seiner zögernden (übrigens ja nicht einseitig zögernden) Wahl als Psychologe und scheute mich nicht, mich über den die »brutalen Instinkte« vergötternden Schwachmatikus mit ihrem Einverständnis ein wenig lustig zu machen. Anders, wenn Ines selbst mich befragte. Dann nahm ich Rücksicht auf Gefühle, die ich pro forma bei ihr voraussetzte, ohne doch eigentlich an sie zu glauben, Rücksicht also vielmehr auf die Vernunftgründe, aus denen sie aller Voraussicht nach den Mann heiraten würde, und sprach mit gehaltener Achtung von seinen soliden Eigenschaften, seinem Wissen, seiner menschlichen Sauberkeit, seinen vortrefflichen Aussichten. Meinen Worten hinlängliche Wärme zu geben, und auch wieder nicht zuviel davon, war eine heikle Aufgabe; denn gleich verantwortungsvoll schien es mir, das Mädchen in ihren Zweifeln zu bestärken und ihr das Obdach zu verleiden, nach dem es sie verlangte, wie sie zu überreden, daß sie sich, diesen Zweifeln entgegen, darunter begäbe; ja, dann und wann wollte mir, aus einem besonderen Grunde, das Zureden noch verantwortungsvoller erscheinen als das Abraten.

Sie hatte nämlich meistens bald genug davon, meine Meinung über Helmut Institoris zu hören, und ging weiter in ihrem Vertrauen, verallgemeinerte es gewissermaßen, indem sie mein Urteil auch über andere Personen unseres Kreises hören wollte, zum Beispiel über Zink und Spengler, oder, daß ich noch ein Beispiel nenne, über Schwerdtfeger. Wie ich über sein Geigenspiel dächte, wollte sie wissen, über seinen Charakter; ob und in welchem Grade ich ihn achtete, welche Tönung von Ernst oder Humor diese Achtung aufweise. Ich antwortete ihr nach bestem Ermessen, mit möglichster Gerechtigkeit, geradeso, wie ich auch in diesen Blättern hier über Rudolf gesprochen habe, und sie hörte mir aufmerksam zu, um dann meine freundlich bedingten Lobsprüche durch eigene Bemerkungen zu ergänzen, denen wieder ich nur zustimmen konnte, die mich aber zum Teil auch durch ihre Eindringlichkeit frappierten: eine leidende Eindringlichkeit, die ja bei dem Charakter des Mädchens, ihrem von Mißtrauen verhängten Blick auf das Leben nicht überraschen konnte, aber, angewandt auf diesen Gegenstand, doch etwas Befremdendes hatte.

Dabei war es am Ende kein Wunder, daß sie, die den anziehenden jungen Mann so viel länger kannte als ich und, wie ihre Schwester, in einer Art von brüderlichem Verhältnis zu ihm stand, näher auf ihn hingeblickt hatte als ich, und im Vertrauen Genaueres über ihn zu sagen wußte. Er sei ein Mensch ohne Laster, sagte sie (sie gebrauchte nicht das Wort, sondern irgendein schwächeres, aber es war klar, daß sie es meinte), ein reiner Mensch — daher seine Zutraulichkeit; denn Reinheit ist zutraulich. (Ein ergreifendes Wort in ihrem Munde, da sie selber ja keineswegs zutraulich war, wenn auch ausnahmsweise zu mir.) Er trinke nicht — immer nur leicht gezuckerten Tee ohne Rahm, diesen allerdings dreimal am Tage —, und rauche nicht — höchstens nur ganz gelegentlich und in völliger Unabhängigkeit von einem Gewohnheitszwange. Für all solche Mannesbetäubung (ich glaube mich zu erinnern, daß sie sich so ausdrückte), für jene Narkotika also trete bei ihm der Flirt ein, dem er allerdings ganz ergeben, und für den er geboren sei — nicht für Liebe und Freundschaft, die ihm beide seiner Natur nach und gleichsam unter den Händen zum Flirt würden. Ein leichter Vogel? Ja und nein. Gewiß nicht im Sinne platter Gewöhnlichkeit. Man brauche ihn nur etwa mit Fabrikant Bullinger zusammen zu sehen, der sich so Ungeheures auf seinen Reichtum zugute tue und spottweise zu trällern pflege:

Ein frohes Herz, gesundes Blut
ist besser als viel Geld und Gut —,

nur um die Leute noch neidischer auf sein Geld zu machen, — wenn man des Unterschiedes innewerden wollte. Aber seines

Wertes immer gewahr und sich desselben bewußt zu bleiben, erschwere Rudolf einem durch seine Nettigkeit, seine Koketterie, sein gesellschaftliches Stutzertum, überhaupt seine Lust am Gesellschaftlichen, das doch eigentlich etwas Fürchterliches sei. Ob ich nicht fände, fragte sie, daß dieses ganze aufgeräumte und schmuckhafte Künstlerwesen hier am Ort, das zierliche Biedermeierfest zum Beispiel im Cococello-Club, das wir neulich mitgemacht hätten, in einem quälenden Kontrast stände zu der Traurigkeit und Verdächtigkeit des Lebens. Ob ich es nicht auch kennte, das Grauen vor der geistigen Leere und Nichtigkeit, die bei einer durchschnittlichen ›Einladung‹ herrschten, in grellem Gegensatz zu der damit verbundenen, fieberhaften Erregung infolge des Weins, der Musik und des Unterstroms von Beziehungen zwischen den Menschen. Manchmal könne man mit Augen sehen, wie einer sich mit jemandem unter mechanischer Wahrung der gesellschaftlichen Formen unterhalte und dabei mit seinen Gedanken völlig abwesend sei, nämlich bei einer anderen Person, die er beobachte... Und dabei der Verfall des Schauplatzes, das fortschreitende Dérangement, das aufgelöste und unsaubere Bild eines Salons gegen Ende der ›Einladung‹. Sie gestehe, daß sie manchmal in ihrem Bett eine Stunde lang weine nach einer Gesellschaft...

So sprach sie noch weiter, äußerte mehr allgemeinen Kummer und Kritizismus und schien Rudolf vergessen zu haben. Als sie aber auf ihn zurückkam, hatte man wenig Zweifel, daß er ihr auch zwischendurch nicht aus dem Sinn gekommen war. Wenn sie von seinem gesellschaftlichen Stutzertum spreche, sagte sie, so meine sie etwas sehr Harmloses, worüber man lachen könne, das aber gelegentlich doch auch wieder melancholisch stimme. So komme er in Gesellschaft immer als letzter, aus dem Bedürfnis, auf sich warten zu lassen, immer die anderen auf sich. Dann trage er der Konkurrenz, der gesellschaftlichen Eifersucht Rechnung, indem er erzähle, daß er gestern da und da gewesen sei, bei Langewiesches, oder wie seine Freunde hießen; bei Rollwagens, wo die beiden rassigen Töchter seien. (»Wenn ich das Wort ›rassig‹ höre, wird mir schon angst und bange.«) Aber entschuldigend, beschwichtigend erwähne er das, in dem Sinne etwa: »Einmal mußte ich mich auch dort wieder sehen lassen«, — wobei man sicher sein könne, daß er bei jenen spreche wie hier, da er jedermann in die Illusion zu wiegen wünsche, er sei am liebsten mit ihm, — gerade als ob jeder das größte Gewicht darauf legen müßte. Aber seine Überzeugung, daß er jedem eine Herzensfreude damit bereite, habe etwas Ansteckendes. Er komme um fünf Uhr zum Tee und sage, daß er versprochen habe, zwischen halb sechs und sechs Uhr irgendwo anders zu sein, bei Langewiesches oder Rollwagens, was gar nicht wahr sei. Danach bleibe er bis halb sieben, zum Zeichen, daß er hier lieber sei, gefesselt sei, daß die anderen warten könnten — und sei so sicher dabei, daß einen das freuen müsse, daß man sich womöglich wirklich darüber freue.

Wir lachten, aber ich tat es mit Zurückhaltung, da ich Gram zwischen ihren Brauen sah. Dabei sprach sie, als hielte sie es für nötig — oder hielt sie es wirklich für nötig? —, mich vor Schwerdtfegers Liebenswürdigkeiten, das heißt davor zu warnen, ihnen allzuviel Gewicht beizulegen. Es habe nichts damit auf sich. Zufällig habe sie wohl einmal aus einiger Entfernung Wort für Wort mit angehört, wie er jemanden, von dem sie mit Sicherheit wisse, daß er ihm vollständig gleichgültig sei, aufgefordert habe, noch bei der Gesellschaft zu bleiben, — mit netten, zutraulichen Dialekt-Redensarten wie: »Gehn S', san S' fesch, bleiben S' da!« —, wodurch ihr solches Zureden von seiner Seite, wie es ihr auch wohl vorgekommen sei, und wie es mir vorkommen möge, auf immer entwertet worden sei.

Kurz, sie bekannte sich zu einem schmerzlichen Mißtrauen in seinen Ernst, seine Sympathiebezeugungen und Aufmerksamkeiten: wenn man etwa krank sei und er komme, nach einem zu sehen. Das geschehe alles, wie ich selbst noch erfahren würde, nur »in netter Weise« und weil er es für passend, für gesellschaftlich angezeigt halte, nicht aus tieferem Antrieb; man dürfe sich nur ja nichts daraus machen. Wirklicher Geschmacklosigkeiten müsse man sich auch von ihm versehen, zum Beispiel des greulichen Ausrufs: »Es sind schon so viele unglücklich!« Das habe sie mit eigenen Ohren von ihm gehört. Jemand habe ihn im Scherz gewarnt, ein Mädchen, oder vielleicht habe es sich auch um eine verheiratete Frau gehandelt, nicht unglücklich zu machen, und darauf habe er tatsächlich im Übermut geantwortet: »Ach, es sind schon so viele unglücklich!« Man habe da nur bei sich denken können: »Bewahre der Himmel einen jeden! Welche lächerliche Schmach, zu denen zu gehören!«

Übrigens wolle sie nicht zu hart sein, — was sie mit dem Worte ›Schmach‹ vielleicht gewesen sei. Ich möge sie nicht mißverstehen: an einem gewissen edleren Fond von Rudolfs Wesen sei nicht zu zweifeln. Zuweilen könne man ihn in Gesellschaft mit einer gedämpften Antwort, einem einzigen stillen und fremden Blick der lauten, gewöhnlichen Stimmung entreißen, ihn gewissermaßen dem ernsteren Geiste gewinnen. Oh, dem scheine er so manches Mal wirklich gewonnen, außerordentlich beeinflußbar, wie er ja sei. Langewiesches und Rollwagens, und wie sie hießen, seien dann nur noch Schatten und Schemen für ihn. Aber freilich, es genüge, daß er andere Luft geatmet habe, anderen Einflüssen ausgesetzt gewesen sei, damit vollständige Entfremdung, hoffnungslose Fernheit an die Stelle des Vertrauens, des Einander-Verstehens träten. Das fühle er dann, denn er sei ja feinfühlig und suche reuig, es gutzumachen. Es sei komisch-rührend, aber um sich wieder in Beziehung zu bringen, wiederhole er dann wohl irgendein mehr oder weniger gutes Wort, das man selbst einmal gesprochen, oder das Wort eines Buches, das man gelegentlich angeführt, — zum Zeichen, daß er es nicht vergessen habe und im Höheren zu Hause sei. Im Grunde sei es zum Tränen-Vergießen. Und schließlich sein Abschiednehmen für diesen Abend, — dabei zeigte sich auch wohl seine Bereitschaft zur Reue und Korrektur. Er komme und verabschiede sich mit Dialekt-Jökeleien, die einem die Miene verzögen, und auf die die Müdigkeit vielleicht etwas leidend reagiere. Nachdem er dann aber rundum den andern die Hand gegeben, kehre er noch einmal zurück und sage einfach und herzlich Adieu, worauf natürlich ein besser Erwidern sei. So habe er einen guten Abschluß, denn den müsse er haben. Auf den zwei Gesellschaften, die er danach noch besuche, mache er's wahrscheinlich wieder so . . .

Ist es genug? Dies ist kein Roman, bei dessen Komposition der Autor die Herzen seiner Personnagen dem Leser indirekt, durch szenische Darstellung erschließt. Als biographischer Erzähler steht es mir durchaus zu, die Dinge unmittelbar bei Namen zu nennen und einfach seelische Tatsachen zu konstatieren, welche auf die von mir darzustellende Lebenshandlung von Einfluß gewesen sind. Aber nach den eigentümlichen Äußerungen, die mein Gedächtnis mir soeben in die Feder diktiert, Äußerungen von einer, ich möchte sagen: spezifischen Intensität, kann über das mitzuteilende Faktum wohl kein Zweifel sein. Ines Rodde liebte den jungen Schwerdtfeger, und dabei fragte sich nur zweierlei: erstens, ob sie es wußte, und zweitens, wann, zu welchem Zeitpunkt, ihr ursprünglich geschwisterlich-kameradschaftliches Verhältnis zu dem Geiger diesen heißen und leidenden Charakter angenommen hatte.

Die erste Frage beantwortete ich mit ja. Ein so belesenes, man kann wohl sagen: psychologisch geschultes und ihr Erleben dichterisch überwachendes Mädchen wie sie hatte selbstverständlich Einsicht in die Entwicklung ihrer Gefühle, — so überraschend, ja unglaubwürdig ihr diese Entwicklung vielleicht anfangs erschienen war. Die scheinbare Naivität, mit der sie ihr Herz vor mir bloßstellte, bewies nichts gegen ihr Wissen; denn teils war, was aussah wie Einfalt, ein Ausdruck zwanghaften Mitteilungsdranges, teils war es eine Sache des Vertrauens zu mir, eines eigentümlich verkleideten Vertrauens: denn sie fingierte gewissermaßen, daß sie mich für simpel genug halte, nichts zu merken, was ja auch eine Art von Vertrauen gewesen wäre, wünschte und wußte aber eigentlich, daß mir die Wahrheit nicht entging, weil sie, zu meiner Ehre, ihr Geheimnis bei mir für gut aufgehoben erachtete. Das war es unbedingt. Meines humanen und diskreten Mitgefühls durfte sie sicher sein, so schwer es von Natur wegen einem Manne fällt, sich in Seele und Sinn einer Frau zu versetzen, die für ein Individuum seines Geschlechtes entbrannt ist. Selbstverständlich ist es für uns viel leichter, den Gefühlen eines Mannes für ein weibliches Wesen zu folgen – und sage dieses einem selbst auch gar nichts –, als sich in die Ergriffenheit des anderen Geschlechts durch eine Person des eigenen zu versetzen. Man ›versteht‹ das im Grunde nicht, man nimmt es nur gebildeterweise, in objektiver Achtung vor dem Naturgesetz hin – und zwar pflegt da das Verhalten des Mannes wohlwollend-duldsamer zu sein als das der Frau, welche meistens die Geschlechtsgenossin, von der sie erfährt, daß sie ein Männerherz in Flammen gesetzt, recht grünen Blicks zu betrachten pflegt, auch wenn dieses Herz ihr selber ganz gleichgültig ist.

An freundschaftlichem guten Willen zum Verständnis fehlte es mir also nicht, mochte mir das Verstehen im Sinne der Einfühlung auch durch die Natur verbaut sein. Mein Gott, der kleine Schwerdtfeger! Seine Gesichtsbildung hatte doch schließlich etwas Möpsliches, seine Stimme war gaumig, und mehr vom Jungen hatte er als vom Mann, – das schöne Blau seiner Augen, seinen richtigen Wuchs und sein einnehmendes Geigen und Pfeifen, nebst seiner allgemeinen Nettigkeit, bereitwillig zugegeben. Also denn, Ines Rodde liebte ihn, nicht blind, aber in desto tieferem Leide; und innerlich verhielt ich mich dazu wie ihre spöttische, gegen das andere Geschlecht durchaus hochnäsige Schwester Clarissa: Auch ich hätte »Hopp!« zu ihm sagen mögen, »Hopp, Mensch, was denken Sie sich? Springen Sie gefälligst!«

Nur war das mit dem Springen, auch wenn Rudolf die Verpflichtung dazu anerkannt hätte, nicht so einfach. Denn da war ja Helmut Institoris, der Bräutigam oder Bräutigam in spe, Institoris, der Bewerber, – und damit komme ich auf die Frage zurück, seit wann denn Inessens schwesterliche Beziehung zu Rudolf sich ins Leidenschaftliche gewandelt hatte. Mein menschliches Ahnungsvermögen sagte es mir: Es war damals geschehen, als Dr. Helmut sich ihr, der Mann dem Weibe, genähert und um sie zu werben begonnen hatte. Ich war überzeugt und bin es geblieben, daß Ines sich nie in Schwerdtfeger verliebt hätte ohne den Eintritt Institoris', des Freiers, in ihr Leben. Der warb um sie, aber er tat es gewissermaßen für einen anderen. Denn der mäßige Mann konnte zwar durch sein Werben und die damit verbundenen Gedankenreihen das Weib in ihr erwecken, – so weit reichte es. Aber nicht für sich konnte er es erwecken, obgleich sie ihm aus Vernunftgründen zu folgen bereit war, so weit reichte es nicht bei ihm. Sondern ihre erweckte Weiblichkeit wandte sich sofort einem anderen zu, für den ihr Bewußtsein solange nur gelassen-halbgeschwisterliche Gefühle gekannt hatte, und für den nun ganz andere in ihr frei wurden. Keine Rede davon, daß sie ihn für den Rechten, den Würdigen gehalten hätte. Sondern ihre Melancholie, die das Unglück suchte, fixierte sich auf ihn, den sie mit Widerwillen hatte sagen hören: »Es sind schon so viele unglücklich!«

Und sonderbar übrigens! Sie nahm von der Bewunderung des ungenügenden Bräutigams für das geistlos triebhafte ›Leben‹, die ihrer Gesinnung doch so entgegen war, etwas in ihre Verfallenheit an den anderen hinein, hinterging ihn gewissermaßen mit seiner eigenen Geistesrichtung. Denn stellte nicht Rudolf etwas dar wie das liebe Leben in den Augen ihrer wissenden Schwermut?

Gegen Institoris, einen bloßen Dozenten des Schönen, hatte er den Vorteil der Kunst selbst, dieser Nährerin der Leidenschaft und Verklärerin des Menschlichen, auf seiner Seite. Denn die Person des Geliebten wird natürlich dadurch erhöht, und die Gefühle für ihn ziehen begreiflicherweise immer neue Nahrung daraus, wenn mit dem Eindruck seiner Person fast stets berauschende Kunsteindrücke verbunden sind. Ines verachtete im Grunde den Schönheitsbetrieb der sinnenfrohen Stadt, in welche die mütterliche Neugier auf größere Sittenfreiheit sie verpflanzt hatte, aber sie nahm um ihres bürgerlichen Unterkommens willen an den Festen einer Gesellschaft teil, die ein einziger großer Kunstverein war, und gerade das war der Ruhe gefährlich, die sie suchte. Mein Gedächtnis bewahrt prägnante und ängstliche Bilder aus dieser Zeit. Ich sehe uns, die Roddes, die Knöterichs etwa dazu und mich selbst nach der besonders glänzenden Aufführung einer Tschaikowski-Symphonie im Zapfenstößer-Saal in einer der vordersten Reihen unter der Menge stehen und applaudieren. Der Dirigent hatte das Orchester zum Aufstehen veranlaßt, damit es, zusammen mit ihm, den Dank des Publikums für seine schöne Arbeit entgegennehme. Schwerdtfeger, nicht weit links vom Konzertmeister (dessen Platz er binnen kurzem einnehmen sollte), stand, sein Instrument im Arm, erhitzt und strahlend gegen den Saal gewandt und grüßte nickend, in nicht ganz zulässiger Intimität, persönlich zu uns herüber, während Ines, auf die einen Blick zu werfen ich mir nicht versagen konnte, mit schräg vorgeschobenem Kopf, den Mund in schwieriger Schalkheit gespitzt, ihre Augen hartnäckig auf einen anderen Punkt dort oben, auf den Kapellmeister, nein, irgendwohin weiter weg, auf die Harfen, gerichtet hielt. Oder: Ich sehe Rudolf selbst, enthusiasmiert von der Standard-Leistung eines gastierenden Kunstgenossen, im Vordergrund eines schon fast entleerten Saales stehen und eifrig zum Podium emporklatschen, wo jener Virtuos sich zum zehnten Mal verneigt. Zwei Schritte von ihm entfernt, zwischen den durcheinandergerückten Stühlen, steht Ines, die an diesem Abend sowenig wie wir anderen mit ihm in Berührung gekommen, sieht ihn an und wartet darauf, daß er's genug sein lasse, sich wende, sie bemerke und sie begrüße. Er läßt nicht ab und bemerkt sie nicht. Vielmehr aus dem Augenwinkel sieht er dennoch nach ihr, oder, wenn das zuviel gesagt ist: seine blauen Augen haben keinen ganz ungestörten Blick auf den Helden dort oben, sie werden, ohne daß sie wirklich in den Winkel gingen, leicht nach der Seite abgezogen, wo sie steht und wartet, aber ohne daß er sein begeistertes Tun unterbräche. Noch ein paar Sekunden, und sie wendet sich, bleich, Zornesfalten zwischen den Brauen, auf dem Fleck und eilt davon. Sogleich gibt er es auf, den Star noch einmal hervorzuklatschen, und folgt ihr. An der Tür holt er sie ein. Sie setzt eine Miene auf, die kalte Überraschung bekundet, darüber, daß er hier, daß er überhaupt auf der Welt ist, verweigert ihm Hand, Blick und Wort und eilt weiter.

Ich sehe ein, daß ich diese Quisquilien und Krümel-Abfälle meiner Beobachtung hier gar nicht hätte aufnehmen dürfen. Sie sind nicht buchgerecht, sie mögen in den Augen des Lesers etwas Läppisches haben, und er mag sie mir als lästige Zumutungen verargen. Er rechne es mir wenigstens an, daß ich hundert andere, ähnliche unterdrücke, die sich ebenfalls in meiner Wahrnehmung, derjenigen eines mitleidigen Menschenfreundes, gleichsam verfingen und dank dem Unglück, zu dem sie akkumulierten, schon gar nicht aus meiner Erinnerung zu lösen sind. Ich habe das Heranwachsen einer Katastrophe, die freilich im allgemeinen Weltgeschehen eine sehr unbeachtliche Rolle spielte, durch Jahre verfolgt und über mein Sehen und Sorgen nach allen Seiten hin reinen Mund gehalten. Einzig zu Adrian sprach ich gleich damals zu Anfang einmal in Pfeiffering davon – obgleich ich im ganzen wenig Neigung hatte, sogar stets eine gewisse Scheu trug, ihm, der in mönchischem Détachement von Liebesdingen lebte, über gesellschaftliche Vorkommnisse dieser Art zu sprechen. Ich tat es dennoch, erzählte ihm unterderhand, daß Ines Rodde, obgleich im Begriff, sich mit Institoris zu verloben, nach meiner Beobachtung heillos und sterblich in Rudi Schwerdtfeger verliebt sei.

Wir saßen in der Abtsstube und spielten Schach.

»Das sind Neuigkeiten!« sagte er. »Du willst wohl, daß ich meinen Zug verfehle und den Turm da verliere?«

Er lächelte, schüttelte den Kopf und setzte hinzu:

»Armes Gemüt!«

Dann, beim ferneren Überlegen des Zuges, mit einer Pause zwischen den Sätzen:

»Übrigens ist das kein Spaß für ihn. — Er soll zusehen, daß er heil aus der Sache davonkommt.«

XXX

Die ersten glühenden August-Tage 1914 fanden mich, überfüllte Züge wechselnd, in wimmelnden Bahnhofshallen wartend, deren Perrons mit Reihen liegengebliebener Bagage bedeckt waren, auf überstürzter Reise von Freising nach dem thüringischen Naumburg, wo ich als Vize-Wachtmeister der Reserve mich sogleich mit meinem Regiment zu vereinigen hatte.

Der Krieg war ausgebrochen. Das Verhängnis, das so lange über Europa gebrütet hatte, war los und raste, verkleidet als diszipliniertes ›Klappen‹ alles Vorgesehenen und Eingeübten, durch unsere Städte, tobte als Schrecken, Emporgerissensein, Pathos der Not, Schicksalsergriffenheit, Kraftgefühl und Opferbereitschaft in den Köpfen und Herzen der Menschen. Es mag wohl sein, ich glaube es gern, daß anderwärts, in feindlichen und sogar in verbündeten Ländern, dieser Kurzschluß des Schicksals vielmehr als Katastrophe und ›grand malheur‹ empfunden wurde, wie wir es im Felde so oft aus dem Munde französischer Frauen hörten, die freilich den Krieg im Lande, in ihren Stuben und Küchen hatten: »Ah, monsieur, la guerre, quel grand malheur!« In unserem Deutschland, das ist gar nicht zu leugnen, wirkte er ganz vorwiegend als Erhebung, historisches Hochgefühl, Aufbruchsfreude, Abwerfen des Alltags, Befreiung aus einer Welt-Stagnation, mit der es so nicht weiter hatte gehen können, als Zukunftsbegeisterung, Appell an Pflicht und Mannheit, kurz, als heroische Festivität. Meine Freisinger Primaner hatten rote Köpfe und strahlende Augen von alldem. Jugendliche Einsatz- und Abenteuerlust vereinigte sich da humoristisch mit den Vorteilen eines rasch lossprechenden Not-Abiturs. Sie stürmten die Werbe-Bureaus, und ich war froh, nicht den Ofenhocker vor ihnen spielen zu müssen.

Überhaupt will ich nicht leugnen, daß ich vollauf teilhatte an den volkstümlichen Hochgefühlen, die ich soeben zu kennzeichnen suchte, wenn auch das Rauschhafte daran meiner Natur fernlag und mich leise unheimlich berührte. Mein Gewissen — dies Wort hier in einem überpersönlichen Sinn gebraucht — war nicht ganz rein. Eine solche ›Mobilisierung‹ zum Kriege, wie grimmig-eisern und allerfassend-pflichthaft sie sich geben möge, hat immer etwas vom Anbruch wilder Ferien, vom Hinwerfen des eigentlich Pflichtgemäßen, von einem Hinter-die-Schule-Laufen, einem Durchgehen zügelunwilliger Triebe, — sie hat zuviel von alldem, als daß einem gesetzten Menschen, wie mir, ganz wohl dabei sein könnte; und moralische Zweifel, ob die Nation es bisher so gut gemacht, daß dieses blinde Hingerissensein von sich selbst ihr eigentlich erlaubt sei, verbinden sich mit solchen persönlichen Temperamentswiderständen. Hier tritt aber das Moment der Opfer-, der Todesbereitschaft ein, das über vieles hinweghilft und sozusagen ein letztes Wort ist, gegen welches sich nichts mehr sagen läßt. Wird der Krieg, mit mehr oder weniger Klarheit, als eine allgemeine Heimsuchung empfunden, in welcher der einzelne, so auch das einzelne Volk, seinen Mann zu stehen und mit seinem Blute Sühne zu leisten bereit ist für die Schwächen und Sünden der Epoche, in die die eigenen eingeschlossen sind; stellt er sich dem Gefühl als ein Opfergang dar, durch den der alte Adam abgestreift und in Einigkeit ein neues, höheres Leben errungen werden soll, so ist die alltägliche Moral überboten und verstummt vor dem Außerordentlichen. Auch will ich nicht vergessen, daß wir damals vergleichsweise reinen Herzens zum Kriege aufbrachen und nicht meinten, es vorher zu Hause so getrieben zu haben, daß eine blutige Welt-Katastrophe als die logisch-unvermeidliche Konsequenz unserer inneren Aufführung hätte betrachtet werden müssen. So war es, Gott sei's geklagt, vor fünf Jahren, aber nicht vor dreißig. Recht und Gesetz, das Habeas corpus, Freiheit und Menschenwürde hatten im Lande in leidlichen Ehren gestanden. Zwar waren die Fuchteleien jenes im Grunde völlig unsoldatischen und für nichts weniger als für den Krieg geschaffenen Tänzers und Komödianten auf dem Kaiserthron dem Gebildeten peinlich — und seine Stellung zur Kultur die eines zurückgebliebenen Dummkopfes gewesen. Aber sein Einfluß auf diese hatte sich in leeren Maßregelungsgesten erschöpft. Die Kultur war frei gewesen, sie hatte auf ansehnlicher Höhe gestanden, und war sie von langer Hand an ihre völlige Bezugslosigkeit zur Staatsmacht gewöhnt, so mochten ihre jugendlichen Träger gerade in einem großen Volkskrieg, wie er nun ausbrach, das Mittel sehen zum Durchbruch in eine Lebensform, in der Staat und Kultur eines sein würden. Hier waltete nun freilich, wie immer bei uns, eine eigentümliche Selbstbefangenheit, ein völlig naiver Egoismus, dem es nicht darauf ankommt, ja, der es für ganz selbstverständlich ansieht, daß für die deutschen Werde-Prozesse (und wir werden ja immer) eine ganze, schon fertigere und keineswegs auf Katastrophendynamik versessene Welt mit uns ihr Blut zu vergießen hat. Man nimmt uns das übel, und nicht ganz mit Unrecht; denn moralisch betrachtet sollte das Mittel eines Volkes, zu einer höheren Form seines Gemeinschaftslebens durchzubrechen — wenn es denn blutig dabei zugehen soll —, nicht der Krieg nach außen, sondern der Bürgerkrieg sein. Dieser jedoch widerstrebt uns außerordentlich, während wir uns nichts daraus machten, es im Gegenteil prächtig fanden, daß unsere nationale Einigung — noch dazu eine partielle, eine Kompromiß-Einigung — drei schwere Kriege gekostet hatte. Eine Großmacht waren wir nun allzu lange schon; der Zustand war gewohnt und beglückte nicht nach Erwartung. Das Gefühl, daß er uns nicht gewinnender gemacht, daß er unser Verhältnis zur Welt eher verschlechtert als verbessert hatte, saß, eingestanden oder nicht, tief in den Gemütern. Fällig erschien ein neuer Durchbruch: derjenige zur dominierenden Weltmacht, — der freilich auf dem Wege moralischer Heimarbeit nicht zu bewirken war. Krieg also, und wenn es sein mußte, gegen alle, um alle zu überzeugen und zu gewinnen, das war's, was das ›Schicksal‹ (wie ›deutsch‹ dies Wort, ein vor-christlicher Urlaut, ein tragisch-mythologisch-musikdramatisches Motiv!) beschlossen hatte, und wozu wir begeistert (ganz allein begeistert) aufbrachen — erfüllt von der Gewißheit, daß Deutschlands säkulare Stunde geschlagen habe; daß die Geschichte ihre Hand über uns halte; daß nach Spanien, Frankreich, England wir an der Reihe seien, der Welt unseren Stempel aufzudrücken und sie zu führen; daß das zwanzigste Jahrhundert uns gehöre und nach Ablauf der vor einigen hundertzwanzig Jahren inaugurierten bürgerlichen Epoche die Welt im Zeichen des Deutschen, im Zeichen eines nicht ganz zu Ende definierten militaristischen Sozialismus also, sich zu erneuern habe.

Diese Vorstellung, um nicht zu sagen: Idee, beherrschte die Köpfe in einträchtigem Beieinander mit der, daß wir zum Kriege gezwungen seien, daß die heilige Not uns zu den allerdings wohl vorbereiteten und eingeübten Waffen rief, von deren Vortrefflichkeit immer die geheime Versuchung ausgegangen sein mochte, davon Gebrauch zu machen, — zusammen also mit der Furcht, von allen Seiten überflutet zu werden, wovor uns nur unsere ungeheure Kraft, das heißt: die Fähigkeit schützte, den Krieg sofort in anderer Leute Land zu tragen. Angriff und Verteidigung waren dasselbe in unserem Fall: sie bildeten zusammen das Pathos der Heimsuchung, die Berufung, der großen Stunde, der heiligen Not. Mochten die Völkerschaften dort draußen uns für Rechts- und Friedensstörer, für unerträgliche Lebensfeinde halten, — wir hatten die Mittel, die Welt auf den Kopf zu schlagen, bis sie anderer Meinung über uns wurde und uns nicht nur bewunderte, sondern auch liebte.

Glaube doch niemand, daß ich mich lustig mache! Es ist kein Anlaß dazu, vor allem nicht, weil ich in keiner Weise prätendieren kann, mich von der allgemeinen Ergriffenheit ausgeschlossen zu haben. Ich teilte sie redlich, mochte auch die natürliche Gesetztheit des Gelehrten mich von jeder Hurra-Lautheit abhalten, ja, mochten sogar leise kritische Bedenken sich unterschwellig rühren und ein leichtes Unbehagen darüber, zu denken und zu fühlen, was alle dachten und fühlten, mich augenblicksweise anwandeln. Es hat unsereiner ja seine Zweifel, ob jedermanns Gedanken die richtigen sind. Und doch ist es für das höhere Individuum auch wieder ein großer Genuß, einmal — und wo hätte dies Einmal zu finden sein sollen, wenn nicht hier und jetzt — mit Haut und Haar im Allgemeinen unterzugehen.

Zwei Tage hielt ich mich in München auf, um mich da und dort zu verabschieden und Einzelheiten an meiner Equipierung zu ergänzen. Die Stadt gor in ernstem Fest, auch in Anfällen von Panik und Angstwut, wenn etwa das wilde Gerücht aufsprang, die Wasserleitung sei vergiftet, oder wenn man einen serbischen Spion in der Menge glaubte entdeckt zu haben. Um nicht für einen solchen gehalten und irrtümlich erschlagen zu werden, hatte Dr. Breisacher, den ich auf der Ludwigstraße traf, seine Brust mit zahlreichen schwarz-weiß-roten Kokarden und Fähnchen besteckt. Der Kriegszustand, der Übergang der höchsten Gewalt vom Zivil auf das Militär, auf einen Proklamationen erlassenden General, wurde mit vertraulichem Gruseln empfunden. Es war beruhigend, zu wissen, daß die Mitglieder des Königshauses, die als Feldherren in ihre Hauptquartiere reisten, tüchtige Stabschefs zur Seite haben würden und keinen erlauchten Schaden anrichten konnten. Heitere Popularität begleitete sie also. Ich sah Regimenter, Blumensträußchen an den Gewehrläufen, aus den Kasernentoren marschieren, begleitet von Frauen, die Schnupftücher unter die Nase hielten, unter den Zurufen eines rasch zusammengelaufenen Zivil-Publikums, dem die zu Helden beförderten Bauernburschen dumm-stolz und verschämt zulächelten. Einen blutjungen Offizier sah ich in feldmarschmäßiger Ausrüstung auf der rückwärtigen Plattform eines Trambahnwagens stehen, das Gesicht nach hinten gewandt, und, offenbar mit dem Gedanken an sein junges Leben beschäftigt, vor sich hin und in sich hineinstarren, — worauf er sich kurz zusammennahm und mit eiligem Lächeln um sich blickte, ob jemand ihn beobachtet habe.

Wiederum war ich froh, mich in der gleichen Lage zu wissen wie er und nicht im Rücken derer sitzenzubleiben, die das Land deckten. Im Grunde war ich, wenigstens vorderhand, der einzige aus unserem Bekanntenkreise, der hinausging: waren wir ja stark und volkreich genug, um es uns leisten zu können, wählerisch zu sein, auf kulturelle Interessen Rücksicht zu nehmen, viel Unabkömmlichkeit zuzugestehen und nur das vollkommen Taugliche an Jugend und Männlichkeit nach vorn zu werfen. Fast bei allen den Unseren stellte sich irgendein gesundheitlicher Schaden heraus, von dem man kaum etwas gewußt hatte, der aber nun ihren Dispens bewirkte. Der Sugambier Knöterich war leicht tuberkulös. Kunstmaler Zink litt an keuchhustenartigen Asthma-Anfällen, zu deren Erledigung er sich von der Gesellschaft zurückzuziehen pflegte, und sein Freund Baptist Spengler kränkelte, wie bekannt, abwechselnd an allen Orten. Fabrikant Bullinger, noch jung an Jahren, schien als Industrieller zu Hause unentbehrlich; und ein zu wichtiges Element im künstlerischen Leben der Hauptstadt bildete das Zapfenstößer-Orchester, als daß nicht seine Mitglieder, also auch Rudi Schwerdtfeger, vom Kriegsdienst sollten

ausgenommen gewesen sein. Übrigens wurde bei dieser Gelegenheit mit flüchtigem Erstaunen zur Kenntnis genommen, daß
Rudi in früheren Tagen sich einer Operation hatte unterziehen
müssen, die ihn eine seiner Nieren gekostet hatte. Er lebte, wie
man plötzlich hörte, mit nur einer — ganz auskömmlich, wie es
schien, und die Frauen hatten es bald vergessen.
Ich könnte so fortfahren und manchen Fall von Unlust, Protektion, rücksichtsvoller Aussparung nennen, die in den Kreisen vor-
kamen, welche bei Schlaginhaufens und bei den Scheurl'schen
Damen am Botanischen Garten verkehrten, — Kreisen, in denen
es nicht an grundsätzlicher Abneigung gegen diesen Krieg, wie
schon gegen den vorigen, fehlte: an Rheinbund-Erinnerungen,
Franzosenfreundlichkeit, katholischer Aversion gegen Preußen
und dergleichen Stimmungen. Jeannette Scheurl war tief unglücklich und den Tränen nahe. Das brutale Auflodern des An-
tagonismus zwischen den beiden Nationen, denen sie angehörte,
Frankreich und Deutschland, die einander nach ihrer Meinung
ergänzen sollten, statt zu raufen, machte sie ganz verzweifelt.
»J'en ai assez jusqu'à la fin de mes jours!« stieß sie zornig
schluchzend hervor. Trotz meiner abweichenden Gefühle versagte ich ihr nicht eine gebildete Teilnahme.
Um Adrian Lebewohl zu sagen, dessen persönliche Unberührtheit
von dem Ganzen mir die selbstverständlichste Sache von der
Welt war, fuhr ich nach Pfeiffering hinaus, wo der Haussohn,
Gereon, sogleich mit mehreren Pferden nach seinem Gestellungs-
ort hatte aufbrechen müssen. Ich fand dort Rüdiger Schildknapp
vor, der, vorläufig noch frei, das Weekend bei unserem Freunde
verbrachte. Er hatte bei der Marine gedient und wurde später
noch eingezogen, aber nach einigen Monaten wieder entlassen.
Und ging es mir denn viel anders? Ich sage gleich, daß ich nur ein
knappes Jahr, bis zu den Argonnen-Kämpfen 1915, im Felde
blieb und dann mit dem Kreuze heimtransportiert wurde, das ich
mir nur durch das Ertragen von Unbequemlichkeiten und die At-
trappierung einer Typhus-Infektion verdient hatte.
Soviel im voraus. Rüdigers Beurteilung des Krieges war durch
sein bewunderungsvolles Verhältnis zu England bestimmt, wie
diejenige Jeannettens durch ihr französisch Blut. Die britische
Kriegserklärung war ihm entscheidend in die Glieder gefahren
und stimmte ihn außerordentlich grämlich. Nie hätte man sie
nach seiner Meinung durch den vertragswidrigen Einmarsch in
Belgien herausfordern dürfen. Frankreich und Rußland — gut,
man mochte es allenfalls mit ihnen aufnehmen. Aber England! Es
war ein furchtbarer Leichtsinn. So sah er es denn auch, einem ver-
ärgerten Realismus zugeneigt, im Kriege nichts als Dreck, Gestank, Amputationsgreuel, Sexual-Lizenzen und Verlausung und
höhnte weidlich über den ideologischen Feuilletonismus, der den

Unfug zur großen Zeit verklärte. Adrian wehrte ihm nicht, und ich, wiewohl teilnehmend an tieferer Rührung, räumte doch willig ein, daß in seinen Äußerungen ein Teil Wahrheit zu Worte kam.

Zu dritt aßen wir im großen Nike-Zimmer zu Abend, und durch Clementine Schweigestills Ab- und Zugehen, die uns freundlich bediente, ließ ich mich bestimmen, Adrian nach dem Ergehen seiner Schwester Ursula in Langensalza zu fragen. Ihre Ehe war die glücklichste, und gesundheitlich hatte sie sich recht wohl von einer Lungenschwäche, einem leichten Spitzenkatarrh erholt, den sie sich durch drei rasch aufeinanderfolgende Kindbetten, 1911, 1912 und 1913, zugezogen hatte. Es waren die Schneidewein'schen Sprossen Rosa, Ezechiel und Raimund, die damals das Licht der Welt erblickt hatten. Bis zum Erscheinen des zauberhaften Nepomuk waren, als wir an jenem Abend beisammen saßen noch neun Jahre.

Viel war während der Mahlzeit und nachher in der Abtsstube von den politischen und moralischen Dingen die Rede, von dem mythischen Hervortreten der National-Charaktere, das sich in solchen geschichtlichen Augenblicken ereigne, und von dem ich mit einer gewissen Ergriffenheit sprach, um der drastisch-empirischen Anschauungsweise des Krieges, die Schildknapp für die einzig gebotene hielt, ein wenig die Waage zu halten; von der Charakterrolle Deutschlands also, der Versündigung an Belgien, die so sehr an Friedrichs des Großen Gewalttat gegen das formell neutrale Sachsen erinnerte, von dem gellenden Geschrei der Welt darüber, der Rede unseres philosophischen Reichskanzlers mit ihrem sinnenden Schuldbekenntnis, ihrem volkstümlich-unübersetzbaren »Not kennt kein Gebot«, ihrer vor Gott vertretenen Geringschätzung eines alten Rechtspapiers angesichts gegenwärtigen Lebensdranges. Es lag an Rüdiger, daß wir darüber ins Lachen kamen; denn er nahm meine einigermaßen gerührte Darstellung wohl an, zog aber all diese gemütvolle Brutalität, würdige Zerknirschung und biedere Bereitschaft zur Untat durch die Parodie des langen Denkers, der einen längst festgelegten strategischen Plan mit moralischer Poesie umkleidete, ins unwiderstehlich Komische, — noch mehr ins Komische als das fassungslose Tugend-Gebrüll einer Welt, der dieser trockene Feldzugsplan doch längst bekannt gewesen war; und da ich sah, daß dies unserem Gastgeber am liebsten war, daß er dankbar war, lachen zu können, so stimmte ich gern in die Heiterkeit ein, nicht ohne anzumerken, daß Tragödie und Komödie auf demselben Holze wüchsen und ein Beleuchtungswechsel genüge, aus dem einen das andre zu machen.

Überhaupt ließ ich mir Sinn und Gefühl für Deutschlands Notdrang, seine moralische Vereinsamung und öffentliche Ächtung, die, so schien mir, nur Ausdruck der allgemeinen Angst vor seiner Kraft und seinem Vorsprung in der Kriegsbereitschaft war (wobei ich zugab, daß diese, die Kraft und der Vorsprung, nun wieder uns zum derben Trost in unserer Verfemtheit gereichten) — überhaupt, sage ich, ließ ich mir meine patriotische Ergriffenheit, die so viel schwieriger zu vertreten war als die der andern, nicht verkümmern durch die Humorisierung des Charakteristischen und verlieh ihr, im Zimmer auf und ab gehend, Worte, während Schildknapp im tiefen Stuhl seine Shag-Pfeife rauchte und Adrian, wie es sich traf, vor seinem altdeutschen Arbeitstisch mit der vertieften Mittelplatte und dem aufgesetzten Schreib- und Lesepult stand. Denn merkwürdigerweise schrieb er ja auch, etwa wie der Holbein'sche Erasmus es tut, auf schräger Fläche. Auf dem Tische lagen ein paar Bücher: ein Bändchen Kleist, worin das Lesezeichen bei dem Aufsatz über die Marionetten eingelegt war, ferner die unvermeidlichen Sonette Shakespeare's und noch ein Band mit Stücken dieses Dichters, — ›Was ihr wollt‹ war darin, ›Viel Lärm um nichts‹ und, wenn ich nicht irre, auch ›Die beiden Veroneser‹. Auf dem Pult aber lag seine gegenwärtige Arbeit — lose Blätter waren es, Entwürfe, Anfänge, Notierungen, Skizzen in unterschiedlichem Fortgeschrittenheitszustande: oft war nur die oberste Zeile der Gegenstimme oder der Holzbläser ausgefüllt und ganz unten der Gang der Bässe, dazwischen aber noch weiße Leere; anderwärts waren der harmonische Zusammenhang und die instrumentale Gruppierung durch die Notierung auch der übrigen Orchesterstimmen schon deutlich gemacht, und, die Zigarette zwischen den Lippen, war er davorgetreten, um hineinzusehen, genau wie ein Schachspieler den Stand einer Partie auf dem quadrierten Felde mustert, an welchen ja die Musik-Komposition so sehr erinnert. Unser Zusammensein war so unbekümmert, daß er, als wäre er allein, sogar einen Stift nahm, um irgendwo eine Klarinetten- oder Hornfigur nach Gutdünken einzutragen.

Wir wußten nicht viel Genaues über das, was ihn beschäftigte, jetzt, wo jene kosmische Musik bei Schotts Söhnen in Mainz unter denselben Bedingungen wie vordem die Brentano-Gesänge im Druck erschienen war. Es handelte sich um eine Suite dramatischer Grotesken, deren Gegenstände er, so hörten wir, dem alten Geschichten- und Schnurrenbuch ›Gesta-Romanorum‹ entnahm, und mit denen er Versuche anstellte, ohne noch recht zu wissen, ob etwas daraus werden und ob er daran festhalten werde. Jedenfalls war die Verkörperung nicht Menschen, sondern Gliederpuppen zugedacht. (Daher der Kleist!) — Was die ›Wunder des Alls‹ betraf, so hatte dem feierlich-übermütigen Werk eine ausländische Aufführung bevorgestanden, die nun durch den Kriegsausbruch ins Wasser gefallen war. Wir hatten bei Tische davon

gesprochen. Die Lübecker Darbietungen von ›Verlorene Liebesmüh‹, erfolglos wie sie gewesen, nebst dem bloßen In-der-Welt-
Sein der Brentano-Lieder, hatten doch unter der Hand ihre Wirkung getan und begonnen, dem Namen Adrians in inneren Cirkeln der Kunst einen gewissen esoterischen Klang, wenn auch
tentativen Charakters, zu verschaffen, — auch dies kaum schon in
Deutschland und schon gar nicht in München, aber an anderer,
sensiblerer Stelle. Er hatte vor einigen Wochen einen Brief des
Herrn Monteux, Direktors des Russischen Balletts in Paris, ehemaligen Mitglieds des Orchesters Colonne, erhalten, worin dieser
dem Experiment freundliche Dirigent die Absicht kundgetan
hatte, die ›Wunder des Alls‹ zusammen mit einigen Orchester-
Stücken aus ›Love's Labour's Lost‹ in rein konzertmäßiger Aufführung darzubieten. Er hatte das Théâtre des Champs-Elysées
für die Veranstaltung in Aussicht genommen und Adrian eingeladen, dazu nach Paris zu kommen, auch wohl seine Werke selbst
einzustudieren und vorzuführen. Wir hatten unseren Freund
nicht gefragt, ob er unter Umständen der Einladung gefolgt
wäre. Jedenfalls hatten die Umstände sich nun so gestaltet, daß
von der Sache nicht weiter die Rede war.

Noch sehe ich mich über den Teppich und die Dielen des getäfel-
ten alten Zimmers mit seinem weitschweifigen Kronleuchter, dem
beschlagenen Wandschränkchen, den flachen Lederkissen auf der
Eckbank und der tiefen Fensternische herumwandeln und über
Deutschland perorieren, — mehr für mich selbst und allenfalls
für Schildknapp als für Adrian, von dem ich kein Achtgeben erwartete. Gewohnt zu lehren und zu reden, bin ich, einige Erwärmung meines Gemütes vorausgesetzt, kein schlechter Sprecher;
ich höre mich sogar nicht ungern und habe eine gewisse Freude
daran, wie das Wort sich mir zu Gebote hält. Nicht ohne lebhafte
Gestikulation stellte ich es Rüdigern anheim, meine Worte dem
Kriegsfeuilletonismus zuzurechnen, an dem er sich so ärgerte;
aber ein wenig psychologische Anteilnahme an der — rührender
Züge keineswegs entbehrenden — Charaktergestalt, als welche
die historische Stunde das sonst multiforme deutsche Wesen habe
erstehen lassen, müsse nach meiner Meinung als natürlich erlaubt sein, und in letzter Analyse sei es die Psychologie des
Durchbruchs, um die es sich dabei handle.

»Bei einem Volk von der Art des unsrigen«, trug ich vor, »ist
das Seelische immer das Primäre und eigentlich Motivierende;
die politische Aktion ist zweiter Ordnung, Reflex, Ausdruck,
Instrument. Was mit dem Durchbruch zur Weltmacht, zu dem
das Schicksal uns beruft, im tiefsten gemeint ist, das ist der
Durchbruch zur Welt — aus einer Einsamkeit, deren wir uns
leidend bewußt sind, und die durch keine robuste Verflechtung
ins Welt-Wirtschaftliche seit der Reichsgründung hat gesprengt

werden können. Das Bittere ist, daß die empirische Erscheinung des Kriegszuges annimmt, was in Wahrheit Sehnsucht ist, Durst nach Vereinigung . . .«

»Gott segne Eure studia!« hörte ich hier Adrian mit halber Stimme und kurzem Auflachen sagen. Er hatte nicht von seinen Notenblättern dabei aufgeblickt.

Ich blieb stehen und sah ihn an, ohne daß er sich darum gekümmert hätte.

»Wozu«, erwiderte ich, »nach deiner Meinung denn wohl zu ergänzen ist: ›Aus Euch wird nichts, halleluja‹?«

»Besser vielleicht: ›Daraus wird nichts‹«, gab er zurück. »Verzeih, ich verfiel ins Studentische, weil deine oratio mich so sehr an unsere Schlafstroh-Dispute von anno dazumal erinnerte, — wie hießen die Burschen? Ich merke, daß mir die alten Namen anfangen abhanden zu kommen.« (Er war neunundzwanzig, wie er da saß.) — »Deutschmeyer? Dungersleben?«

»Du meinst den stämmigen Deutschlin«, sagte ich, »und einen, der Dungersheim hieß. Ein Hubmeyer und ein von Teutleben waren auch dabei. Namen haben sich dir nie sehr eingeprägt. Es waren gute, bemühte Jungen.«

»Und ob! Was denkst du, jemand hörte auf ›Schappeler‹, und dann war da ein gewisser Sozial-Arzt. Was sagst du nun? Du warst ja eigentlich keiner von ihnen, der Fakultät nach. Aber heut glaube ich sie zu hören, wenn ich dich höre. Schlafstroh — womit ich nur sagen will: einmal Student, immer Student. Das Akademische erhält jung und kregel.«

»Du warst von ihrer Fakultät«, sagte ich, »und im Grunde mehr Hospitant als ich. Selbstverständlich, Adri. Ich war nur ein Student, und du magst wohl recht damit haben, daß ich's geblieben bin. Desto besser aber, wenn das Akademische jung erhält, das heißt: die Treue konserviert zum Geiste, zum freien Gedanken, zur höheren Interpretation des kruden Geschehens . . .«

»Ist hier von Treue die Rede?« fragte er. »Ich habe verstanden, daß Kaisersaschern Weltstadt werden möchte. Das ist nicht sehr treu.«

»Geh, geh«, rief ich ihm zu, »du hast nichts dergleichen verstanden und versteht sehr wohl, was ich meinte mit dem deutschen Durchbruch zur Welt.«

»Es hülfe wenig«, antwortete er, »wenn ich's verstände, denn vorderhand wenigstens wird das krude Geschehen unsere Ab- und Eingesperrtheit erst recht vollkommen machen, und wenn ihr Kriegsvolk noch so weit vorschwärmt ins Europäische. Du siehst ja: ich kann nicht nach Paris gehen. Ihr geht statt meiner. Auch gut! Unter uns gesagt: Ich wäre ohnedies nicht gegangen. Ihr helft mir aus einer Verlegenheit . . .«

»Der Krieg wird kurz sein«, sagte ich mit gepreßter Stimme, da seine Worte mich schmerzlich berührt hatten. »Er kann gar nicht lange dauern. Wir zahlen für den raschen Durchbruch mit einer Schuld, einer eingestandenen, die wir gutmachen zu wollen erklären. Wir müssen sie auf uns nehmen . . .«

»Und werdet sie mit Würde zu tragen wissen«, fiel er ein. »Deutschland hat breite Schultern. Und wer leugnet denn, daß so ein rechter Durchbruch das schon wert ist, was die zahme Welt ein Verbrechen nennt! Ich hoffe, du nimmst nicht an, daß ich gering denke von der Idee, mit der es dir im Schlafstroh zu operieren gefällt. Es gibt im Grunde nur *ein* Problem in der Welt, und es hat diesen Namen: Wie bricht man durch? Wie kommt man ins Freie? Wie sprengt man die Puppe und wird zum Schmetterling? Die Gesamtsituation ist beherrscht von der Frage. Hier wird *auch*«, sagte er und zupfte an dem roten Einlegebändchen in den Schriften Kleists auf dem Tische, »vom Durchbruch gehandelt, nämlich in dem vortrefflichen Aufsatz über die Marionetten, und er wird darin geradezu ›das letzte Kapitel von der Geschichte der Welt‹ genannt. Dabei ist nur von Ästhetischem die Rede, von der Anmut, der freien Grazie, die eigentlich dem Gliedermann und dem Gotte, das heißt dem Unbewußtsein oder einem unendlichen Bewußtsein vorbehalten ist, während jede zwischen Null und Unendlichkeit liegende Reflexion die Grazie tötet. Das Bewußtsein müsse, meint dieser Schriftsteller, durch ein Unendliches gegangen sein, damit die Grazie sich wiedereinfinde, und Adam müsse ein zweites Mal vom Baum der Erkenntnis essen, um in den Stand der Unschuld zurückzufallen.«

»Wie freue ich mich«, rief ich, »daß du das eben gelesen hast! Es ist herrlich gedacht, und du tust ganz recht, es in die Idee des Durchbruchs einzubeziehen. Sage aber nicht: ›Nur vom Ästhetischen handelt es‹, sage nicht: ›Nur‹! Man tut sehr unrecht, im Ästhetischen einen engen und gesonderten Teilbezirk des Humanen zu sehen. Es ist viel mehr als das, es ist im Grunde alles in seiner gewinnenden oder befremdenden Wirkung, wie denn ja auch bei dem Dichter da das Wort ›Grazie‹ den allerweitesten Sinn hat. Ästhetische Erlöstheit oder Unerlöstheit, das ist das Schicksal, das entscheidet über Glück oder Unglück, über das gesellige Zuhausesein auf Erden oder heillose, wenn auch stolze Vereinsamung, und man muß nicht Philolog sein, um zu wissen, daß das Häßliche das Verhaßte ist. Durchbruchsbegierde aus der Gebundenheit und Versiegelung im Häßlichen, — sage mir immerhin, daß ich Schlafstroh dresche, aber ich fühle, habe immer gefühlt und will es gegen viel derben Augenschein vertreten, daß dies deutsch ist kat exochen, tief deutsch, die Definition des Deutschtums geradezu, eines Seelentums, bedroht von Versponnenheit, Einsamkeitsgift, provinzlerischer Eckensteherei, neurotischer Verstrickung, stillem Satanismus . . .«

Ich brach ab. Er sah mich an, und ich glaube, die Farbe war aus seinen Wangen gewichen. Der Blick, den er auf mich richtete, war *der* Blick, der bewußte, der mich unglücklich machte, beinahe gleichviel, ob ich es war oder ein anderer, dem er zustieß: stumm, verschleiert, kalt distanziert bis zum Kränkenden, und es folgte das Lächeln darauf, bei verschlossenem Mund und spöttisch zuckenden Nasenflügeln, — und das Sichabwenden. Er ging weg vom Tisch, nicht gegen Schildknapps Platz, sondern zur Fensternische, an deren getäfelter Wand er ein Heiligenbild geradehängte. Rüdiger sagte dies oder das: Bei meiner Gesinnung, sagte er, sei ich zu beglückwünschen, daß ich gleich ins Feld rücken könnte, und zwar zu Pferde. Man sollte, sagte er, ins Feld nur zu Pferde rücken oder sonst lieber gar nicht. Und er klopfte dem imaginären Gaul den Hals. Wir lachten, und unser Abschied, als ich zur Bahn mußte, war leicht und heiter. Gut, daß er nicht sentimental war; es hätte sich als wenig angebracht erwiesen. Adrians Blick aber nahm ich mit in den Krieg, — vielleicht war er es, und nur scheinbar der Läuse-Typhus, der mich so bald wieder nach Hause, an seine Seite brachte.

XXXI

»Ihr geht statt meiner«, hatte Adrian gesagt. Und wir kamen nicht hin! Soll ich gestehen, daß ich, ganz in der Stille und außerhalb des historischen Gesichtswinkels, eine tiefe, intim-persönliche Scham darüber empfand? Durch Wochen hatten wir kurz angebundene, das Triumphale in kalte Selbstverständlichkeit kleidende, affektiert lapidare Siegesnachrichten nach Hause gesandt. Lüttich war längst gefallen; wir hatten die Schlacht in Lothringen gewonnen, waren dem lang gehegten Meisterplan gemäß mit fünf Armeen über die Maas geschwenkt, hatten Brüssel, Namur genommen, die Siege von Charleroi und Longwy erfochten, eine zweite Schlachtserie bei Sedan, Rethel, Saint-Quentin gewonnen und Reims besetzt. Der Vormarsch, der uns dahinriß, war beflügelt und, wie wir es uns erträumt hatten, von der Gunst des Kriegsgottes, dem Ja des Schicksals wie auf Fittichen getragen. Den Aspekt der Mordbrennerei mit Festigkeit zu ertragen, der von ihm unzertrennlich war, lag unserer Männlichkeit ob, es war die Hauptanforderung an unseren Heldenmut. Mit bemerkenswerter Leichtigkeit und Deutlichkeit rufe ich mir noch heute das Bild eines hageren gallischen Weibes zurück, auf einer Anhöhe stehend, die unsere Batterie umfuhr, und an deren Fuß die Reste eines zerschossenen Dorfes qualmten. »Ich bin die Letzte!« rief sie mit tragischer Gebärde, wie sie einer deutschen Frau nicht gegeben worden wäre, uns zu. »Je suis la dernière!« Und mit erhobenen Fäusten den Fluch über unsere Köpfe hinausschleudernd, wiederholte sie dreimal: »Méchants! Méchants! Méchants!«

Wir sahen woanders hin; wir mußten siegen, und dies war das harte Handwerk des Sieges. Daß ich mich elend fühlte auf meinem Braunen, von bösem Husten und Gliederreißen geplagt infolge nassen Nächtigens unter der Zeltbahn, gereichte mir zu einer gewissen Beruhigung.

Noch viele Dörfer zerschossen wir, getragen auf Fittichen. Dann kam das Unverständliche, scheinbar Unsinnige: der Rückzugsbefehl. Wie hätten wir ihn begreifen sollen? Wir gehörten zur Heeresgruppe Hausen, die südlich von Châlons-sur-Marne in vollem Vordringen auf Paris begriffen war, so gut wie anderen Ortes die des von Kluck. Wir waren des ungewahr, daß irgendwo nach fünftägiger Schlacht der Franzose den rechten Flügel von Bülows eingedrückt hatte, — Grund genug für die ängstliche Gewissenhaftigkeit eines Oberbefehlshabers, der von Onkels wegen an seinen Platz erhoben worden war, das Ganze zurückzunehmen. Wir passierten dieselben Dörfer wieder, die wir qualmend im Rücken gelassen hatten, auch den Hügel, auf dem das tragische Weib gestanden. Sie war nicht mehr da.

Die Fittiche hatten getrogen. Es hatte nicht sein sollen. Der Krieg war nicht in raschem Ansturm zu gewinnen gewesen, — sowenig wie die zu Hause verstanden wir, was das bedeutete. Wir verstanden nicht den frenetischen Jubel der Welt über den Ausgang der Marneschlacht, und daß damit aus dem kurzen Krieg, an den unser Heil gebunden gewesen, ein langer geworden war, den wir nicht ertrugen. Unsere Niederlage war nur noch eine Frage der Zeit und der Kosten für die anderen, — wir hätten können die Waffen niederlegen und unsere Führer zu sofortigem Frieden zwingen, wenn wir's begriffen hätten; aber auch von ihnen ließ wohl nur einer oder der andere sich's heimlich beikommen. Hatten sie doch kaum die Tatsache bei sich verwirklicht, daß die Zeit der lokalisierbaren Kriege vorüber war und daß jeder Feldmarsch, zu dem wir uns genötigt fanden, zum Weltbrand werden mußte. In einem solchen nun waren die Vorteile der inneren Linie, der Kampffrömmigkeit, der Hoch-Bereitschaft und eines fest gegründeten, autoritätsstarken Staates auf unserer Seite und machten die Chance blitzhaft raschen Obsiegens aus. War diese verfehlt — und es stand geschrieben, daß sie verfehlt werden mußte —, so war es, was wir in Jahren auch noch vollbringen mochten, im Prinzip und im voraus um unsere Sache geschehen, — diesmal, das nächte Mal, immer.

Wir wußten es nicht. Langsam wurde die Wahrheit in uns hineingequält, und der Krieg, ein verrottender, verfallender, verelendender, wenn auch immer von Zeit zu Zeit in trügerischen, die Hoffnung fristenden Halbsiegen aufleuchtender Krieg, — dieser Krieg, von dem auch ich gesagt hatte, daß er nur kurz sein *dürfe*, dauerte vier Jahre. Soll ich an das Versacken und Versagen, die Abnutzung unserer Kräfte und Sachgüter, das Schäbig- und Lückenhaftwerden des Lebens, die Verarmung der Nahrung, den Verfall der Moral durch Mangel, die Neigung zum Diebstahl, dabei die plumpe Prasserei reichgewordenen Pöbels, hier ausführlich erinnern? Man dürfte mich tadeln, weil ich damit auf unbeherrschte Weise über die Grenzen meiner Aufgabe, deren Bestimmung intim-biographisch ist, hinausschweifen würde. Ich erlebte das Angedeutete, von seinen Anfängen bis zum bitteren Ende, im Hinterlande, als ein Beurlaubter und endlich Ausgemusterter, der seinem Lehramt zu Freising zurückgegeben war. Denn vor Arras, während der zweiten Kampfperiode um den festen Platz, die von Anfang Mai bis tief in den Juli 1915 dauerte, war offenbar der Entlausungsdienst unzureichend gewesen: die Infektion brachte mich für Wochen in die Isolationsbaracke, dann für einen weiteren Monat in ein Erholungsheim für lädierte Krieger im Taunus, und endlich widersetzte ich mich nicht der Auffassung, daß ich meine vaterländische Pflicht erfüllt hätte und besser täte, an meinem alten Ort der Aufrechterhaltung des Bildungswesens zu dienen.

So tat ich und durfte Gatte und Vater auch wieder sein in dem mäßigen Heim, dessen Wände und übervertraute Gegenstände, möglicherweise der Vernichtung durch Bombenschlag anheimgegeben, auch heute noch den Rahmen meiner zurückgezogenen und entleerten Existenz bilden. Es sei noch einmal gesagt, gewiß nicht im Sinne der Ruhmredigkeit, sondern als einfache Feststellung, daß ich mein eigenes Leben, ohne es gerade zu vernachlässigen, immer nur nebenbei, mit halber Aufmerksamkeit, gleichsam mit der linken Hand führte, und daß meine eigentliche Angelegentlichkeit, Spannung, Sorge dem Dasein des Kindheitsfreundes gewidmet war, in dessen Nähe zurückgeführt zu sein mich so froh machte, — wenn dieses Wort ›froh‹ am Platze ist bei dem leisen und kühlen Schauer von Beklemmung, schmerzlichem Unbeantwortetsein, der von seiner in wachsendem Maße schöpferischen Einsamkeit ausging. ›Ein Auge auf ihn zu haben‹, sein außerordentliches und rätselhaftes Leben zu bewachen, schien immer dem meinen zur eigentlichen und dringlichen Aufgabe gesetzt; es bildete seinen wahren Inhalt, und darum sprach ich von der Entleertheit meiner gegenwärtigen Tage.

Sein Zuhause — und es war ja in sonderbar wiederholendem, irgendwie nicht ganz zu billigendem Sinn ein ›Zuhause‹ — hatte er verhältnismäßig glücklich gewählt, — gottlob! er war während der Jahre des Verfalls und der stetig schärfer nagenden Entbehrungen bei seinen Ackerbürgern, den Schweigestills, so leidlich wie nur wünschbar versorgt und, ohne es recht zu wissen und zu würdigen, fast unberührt von den auslaugenden Veränderungen, denen das blockierte und zernierte, wenn auch militärisch immer noch ausgreifende Land unterlag. Er nahm das mit Selbstverständlichkeit und ohne Erwähnung hin, wie etwas, das von ihm ausging und in seiner Natur lag, deren Beharrungskräfte und Bestimmung zum Semper idem sich gegen die äußeren Umstände individuell durchsetzten. Seine einfachen diätetischen Gewohnheiten konnte die Schweigestill'sche Wirtschaft allezeit befriedigen. Es kam aber hinzu, daß ich ihn schon gleich bei meiner Rückkehr aus dem Felde in der Betreuung zweier weiblicher Wesen fand, die sich ihm genähert und sich, ganz unabhängig voneinander, zu seinen fürsorgenden Freundinnen aufgeworfen hatten. Es waren dies die Damen Meta Nackedey und Kunigunde Rosenstiel, — Klavierlehrerin die eine, die andere tätige Mitinhaberin eines Darmgeschäftes, will sagen: eines Betriebes zur Herstellung von Wursthüllen. Es ist ja merkwürdig: Ein der breiten Masse gänzlich verborgenr esoterischer Früh-Ruhm, wie er angefangen hatte, sich mit Leverkühns Namen zu verbinden, hat seinen Bewußtseinssitz in eingeweihter Sphäre, an kennerischen Spitzen, wofür etwa jene Pariser Einladung ein Merkmal gewesen war; aber gleichzeitig wohl auch hat er einen Widerschein in bescheiden-tieferen Gegenden, im bedürftigen Gemüt armer Seelen, die sich durch irgendeine als ›höheres Streben‹ verkleidete Einsamkeits- und Leidenssensibilität von der Masse sondern und in einer Verehrung, welcher noch voller Raritätswert zukommt, ihr Glück finden. Daß es Frauen sind, und zwar jüngferliche Frauen, kann nicht wundernehmen; denn menschliche Entbehrung ist gewiß die Quelle einer prophetischen Intuition, die um solchen kümmerlichen Ursprungs willen keineswegs weniger schätzbar ist. Es war gar keine Frage, daß darin das unmittelbar Persönliche eine beträchtliche, ja das Geistige überwiegende Rolle spielte, welches ohnedies in beiden Fällen nur in vagen Umrissen, ganz gefühls- und ahnungsweise begriffen und gewertet werden konnte. Habe aber ich, der Mann, der wohl von einer gewissen, von früh an wirkenden Verfallenheit seines Kopfes und Herzens an Adrians kühle und rätselhaft in sich verschlossene Existenz reden kann, — habe ich das geringste Recht zum Spott über die Faszination, die von seiner Einsamkeit, der Nonkonformität seiner Lebensführung auf diese Frauenzimmer ausgegangen war?

Die Nackedey, ein verhuschtes, ewig errötendes, jeden Augenblick in Scham vergehendes Geschöpf von einigen dreißig Jahren, das beim Reden und auch beim Zuhören hinter dem Zwicker, den sie trug, krampfhaft-freundlich mit den Augen blinzelte und dazu kopfnickend die Nase kraus zog, — diese also hatte sich eines Tages, als Adrian in der Stadt war, auf der vorderen Plattform einer Trambahn an seiner Seite gefunden und war, als sie es entdeckt hatte, in kopfloser Flucht durch den vollen Wagen auf die rückwärtige geflattert, von wo sie aber nach einigen Augenblicken der Sammlung zurückgekehrt war, um ihn anzusprechen, ihn bei Namen zu nennen, ihm errötend und erblassend den ihren zu gestehen, von ihren Umständen etwas hinzuzufügen und ihm zu sagen, daß sie seine Musik heilighalte, was er alles dankend zur Kenntnis genommen hatte. Von da stammte diese Bekanntschaft, die Meta nicht eingeleitet hatte, um sie dann auf sich beruhen zu lassen: Durch einen Huldigungsbesuch mit Blumen in Pfeiffering hatte sie sie schon nach einigen Tagen wieder aufgenommen und pflegte sie dann immerfort, — in freiem, beiderseits von Eifersucht gesporntem Wettstreit mit der Rosenstiel, die es anders angefangen hatte.

Sie war eine knochige Jüdin vom ungefähren Alter der Nackedey, mit schwer zu bändigendem Wollhaar und Augen, in deren Bräune uralte Trauer geschrieben stand darob, daß die Tochter Zion geschleift und ihr Volk wie eine verlorene Herde war. Eine rüstige Geschäftsfrau auf derbem Gebiet (denn eine Wurstdarmfabrik hat entschieden etwas Derbes), hatte sie doch die elegische Gewohnheit, beim Sprechen all ihre Sätze mit »Ach!« anzufangen. »Ach, ja«, »Ach, nein«, »Ach, glauben Sie mir«, »Ach, wie denn wohl nicht«, »Ach, ich will morgen nach Nürnberg fahren«, sagte sie mit tiefer, wüstenrauher und klagender Stimme, und sogar, wenn man sie fragte: »Wie geht es Ihnen?«, so antwortete sie: »Ach, immer recht gut.« Ganz anders jedoch, wenn sie *schrieb,* — was sie außerordentlich gerne tat. Denn nicht nur war Kunigunde, wie fast alle Juden, sehr musikalisch, sondern sie unterhielt auch, sogar ohne weitreichende Lektüre, ein viel reineres und sorglicheres Verhältnis zur deutschen Sprache als der nationale Durchschnitt, ja selbst als die meisten Gelehrten, und hatte die Bekanntschaft mit Adrian, die sie auf eigene Hand stets ›Freundschaft‹ nannte (war es denn übrigens nicht auf die Dauer wirklich dergleichen?), mit einem ausgezeichneten Briefe angebahnt, einem langen, wohlgesetzten, inhaltlich nicht eben erstaunlichen, aber stilistisch nach den besten Mustern eines älteren humanistischen Deutschland geformten Ergebenheitsschreiben, das der Empfänger mit einer gewissen Überraschung gelesen und das man seiner literarischen Würde wegen unmöglich mit Stillschweigen übergehen konnte. So aber auch in der Folge schrieb sie ihm, ganz unbeschadet ihrer zahlreichen persönlichen Besuche, öfters nach Pfeiffering: ausführlich, nicht sehr gegenständlich, der Sache nach nicht weiter aufregend, aber sprachlich gewissenhaft, sauber und lesbar, — übrigens nicht handschriftlich, sondern auf ihrer Geschäftsmaschine, mit kaufmännischen Und-Zeichen, — eine Verehrung bekundend, die näher zu definieren und zu begründen sie entweder zu bescheiden oder außerstande war, — es war eben Verehrung, eine instinkt-bestimmte, sich durch viele Jahre in Treuen bewährende Verehrung und Ergebenheit, um derentwillen man die vortreffliche Person, ganz abgesehen von sonstigen Tüchtigkeiten, ernstlich hochzuachten hatte. Ich wenigstens tat das und bemühte mich, dieselbe innere Anerkennung der verhuschten Nackedey zu zollen, mochte auch Adrian sich die Huldigungen und Darbringungen dieser Anhängerinnen mit der ganzen Unachtsamkeit seines eben gefallen lassen. Und war denn schließlich mein Los von dem ihren so sehr verschieden? Daß ich es mir angelegen sein ließ, ihnen wohlzuwollen (während sie primitiverweise einander nicht leiden konnten und, wenn sie zusammentrafen, einander gekniffenen Blickes maßen), darf ich mir zur Ehre rechnen; denn in gewissem Sinn war ich von ihrer Gilde und hätte Grund gehabt, durch die herabgesetzte und verjungferte Wiederholung meines eigenen Verhältnisses zu Adrian irritiert zu sein.

Diese also, immer mit vollen Händen kommend, trugen während der Hungerjahre dem ohnedies, was die Fundamente der Ernährung betraf, wohl Aufgehobenen das Erdenkliche, auf Schleichwegen Erreichbare zu: Zucker, Tee, Kaffee, Schokolade, Backwerk, Eingemachtes und geschnittenen Tabak zum Zigarettendrehen, so daß er noch mir, Schildknapp und auch Rudi Schwerdtfeger, dessen Zutraulichkeit nie von ihm ließ, davon mitteilen konnte und die Namen der dienenden Frauen oft unter uns gesegnet waren. Den Tabak, die Zigarette angehend, so verzichtete Adrian nur gezwungen darauf, das heißt an Tagen, wo die Migräne, wie schwere Seekrankheit auftretend, ihn anfiel und er in verdunkeltem Zimmer das Bett hütete, was zwei- bis dreimal im Monat geschah, mochte aber sonst das unterhaltende Stimulans, das ihm erst ziemlich spät, erst in Leipzig, zur Gewohnheit geworden war, nicht entbehren, am wenigsten während der Arbeit, bei der er nach seiner Versicherung ohne das Zwischenein von Wickeln und Inhalieren weniger lange ausgehalten hätte. Der Arbeit aber war er um die Zeit, als ich ins Zivilleben zurückkehrte, sehr dringlich ergeben, — nach meinem Eindruck nicht so sehr um ihres aktuellen Gegenstandes willen, nämlich der ›Gesta‹-Spiele, oder nicht allein um seinetwillen, sondern weil er trachtete, ihn hinter sich zu bringen und für neu sich ankündigende Forderungen seines Genius bereit zu sein. Am Horizont, ich bin dessen sicher, stand schon damals, wahrscheinlich schon seit Ausbruch des Krieges, der ja für eine Divination wie die seine einen tiefen Ab- und Einschnitt, die Eröffnung einer neuen, tumultuösen und grundstürzenden, mit wilden Abenteuern und Leiden überfüllten Geschichtsperiode bedeutete, — am Horizont seines schöpferischen Lebens stand bereits die ›Apocalipsis cum figuris‹, das Werk, das diesem Leben einen schwindelnden Auftrieb geben sollte, und bis zu welchem — so sehe wenigstens ich den Prozeß — er sich mit den genialischen Puppen-Grotesken die Wartezeit vertrieb.

Adrian hatte das alte Buch, das als Quelle der meisten romantischen Mythen des Mittelalters zu gelten hat, diese Übersetzung der ältesten christlichen Märchen- und Legendensammlung aus dem Lateinischen, durch Schildknapp kennengelernt, — ich bescheinige dem Günstling mit den gleichen Augen gern das Verdienst. Sie hatten manchen Abend zusammen darin gelesen, und was dabei vor allem auf seine Kosten gekommen, war Adrians Sinn für Komik gewesen, diese Begierde nach dem Lachen, — ja, Tränen-lachen-Können, der meine etwas trockene Natur nie recht Nahrung zu geben wußte und daran auch gehindert war durch eine gewisse Ungehörigkeit, die für mein ängstliches Gemüt in dieser Heiterkeitsauflösung seines in Spannung und Bangigkeit geliebten Wesens lag. Rüdiger, der Gleichäugige, teilte mitnichten diese meine Apprehension, die ich übrigens tief für mich behielt, und die mich nicht hindern durfte, an solchen Stimmungen der Ausgelassenheit, wenn es sich eben so machte, redlich teilzunehmen. Dem Schlesier vielmehr war entschiedene Genugtuung, so, als hätte er eine Sendung, einen Auftrag erfüllt, deutlich anzumerken, wenn es ihm gelungen war, Adrian in den Zustand des Tränenlachens zu versetzen, und mit dem Schnurren- und Fabelbuch war ihm das unstreitig auf eine höchst dankenswerte, produktiv folgenreiche Weise geglückt.

Ich will es wohl meinen, daß die ›Gesta‹ in ihrer historischen Unbelehrtheit, christfrommen Didaktik und moralischen Naivität, mit ihrer ausgefallenen Kasuistik von Elternmord, Ehebruch und kompliziertem Inzest, ihren unnachweisbaren römischen Kaisern und deren ungeheuer bewachten, zu erklügelten Bedingungen ausgebotenen Töchtern, — es ist nicht zu leugnen, sage ich, daß all diese in einem gravitätisch latinisierenden und unbeschreiblich einfältigen Übersetzungsstil vorgetragenen Fabeln von ins Gelobte Land wallenden Rittern, buhlerischen Eheweibern, verschmitzten Kupplerinnen und der schwarzen Magie ergebenen Klerikern außerordentlich erheiternd wirken können. Im höchsten Grade waren sie danach angetan, Adrians parodistischen Sinn aufzuregen, und der Gedanke, mehrere dieser Geschichten in gedrängter Form für das Puppentheater musikalisch zu dramatisieren, beschäftigte ihn von dem Tage an, wo er ihre Bekanntschaft gemacht. Da ist etwa die gründlich unmoralische, dem Dekameron vorspielende Fabel ›Von der gottlosen List der alten Weiber‹, worin eine in Heiligkeit vermummte Helfershelferin verbotener Leidenschaft es zuwege bringt, eine edle und sogar ausnehmend ehrbare Ehefrau, deren vertrauensvoller Gatte sich auf Reisen befindet, zu bestimmen, daß sie einem Jüngling, der sich in Begierde nach ihr verzehrt, sündlich zu Willen ist. Denn die Hexe gibt ihrer kleinen Hündin, nachdem sie sie zwei Tage lang zum Hungern genötigt, Senfbrot zu fressen, wovon dem

Tiere heftig die Augen tränen. So nimmt jene die Hündin mit sich zu der Sittenstrengen und wird, da sie bei allen, so auch bei dieser, für eine Heilige angesehen ist, ehrerbietig empfangen. Als aber die Dame das weinende Hündchen erblickt und verwundert nach der Ursache dieser Erscheinung fragt, gibt sich die Alte den Anschein, als wiche sie lieber der Frage aus, um dann, zum Reden gedrängt, das Geständnis abzugeben, diese kleine Hündin sei sonst ihre allzu züchtige Tochter gewesen, welche durch die starre Verweigerung ihres Entgegenkommens einen in Sehnsucht nach ihr entbrannten jungen Mann in den Tod getrieben habe, wofür zur Strafe sie in diese Gestalt verwandelt worden sei und nun natürlich immerfort Tränen der Reue über ihr Hundedasein vergieße. Bei diesen absichtsvollen Lügen weint die Kupplerin ebenfalls; die Dame aber erschrickt bei dem Gedanken an die Verwandtschaft ihres eigenen Falles mit dem der Bestraften und erzählt der Alten von dem Jüngling, der um sie leide, worauf diese ihr ernstlich vor Augen stellt, was für ein unersetzlicher Schaden es wäre, wenn auch sie in eine Hündin verwandelt würde, und wirklich den Auftrag erhält, den Schmachtenden herbeizuholen, damit er in Gottes Namen denn seine Lust kühle, so daß also die beiden auf Veranstaltung gottlosen Witzes den süßesten Ehebruch feiern.

Immer noch beneide ich Rüdiger darum, daß er diese Geschichte unserem Freunde zuerst in der Abtsstube vorlesen durfte, obgleich ich mir sagen muß, daß es, wenn ich es getan hätte, wohl nicht dasselbe gewesen wäre. Übrigens beschränkte sich sein Zutun zu dem künftigen Werk auf diese erste Anregung. Als es die Bearbeitung der Fabeln für die Puppenbühne, ihre Umformung ins Dialogische galt, versagte er sich der Zumutung aus Zeitmangel oder aus dem bekannten widerspenstigen Freiheitssinn, und Adrian, der's ihm nicht übelnahm, behalf sich, solange ich fort war, indem er sich selbst lockere Szenarien und ungefähre Wechselreden entwarf, worauf dann ich es war, der sie in Mußestunden rasch in ihre endgültige, aus Prosa und Reimverschen gemischte Form brachte. Dabei war nach Adrians Willen den Sängern, welche den agierenden Puppen ihre Stimmen leihen, ihr Platz unter den Instrumenten, im Orchester, einem sehr sparsam besetzten, aus Violine und Kontrabaß, Klarinette, Fagott, Trompete und Posaune nebst Schlagzeug für einen Mann und dazu einem Glockenapparat bestehenden Orchester, angewiesen, und mit ihnen ist ein Sprecher, der, gleich dem testis des Oratoriums, die Handlung in Rezitativ und Erzählung zusammendrängt.

Am glücklichsten bewährt diese durchbrochene Form sich bei dem fünften, dem eigentlichen Kernstück der Suite, der Geschichte ›Von der Geburt des seligen Papstes Gregor‹, einer Geburt, bei deren sündiger Ausgefallenheit es keineswegs sein Bewenden hat, während doch all die entsetzlichen Bewandtnisse des Helden nicht nur kein Hindernis sind für seine schließliche Erhebung zum Statthalter Christi, sondern ihn nach Gottes wundersamer Gnade geradezu besonders berufen und vorbestimmt dafür erscheinen lassen. Die Kette der Verwicklungen ist lang, und es erübrigt sich wohl für mich, die Geschichte des verwaisten königlichen Geschwisterpaars, von dem der Bruder die Schwester über Gebühr liebt, so daß er sie unbeherrschterweise in mehr als interessante Umstände versetzt und sie zur Mutter eines Knaben von ausnehmender Schönheit macht, hier zu reiterieren. Es ist dieser Knabe, ein Geschwisterkind in des Wortes arger Bedeutung, um den alles sich dreht. Während sein Vater durch einen Zug ins Gelobte Land zu büßen sucht und dort seinen Tod findet, treibt das Kind ungewissen Schicksalen entgegen. Denn die Königin, entschlossen, einen so ungeheuerlich Erzeugten auf eigene Hand nicht taufen zu lassen, vermacht ihn samt seiner fürstlichen Wiege in einem hohlen Faß und übergibt ihn, nicht ohne ein unterrichtendes Schrifttäfelchen sowie Gold und Silber für seine Auferziehung hinzuzufügen, den Meereswogen, die ihn »am sechsten Feiertage« in die Nähe eines von einem frommen Abte geleiteten Klosters tragen. Dieser findet ihn, tauft ihn auf seinen eigenen Namen Gregor und läßt ihm eine Ausbildung zuteil werden, die bei dem leiblich und verstandesmäßig ausnehmend Begabten aufs glücklichste anschlägt. Wie nun unterdessen die sündige Mutter, zum Bedauern des Landes, es abschwört, sich je zu vermählen — und zwar ganz offensichtlich nicht nur, weil sie sich als eine Entweihte, der christlichen Ehe Unwürdige betrachtet, sondern auch, weil sie dem verschollenen Bruder eine bedenkliche Treue wahrt; wie ein starker Herzog des Auslandes um ihre Hand wirbt, die sie ihm verweigert, worüber er so heftig ergrimmt, daß er ihr Reich mit Krieg überzieht und es erobert bis auf eine einzige feste Stadt, in welche sie sich zurückzieht; wie dann der Jüngling Gregor, da er seiner Entstehungsart innegeworden, zum Heiligen Grabe zu pilgern gedenkt und statt dessen in die Stadt seiner Mutter verschlagen wird, wo er von dem Unglück der Reichsverwalterin erfährt, sich zu ihr führen läßt und ihr, die ihn, wie es heißt, »genau betrachtet«, aber nicht erkennt, seine Dienste anbietet; wie er den grimmen Herzog erschlägt, das Land befreit und der erlösten Fürstin von ihrer Umgebung zum Gatten vorgeschlagen wird; wie sie sich zwar etwas ziert und sich einen Tag — nur einen — Bedenkzeit ausbedingt, dann aber, entgegen ihrem Schwure, einwilligt, so daß denn, unter großem Beifall und Jubel des ganzen Landes, die Vermählung vollzogen und ahnungslos Fürchterliches auf Fürchterliches gehäuft wird, indem der Sündensohn mit der Mutter das Ehebett besteigt, — ich will das alles nicht ausführen. Nur die affektbeladenen Höhepunkte der Handlung möchte ich erinnern, die in der Puppenoper auf so wunderlich-wunderbare Weise zu ihrem Rechte kommen: So, wenn gleich anfangs der Bruder die Schwester fragt, warum sie so bleich sieht und »ihre Augen ihre Schwärze verloren haben«, und sie ihm antwortet: »Das ist kein Wunder, denn ich bin schwanger und folglich zerknirscht.« Oder wenn sie bei der Nachricht vom Tode des verbrecherisch Erkannten in die merkwürdige Klage ausbricht: »Dahin ist meine Hoffnung, dahin ist meine Kraft, mein einziger Bruder, mein zweites Ich!« und danach den Leichnam von der Sohle seiner Füße bis zu dem Scheitel mit Küssen bedeckt, so daß ihre Ritter, unangenehm berührt von so übertriebenem Kummer, sich veranlaßt sehen, die Gebieterin von dem Toten hinwegzureißen. Oder wenn sie, da sie gewahr wird, mit wem sie in zärtlichster Ehe lebt, zu ihm spricht: »O mein süßer Sohn, du bist mein einziges Kind, du bist mein Mann und mein Herr, du bist mein und meines Bruders Sohn, o mein süßes Kind, und du mein Gott, warum hast du mich lassen geboren werden!« Denn so ist es ja, durch das selbst einst geschriebene Brieftäfelchen, das sie in einem Geheimgemach ihres Gatten findet, erfährt sie, mit wem sie, gottlob ohne ihm auch noch einen Bruder und Enkel ihres Bruders geboren zu haben, das Lager teilt; und nun ist es abermals an diesem, auf Bußfahrt zu sinnen, die er denn auch sogleich auf bloßen Füßen antrit. Er kommt zu einem Fischer, der »an der Feinheit seiner Gliedmaßen« erkennt, daß er es mit keinem gemeinen Reisenden zu tun hat und sich mit ihm dahin verständigt, daß äußerste Einsamkeit das allein Zukömmliche für ihn ist. Er fährt ihn sechzehn Meilen weit in die See hinaus zu einem flutumbrandeten Felsen, und dort, nachdem er sich Fesseln hat an die Füße legen lassen und den Schlüssel zu diesen Fesseln ins Meer geschleudert hat, verbringt Gregor siebzehn Jahre der Buße, an deren Ende eine überwältigende, ihn selbst aber, wie es scheint, kaum überraschende Gnadenerhebung steht. Denn zu Rom stirbt der Papst, und kaum ist er gestorben, so geschieht eine Stimme vom Himmel herab: »Suchet den Mann Gottes Gregorius und setzt ihn zu meinem Stellvertreter ein!« Da eilen Boten in alle Winde und kehren auch bei jenem Fischer ein, der sich erinnert. Da fängt er einen Fisch, in dessen Bauch sich der einst ins Meer versenkte Schlüssel findet. Da fährt er die Sendboten zum Büßerstein, und sie rufen hinauf: »O Gregorius, du Mann Gottes, steige zu uns herab vom Stein, denn es ist Gottes Wille, daß du zu seinem Stellvertreter auf Erden gesetzt werdest!« Und was antwortet er ihnen? »Wenn das Gott gefällt«, spricht er gelassen, »so geschehe sein Wille.« Wie sie aber nach Rom kommen und die Glocken sollen geläutet werden, warten die darauf nicht, sondern läuten von selber, — alle Glocken läuten aus freien Stücken, zur Ankündigung, daß es einen so frommen und lehrreichen Papst noch nicht gegeben haben werde. Auch zu seiner Mutter dringt der Ruhm des seligen Mannes, und da sie zu Recht mit sich übereinkommt, daß keinem besser ihr Leben anzuvertrauen ist als diesem Erkorenen, macht sie sich auf nach Rom zur Beichte beim Heiligen Vater, der, als er ihre Beichte vernommen, sie wohl erkennt und zu ihr spricht: »O meine süße Mutter, Schwester und Frau. O meine Freundin. Der Teufel dachte uns zur Hölle zu führen, doch Gottes Übermacht hat es verhindert.« Und baut ihr ein Kloster, darin sie als Äbtissin waltet, aber nur kurze Zeit. Denn beiden wird bald gestattet, ihre Seelen an Gott zurückzugeben.

Auf diese überschwenglich sündhafte, einfältige und gnadenvolle Geschichte also hatte Adrian allen Witz und Schrecken, alle kindliche Eindringlichkeit, Phantastik und Feierlichkeit der musikalischen Ausmalung versammelt, und wohl läßt sich auf dieses Stück, oder namentlich auf dieses, das wunderliche Epitheton des alten Lübecker Professors, das Wort ›gottgeistig‹ anwenden. Die Erinnerung legt sich mir darum nahe, weil die ›Gesta‹ tatsächlich etwas wie eine Regression auf den musikalischen Stil von ›Love's Labour's Lost‹ darstellen, da doch die Tonsprache der ›Wunder des Alls‹ schon mehr auf die der ›Apokalypse‹, selbst schon auf diejenige des ›Faustus‹ hinweist. Solche Vorwegnahmen und Überlagerungen kommen im kreativen Leben ja häufig vor; den künstlerischen Anreiz aber, der von diesen Stoffen auf meinen Freund ausgegangen, kann ich mir wohl erklären: Es war ein geistiger Reiz, nicht ohne einen Einschlag von Bosheit und auflösender Travestie, da er dem kritischen Rückschlage entsprang auf die geschwollene Pathetik einer zu Ende gehenden Kunstepoche. Das musikalische Drama hatte seine Stoffe der romantischen Sage, der Mythenwelt des Mittelalters entnommen und dabei zu verstehen gegeben, daß nur dergleichen Gegenstände der Musik würdig, ihrem Wesen angemessen seien. Dem schien hier Folge geleistet: auf eine recht destruktive Weise jedoch, indem das Skurrile, besonders auch im Erotischen Possenhafte, an die Stelle moralischer Priesterlichkeit trat, aller inflationärer Pomp der Mittel abgeworfen und die Aktion der an sich schon burlesken Gliederpuppen-Bühne übertragen wurde. Deren spezifische Möglichkeiten zu studieren, war Leverkühnen während der Beschäftigung mit den ›Gesta‹-Stücken sehr angelegen, und die katholisch-barocke Theaterlust des Volkes, unter dem er einsiedlerisch lebte, bot ihm auch manche Gelegenheit dazu. In Waldshut nahebei war ein Drogist, der Marionetten schnitzte und ankleidete, und Adrian besuchte den Mann wiederholt. Auch fuhr er nach Mittenwald, dem Geigendorf im oberen Isartal, wo der Apotheker derselben Liebhaberei oblag und mit Hilfe seiner Frau und seiner geschickten Söhne Puppenspiele nach Pocci und Christian

Winter im Ort veranstaltete, die ein großes Publikum von Volk und Fremden an sich zogen. Diese sah Leverkühn und studierte auch, wie ich bemerkte, literarisch die sehr kunstreichen Handpuppen- und Schattenfiguren-Spiele der Javaner.

Es waren heiter erregte Abende, wenn er uns, daß heißt mir, Schildknapp, auch wohl Rudi Schwerdtfeger, der es sich nicht nehmen ließ, ein und das andere Mal dabei zu sein, im tiefenstrigen Nike-Saal auf dem alten Tafelklavier neu Geschriebenes aus seinen wunderlichen Partituren vorspielte, in denen das harmonisch Herrischste, rhythmisch Labyrinthischste auf das Einfältigste — und eine Art von musikalischem Kindertrompenstil wiederum auf das stofflich Ausgefallenste angewandt war. Das Wiedersehen der Königin mit dem nun heiligen Mann, den sie ihrem Bruder geboren, und den sie als Gattin umfangen, entlockte uns Tränen, wie sie nie unsre Augen genetzt hatten, aus Gelächter und phantastischer Ergriffenheit ganz einmalig gemischt; und Schwerdtfeger, in entfesselter Zutraulichkeit, nahm die Lizenz des Augenblicks wahr, indem er mit einem »Das hast du großartig gemacht!« Adrian umarmte und dessen Kopf an den seinen drückte. Ich sah Rüdigers ohnedies schon bitterlichen Mund sich mißbilligend verziehen und konnte selbst nicht umhin, ein »Genug!« zu murmeln und die Hand auszustrecken, wie um den Hemmungslosen, Distanzvergessenen zurückzuholen.

Der mochte dann einige Mühe haben, der Unterhaltung zu folgen, die sich in der Abtsstube an die vertrauliche Vorführung schloß. Wir sprachen von der Vereinigung des Avancierten mit dem Volkstümlichen, von der Aufhebung der Kluft zwischen Kunst und Zugänglichkeit, Hoch und Niedrig, wie sie einmal von der Romantik, literarisch und musikalisch, in gewissem Sinne geleistet worden, — worauf dann wieder eine tiefere Trennung und Entfremdung denn je zwischen dem Guten und dem Leichten, dem Würdigen und dem Unterhaltenden, dem Fortschrittlichen und dem allgemein Genießbaren das Schicksal der Kunst geworden sei. War es Sentimentalität, daß es die Musik — und sie stand für alles — mit wachsender Bewußtheit verlangte, aus ihrer Respektsvereinsamung zu treten, Gemeinschaft zu finden, ohne gemein zu werden, und eine Sprache zu reden, die auch der musikalisch Unbelehrte verstand, wie er Wolfsschlucht, Jungfernkranz, Wagner verstanden hatte? Auf jeden Fall war nicht Sentimentalität das Mittel zu diesem Ziel, sondern weit eher die Ironie, der Spott, der, die Luft reinigend, sich gegen das Romantische, gegen Pathos und Prophetie, Klangrausch und Literatur zu einer Fronde verband mit dem Objektiven und Elementaren, will sagen: mit der Wiederentdeckung der Musik selbst als Organisation der Zeit. Ein heikelstes Beginnen! Denn wie nahe lag nicht falsche

Primitivität, also Romantisches wiederum. Auf der Höhe des Geistes zu bleiben; die gesiebtesten Ergebnisse europäischer Musikentwicklung ins Selbstverständliche aufzulösen, daß jeder das Neue fasse; sich zu ihrem Herrn zu machen, indem man sie unbefangen als freies Baumaterial verwendete und Tradition spüren ließ, umgeprägt ins Gegenteil des Epigonalen; das Handwerk, hochgetrieben wie es war, durchaus unauffällig zu machen und alle Künste des Kontrapunktes und der Instrumentation verschwinden und verschmelzen zu lassen zu einer Einfachheitswirkung, sehr fern von Einfalt, einer intellektuell federnden Schlichtheit, — das schien die Aufgabe, das Begehren der Kunst.

Es war ganz vorwiegend Adrian, der sprach, von uns anderen nur leicht sekundiert. Von der vorangegangenen Vorführung erregt, sprach er mit geröteten Wangen und erhitzten Augen, leicht fieberhaft, übrigens nicht in strömendem Fluß, sondern die Worte mehr hinwerfend, aber doch mit so viel Bewegung, daß mir war, als hätte ich ihn nie, weder gegen mich noch in Rüdigers Gegenwart, so eloquent aus sich herausgetrieben gesehen. Schildknapp hatte seinem Unglauben Ausdruck gegeben an der Entromantisierung der Musik. Diese sei mit dem Romantischen doch wohl zu tief und wesentlich verbunden, als daß sie es ohne schwere natürliche Einbuße je würde verleugnen können. Hierauf Adrian:

»Ich will Ihnen gern recht geben, wenn Sie mit dem Romantischen eine Gefühlswärme meinen, die die Musik im Dienst technischer Geistigkeit heute verleugnet. Es ist wohl Selbstverleugnung. Aber was wir die Läuterung des Komplizierten zum Einfachen nannten, ist im Grunde dasselbe wie die Wiedergewinnung des Vitalen und der Gefühlskraft. Wenn es möglich wäre, — wem der — wie würdest du sagen?« wandte er sich an mich und antwortete sich selbst: »der *Durchbruch* würdest du sagen. Wem also der *Durchbruch* gelänge aus geistiger Kälte in eine Wagniswelt neuen Gefühls, ihn sollte man wohl den Erlöser der Kunst nennen. Erlösung«, fuhr er mit einem nervösen Achselzucken fort, »ein romantisches Wort; und ein Harmoniker-Wort, das Handlungswort für die Kadenz-Seligkeit der harmonischen Musik. Ist es nicht komisch, daß die Musik sich eine Zeitlang als ein Erlösungsmittel empfand, während sie doch selbst, wie alle Kunst, der Erlösung bedarf, nämlich aus einer feierlichen Isolierung, die die Frucht der Kultur-Emanzipation, der Erhebung der Kultur zum Religionsersatz war, — aus dem Alleinsein mit einer Bildungselite, ›Publikum‹ genannt, die es bald nicht mehr geben wird, die es schon nicht mehr gibt, so daß also die Kunst bald völlig allein, zum Absterben allein sein wird, es sei denn, sie fände den Weg zum ›Volk‹, das heißt, um es unromantisch zu sagen: zu den Menschen?«

Er hatte das in einem Zuge gesagt und gefragt, mit halber Stimme und konversationell, aber mit einem verborgenen Beben im Ton, das man erst recht verstand, als er vollendete:

»Die ganze Lebensstimmung der Kunst, glauben Sie mir, wird sich ändern, und zwar ins Heiter-Bescheidenere, — es ist unvermeidlich, und es ist ein Glück. Viel melancholische Ambition wird von ihr abfallen und eine neue Unschuld, ja Harmlosigkeit ihr Teil sein. Die Zukunft wird in ihr, sie selbst wird wieder in sich die Dienerin sehen an einer Gemeinschaft, die weit mehr als ›Bildung‹ umfassen und Kultur nicht haben, vielleicht aber eine sein wird. Wir stellen es uns nur mit Mühe vor, und doch wird es das geben und wird das Natürliche sein: eine Kunst ohne Leiden, seelisch gesund, unfeierlich, untraurig-zutraulich, eine Kunst mit der Menschheit auf du und du ...«

Er brach ab, und wir alle drei schwiegen erschüttert. Es ist schmerzlich und herzerhebend zugleich, die Einsamkeit von der Gemeinschaft, die Unnahbarkeit vom Zutrauen reden zu hören. Bei aller Rührung war ich in tiefster Seele unzufrieden mit seiner Äußerung, geradezu unzufrieden mit ihm. Was er gesagt hatte, paßte nicht zu ihm, zu seinem Stolz, seinem Hochmut, wenn man will, den ich liebte, und auf den die Kunst ein Anrecht hat. Kunst ist Geist, und der Geist braucht sich ganz und gar nicht auf die Gesellschaft, die Gemeinschaft verpflichtet zu fühlen, — er darf es nicht, meiner Meinung nach, um seiner Freiheit, seines Adels willen. Eine Kunst, die ›ins Volk geht‹, die Bedürfnisse der Menge, des kleinen Mannes, des Banausentums zu den ihren macht, gerät ins Elend, und es ihr zur Pflicht zu machen, etwa von Staates wegen; nur eine Kunst zuzulassen, die der kleine Mann versteht, *ist* schlimmstes Banausentum und der Mord des Geistes. Dieser, das ist meine Überzeugung, kann bei seinen gewagtesten, ungebundensten, der Menge ungemäßesten Vorstößen, Forschungen, Versuchen gewiß sein, auf irgendeine hoch-mittelbare Weise dem Menschen — auf die Dauer sogar dem Menschen zu dienen.

Unzweifelhaft war das auch die natürliche Gesinnung Adrians. Aber es beliebte ihm, sie zu verleugnen, und ich irrte mich wohl sehr, wenn ich das als eine Verleugnung seines Hochmuts empfand. Vermutlich war es mehr ein Versuch in der Leutseligkeit — von äußersten Hochmuts wegen. Wenn nur nicht das Beben in seiner Stimme gewesen wäre, als er von der Erlösungsbedürftigkeit der Kunst, dem Du mit der Menschheit sprach, — diese Bewegtheit, die mich trotz allem in Versuchung brachte, ihm verstohlen die Hand zu drücken. Ich unterließ es aber und hatte vielmehr ein besorgtes Auge auf Rudi Schwerdtfeger, ob der ihn am Ende nicht wieder umarmen wollte.

XXXII

Die Vermählung Ines Rodde's mit Professor Dr. Helmut Institoris war in der Anfangszeit des Krieges, als das Land noch in gutem, hoffnungsstarkem Zustande und ich selbst noch im Felde war, Frühjahr 1915, nach allem bürgerlichen advenant, mit ziviler und kirchlicher Trauung, einem Hochzeitsdiner im Hotel ›Vier Jahreszeiten‹ und einer anschließenden Reise des jungen Paares nach Dresden und in die Sächsische Schweiz, vollzogen worden — als Abschluß einer langen gegenseitigen Prüfung, die offenbar zu dem Ergebnis geführt hatte, daß man wohl zueinander passe. Der Leser spürt die Ironie, die ich, übrigens wahrhaftig ohne Bosheit, in dieses ›offenbar‹ lege; denn ein solches Ergebnis lag tatsächlich nicht vor, oder es hatte von allem Anfang an vorgelegen, und dem Verhältnis der beiden war keinerlei Entwicklung beschieden gewesen, seit Helmut sich der Senatorstochter zuerst genähert. Was beiderseits für die Verbindung sprach, tat es im Augenblick der Verlobung und Eheschließung nicht mehr und nicht minder als damals gleich, und Neues war nicht hinzugekommen. Aber der klassischen Mahnung: »Drum prüfe, wer sich ewig bindet« war formell Genüge geschehen, und die Länge der Prüfung selbst schien schließlich eine positive Lösung zu fordern, — wozu noch ein gewisses Bedürfnis nach Zusammenschluß kam, das der Krieg zeitigte: So manches schwebende Verhältnis hatte er ja gleich anfangs zu beeilter Reife gebracht. Für Inessens Jawort aber, zu dem sie ja aus seelischen — oder muß ich sagen: materiellen Gründen, aus Vernunftgründen also, möge es heißen, — von jeher mehr oder weniger bereit gewesen war, fiel noch sehr stark der Umstand ins Gewicht, daß Clarissa gegen Ende vorigen Jahres München verlassen und ihr erstes Engagement in Celle an der Aller angetreten hatte, so daß also ihre Schwester mit einer Mutter, deren bohèmehafte Neigungen, so zahm wie sie waren, sie mißbilligte, allein geblieben wäre.

Übrigens hatte die Senatorin ihre gerührte Freude an der bürgerlichen Einordnung ihres Kindes, auf die sie ja auch durch die Unterhaltung ihres Salons, den gesellschaftlichen Betrieb ihres Hauses mütterlich hingearbeitet hatte. Sie selbst war dabei auf ihre Kosten gekommen, hatte ihrer ›süddeutsch‹ gelockerten Lebenslust, die einiges nachzuholen wünschte, damit gedient und ihrer absinkenden Schönheit von den Männern, die sie einlud, Knöterich, Kranich, Zink und Spengler, jungen Schauspiel-Eleven etc., den Hof machen lassen. Ja, ich gehe nicht zu weit, gehe vielmehr endlich nur gerade weit genug, wenn ich sage, daß sie auch mit Rudi Schwerdtfeger auf einem sehr scherzhaften, das Mutter-Sohn-Verhältnis neckisch travestierenden Fuß gestanden hatte, und daß besonders oft im Umgang mit ihm das zierlich girrende

Lachen laut geworden war, das man an ihr kannte. Nach allem aber, was ich über die Bewegungen von Inessens Innenleben weiter oben angedeutet, ja ausgesprochen habe, kann ich es dem Leser überlassen, sich den komplizierten Unwillen, die Scham und Schande einzubilden, die sie angesichts dieser Tändeleien empfand. In meiner Gegenwart war es vorgekommen, daß sie während eines solchen Vorganges geröteten Angesichts den Salon ihrer Mutter verlassen und sich in ihr Zimmer zurückgezogen hatte, — an dessen Tür, wie sie vielleicht erhofft und erwartet, nach einer Viertelstunde Rudolf geklopft hatte, um nach dem Grunde ihres Verschwindens zu fragen, den er sicherlich kannte, der aber natürlich unaussprechlich war, — ihr zu sagen, wie sehr sie drüben fehle, und ihr in allen Tönen, auch in solchen brüderlicher Zärtlichkeit, die Rückkehr abzuschwätzen. Nicht eher hatte er geruht, als bis sie ihm versprochen, — zwar nicht mit ihm zusammen, das denn doch nicht, aber einige Zeit nach ihm wieder zur Gesellschaft zu stoßen.

Man verzeihe die nachträgliche Einschaltung dieses Vorkommnisses, das sich meiner Erinnerung eingeprägt hat, aber aus derjenigen der Senatorin Rodde, nun, da Ines' Verlobung und Eheschließung Tatsache geworden, auf eine gemütvolle Weise verbannt war. Nicht nur, daß sie die Hochzeit in aller Stattlichkeit ausgerichtet und es, in Ermangelung einer nennenswerten pekuniären Mitgift, an einer würdigen Aussteuer in Wäsche und Silber nicht hatte fehlen lassen; sie entäußerte sich auch manches Möbelstücks aus alter Zeit, gewisser geschnitzter Truhen, eines und des anderen vergoldeten Gitterstühlchens, um zur Ausstattung der herrschaftlichen Wohnung beizutragen, die das junge Paar in der Prinzregentenstraße, zwei Treppen hoch — die Vorderzimmer gingen auf den Englischen Garten — gemietet hatte. Ja, wie um sich selbst und anderen zu beweisen, daß ihre Gesellschaftsfreudigkeit, die lustigen Abende in ihrem Salon wirklich nur den Glücksaussichten, der Unterkunft ihrer Töchter gedient hatten, legte sie nun entschiedene Abdankungswünsche, die Neigung an den Tag, sich von der Welt zurückzuziehen, empfing nicht mehr und löste schon etwa ein Jahr nach Ines' Verehelichung ihren Hausstand in der Rambergstraße auf, um ihr Witwenleben auf einen ganz anderen Fuß zu stellen, auf einen ländlichen: Sie zog nach *Pfeiffering*, wo sie, fast ohne daß Adrian es merkte, in jenem an dem freien Platz gegenüber dem Schweigestill-Hof gelegenen niederen Gebäude, mit den Kastanien davor, Wohnung nahm, wo vormals der Kunstmaler mit den schwermütigen Landschaften aus dem Waldshuter Moor gehaust hatte.

Die Anziehungskraft dieses bescheiden-stilvollen Winkels auf jederlei distinguiertere Resignation oder verwundete Menschlichkeit war merkwürdig: Man mußte sie wohl aus dem Charakter

der Hofbesitzer, besonders dem der rüstigen Wirtin, Else Schweigestills, und ihrer Gabe des ›Verständnisses‹ erklären, die sie
denn auch in gelegentlichem Gespräch mit Adrian, als sie ihm
nämlich mitteilte, daß die Senatorin drüben einzuziehen gedenke,
in wunderlicher Klarsicht bewährte. »Das ist ganz eimfach«, sagte
sie (nach oberbayerischer Art assimilierte sie immer das n dem f,
so daß ein m daraus wurde), »ganz eimfach und verständlich,
Herr Leverkühn, ich hab es gleich gesehen. Sie hat g'nua von
Stadt und Leut und Gesellschaft, von Herren und Damen, weil
das Alter sie g'schamig macht. Das ist halt verschieden, es gibt
welche, denen macht es nichts und arrangieren sich damit, und
steht ihnen auch. Die werden bloß recht statiös und schelmisch
auf die Läng, mit weiße Ohr-Locken, net wahr, und so weiter,
und was sie früher so angestellt ham, das lassen s' recht pikant
und recht zum Vermuten durchblicken durch ihre derzeitige
Würde, — die Männer charmiert das oft mehr, als man denken
sollt. Aber bei welchen, da geht es nicht und da steht es nicht,
und wann die Backen magern und der Hals sich mergelt und es
auch mit die Zähn nix mehr ist beim Lachen, da schämen und
grämen sie sich vorm Spiegel und lassen sich nimmer sehn vor
die Leut, und haben einen Trieb, wie die leidende Kreatur, zum
Sichverstecken. Und wenn's der Hals und die Zähne nicht sind,
dann sind's die Haar, die das Kreuz machen und die Schand. Und
bei der Frau Senator, da sind's die Haar, i hab's gleich g'merkt.
Sonst wär s' noch ganz nett beinand, aber die Haar, wissen S',
die gehn aus über der Stirn, daß der Ansatz verpatzt ist und sie
mit der Brennscher bei aller Müh da vorn nichts Rechts mehr
hinbringt, und da verzweifelt s', denn das ist ein großes Leid,
glauben S' das nur! und verzichten tut s' auf die Welt und zieht
zu die Schweigestills, das ist ganz eimfach.«
So die Mutter mit ihrem straff gezogenen, leicht versilberten
Scheitel, der in der Mitte den Streifen weißer Kopfhaut sehen
ließ. Adrian, wie gesagt, war wenig berührt von dem Einzug der
neuen Mieterin dort drüben, die, als sie zuerst den Hof besucht
hatte, sich von der Wirtin zu kurzem Einspruch hatte zu ihm
führen lassen, dann aber, seine Arbeitsruhe schonend, für seine
Zurückhaltung die ihre in Tausch gab und ihn nur einmal, gleich
anfangs, zum Tee bei sich sah, — in diesen paar schlicht getünch-
ten und niedrigen Stuben hinter den Kastanien zu ebener Erde,
die mit den bürgerlich-eleganten Resten ihres Hausrats, Kandelabern, Steppfauteuils, dem ›Goldenen Horn‹ in schwerem Rahmen, dem Flügel mit der Brokatdecke darüber, wunderlich genug
angefüllt waren. Von da an, wenn man einander im Dorf oder
auf Feldwegen begegnete, wechselte man nur einen freundlichen
Gruß oder stand auch ein paar Minuten im Gespräch über die
arge Lage des Landes, die wachsende Ernährungsnot in den

Städten, unter der man hier weit weniger litt, so daß denn die Eingezogenheit der Senatorin eine praktische Rechtfertigung und scheinbar etwas wie sorgende Vorsätzlichkeit gewann, indem sie ihr erlaubte, ihre Töchter, ja auch ehemalige Freunde ihres Hauses, wie die Knöterichs, von Pfeiffering aus mit Lebensmitteln, Eiern, Butter, Würsten und Mehl, zu versehen. Aus diesen Pakkungen und Sendungen machte sie sich während der kargsten Jahre geradezu einen Beruf. —

Die Knöterichs hatte Ines Rodde, nun reich, rangiert und gegen das Leben gepolstert, aus der kleinen Schar der ehemaligen Salongäste ihrer Mutter, wie etwa noch den Numismatiker Dr. Kranich, Schildknapp, Rudi Schwerdtfeger und mich selbst — aber nicht Zink und Spengler und auch das theatralische Künstlervölkchen, die Studienkollegen Clarissa's nicht — für ihre und ihres Mannes eigene Geselligkeit übernommen, die durch Universitätselemente, ältere und jüngere Dozenten der beiden Hochschulen und ihre Damen, ergänzt wurde. Mit Frau Knöterich, Natalia, spanisch-exotisch von Ansehen, stand sie sogar auf freundschaftlichem, ja vertraulichem Fuß, und dies, obgleich die recht anmutige Frau in dem ziemlich unbezweifelten Rufe stand, dem Morphium ergeben zu sein, — eine Nachrede, die meiner Beobachtung durch ihre reizvoll gesprächige Glanzäugigkeit zu Beginn einer Gesellschaft und durch ihr gelegentliches Verschwinden, um diese allmählich in Verfall geratene Munterkeit wieder aufzufrischen, bestätigt wurde. Daß die so ganz auf konservative Würde, patrizische Respektabilität gestellte Ines, die ihre Ehe ja nur eingegangen war, um sich diese Sehnsüchte erfüllen zu können, den Umgang mit Natalia demjenigen mit den gesetzten Gattinnen der Kollegen ihres Mannes, dem Typ der deutschen Professorenfrau, vorzog, sie privatim besuchte, sie allein bei sich sah, zeigte mir so recht den Zwiespalt in ihrer Natur, und wie zweifelhaft es im Grunde um die persönliche Rechtmäßigkeit und Zukömmlichkeit ihres bürgerlichen Heimwehs bestellt war.

Daß sie ihren Gatten, diesen klein angelegten und seinerseits in ästhetischen Kraft-Ambitionen sich gefallenden Schönheitsgelehrten, nicht liebte, war mir nie zweifelhaft. Es war eine gewollte Anstandsliebe, die sie ihm widmete, und soviel ist wahr, daß sie in vollendeter Distinktion, verfeinert noch durch jene gewisse zarte und schwierige Schalkheit des Ausdrucks, seine Stellung repräsentierte. Die Akkuratesse, mit der sie seinem Hauswesen vorstand, seine Empfänge vorbereitete, war schon mehr leidende Pedanterie zu nennen — und das unter ökonomischen Umständen, die die Aufrechterhaltung bürgerlicher Korrektheit von Jahr zu Jahr mehr erschwerten. Zu ihrer Hilfe bei der Betreuung der teuren und schönen Wohnung mit persischen Teppichen auf glänzenden Parketts hatte sie zwei wohlgezogene und comme il faut

gekleidete Dienstmädchen, mit Häubchen und gestärkten Schür-
zenbändern, von denen die eine, das Zimmermädchen, Jungfern-
dienste bei ihr versah. Nach dieser Sophie zu schellen, war ihre
Leidenschaft. Sie tat es immerfort, um des Genusses herrschaft-
licher Bedienung willen und um sich des Schutzes, der Pflege zu
versichern, die sie sich durch ihre Heirat erkauft. Sophie war es
auch, die ihr die Unzahl von Koffern und Köfferchen zu packen
hatte, welche sie mit sich nahm, wenn sie mit Institoris aufs
Land, nach Tegernsee oder Berchtesgaden, reiste, selbst wenn es
nur auf einige Tage geschah. Diese Berge von Gepäck, mit denen
sie sich bei jedem kleinsten Ausflug aus ihrem Sorgfaltsnest be-
schwerte, waren mir ebenfalls ein Symbol ihres Schutzbedürfnis-
ses und ihrer Lebensängstlichkeit.

Von der vor jedem Stäubchen bewahrten Acht-Zimmer-Wohnung
in der Prinzregentenstraße muß ich noch sprechen. Sie war, mit
ihren beiden Salons, von denen der eine, traulicher eingerichtet,
als tägliches Wohngemach diente, ihrem geräumigen Speisezimmer in geschnitzter Eiche, dem Herren- und Rauchzimmer in seiner Leder-Bequemlichkeit, dem ehelichen Schlafzimmer, über dessen Lagerstättenpaar aus gelb poliertem Birnbaumholz Andeutungen von Betthimmeln schwebten, und auf dessen Damen-Toilet-
tentisch sich die blitzenden Flacons, die silbernen Utensilien genau der Größe nach reihten, — sie war, sage ich, das noch einige
Jahre in die auflösende Zeit hineindauernde Musterbild eines
Heims deutschen Kultur-Bürgertums, — nicht zuletzt vermöge der
›guten Bücher‹, die man überall, im Wohn-, Empfangs- und Her-
renzimmer, aufgestellt fand, und bei deren Erwerbung, teils aus
repräsentativen Gründen, teils aus solchen seelischer Schonung,
das Erregende und Zersetzende gemieden war: gediegen Bil-
dungsmäßiges, die Historik Leopold von Ranke's, die Schriften des Gregorovius, kunsthistorische Werke, deutsche und französische Klassiker, kurz, Stabiles und Bewahrendes bildete den
Grundstock. Mit den Jahren wurde die Wohnung noch schöner,
oder doch voller und farbiger; denn Dr. Institoris war befreundet
mit einem und dem anderen Münchener Künstler der besonne-
neren Glaspalast-Richtung (sein Kunstgeschmack war bei aller
theoretischen Bejahung des Prangend-Gewalttätigen durchaus
zahm), besonders mit einem gewissen Nottebohm, aus Hamburg
gebürtig, verheiratet, hohlwangig, spitzbärtig und drollig, begabt
für die lustige Imitation von Schauspielern, Tieren, Musikinstru-
menten und Professoren, eine Stütze der nun freilich ausssterben-
den Karnevalsfeste, geschickt in der gesellschaftlichen Einfange-
Technik des Portraitisten und als Künstler, ich darf es wohl sagen, der Mann einer inferioren Glattmalerei. Institoris, gewöhnt
an den wissenschaftlichen Umgang mit dem Meisterhaften, unterschied entweder nicht zwischen diesem und einer gekonnten Mit-

telmäßigkeit, oder er glaubte seine Aufträge der guten Freundschaft schuldig zu sein und verlangte auch wohl für seine Wände
nichts anderes als das Artig-Unanstößige und Vornehm-Beruhi-
gende, worin er zweifellos bei seiner Frau, wenn nicht von Geschmacks wegen, so doch gesinnungsweise entschiedene Unter-
stützung fand. Darum ließen beide sich von Nottebohm für gutes
Geld sehr ähnlich und nichtssagend malen: jeder für sich sowohl,
wie auch zusammen, und später, als Kinder kamen, durfte der
Spaßmacher ein lebensgroßes Familienbild der Institoris verfertigen, eine puppige Darstellung, auf deren ansehnlicher Fläche
eine Menge hochgefirnißter Ölfarbe verschwendet war, und die in
reichem Rahmen, versehen mit elektrischer Eigenbeleuchtung von
oben und unten, das Empfangszimmer schmückte.

Als Kinder kamen, sagte ich. Denn es kamen Kinder, und mit
welcher Adrettheit, welcher zähen, fast möchte man sagen: hel-
denmütigen Verleugnung von Umständen, die dem Nobel-Bür-
gerlichen immer weniger Gunst gewährten, wurden sie gehegt
und herangezogen — für eine Welt gleichsam, wie sie gewesen
war, und nicht, wie sie werden wollte. Schon Ende 1915 be-
schenkte Ines ihren Gatten mit einem Töchterchen, Lukrezia genannt, in gelb polierter Bettstatt unter gestutztem Himmel, nahe den symmetrisch aufgereihten Silbersachen auf der
Glasplatte des Toilettentisches, und Ines erklärte sogleich, daß sie
ein vollkommen erzogenes junges Mädchen, une jeune fille ac-
complie, wie sie sich in ihrem Karlsruher Französisch ausdrückte,
aus ihr zu machen gedächte. Zwei Jahre später folgte ihr ein
Zwillingspärchen, Mädchen wiederum, die in ebenso korrekter
häuslicher Zeremonie, mit Schokolade, Portwein und Konfekt, aus
silberner, mit Blumen bekränzter Schale auf den Namen Ännchen
und Riekchen getauft wurden. Alle drei waren weiße, lieblich-
verzärtelt lispelnde, um ihre Schleifenkleidchen besorgte, offenbar unter dem Druck des mütterlichen Tadellosigkeitswahnes stehende und auf traurige Art von sich eingenommene Schatten-
pflänzchen und Luxus-Geschöpfchen, die ihre frühen Tage in preziösen Körbchen mit Seidengardinen verbrachten und von einer
Amme (denn Ines nährte sie nicht selbst; der Hausarzt hatte es
ihr widerraten), einer noch ganz im bürgerlichen Pfingstochsen-
stil aufgeputzten Frau aus dem Volk, in niedrigen Schubwägel-
chen elegantester Konstruktion, auf Gummirädern unter den Lin-
denbäumen der Prinzregentenstraße spaziergefahren wurden.
Später war es ein Fräulein, gelernte Kindergärtnerin, die sie betreute. Das helle Zimmer, in dem sie aufwuchsen, wo ihre Bett-
chen standen und wo Ines sie besuchte, sobald die Ansprüche des
Haushalts und die Sorge um ihre eigene Soigniertheit es erlaub-
ten, war mit seinem die Wände umlaufenden Märchenfries, seinen ebenfalls märchenhaften Zwergmöbeln, dem bunten Linole-

umbelag und der Welt von wohlgeordnetem Spielzeug, Teddy-
bären, Roll-Lämmern, Hampelmännern, Käthe-Kruse-Puppen
und Eisenbahnen auf den Wandborten, das Musterbild eines
häuslichen Kinderparadieses, genau wie es im Buche steht.

Muß ich nun sagen oder wiederholen, daß es mit all dieser Richtigkeit keineswegs seine Richtigkeit hatte, daß sie auf Willelei,
um nicht zu sagen: auf Lüge beruhte und nicht nur von außen
mehr und mehr in Frage gestellt wurde, sondern für das schär-
fere, durch Teilnahme geschärfte Auge auch innerlich brüchig war
und weder beglückt noch in der Seele geglaubt und auch nur
wahrhaft gewollt wurde? Mir schien diese ganze Glückskorrekt-
heit immer eine bewußte Verleugnung und Übertünchung des
Problematischen; zu Inessens Leidenskult stand sie in sonderbarem Widerspruch, und meiner Meinung nach war die Frau zu
klug, sich darüber zu täuschen, daß die idealische Bürgerhecke, zu
der sie das Dasein ihrer Kinder zimperlich verklärte, der Ausdruck und die Überverbesserung der Tatsache war, daß sie sie
nicht liebte, sondern die Früchte einer Verbindung in ihnen sah,
die sie mit schlechtem weiblichen Gewissen eingegangen war, und
in der sie unter fleischlichen Widerständen lebte.

Großer Gott, es war selbstverständlich keine berauschende Wonne
für eine Frau, mit Helmut Institoris zu schlafen! So viel verstehe ich auch von weiblichen Träumen und Ansprüchen und war
immer gezwungen, mir vorzustellen, daß Ines ihre Kinder rein
pflichtmäßig duldend und sozusagen abgewandten Gesichtes von
ihm empfangen hatte. Denn sie waren die seinen, daran ließ die
Ähnlichkeit aller drei mit ihm keinen Zweifel, die diejenige mit
der Mutter weit überwog, vielleicht weil deren seelische Teilnahme bei ihrer Erzeugung so gering gewesen war. Und überhaupt möchte ich der natürlichen Ehe des kleinen Herrn in keiner
Weise zu nahe treten. Er war gewiß ein ganzer Mann, wenn auch
in Männchengestalt, und durch ihn erfuhr Ines die Lust, — eine
glücklose Lust, auf deren ärmlichem Boden ihre Leidenschaft wu-
chern konnte.

Ich habe es ja gesagt, daß Institoris, als er um Ines' Jungfräulichkeit zu freien begonnen, es eigentlich für einen anderen getan
hatte. So denn nun auch war er als Gatte nur der Erwecker ab-
schweifender Wünsche, einer halben, im Grunde kränkenden
Glückserfahrung, die nach Ergänzung, Verifizierung, Genugtuung
verlangte und das Leid, das sie um Rudi Schwerdtfeger trug, und
das sich mir im Gespräch mit ihr sonderbar enthüllt hatte, zur
Leidenschaft aufflammen ließ. Es ist ganz klar: als Gegenstand
der Werbung begann sie kummervoll seiner zu gedenken, als
wissende Frau verliebte sie sich mit vollem Bewußtsein und in
aller Vollständigkeit des Gefühls und der Begierde in ihn. Und
auch das kann keinem Zweifel unterliegen, daß der junge Mann

gar nicht umhinkonnte, diesem ihm leidend und mit geistiger Überlegenheit entgegendrängenden Gefühl zu gehorchen, — fast hätte ich gesagt: es wäre ›noch schöner‹ gewesen, wenn er ihm *nicht* gehorcht hätte, wobei mir das schwesterliche »Hopp, Mensch, was fällt Ihnen ein, springen Sie gefälligst!« im Ohre klingt. Nochmals, ich schreibe keinen Roman und spiegle nicht allwissende Autoreneinsicht in die dramatischen Phasen einer intimen, den Augen der Welt entzogenen Entwicklung vor. Aber soviel ist gewiß, daß Rudolf, in die Enge getrieben, ganz unwillkürlich und mit einem »Was soll ich machen?« jenem stolzen Kommando parierte, — wobei ich mir sehr wohl vorstellen kann, wie seine Passion für den Flirt, das anfänglich harmlose Vergnügen an einer sich immer mehr spannenden und erhitzenden Situation ihn in ein Abenteuer lockte, dem er ohne diese Neigung zum Spiel mit dem Feuer auch hätte ausweichen können.

Mit anderen Worten: Unter der Decke bürgerlicher Untadeligkeit, nach deren Schutz sie doch so heimwehkränklich verlangt hatte, lebte Ines Institoris im Ehebruch mit einem der seelischen Konstitution und selbst dem Gehaben nach knabenhaften Frauenliebling, der ihr Zweifel und Kummer machte, wie sonst eine leichtfertige Frau dem ernstlich liebenden Manne Zweifel und Kummer macht, und in dessen Armen ihre von unlieber Ehe geweckten Sinne Genüge fanden. Sie lebte so jahrelang, von einem Zeitpunkt an, der, wenn ich recht sehe, nur wenige Monate nach ihrer Verehelichung lag, bis gegen Ende des Jahrzehnts, und wenn sie dann nicht mehr so lebte, so darum, weil er, den sie aus allen Kräften zu halten gesucht hatte, sich ihr entzog. Sie war es, die, indem sie zugleich die exemplarische Hausfrau und Mutter abgab, das Verhältnis dirigierte, manipulierte und verschleierte, ein tägliches Kunststück und ein Doppelleben, das natürlich an ihren Nerven zehrte und zu ihrer höchsten Angst die prekäre Lieblichkeit ihrer Erscheinung bedrohte, — zum Beispiel, indem sie die beiden Falten an der Nasenwurzel, zwischen ihren blonden Brauen, auf eine gewisse maniakalische Weise vertiefte. Dabei ist, bei aller Vorsicht, Schläue und virtuosen Diskretion, die darauf verwandt wird, solche Abwegigkeiten den Augen der Gesellschaft zu verbergen, der Wille dazu auf beiden Seiten auch wieder niemals ganz klar und ungebrochen: sowohl beim Manne, dem es ja schmeicheln muß, wenn man sein gutes Glück wenigstens vermutet, wie auch sogar bei der Frau, deren geschlechtlicher Stolz es heimlich geradezu darauf abgesehen hat, daß man wisse, sie müsse sich nicht mit den von niemandem hoch veranschlagten Liebkosungen ihres Gatten begnügen. Darum täusche ich mich kaum in der Annahme, daß die Kenntnis von Ines Institoris' Nebenwegen in ihrem Münchener Kreise ziemlich allgemein verbreitet war, obgleich ich nie mit jemandem, außer mit Adrian Leverkühn, ein Wort darüber gewechselt habe. Ja, ich gehe so weit, mit der Möglichkeit zu rechnen, daß auch Helmut selbst die Wahrheit kannte: Das Vorkommen einer gewissen Mischung von gebildeter Güte, kopfschüttelnd bedauernder Duldung und — Friedensliebe spricht für diese Annahme, und es geschieht gar nicht selten, daß die Gesellschaft den Gatten für den einzig Blinden hält, während er der Meinung ist, außer ihm wisse niemand etwas. Dies die Bemerkung eines alten Mannes, der ins Leben geblickt hat.

Ich hatte nicht den Eindruck, daß Ines sich um irgendwelche Mitwisserschaft sonderlich kümmerte. Sie tat ihr Bestes, um solche hintanzuhalten, aber das war mehr ein Wahren des Dekors, — wer durchaus wollte, mochte Bescheid wissen, wenn er sie nicht störte. Die Leidenschaft ist zu eingenommen von sich, um sich vorstellen zu können, daß irgend jemand ihr ernstlich entgegen sei. Wenigstens ist dies in Liebesdingen so, wo das Gefühl jedes Recht der Welt für sich in Anspruch nimmt und in aller Verbotenheit und Anstößigkeit ganz unwillkürlich auf Verständnis rechnet. Wie hätte Ines, wenn sie sich sonst für ganz unbelauscht gehalten hätte, meine Eingeweihtheit so ohne weiteres voraussetzen können? Sie tat das aber so gut wie rückhaltlos — nur gerade daß ein bestimmter Name ausfiel — in einem abendlichen Gespräch, das wir — es wird im Herbst 1916 gewesen sein — miteinander führten, und um das es ihr offenbar zu tun gewesen war. Ich hatte mir damals, anders als Adrian, der, wenn er einmal den Abend in München verbracht hatte, immer an seinem Elf-Uhr-Zug zur Heimkehr nach Pfeiffering festhielt, in Schwabing, nicht weit hinterm Siegestor, Hohenzollernstraße, ein Stübchen gemietet, um unabhängig zu sein und unter Umständen in der Hauptstadt ein Obdach zu haben. So konnte ich, bei den Institoris als guter Freund zum Abendessen eingeladen, bereitwillig zustimmen, als Ines, unterstützt von ihrem Gatten, mich schon bei Tische bat, ihr nachher noch Gesellschaft zu leisten, wenn Helmut, der vorhatte, im Allotria-Club Karten zu spielen, gegangen sein würde. Er ging kurz nach neun Uhr mit dem Wunsche, wohl zu plaudern. Dann saßen Hausfrau und Gast allein im täglichen Wohnzimmer, das mit kissenbelegten Korbmöbeln ausgestattet war, und wo Ines' Büste, von einem befreundeten Bildhauer in Alabaster gearbeitet, auf einer Säulenkonsole stand, — sehr ähnlich, sehr pikant, ein gut Teil unter Lebensgröße, aber außerordentlich sprechend mit dem schweren Haar, den verschleierten Augen, dem zarten, schräg vorgeschobenen Hälschen, dem in schwieriger Schalkhaftigkeit gespitzten Mund.

Und ich war der Vertraute wieder, der ›gute‹, keine Emotionen erweckende Mensch im Gegensatz zur Welt des Reizenden, die Ines wohl in dem Jungen verkörpert fand, von dem mit mir zu sprechen es sie verlangte. Sie sagte es selbst: Die Dinge, das Geschehende, Erlebte, Glück, Liebe und Leiden kamen nicht zu ihrem Recht, wenn sie stumm blieben und eben nur genossen, erlitten wurden. Sie genügten sich nicht in Nacht und Schweigen. Je heimlicher sie waren, desto mehr bedurften sie des Dritten, des Vertrauten, des Guten, zu dem, mit dem man darüber sprechen konnte, — und der war ich; ich sah es ein und nahm meine Rolle auf mich.

Wir hatten nach Helmuts Weggang einige Zeit, gleichsam solange er noch in Hörweite war, von gleichgültigen Dingen gesprochen. Plötzlich, fast überrumpelnd, sagte sie dann:

»Serenus, schelten, verachten, verwerfen Sie mich?«

Es wäre sinnlos gewesen, Nichtverstehen zu heucheln.

»Mitnichten, Ines«, erwiderte ich. »Bewahre Gott! Ich habe es mir immer gesagt sein lassen, jenes ›Die Rache ist mein, ich will vergelten‹. Ich weiß, Er senkt die Strafe schon in das Vergehen hinein und tränkt es ganz mit ihr, so daß das eine nicht vom anderen zu unterscheiden ist und Glück und Strafe dasselbe sind. Sie müssen sehr leiden. Säße ich hier, wenn ich zum Sittenrichter gemacht wäre? Daß ich für Sie *fürchte*, das leugne ich nicht. Aber ich hätte auch das für mich behalten ohne Ihre Frage, ob ich sie schelte.«

»Was ist Leiden, was sind Furcht und demütigende Gefahr«, sagte sie, »im Vergleich mit dem einen, süßen, unentbehrlichen Triumph, ohne den man nicht leben wollte: das Leichtfertige, Entgleitende, das Weltliche, die Seele mit unverlässiger Nettigkeit Quälende, das aber dennoch wahren menschlichen Wert hat, an diesem seinem ernsten Werte festzuhalten, sein Stutzertum zum Ernst zu zwingen, das Lose zu besitzen und es endlich, endlich, nicht einmal nur, sondern zur Bestätigung und Versicherung nie oft genug, in dem Zustand zu sehen, der seinem Wert gebührt, im Zustand der Hingebung, der tief aufseufzenden Leidenschaft!«

Ich sage nicht, daß die Frau sich genau dieser Worte bediente, aber sehr annähernd so drückte sie sich aus. Sie war ja belesen und gewohnt, ihr inneres Leben nicht stumm zu führen, sondern es zu artikulieren, und hatte sich als Mädchen sogar in der Dichtkunst versucht. Ihre Worte besaßen gebildete Präzision und etwas von der Kühnheit, die immer entsteht, wenn die Sprache Gefühl und Leben ernstlich zu erreichen und in sich aufgehen zu lassen, sie in sich erst wahrhaft leben zu lassen bestrebt ist. Dies ist kein alltäglicher Wunsch, sondern ein Erzeugnis des Affektes, und insofern sind Affekt und Geist verwandt, insofern aber auch ist der Geist ergreifend. Indem sie fortfuhr zu sprechen, nur selten mit halbem Ohr hinhörend auf das, was ich etwa einschaltete, waren ihre Worte, ich sage es offen, von einer sinnlichen Wonne durch-

tränkt, die mich anstehen läßt, sie hier in direkter Rede wiederzugeben. Mitleid, Diskretion, menschliche Ehrfurcht hindern mich
daran und auch die, mag sein, spießbürgerliche Scheu, dem Leser
Peinliches zuzumuten. Sie wiederholte sich vielfach — in dem
Drange, dem schon Gesagten, das ihr noch nicht zu seinem Rechte
gekommen schien, zu angemessenerem Ausdruck zu verhelfen.
Und immer ging es dabei um die eigentümliche Gleichsetzung von
Wert und sinnlicher Leidenschaft, um die fixe und sonderbar
trunkene Idee, daß innerer Wert nur in der Lust, die offenbar
etwas an Ernst dem ›Werte‹ Gleiches war, sich erfüllen, sich verwirklichen könne, und daß es das zugleich höchste und unent-
behrlichste Glück war, ihn dazu anzuhalten. Es ist schlechthin unbeschreiblich, welchen Akzent heißer und schwermütiger, übrigens ungesicherter Genugtuung in ihrem Munde diese Vermischung der Begriffe Wert und Lust annahm; wie sehr dabei die
Lust als das Element des tiefsten Ernstes erschien, furchtbar entgegengesetzt dem verhaßten Element der »Gesellschaft«, an welches der Wert sich kokettisch spielend verriet, das das elbische,
verräterische Element seiner Hülle, der Liebenswürdigkeit, war,
und dem man ihn nehmen, entreißen mußte, um ihn allein,
höchst allein, im letzten Sinn des Wortes allein zu haben. Die
Zähmung der Liebenswürdigkeit zur Liebe, darum drehte es sich;
aber zugleich um Abstrakteres, oder um etwas, worin Gedachtes
und Sinnliches unheimlich in eins verschmolzen: um die Idee,
daß der Widerspruch zwischen der Frivolität des Gesellschafts-
festes und der traurigen Verdächtigkeit des Lebens aufgehoben
war in seiner Umarmung, das Leiden daran aufs süßeste gerächt
war durch diese.
Von dem, was ich selber einwarf, weiß ich mich kaum noch an
einzelnes zu erinnern, außer an eine Frage, die wohl den Zweck
hatte, auf die erotische Überschätzung des Gegenstandes hinzu-
deuten und zu erfahren, wie diese möglich sei: Ich erinnere mich,
daß ich schonend andeutete, wie es doch nicht gerade das Vital-
Herrlichste, Vollkommenste, Begehrenswerteste sei, woran hier
die Leidenschaft sich klammerte; daß sich anläßlich der Entschei-
dung über die Kriegsdiensttauglichkeit ein physiologischer Funk-
tionsdefekt, eine Organ-Resektion herausgestellt habe. Die Antwort lautete in dem Sinne, daß diese Einschränkung das Lie-
benswürdige dem leidenden Geiste näher bringe; daß ohne sie
für diesen gar keine Hoffnung bestanden hätte und sie es sei, die
den Flattersinn dem Ruf des Schmerzes überhaupt zugänglich gemacht habe; mehr noch und bezeichnend genug: daß die Lebens-
verkürzung, die etwa daraus resultiere, für das Besitzverlangen
eher einen Trost, eine Beruhigung und Versicherung als eine
Herabstimmung bedeute ... Im übrigen waren alle sonderbar be-
klemmenden Einzelheiten des Gesprächs wieder da, in dem sie mir

ihre Verfallenheit zuerst entdeckt hatte, nur gelöst jetzt in fast boshafter Genugtuung: Er mochte nun durch die begütigende Bemerkung, daß er sich auch bei Langewiesches oder Rollwagens, Leuten, die man selber nicht kannte, einmal wieder habe blicken lassen müssen, verraten, daß er dort ebenso sprach und sagte, er habe sich doch auch wieder blicken lassen müssen bei ihr, — es ließ sich nun Triumphierendes dabei denken. Die ›Rassigkeit‹ der Rollwagen'schen Töchter war keine Angst und Pein mehr, Mund an Mund mit ihm, und entgiftet waren die Nettigkeitsbitten an gleichgültige Menschen, doch noch nicht wegzugehen. Das gräßliche »Es sind schon so viele unglücklich!« — es gab ein Seufzen, durch das dem Wort der Stachel der Schmach gebrochen war. Diese Frau war offenbar von dem Gedanken erfüllt, daß sie zwar der Welt des Wissens und Leidens gehöre, zugleich aber Weib sei und in ihrer Weiblichkeit das Mittel besitze, Leben und Glück an sich zu reißen, den Übermut an ihrem Herzen zum Erliegen zu bringen. Früher war allenfalls durch einen Blick, ein ernstes Wort die Torheit einen Augenblick nachdenklich zu stimmen, vorübergehend zu gewinnen gewesen; man hatte sie anhalten können, ihr nichtsnutziges Adieu-Sagen, noch einmal zurückkehrend, durch ein stilles und ernsthaftes zu korrigieren. Nun waren diese ephemeren Gewinne befestigt im Besitz, in der Vereinigung, — soweit Besitz und Vereinigung möglich waren in der Zweiheit, soweit eine verschattete Weiblichkeit es zu sichern vermochte. Es war diese, der Ines mißtraute, indem sie ihren Unglauben zu erkennen gab an die Treue des Geliebten. »Serenus«, sagte sie, »es ist unausbleiblich, ich weiß es, er wird mich verlassen.« Und ich sah die Falten zwischen ihren Brauen sich mit verbohrtem Ausdruck vertiefen. »Aber dann wehe ihm! Wehe mir!« setzte sie tonlos hinzu, und ich konnte nicht umhin, mich an Adrians Wort zu erinnern, als ich ihm zuerst von dem Verhältnis erzählt: »Er soll sehen, daß er heil aus der Sache davonkommt!«

Für mich war das Gespräch ein wirkliches Opfer. Es dauerte zwei Stunden, und viel Selbstverleugnung, menschliche Sympathie, freundschaftlich guter Wille waren nötig, es durchzustehen. Ines schien sich dessen auch bewußt zu sein, aber merkwürdig, ich muß es sagen: ihre Dankbarkeit für die Geduld, Zeit, Nervenkraft, die man ihr widmete, war, mir unverkennbar, kompliziert durch eine gewisse boshafte Genugtuung darüber, etwas wie Schadenfreude, die sich in einem gelegentlichen enigmatischen Lächeln verriet, und an die ich noch heute nicht denken kann, ohne mich zu wundern, daß ich so lange aushielt. Tatsächlich saßen wir, bis Institoris aus der ›Allotria‹ zurückkehrte, wo er mit Herren der Gesellschaft Tarock gespielt hatte. Ein Ausdruck verlegenen Erratens überflog sein Gesicht, als er uns noch beisammen sah. Er dankte mir für die freundliche Vertretung, und ich setzte mich nicht mehr nach der Wiederbegrüßung mit ihm. Ich küßte der Hausfrau die Hand und ging, recht entnervt, halb verärgert, halb teilnahmsvoll erschüttert, durch die ausgestorbenen Straßen nach meinem Quartier.

XXXIII

Die Zeit, von der ich schreibe, war für uns Deutsche eine Ära des staatlichen Zusammenbruchs, der Kapitulation, der Erschöpfungsrevolte und des hilflosen Dahingegebenseins in die Hände der Fremden. Die Zeit, *in* der ich schreibe, die mir dienen muß, in stiller Abgeschiedenheit diese Erinnerungen zu Papier zu bringen, trägt, gräßlich schwellenden Bauches, eine vaterländische Katastrophe im Schoß, mit der verglichen die Niederlage von damals als mäßiges Mißgeschick, als verständige Liquidierung eines verfehlten Unternehmens erscheint. Ein schmähliches Ende bleibt immer etwas anderes, Normaleres noch als ein Strafgericht, wie es anjetzo über uns schwebt, wie es dereinst auf Sodom und Gomorra fiel, und wie wir es jenes erste Mal denn doch nicht heraufbeschworen hatten.

Daß es herannaht, daß es längst nicht mehr aufzuhalten ist, — ich kann nicht glauben, daß irgend jemand noch den leisesten Zweifel daran hegt. Monsignore Hinterpförtner und ich stehen ganz gewiß nicht länger allein mit der schauerlichen und zugleich — Gott helfe uns! — heimlich erhebenden Erkenntnis. Daß diese in Schweigen gehüllt bleibt, ist eine gespenstische Tatsache für sich. Denn mag es schon unheimlich sein, wenn unter einer großen Menge Verblendeter einige wenige Wissende versiegelten Mundes wohnen müssen, — das Grausen, so scheint mir, vollendet sich, wenn eigentlich alle schon wissen, aber zusammen in Schweigen gebannt sind, während einer dem andern die Wahrheit von den sich versteckenden oder angstvoll starrenden Augen liest.

Während ich treulich von Tag zu Tag, in stiller Dauer-Erregung, meiner biographischen Aufgabe gerecht zu werden, dem Intimen und Persönlichen eine würdige Gestalt zu geben suchte, habe ich geschehen lassen, was draußen geschah, und was der Zeit angehört, in der ich schreibe. Die Invasion Frankreichs, als Möglichkeit längst anerkannt, hat sich vollzogen, — eine mit vollkommener Umsicht vorbereitete technisch-militärische Leistung ersten, oder überhaupt neuen Ranges, an der wir den Feind um so weniger hindern konnten, als wir nicht wagen durften, unsere Abwehrkräfte den einen Punkt der Landung zu versammeln, ungewiß, ob er nicht als einer unter anderen angesehen werden müsse und weitere Angriffe an unerratbaren Stellen vielleicht zu erwarten seien. Vergebens und verderblich der Argwohn: Dies war es. Und bald waren es der zu Strande gebrachten Truppen, Tanks, Geschütze und jederlei Bedarfe mehr, als wir wieder ins Meer zu werfen vermochten. Cherbourg, dessen Hafen, wie wir vertrauen dürfen, von deutscher Ingenieurkunst gründlich unbrauchbar gemacht worden, hat nach heroischen Radiogrammen des Kommandierenden Generals sowohl wie des Admirals an den Führer kapituliert, und seit Tagen schon tobt eine Schlacht, deren Streitgegenstand die normannische Stadt Caën ist, — ein Kampf, der eigentlich wohl bereits, wenn unsere Besorgnis recht sieht, der Öffnung des Weges nach der französischen Hauptstadt gilt: diesem Paris, dem in der neuen Ordnung die Rolle des europäischen Lunaparks und Freudenhauses zugedacht war, und wo nun, kaum noch in Zaum gehalten von den vereinten Kräften unserer Staatspolizei und ihrer französischen Mitarbeiter, der Widerstand keck sein Haupt erhebt.

Ja, wie vieles ist geschehen, was in mein einsames Tun hineinspielte, ohne daß ich mir etwas davon merken ließ! Es war nicht viele Tage nach der erstaunlichen Landung in der Normandie, daß unsere neue Vergeltungswaffe, vom Führer schon mehrfach mit inniger Freude vorausgewähnt, auf der Szene des westlichen Kriegstheaters erschien: die Robot-Bombe, ein bewunderungswürdiges Kampfmittel, wie nur heilige Not es dem Erfinder-Genius eingeben kann, — diese unbemannten Flügelboten der Zerstörung, die, zahlreich von der französischen Küste abgelassen, explodierend über Süd-England niedergehen und, wenn nicht alles täuscht, binnen kurzem zu einer wahren Kalamität für den Gegner geworden sind. Werden sie Wesentliches zu verhüten imstande sein? Das Schicksal hat nicht gewollt, daß die notwendigen Installationen rechtzeitig fertig wurden, um durch die Fluggeschosse die Invasion zu stören und hintan zu halten. Inzwischen liest man von der Einnahme Perugias, das, unter uns gesagt, mittwegs zwischen Rom und Florenz gelegen ist; man munkelte sogar schon von dem strategischen Plan, die Apenninische Halbinsel überhaupt zu räumen, — vielleicht um Truppen für den erlahmenden Abwehrkampf im Osten frei zu machen, wohin unsere Soldaten aber um keinen Preis geschickt zu werden wünschen. Eine russische Angriffswelle ist dort im Rollen, die über Witebsk hingegangen ist und nun Minsk bedroht, die weißrussische Hauptstadt, nach deren Fall, wie unser Flüsterdienst wissen will, auch im Osten kein Halten mehr wäre.

Kein Halten mehr! Seele, denk es nicht aus! Wage nicht, zu ermessen, was es heißen würde, wenn in unserem extremen, durchaus einmalig-furchtbar gelagerten Fall die Dämme brächen — wie sie zu brechen im Begriffe sind — und es kein Halt mehr gäbe gegen den unermeßlichen Haß, den wir unter den Völkern ringsum gegen uns zu entfachen gewußt haben! Zwar ist durch die

Zerstörung unserer Städte aus der Luft auch Deutschland längst
zum Kriegsschauplatz geworden; doch aber bleibt der Gedanke,
es könnte im eigentlichen Sinne dazu werden, uns unfaßbar und
unzulässig, und unsere Propaganda hat eine seltsame Art, den
Feind vor der Verletzung unseres Bodens, des heiligen deutschen
Bodens, wie vor einer grausen Untat zu *warnen* ... Der heilige
deutsche Boden! Als ob noch irgend etwas an ihm heilig, als ob er
nicht durch ein Unmaß von Rechtsbeleidigung längst über und
über entweiht wäre und nicht moralisch ebenso wie tatsächlich der
Gewalt, dem Strafgericht offenläge. Es komme! Nichts anderes
bleibt mehr zu hoffen, zu wollen, zu wünschen. Der Ruf nach
Frieden mit den Angelsachsen, das Anerbieten, den Kampf gegen
die sarmatische Flut allein weiterzuführen, die Forderung, vom
Gebot unbedingter Übergabe etwas abzulassen, das heißt: zu
verhandeln, und zwar mit wem?, ist nichts als augenrollender
Unsinn, das Verlangen eines Regimes, das nicht begreifen will,
noch heute scheinbar nicht versteht, daß ihm der Stab gebrochen
ist, daß es zu verschwinden hat, beladen mit dem Fluch — selbst
unerträglich der Welt —, uns, Deutschland, das Reich — ich gehe
weiter und sage: das Deutschtum, alles Deutsche — der Welt unerträglich gemacht zu haben. — —
Hier ist der Hintergrund meines biographischen Tuns im gegenwärtigen Augenblick. Ich glaube, eine Skizze davon dem Leser
wieder einmal schuldig zu sein. Den Hintergrund meiner Erzählung selbst angehend, zu dem Zeitpunkt, bis zu welchem ich sie
vorgetrieben, so habe ich ihn eingangs dieses Kapitels mit der
Redewendung »In den Händen der Fremden« gekennzeichnet. »Es
ist furchtbar, in die Hände der Fremden zu fallen«, diesen Satz
und seine bittere Wahrheit durchdachte und durchlitt ich oft in
jenen Tagen des Zusammenbruchs und der Übergabe; denn als
deutscher Mann hege ich ungeachtet einer universalistischen Tönung, die mein Weltverhältnis durch katholische Überlieferung
erfährt, ein lebendiges Gefühl für die nationale Sonderart, das
charakteristische Eigenleben meines Landes, seine Idee sozusagen,
wie sie sich als Brechung des Menschlichen gegen andere, ohne
Zweifel gleichberechtigte Abwandlungen desselben behauptet
und nur bei einem gewissen äußeren Ansehen, im Schutz eines
aufrechten Staats sich behaupten kann. Das neuartig Entsetzliche
einer entscheidenden militärischen Niederlage ist die Überwälti-
gung dieser Idee, ihre physische Widerlegung durch eine, vor
allen Dingen auch sprachgebundene, fremde Ideologie, das völlige Anheimgegebensein an diese, von der doch, eben weil sie
fremd ist, für das eigene Wesen offenbar nichts Gutes kommen
kann. Dies schaurige Erlebnis kosteten die geschlagenen Franzosen das vorige Mal, als ihre Unterhändler, um die Bedingungen
des Siegers zu mildern, den Ruhm, la gloire, des Einzugs unserer

Truppen in Paris sehr hoch veranschlagten und der deutsche Staatsmann ihnen erwiderte, das Wort gloire, oder irgendein Äquivalent dafür, komme in unserem Vokabular nicht vor. Es war davon 1870, erschrocken, gedämpften Tones, in der französischen Kammer die Rede. Ängstlich suchte man sich klarzumachen, was es bedeute, einem Gegner auf Gnade und Ungnade erlegen zu sein, dessen Begriffswelt die gloire nicht kenne . . .

Oft habe ich daran gedacht, als der jakobinisch-puritanische Tugend-Jargon, der vier Jahre lang schon die Kriegspropaganda der ›Einverstandenen‹ bestritten hatte, zur gültigen Sprache des Sieges geworden war. Auch fand ich bestätigt, daß von der Kapitulation nicht weit ist zur reinen Abdankung und zu dem Antrage, der Sieger möge die Verwaltung des gefallenen Landes gefälligst selbst, nach eigener Idee, übernehmen, da es für sein Teil nicht mehr aus und ein wisse. Solche Regungen hatte Frankreich achtundvierzig Jahre früher gekannt, und auch uns waren sie jetzt nicht fremd. Sie werden jedoch zurückgewiesen. Der Gefallene bleibt gehalten, irgendwie für sich selber aufzukommen, und eine Gängelung von außen findet nur zu dem Zwecke statt, zu verhüten, daß die Revolution, die das Vakuum nach dem Hinscheiden der alten Autorität ausfüllt, nicht so weit ins Extreme gehe, daß sie die bürgerliche Ordnung bei den Siegern mitgefährdet. So diente anno 1918 die Aufrechterhaltung der Blockade auch nach der Waffenstreckung den Westmächten dazu, die deutsche Revolution zu kontrollieren, sie im bürgerlich-demokratischen Geleise zu halten und ihrer Ausartung ins Russisch-Proletarische vorzubeugen. So konnte der sieggewohnte Bourgeois-Imperialismus nicht genug vor ›Anarchie‹ warnen, nicht entschieden genug jedes Verhandeln mit Arbeiter- und Soldatenräten und dergleichen Körperschaften ablehnen, nicht genug versichern, daß nur mit einem *soliden* Deutschland Frieden geschlossen, nur ein solches zu essen bekommen werde. Was wir an Regierung besaßen, folgte denn auch dieser väterlichen Leitung, hielt es mit der National-Versammlung gegen die Proletarier-Diktatur und wies Anerbietungen der Sowjets, auch wenn sie der Lieferung von Getreide galten, gehorsam zurück. Nicht zu meiner reinen Genugtuung, wenn ich das hinzufügen darf. Als mäßiger Mann und Sohn der Bildung hege ich zwar ein natürliches Entsetzen vor der radikalen Revolution und der Diktatur der Unterklasse, die ich mir von Hause aus schwerlich anders als im Bilde der Anarchie und Pöbelherrschaft, kurz, der Kulturzerstörung vorzustellen vermag. Wenn ich mich aber der grotesken Anekdote erinnere, wie die beiden vom Großkapital bezahlten Retter der europäischen Gesittung, der deutsche und der italienische, zusammen durch die Florentiner Uffizien schritten, wohin sie wahrhaftig nicht gehörten, und der eine dem anderen versicherte, daß alle diese

»herrlichen Kunstschätze« also der Zerstörung durch den Bolschewismus anheimgefallen wären, wenn nicht der Himmel durch ihrer beider Erhöhung dem vorgebeugt hätte, — so rücken meine Begriffe von Pöbelherrschaft sich neuartig zurecht, und die Herrschaft der Unterklasse will mir, dem deutschen Bürger, als ein Idealzustand erscheinen im nun möglich gewordenen Vergleich mit der Herrschaft *des Abschaums*. Meines Wissens hat der Bolschewismus niemals Kunstwerke zerstört. Das fiel weit eher in den Aufgabenkreis derer, die behaupteten, uns vor ihm zu schützen. Fehlte denn viel, daß ihrer Lust, das Geistige zu zertreten — einer Lust, die der sogenannten Pöbelherrschaft durchaus ferne liegt —, auch das Werk des Helden dieser Blätter, Adrian Leverkühns, zum Opfer gefallen wäre? Hätte nicht ihr Sieg und die historische Vollmacht, diese Welt nach ihrem scheußlichen Gutdünken einzurichten, sein Werk um Leben und Unsterblichkeit gebracht?

Vor sechsundzwanzig Jahren war es der Widerwille gegen die selbstgerechte Tugend-Suada des Rhetor-Bourgeois und ›Sohnes der Revolution‹, der sich in meinem Herzen als stärker erwies denn die Furcht vor Unordnung und mich wünschen ließ, was jener eben nicht wünschte: die Anlehnung meines geschlagenen Landes an seinen Bruder im Leide, an Rußland, — wobei ich bereit war, die sozialen Umwälzungen in Kauf zu nehmen, ja gutzuheißen, die sich aus solcher Genossenschaft ergeben würden. Die russische Revolution erschütterte mich, und die historische Überlegenheit ihrer Prinzipien über diejenigen der Mächte, die uns den Fuß auf den Nacken setzten, litt in meinen Augen keinen Zweifel.

Seither hat die Geschichte mich gelehrt, unsere Besieger von damals, die es nächstens im Bunde mit der Revolution des Ostens wieder sein werden, mit anderen Augen zu betrachten. Es ist wahr: gewisse Schichten der bürgerlichen Demokratie schienen und scheinen heute reif für das, was ich die Herrschaft des Abschaums nannte, — willig zum Bündnis damit, um ihre Privilegien zu fristen. Dennoch sind ihr Führer erstanden, welche, nicht anders als ich, der Sohn des Humanismus, in dieser Herrschaft das Letzte sahen, was der Menschheit auferlegt werden konnte und durfte, und ihre Welt zum Kampf auf Leben und Tod dagegen bewogen. Nicht genug ist das diesen Männern zu danken, und es beweist, daß die Demokratie der Westländer, bei aller Überholtheit ihrer Institutionen durch die Zeit, aller Verstocktheit ihres Freiheitsbegriffs gegen das Neue und Notwendige, wesentlich doch auf der Linie des menschlichen Fortschritts, des guten Willens zur Vervollkommnung der Gesellschaft liegt und der Erneuerung, Ausbesserung, Verjüngung, der Überführung in lebensgerechtere Zustände ihrer Natur nach fähig ist. —

Alles dieses am Rande. Was ich hier biographisch in Erinnerung bringe, ist der bei herannahender Niederlage schon fortgeschrittene und mit ihr sich vollendende Autoritätsverlust des monarchischen Militärstaats, der so lange unsere Lebensform und -gewohnheit gewesen war, sein Zusammenbruch, seine Abdankung und der bei fortdauerndem Darben, fortschreitendem Währungsverfall sich ergebende Zustand diskursiver Lockerung und spekulativer Freiheit, eine gewisse klägliche und unverdiente Ermächtigung zu bürgerlicher Selbständigkeit, die Auflösung eines so lange disziplinär gebundenen Staatsgefüges in debattierende Haufen herrenlos gewordener Untertanen. Ein so recht wohltuender Anblick ist das nicht, und kein Abzug ist zu machen von dem Worte ›peinlich‹, wenn ich die Eindrücke kennzeichnen soll, die ich bei den Versammlungen gewisser, damals ins Leben tretender ›Räte geistiger Arbeiter‹ etc. in Münchener Hotelsälen als rein passiver und beobachtender Teilnehmer gewann. Wäre ich ein Romanerzähler, ich wollte dem Leser eine solche Sitzung, bei der etwa ein belletristischer Schriftsteller, nicht ohne Anmut, sogar auf sybaritische und grübchenhafte Weise über das Thema ›Revolution und Menschenliebe‹ sprach und damit eine freie, allzu freie, diffuse und konfuse, von den ausgefallensten, nur bei solchen Gelegenheiten einen Augenblick ans Licht tretenden Typen, Hanswürsten, Maniaks, Gespenstern, boshaften Quertreibern und Winkelphilosophen getragene Diskussion entfesselte — ich wollte, sage ich, eine solche hilf- und heillose Ratsversammlung aus qualvoller Erinnerung wohl plastisch schildern. Da gab es Reden für und gegen die Menschenliebe, für und gegen die Offiziere, für und gegen das Volk. Ein kleines Mädchen sagte ein Gedicht; ein Feldgrauer wurde mühsam daran gehindert, mit der Verlesung eines Manuskriptes fortzufahren, daß mit der Anrede »Liebe Bürger und Bürgerinnen!« begann und zweifellos die ganze Nacht in Anspruch genommen haben würde; ein böser Kandidat ging mit sämtlichen Vorrednern in ein unerbittliches Gericht, ohne die Versammlung einer eigenen positiven Meinungsäußerung zu würdigen — und so fort. Das Benehmen der in plumpen Zwischenrufen sich gefallenden Zuhörerschaft war turbulent, kindisch und verroht, die Leitung unfähig, die Luft fürchterlich und das Ergebnis weniger als Null. Umherblickend fragte man sich wiederholt, ob man denn der einzige sei, der litt, und war am Ende froh, die offene Straße zu gewinnen, wo schon seit Stunden der Tram-Verkehr eingestellt war und irgendwelche wahrscheinlich sinnlosen Schüsse die Winternacht durchhallten.

Leverkühn, dem ich von diesen Eindrücken berichtete, war außerordentlich leidend damals, — krank auf eine Weise, die etwas von erniedrigender Quälerei, einem Gezwackt- und Geplagtwerden mit glühenden Zangen hatte, ohne daß man etwa unmittelbar für sein Leben hätte fürchten müssen, welches aber auf einen Tiefpunkt gelangt zu sein schien, dergestalt, daß er es, aus einem Tage sich in den anderen schleppend, nur gerade fristete. Es war ein auch durch strengste Diät nicht zu bändigendes Magenübel, das ihn ergriffen hatte, mit heftigsten Kopfschmerzen auftretend, mehrtägig und in wenigen Tagen wiederkehrend, mit stunden-, ja tagelangen Erbrechungen dazu bei leerem Magen, ein wahres Elend, unwürdig, schikanös und erniedrigend, in tiefe Ermattung bei andauernd großer Lichtempfindlichkeit ausgehend, wenn ein Anfall vorüber war. Keine Rede davon, daß das Leiden etwa auf seelische Ursachen, auf die torturierenden Erfahrungen der Zeit, die Niederlage des Landes und ihre wüsten Begleitumstände zurückzuführen gewesen wäre. In seiner klösterlich-ländlichen Abgeschiedenheit, fern der Stadt, berührten diese Dinge ihn kaum, über die er immerhin, zwar nicht durch Zeitungen, die er nicht las, aber durch seine so teilnehmende wie gelassene Pflegerin, Frau Else Schweigestill, auf dem laufenden gehalten wurde. Die Ereignisse, die ja für den Einsichtigen nicht als jäher Choc, sondern als die Erfüllung von etwas längst Erwartetem kamen, vermochten ihn kaum zu einem Achselzucken, und meinen Versuchen, dem Unheil das Gute abzugewinnen, das es etwa bergen mochte, begegnete er nicht anders als verwandten Expektorationen, in denen ich mich zu Anfang des Krieges ergangen, — wobei ich an das kalt ungläubige »Gott segne Eure studia!« denke, womit er mir damals geantwortet.

Und dennoch! So wenig es möglich war, das Absinken seiner Gesundheit mit dem vaterländischen Unglück in gemüthafte Verbindung zu bringen, — meine Neigung, das eine mit dem andern in objektivem Zusammenhang, symbolischer Parallele zu sehen, diese Neigung, die eben nur durch die Tatsache der Gleichzeitigkeit mir eingegeben sein mochte, war unbesieglich durch seine Ferne von den äußeren Dingen, mochte ich den Gedanken auch sorgsam bei mir verschließen und mich wohl hüten, ihn vor ihm auch nur andeutungsweise zur Sprache zu bringen.

Nach einem Arzt hatte Adrian nicht verlangt, weil er in seinem Leiden etwas grundsätzlich Vertrautes, eben nur eine akute Steigerung der ererbten Migräne sehen mochte. Es war Frau Schweigestill, die endlich darauf bestand, den Waldshuter Kreisphysikus, Dr. Kürbis, zuzuziehen, denselben, der einst dem Fräulein aus Bayreuth in Kindsnöten beigestanden. Der gute Mann wollte von Migräne nichts wissen, da die oft exzessiven Kopfschmerzen nicht einseitig waren, wie es sich bei Migräne gehöre, sondern in einer wühlenden Qual in und über beiden Augen bestanden und übrigens von dem Doktor als Symptom begleitenden Charakters gewertet wurden. Seine Diagnose lautete, übrigens mit Vorbehalt, auf etwas wie ein Magengeschwür, und indem er den Patienten auf eine gelegentliche Blutung vorbereitete, die aber nicht eintrat, verordnete er eine Höllensteinlösung, innerlich einzunehmen. Da das nicht anschlug, ging er zur Verabreichung starker Dosen Chinin über, zweimal täglich zu nehmen, die tatsächlich vorübergehend Erleichterung brachten. In Abständen von zwei Wochen jedoch, und dann für zwei ganze Tage, erneuerten sich die schwerer Seekrankheit sehr ähnlichen Anfälle, und Kürbissens Krankheitsbestimmung kam bald ins Schwanken oder befestigte sich in anderem Sinn: er glaubte das Leiden meines Freundes nun mit Sicherheit als einen chronischen Magenkatarrh mit bedeutender, und zwar rechtsseitiger, Erweiterung des Magens ansprechen zu sollen, verbunden mit Blutstauungen, die die Ernährung des Kopfes mit Blut beeinträchtigt. Er verschrieb nun Karlsbader Sprudelsalz und eine Diät, die vom Gesichtspunkt möglichst geringen Volumens bestimmt war, so daß der Speisezettel fast nur zartes Fleisch aufführte und Flüssigkeiten, Suppe, auch Gemüse, Mehliges, Brot verpönte. Dies richtete sich auch gegen die verzweifelt heftige Säurebildung, an der Adrian litt, und die Kürbis wenigstens zum Teil nervösen Ursachen zuzuschreiben geneigt war, also einer Zentralwirkung, also dem Gehirn, das hier zum ersten Mal in seinen diagnostischen Spekulationen eine Rolle zu spielen begann. Mehr und mehr schob er, da die Magenerweiterung kuriert war, ohne daß Kopfschmerzen und schwere Übelkeiten darum ausgeblieben wären, die Leidenserscheinungen auf das Gehirn ab, — bestärkt hierin durch das dringliche Verlangen des Kranken, verschont zu sein vom Lichte: Auch wenn er außer Bett war, verbrachte er halbe Tage im dicht verdunkelten Zimmer, da ein sonniger Vormittag genügt hatte, seine Nerven so weit zu ermüden, daß er nach Finsternis dürstete und sie wie ein wohltätiges Element genoß. Ich selbst habe manche Tagesstunde in der Abtsstube, die so verdunkelt war, daß man erst nach längerer Gewöhnung die Umrisse der Möbel, einen bleichen Außenschein auf den Wänden unterschied, plaudernd mit ihm verbracht.

Um diese Zeit waren Eiskappen und kalte Übergießungen des Kopfes am Morgen die verordneten Anwendungen, und sie schlugen besser an als die vorigen, wenn auch nur als Palliativmittel, deren mildernde Wirkung nicht erlaubte, von Genesung zu reden: Der unheimliche Zustand war nicht behoben, intermittierend kehrten die Anfälle wieder, und der Heimgesuchte erklärte, sie wohl aushalten zu wollen, wenn nicht das zwischenein Fortwährende gewesen wäre, der beständige Schmerz und Druck im Kopf, auf den Augen, das schwer zu beschreibende, lähmungsartige Gesamtgefühl vom Scheitel bis zu den Fußspitzen, das auch die Sprachorgane zu beschweren schien, so daß die Rede des Leidenden, ob er sich dessen nun bewußt war oder nicht, zuweilen etwas Schleppendes und, durch trägen Gebrauch der Lippen, etwas mangelhaft Artikuliertes hatte. Eher glaube ich, daß er nicht acht darauf gab, denn er ließ sich am Sprechen dadurch nicht hindern; aber andererseits hatte ich zuweilen den Eindruck, daß er sich der Hemmung geradezu bediente und sich in ihr gefiel, um auf eine gewisse nicht ganz ausgebildete, nur halb zum Verstandenwerden bestimmte Weise, wie aus dem Traume redend, Dinge zu sagen, für die ihm diese Mitteilungsart passend schien. So sprach er mir von der kleinen Seejungfer in Andersens Märchen, das er außerordentlich liebte und bewunderte, nicht zuletzt die wirklich vorzügliche Schilderung des scheußlichen Bereichs der Meerhexe hinter den reißenden Strudeln, im Polypenwald, wohin das sehnsüchtige Kind sich getraut, um statt ihres Fischschwanzes Menschenbeine und durch die Liebe des schwarzäugigen Prinzen — sie selbst hatte Augen »so blau wie die tiefste See« — vielleicht, wie die Menschen, eine unsterbliche Seele zu erlangen. Er spielte mit dem Vergleich zwischen den messerscharfen Schmerzen, die die stumme Schöne bei jedem Schritt auf ihren weißen Gehwerkzeugen zu erdulden sich bereit gefunden, und dem, was er selbst unaufhörlich auszustehen hatte, nannte sie seine Schwester in der Trübsal und übte übrigens eine Art von familiärer und humoristisch realer Kritik an ihrem Benehmen, ihrem Eigensinn, ihrer sentimentalen Versehntheit nach der zweibeinigen Menschenwelt.

»Gleich mit dem Kult der auf den Meeresgrund geratenen Marmorstatue«, sagte er, »fängt es an, dem Knaben, der offenbar von Thorwaldsen ist, und an dem sie unerlaubt viel Geschmack findet. Die Großmutter hätte ihr das Ding wegnehmen sollen, statt zu erlauben, daß die Kleine auch noch eine rosenrote Trauerweide dazu in den blauen Sand pflanzt. Man hat ihr früh zu viel durchgehen lassen, und nachher ist das Verlangen nach der hysterisch überschätzten Oberwelt und nach der ›unsterblichen Seele‹ nicht mehr zu bändigen. Eine unsterbliche Seele, warum denn? Ein ganz törichter Wunsch! Es ist viel beruhigender, zu wissen, daß man nach dem Tode zu Schaum auf dem Meere wird, wie es der Kleinen von Natur wegen zukommt. Eine ordentliche Nixe hätte diesen Hohlkopf von Prinzen, der sie gar nicht zu schätzen weiß und vor ihren Augen eine andere heiratet, an den Marmorstufen seines Schlosses verführt, ihn ins Wasser gezogen und ihn zärtlich ertränkt, statt ihr Schicksal von seiner Dummheit abhängig zu machen, wie sie es tut. Wahrscheinlich hätte er sie mit dem angeborenen Fischschwanz viel leidenschaftlicher geliebt als mit den schmerzhaften Menschenbeinen ...«

Und mit einer Sachlichkeit, die nur scherzhaft sein konnte, aber mit zusammengezogenen Brauen, dabei nur halb deutlich, mit unwillig sich bewegenden Lippen, sprach er von den ästhetischen

Vorzügen der Nixengestalt vor der gegabelt-menschlichen, von dem Linienreiz, mit dem der Frauenleib aus den Hüften in den glattschuppigen, starken und geschmeidigen, zum wohlgesteuerten Dahinschießen geschaffenen Fischschwanz verfloß. Er leugnete hier alles Monströse, das sonst den mythologischen Kombinationen des Menschlichen mit dem Tierischen anhafte, und tat, als gäbe er nicht zu, daß der Begriff mythologische Fiktion hier überhaupt am Platze sei: Das Meerweib habe vollkommene und gewinnendste organische Wirklichkeit, Schönheit und Notwendigkeit, wie man recht gewahr werde angesichts des kümmerlich mitleiderregenden und deklassierten Zustandes der kleinen Seejungfer, nachdem sie sich Beine erkauft, was niemand ihr danke, — es sei ein unzweifelhaftes Stück Natur, das die Natur schuldig geblieben, — *wenn* sie es schuldig geblieben sei, was er nicht glaube, ja, was er besser wisse, und so weiter.

Ich höre ihn noch so reden oder murmeln, mit einer finsteren Scherzhaftigkeit, die ich scherzhaft beantwortete, einige Ängstlichkeit, wie gewöhnlich, im Herzen nebst stiller Bewunderung für die Laune, die er dem offenbar auf ihm liegenden Druck abzuwinnen wußte. Sie war es, die mich seine Ablehnung der Vorschläge billigen ließ, die Dr. Kürbis damals pflichtgemäß unterbreitete: Er empfahl oder gab zu erwägen die Befragung einer höheren ärztlichen Autorität; aber Adrian wich aus, wollte davon nichts wissen. Er habe, sagte er, erstens volles Vertrauen zu Kürbis und sei außerdem der Überzeugung, daß er mehr oder weniger allein, aus eigener Kraft und Natur mit dem Übel fertig werden müsse. Das entsprach meinem eigenen Gefühl. Eher wäre ich einem Umgebungswechsel, einem Kuraufenthalt zugeneigt gewesen, den der Doktor ebenfalls in Vorschlag brachte, ohne, wie sich hätte vorhersagen lassen, seinen Patienten dazu überreden zu können. Viel zu sehr hing dieser an dem entschieden gewählten und gewohnten Lebensrahmen von Haus und Hof, Kirchturm, Weiher und Hügel, zu sehr an seiner altertümlichen Studierstube, seinem Sammetstuhl, als daß er den Gedanken zugelassen hätte, dies alles auch nur für vier Wochen gegen die Greuel eines Badeort-Daseins mit Table d'hôte, Promenade und Kurmusik einzutauschen. Vor allem schützte er Rücksichtnahme vor auf Frau Schweigestill, die er nicht zu kränken wünsche, indem er irgendeine auswärtige Allerweltspflege der ihren vorzog, — da er sich doch in dieser, in dem Verständnis, der gelassenen, menschlich-kundigen Fürsorge der Mutter weitaus am besten aufgehoben fühle. Wirklich konnte man fragen, wo er es haben würde wie bei ihr, die ihm jetzt, neuester Empfehlung gemäß, alle vier Stunden zu essen brachte: um acht Uhr ein Ei, Kakao und Zwieback, um zwölf Uhr ein kleines Beefsteak oder ein Kotelett, um vier Uhr Suppe, Fleisch und etwas Gemüse, um acht Uhr kalten Braten und Tee. Dieses Regime war wohltätig. Es hielt die Verdauungsfieber großer Mahlzeiten hintan.

Die Nackedey und Kunigunde Rosenstiel sprachen abwechselnd in Pfeiffering vor. Sie brachten Blumen, Eingemachtes, Pfefferminz-Dragées oder was sonst der herrschende Mangel gewährte. Nicht immer, ja selten nur wurden sie vorgelassen, was keine von beiden irrte. Kunigunde entschädigte sich im Falle der Ablehnung durch besonders wohlgesetzte, in reinstem und würdigstem Deutsch abgefaßte Briefe. Diesen Trost hatte die Nackedey freilich nicht.

Gern wußte ich Rüdiger·Schildknapp, den Gleichäugigen, bei unserem Freunde. Seine Gegenwart wirkte so beruhigend, so erheiternd auf ihn, — wenn sie ihm nur öfter gewährt gewesen wäre! Aber Adrians Krankheit war einer der Ernstfälle, die Rüdigers Gefälligkeit lahmzulegen pflegten, — wir wissen ja, daß das Gefühl seiner dringenden Erwünschtheit ihn störrig machte und mit sich kargen ließ. An Entschuldigungen, will sagen an Möglichkeiten zur Rationalisierung dieser eigentümlichen seelischen Anlage fehlte es ihm nicht: Eingespannt in seinen literarischen Broterwerb, diese Übersetzungsplage, war er wirklich schwer abkömmlich, und außerdem litt seine eigene Gesundheit unter den schlechten Ernährungsverhältnissen; häufigere Darmkatarrhe suchten ihn heim, und wenn er in Pfeiffering erschien — denn immerhin, er kam das eine und andere Mal —, so trug er eine flanellene Leibbinde, auch wohl sogar einen feuchten Wickel mit Guttapercha-Bedeckung, — eine Quelle bitterlicher ˇKomik und angelsächsischer jokes für ihn und der Belustigung denn auch für Adrian, der sich mit niemandem so gut über die Quälereien des Körpers in die Freiheit des Scherzes, des Gelächters erheben konnte wie mit Rüdiger.

Auch die Senatorin Rodde kam, versteht sich, von Zeit zu Zeit aus ihrer mit bürgerlichen Möbeln überfüllten Zuflucht herüber, um sich bei Frau Schweigestill nach Adrians Befinden zu erkundigen, wenn sie ihn selbst schon nicht sehen konnte. Empfing er sie, oder trafen sie im Freien zusammen, so erzählte sie ihm von ihren Töchtern, indem sie beim Lachen die Lippen über einer Lücke in ihren Vorderzähnen geschlossen hielt; denn auch hier, außer mit den Stirnhaaren, gab es nun Kümmernisse, die sie die Menschen fliehen ließen. Clarissa, berichtete sie, liebte sehr ihren künstlerischen Beruf und ließ sich die Freude an seiner Ausübung nicht mindern durch eine gewisse Kälte des Publikums, Mäkeleien der Kritik und die freche Grausamkeit dieses und jenes Spielleiters, der ihr die Stimmung zu verderben suchte, indem er ihr aus der Kulisse »Tempo, Tempo!« zurief, wenn sie eine Soloszene mit Genuß auszuspielen im Begriffe war. Ihr Ausgangs-Engagement in Celle war abgelaufen, und das nächste hatte sie

nicht eben höher hinaufgeführt: sie spielte nun jugendliche Lieb-
haberinnen in dem fernen ostpreußischen Elbing, hatte aber Aussicht auf eine Verpflichtung ins westliche Reich, nämlich nach
Pforzheim, von wo ja der Sprung auf die Bühnen von Karlsruhe
oder Stuttgart am Ende nicht weit war. Worauf es bei dieser
Laufbahn ankam, war, nicht in der Provinz steckenzubleiben,
sondern beizeiten an einem großen Landestheater oder an einer
hauptstädtischen Privatbühne von geistiger Bedeutung Fuß zu
fassen. Clarissa hoffte, sich durchzusetzen. Aber aus ihren Briefen, wenigstens aus denen an ihre Schwester, ging hervor, daß
ihre Erfolge mehr persönlicher, das heißt: erotischer, als künstlerischer Natur waren. Zahlreich waren die Nachstellungen, denen
sie sich ausgesetzt sah, und die mit spöttischer Kälte zurückzuwei-
sen einen Teil ihrer Energie beanspruchte. An Ines, wenn auch
nicht ihrer Mutter direkt, hatte sie berichtet, daß ein reicher Wa-
renhausbesitzer, übrigens ein wohlerhaltener Weißbart, sie zu
seiner Geliebten habe machen wollen und sie mit Wohnung, Wagen und Kleidern köstlich zu halten versprochen habe, — wodurch
sie das unverschämte »Tempo, Tempo!« des Regisseurs wohl
hätte zum Schweigen bringen und auch die Kritik hätte umstimmen können. Doch war sie viel zu stolz, ihr Leben auf diese
Grundlage zu stellen. Um ihre Persönlichkeit, nicht um ihre Person war es ihr zu tun; der Großkrämer hatte einen Korb bekommen, und Clarissa war zu neuem Kampfe nach Elbing gegangen.
Von ihrer Tochter Institoris in München sprach die Senatorin
weniger eingehend: Ihr Leben schien ja weniger bewegt und gewagt, normaler, gesicherter, — oberflächlich gesehen, und Frau
Rodde wollte es offenbar oberflächlich sehen, das heißt, sie stellte
Ines' Ehe als glücklich hin, was allerdings ein starkes Stück von
gemütvoller Oberflächlichkeit war. Damals waren gerade die
Zwillinge zur Welt gekommen, und die Senatorin sprach mit
schlichter Rührung von dem Ereignis, — von den drei Hätschel-
häschen und Schneeweißchen, die sie von Zeit zu Zeit in ihrem
idealischen Kinderzimmer besuchte. Nachdrücklich und mit Stolz
lobte sie ihre Älteste für die Unbeugsamkeit, mit der sie trotz
widriger Umstände ihrem Haushalt Tadellosigkeit zu wahren
wisse. Es war nicht zu unterscheiden, ob ihr, was die Spatzen von
den Dächern pfiffen, nämlich die Geschichte mit Schwerdtfeger,
wirklich unbekannt war, oder ob sie sich nur so stellte. Adrian,
wie der Leser weiß, war durch mich über diese Dinge im Bilde.
Eines Tages empfing er sogar Rudolfs Beichte darüber — ein sonderbarer Vorgang.
Der Geiger zeigte sich während der akuten Krankheit unseres
Freundes sehr teilnehmend, treu und anhänglich, ja es schien, als
wollte er die Gelegenheit wahrnehmen, ihm zu zeigen, wieviel

ihm an seinem Wohlwollen, seiner Zuneigung gelegen war, — mehr noch: mein Eindruck war der, daß er glaubte, Adrians leidenden, reduzierten und, wie er wohl meinte, gewissermaßen hilflosen Zustand dazu benutzen zu sollen, seine ganze unverwüstliche und durch viel persönlichen Charme unterstützte Zutunlichkeit aufzubieten, um eine Sprödigkeit, Kühle, ironische Abweisung zu überwinden, die ihn aus mehr oder weniger ernsten Gründen kränkte, oder schmerzte, oder seine Eitelkeit verletzte, oder ein wirkliches Gefühl verwundete — Gott weiß, wie es darum stand! Spricht man von Rudolfs Flirt-Natur — wie man davon sprechen muß —, so kommt man leicht in die Gefahr, ein Wort zuviel zu sagen. Aber man soll auch keines zuwenig sagen, und mir, für mein Teil, erschien diese Natur, erschienen ihre Äußerungen stets im Lichte einer absolut naiven, kindischen, ja koboldhaften Dämonie, deren Widerschein ich zuweilen aus seinen so sehr hübschen blauen Augen lachen zu sehen glaubte.

Genug, wie ich sagte, Schwerdtfeger kümmerte sich eifrig um Adrians Krankheit. Öfters erkundigte er sich telephonisch bei Frau Schweigestill nach seinem Ergehen und bot seinen Besuch an, sobald der nur irgend erträglich und zur Zerstreuung willkommen sein würde. Bald denn auch einmal, in Tagen der Besserung, durfte er kommen, legte die gewinnendste Freude über das Wiedersehen an den Tag und redete Adrian zu Beginn seines Besuches zweimal mit Du an, um sich erst beim dritten Mal, da jener nun einmal nicht darauf einging, zu verbessern und es beim Vornamen mit dem Sie sein Bewenden haben zu lassen. Gewissermaßen zum Trost und experimentierenderweise nannte auch Adrian ihn gelegentlich mit Vornamen, wenn nicht in der traulich verkleinerten, bei Schwerdtfeger allgemein üblichen Form, so doch in der vollen, also Rudolf, kam aber gleich wieder davon ab. Übrigens beglückwünschte er ihn zu schönen Erfolgen, die dem Geiger letzthin zuteil geworden. Er hatte in Nürnberg ein eigenes Konzert gegeben und namentlich durch eine vorzügliche Wiedergabe der Partita in E-Dur von Bach (für Violine allein) bei Publikum und Presse Aufsehen erregt. Die Folge davon war sein Auftreten als Solist bei einem der Münchener Akademie-Konzerte im Odeon gewesen, wobei seine saubere, süße und technisch perfekte Tartini-Interpretation außerordentlich gefallen hatte. Seinen kleinen Ton nahm man in den Kauf. Er hatte musikalische (und auch persönliche) Entschädigungen dafür zu bieten. Sein Aufsteigen zum Posten des Konzertmeisters im Zapfenstößer-Orchester, dessen bisheriger Inhaber zurücktrat, um sich nur noch dem Unterricht zu widmen, war trotz seiner Jugend — und er sah noch bedeutend jünger aus, als er war, ja merkwürdigerweise sogar jünger als zur Zeit meiner ersten Bekanntschaft mit ihm —, dieser Aufstieg war nunmehr eine ausgemachte Sache.

Bei alldem zeigte Rudi sich bedrückt durch gewisse Umstände seines Privatlebens, — durch seine Liaison mit Ines Institoris, über die er sich unter vier Augen mit Adrian vertrauensvoll ausließ. Übrigens ist ›unter vier Augen‹ nicht ganz richtig, oder nicht ganz zulänglich gesagt, da das Gespräch im verdunkelten Zimmer stattfand und die beiden einander überhaupt nicht oder nur schattenhaft sahen, — eine Ermutigung und Erleichterung, ohne Zweifel, für Schwerdtfeger bei seinen Geständnissen. Es war nämlich ein außerordentlich heller, blausonniger und schneeglitzernder Januartag des Jahres 1919, und Adrian hatte gleich nach Rudolfs Ankunft, nach der ersten Begrüßung mit ihm draußen im Freien, so schwere Kopfschmerzen bekommen, daß er seinen Gast ersucht hatte, das erprobt wohltätige Schonungsdunkel wenigstens eine Weile mit ihm zu teilen. Man hatte also den Nike-Saal, wo man sich anfangs aufgehalten, mit der Abtsstube vertauscht und sie mit Läden und Vorhängen so vollständig gegen das Licht gesperrt, daß es war, wie ich es kannte: zunächst deckte die Augen vollkommene Nacht, dann lernten sie ungefähr den Stand der Möbel zu unterscheiden und nahmen den schwach durchsickernden Schimmer des Außenlichts, einen bleichen Schein an den Wänden wahr. Adrian, in seinem Sammetstuhl, entschuldigte sich wiederholt ins Dunkel hinein wegen der Zumutung, aber Schwerdtfeger, der den Savonarola-Sessel vorm Schreibtisch genommen hatte, war völlig einverstanden. Wenn jenem das guttue — und er könne sich sehr wohl vorstellen, wie gut es ihm tun müsse —, so sei es auch ihm das allerliebste. Man unterhielt sich gedämpft, ja leise, teils weil Adrians Zustand dazu anhielt, teils weil man im Finsteren unwillkürlich die Stimme senkt. Selbst eine gewisse Neigung zum Verstummen, zum Ausgehen des Gesprächs erzeugt das Dunkel, aber Schwerdtfegers Dresdener Zivilisation und gesellschaftliche Schulung duldete keine Pause, flüssig plauderte er über tote Punkte hinweg, der Ungewißheit zum Trotz, in der man sich bei herrschender Nacht über die Reaktion des anderen befindet. Man streifte die abenteuerliche politische Lage, die Kämpfe in der Reichshauptstadt, kam dann auf neueste Musik zu sprechen, und Rudolf pfiff mit großer Reinheit etwas aus Falla's ›Nächten in spanischen Gärten‹ und aus Debussy's Sonate für Flöte, Violine und Harfe. Die Bourrée aus ›Love's Labour's Lost‹ pfiff er auch, genau in der richtigen Tonart, und gleich darauf das komische Thema des weinenden Hündchens aus dem Marionettenspiel ›Von der gottlosen List‹, ohne recht beurteilen zu können, ob Adrian das Vergnügen mache oder nicht. Schließlich seufzte er und sagte, es sei ihm gar nicht nach Pfeifen zumute, vielmehr recht schwer ums Herz, oder, wenn nicht schwer, so doch ärgerlich, verdrossen, ungeduldig, auch ratlos-sorgenvoll immerhin, also dennoch schwer. Warum? Darauf zu antworten sei natürlich nicht leicht und nicht einmal recht zulässig, es sei denn allenfalls unter Freunden, wo das Gebot der Diskretion nicht so ins Gewicht falle, dies Kavaliersgebot, Weiberaffairen für sich zu behalten, das er gewiß zu halten pflege, er sei kein Schwätzer. Aber ein bloßer Kavalier sei er auch nicht, man irre sich sehr, wenn man nur dergleichen in ihm sähe, — einen oberflächlichen Lebemann und Seladon, das sei ja ein Graus. Er sei ein Mensch und ein Künstler, und auf die Kavaliersdiskretion pfeife er — insofern sei ihm allerdings nach Pfeifen zumut —, wo ja doch der, zu dem er spreche, sicher so gut Bescheid wisse wie alle Welt. Kurzum, es handle sich um Ines Rodde, Institoris richtiger, und um sein Verhältnis zu ihr, für das er nichts könne. »Ich kann nichts dafür, Adrian, glaube — glauben Sie mir! Ich habe sie nicht verführt, sondern sie mich, und die Hörner des kleinen Institoris, um diesen dummen Ausdruck zu gebrauchen, sind ausschließlich ihr Werk, nicht meines. Was wollen Sie machen, wenn eine Frau sich wie eine Ertrinkende an Sie klammert und Sie durchaus zum Geliebten will? Wollen Sie ihr Ihr Obergewand in den Händen lassen und fliehen?« Nein, das tut man nicht mehr, sondern da gibt es nun doch wieder Kavaliersgebote, denen man sich nicht versagt, angenommen noch dazu, die Frau wäre hübsch, wenn auch auf etwas fatale und leidende Weise. Aber er sei auch fatal und leidend, ein angestrengter und oft kummervoller Künstler; er sei kein Springinsfeld oder Sonnenjüngling, oder was man sich sonst unter ihm vorstelle. Ines stelle sich allerlei unter ihm vor, ganz Falsches, und das schaffe ein schiefes Verhältnis, als ob nicht ein solches Verhältnis an und für sich schon schief genug sei mit den albernen Situationen, die es fortwährend mit sich bringe, und mit seiner Nötigung zur Vorsicht in jeder Beziehung. Ines komme über all das leichter hinweg, aus dem einfachen Grunde, weil sie leidenschaftlich liebe, — er könne das um so eher aussprechen, als sie es ja auf Grund falscher Vorstellungen tue. Er sei da im Nachteil, er liebe nicht: »Ich habe sie niemals geliebt, das bekenne ich offen; ich hatte immer nur brüderlich-kameradschaftliche Empfindungen für sie, und daß ich mich so mit ihr einließ und dieses dumme Verhältnis sich hinschleppt, an das sie sich klammert, das war eine bloße Sache der Kavalierspflicht auf meiner Seite.« Er müsse dazu aber im Vertrauen folgendes sagen: Es habe sein Mißliches, ja Degradierendes, wenn die Leidenschaft, eine geradezu verzweifelte Leidenschaft, auf seiten der Frau sei, während der Mann nur Kavalierspflichten erfülle. Es verkehre irgendwie das Besitzverhältnis und führe zu einem unerfreulichen Übergewicht der Frau in der Liebe, so, daß er sagen müsse, Ines gehe mit seiner Person, seinem Körper um, wie eigentlich und richtigerweise der Mann umgehe mit dem einer Frau, — wozu noch ihre krankhafte und

krampfhafte, dabei ganz ungerechtfertigte Eifersucht komme auf
den Alleinbesitz seiner Person: ungerechtfertigt, wie gesagt, denn
er habe gerade genug an ihr, übrigens auch genug *von* ihr und
ihrer Umklammerung, und sein unsichtbares Gegenüber könne
sich kaum vorstellen, welch Labsal gerade unter diesen Umständen für ihn die Nähe eines hochstehenden und von ihm selbst
hochgehaltenen Mannes sei, die Sphäre eines solchen, der Austausch mit einem solchen. Man beurteile ihn meistens falsch: er
führe viel lieber ein ernstes, ihn hebendes und förderndes Gespräch mit einem solchen Mann, als daß er bei Weibern liege;
ja, wenn er sich selber charakterisieren solle, so glaube er nach
genauer Prüfung am besten zu tun, sich eine platonische Natur
zu nennen.

Und plötzlich, gleichsam zur Illustration des eben Gesagten, kam
Rudi auf das Violinkonzert zu sprechen, von dem er so sehr
wünsche, Adrian möge es für ihn schreiben, es ihm auf den Leib
schreiben, womöglich unter Zusprechung des ausschließlichen
Aufführungsrechtes, das sei sein Traum! »Ich brauche Sie, Adrian, zu meiner Hebung, meiner Vervollkommnung, meiner Besserung, auch zu meiner Reinigung, gewissermaßen, von den anderen Geschichten. Auf mein Wort, so ist es, es ist mir niemals
ernster mit einer Sache, mit einem Bedürfnis gewesen. Und das
Konzert, das ich mir von Ihnen wünsche, ist nur der zusammen-
gedrängteste, ich möchte sagen: der symbolische Ausdruck für
dies Bedürfnis. Wunderbar würden Sie es machen, viel besser als
Delius und Prokofieff, mit einem unerhört einfachen und sang-
baren ersten Thema im Hauptsatz, das nach der Kadenz wieder
einsetzt, — das ist immer der beste Augenblick im klassischen
Violinkonzert, wenn nach der Solo-Akrobatik das erste Thema
wieder einsetzt. Aber Sie brauchen es gar nicht so zu machen, Sie
brauchen überhaupt keine Kadenz zu machen, das ist ja ein Zopf,
Sie können alle Konventionen umstoßen und auch die Satzeintei-
lung, — es braucht gar keine Sätze zu haben, meinetwegen könnte
das Allegro molto in der Mitte stehen, ein wahrer Teufelstriller,
bei dem du mit dem Rhythmus jonglierst, wie nur Sie es können,
und das Adagio könnte zum Schluß kommen, als Verklärung, —
es könnte alles gar nicht unkonventionell genug sein, und jedenfalls wollte ich es hinlegen, daß den Leuten die Augen übergehen.
Einverleiben wollt' ich es mir, daß ich's im Schlafe spielen könnte, und es hegen und pflegen in jeder Note wie eine Mutter, denn
Mutter wäre ich ihm, und Sie wären der Vater, — es wäre zwischen uns wie ein Kind, ein platonisches Kind, — ja, unser Konzert, das wäre so recht die Erfüllung von allem, was ich unter
platonisch verstehe.«

So damals Schwerdtfeger. Ich habe in diesen Blättern mehrmals
zu seinen Gunsten geredet, und auch heute, da ich dies alles wie-

der Revue passieren lasse, bin ich milde gegen ihn gestimmt, bestochen gewissermaßen durch sein tragisches Ende. Aber der Leser wird nun gewisse Ausdrücke besser verstehen, die ich auf ihn anwandte, jene »koboldhafte Naivität« oder auch »kindische Dämonie«, die ich als einschlägig in sein Wesen bezeichnete. An Adrians Stelle — aber es ist freilich unsinnig, mich an seine Stelle zu versetzen — hätte ich mehreres nicht geduldet von dem, was Rudolf äußerte. Es war entschieden ein Mißbrauch des Dunkels. Nicht nur, daß er wiederholt zu weit ging in der Offenheit über sein Verhältnis zu Ines, — auch in anderer Richtung ging er zu weit, sträflich und koboldhaft weit — verführt durch das Dunkel, möchte ich sagen, wenn dabei der Begriff der Verführung ganz richtig eingesetzt schiene und man nicht besser von einem kecken Anschlag der Zutraulichkeit auf die Einsamkeit spräche.

Das ist in der Tat der Name für Rudi Schwerdtfegers Beziehung zu Adrian Leverkühn. Der Anschlag nahm sich die Zeit von Jahren, und ein gewisses schwermutsvolles Gelingen war ihm nicht abzusprechen: auf die Dauer erwies sich die Wehrlosigkeit der Einsamkeit gegen solche Werbung, allerdings zu des Werbers Verderben.

XXXIV

Nicht nur mit den Messerschmerzen der »kleinen Seejungfer« hatte Leverkühn zur Zeit des tiefsten Standes seiner Gesundheit die eigene Qual verglichen: er hatte im Gespräch noch ein anderes, mit merkwürdig genauer Anschaulichkeit verwendetes Bild dafür, an das ich mich erinnerte, als wenige Monate später, im Frühjahr 1919, der Krankheitsdruck wie durch ein Wunder von ihm abfiel und sein Geist, phönixgleich, sich zu höchster Freiheit und staunenswerter Macht ungehemmter, um nicht zu sagen: hemmungsloser, jedenfalls unaufhaltsamer und reißender, fast atemloser Hervorbringung erhob, — wobei aber gerade jenes Bild mir verriet, daß diese beiden Zustände, der depressive und der gehobene, innerlich nicht scharf gegeneinander abgesetzt waren, nicht zusammenhanglos auseinanderfielen, sondern daß dieser sich in jenem vorbereitet hatte und gewissermaßen schon in ihm enthalten gewesen war, — wie ja auch umgekehrt die dann ausbrechende Gesundheits- und Schaffensepoche nichts weniger als eine Zeit des Behagens, sondern in ihrer Art ebenfalls eine solche der Heimgesuchtheit, der schmerzhaften Getriebenheit und Bedrängnis war . . . Ach, ich schreibe schlecht! Die Begierde, alles auf einmal zu sagen, läßt meine Sätze überfluten, treibt sie ab von dem Gedanken, zu dessen Notierung sie ansetzten, und bewirkt, daß sie ihn weiterschweifend aus den Augen zu verlieren scheinen. Ich tue gut, die Kritik dem Leser vom Munde zu nehmen. Es kommt aber dieses Sichüberstürzen und Sichverlieren meiner Ideen von der Erregung, in welche die Erinnerung an die Zeit mich versetzt, von der ich handle, die Zeit nach dem Zusammenbruch des deutschen Autoritätsstaates mit ihrer tiefgreifenden diskursiven Lockerung, die auch mein Denken in ihren Wirbel zog und meine gesetzte Weltanschauung mit Neuigkeiten bestürmte, die zu verarbeiten ihr nicht leichtfiel. Das Gefühl, daß eine Epoche sich endigte, die nicht nur das neunzehnte Jahrhundert umfaßte, sondern zurückreichte bis zum Ausgang des Mittelalters, bis zur Sprengung scholastischer Bindungen, zur Emanzipation des Individuums, der Geburt der Freiheit, eine Epoche, die ich recht eigentlich als die meiner weiteren geistigen Heimat zu betrachten hatte, kurzum, die Epoche des bürgerlichen Humanismus; — das Gefühl, sage ich, daß ihre Stunde geschlagen hatte, eine Mutation des Lebens sich vollziehen, die Welt in ein neues, noch namenloses Sternenzeichen treten wollte, — dieses zu höchstem Aufhorchen anhaltende Gefühl war zwar nicht erst das Erzeugnis des Kriegsendes, es war schon das seines Ausbruchs, vierzehn Jahre nach der Jahrhundertwende, gewesen und hatte der Erschütterung, der Schicksalsergriffenheit zum Grunde gelegen, die meinesgleichen damals erfahren hatte. Kein Wunder nun, daß die auflösende Niederlage dieses Gefühl auf die Spitze trieb, und kein Wunder zugleich, daß es in einem gestürzten Lande, wie Deutschland, entschiedener die Gemüter beherrschte als bei den Siegervölkern, deren durchschnittlicher Seelenzustand, eben vermöge des Sieges, weit konservativer war. Keineswegs empfanden sie den Krieg als den tiefen und scheidenden historischen Einschnitt, als der er uns erschien, sondern sahen in ihm eine glücklich abgelaufene Störung, nach deren Beendigung das Leben wieder in die Bahn einlenken mochte, aus welcher er es gestoßen. Ich beneidete sie darum. Ich beneidete insonderheit Frankreich um die Rechtfertigung und Bestätigung, die, wenigstens scheinbar, seiner bewahrend bürgerlichen Geistesverfassung durch den Sieg zuteil geworden war; um das Gefühl von Geborgenheit im Klassisch-Rationalen, das es aus dem Siege schöpfen durfte. Gewiß, ich hätte mich damals jenseits des Rheines wohler und mehr zu Hause gefühlt als bei uns, wo, wie gesagt, viel Neues, Verstörendes und Beängstigendes, mit dem ich mich jedoch von Gewissens wegen auseinanderzusetzen hatte, auf meine Weltanschauung eindrang, — und hier denke ich an die verworrenen Diskussionsabende in der Schwabinger Wohnung eines gewissen Sixtus Kridwiß, dessen Bekanntschaft ich im Schlaginhaufen'schen Salon gemacht, und auf den ich sofort zurückkommen werde, um hier nur vorläufig zu sagen, daß die bei ihm stattfindenden Zusammenkünfte und geistigen Beratungen, an denen ich mich aus purer Gewissenhaftigkeit öfters beteiligte, mir nicht wenig zusetzten, — während ich zugleich mit ganzer, tief erregter und oft entsetzter Seele der Geburt eines Werkes aus freundschaftlicher Nähe beiwohnte, das gewisser kühner und prophetischer Beziehungen zu jenen Erörterungen nicht entbehrte, sie auf höherer, schöpferischer Ebene bestätigte und verwirklichte ... Füge ich nun hinzu, daß ich bei alledem noch mein Lehramt zu betreuen und meine Pflichten als Hausvater vor Vernachlässigung zu bewahren hatte, so wird man die Überanstrengung verstehen, die damals mein Teil war und zusammen mit einer kalorienarmen Ernährung mein Körpergewicht nicht wenig herabsetzte.

Auch dies sage ich nur zur Charakteristik der geschwinden, gefährlichen Zeitläufte und gewiß nicht, um die Teilnahme des Lesers auf meine unbeträchtliche Person zu lenken, welcher immer nur ein Platz im Hintergrunde dieser Memoiren gebührt. Meinem Bedauern darüber, daß mein mitteilender Eifer hie und da den Eindruck der Gedankenflucht erwecken muß, habe ich schon Ausdruck gegeben. Es ist jedoch ein irriger Eindruck, denn ich halte sehr wohl fest an meinen gedanklichen Vorsätzen und habe nicht vergessen, daß ich einen zweiten packenden und vielsagenden Vergleich, außer dem mit der »kleinen Seejungfer«, anführen wollte, dessen Adrian sich zur Zeit seiner quälendsten Leiden bediente.

»Wie mir zumute ist?« sagte er damals zu mir. »Ungefähr wie Johanni Martyr im Ölkessel. Ziemlich genau so mußt du dir's vorstellen. Ich hocke als frommer Dulder im Schaff, unter dem ein lustiges Holzfeuer prasselt, gewissenhaft angefacht von einem Braven mit dem Handblasebalg; und vor den Augen kaiserlicher Majestät, die sich die Sache ganz aus der Nähe ansieht — es ist der Kaiser Nero, mußt du wissen, ein prächtiger Großtürke mit einem italienischen Brokat im Rücken, — gießt mir der Henkersknecht mit Schamtasche und Flatterjacke aus einer gestielten Schöpfkelle das siedende Öl, worin ich andächtig sitze, über den Nakken. Ich werde begossen nach der Kunst wie ein Braten, ein Höllenbraten, es ist sehenswert, und du bist eingeladen, dich unter die aufrichtig interessierten Zuschauer hinter der Schranke zu mischen, die Magistratspersonen, das geladene Publikum, in Turbanen teils und teils in gut altdeutschen Kappen mit Hüten noch obendrauf. Biedere Städter — und ihre betrachtsame Stimmung erfreut sich des Schutzes von Hellebardieren. Einer zeigt es dem andern, wie's einem Höllenbraten ergeht. Sie haben zwei Finger an der Wange und zwei unter der Nase. Ein Feister hebt die Hand, als wollte er sagen: ›Bewahre Gott einen jeden!‹ Einfältige Erbautheit auf den Gesichtern der Frauen. Siehst du's? wir sind alle dicht beieinander, die Szene ist treulich angefüllt mit Figur. Das Hündchen Herrn Nero's ist auch mitgekommen, damit kein

Fleckchen leer ist. Es hat ein zorniges, Pinscher-Mienchen. Im Hintergrund sieht man die Türme, Spitzerker und Giebel von Kaisersaschern . . .«

Natürlich hätte er sagen sollen: von Nürnberg. Denn was er beschrieb, mit derselben vertrauten Sichtbarkeit beschrieb wie den Übergang des Nixenleibes in den Fischschwanz, so daß ich es erkannt hatte, lange bevor er mit seiner Beschreibung zu Ende gekommen war, es war das erste Blatt der Dürer'schen Holzschnitt-Serie zur Apokalypse. Wie hätte ich an den Vergleich, der mir damals seltsam hergeholt schien, und der mir dennoch sofort gewisse Ahnungen einflößte, nicht zurückdenken sollen, als sich mir später Adrians Vorhaben, das Werk, das er bewältigte, indem es ihn überwältigte, und für das seine Kräfte sich gesammelt hatten, während sie qualvoll daniederlagen, langsam enthüllte? Hatte ich nicht recht, zu sagen, daß die depressiven und produktiv gehobenen Zustände des Künstlers, Krankheit und Gesundheit, keineswegs scharf getrennt gegeneinander stehen? Daß vielmehr in der Krankheit, und gleichsam unter ihrem Schutz, Elemente der Gesundheit am Werke sind und solche der Krankheit geniewirkend in die Gesundheit hinübergetragen werden? Es ist nicht anders, ich danke die Einsicht einer Freundschaft, die mir viel Kummer und Schrecken bereitet, mich stets aber auch mit Stolz erfüllt hat: Genie ist eine in der Krankheit tief erfahrene, aus ihr schöpfende und durch sie schöpferische Form der Lebenskraft.

Die Konzeption des apokalyptischen Oratoriums, die heimliche Beschäftigung damit, reicht also weit zurück in eine Zeit scheinbar völliger Erschöpfung von Adrians Lebenskräften, und die Vehemenz und Schnelligkeit, mit der es danach, in wenigen Monaten, zu Papier gebracht wurde, gab mir immer die Vorstellung ein, als sei jener Elendszustand eine Art von Refugium und Versteck gewesen, in das seine Natur sich zurückzog, um unbelauscht, unbeargwöhnt, in ausgeschalteter, von unserem Gesundheitsleben schmerzhaft abgesonderter Verborgenheit Entwürfe zu hegen und zu entwickeln, zu denen gemeines Wohlsein gar nicht den abenteuerlichen Mut verleiht, und die gleichsam aus dem Unteren geraubt, von dorther mitgebracht und zutage getragen sein wollen. Daß sich mir, was er vorhatte, nur schrittweise, von Besuch zu Besuch, enthüllte, sagte ich schon. Er schrieb, skizzierte, sammelte, studierte und kombinierte; das konnte mir nicht verborgen bleiben, mit inniger Genugtuung nahm ich es wahr. Vortastende Erkundigungen stießen durch Wochen noch auf eine halb spielerische, halb ein nicht geheueres Geheimnis scheu und ärgerlich schützende Verschwiegenheit und Abwehr, auf ein Lachen bei zusammengezogenen Brauen, auf Redensarten wie: »Laß du den Vorwitz und halte dein Seelchen rein!« Oder: »Immer erfährst du, mein Guter, davon noch früh genug.« Oder, deutlicher und zum Eingeständnis etwas bereiter: »Ja, da brauen heilige Greuel. Das theologische Virus bringt man, scheint's, nicht so leicht aus dem Blut. Unversehens gibt es ein stürmisches Rezidiv.«

Der Wink bestätigte Vermutungen, die mir bei der Beobachtung seiner Lektüre aufgestiegen waren. Auf seinem Arbeitstisch fand ich eine wunderliche Scharteke: eine aus dem dreizehnten Jahrhundert stammende französische Versübertragung der Paulus-Vision, deren griechischer Text dem vierten Jahrhundert angehört. Auf meine Frage, woher ihm denn das gekommen, antwortete er:

»Die Rosenstiel hat es mir besorgt. Nicht das erste Curiosum, das sie für mich aufgestöbert hat. Ein umgetanes Frauenzimmer. Ihr ist nicht entgangen, daß ich für Leute, die ›niedergestiegen‹ sind, was übrighabe. Ich meine: niedergestiegen zur Hölle. Das schafft Familiarität zwischen so weit auseinanderstehenden Figuren wie Paulus und dem Äneas des Vergil. Erinnerst du dich, daß Dante sie brüderlich zusammen nennt, als zweie, die drunten gewesen?«

Ich erinnerte mich. »Leider«, sagte ich, »kann deine filia hospitalis dir das nicht vorlesen.«

»Nein«, lachte er, »fürs Alt-Französische muß ich meine eigenen Augen brauchen.«

Zur Zeit nämlich, als er seine Augen *nicht* hatte brauchen können, als der Schmerzensdruck über ihnen und in ihrer Tiefe ihm das Lesen unmöglich gemacht, hatte Clementine Schweigestill ihm öfters vorlesen müssen, und zwar Dinge, die dem freundlichen Landmädchen sonderbar genug — und auch wieder nicht unpassend vom Munde gingen. Ich selbst hatte das gute Kind bei Adrian in der Abtsstube betroffen, wie sie dem im Bernheimer-Stuhl Ruhenden, ihrerseits sehr geraden Rückens im Savonarola-Sessel vor dem Schreibtisch sitzend, in einem rührend schwerfälligen und gespreizt hochdeutschen Volksschul-Tonfall aus einem stockfleckigen Pappgebinde, das wohl ebenfalls durch die findige Rosenstiel ins Haus gekommen war, die ekstatischen Erlebnisse der Mechthild von Magdeburg vorlas. Still hatte ich mich in den Winkel, auf die Eckbank gesetzt und noch eine Zeitlang mit Erstaunen diesem fromm-abseitigen und stümpernd-exzentrischen Vortrag gelauscht.

Da erfuhr ich denn, daß es öfters so war. In ihrer bäuerlich keuschen Tracht, die von geistlicher Überwachung zeugte, einem Habit aus olivgrünem Wollstoff, dessen hochgeschlossene, mit kleinen, dicht beieinanderstehenden Metallknöpfen besetzte, die jugendliche Büste verflachende Taille in spitzem Zipfel auf den weit angereihten und fußlangen Rock fiel, und zu dem sie als einzigen Schmuck unter der Halsrüsche eine Kette aus alten Silbermünzen trug, saß die braunäugige Maid bei dem Leidenden und las ihm mit litaneiender Schulmädchenbetonung aus Schriften vor, gegen die gewiß der Herr Pfarrer nichts einzuwenden gehabt hätte: der frühchristlichen und mittelalterlichen Visionsliteratur und Jenseitsspekulation. Dann und wann steckte wohl Mutter Schweigestill den Kopf durch die Tür, um nach der Tochter zu sehen, die sie allenfalls im Hause gebraucht hätte, nickte aber den beiden freundlich billigend zu und zog sich wieder zurück. Oder sie setzte sich auch wohl für zehn Minuten neben die Tür auf einen Stuhl, um zuzuhören, worauf sie geräuschlos wieder verschwand. Waren es nicht die Entrückungen der Mechthild, die Clementine rezitierte, so waren es die der Hildegard von Bingen. Waren es diese nicht, so war es eine Verdeutschung der ›Historia Ecclesiastica gentis Anglorum‹ des gelehrten Mönches Beda Venerabilis, eines Werkes, in dem ein gut Teil der keltischen Jenseits-Phantasien, der Visionserlebnisse aus irisch-angelsächsischer christlicher Frühzeit überliefert ist. Dieses ganze ekstatische, das Gericht verkündende, die Furcht vor ewiger Strafe pädagogisch schürende Schrifttum von den vor- und frühchristlichen Eschatologien bildet eine überaus dichte, von wiederkehrenden Motiven erfüllte Überlieferungssphäre, in die Adrian sich einschloß, um sich für ein Werk zu stimmen, das alle ihre Elemente in einem Brennpunkt sammelt, sie in später künstlerischer Synthese drohend zusammenfaßt und nach unerbittlichem Auftrag der Menschheit den Spiegel der Offenbarung vor Augen hält, damit sie darin erblicke, was nahe herangekommen.

»Das Ende kommt, es kommt das Ende, es ist erwacht über dich; siehe, es kommt. Es gehet schon auf und bricht daher über dich, du Einwohner des Landes.« Diese Worte, die Leverkühn seinen testis, den Zeugen, den Erzähler, in einer geisterhaften, auf liegenden Fremd-Harmonien ruhenden, aus reinen Quarten- und verminderten Quintenschritten gefügten Melodik verkünden läßt, und die dann den Text jenes kühn-archaischen Responsoriums abgeben, das sie in zwei vierstimmigen, gegeneinander bewegten Chören unvergeßlich wiederholt, — diese Worte gleich gehören gar nicht der Johannes-Apokalypse an; sie entstammen einer anderen Schicht, der Prophetie des babylonischen Exils, den Geschichten und Lamentationen des Hesekiel, zu denen übrigens das geheimnisvolle Sendschreiben von Patmos, aus der Zeit Nero's, im Verhältnis seltsamster Abhängigkeit steht. So ist das »Verschlingen des Buches«, das auch Albrecht Dürer kühnlich zum Gegenstand eines seiner Holzschnitte gemacht hat, fast wortgetreu von Hesekiel entliehen, bis auf die Einzelheit, daß es (oder der »Brief«, darinnen Klage, Ach und Wehe geschrieben steht) im Munde des gehorsam Essenden so süß als Honig schmeckt. So auch ist die große Erzhure, das Weib auf dem Tiere, bei deren Schilderung der Nürnberger sich heitererweise geholfen hat, indem er die mitgebrachte Portraitstudie einer venezianischen Kurtisane dazu benutzte, bei Ezechiel sehr weitgehend und in ganz verwandten Wendungen vorgezeichnet. Tatsächlich gibt es eine apokalyptische Kultur, die den Ekstatikern bis zu einem gewissen Grade feststehende Gesichte und Erlebnisse überliefert, — so sehr es als psychologische Merkwürdigkeit anmuten mag, daß einer nachfiebert, was andere vorgefiebert, und daß man unselbständig, anleiheweise und nach der Schablone verzückt ist. Dennoch ist dies der Sachverhalt, und ich weise auf ihn hin im Zusammenhang mit der Feststellung, daß Leverkühn bei seinem inkommensurablen Chorwerk sich textlich keineswegs an die Johannes-Apokalypse allein gehalten, sondern sozusagen jenes ganze seherische Herkommen, von dem ich sprach, in sein Werk hineingenommen hat, so daß es auf die Kreation einer neuen und eigenen Apokalypse, gewissermaßen auf ein Résumé aller Verkündigungen des Endes hinausläuft. Der Titel ›Apocalipsis cum figuris‹ ist eine Huldigung an Dürer und will wohl das Visuell-Verwirklichende, dazu das Graphisch-Minutiöse, die dichte Gefülltheit des Raumes mit phantastisch-exakter Einzelheit betonen, die beiden Werken gemeinsam sind. Aber es fehlt viel, daß Adrians ungeheures Fresko den fünfzehn Illustrationen des Nürnbergers programmatisch folgte. Es legt zwar seinen furchtbar-kunstvollen Klängen viele Worte des geheimnisvollen Dokumentes unter, das auch jenen inspirierte; aber er hat den Spielraum der muskalischen Möglichkeiten, der chorischen, rezitativischen, ariosen, erweitert, indem er sowohl manches aus den düsteren Partien des Psalters, zum Beispiel jenes durchdringende »Denn meine Seele ist voll Jammers und mein Leben nahe bei der Hölle«, als auch die ausdrucksvollsten Schreckbilder und Denunziationen der Apokryphen, ferner gewisse heute unsäglich anzüglich wirkende Fragmente aus Jeremias' Klageliedern, dazu noch Entlegeneres in seine Komposition einbezog, was alles dazu beitragen muß, den Gesamteindruck des Sichauftuns der anderen Welt, des Hereinbrechens der Abrechnung zu erzeugen, einer Höllenfahrt, worin die Jenseitsvorstellungen früher, schamanenhafter Stufen und die von Antike und Christentum bis zu Dante entwickelten visionär verarbeitet sind. Von Dante's Gedicht hat Leverkühns tönendes Gemälde viel, noch mehr von jener körperstrotzend übervölkerten Wand, auf welcher Engel hier in die Posaunen des Untergangs stoßen, dort Charons Nachen sich seiner Last entlädt, die Toten auferstehen, die Heiligen anbeten, Dämonenmasken den Wink des schlangengegürteten Minos erwarten, der Verdammte, üppig in Fleisch, von grinsenden Söhnen des Pfuhls umschlungen, getragen, gezogen, gräßliche Abfahrt hält, indem er ein Auge mit der Hand bedeckt und mit der anderen entsetzensvoll ins ewige Unheil starrt, nicht weit von ihm aber die Gnade zwei Sünderseelen noch aus dem Falle ins Heil emporzieht, — kurzum, von dem Gruppen- und Szenenaufbau des Jüngsten Gerichts.

Man verzeihe es dem Manne der Bildung, der ich nun einmal bin, wenn er von einem ihm beängstigend nahestehenden Werk zu sprechen versucht, indem er es mit gegebenen und vertrauten Kulturmomenten in Vergleich setzt. Es dient das der Beruhigung, deren ich noch heute bedarf, wenn ich davon spreche, wie ich ihrer bedurfte zu der Zeit, als ich mit Schrecken, Staunen, Beklemmung, Stolz seiner Entstehung beiwohnte, — ein Erlebnis, das wohl meiner liebenden Ergebenheit für seinen Urheber zukam, aber eigentlich über meine seelischen Möglichkeiten ging, so daß ich bis zum Erzittern davon hergenommen wurde. Nach jenen ersten Zeichen der Verheimlichung und Abwehr nämlich eröffnete er dem Kindheitsfreunde sehr bald den Zugang zu seinem Tun und Treiben, so daß ich bei jedem Besuch in Pfeiffering — und natürlich sprach ich dort vor, sooft ich konnte, fast immer über den Samstag und Sonntag — neue Partien des Entstehenden aufnehmen durfte: Zuwüchse und Pensa eines zuweilen unglaublichen Umfangs, von Mal zu Mal, so daß, besonders wenn man die strengen Gesetzen sich unterwerfende geistige und technische Kompliziertheit der Faktur in Anschlag brachte, einen an bürgerlich mäßigen und gesetzten Arbeitsfortschritt Gewöhnten der bleiche Schrecken davor ankommen konnte. Ja, ich gestehe, daß zu meiner, mag sein einfältigen, ich möchte sagen: kreatürlichen Furcht vor dem Werk die ganz und gar unheimliche Rapidität, mit der es zustande kam — der Hauptsache nach in viereinhalb Monaten, in einer Zeitspanne, die man ihm allenfalls als mechanischer Schreiberei, als bloßer *Abschrift* zugemessen hätte —, beinahe das meiste beitrug.

Offensichtlich und eingestandenermaßen lebte dieser Mensch damals in einer Hochspannung durchaus nicht rein beglückender, sondern hetzender und knechtender Eingebung, in der das Aufblitzen und Sichstellen eines Problems, der Kompositions*aufgabe*, wie er ihr von jeher nachgehangen hatte, eins war mit ihrer erleuchtungsartigen Lösung, und die ihm kaum Zeit ließ, den sich jagenden Ideen, die ihm keine Ruhe gönnten, ihn zu ihrem Sklaven machten, mit der Feder, dem Stifte zu folgen. Der Hinfälligste eben noch, arbeitete er zehn Stunden am Tage und darüber, nur unterbrochen durch eine kurze Mittagspause und hie und da einen Gang ins Freie, um die Klammermulde, auf den Zionshügel, — hastige Exkursionen, die mehr von Fluchtversuchen als von Erholung hatten, und bei denen man es seinen übersürzten, dann wieder stockenden Schritten ansah, daß sie nur eine andere Form der Rastlosigkeit waren. Ich habe es an manchem Samstagabend, den ich in seiner Gesellschaft verbrachte, wohl gesehen, wie wenig er seiner Herr, wie wenig imstande war, die Abspannung einzuhalten, die er im Gespräch mit mir über alltägliche oder doch indifferente Gegenstände willentlich gesucht hatte. Ich sehe ihn plötzlich aus lässiger Lage sich aufrichten, seinen Blick starr und lauschend werden, seine Lippen sich trennen und eine mir unwillkommene, anwandlungshafte Röte in seine Wangen steigen. Was war das? War es eine jener melodischen Erleuchtungen, denen er damals, ich möchte fast sagen: ausgesetzt war, und mit denen Mächte, von denen ich nichts wissen will, ihr Wort hielten, — das Aufgehen eines der in ihrer Plastik gewaltigen Themen in seinem Geist, von denen das apokalyptische Werk abundiert, und die darin immer sofort eine kältende Bemeisterung erfahren, sozusagen an die Kandare genommen, zu Reihen umgedacht, als Bausteine der Komposition behandelt werden? Ich sehe ihn mit einem gemurmelten »Sprich weiter! Sprich nur weiter!« an seinen Tisch treten, die Orchesterskizze aufreißen, so daß wirklich wohl ein heftig herumgeschleudertes Blatt dabei unten einriß, und mit einer Grimasse, deren Ausdrucksmischung ich nicht zu nennen versuche, die aber in meinen Augen die kluge und stolze Schönheit seines Gesichts entstellte, dorthin blicken, wo vielleicht der Schreckenschor der vor den vier Reitern flüchtenden, strauchelnden, hingestürzten, überrittenen Menschheit entworfen, der greuliche, dem höhnisch meckernden Fagott übergebene Ruf des »Vogels Wehe« notiert, oder auch der antiphonartige Wechselgesang gefügt war, der gleich bei erster Kenntnisnahme so tief mein Herz ergriff, — die harte Chorfuge zu den Worten des Jeremias:

Wie murren denn die Leute im Leben also?
Ein jeglicher murre wider seine Sünde!
Und laßt uns forschen und prüfen unser Wesen
Und uns zum Herrn bekehren!
————
Wir, wir haben gesündigt
Und sind ungehorsam gewesen;
Darum hast du billig nicht verschonet;
Sondern du hast uns mit Zorn überschüttet
Und verfolget und ohne Barmherzigkeit erwürget.
————
Du hast uns zu Kot und Unflat gemacht
Unter den Völkern.

Ich nenne das Stück eine Fuge, und fugal mutet es an, doch ohne daß ehrsam das Thema wiederholt würde, sondern mit der Entwicklung des Ganzen wird dieses selber entwickelt, so daß ein Stil aufgelöst und gewissermaßen ad absurdum geführt wird, dem der Künstler sich zu unterwerfen scheint, — was nicht ohne

Zurückdeutung auf die archaische Fugenform gewisser Canzonen und Ricercaren der Vor-Bach'schen Zeit geschieht, in denen das Fugenthema nicht immer eindeutig definiert und festgehalten ist.

Hier- oder dorthin blickte er wohl, griff nach der Notenfeder, warf sie wieder beiseite, murmelte: »Gut, auf morgen« und kehrte mit noch immer geröteter Stirn zu mir zurück. Aber ich wußte oder befürchtete, daß er das Wort »Auf morgen« nicht halten, sondern sich nach der Trennung von mir zur Arbeit setzen und ausführen würde, was ihn im Gespräch so ungerufen überkommen hatte, — um dann mit zwei Luminal-Tabletten seinem Schlaf die Tiefe zu geben, die für seine Kürze aufkommen mußte, und bei Tagesanbruch wieder zu beginnen. Er zitierte:

> Wohlauf, Psalter und Harfe!
> Ich will frühe auf sein.

Denn er lebte in der Furcht, der Erleuchtungszustand, mit dem er gesegnet oder von dem er heimgesucht war, möchte ihm vorzeitig entzogen werden, und tatsächlich erlitt er kurz vor Abschluß des Werkes, diesem furchtbaren Schluß, der seinen ganzen Mut erforderte und der, weit entfernt von romantischer Erlösungsmusik, den theologisch negativen und gnadenlosen Charakter des Ganzen so unerbittlich bestätigt, — tatsächlich, sage ich, erlitt er gerade vor der Festlegung dieser übermäßig vielstimmigen, in weitester Lage sich heranwälzenden Klänge des Blechkörpers, die den Eindruck eines offenen Schlundes zu hoffnungslosem Versinken machen, einen über drei Wochen sich erstreckenden Rückfall in den Schmerzens- und Übelkeitszustand von vorher, eine Verfassung, in der ihm nach seinen eigenen Worten sogar die Erinnerung daran, was das sei: Komponieren, und wie man das mache, entschwunden war. Das ging vorüber, Anfang August 1919 arbeitete er wieder, und ehe dieser Monat, der viele sehr sonnenheiße Tage hatte, zu Ende ging, war alles getan. Die viereinhalb Monate, die ich dem Werk als Entstehungsfrist zuschrieb, gelten bis zu dem Beginn der Ermattungspause. Diese und die Schlußarbeit eingerechnet, waren es, staunenswert genug, sechs Monate, deren er für die Niederschrift der ›Apocalipsis‹ in Skizzenform bedurfte.

XXXIV

(Fortsetzung)

Und ist dies nun alles, was ich über das tausendfach verhaßte und mit Widerwillen umgangene, hundertfach aber doch auch schon geliebte und erhobene Werk des verewigten Freundes in seiner

Biographie zu sagen habe? Doch nicht. So manches noch habe ich darüber auf dem Herzen, aber gleich hatte ich mir vorgenommen, die Eigenschaften und Charakterzüge, durch die es mich — versteht sich: auf eine bewunderungsvolle Art — bedrückte und verschreckte, besser gesagt: auf eine ängstliche Weise *interessierte*, — gleich, sage ich, hatte ich mir vorgenommen, dies alles im Zusammenhang mit jenen abstrakten Zumutungen zu kennzeichnen, denen ich bei dem schon kurz berührten Diskussionen in der Wohnung des Herrn Sixtus Kridwiß ausgesetzt war. Waren es doch die Neuigkeitsergebnisse dieser Abende, die mir, zusammen mit der Beteiligung an Adrians einsamem Werk, die seelische Überanstrengung zufügten, in der ich damals lebte, und die mich tatsächlich gut vierzehn Pfund meines Körpergewichtes kosteten.

Kridwiß, Graphiker, Buchschmuck-Künstler und Sammler ostasiatischer Farbenholzschnitte und Keramik, ein Gebiet, über das er auch, eingeladen von dieser und jener kulturellen Vereinigung, in verschiedenen Städten des Reiches und sogar im Auslande kundige und gescheite Vorträge hielt, war ein kleiner, altersloser Herr von stark rheinhessischer Sprechweise und ungewöhnlicher geistiger Angeregtheit, der ohne feststellbare gesinnungsmäßige Bindung, rein neugierigerweise die Bewegungen der Zeit behorchte und dies und das, was ihm davon zu Ohren kam, als »scho' enorm wischtisch« bezeichnete. Er ließ es sich angelegen sein, seine Wohnung in der Schwabinger Martiusstraße, deren Empfangsraum mit reizenden chinesischen Malereien in Tusche und Farbe (aus der Sung-Zeit!) geschmückt war, zu einem Treffpunkt führender oder doch eingeweihter und am geistigen Leben beteiligter Köpfe zu machen, so viele davon die gute Stadt München eben in ihren Mauern barg, und arrangierte dort diskursive Herrenabende, intime Round-table-Sitzungen von nicht mehr als acht bis zehn Persönlichkeiten, zu denen man sich nach dem Abendessen, etwa um neun Uhr einfand, und die, ohne daß der Gastgeber es sich weiter viel Bewirtung hätte kosten lassen, rein auf das zwanglose Beisammensein, den Gedankenaustausch gestellt waren. Übrigens bewahrte dieser nicht immerfort intellektuelle Hochspannung; öfters glitt er ins Gemütlich-Alltäglich-Plauderhafte ab, schon aus dem Grunde, weil, dank Kridwißens gesellschaftlichen Neigungen und Verbindlichkeiten, das geistige Niveau der Teilnehmer denn doch etwas uneben war. So nahmen wohl an den Sitzungen zwei in München studierende Mitglieder des großherzoglich Hessen-Nassauischen Hauses teil, freundliche junge Leute, die der Hausherr mit einer gewissen Begeisterung »die schönen Prinzen« nannte, und auf deren Anwesenheit, wenn auch nur, weil sie so sehr viel jünger waren als wir alle, beim Gespräch einige Rücksicht zu nehmen war. Ich will nicht sagen, daß sie gestört hätten. Oft ging eine höhere Unterhaltung unbekümmert über ihre Köpfe hinweg, wobei sie die bescheiden lächelnden oder auch ernsthaft staunenden Zuhörer machten. Irritierender für mich persönlich war die Gegenwart jenes dem Leser schon bekannten Paradoxenreiters, Dr. Chaim Breisacher, den ich, wie längst eingestanden, nicht leiden konnte, dessen Scharf- und Spürsinn aber bei solchen Gelegenheiten unentbehrlich schien. Daß auch Fabrikant Bullinger zu den Gebetenen gehörte, einzig durch seine hohe Steuerklasse legitimiert, über die schwerwiegendsten Kulturfragen schallend mitzuschwadronieren, ärgerte mich gleichfalls.

Ich will nur weitergehen und bekennen, daß ich mir eigentlich zu keinem von der Tischrunde so recht ein Herz fassen, keinem ein ungetrübtes Vertrauen entgegenbringen konnte, — wobei ich etwa Helmut Institoris ausnehme, der auch in dem Cirkel hospitierte, und mit dem mich ja durch seine Gattin freundschaftliche Beziehungen verbanden, — nur daß freilich seine Person nun wieder sorgenvolle Assoziationen anderer Art erweckte. Übrigens ist zu fragen, was ich gegen Dr. Unruhe, Egon Unruhe, haben konnte, einen philosophischen Paläozoologen, der in seinen Schriften die Tiefschichten- und Versteinerungskunde auf sehr geistvolle Weise mit der Rechtfertigung und wissenschaftlichen Verifizierung uralten Sagengutes verband, so daß in seiner Lehre, einem sublimierten Darwinismus, wenn man will, alles wahr und wirklich wurde, woran im Ernst zu glauben eine entwickelte Menschheit längst aufgehört hatte. Ja, woher mein Mißtrauen gegen den gelehrten und denkerisch hochbemühten Mann? Woher dasjenige gegen Professor Georg Vogler, den Literarhistoriker, der eine vielbeachtete Geschichte des deutschen Schrifttums unter dem Gesichtspunkt der Stammeszugehörigkeit geschrieben hatte, worin also der Schriftsteller nicht so geradehin als Schriftsteller und universell erzogener Geist, sondern als blut- und landschaftsgebundenes Echt-Produkt seines realen, konkreten, spezifischen, für ihn zeugenden und von ihm bezeugten Ursprungswinkels behandelt und gewertet wurde? Es war ja das alles sehr bieder, mannhaft, gediegen und kritisch dankenswert. Der Kunstgelehrte und Dürer-Forscher Professor Gilgen Holzschuher, auch ein Geladener, war mir auf ähnlich schwer zu rechtfertigende Weise nicht geheuer; und vollends galt dies für den öfters anwesenden Dichter Daniel Zur Höhe, einen in geistlich hochgeschlossenes Schwarz gekleideten hageren Dreißiger mit Raubvogel-Profil und von hämmernder Sprechweise, die etwa lautete: »Jawohl, jawohl, so übel nicht, o freilich doch, man kann es sagen!«, wobei er immerfort nervös und inständig mit dem Fußballen auf den Boden klopfte. Er liebte es, die Arme über der Brust zu kreuzen oder eine Hand napoleonisch im Busen zu bergen, und seine Dichterträume galten einer in blutigen Feldzügen dem reinen Geiste unterworfenen, von ihm in Schrecken und hohen Züchten gehaltenen Welt, wie er es in seinem, ich glaube, einzigen Werk, den schon vor dem Kriege auf Büttenpapier erschienenen ›Proklamationen‹, beschrieben hatte, einem lyrisch-rhetorischen Ausbruch schwelgerischen Terrorismus, dem man erhebliche Wortgewalt zugestehen mußte. Der Signatar dieser Proklamationen war eine Wesenheit namens Christus imperator maximus, eine kommandierende Energie, die todbereite Truppen zur Unterwerfung des Erdballs warb, tagesbefehlartige Botschaften erließ, genießerisch-unerbittliche Bedingungen stipulierte, Armut und Keuschheit ausrief und sich nicht genugtun konnte in der hämmernden, mit der Faust aufschlagenden Forderung frag- und grenzenlosen Gehorsams. »Soldaten!« schloß die Dichtung, »ich überliefere euch zur Plünderung — *die Welt!*«

Dies alles war »schön« und empfand sich selber sehr stark als »schön‹; es war »schön« auf eine grausam und absolut schönheitliche Weise, in dem unverschämt bezuglosen, juxhaften und unverantwortlichen Geist, wie eben Dichter ihn sich erlauben, — der steilste ästhetische Unfug, der mir vorgekommen. Helmut Institoris, natürlich, hatte viel dafür übrig, aber auch sonst erfreuten Autor und Werk sich ernstlichen Ansehens, und meine Antipathie gegen beide war ihrer selbst nicht so ganz sicher, da sie sich mitbestimmt wußte von meiner allgemeinen Gereiztheit durch den Kridwiß'schen Kreis und seine zumutungsvollen kulturkritischen Befunde, die zur Kenntnis zu nehmen doch ein geistiges Pflichtgefühl mich anhielt.

Ich werde versuchen, auf möglichst knappem Raum das Wesentliche dieser Ergebnisse zu umreißen, die unser Gastgeber mit vielem Recht »scho' enorm wischtisch« fand, und die Daniel Zur Höhe mit seinem stereotypen »O freilich doch, so übel nicht, jawohl, jawohl, man kann es sagen« begleitete, wenngleich sie nicht geradezu auf die Plünderung der Welt durch die hart eingeschworene Soldateska Christi imperatoris maximi hinausliefen. Das war, versteht sich, nur symbolische Poesie, während es der Konferenz um Ausblicke auf soziologische Wirklichkeit ging, um Feststellung des Seienden und Kommenden, die allerdings mit den asketisch-schönen Schrecknissen von Daniels Phantasien dies und das zu tun hatten. Ich habe es ja selbst weiter oben aus freien Stücken vermerkt, daß die Erschütterung und Zerstörung scheinbar gefestigter Lebenswerte durch den Krieg namentlich in den besiegten Ländern, die dadurch einen gewissen geistigen Vorsprung vor den anderen hatten, sehr lebhaft empfunden wurde. Es wurde sehr stark empfunden und objektiv festgestellt: der ungeheure Wertverlust, den durch das Kriegsgeschehen das Individuum als solches erlitten hatte, die Achtlosigkeit, mit der heutzutage das Leben über den einzelnen hinwegschritt, und die sich denn auch als allgemeine Gleichgültigkeit gegen sein Leiden und Untergehen im Gemüte der Menschen niederschlug. Diese Achtlosigkeit, diese Indifferenz gegen das Schicksal des Einzelwesens konnte als gezüchtet erscheinen durch die eben zurückliegende vierjährige Blut-Kirmes; aber man ließ sich nicht täuschen: wie in manch anderer Hinsicht hatte auch hier der Krieg nur vollendet, verdeutlicht und zur drastischen Erfahrung gemacht, was längst vorher sich angebahnt, einem neuen Lebensgefühl sich zugrunde gelegt hatte. Da aber dies keine Sache des Lobes oder Tadels, sondern eine solche sachlicher Wahrnehmung und Feststellung war, und da in der leidenschaftslosen Erkenntnis des Wirklichen, eben aus Freude an der Erkenntnis, immer etwas von Gutheißung liegt, — wie hätte nicht eine vielseitige, ja umfassende Kritik an der bürgerlichen Tradition, womit ich meine: an den Werten der Bildung, Aufklärung, Humanität, an solchen Träumen wie der Hebung der Völker durch wissenschaftliche Gesittung, sich mit solchen Betrachtungen verbinden sollen? Daß es Männer der Bildung, des Unterrichts, der Wissenschaft waren, die diese Kritik übten — und zwar mit Heiterkeit, nicht selten unter selbstgefällig-geistesfrohem Gelächter übten —, verlieh der Sache noch einen besonderen, prickelnd beunruhigenden oder auch leicht perversen Reiz; und wohl überflüssig ist es dabei, zu sagen, daß die uns Deutschen durch die Niederlage zuteilgewordene Staatsform, die uns in den Schoß gefallene Freiheit, mit einem Wort: die demokratische Republik auch nicht einen Augenblick als ernstzunehmender Rahmen für das visierte Neue anerkannt, sondern mit einmütiger Selbstverständlichkeit als ephemer und für den Sachverhalt von vornherein bedeutungslos, ja als ein schlechter Spaß über die Achsel geworfen wurde.

Man zitierte Tocqueville (Alexis de), der gesagt hatte, aus der Revolution seien wie aus einer gemeinsamen Quelle zwei Ströme entsprungen: der eine für die Menschen zu freien Einrichtungen, der andere zur absoluten Macht. An »freie Einrichtungen« glaubte von den bei Kridwiß konversierenden Herren niemand mehr, zumal da die Freiheit sich innerlich selbst widerspreche, insofern als sie zu ihrer Selbstbehauptung gezwungen sei, die Freiheit, nämlich die ihrer Gegner, einzuschränken, das heißt sich selbst aufzuheben. Dies sei ihr Schicksal, wenn nicht von vornherein das Freiheitspathos der Menschenrechte über Bord geworfen werde, wozu die Zeit viel mehr Neigung zeige, als sich erst auf den dialektischen Prozeß einzulassen, der aus der Freiheit die Diktatur ihrer Partei mache. Auf Diktatur, auf Gewalt lief ohnehin alles hinaus, denn mit der Zertrümmerung der überlieferten staatlichen und gesellschaftlichen Formen durch die Französische Revolution war ein Zeitalter angebrochen, das, bewußt oder nicht, eingestanden oder nicht, auf die despotische Zwangsherrschaft über nivellierte, atomisierte, kontaktlose und, gleich dem Individuum, hilflose Massen zusteuerte.

»Recht wohl! Recht wohl! O freilich doch, man kann es sagen!« versicherte Zur Höhe und schlug dringlich mit dem Fuße auf. Natürlich konnte man es sagen, nur hätte man es, da es sich schließlich um die Beschreibung einer heraufziehenden Barbarei handelte, für mein Gefühl mit etwas mehr Bangen und Grauen sagen sollen und nicht mit jener heiteren Genugtuung, von der man allenfalls gerade noch hoffen konnte, daß sie der Erkenntnis der Dinge und nicht den Dingen selber galt. Ich will von dieser mich bedrückenden Heiterkeit ein anschauliches Bild geben. Niemand wird sich wundern, daß bei den Unterhaltungen dieser kulturkritischen Avantgarde ein sieben Jahre vor dem Krieg erschienenes Buch, die ›Réflexions sur la violence‹ von Sorel, eine bedeutende Rolle spielte. Seine unerbittliche Vorhersage von Krieg und Anarchie, seine Kennzeichnung Europas als des Bodens der kriegerischen Kataklysmen, seine Lehre, daß die Völker dieses Erdteils sich immer nur in der einen Idee vereinigen könnten: Krieg zu führen, — dies alles berechtigte dazu, es das Buch der Epoche zu nennen. Was noch mehr dazu berechtigte, war seine Einsicht und Verkündigung, daß im Zeitalter der Massen die parlamentarische Diskussion sich zum Mittel politischer Willensbildung als gänzlich ungeeignet erweisen müsse; daß an ihre Stelle in Zukunft die Versorgung der Massen mit mythischen Fiktionen zu treten habe, die als primitive Schlachtrufe die politischen Energien zu entfesseln, zu aktivieren bestimmt seien. Dieses war in der Tat die krasse und erregende Prophetie des Buches, daß populäre oder vielmehr massengerechte Mythen fortan das Vehikel der politischen Bewegung sein würden: Fabeln, Wahnbilder, Hirngespinste, die mit Wahrheit, Vernunft, Wissenschaft überhaupt nichts zu tun zu haben brauchten, um dennoch schöpferisch zu sein, Leben und Geschichte zu bestimmen und sich damit als dynamische Realitäten zu erweisen. Man sieht wohl, daß das Buch seinen bedrohlichen Titel nicht umsonst trug, denn es handelte von der Gewalt als dem siegreichen Widerspiel der Wahrheit. Es ließ begreifen, daß das Schicksal der Wahrheit demjenigen des Individuums nahe verwandt, ja damit identisch, nämlich dasjenige der Entwertung war. Es eröffnete eine höhnische Kluft zwischen Wahrheit und Kraft, Wahrheit und Leben, Wahrheit und Gemeinschaft. Es gab implicite zu verstehen, daß dieser bei weitem der Vorrang vor jener gebühre, daß jene diese zum Ziel haben und daß zu kräftigen Abstrichen an Wahrheit und Wissenschaft, zum sacrificium intellectus bereit sein müsse, wer der Gemeinschaft teilhaftig sein wolle.

Und nun stelle man sich vor (ich komme zu dem ›anschaulichen Bilde‹, das ich zu geben versprach), wie diese Herren, Wissenschaftler selbst, Gelehrte, Hochschullehrer, Vogler, Unruhe, Holz-schuher, Institoris und dazu Breisacher, sich an einer Sachlage er-götzten, die für mich so viel Schreckhaftes hatte, und die sie ent-weder schon als vollendet, oder doch als notwendig kommend betrachteten. Sie machten sich den Spaß, eine Gerichtsverhand-lung zu imaginieren, in welcher eine jener dem politischen An-trieb, der Unterwühlung der bürgerlichen Gesellschaftsordnung dienenden Massenmythen zur Diskussion stand, ihre Protagoni-sten sich gegen den Vorwurf der »Lüge« und »Fälschung« zu ver-teidigen hatten und nun also die Parteien, Kläger und Angeklag-te, nicht sowohl aneinander gerieten, wie einander aufs lächer-lichste verfehlten und aneinander vorbeiredeten. Das Groteske war der gewaltige Apparat wissenschaftlicher Zeugenschaft, den man aufgeboten hatte, um den Humbug als Humbug, als skanda-lösen Affront gegen die Wahrheit zu erweisen, da doch der dyna-misch-geschichtsschöpferischen Fiktion, der sogenannten Fäl-schung, das hieß: dem gemeinschaftsbildenden Glauben von die-ser Seite gar nicht beizukommen war und ihre Verfechter desto höhnisch-überlegenere Gesichter machten, je emsiger man sich mühte, sie auf ganz fremder und für sie irrelevanter Ebene, der wissenschaftlichen nämlich, der Ebene der biederen, objektiven Wahrheit zu widerlegen. Du lieber Gott, die Wissenschaft, die Wahrheit! Von Geist und Ton dieses Ausrufs waren die drama-tischen Ausmalungen der Plaudernden beherrscht. Sie konnten sich nicht genugtun im Amusement über das verzweifelte Anren-nen von Kritik und Vernunft gegen den durch sie ganz unberühr-baren, völlig unverletzlichen Glauben und wußten mit vereinten Kräften die Wissenschaft in ein solches Licht komischer Ohnmacht zu setzen, daß selbst die »schönen Prinsen« sich auf ihre kindliche Weise glänzend dabei unterhielten. Die vergnügte Tischrunde zögerte nicht, der Justiz, die das letzte Wort zu sprechen, das Ur-teil zu fällen hatte, die gleiche Selbstverleugnung zuzuschreiben, die sie selber übte. Eine Jurisprudenz, die im Volksempfinden zu ruhen und sich nicht von der Gemeinschaft zu isolieren wünschte, durfte es sich nicht erlauben, den Gesichtspunkt der theoretischen, gemeinschaftswidrigen sogenannten Wahrheit zu dem ihren zu machen; sie hatte sich als modern sowohl wie vaterländisch im modernsten Sinne zu bewähren, indem sie das fruchtbare falsum respektierte, seine Apostel freisprach und die Wissenschaft mit langer Nase abziehen ließ.

O freilich, freilich, gewiß doch, man konnte es sagen. Klopf, klopf.

Obgleich mir unwohl war in der Magengrube, durfte ich nicht den Spielverderber machen und mir von Widerwillen nichts an-merken lassen, sondern mußte in die allgemeine Heiterkeit ein-stimmen, so gut es ging, zumal ja diese nicht ohne weiteres Zustimmung, sondern, wenigstens vorderhand, nur lachend geistesfrohe Erkenntnis des Seienden oder Kommenden bedeutete. Ich schlug wohl einmal, »wenn wir einen Augenblick ernst sein wollten«, vor, zu überlegen, ob nicht ein Denker, dem die Nöte der Gemeinschaft sehr wohl am Herzen lägen, dennoch vielleicht besser täte, sich die Wahrheit und nicht die Gemeinschaft zum Ziele zu setzen, da dieser mittelbar und auf die Dauer mit der Wahrheit, und selbst der bitteren Wahrheit, besser gedient sei als mit einem Denken, das ihr auf Kosten der Wahrheit dienen zu sollen meine, in Wirklichkeit aber durch solche Verleugnung die Grundlagen echter Gemeinschaft von innen her aufs unheimlichste zersetze. Aber ich habe nie im Leben eine Bemerkung gemacht, die kompletter und widerhalloser unter den Tisch gefallen wäre als diese. Auch gebe ich zu, daß sie taktlos war, da sie nicht in die geistige Stimmung paßte und von einem natürlich bekannten, nur zu bekannten, bis zur Abgeschmacktheit bekannten Idealismus eingegeben war, der nur das Neue störte. Viel besser tat ich, im Verein mit der angeregten Tafelrunde dieses Neue zu betrachten und zu erkunden und, statt eine unfruchtbare, recht eigentlich langweilige Opposition dagegen zu machen, meine Vorstellungen dem Gange der Diskussion einzuschmiegen und mir in ihrem Rahmen ein Bild der kommenden, unter der Hand schon in der Entstehung begriffenen Welt zu machen — wie immer es nun dabei um die Gefühle meiner Magengrube bestellt sein mochte.

Es war eine alt-neue, eine revolutionär rückschlägige Welt, in welcher die an die Idee des Individuums gebundenen Werte, sagen wir also: Wahrheit, Freiheit, Recht, Vernunft, völlig entkräftet und verworfen waren oder doch einen von dem der letzten Jahrhunderte ganz verschiedenen Sinn angenommen hatten, indem sie nämlich der bleichen Theorie entrissen und blutvoll relativiert, auf die weit höhere Instanz der Gewalt, der Autorität, der Glaubensdiktatur bezogen waren, — nicht etwa auf eine reaktionäre, gestrige oder vorgestrige Weise, sondern so, daß es der neuigkeitsvollen Rückversetzung der Menschheit in theokratisch-mittelalterliche Zustände und Bedingungen gleichkam. Das war sowenig reaktionär, wie man den Weg um eine Kugel, der natürlich herum-, das heißt zurückführt, als rückschrittlich bezeichnen kann. Da hatte man es: Rückschritt und Fortschritt, das Alte und Neue, Vergangenheit und Zukunft wurden eins, und das politische Rechts fiel mehr und mehr mit dem Links zusammen. Die Voraussetzungslosigkeit der Forschung, der freie Gedanke, fern davon, den Fortschritt zu repräsentieren, gehörten vielmehr einer Welt der Zurückgebliebenheit und der Langenweile an. Dem Gedanken war Freiheit gegeben, die Gewalt zu rechtfertigen, wie vor siebenhundert Jahren die Vernunft frei gewesen war, den Glauben zu erörtern, das Dogma zu beweisen: dazu war sie da, und dazu war heute das Denken da oder würde es morgen sein. Die Forschung hatte *allerdings* Voraussetzungen, — und ob sie welche hatte! Es waren die Gewalt, die Autorität der Gemeinschaft, und zwar waren sie es mit solcher Selbstverständlichkeit, daß die Wissenschaft gar nicht auf den Gedanken kam, etwa nicht frei zu sein. Sie war es subjektiv durchaus — innerhalb einer objektiven Gebundenheit, so eingefleischt und naturhaft, daß sie in keiner Weise als Fessel empfunden wurde. Um sich deutlich zu machen, was bevorstand, und um sich der törichten Furcht davor zu entschlagen, mußte man sich nur erinnern, daß die Unbedingtheit bestimmter Voraussetzungen und sakrosankter Bedingungen niemals ein Hindernis für die Phantasie und die individuelle Kühnheit des Gedankens gewesen war. Im Gegenteil: gerade weil das geistig Uniforme und Geschlossene dem mittelalterlichen Menschen durch die Kirche von vornherein als absolut selbstverständlich gegeben gewesen, war er weit mehr Phantasiemensch gewesen als der Bürger des individualistischen Zeitalters, hatte er sich der persönlichen Einbildungskraft im einzelnen desto sicherer und sorgloser überlassen können.

O ja, die Gewalt schuf einen festen Boden unter den Füßen, sie war anti-abstrakt, und sehr gut tat ich, mir in Zusammenarbeit mit Kridwißens Freunden vorzustellen, wie das Alt-Neue auf dem und jenem Gebiet das Leben methodisch verändern werde. Der Pädagog zum Beispiel wußte, daß schon heute im Elementar-Unterricht die Neigung bestand, vom primären Erlernen der Buchstaben, des Lautierens abzugehen und sich der Methode des Wörter-Lernens zuzuwenden, das Schreiben an die konkrete Anschauung der Dinge zu knüpfen. Dies bedeutete gewissermaßen ein Abkommen von der abstrakt-universellen, sprachlich nicht gebundenen Buchstabenschrift, gewissermaßen die Rückkehr zu den Wortschriften der Urvölker. Heimlich dachte ich: Wozu überhaupt Wörter, wozu Schreiben, wozu Sprache: Radikale Sachlichkeit müßte sich an die Dinge halten, an diese allein. Und ich erinnerte mich an eine Satire von Swift, wo reformfreudige Gelehrte beschließen, zur Schonung der Lungen und um der Phrase zu entgehen, Wort und Rede überhaupt abzuschaffen und sich nur durch Vorzeigung der Dinge selbst zu unterhalten, die man allerdings, im Interesse der Verständigung, möglichst vollzählig auf dem Rücken mit sich würde herumtragen müssen. Die Stelle ist sehr komisch, besonders noch dadurch, daß es die Weiber, der Pöbel und die Analphabeten sind, die sich gegen die Neuerung auflehnen und darauf bestehen, in Worten zu schwatzen. Nun, meine Interlokutoren gingen auf eigene Hand mit ihren Vorschlägen nicht so weit wie jene Swift'schen Gelehrten. Sie gaben sich mehr die Miene distanzierter Beobachter, und als »enorm wischtisch« faßten sie die allgemeine und schon deutlich hervortretende Bereitschaft ins Auge, sogenannte kulturelle Errungenschaften kurzerhand fallenzulassen, um einer als notwendig und zeitgegeben empfundenen Vereinfachung willen, die man, wenn man wollte, als intentionelle Re-Barbarisierung bezeichnen konnte. Sollte ich meinen Ohren trauen? Ich mußte lachen und schrak dabei buchstäblich zusammen, als plötzlich die Herren in diesem Zusammenhang auf die dentistische Medizin und, ganz gegenständlich, auf Adrians und mein musikkritisches Symbol vom ›toten Zahn‹ zu sprechen kamen! Ich glaube wirklich, ich hatte einen roten Kopf beim Mitlachen, als geistesfroher Heiterkeit die wachsende Neigung der Zahnärzte erörtert wurde, Zähne mit abgestorbenem Nerv kurzerhand auszureißen, da man zu dem Entschluß gekommen war, sie als infektiöse Fremdkörper zu betrachten — nach einer langen, mühevollen und ins Raffinierte gehenden Entwicklung der Wurzelbehandlungstechnik im neunzehnten Jahrhundert. Wohlgemerkt — und es war namentlich Dr. Breisacher, der dies scharfsinnig und unter allgemeiner Zustimmung anmerkte: Der hygienische Gesichtspunkt hatte dabei mehr oder weniger als eine Rationalisierung der primär vorhandenen Tendenz zum Fallenlassen, Aufgeben, Abkommen und Vereinfachen zu gelten, — bei hygienischen Begründungen war jeder Ideologie-Verdacht am Platze. Zweifellos würde man auch die Nicht-Bewahrung des Kranken im größeren Stil, die Tötung Lebensunfähiger und Schwachsinniger, wenn man eines Tages dazu überging, volks- und rassehygienisch begründen, während es sich in Wirklichkeit — man wollte das gar nicht leugnen, sondern betonte es im Gegenteil — um weit tiefere Entschlüsse, um die Absage an alle humane Verweichlichung handeln würde, die das Werk der bürgerlichen Epoche gewesen war: um ein instinktives Sich-in-Form-Bringen der Menschheit für harte und finstere, der Humanität spottende Läufte, für ein Zeitalter umfassender Kriege und Revolutionen, das wohl hinter die christliche Zivilisation des Mittelalters weit zurückführen und eher die dunkle Epoche vor deren Entstehung, nach dem Zusammenbruch der antiken Kultur zurückbringen werde . . .

XXXIV
(Schluß)

Wird man es verstehen, daß ein Mann bei der Verarbeitung solcher Neuigkeiten vierzehn Pfund Gewicht verlieren mag? Sicherlich hätte ich sie nicht eingebüßt, wenn ich an die Ergebnisse der Sitzungen bei Kridwiß nicht geglaubt hätte und der Überzeugung gewesen wäre, daß diese Herren Unsinn schwätzen. Aber das war ganz und gar nicht meine Meinung. Vielmehr verhehlte ich mir keinen Augenblick, daß sie mit anerkennenswerter Fühlsamkeit die Finger am Pulse der Zeit hatten und nach diesem Pulse wahr-sagten. Nur wäre ich — ich muß das wiederholen — so unendlich dankbar gewesen und hätte wahrscheinlich nicht vierzehn Pfund, sondern vielleicht nur sieben abgenommen, wenn sie selber etwas erschrockener über ihre Befunde gewesen wären und ihnen ein wenig moralische Kritik entgegengesetzt hätten. Sie hätten sagen mögen: »Unglücklicherweise hat es ganz den Anschein, als wollten die Dinge den und den Lauf nehmen. Folglich muß man sich ins Mittel legen, vor dem Kommenden warnen und das Seine tun, es am Kommen zu hindern.« Was sie aber, sozusagen sagten, war: »Das kommt, das kommt, und wenn es da ist, wird es uns auf der Höhe des Augenblicks finden. Es ist interessant, es ist sogar gut — einfach dadurch, daß es das Kommende ist, und es zu erkennen ist sowohl der Leistung wie des Vergnügens genug. Es ist nicht unsere Sache, auch noch etwas dagegen zu tun.« — So diese Gelehrten, unterderhand. Es war aber ein Schwindel mit der Freude an der Erkenntnis; sie sympathisierten mit dem, was sie erkannten und was sie, ohne die Sympathie, wohl gar nicht erkannt hätten, das war die Sache, und daher, vor Ärger und Aufregung, mein Gewichtsverlust.

Jedoch ist alles, was ich da sage, nicht richtig. Durch meine pflichtschuldigen Besuche im Kridwiß'schen Kreise allein und die Zumutungen, denen ich mich willentlich dort aussetzte, hätte ich gar keine Abmagerung erfahren, weder um vierzehn Pfund noch auch nur um die Hälfte. Nie hätte ich mir jene Redereien am runden Tisch zu Herzen genommen, wie ich es tat, hätten sie nicht den kaltschnäuzig-intellektuellen Kommentar gebildet zu einem heißen Erlebnis der Kunst und der Freundschaft, — ich meine: zu dem Erlebnis der Entstehung eines befreundeten Kunstwerks — befreundet mir durch seinen Schöpfer, nicht durch sich selbst, das darf ich nicht sagen, dazu eignete ihm zu viel für meinen Sinn Befremdendes und Ängstigendes —, eines Werkes, das, einsam dort in dem allzu heimatlichen ländlichen Winkel fieberhaft schnell sich aufbauend, mit dem bei Kridwiß Gehörten in eigentümlicher Korrespondenz, im Verhältnis geistiger Entsprechung stand.

Wurde nicht dort am runden Tisch eine Kritik der Tradition auf die Tagesordnung gesetzt, die das Ergebnis der Zerstörung von Lebenswerten war, welche lange für unverbrüchlich gegolten, und war nicht ausdrücklich die Bemerkung gefallen — ich weiß nicht, von welcher Seite, Breisachers? Unruhe's? Holzschuhers? —, daß diese Kritik sich notwendig gegen herkömmliche Kunstformen und -gattungen, zum Beispiel gegen das ästhetische Theater kehren müsse, das im bürgerlichen Lebenskreis gestanden habe und eine Angelegenheit der Bildung gewesen sei? Nun denn, vor meinen Augen vollzog sich die Ablösung der dramatischen Form durch eine epische, wandelte das Musikdrama sich zum Oratorium, das Operndrama zur Opernkantate — und zwar in einem Geist, einer zum Grunde liegenden Gesinnung, die sehr genau mit den absprechenden Urteilen meiner Interlokutoren in der Martiusstraße über die Lage des Individuums und alles Individualismus in der Welt übereinstimmte: einer Gesinnung, will ich sagen, die, am Psychologischen nicht länger interessiert, auf das Objektive, auf eine Sprache drang, welche das Absolute, Bindende und Verpflichtende ausdrückte und sich folglich mit Vorliebe die fromme Fessel prä-klassisch strenger Formen auferlegte. Wie oft, bei der gespannten Beobachtung von Adrians Tun, mußte ich der frühen Einprägung gedenken, die wir Knaben von jenem redseligen Stotterer, seinem Lehrer, empfangen hatten: der Opponierung von »harmonischer Subjektivität« und »polyphonischer Sachlichkeit«. Der Weg um die Kugel, von dem in den quälend gescheiten Unterhaltungen bei Kridwiß die Rede gewesen war, dieser Weg, in dem Rückschritt und Fortschritt, das Alte und Neue, Vergangenheit und Zukunft eins wurden, — hier sah ich ihn verwirklicht durch ein neuigkeitsvolles Zurückgehen über Bachs und Händels bereits harmonische Kunst hinaus in die tiefere Vergangenheit echter Mehrstimmigkeit.

Ich bewahre einen Brief, den Adrian mir zu jener Zeit von Pfeiffering nach Freising schrieb — aus der Arbeit heraus an dem Lobgesang der »großen Schar, welche niemand zählen konnte, aus allen Heiden und Völkern und Sprachen, vor dem Stuhl stehend und vor dem Lamm« (siehe Dürers siebentes Blatt) —, einen Brief, in dem er nach meinem Besuch verlangte, und den er mit »Perotinus Magnus« unterzeichnet hatte. Ein vielsagender Scherz und eine spielerische Identifikation voller Selbstverspottung; denn dieser Perotinus war im zwölften Jahrhundert der Leiter der Kirchenmusik von Notre Dame und ein Sangesmeister, dessen kompositorische Anweisungen zur Höherentwicklung der jungen Kunst der Polyphonie führten. Mich erinnerte diese jokose Unterschrift sehr stark an eine ebensolche Richard Wagners, der zur Zeit des ›Parsifal‹ seinem Namen unter einem Brief den Titel »Oberkirchenrat« hinzufügte. Für den Nicht-Künstler ist es eine recht intrigierende Frage, wie ernst es dem Künstler mit dem ist, was ihm das Angelegentlich-Ernsteste sein sollte und zu sein scheint; wie ernst er sich selbst dabei nimmt und wieviel Verspieltheit, Mummschanz, höherer Jux dabei im Spiele ist. Wäre die Frage unberechtigt, wie hätte dann jener Großmeister des Musiktheaters sich beim feierlichsten Weihe-Werk einen solchen Spottnamen geben können? Bei Adrians Unterschrift empfand ich sehr Ähnliches; ja, mein Fragen, Sorgen und Bangen ging darüber hinaus und galt in der Stille meines Herzens geradezu der Legitimität seines Tuns, seinem zeitlichen Anrecht auf die Sphäre, in die er sich versenkte und deren Recreation er mit den äußersten, entwickeltsten Mitteln betrieb; kurz, es bestand in dem liebenden und angstvollen Verdacht eines Ästhetizismus, der meines Freundes Wort: das ablösende Gegenteil der bürgerlichen Kultur sei *nicht* Barbarei, sondern die Gemeinschaft, dem quälendsten Zweifel überlieferte.

Hier kann niemand mir folgen, der nicht die Nachbarschaft von Ästhetizismus und Barbarei, den Ästhetizismus als Wegbereiter der Barbarei in eigener Seele, wie ich, erlebt hat, — der ich diese Not freilich nicht aus mir selbst, sondern mit Hilfe der Freundschaft für einen teuren und hochgefährdeten Künstlergeist erlebte. Die Erneuerung kultischer Musik aus profaner Zeit hat ihre Gefahren. Jene, nicht wahr?, diente kirchlichen Zwecken, hat aber vordem auch weniger zivilisierten, medizinmännischen, zauberischen gedient: zu Zeiten nämlich, als der Verwalter überirdischen Dienstes, der Priester, noch Medizinmann und Magier war. Ist zu leugnen, daß dies ein vorkultureller, ein barbarischer Zustand des Kultus war — und ist es verständlich oder nicht, daß die spätkulturelle, aus der Atomisierung Gemeinschaft ambitionierende Erneuerung des Kultischen zu Mitteln greift, die nicht nur dem Stadium seiner kirchlichen Sittigung, sondern auch seinem Primitiv-Stadium angehören? Die ungeheueren Schwierigkeiten, welche jede Einstudierung und Aufführung von Leverkühns ›Apocalipsis‹ bietet, hängen ja eben hiermit unmittelbar zusammen. Man hat da Ensembles, die als Sprechchöre beginnen und erst stufenweise, auf dem Wege sonderbarster Übergänge, zur reichsten Vokal-Musik werden; Chöre also, die durch alle Schattierungen des abgestuften Flüsterns, geteilten Redens, Halbsingens bis zum polyphonsten Gesang gehen, — begleitet von Klängen, die als bloßes Geräusch, als magisch-fanatisch-negerhaftes Trommeln und Gong-Dröhnen beginnen und bis zu höchster Musik reichen. Wie oft ist dieses bedrohliche Werk in seinem Drange, das Verborgenste musikalisch zu enthüllen, das Tier im Menschen wie seine sublimsten Regungen, vom Vorwurf des blutigen Barbarismus sowohl wie der blutlosen Intellektualität getroffen worden! Ich sage: getroffen; denn seine Idee, gewissermaßen die Lebensgeschichte der Musik, von ihren vor-musikalischen, magisch-rhythmischen Elementar-Zuständen bis zu ihrer kompliziertesten Vollendung in sich aufzunehmen, stellt es vielleicht nicht nur partiell, sondern als Ganzes jenem Vorwurf bloß.

Ich will ein Beispiel anführen, das meine humane Ängstlichkeit immer besonders affiziert hat und immer ein Gegenstand des Hohnes und Hasses einer feindseligen Kritik war. Dazu muß ich ausholen: Wir wissen alle, daß es das erste Anliegen, die früheste Errungenschaft der Tonkunst war, den Klang zu denaturieren, den Gesang, der ursprünglich-urmenschlich ein Heulen über mehrere Tonstufen hinweg gewesen sein muß, auf einer einzigen festzuhalten und dem 'Chaos das Tonsystem abzugewinnen. Gewiß und selbstverständlich: eine normierende Maß-Ordnung der Klänge war Voraussetzung und erste Selbstbekundung dessen, was wir unter Musik verstehen. In ihr stehengeblieben, sozusagen als ein naturalistischer Atavismus, als ein barbarisches Rudiment aus vormusikalischen Tagen, ist der Gleitklang, das Glissando, — ein aus tief kulturellen Gründen mit größter Vorsicht zu behandelndes Mittel, dem ich immer eine anti-kulturelle, ja anti-humane Dämonie abzuhören geneigt war. Was ich im Sinne habe, ist die Leverkühn'sche — man kann natürlich nicht sagen: Bevorzugung, aber doch ausnehmend häufige Verwendung des Gleitklanges, wenigstens in diesem Werk, der ›Apokalypse‹, deren Schreckensbilder allerdings den verführerischsten und zugleich legitimsten Anlaß zum Gebrauch des wilden Mittels bilden. Wie entsetzlich wirken an der Stelle, wo die vier Stimmen des Altars das Loslassen der vier Würgeengel verordnen, welche Roß und Reiter, Kaiser und Papst und ein Drittel der Menschheit mähen, die Posaunen-Glissandi, die hier das Thema vertreten, — dieses zerstörerische Durchfahren der sieben Zuordnungen oder Lagen des Instruments! Das Geheul als Thema — welches Entsetzen! Und welch akustische Panik geht aus von den wiederholt vorgeschriebenen Pauken-Glissandi, einer Ton- oder Schallwirkung, ermöglicht durch die — hier während des Wirbels manupulierte — Verstellbarkeit der Maschinenpauke auf verschiedene Tonstufen. Die Wirkung ist äußerst unheimlich. Aber das Markerschütterndste ist die Anwendung des Glissando auf die menschliche Stimme, die doch das erste Objekt der Tonordnung und der Befreiung aus dem Urzustande des durch die Stufen gezogenen Heulens war, — die Rückkehr also in diesen Urstand, wie der Chor der ›Apokalypse‹ sie bei Lösung des siebenten Siegels, dem Schwarzwerden der Sonne, dem Verbluten des Mondes, dem Kentern der Schiffe in der Rolle schreiender Menschen grausig vollzieht.

Man lasse mich hier doch, wenn ich bitten darf, ein Wort einschalten über die Behandlung des Chores in dem Werk meines Freundes, diese nie erprobte Auflockerung des Vokalkörpers ins gruppenmäßig geteilte und verschränkte Widereinander, ins Dramatisch-Dialogische und in Einzelrufe, die allerdings den Antwort-Schlag »Barrabam!« aus der Matthäus-Passion zum klassisch entfernten Vorbild haben. Die ›Apokalypse‹ verzichtet auf Orchester-Zwischenspiele; dafür gewinnt mehr als einmal der Chor einen ausgesprochen und erstaunlich orchestralen Charakter: so bei den Choral-Variationen, die den Lobgesang der den Himmel füllenden 144 000 Auserwählten wiedergeben, wobei das Choralmäßige eben nur darin besteht, daß alle vier Stimmen ständig in demselben Rhythmus verlaufen, während das Orchester die reichsten kontrastierenden Rhythmen dazu- oder dagegensetzt. Die extrem polyphonen Härten dieses Stückes (und nicht dieses Stückes allein) haben viel Anlaß zu Hohn und Haß gegeben. Aber es ist ja nicht anders, man muß es hinnehmen, ich wenigstens nehme es in willigem Staunen hin: das ganze Werk ist von dem Paradoxon beherrscht (wenn es ein Paradoxon ist), daß die Dissonanz darin für den Ausdruck alles Hohen, Ernsten, Frommen, Geistigen steht, während das Harmonische und Tonale der Welt der Hölle, in diesem Zusammenhang also einer Welt der Banalität und des Gemeinplatzes, vorbehalten ist.

Aber ich wollte etwas anderes sagen. Ich wollte hinweisen auf die seltsame Klangvertauschung, die oft zwischen dem Vokal- und dem Instrumental-Part der ›Apokalypse‹ statthat. Chor und Orchester stehen einander nicht als das Menschliche und das Dingliche klar gegenüber; sie sind ineinander aufgelöst: der Chor ist instrumentalisiert, das Orchester vokalisiert, — in dem Grade und zu dem Ende, daß tatsächlich die Grenze zwischen Mensch und Ding verrückt erscheint, was sicher der künstlerischen Einheitlichkeit zustatten kommt, da es doch — wenigstens für mein Gemüt — auch etwas Beklemmendes, Gefährliches, Bösartiges an sich hat. Um ein paar Einzelheiten aufzuweisen: Die Stimme der babylonischen Hure, des Weibes auf dem Tiere, mit welcher gebuhlt haben die Könige auf Erden, ist seltsam überraschender Weise dem graziösesten Koloratursopran übertragen, und ihre virtuosen Läufe gehen zuweilen mit vollkommen flötenhafter Wirkung in den Orchesterklang ein. Andererseits gibt die verschiedenartig gedämpfte Trompete eine groteske vox humana ab, und das tut auch das Saxophon, das in mehreren der kleinen Splitter-Orchester eine Rolle spielt, welche die Teufelsgesänge, den schändlichen Liederreigen der Söhne des Pfuhls begleiten. Adrians Fähigkeit zu spottender Nachahmung, die tief in der Schwermut seines Wesens wurzelt, wird hier produktiv in der Parodie verschiedenster musikalischer Stile, in denen der insipide Übermut der Hölle sich ergeht: Klänge des französischen Impressionismus, ins Lächerliche gezogen, bürgerliche Salonmusik, Tschaikowski, Music Hall, die Synkopen und rhythmischen Purzelbäume des Jazz — wie ein Ringelstechen geht das bunt glitzernd rundum: über der Grundsprache des Hauptorchesters nämlich, die, ernst, dunkel, schwierig, mit radikaler Strenge den geistigen Rang des Werkes behauptet.

Weiter! Ich habe noch so viel auf dem Herzen über das kaum schon erschlossene Vermächtnis meines Freundes, und mir ist, als stellte ich meine Bemerkungen am besten auch ferner unter den Gesichtspunkt eines Vorwurfs, dessen Erklärlichkeit ich zugebe, da ich mir doch eher die Zunge abbisse, bevor ich seine Berechtigung anerkennte: des Vorwurfs des Barbarismus. Man hat ihn erhoben gegen die Vereinigung des Ältesten mit dem Neuesten, die das Werk charakterisiert, und die doch mitnichten eine Tat der Willkür ist, sondern in der Natur der Dinge liegt: sie beruht, so möchte ich sagen, auf der Krümmung der Welt, die im Spätesten das Früheste wiederkehren läßt. So kannte die alte Tonkunst den Rhythmus nicht, wie die Musik ihn später verstand. Der Gesang war nach den Gesetzen der Sprache metrisiert, er verlief nicht in taktmäßig und periodisch gegliedertem Zeitmaß, sondern gehorchte eher dem Geiste freier Rezitation. Und wie steht es um den Rhythmus unserer, der jüngsten Musik? Ist nicht auch er dem Sprachakzent angenähert? Durch wechselvolle Überbeweglichkeit aufgelöst? Schon bei Beethoven gibt es Sätze von einer rhythmischen Freiheit, die Kommendes ahnen läßt. Bei Leverkühn fehlt nichts, als daß die Takteinteilung selbst aufgegeben wäre. Sie ist es nicht, ironisch-konservativerweise. Aber ohne Rücksicht auf Symmetrie und rein dem Sprachakzent angepaßt, wechselt tatsächlich der Rhythmus von Takt zu Takt. Ich sprach von Einprägungen. Es gibt solche, die, dem Verstand unbeachtlich, wie sie scheinen mögen, in der Seele fortwirken und ihren unterschwellig bestimmenden Einfluß üben. Nun, auch die Figur und das herrisch-ahnungslose musikalische Betreiben jenes Kauzes über See, von dem ein anderer Kauz, Adrians Lehrer, uns in unserer Jugend erzählt, und über den mein Genosse sich auf dem Heimweg mit so hochmütigem Beifall geäußert hatte, — auch die Geschichte dieses Johann Conrad Beißel war eine solche Einprägung. Warum sollte ich mich stellen, als hätte ich nicht schon längst, nicht wiederholt schon an den strikten Schulmeister und Neubeginner der Sangeskunst zu Ephrata überm Meere gedacht? Eine Welt liegt zwischen seiner naiv beherzten Pädagogik und dem bis an die Grenzen musikalischer Gelehrsamkeit, Technik, Geistigkeit vorgetriebenen Werke Leverkühns. Und doch geht für mich, den Befreundet-Wissenden, der Geist des Erfinders der »Herren- und Dienertöne« und der musikalischen Hymnen-Rezitation gespenstisch darin um.

Trage ich mit dieser intimen Bemerkung zur Erklärung des mir so wehetuenden Vorwurfs bei, den ich zu erklären suche, ohne ihm das geringste Zugeständnis zu machen: des Vorwurfs des Barbarismus? Er hat wohl eher zu tun mit einem gewissen Einschlag von eisig anrührender Massen-Modernität in diesem Werk religiöser Vision, das das Theologische fast nur als Richten und Schrecken kennt, — einem Einschlag von stream-line, um das insultierende Wort zu wagen. Man nehme den testis, den Zeugen und Erzähler des grausamen Geschehens, »Ich, Johannes«, also, den Beschreiber der Tiere des Abgrunds mit Löwen-, Kalbs-, Menschen- und Adler-Köpfen, — diese Partie, die traditionsgemäß einem Tenor, diesmal aber einem solchen von fast kastratenhafter Höhe zugeschrieben ist, dessen kaltes Krähen, sachlich, reporterhaft, in schauerlichem Gegensatz zu dem Inhalt seiner katastrophalen Mitteilungen steht. Als im Jahre 1926, bei dem Fest der ›Internationalen Gesellschaft für neue Musik‹ in Frankfurt am Main die ›Apocalipsis‹ ihre erste und vorläufig letzte Aufführung (unter Klemperer) erlebte, wurde der äußerst schwierige Part mit Meisterschaft von einem Tenoristen eunuchalen Typs namens Erbe gesungen, dessen durchdringende Ansagen sich tatsächlich wie »neueste Berichte vom Weltuntergang« ausnahmen. Das war durchaus im Geiste des Werkes, der Sänger hatte diesen mit großer Intelligenz erfaßt. — Oder man nehme, als ein anderes Beispiel technischen Komforts im Entsetzen, die Lautsprecher-Wirkungen (in einem Oratorium!), die der Komponist an verschiedenen Stellen vorgeschrieben hat, und die eine sonst nie bewerkstelligte räumlich-akustische Abstufung erzielen: dergestalt, daß durch den Verstärker einiges in den Vordergrund gebracht wird, anderes als Fern-Chor, Fern-Orchester zurücktritt. Man halte daneben noch einmal die allerdings sehr gelegentlichen, zu rein infernalischen Zwecken benutzten Jazz-Klänge, und man wird mir die schneidende Bezeichnung »streamlined« zugute halten für ein Werk, das nach seiner geistig-seelischen Grundstimmung mit ›Kaisersaschern‹ mehr zu tun hat als mit moderner Schnittigkeit der Gesinnung, und dessen Wesen ich — mit gewagtem Wort — eine explodierende Altertümlichkeit nennen möchte.

Seelenlosigkeit! Ich weiß wohl, dies ist es im Grunde, was diejenigen meinen, die das Wort ›Barbarismus‹ gegen Adrians Schöpfung im Munde führen. Haben sie je, sei es auch nur mit dem lesenden Auge, gewissen lyrischen Partien — oder darf ich nur sagen: Momenten? — der ›Apokalypse‹ gelauscht, Gesangsstellen, von Kammerorchester begleitet, die einem Härteren, als ich es bin, die Tränen in die Augen treiben könnten, da sie wie eine inständige Bitte um Seele sind? Man verzeihe mir die gewissermaßen ins Blaue gerichtete Polemik, aber Barbarei, Unmenschlichkeit sehe ich darin, ein solches Verlangen nach Seele — das Verlangen der kleinen Seejungfrau — Seelenlosigkeit zu nennen!

Ich schreibe es in ergriffener Abwehr nieder, — und eine andere Ergriffenheit packt mich: die Erinnerung an das Pandämonium des Lachens, das Höllengelächter, das, kurz, aber gräßlich, den Abschluß des ersten Teils der ›Apocalipsis‹ bildet. Ich hasse, liebe und fürchte es; denn — man verzeihe dies allzu persönliche »denn«! — immer habe ich Adrians Neigung zum Lachen gefürchtet, der ich, anders als Rüdiger Schildknapp, stets schlecht zu sekundieren wußte, — und dieselbe Furcht, dieselbe scheue und sorgende Unbeholfenheit empfinde ich bei diesem durch fünfzig Takte hinfegenden, mit dem Gekicher einer Einzelstimme beginnnenden und rapide um sich greifenden, Chor und Orchester erfassenden, unter rhythmischen Umstürzen und Konterkarierungen zum Tutti-Fortissimo grauenhaft anschwellenden, überbordenden, sardonischen Gaudium Gehennas, dieser aus Johlen, Kläffen, Kreischen, Meckern, Röhren, Heulen und Wiehern schauderhaft gemischten Salve von Hohn- und Triumphgelächter der Hölle. So sehr verabscheue ich, an und für sich genommen, diese durch ihre Stellung im Ganzen noch besonders hervorgehobene Episode, diese Windsbraut infernalischer Lachlust, daß ich mich kaum überwunden hätte, sie hier zur Sprache zu bringen, wenn nicht gerade sie auch wieder, im Zusammenhang, mir das tiefste Geheimnis der Musik, welches ein Geheimnis der Identität ist, auf eine das Herz stockenlassende Weise offenbart hätte.

Denn das Höllengelächter am Schlusse des ersten Teils hat ja sein Gegenstück in dem so ganz und gar wundersamen Kinderchor, der, von einem Teilorchester begleitet, sogleich den zweiten eröffnet, — einem Stück kosmischer Sphärenmusik, eisig, klar, gläsern-durchsichtig, zwar herb dissonant, dabei aber von einer, ich möchte sagen: unzugänglich-überirdischen und fremden, das Herz mit Sehnsucht ohne Hoffnung erfüllenden Lieblichkeit des Klanges. Und dieses Stück, das auch Widerstrebende gewonnen, gerührt, entrückt hat, ist für den, der Ohren hat, zu hören, und Augen, zu sehen, nach seiner musikalischen Substanz das Teufelsgelächter noch einmal! Überall ist Adrian Leverkühn groß in der Verungleichung des Gleichen. Man kennt seine Art, ein Fugenthema schon bei erster Beantwortung rhythmisch so zu modifizieren, daß es trotz strikt bewahrter Thematik als Wiederholung nicht mehr erkennbar ist. So hier — aber nirgends so tief, geheim und groß wie hier. Jedes Wort, das die Idee des ›Hinüber‹, der Verwandlung mystischen Sinnes, also der Wandlung, anklingen läßt: Transformation, Transfiguration, ist hier als genau zu begrüßen. Das zuvor vernommene Schrecknis ist zwar in dem unbeschreiblichen Kinderchor in eine gänzlich andere Lage übertragen zwar völlig uminstrumentiert und umrhythmisiert; aber in dem sirrenden, sehrenden Sphären- und Engelsgetön ist *keine* Note, die nicht, streng korrespondierend, auch in dem Höllengelächter vorkäme.

Das ist Adrian Leverkühn ganz. Es ist ganz die Musik, die er repräsentiert, und die Stimmigkeit ist als Tiefsinn, die zum Geheimnis erhobene Berechnung. So hat eine schmerzhaft auszeichnende Freundschaft mich die Musik zu sehen gelehrt, obgleich ich, der eigenen schlichten Natur nach, vielleicht gern etwas anderes in ihr gesehen hätte.

XXXV

Die neue Ziffer steht einem Abschnitt zu Häupten, der den Bericht von einem Trauerfall in meines Freundes Lebensbereich, einer menschlichen Katastrophe bringen soll, — aber, mein Gott, welcher Satz, welches Wort, das ich hier geschrieben, wäre denn nicht vom Katastrophalen umwittert, das unser aller Lebensluft geworden ist? Welches erzitterte nicht insgeheim, wie nur zu oft die Hand, die es schrieb, von den Vibrationen der Katastrophe, auf die meine Erzählung zustrebt, und zugleich derjenigen, in deren Zeichen die Welt — zum mindesten die humane, die bürgerliche Welt heute steht?

Hier handelt es sich um eine intim menschliche, von der Außenwelt kaum beachtete Katastrophe, zu deren Erfüllung vieles zusammenkam: männliche Schurkerei, weibliche Schwäche, weiblicher Stolz und berufliches Mißlingen. Es sind nun zweiundzwanzig Jahre, daß, beinahe vor meinen Augen, Clarissa Rodde, die Schauspielerin, Schwester der ebenfalls sichtlich gefährdeten Ines, zugrunde ging: Nach Ablauf der Winter-Saison 1921-22, im Mai, nahm sie sich zu Pfeiffering, im Hause ihrer Mutter und ohne viel Rücksicht auf diese, hastig und entschlossen mit dem Gifte das Leben, das sie eben für den Augenblick, wo ihr Stolz das Leben nicht mehr ertragen würde, von langer Hand her in Bereitschaft gehalten hatte.

Ich will die Vorgänge, die zu ihrer uns alle erschütternden, doch im Grunde nicht zu tadelnden Schreckenstat führten, und die Umstände, unter denen sie die Tat vollzog, mit kurzen Worten hier wiedergeben. Angedeutet wurde schon, daß die Besorgnisse und Warnungen ihres Münchener Lehrers sich als nur zu stichhaltig erwiesen und Clarissa's künstlerische Laufbahn sich in Jahren noch immer nicht aus provinziellen Niederungen ins Höhere, Ansehnlich-Würdigere hatte erheben wollen. Von Elbing in Ostpreußen kam sie nach Pforzheim im Badischen, — das heißt: sie kam nicht, oder wenig, von der Stelle; die größeren Schauspielhäuser des Reiches kümmerten sich nicht um sie; sie war erfolglos oder ohne rechten Erfolg, aus dem einfachen und doch für den, den es angeht, so schwer zu fassenden Grunde, weil ihre natürliche Begabung nicht ihrem Ehrgeiz gleichkam, kein echtes und rechtes Theaterblut ihrem Wissen und Wollen zur Wirksamkeit verhalf und ihr auf der Bühne die Sinne und Herzen einer widerspenstigen Menge gewann. Es fehlte im Primitiven, — das nun einmal in aller Kunst, bestimmt aber in der des Komödianten das Entscheidende ist, — möge das nun zu Ehren oder Unehren der Kunst und insonderheit des Komödiantentums gesagt sein.

Etwas anderes kam hinzu, Clarissa's Existenz zu verwirren. Sie hielt, wie ich längst mit Bedauern bemerkt hatte, Bühne und Leben nicht wohl auseinander; sie war Schauspielerin und betonte die Schauspielerin, vielleicht eben weil sie keine rechte war, auch außerhalb des Theaters; der leiblich-persönliche Charakter dieser Kunst führte sie zu einer Aufmachung ihrer zivilen Person mit Gesichtskosmetik, gepolsterten Frisuren und über-dekorativen Hüten, — einer völlig unnötigen und mißverständlichen Selbstinszenierung, die auf den freundschaftlich Empfindenden peinlich, auf den Bürger herausfordernd und auf die männliche Lüsternheit ermutigend wirkte, — ganz irrtümlich und gegen jede Absicht; denn Clarissa war das spöttisch-abweisendste, kühlste, keuscheste, nobelste Geschöpf, — mochte auch dieser Harnisch ironischen Hochmuts ein Schutzgebilde sein gegen Begehrungen ihrer Weiblichkeit, die sie nun doch wieder zur rechten Schwester Inessens Institoris, der Geliebten — oder ci devant-Geliebten Rudi Schwerdtfegers, machten.

Jedenfalls war nach jenem wohlkonservierten Sechziger, der sie zu seiner Maitresse hatte machen wollen, noch mancher Fant mit minder soliden Absichten ruhmlos bei ihr abgefahren, auch ein oder der andere öffentlich Urteilende, der ihr hätte nützlich werden können, sich aber natürlich für die Niederlage durch höhnische Herabsetzung ihrer Leistung rächte. Dann endlich ereilte das Schicksal sie doch und machte ihr Naserümpfen kläglich zuschanden: ich sage ›kläglich‹, weil der Bezwinger ihrer Magdschaft seines Sieges durchaus nicht würdig war und von Clarissa selbst auch keineswegs als würdig erachtet wurde: ein pseudo-dämonischer Spitzbart, Schürzenjäger, Coulissen-Habitué und Provinz-Viveur, der zu Pforzheim als Rechtsanwalt, Kriminal-Verteidiger wirkte, für seine Eroberung ausgestattet mit nichts als einer billig menschenverächterischen Suada, feiner Wäsche und viel schwarzen Haaren auf den Händen. Seiner Routine erlag eines Abends nach dem Spiel, wahrscheinlich im Weinrausch, die stachlichte, im Grunde aber unerfahrene und wehrlose Spröde, — zu ihrem größten Zorn, ihrer stürmischen Selbstverachtung; denn der Verführer hatte ihre Sinne zwar einen Augenblick hinzunehmen gewußt, aber sie empfand nichts für ihn außer dem Haß, den sein Triumph ihr erregte, und der eine gewisse Verwunderung ihres Herzens einschloß darüber, daß er sie, Clarissa Rodde, zu Falle zu bringen verstanden hatte. Durchaus, und mit Hohn dazu, verweigerte sie sich seitdem seiner Begierde, — in Ängsten nur immer, er möchte unter die Leute bringen, daß sie seine Geliebte gewesen, womit, als Druckmittel, der Mensch ihr damals schon drohte.

Unterdessen hatten sich der Gequälten, Enttäuschten, Gedemütigten erlösende menschliche und bürgerliche Aussichten eröffnet. Der sie ihr bot, war ein junger elsässischer Industrieller, der zuweilen in Geschäften von Straßburg nach Pforzheim herüberkam, in größerem Kreis ihre Bekanntschaft gemacht und sich sterblich in die schöngestaltige und spöttische Blondine verliebt hatte. Daß Clarissa damals nicht überhaupt ohne Engagement, sondern zum zweiten Mal, wenn auch nur für wenig dankbare Episodenrollen, dem Pforzheimer Stadttheater verpflichtet worden war, verdankte sie der Sympathie und Fürsprache eines älteren Dramaturgen, der, selbst literarisch bemüht, zwar auch nicht an ihre Berufenheit zur Bühne glauben mochte, aber ihren allgemeinen geistigen und menschlichen Rang zu schätzen wußte, welcher den im Gauklervölkchen üblichen so beträchtlich und oft so störend überstieg. Vielleicht, wer weiß? liebte er sie sogar und war nur zu sehr der Mann der Enttäuschung und des Verzichtes, um zu seiner stillen Neigung Mut zu fassen.

Zu Beginn der neuen Saison also begegnete Clarissa dem jungen Menschen, der versprach, sie aus einem verfehlten Beruf zu lösen und ihr dafür, als seiner Gattin, eine friedlich gesicherte, ja wohlbegüterte Existenz in zwar fremder, aber ihren Ursprüngen bürgerlich verwandter Sphäre zu bieten. Mit unverkennbarer Hoffnungsfreudigkeit, Dankbarkeit, ja Zärtlichkeit (die eine Frucht der Dankbarkeit war) berichtete sie brieflich an ihre Schwester und sogar an ihre Mutter über Henri's Werbung und auch über die Widerstände, auf die seine Wünsche vorläufig daheim noch stießen. Ungefähr des gleichen Alters wie seine Erwählte, Familiensohn — oder -söhnchen auch wohl —, Liebling seiner Mutter, Mitarbeiter seines Vaters im Geschäft, vertrat er zu Hause diese Wünsche mit Wärme und gewiß auch mit Willenskraft, — von der aber vielleicht ein Mehreres nötig gewesen wäre, um rasch das Vorurteil seines bürgerlichen Clans gegen die Schauspielerin, die Vagabundin, eine »boche« noch obendrein, zu überwinden. Henri hatte viel Verständnis für die Sorge der Seinen um seine Feinheit und Reinheit, für ihre Furcht, er möchte sich verplempern. Daß er dies keineswegs tat, indem er Clarissa heimführte, war nicht so leicht ihnen klarzumachen. Am besten geschah es, indem er sie persönlich in sein Elternhaus einführte, sie seinen liebenden Erzeugern, eifersüchtigen Geschwistern und urteilenden Tanten zur Prüfung vorstellte, und an der Bewilligung und Anordnung dieser Entrevue arbeitete er denn seit Wochen: in regelmäßigen Billets und bei wiederkehrenden Aufenthalten in Pforzheim unterrichtete er die Geliebte von seinen Fortschritten.

Clarissa war ihres Sieges gewiß. Ihre gesellschaftliche Ebenbürtigkeit, nur verdunkelt durch den Beruf, den aufzugeben sie bereit war, würde Henri's ängstlicher Sippe bei persönlicher Begegnung schon einleuchten. In ihren Briefen und mündlich bei einem Besuch in München nahm sie ihre offizielle Verlobung und die Zukunft vorweg, der sie entgegensah. Diese stellte sich ganz anders dar, als das entwurzelte, ins Geistige, Künstlerische strebende Patrizierkind sie sich erträumt hatte, aber sie war der Hafen, war das Glück, — ein bürgerliches Glück, das ihr offenbar annehmbarer erschien durch den Reiz der Fremdartigkeit, die nationale Neuheit des Lebensrahmens, in den sie versetzt werden sollte: sie malte sich das französische Geplauder ihrer zukünftigen Kinder aus.

Da erhob sich das Gespenst ihrer Vergangenheit, ein dummes, nichtssagendes und nichtswürdiges, aber freches und unbarmherziges Gespenst, gegen ihre Hoffnungen und machte sie zynisch zuschanden, trieb das arme Geschöpf in die Enge und in den Tod. Jener rechtskundige Lump, dem sie in schwacher Stunde angehört, erpreßte sie mit seinem einmaligen Siege. Henri's Angehörige, Henri selbst würden von seinem Verhältnis zu ihr erfahren, wenn sie ihm nicht neuerdings zu Willen war. Nach allem, was wir später in Erfahrung gebracht, müssen verzweifelte Szenen sich zwischen dem Mörder und seinem Opfer abgespielt haben. Vergebens flehte das Mädchen — zuletzt auf den Knien — ihn an, sie zu schonen, sie freizugeben, sie nicht zu nötigen, ihren Lebensfrieden mit dem Verrat an dem Manne zu bezahlen, der sie liebte, und dessen Liebe sie erwiderte. Eben dies Bekenntnis reizte den Unhold zur Grausamkeit. Er machte gar kein Hehl daraus, daß sie, indem sie sich ihm jetzt überließ, nur für den Augenblick, nur fürs nächste Ruhe gewann, die Reise nach Straßburg, die Verlobung erkaufte. Freigeben würde er sie nie, sie immer wieder, nach seinem Belieben, anhalten, sich ihm für sein Schweigen erkenntlich zu erweisen, das er brechen würde, sobald sie sich der Erkenntlichkeit weigerte. Sie würde im Ehebruch zu leben haben, — das würde die gerechte Strafe für ihr Philistertum, für das sein, was der Mensch ihr feiges Unterkriechen im Bürgerlichen nannte. Ging es nicht weiter, kam ihr, auch ohne seine Hilfe, ihr Männchen auf die Sprünge, so blieb ihr immer die alles ordnende Substanz, die sie von jeher in jenem dekorativen Gegenstand, dem Buch mit dem Totenkopf, aufbewahrte. Nicht umsonst sollte sie sich dem Leben durch den stolzen Besitz des hippokratischen Heilmittels überlegen gefühlt, ihm makabren Spott geboten haben, — einen Spott, der ihr besser zu Gesichte stand als der bourgeoise Friedensschluß mit dem Leben, zu dem sie sich bereitfinden wollte.

Nach meiner Meinung hatte der Wicht es, außer auf erzwungene Lust, geradezu auf ihren Tod abgesehen. Seine infame Eitelkeit verlangte nach einer Frauenleiche auf seinem Wege; es gelüstete ihn, daß ein Menschenkind, wenn nicht gerade für ihn, so doch von wegen seiner, sterbe und verderbe. Ach, daß Clarissa ihm den Gefallen tun mußte! Sie mußte es wohl, wie alles ging und stand, ich sehe es ein, wir alle mußten es einsehen. Noch einmal willfahrte sie ihm, um vorläufig Ruhe zu gewinnen, und war damit mehr als je in seiner Hand. Sie rechnete wohl, wenn sie erst einmal von der Familie angenommen, einmal mit Henri vermählt sei, werde sie (noch dazu auf fremdem Staatsgebiet geborgen) schon Mittel und Wege finden, dem Erpresser die Stirn zu bieten. Es kam nicht dazu. Offenbar hatte ihr Quäler beschlossen, es zu der Heirat nicht erst kommen zu lassen. Ein anonymer Brief, von Clarissa's Liebhaber in der dritten Person handelnd, tat sein Werk in der Straßburger Familie, bei Henri selbst. Er sandte ihr den Text — zur Rechtfertigung, wenn solche möglich war. Sein Begleitbrief ließ nicht eben eine unerschütterlichste Glaubensstärke der Liebe erkennen, die er für sie trug.

Clarissa empfing die eingeschriebene Sendung in Pfeiffering, wo sie nach Schluß der Pforzheimer Theater-Saison für ein paar Wochen im Häuschen ihrer Mutter, hinter den Kastanien, zu Gast war. Es war früher Nachmittag. Die Senatorin sah ihr Kind im Geschwindschritt von einem Spaziergang zurückkehren, den sie nach Tische auf eigene Hand unternommen. Auf dem kleinen Vorplatz des Hauses eilte Clarissa mit einem flüchtig-wirren und blinden Lächeln an ihr vorüber in ihr Zimmer, dessen Schlüssel sich hinter ihr kurz und energisch im Schlosse drehte. In ihrem eigenen Schlafzimmer, nebenan, hörte die alte Dame die Tochter nach einer Weile am Waschtisch mit Wasser gurgeln, — wir wissen heute, daß dies zur Kühlung der Verätzungen geschah, die die furchtbare Säure ihr im Schlunde verursacht. Dann trat Stille ein, — die unheimlich andauerte, als nach etwa zwanzig Minuten die Senatorin bei Clarissa klopfte und sei bei Namen rief. Wie dringlich sie dies wiederholte, so blieb die Antwort aus. Die Geängstigte, mit ihrem über der Stirn nicht mehr recht zu ordnenden Haar und ihrer Zahnlücke, lief hinüber zum Hauptgebäude und unterrichtete mit gepreßten Worten Frau Schweigestill. Die Vielerfahrene folgte ihr mit einem Knecht, der nach wiederholtem Rufen und Klopfen der beiden Frauen das Türschloß sprengte. Clarissa lag mit offenen Augen auf dem Kanapee am Fußende des Bettes, einem Mögel der siebziger oder achtziger Jahre, mit Rücken- und Seitenlehne, das ich aus der Rambergstraße kannte, und auf das sie sich eilig begeben hatte, als beim Gurgeln der Tod sie überkam.

»Da wird wohl nichts mehr zu machen sein, liebe Frau Senator«, sagte, den Finger an der Wange und kopfschüttelnd, Frau Schweigestill bei dem Anblick der halb aufrecht Hingestreckten. Mir wurde dieser nur zu überzeugende Anblick noch spät abends zuteil, als ich, von der Wirtin telephonisch benachrichtigt und von Freising herbeigeeilt, die wimmernde Mutter als alter Hausfreund bewegt und tröstend in die Arme geschlossen hatte und mit ihr, Else Schweigestill und Adrian, der mit herübergekommen war, an der Leiche stand. Dunkelblaue Stockungsflecke an Cla-

rissa's schönen Händen und in ihrem Gesicht deuteten auf einen
rapiden Erstickungstod, die jähe Lähmung des Atmungszentrums
durch eine Dosis Zyansäure, mit der man wohl eine Kompanie
Soldaten hätte töten können. Auf dem Tisch lag, entleert, die
Unterseite aufgeschraubt, jener bronzene Behälter, das mit dem
Namen des Hippokrates in griechischen Lettern beschriebene
Buch, auf dem der Totenkopf ruhte. Dabei ein an ihren Verlobten
gerichteter, hastig geschriebener Bleistiftzettel des Wortlautes:
»Je t'aime. Une fois je t'ai trompé, mais je t'aime.«
Der junge Mann fand sich zu dem Begräbnis ein, dessen Vorbe-
reitung mir zufiel. Er war untröstlich, oder vielmehr »désolé«,
was, gewiß irrtümlicherweise, nicht ganz so ernst, ein wenig re-
densartlicher anmutet. Ich möchte den Schmerz nicht bezweifeln,
mit dem er ausrief:
»Ah, monsieur, ich liebte sie hinlänglich, um ihr zu verzeihen!
Alles hätte gut werden können. Et maintenant — comme ça!«
Ja, »comme ça«! Alles hätte wohl wirklich anders kommen können, wenn er nicht solch mattes Familiensöhnchen gewesen wäre
und Clarissa eine verlässigere Stütze an ihm gehabt hätte.
In jener Nacht verfaßten wir, Adrian, Frau Schweigestill und ich,
während die Senatorin in tiefem Jammer bei der erstarrten Hülle
ihres Kindes saß, die öffentliche, von Clarissa's Nächsten zu un-
terzeichnende Todesanzeige, der eine schonende Eindeutigkeit zu
verleihen war. Wir einigten uns auf eine Formulierung, die besagte, daß die Verstorbene nach schwerem, unheilbarem Herzeleid das Zeitliche gesegnet habe. Dies hatte der Münchener Dekan
gelesen, bei dem ich vorsprach, um ihn für die von der Senatorin
dringend gewünschte kirchliche Bestattung zu gewinnen. Nicht
allzu diplomatisch fing ich das an, indem ich von vornherein naiv-
vertrauensvoll die Tatsache einbekannte, daß Clarissa den Tod
einem Leben in Unehre vorgezogen habe, wovon doch der Geistliche, ein robuster Gottesmann von echt lutherischem Typ, nichts
wissen wollte. Ich gestehe, daß es eine Weile dauerte, bis ich begriff, daß zwar einerseits die Kirche sich nicht inaktiviert zu sehen
wünschte, daß sie aber nicht bereit war, den erklärten, wenn auch
noch so ehrenhaften Selbstmord auszusegnen, — kurzum, daß
der kräftige Mann nichts anderes wollte, als daß ich löge. So
lenkte ich denn fast lächerlich unvermittelt ein, bezeichnete alles
als unaufgeklärt, ließ einen Unglücksfall, eine Flacon-Verwechs-
lung als möglich, ja wahrscheinlich zu und erreichte so, daß der
Dickkopf, geschmeichelt denn doch für seine heilige Firma, durch
das Gewicht, das man auf ihre Teilnahme legte, sich bereit erklärte, die Exequien vorzunehmen.
Sie fanden statt auf dem Münchener Waldfriedhof unter voll-
zähliger Beteiligung des Rodde'schen Freundeskreises. Auch Rudi
Schwerdtfeger, auch Zink und Spengler, sogar Schildknapp fehl-

ten nicht. Die Trauer war aufrichtig, denn alle hatten die arme, schnippische, stolze Clarissa gern gehabt. Ines Institoris, in dichtem Schwarz, nahm an Stelle ihrer Mutter, die sich nicht sehen ließ, das Hälschen schräg vorgestreckt, in zarter Würde die Beileidsbezeugungen entgegen. Ich konnte nicht umhin, in dem tragischen Ausgang des Lebensversuchs ihrer Schwester ein böses Omen für ihr eigenes Geschick zu sehen. Übrigens hatte ich im Gespräch mit ihr eher den Eindruck, daß sie Clarissa beneidete, als daß sie sie betrauerte. Die Verhältnisse ihres Gatten litten fortschreitend unter dem von gewissen Kreisen gewollten und herbeigeführten Verfall der Währung. Die Brustwehr des Luxus, dieser Schutz vor dem Leben, drohte der Ängstlichen zu schwinden, und schon war es fraglich geworden, ob man die reiche Wohnung am Englischen Garten werde halten können. Was Rudi Schwerdtfeger betraf, so hatte er zwar Clarissa, der guten Kameradin, die letzte Ehre erwiesen, aber den Friedhof so bald wie möglich wieder verlassen, — nachdem er bei der nächsten Leidtragenden zu einer Kondolenz vorgesprochen hatte, auf deren formelle Knappheit ich Adrian aufmerksam machte.

Es war wohl das erste Mal, daß Ines den Geliebten wiedersah, seit er ihr Verhältnis gelöst hatte, — ich fürchte: mit einiger Brutalität, denn es ›in netter Weise‹ zu tun, war bei der verzweifelten Zähigkeit, mit der sie sich daran klammerte, wohl nicht gut möglich gewesen. Wie sie da neben ihrem zierlichen Gemahl am Grabe der Schwester stand, war sie eine Verlassene und aller Mutmaßung nach entsetzlich unglücklich. Es hatte sich aber, gewissermaßen zu Trost und Ersatz, ein kleiner Verband von Frauen um sie zusammengeschlossen, dessen Mitglieder denn auch zum Teil mehr um ihretwillen als zu Clarissa's Ehren der Trauerfeier anwohnten. Zu dieser kleinen und festen Gruppe, Genossenschaft, Körperschaft, diesem Freundschaftsclub, oder wie ich mich ausdrücken soll, gehörte die exotische Natalia Knöterich als Inessens nächste Vertraute; es gehörte aber auch dazu eine von ihrem Manne geschiedene rumänisch-siebenbürgische Schriftstellerin, Verfasserin einiger Lustspiele und Inhaberin eines Bohème-Salons in Schwabing; ferner die Hofschauspielerin Rosa Zwitscher, eine Darstellerin von oft großer nervöser Intensität, — und noch eine oder die andere weibliche Figur, deren Kennzeichnung sich hier erübrigt, besonders da ich nicht bei jeder der aktiven Zugehörigkeit zu dem Bunde ganz sicher bin.

Der Kitt, der ihn zusammenhielt, war — der Leser ist darauf vorbereitet, es zu vernehmen — das Morphium: ein überaus starkes Bindemittel; denn nicht nur, daß die Genossen einander in unheimlicher Kameradschaftlichkeit mit der beglückenden und verderblichen Droge aushalfen, sondern auch moralisch besteht eine trübselige, aber auch zärtliche und sogar wechselseitig verehrungsvolle Solidarität zwischen den Sklaven derselben Sucht und Schwäche, und in unserem Fall wurden die Sünderinnen zudem noch durch eine bestimmte Philosophie oder Maxime zusammengehalten, die von Ines Institoris ausging, und der zu ihrer Rechtfertigung alle fünf oder sechs Freundinnen beipflichteten. Ines vertrat nämlich die Ansicht — ich selbst habe sie gelegentlich aus ihrem Munde vernommen —, daß der Schmerz menschenunwürdig, daß es eine Schmach sei, zu leiden. Nun sei aber, noch ganz abgesehen von jeder konkreten und besonderen Erniedrigung durch Körperschmerz oder Herzeleid, das Leben selbst und an und für sich, das bloße Dasein, die animalische Existenz eine unwürdige Kettenlast und niedrige Beschwer, und nichts weiter als nobel und stolz, ein Akt des Menschenrechtes und geistiger Befugnis sei es, diese Bürde sozusagen abzustemmen, sich ihrer zu entlasten, Freiheit, Leichtigkeit, ein gleichsam körperloses Wohlsein zu gewinnen durch die Versorgung der Physis mit dem gesegneten Stoff, der ihr solche Emanzipation vom Leiden gewährte.

Daß diese Philosophie die moralisch und körperlich ruinösen Folgen der verzärtelnden Gewohnheit in den Kauf nahm, gehörte offenbar zu ihrer Noblesse, und wahrscheinlich war es das Bewußtsein gemeinsamen frühen Verderbens, was die Kumpaninnen zu solcher Zärtlichkeit, ja verliebten Veneration untereinander stimmte. Nicht ohne Widerwillen beobachtete ich das entzückte Aufleuchten ihrer Blicke, ihre gerührten Umarmungen und Küsse, wenn sie in Gesellschaft zusammenkamen. Ja, ich bekenne meine innere Unduldsamkeit gegen diese Selbstdispensierung, — bekenne sie mit einer gewissen Verwunderung, da ich mir sonst doch keineswegs in der Rolle des Tugendboldes und Splitterrichters gefalle. Es mag jene gewisse süßliche Verlogenheit sein, zu der das Laster führt, oder die ihm von vornherein immanent ist, was mir die unüberwindliche Abneigung einflößt. Auch verübelte ich der Ines die rücksichtslose Gleichgültigkeit gegen ihre Kinder, die sie mit der Hingabe an diesen Unfug bewies, und die denn auch alle Affenliebe zu den weißen Luxusgeschöpfen als Lüge enthüllte. Kurzum, die Frau war mir in der Seele verleidet, seit ich wußte und sah, was sie sich erlaubte, und sie bemerkte recht wohl, daß ich sie in meinem Herzen hatte fallenlassen, und quittierte die Wahrnehmung mit einem Lächeln, das mich in seiner vertrackten und spitzbübischen Bosheit an das frühere erinnerte, das sie gezeigt, als sie zwei Stunden lang meine menschliche Teilnahme an ihren Liebesschmerzen und -lüsten eingestrichen hatte.

Ach, sie hatte wenig Grund, sich lustig zu machen, denn ein Elend war es, wie sie sich entwürdigte. Wahrscheinlich nahm sie Überdosen, die ihr nicht lebhaftes Wohlsein schufen, sondern sie in einen Zustand versetzten, worin sie sich nicht sehen lassen konnte. Jene Zwitscher spielte genialer unter der Wirkung des Mittels, und Natalia Knöterich erhöhte damit ihren gesellschaftlichen Charme. Aber der armen Ines geschah es wiederholt, daß sie in halber Bewußtlosigkeit zu Tische kam und sich mit verglasten Augen und nickendem Kopf zu ihrer ältesten Tochter und ihrem kleinlich-peinlich berührten Gatten an dem immer noch wohlgepflegten, von Kristall funkelnden Eßtisch niederließ. Ich will dazu eines gestehen: Ines beging ein paar Jahre später ein Kapitalverbrechen, das allgemeines Entsetzen erregte und ihrer bürgerlichen Existenz ein Ende machte. Aber so sehr auch mir vor der Untat schauderte, so war ich doch, aus alter Freundschaft, fast stolz, nein, entschieden stolz darauf, daß sie in ihrer Gesunkenheit die Kraft und wilde Energie zu der Handlung gefunden hatte.

XXXVI

O Deutschland, du gehst zugrunde, und ich gedenke deiner Hoffnungen! Die Hoffnungen meine ich, die du erregtest (vielleicht ohne sie zu teilen); die nach deinem vorigen, vergleichsweise sanften Zusammenbruch, der Abdankung des Kaiserreichs, die Welt in dich setzen wollte, und die du trotz ausgelassenem Benehmen, trotz einer völlig verrückten, wild verzweifelten und wild demonstrativen ›Aufblähung‹ deines Elends, jener betrunken zum Himmel kletternden Währungsinflation, einige Jahre lang bis zu einem gewissen Grade zu rechtfertigen schienest.
Es ist wahr, der phantastische, weltverhöhnende und als Weltschrecknis gemeinte Unfug von damals hatte schon viel von der monströsen Unglaubwürdigkeit, der Exzentrizität, dem nie für möglich Gehaltenen, dem bösen Sansculottismus unserer Aufführung seit 1933 und gar seit 1939. Aber der Milliarden-Rausch, dieser Bombast der Misere, nahm ja eines Tages ein Ende, in das verfratzte Antlitz unseres Wirtschaftslebens kehrte der Ausdruck der Vernunft zurück, und eine Epoche seelischer Erholung, des gesellschaftlichen Fortschritts in Frieden und Freiheit, der mündigen und zukunftsgewillten kulturellen Bemühtheit, der gutwilligen Angleichung unseres Fühlens und Denkens ans Welt-Normale schien uns Deutschen zu dämmern. Unzweifelhaft, dies war, trotz aller eingeborenen Schwäche und Antipathie gegen sich selbst, der Sinn, die Hoffnung der deutschen Republik, — ich meine wiederum: die Hoffnung, die sie den Fremden erweckte. Sie war ein Versuch, ein nicht ganz und gar aussichtsloser Versuch (der zweite nach dem fehlgeschlagenen Bismarcks und seines Einigungskunststücks), zur Normalisierung Deutschlands im Sinne seiner Europäisierung oder auch ›Demokratisierung‹, seiner geistigen Einbeziehung in das gesellschaftliche Leben der Völker. Wer will leugnen, daß viel guter Glaube an die Möglichkeit dieses

Prozesses in den anderen Ländern lebendig war, — und wer bestreiten, daß eine hoffnungsvolle Bewegung in dieser Richtung unter uns, in Deutschland, überall im Lande, mit Ausnahmen bäurischer Verstocktheit, — tatsächlich festzustellen war?

Ich spreche von den zwanziger Jahren des Jahrhunderts, besonders natürlich von ihrer zweiten Hälfte, die in allem Ernst eine Verschiebung des kulturellen Brennpunktes von Frankreich nach Deutschland brachte, und für die es denn doch in hohem Grade kennzeichnend war, daß in ihr, wie erwähnt, die Erstaufführung, genauer: die erste vollständige Aufführung von Adrian Leverkühns apokalyptischem Oratorium sich ereignete. Selbstverständlich geschah das, obgleich der Schauplatz Frankfurt einer der gutwilligen, freimütigsten Stadtcharaktere des Reiches war, nicht ohne zornigen Widerspruch, nicht ohne daß der Vorwurf der Kunstverhöhnung, des Nihilismus, des musikalischen Verbrechertums, oder, um den geläufigsten Schimpfruf von damals einzusetzen: der Vorwurf des ›Kultur-Bolschewismus‹ mit Erbitterung laut geworden wäre. Aber das Werk und das Wagnis seiner Darbietung fanden intelligente, des Wortes mächtige Verteidiger, und dieser gute Mut, der, welt- und freiheitsfreundlich, um das Jahr 1927 auf seine Höhe kam, dies Widerspiel zur nationalistisch-wagnerisch-romantischen Reaktion, wie sie namentlich in München zu Hause war, bildete durchaus auch schon ein Element unseres öffentlichen Lebens in der ersten Hälfte des Jahrzehnts, — wobei ich an kulturelle Vorkommnisse denke wie das Tonkünstlerfest in Weimar vom Jahre zwanzig und das erste Musikfest zu Donaueschingen im folgenden Jahr. Bei beiden Gelegenheiten wurden — leider in des Komponisten Abwesenheit — vor einem keineswegs unempfänglichen, ich möchte sagen: künstlerisch-›republikanisch‹ gesinnten Publikum, neben anderen Beispielen einer neuen geistig-musikalischen Haltung auch Werke Leverkühns geboten: in Weimar die ›Kosmische Symphonie‹ unter der rhythmisch besonders zuverlässigen Leitung Bruno Walters, an dem badischen Festort, in Verbindung mit Hans Platners berühmtem Marionettentheater, alle fünf Stücke der ›Gesta Romanorum‹, — ein das Gemüt zwischen frommer Rührung und Gelächter wie nie zuvor hin und her reißendes Erlebnis.

Gedenken aber auch will ich des Anteils, den deutsche Künstler und Kunstfreunde an der Gründung der ›Internationalen Gesellschaft für neue Musik‹ im Jahre zweiundzwanzig hatten, und der Veranstaltungen dieses Verbandes zwei Jahre später in Prag, wobei schon Chor- und Instrumentalfragmente aus Adrians ›Apocalipsis cum figuris‹ vor einer mit berühmten Gästen aus allen Musikländern stark durchsetzten Hörerschaft erklangen. Das Werk war damals bereits im Druck erschienen, und zwar nicht wie Leverkühns frühere Arbeiten, bei Schott in Mainz, sondern im Rahmen der ›Universal-Edition‹ in Wien, deren noch jugendlicher, kaum dreißigjähriger, aber im musikalischen Leben Mittel-Europas eine einflußreiche Rolle spielender Direktor namens Dr. Edelmann eines Tages, nämlich zu einem Zeitpunkt, als die ›Apokalypse‹ noch nicht einmal vollendet war (es war in den Wochen der Unterbrechung durch den Krankheitsrückfall), überraschend in Pfeiffering aufgetaucht war, um dem Gast der Schweigestills seine verlegerischen Dienste anzubieten. Der Besuch stand in erklärtem Zusammenhang mit einem dem Schaffen Adrians gewidmeten Artikel, der kürzlich in der radikal-progressiven Wiener Musikzeitschrift ›Der Anbruch‹ erschienen war und aus der Feder des ungarischen Musikologen und Kultur-Philosophen Desiderius Fehér stammte. Fehér hatte über die intellektuelle Höhe und religiösen Gehalte, den Stolz und die Verzweiflung, die sündige, ins Inspirative getriebene Klugheit der Musik, auf die er da die Kulturwelt hinwies, sich mit einer Innigkeit ausgedrückt, die verstärkt wurde durch die eingestandene Scham darüber, daß der Schreiber nicht auf eigene Hand dies Interessanteste und Ergreifendste entdeckt, nicht kraft eigener innerer Führung darauf gestoßen war, sondern von außen, oder, wie er sagte, von oben, aus einer Sphäre, höher als alle Gelehrsamkeit, der Sphäre der Liebe und des Glaubens, des Ewig-Weiblichen mit einem Wort, hatte darauf hingelenkt werden müssen. Kurzum, der Aufsatz, der, seinem Gegenstand nicht unangemessen, das Analytische mit dem Lyrischen mischte, ließ, allerdings in sehr vagen Umrissen, die Gestalt einer sensitiven, wissenden und für ihr Wissen tätig werbenden Frau durchscheinen, die seine eigentliche Inspiratorin war. Da aber Dr. Edelmanns Besuch sich als angeregt von der Wiener Veröffentlichung erwies, so konnte man sagen, daß mittelbar auch dieser Besuch eine Bewerkstelligung jener zarten, sich im Verborgenen haltenden Energie und Liebe war.

Nur mittelbar? Ich bin nicht ganz sicher. Ich halte für möglich, daß auch dem jungen Musik-Geschäftsmann direkte Anregungen, Winke, Weisungen aus der »Sphäre« zugekommen waren, und ich werde in dieser Vermutung bestärkt durch die Tatsache, daß er mehr wußte, als der Artikel, ein wenig geheimnistuerisch, mitzuteilen sich herbeigelassen hatte: daß er den *Namen* wußte und ihn nannte, — nicht gleich, nicht von vornherein, aber im Lauf der Unterhaltung, gegen ihr Ende hin. Nachdem er fast abgewiesen worden war, aber verstanden hatte, seinen Empfang durchzusetzen, hatte er Leverkühn um Mitteilungen über seine laufende Produktion gebeten, hatte von dem Oratorium gehört — zum ersten Mal? Ich bezweifle es! — und es erreicht, daß Adrian, obgleich leidend bis zur Hinfälligkeit, ihm im Nike-Saal größere Partien aus dem Manuskript vorspielte, worauf Edelmann das Werk vom Fleck weg für die ›Edition‹ erworben hatte: der Ver-

trag kam am nächsten Tage aus dem Hotel ›Bayerischer Hof‹ in
München. Bevor er aber gegangen war, hatte er Adrian, sich der
wienerischen, aus dem Französischen übernommenen Anrede bedienend, gefragt:
»Kennen Sie, Meister«, — ich glaube sogar, er sagte: »Kennen
Meister« — »die Frau von Tolna?«
Ich bin im Begriffe, eine Figur in meine Erzählung einzuführen,
wie ein Romanverfasser sie seinen Lesern niemals bieten dürfte,
da *Unsichtbarkeit* in offenbarem Widerspruch zu den Bedingun-
gen des Künstlerischen und also auch der Romanerzählung steht.
Frau von Tolna aber ist eine unsichtbare Figur. Ich kann sie dem
Leser nicht vor Augen stellen, von ihrem Äußeren nicht das klein-
ste Zeugnis geben, denn ich habe sie nie gesehen und nie eine
Beschreibung von ihr empfangen, da niemand aus meiner Bekanntschaft sie je gesehen hat. Ich lasse dahingestellt, ob Dr.
Edelmann, ob auch nur jener Mitarbeiter des ›Anbruch‹, der ihr
Landsmann war, sich ihrer Bekanntschaft rühmen konnten. Was
Adrian betraf, so antwortete er damals auf die Frage des Wieners
verneinend. Er kenne die Dame nicht, sagte er, — aber ohne seinerseits zu fragen, wer das denn sei; weshalb denn auch Edelmann davon abstand, Aufklärung zu geben, sondern nur erwiderte:
»Jedenfalls haben Sie« — oder: »haben Meister« — »keine wär-
mere Verehrerin.«
Offenbar nahm er das ›Nicht-kennen‹ als die bedingte und in
Diskretion gehüllte Wahrheit, die es war. Adrian konnte antworten, wie er es tat, weil es in seinen Beziehungen zu der ungarischen Aristokratin an jeder persönlichen Begegnung fehlte und
— so füge ich hinzu — nach beiderseitiger stiller Übereinkunft
immer fehlen sollte. Daß er seit Jahr und Tag in brieflichem Austausch mit ihr stand, einer Korrespondenz, in welcher sie sich als
die klügste und genaueste Kennerin und Bekennerin seines Werkes, dazu als sorgende Freundin und Ratgeberin, als unbedingte
Dienerin seiner Existenz erwies, und worin er für sein Teil an die
Grenze der Mitteilsamkeit und des Vertrauens ging, deren die
Einsamkeit fähig ist, — das ist eine andere Sache. Ich habe von
bedürftigen Frauenseelen gesprochen, die sich durch uneigennützige Hingebung einen bescheidenen Platz in dem sicherlich unsterblichen Leben dieses Mannes eroberten. Hier ist eine dritte,
ganz anders geartete, an Uneigennützigkeit jenen schlichteren
nicht nur nicht nachstehend, sondern sie übertreffend: durch den
asketischen Verzicht auf jede direkte Annäherung, die unverbrüchliche Observanz der Verborgenheit, der Zurückhaltung, der
Nicht-Behelligung, des Unsichtbar-Bleibens, — das nicht wohl auf
linkischer Scheu beruhen konnte, da es sich um eine Frau von
Welt handelte, welche dem Einsiedler von Pfeiffering auch wirk-

lich die Welt repräsentierte, — die Welt, wie er sie liebte, brauchte, ertrug, die Welt im Abstand, die aus intelligenter Schonung sich fernhaltende Welt . . .

Ich sage von diesem seltenen Wesen, was ich weiß. Madame de Tolna war eine reiche Witwe, die von einem ritterlichen, aber ausschweifenden, übrigens nicht an seinen Lastern zugrunde gegangenen, sondern beim Pferderennen verunglückten Gatten als Besitzerin eines Palais in Pest, eines riesigen, einige Stunden südlich der Hauptstadt, nahe Stuhlweißenburg, zwischen Plattensee und Donau gelegenen Rittergutes und dazu noch einer schloßartigen Villa an dem genannten See, dem Balaton, kinderlos zurückgelassen worden war. Das Gut, mit prächtigem, aus dem achtzehnten Jahrhundert bequem erneuerten Herrenhaus, umfaßte außer ungeheueren Weizenfeldern ausgedehnte Zuckerrüben-Pflanzungen, deren Ernten in eigenen Raffinierbetrieben auf dem Gut verarbeitet wurden. Keinen dieser Aufenthalte, Stadthaus, Gutsschloß und Sommervilla, benutzte die Eigentümerin für irgend längere Zeit. Ganz vorwiegend, man kann sagen: fast immer, war sie auf Reisen, indem sie Heimstätten, an denen sie offenbar nicht hing, von denen Unruhe oder peinliche Erinnerungen sie vertrieben, der Obsorge von Verwaltern und Hausmeistern überließ. Sie lebte in Paris, Neapel, Ägypten, im Engadin, von Ort zu Ort begleitet von einer Jungfer, einem männlichen Angestellten, der etwas wie einen Quartiermacher und Reisemarschall abgab, und einem allein ihren Diensten gewidmeten Arzt, was auf delikate Gesundheit schließen ließ.

Ihre Beweglichkeit schien von dieser nicht getroffen, und im Verein mit einem Enthusiasmus, der auf Instinkt, Ahnung, sensitivem Wissen — Gott weiß es —, geheimnisvoller Einfühlung und Seelenverwandtschaft beruhte, zeitigte sie überraschende Präsenzen. Es stellte sich heraus, daß diese Frau überall zur Stelle gewesen war und sich unauffällig ins Publikum gemischt hatte, wo immer man gewagt hatte, von Adrians Musik etwas erklingen zu lassen: in Lübeck (bei der verhöhnten Première der Oper), in Zürich, in Weimar, in Prag. Wie oft sie in München und also seinem Wohnsitz ganz nahe war, ohne sich bemerkbar zu machen, weiß ich nicht zu sagen. Aber sie kannte auch Pfeiffering, gelegentlich und unter der Hand kam es zutage: in der Stille hatte sie von Adrians Landschaft, seiner nächsten Umgebung Kenntnis genommen, hatte, wenn ich nicht irre, geradezu unter dem Fenster der Abtsstube gestanden — und sich ungesehen wieder entfernt. Dies ist packend genug, aber noch seltsamer ergreift es mich, und noch mehr ruft es die Vorstellung der Wall- und Pilgerfahrt wach, daß sie, wie sich ebenfalls lange nachher und mehr oder weniger zufällig herausstellte, auch nach Kaisersaschern gefahren war, daß sie in Dorf Oberweiler und auf Hof

Buchel selbst Bescheid wußte, also vertraut war mit dem — mich jederzeit etwas bedrückenden — Parallelismus, der zwischen dem Schauplatz von Adrians Kindheit und seinem späteren Lebensrahmen bestand.

Ich vergaß zu erwähnen, daß sie jene Ortschaft in den Sabinerbergen, Palestrina, nicht ausgelassen, einige Wochen im Hause Manardi verweilt und, wie es schien, sich mit Signora Manardi rasch und herzlich angefreundet hatte. Wenn sie der Wirtin in ihren teils deutsch, teils französisch geschriebenen Briefen gedachte, so nannte sie sie »Mutter Manardi«, »Mère Manardi«. Die gleiche Bezeichnung ließ sie Frau Schweigestill zukommen, die sie, wie aus ihren Worten hervorging, gesehen hatte, ohne von ihr gesehen — oder beobachtet — worden zu sein. Und sie selbst? War es ihre Idee, sich diesen Mutter-Figuren anzuschließen und sie Schwester zu heißen? Welcher Name gebührte ihr — im Verhältnis zu Adrian Leverkühn? Welchen wünschte sie sich, nahm sie in Anspruch? Den einer Schutzgöttin, einer Egeria, einer geisterhaften Geliebten? Der erste Brief, den sie (aus Brüssel) an ihn richtete, war von dem Huldigungsgeschenk eines *Ringes* begleitet, wie ich seinesgleichen nie gesehen habe, was allerdings nicht viel heißen will, da Schreiber dieses in Dingen der Schätze dieser Welt wahrhaftig wenig bewandert ist. Es war ein Kleinod von — für mich — unschätzbarem Wert und von größter Schönheit. Der ziselierte Reif selbst war alt, Renaissance-Arbeit; der Stein ein großflächig geschnittenes Prachtexemplar des hellgrünen Ural-Smaragds, herrlich zu schauen. Man konnte sich denken, daß der Ring einst die Hand eines Kirchenfürsten geschmückt hatte, — die heidnische Inschrift, die er trug, sprach kaum gegen die Vorstellung. Der Härte des Edel-Berylls nämlich, seiner oberen Schleiffläche, waren in feinsten griechischen Lettern zwei Verse eingraviert, die man auf deutsch ungefähr wie folgt wiedergeben kann:

> Welch ein Beben durchfuhr den Lorbeerbusch des Apollon!
> Beben das ganze Gebälk! Unheilige, fliehet! Entweichet!

Es fiel mir nicht schwer, diese Verse als die Anfangsworte eines Apollon-Hymnus des Kallimachos zu lokalisieren. Sie beschreiben mit heiligem Schrecken die Anzeichen einer Epiphanie des Gottes bei seinem Heiligtum. Die Schrift hatte in ihrer Winzigkeit vollkommene Schärfe bewahrt. Etwas verwischter erschien das darunter eingeschnittene vignettenartige Wahrzeichen, das sich, am besten unter der Lupe, als geflügelt-schlangenhaftes Ungeheuer bestimmen ließ, dessen hervorschießende Zunge die ausgebildete Gestalt eines Pfeiles hatte. Mich ließ das mythologische Phantasma an die Schuß- oder Bißwunde des Chryseischen Philoktet, dazu an den Namen denken, den Äschylos einmal dem Pfeile gibt: »Zischende geflügelte Schlange«, aber auch an die Beziehung, die zwischen den Geschossen des Phöbus und dem Sonnenstrahle besteht.

Ich kann bezeugen, daß Adrian sich über das bedeutende, aus fremder, teilnehmender Weite ihm zugekommene Geschenk kindlich freute, es ohne Bedenken annahm und sich zwar anderen nie damit zeigte, aber den Brauch, oder soll ich sagen: den Ritus übte, es für die Stunden der Arbeit anzulegen: während der ganzen Ausführung der ›Apokalypse‹ trug er, wie ich weiß, das Juwel an der Linken.

Bedachte er wohl, daß der Ring das Symbol der Bindung, der Fessel, ja der Hörigkeit ist? Offenbar machte er sich keine Gedanken darüber, sondern sah in dem kostbaren Glied einer unsichtbaren Kette, das er zum Komponieren an den Finger steckte, nichts weiter als die Verbindung seiner Einsamkeit mit der Welt, — die ihm gesichtslos, persönlich kaum umschrieben war, und nach deren individuellen Zügen er sich anscheinend viel weniger fragte, als ich es tat. Gab es, fragte ich mich, etwas in dem Äußeren der Frau, woraus das Grundprinzip ihrer Beziehung zu Adrian, die Unsichtbarkeit, das Meiden, die Nie-Begegnung sich erklärte? Sie konnte häßlich, lahm, verwachsen, entstellt von einem Hautleiden sein. Ich nehme es nicht an, sondern glaube vielmehr, daß, wenn es einen Schaden gab, er im Seelischen lag und zum Verständnis für jede Art Schonungsbedürftigkeit disponierte. Auch versuchte ihr Partner ja niemals, an jenem Gesetz zu rütteln, sondern fügte sich stillschweigend darein, daß dem Verhältnis striktes Verharren im rein Geistigen beschieden sein sollte.

Ich brauche ungern diese banale Wendung: »im rein Geistigen«. Sie hat etwas Farbloses und Unkräftiges, das schlecht zu einer gewissen praktischen Rüstigkeit paßt, die dieser fernen, verhüllten Ergebenheit und Fürsorge eigen war. Eine sehr ernstliche musikalische und allgemein europäische Bildung dort drüben verlieh dem Briefwechsel, wie er zur Zeit der Vorbereitung auf das apokalyptische Werk und während seiner Niederschrift gepflogen wurde, ein durchaus sachliches Rückgrat. Zu dem textlichen Aufbau des Werkes wußte man meinen Freund mit Anregungen, schwer zugänglichem Material zu versehen, — wie sich denn nachträglich erwies, daß jene altfranzösische Versübertragung der Paulus-Vision ihm aus der »Welt« zugekommen war. Energisch, wenn auch auf Umwegen und durch Mittelspersonen, war diese in seinen Diensten tätig. Sie war es, die den geistreichen Artikel im ›Anbruch‹ hervorgerufen hatte, — allerdings dem einzigen Ort, wo damals von Leverkühns Musik mit Bewunderung die Rede sein konnte. Daß die ›Universal-Edition‹ sich des werdenden

Oratoriums versichert hatte, war ihrer Einflüsterung zuzuschreiben. Im Jahre einundzwanzig stellte sie dem Platner'schen Figurentheater aus der Verborgenheit, ohne daß die Quelle der Zuwendung klar wurde, für die kostbare und musikalisch vollkommene Inszenierung der ›Gesta‹ in Donaueschingen bedeutende Mittel zur Verfügung.

Auf diesem Wort und der umfassenden Geste, die ihm zugehört, auf diesem ›Zur Verfügung stellen‹ möchte ich beharren. Adrian durfte nicht zweifeln, daß ihm zur Verfügung stand, was die mondäne Verehrerin seiner Einsamkeit vermochte, — ihr Reichtum, der ihr, wie deutlich zu spüren, von kritischen Gewissens wegen eine Belastung war, obgleich sie ein Leben ohne ihn nicht kannte und wohl auch nicht zu führen gewußt hätte. Soviel wie möglich davon, soviel wie anzubieten sie nur wagen konnte, auf dem Altar des Genius darzubringen, war ihr unverleugnetes Verlangen, und wenn Adrian gewollt hätte, so hätte sein ganzer Lebensstil sich von heute auf morgen nach dem Muster des Kleinods ändern können, in dessen Schmuck nur die vier Wände der Abtsstube ihn sahen. Er wußte es so gut wie ich. Daß er nicht einen Augenblick sich mit der Möglichkeit ernstlich abgab, muß ich nicht sagen. Anders als ich, für den es immer etwas gewissermaßen Berauschendes hatte, zu denken, daß ein Riesenvermögen zu seinen Füßen lag, in das er nur zu greifen brauchte, um sich ein fürstliches Dasein zu bereiten, hat er sich den Gedanken daran gewiß niemals nahekommen lassen. Und doch hat er einmal, als er, ausnahmsweise von seinem Pfeiffering ausgeflogen, ohnedies auf Reisen war, in flüchtigem Versuchen an der fast königlichen Lebensform genippt, die ihm für die Dauer zuzuwünschen ich heimlich nicht umhinkonnte.

Das ist nun zwanzig Jahre her und geschah, indem er der stehenden, ein für allemal gültigen Einladung Madame de Tolna's folgte, solange er wollte, auf einer ihrer Besitzungen Wohnung zu nehmen, wenn nämlich sie nicht dort war. Er war damals, Frühjahr 1924, in *Wien*, wo, im Ehrbarsaal und im Rahmen eines der sogenannten ›Anbruch-Abende‹, Rudi Schwerdtfeger das endlich für ihn geschriebene Violinkonzert mit starkem Erfolg — nicht zuletzt für ihn selbst — zum erstenmal gespielt hatte. Ich sage: »nicht zuletzt« und meine »vor allem«, denn eine gewisse Konzentration des Interesses auf die Kunst des Interpreten liegt geradezu in den Absichten des Werkes, das, bei aller Unverkennbarkeit der musikalischen Handschrift, nicht zu Leverkühns höchsten und stolzesten gehört, sondern, wenigstens partienweise, etwas Verbindliches, Kondeszendierendes, ich sage besser: Herablassendes hat, welches mich an eine frühe Vorhersage aus unterdessen verstummtem Munde erinnerte. — Adrian lehnte es denn auch ab, als das Stück geendigt, vor dem sehr beifallsfreudigen Publikum zu erscheinen, und hatte das Haus schon verlassen, als man nach ihm suchte. Wir trafen ihn später, die Veranstalter, der glückstrahlende Rudi und ich, in dem Restaurant des kleinen Hotels in der Herrengasse, wo er abgestiegen war, während Schwerdtfeger es sich schuldig zu sein geglaubt hatte, in einem Ring-Hotel Wohnung zu nehmen.

Die Nachfeier war kurz, da Adrian Kopfschmerzen hatte. Ich kann es aber aus der augenblicklichen Auflockerung seines Daseins verstehen, daß er sich am folgenden Tage entschloß, nicht sogleich nach Haus Schweigestill zurückzukehren, sondern seiner Welt-Freundin die Freude seines Besuches auf ihrem ungarischen Gute zu machen. Die Bedingung ihrer Abwesenheit war erfüllt, da sie ja — unsichtbar — in Wien weilte. Seine kurzfristige Anmeldung richtete er telegraphisch direkt nach dem Gut, worauf, wie ich annehme, eilige Verständigungen zwischen diesem und einem Wiener Hotel hin und her flogen. Er reiste, und sein Reisebegleiter war leider nicht ich, der ich kaum für das Konzert von meinen Amtspflichten mich hatte frei machen können, es war diesmal auch nicht Rüdiger Schildknapp, der Gleichäugige, der sich gar nicht nach Wien bemüht, auch wohl die Mittel dazu nicht besessen hatte. Sondern es war, sehr erklärlicher Weise, Rudi Schwerdtfeger, der frei für den Abstecher und zur Stelle war, mit dem es soeben ein glückliches künstlerisches Zusammenwirken gegeben hatte, und dessen unermüdbare Zutraulichkeit überhaupt gerade um diese Zeit von Erfolg — einem verhängnisschweren Erfolg — gekrönt wurde.

In seiner Gesellschaft also verbrachte Adrian, der empfangen wurde, als sei er der von Reisen heimkehrende Gebieter, zwölf Tage in einer Häuslichkeit von vornehmer Pracht, den Dixhuitième-Sälen und -Gemächern von Schloß Tolna, sowie auf Wagenfahrten durch das fürstentumgroße Gutsgebiet und nach den heiteren Gestaden des Plattensees, betreut von einer demutsvollen, zum Teil türkischen Dienerschaft und als Nutznießer einer fünfsprachigen Bibliothek, zweier herrlicher Flügel auf dem Podium des Musiksaales, einer Hausorgel und jedweden Luxus. Er sagte mir, das zu der Herrschaft gehörige Dorf hätten die Besucher im Zustande tiefster Armut, auf ganz und gar archaischer, vor-revolutionärer Lebensstufe gefunden. Ihr Führer, der Gutsverwalter selbst, habe ihnen unter mitleidigem Kopfschütteln und als wissenswerte Merkwürdigkeit erzählt, daß die Bewohner nur einmal im Jahre, um Weihnachten, Fleisch zu essen und nicht einmal Unschlittkerzen zu brennen hätten, sondern buchstäblich mit den Hühnern zu Bette gingen. An diesen beschämenden Umständen, gegen die Gewohnheit und Unwissenheit die Menschen unempfindlich machten, zum Beispiel an dem unbeschreiblichen Schmutz der Dorfstraße, dem völligen Mangel an Hygiene in den Wohnkaten etwas zu ändern, wäre wohl ein revolutionärer Akt gewesen, dessen kein einzelner, am wenigsten eine Frau sich unterwinden konnte. Aber es läßt sich vermuten, daß der Anblick des Dorfes zu den Dingen gehörte, die Adrians verborgener Freundin den Aufenthalt auf ihrer Besitzung verleideten.

Im übrigen bin ich nicht der Mann, von dieser leicht exzentrischen Episode in meines Freundes strengem Leben ein mehr als skizzenhaftes Bild zu geben. Nicht ich war ihm dabei zur Seite und hätt' es nicht sein können, selbst wenn er mich dazu aufgefordert hätte. Schwerdtfeger war es, er könnte berichten. Aber er ist tot. —

XXXVII

Ich täte besser, diesem Abschnitt, gleich früheren, keine eigene Ziffer zuzubilligen, sondern ihn als Fortsetzung des vorigen, durchaus noch als zu diesem zugehörig zu kennzeichnen. Ohne tiefere Zäsur fortzufahren, wäre das Rechte, denn immer noch läuft das Kapitel ›Welt‹, das Kapitel von meines verewigten Freundes Verhältnis oder Unverhältnis zu ihr, — die hier nun freilich aller geheimnisvollen Diskretion entsagt und sich nicht mehr als tiefverschleierte Schutzgöttin und Senderin kostbarer Symbole, sondern in dem naiv zudringlichen, keine Einsamkeit scheuenden, leichthin engagierenden und bei all dem für mich sogar anziehenden Typ des Herrn Saul Fitelberg verkörpert, eines internationalen Musik-Gewerbmannes und Konzert-Unternehmers, der eines schönen Spätsommertages, als ich gerade zugegen war, an einem Samstagnachmittag also (am Sonntag früh wollte ich nach Hause zurückkehren, da meine Frau Geburtstag hatte), in Pfeiffering vorsprach und uns, Adrian und mich, wohl eine Stunde lang lächerlich gut unterhielt, worauf er zwar unverrichteter Dinge — soweit es sich eben um Dinge und Angebote handelte —, aber ohne Empfindlichkeit wieder abzog.

Es war das Jahr 1923 — man kann nicht sagen, daß der Mann besonders früh aufgestanden war. Immerhin, er hatte die Prager, die Frankfurter Darbietungen nicht abgewartet, sie gehörten noch einer nicht fernen Zukunft an. Aber Weimar war gewesen, Donaueschingen war gewesen — wobei ich die Schweizer Aufführungen Leverkühn'scher Jugendwerke ganz beiseite lasse —, und eine erstaunliche prophetische Intuition gehörte nicht mehr dazu, um zu ahnen, daß es hier etwas zu schätzen, zu propagieren gab. Auch war die ›Apokalypse‹ ja schon im Druck erschienen, und ich halte durchaus für möglich, daß Monsieur Saul in der Lage gewesen war, das Werk zu studieren. Jedenfalls also: der Mann hatte Lunte gerochen, er wünschte sich einzuschalten, einen

Ruhm aufzubauen, ein Genie ans Licht zu ziehen, es als sein Manager der Neugier der mondänen Gesellschaft, in der er sich bewegte, vorzuführen. Dergleichen einzuleiten war der Zweck seines Besuches, seines ungenierten Eindringens in die Zuflucht schöpferischen Leidens. — Der Vorgang war dieser:

Ich war am früheren Nachmittag in Pfeiffering eingetroffen, und bei der Rückkehr von einem Spaziergang ins Feld, den wir, Adrian und ich, nach dem Tee, also kurz nach vier, unternommen, bot sich uns zu unserer Verwunderung der Anblick eines auf dem Hof, bei der Ulme haltenden Automobils, — keiner gewöhnlichen Autodroschke, sondern eines Gefährtes von mehr privatem Ansehen, wie man es, samt Chauffeur, von einem Fuhrgeschäft stunden- und tagweise mietet. Jener, der Chauffeur, auch mit Andeutungen von Herrschaftlichkeit in seiner Tracht, stand rauchend neben seinem Wagen und lüftete, als wir vorübergingen, seine Schirmmütze mit breitem Lächeln, wahrscheinlich im Gedenken an die Späße des wunderlichen Gastes, den er uns gebracht. Im Haustor trat Frau Schweigestill uns entgegen, eine Besuchskarte in der Hand und mit erschrocken gedämpfter Stimme redend. Ein »Weltmann« sei da, teilte sie uns mit, — das Wort hatte, besonders da es geflüstert wurde, als rasche Bestimmung eines Menschen, den man nur eben eingelassen, etwas wunderlich Geisterhaftes und Sibyllinisches für mich. Vielleicht sollte es zur Erläuterung der anspruchsvollen Bezeichnung dienen, daß Frau Else den Wartenden gleich darauf einen »spinnerten Uhu« nannte. »Scher Madame« habe er ihr gesagt, dann aber »petite Maman«, und die Clementine habe er in die Wange gezwickt. Sie habe das Kind vorläufig, bis der Weltmann weg sei, in ihr Zimmer eingeschlossen. Wegschicken habe sie ihn denn doch nicht können, da er im Auto von München gekommen sei. Er warte im großen Wohnzimmer.

Mit bedenklichen Mienen reichten wir einander die Karte, die über ihren Träger alle wünschenswerte Auskunft gab. »Saul Fitelberg. Arrangements musicaux. Représentant de nombreux artistes prominents.« Ich war froh, zu Adrians Bedeckung zur Stelle zu sein. Ungern dachte ich ihn mir allein diesem ›Repräsentanten‹ ausgeliefert. Wir begaben uns zum Nike-Saal.

Fitelberg stand schon in der Nähe der Tür, und obgleich Adrian mich zuerst eintreten ließ, richtete sich die ganze Aufmerksamkeit des Mannes sogleich auf jenen: nach einem flüchtigen Blick durch seine Hornbrille auf mich bog er sogar seinen feisten Oberkörper zur Seite, um hinter mir nach demjenigen auszulugen, dessentwegen er sich in die Unkosten einer zweistündigen Autofahrt gestürzt hätte. Natürlich ist es kein Kunststück, zwischen einem vom Genius Gezeichneten und einem schlichten Gymnasialprofessor zu unterscheiden; aber die rasche Orientierungsfähigkeit

des Mannes, die Fixigkeit, mit der er ungeachtet meines Vorantritts meine Nebensächlichkeit erkannte und sich an den Rechten
hielt, hatte trotzdem etwas Eindrucksvolles.

»Cher Maître«, begann er lächelnden Mundes, mit hartem Akzent, aber ungemein flüssig zu plappern, »comme je suis heureux,
comme je suis ému de vous trouver! Même pour un homme
gâté, endurci comme moi, c'est toujours une expérience touchante de rencontrer un grand homme. — Enchanté, Monsieur le
professeur«, fügte er nebenbei hinzu und reichte mir, da Adrian
mich vorstellte, lässig die Hand, worauf er sich gleich wieder an
die rechte Adresse wandte.

»Vous maudirez l'intrus, cher Monsieur Leverkühn«, sagte er,
indem er den Namen auf der dritten Silbe betonte, so, als würde
er Le Vercune geschrieben. »Mais pour moi, étant une fois à Munich, c'était tout à fait impossible de manquer . . . Oh, ich spreche
auch deutsch«, unterbrach er sich mit derselben, recht angenehm
zu hörenden harten Lautbildung. »Nicht gut, nicht musterhaft,
aber zur Verständigung ausreichend. Du reste, je suis convaincu,
daß Sie das Französische vollkommen beherrschen, — Ihre Kompositionen von Gedichten Verlaine's sind der beste Beweis dafür.
Mais après tout, wir sind auf deutschem Boden — auf einem wie
deutschen, wie heimlichen, wie charaktervollen! Ich bin entzückt
von dem Idyll, in das Sie, Maître, weise genug waren, sich einzuschließen . . . Mais oui, certainement, setzen wir uns, merci,
mille fois merci!«

Er war ein wohl vierzigjähriger fetter Mann, nicht bauchig, aber
fett und weiß von Gliedern, mit weißen, gepolsterten Händen,
glattrasiert, vollgesichtig, mit Doppelkinn, stark gezeichneten,
bogenförmigen Brauen und lustigen Mandelaugen voll mittelmeerischen Schmelzes hinter der Hornbrille. Bei gelichtetem Haar
hatte er gute, weiße Zähne, die man, da er immer lächelte, immer
sah. Gekleidet war er sommerlich elegant, in einen auf Taille gearbeiteten, bläulich gestreiften Flanellanzug, zu dem er Schuhe
aus Leinen und gelbem Leder trug. Die Kennzeichnung, die Mutter Schweigestill ihm verliehen, war heiter gerechtfertigt durch
die bequeme Sorglosigkeit seiner Manieren, diese erquickliche
Leichtigkeit, die, wie seinem raschen, leicht verwischten, immer
ziemlich hoch, zuweilen im Diskant einsetzenden Sprechen, so seinem ganzen Gehaben eigentümlich war und zu der Feistheit seiner Person einen gewissen Widerspruch bildete, während sie sich
doch auch wieder harmonisch mit ihr verband. Ich nenne sie erquicklich, diese ihm in Fleisch und Blut übergegangene Leichtigkeit, weil sie einem tatsächlich das komisch-tröstliche Gefühl einflößte, das man das Leben ganz unnötig schwer nähme. Immer
schien sie ausdrücken zu wollen: »Aber warum denn nicht? Was
denn weiter? Hat nichts zu sagen! Seien wir vergnügt!« Und un

willkürlich gab man sich Mühe, ihm in dieser Gesinnung zu folgen. Daß er nichts weniger als ein Dummkopf war, darüber wird das, was ich aus noch heute frischer Erinnerung von seinen Reden mitteilen will, keinen Zweifel erlauben. Am besten werde ich tun, ihm ganz allein das Wort zu überlassen, da das, was Adrian oder ich allenfalls erwiderten und einwarfen, kaum eine Rolle spielte. Wir nahmen am einen Ende des wuchtigen Langtisches Platz, der das Haupteinrichtungsstück des Bauernsaales bildete: Adrian und ich nebeneinander, der Gast uns gegenüber. Mit seinen Wünschen, seinem Vorhaben hielt dieser nicht lange hinter dem Berge, ohne viel Umschweife kam er zur Sache.

»Maître«, sagte er, »ich verstehe vollkommen, wie Sie an der stilvollen Abgeschiedenheit hängen müssen, die Sie sich zum Aufenthalt erwählt haben, — oh, ich habe alles gesehen, den Hügel, den Teich, das Kirchdorf, et puis, cette maison pleine de dignité avec son hôtesse maternelle et vigoureuse. Madame Schweigestill! Mais ça veut dire: ›Je sais me taire. Silence, silence!‹ Comme c'est charmant! Wie lange leben Sie schon hier? Zehn Jahre? Ununterbrochen? Kaum unterbrochen? C'est étonnant! Oh, sehr begreiflich! Und dennoch, figurez-vous, bin ich gekommen, Sie zu entführen, Sie zu vorübergehender Untreue zu verführen, Sie auf meinem Mantel durch die Lüfte zu führen und Ihnen die Reiche dieser Welt und ihre Herrlichkeit zu zeigen, mehr noch, sie Ihnen zu Füßen zu legen ... Verzeihen Sie meine pompöse Ausdrucksweise! Sie ist wirklich ridiculement exagérée, besonders was die ›Herrlichkeit‹ betrifft. Es ist keineswegs so weit her, — keineswegs eine so aufregende Sache mit dieser Herrlichkeit, — das sage ich, der ich doch kleiner Leute Kind bin, aus sehr bescheidenen, um nicht zu sagen: miesen Verhältnissen stamme, — nämlich aus Ljublin mitten in Polen, von wirklich ganz kleinen jüdischen Eltern, — ich bin Jude, müssen Sie wissen: Fitelberg, das ist ein ausgesprochen mieser, polnisch-deutsch-jüdischer Name, — nur daß ich ihn zu dem Namen eines angesehenen Vorkämpfers avantgardistischer Kultur und, ich kann wohl sagen, eines Freundes großer Künstler gemacht habe. C'est la vérité pure, simple et irréfutable. Der Grund ist, daß ich von jung auf nach dem Höheren, dem Geistigen und Amüsanten gestrebt habe, — nach dem Neuen vor allen Dingen, das noch das Skandalöse ist, aber das ehren- und zukunftsvoll Skandalöse, das morgen das Höchstbezahlte, die große Mode, die Kunst sein wird. A qui le dis-je? Au commencement était le scandale.

Gottlob, das miese Ljublin liegt weit dahinten! Seit mehr als zwanzig Jahren schon lebe ich in Paris, — was glauben Sie, ich habe dort sogar einmal ein ganzes Jahr lang an der Sorbonne philosophische Vorlesungen gehört. Aber à la longue langweilte mich das. Nicht als ob nicht auch die Philosophie skandalös sein könnte. O doch, sie kann es. Aber sie ist mir zu abstrakt. Und dann habe ich das dunkle Gefühl, daß man die Metaphysik lieber in Deutschland studieren sollte. Darin wird mein geehrtes vis-à-vis, der Herr Professor, mir vielleicht recht geben ... Das nächste war, daß ich ein ganz kleines, exklusives Boulevard-Theater leitete, un creux, une petite caverne für hundert Personen, nommé ›Théâtre des fourberies gracieuses‹. Ist das nicht ein bezaubernder Titel? Aber was wollen Sie, die Sache war ökonomisch nicht haltbar. Die wenigen Plätze mußten so teuer sein, daß wir gezwungen waren, sie alle zu verschenken. Wir waren anstößig genug, je vous assure, aber dabei zu highbrow, wie die Engländer sagen. Mit James Joyce, Picasso, Ezra Pound und der Duchesse de Clermont-Tonnère als Publikum allein kommt man nicht aus. En un mot, die Fourberies gracieuses mußten nach sehr kurzer Spielzeit wieder schließen, aber für mich war das Experiment nicht fruchtlos gewesen, denn es hatte mich immerhin mit den Spitzen des Pariser Kunstlebens, Malern, Musikern, Dichtern, in Verbindung gebracht — in Paris, das darf ich selbst an dieser Stelle wohl sagen, schlägt gegenwärtig der Puls der lebendigen Welt, — es hatte mir auch, in meiner Eigenschaft als Direktor, den Zutritt zu mehreren aristokratischen Salons eröffnet, in denen diese Künstler verkehrten ...

Vielleicht werden Sie sich wundern. Vielleicht werden Sie sagen: ›Wie hat er das gemacht? Wie brachte der kleine Judenjunge aus der polnischen Provinz es fertig, sich in diesen wählerischen Cirkeln, unter der crème de la crème zu bewegen?‹ Ah, meine Herren, nichts leichter als das! Wie schnell lernt man es, sich eine Smoking-Schleife zu binden, wie schnell, mit vollendeter Nonchalance einen Salon zu betreten, selbst wenn es ein paar Stufen hinuntergeht, und jeden Gedanken daran fernzuhalten, daß einem seine Arme die geringste Sorge machen könnten. Danach hat man nur immerfort ›Madame‹ zu sagen. ›Ah, Madame, Oh, Madame, Que pensez-*vous*, Madame, On me dit, Madame, que vous êtes fanatique de musique?‹ Das ist so gut wie alles. Man überschätzt diese Dinge von weitem ganz ungeheuer.

Enfin, die Beziehungen, die ich den Fourberies verdankte, kamen mir zustatten und vervielfältigten sich noch, als ich dann mein Büro zur Organisation von Aufführungen zeitgenössischer Musik eröffnete. Das Beste war: ich hatte mich selber gefunden, denn wie Sie mich da sehen, bin ich Impresario, bin es von Geblüt, bin es notwendigerweise, — es ist meine Lust und mein Stolz, j'y trouve ma satisfaction et mes délices, das Talent, das Genie, die interessante Persönlichkeit herauszustellen, die Trommel dafür zu rühren, die Gesellschaft dafür zu begeistern, oder, wenn nicht zu begeistern, so doch zu erregen, — denn das ist alles, wonach sie verlangt, et nous nous rencontrons dans ce désir, —

die Gesellschaft will aufgeregt, will herausgefordert, in pro und contra auseinandergesprengt sein, für nichts ist sie so dankbar wie für den amüsanten Tumult, qui fournit le sujet für Zeitungskarikaturen und unendliches Geschwätz, — der Weg zum Ruhm führt in Paris über die Verrufenheit, — eine rechte Première muß so verlaufen, daß mehrmals während des Abends alles von den Plätzen springt und die Majorität brüllt: ›Insulte! Impudence! Bouffonnerie ignominieuse!‹, während sechs, sieben initiés, Erik Satie, einige Surrealisten, Virgil Thomson, aus den Logen rufen: ›Quelle précision! Quel esprit! C'est divin! C'est suprême! Bravo! Bravo!‹

Ich fürchte, Sie zu erschrecken, messieurs, — wenn nicht Maître Le Vercune, so doch vielleicht den Herrn Professor. Aber erstens beeile ich mich hinzuzufügen, daß noch nie ein solcher Konzertabend wirklich vor der Zeit abgebrochen werden mußte, — daran ist im Grunde auch den Allerentrüstetsten nichts gelegen, im Gegenteil, sie wünschen, sich noch wiederholt zu entrüsten, darin besteht der Genuß, den ihnen der Abend bereitet, und übrigens bewährt merkwürdigerweise die kleine Zahl der Kundigen eine überlegene Autorität. Zweitens aber ist ja keineswegs gesagt, daß es bei jeder Veranstaltung fortgeschrittenen Charakters zugehen muß, wie ich andeutete. Bei genügender publizistischer Vorbereitung, hinreichender Einschüchterung der Dummheit im voraus, kann man einen durchaus würdigen Verlauf garantieren, und gerade wenn man heute einen Angehörigen der ehemals feindlichen Nation, einen Deutschen präsentiert, ist auf ein vollkommen höfliches Verhalten des Publikums zu rechnen . . .

Das ist eben die gesunde Spekulation, auf die mein Vorschlag, meine Einladung sich gründet. Ein Deutscher, un boche qui par son génie appartient au monde et qui marche à la tête du progrès musical! Das ist heutzutage eine extrem pikante Herausforderung an die Neugier, die Vorurteilslosigkeit, den snobisme, die gute Erziehung des Publikums, — desto pikanter, je weniger dieser Künstler sein nationales Gepräge, sein Deutschtum verleugnet, je mehr er Gelegenheit gibt zu dem Ausruf ›Ah, ça c'est bien allemand, par exemple!‹ Denn das tun Sie, cher Maître, pourquoi pas le dire? Sie geben diese Gelegenheit auf Schritt und Tritt, — nicht so sehr in Ihren Anfängen, zur Zeit von cette ›Phosphorescence de la mer‹ und Ihrer komischen Oper, aber später von Werk zu Werk immer mehr. Gewiß denken Sie, daß ich vor allem Ihre grimmige Disziplin im Auge habe, et que vous enchaînez votre art dans un système de règles inexorables et néo-classiques, indem Sie sie zwingen, sich in diesen eisernen Fesseln — wenn nicht mit Anmut, so doch mit Geist und Kühnheit zu bewegen. Aber wenn es das ist, was ich meine, so meine ich zugleich mehr als das, indem ich von Ihrer qualité d'Allemand spreche, — ich meine — wie mich ausdrücken? — eine gewisse Viereckigkeit, rhythmische Schwerfälligkeit, Unbeweglichkeit, grossièreté, die altertümlich deutsch sind — en effet, entre nous, man findet sie auch bei Bach. Werden Sie mir meine Kritik übelnehmen? Non, j'en suis sûr! Sie sind zu groß dazu. Ihre Themen — sie bestehen fast durchweg aus geräden Werten, Halben, Vierteln, Achteln; sie sind zwar synkopiert und hinübergebunden, verharren aber gleichwohl in einer oft maschinell arbeitenden, stampfenden, hämmernden Unwendigkeit und Uneleganz. C'est ›boche‹ dans un degré fascinant. Glauben Sie ja nicht, daß ich es tadle! Es ist einfach énormément caractéristique, und in der Serie von Konzerten internationaler Musik, die ich vorbereitete, ist diese Note ganz unentbehrlich . . .

Sehen Sie, da breite ich meinen Zaubermantel aus. Ich werde Sie nach Paris führen, nach Brüssel, Antwerpen, Venedig, Kopenhagen. Man wird Sie mit dem intensivsten Interesse empfangen. Ich stelle die besten Orchester und Solisten zu Ihrer Verfügung. Sie werden die ›Phosphorescence‹ dirigieren, Stücke aus ›Love's Labour's Lost‹, Ihre ›Symphonie Cosmologique‹. Sie begleiten am Flügel Ihre Lieder nach französischen und englischen Dichtern, und alle Welt wird entzückt sein, daß ein Deutscher, ein Feind von gestern, diese Weitherzigkeit in der Wahl seiner Texte an den Tag legt, — ce cosmopolitisme généreux et versatile! Meine Freundin, Madame Maja de Strozzi-Pečić, eine Kroatin heute vielleicht die schönste Sopranstimme beider Hemisphären, wird es sich zur Ehre rechnen, diese Sachen zu singen. Für den Instrumentalpart der Hymnen von Keats engagiere ich das Quartett Flonzaley von Genf oder das ›Pro Arte‹-Quartett von Brüssel. Das Beste vom Besten — sind Sie zufrieden?

Was höre ich, Sie dirigieren nicht? Sie tun es nicht? Und auch Pianist wollen Sie nicht sein? Sie lehnen es ab, Ihre Lieder zu begleiten? Ich verstehe. Cher Maître, je vous comprends à demi mot! Es ist nicht Ihre Art, sich beim Vollendeten aufzuhalten. Für Sie ist die Ausführung eines Werkes seine Aufführung, es ist für Sie mit der Niederschrift abgetan. Sie spielen es nicht, Sie dirigieren es nicht, denn sogleich würden Sie es verändern, es in Varianten und Variationen auflösen, es weiterentwickeln und vielleicht verderben. Wie ich das verstehe! Mais c'est dommage, pourtant. An persönlichem Reiz erleiden die Konzerte dadurch eine entschiedene Einbuße. Ah, bah, wir werden uns zu helfen wissen! Wir werden uns nach weltbekannten Chefs d'orchestre als Interpreten umsehen — wir werden uns nicht lange umzusehen haben! Der ständige Begleiter von Madame de Strozzi-Pečić wird das Accompagnement der Lieder übernehmen, und wenn Sie, Maître, nur überhaupt mitkommen, nur überhaupt dabei sind und sich dem Publikum zeigen, so wird nichts verloren, wird alles gewonnen sein.

Dies allerdings ist Bedingung, — ah, non! Sie dürfen mir nicht die Aufführung Ihrer Werke in absentia anheimgeben! Ihr persönliches Erscheinen ist unerläßlich, particulièrement à Paris, wo der musikalische Ruhm in drei, vier Salons gemacht wird. Was kostet es Sie, einige Male zu sagen: ›Tout le monde sait, Madame, que votre jugement musical est infaillible‹? Es kostet Sie nichts, und Sie werden eine Menge Vergnügen davon haben. Als gesellschaftliche Ereignisse kommen meine Veranstaltungen gleich nach den Premièren von Herrn Diaghilews Ballet Russe, — *wenn* sie nach ihnen kommen. Sie werden jeden Abend eingeladen sein. Nichts schwieriger, im allgemeinen, als in die vornehme Pariser Gesellschaft einzudringen. Für einen Künstler jedoch ist nichts leichter als das — und befände er sich auch erst im Vorstadium des Ruhms, der skandalösen Vielberufenheit. Die Neugier legt jede Barrière nieder, sie schlägt alle Exklusivität aus dem Felde . . .

Aber was rede ich viel von der vornehmen Gesellschaft und ihrer Neugier! Ich sehe wohl, daß es mir nicht gelingt, damit Ihre Neugier, cher Maître, zu entzünden. Wie sollte ich auch? Ich habe gar nicht im Ernst den Versuch gemacht. Was geht Sie die vornehme Gesellschaft an? Entre nous — was geht sie mich an? Geschäftlich — dies und das. Aber innerlich? Nicht *so* viel. Dieses Milieu, dieses Pfeiffering, und das Zusammensein mit Ihnen, Maître, tragen nicht wenig dazu bei, mir die Gleichgültigkeit, die Geringschätzung bewußt zu machen, die ich jener Welt der Frivolität und Oberflächlichkeit entgegenbringe. Dites-moi donc: Stammen Sie nicht aus Kaisersaschern an der Saale? Was für eine ernste, würdige Herkunft! Nun, ich, ich nenne Ljublin meinen Geburtsort, — auch eine würdige, altersgraue Stätte, von der man einen Fonds von sévérité ins Leben mitnimmt, un état d'âme solennel et un peu gauche . . . Ach, ich bin der Letzte, Ihnen die elegante Gesellschaft preisen zu wollen. Aber Paris wird Ihnen Gelegenheit geben, die interessantesten, stimulierendsten Bekanntschaften zu machen unter Ihren Brüdern in Apoll, Ihren Mitstrebenden und Pairs, Malern, Schriftstellern, Sternen des Balletts, Musikern vor allem. Die Spitzen europäischer Erfahrung und des artistischen Experiments, sie alle sind meine Freunde, und sie sind bereit, die Ihren zu sein. Jean Cocteau, der Dichter, Massine, der Tanzmeister, Manuel de Falla, der Komponist, Les Six, die sechs Größen der neuen Tonkunst, — diese ganze hohe und amüsante Sphäre des Wagnisses und des Affronts, sie wartet nur auf Sie, Sie gehören dazu, sobald Sie nur wollen . . .

Ist es möglich, daß ich einen gewissen Widerstand auch dagegen in Ihrer Miene lese? Aber hier, cher Maître, ist nun wirklich jede Scheu, jedes embarras ganz fehl am Platze, — worin immer solche isolierenden Gefühle ihren Grund haben mögen. Ich bin weit entfernt, nach diesen Gründen zu forschen, die respektvolle und, ich möchte sagen, gebildete Annahme genügt mir vollkommen, daß sie vorhanden sind. Dieses Pfeiffering, ce refuge étrange et érémitique, — es wird seine eigene interessante, seelische Bewandnis damit haben — mit Pfeiffering. Ich frage nicht, ich überschlage alle Möglichkeiten, ich ziehe sämtliche, auch die ausgefallensten, freimütig in Betracht. Eh bien, was weiter? Ist das ein Grund zum embarras angesichts einer Sphäre unbegrenzter Vorurteilslosigkeit, — einer Vorurteilslosigkeit, die ihrerseits ihre guten Gründe hat? Oh, la, la! So ein Cirkel den Geschmack bestimmender Genies und mondäner Kunst-Koryphäen pflegt sich ja aus lauter demi-fous excentriques, maroden Seelen und ausgepichten Sündenkrüppeln zusammenzusetzen. Ein Impresario, c'est une espèce d'infirmier, voilà!

Und nun sehen Sie, wie schlecht ich meine Sache führe, dans quelle manière tout à fait maladroite! Daß ich es bemerke, ist alles, was zu meinen Gunsten spricht. In der Absicht, Sie zu ermutigen, ärgere ich Ihren Stolz und arbeite sehenden Auges gegen mich selbst. Denn ich sage mir natürlich, daß Ihresgleichen — aber ich sollte nicht von Ihresgleichen sprechen, sondern nur von Ihnen —, daß Sie also Ihre Existenz, Ihr destin als etwas zu Einmaliges betrachten und es zu heilig halten, um es mit anderen zusammenzuwerfen. Sie wollen von den anderen destinées nichts wissen, sondern nur von Ihrer eigenen, als etwas einzigem — ich weiß, ich verstehe. Sie verabscheuen das Herabsetzende aller Generalisierung, Einreihung, Subsumierung. Sie bestehen auf der Unvergleichlichkeit des persönlichen Falles. Sie huldigen einem personalistischen Einsamkeitshochmut, der seine Notwendigkeit haben mag. ›Lebt man denn, wenn andere leben?‹ Ich habe die Frage irgendwo gelesen, ich bin nicht sicher, wo, es war bestimmt an sehr prominenter Stelle. Ausdrücklich oder im stillen fragt ihr alle so, aus bloßer Höflichkeit und mehr zum Schein nehmt ihr voneinander Kenntnis, — wenn ihr Kenntnis nehmt voneinander. Wolf, Brahms und Bruckner lebten jahrelang in derselben Stadt, nämlich in Wien, mieden sich aber wechselseitig die ganze Zeit, und keiner, soviel ich sehe, ist je dem andern begegnet. Es wäre ja auch pénible gewesen, bei ihren Urteilen übereinander. Urteile kritischer Kollegialität waren das nicht, sondern solche der Wegleugnung, des anéantissement, um allein zu sein. Brahms hielt von Bruckners Symphonien so wenig wie möglich; er nannte sie unförmige Riesenschlangen. Umgekehrt war Bruckners Meinung von Brahms äußerst gering. Er fand das erste Thema des d-Moll-Konzerts recht gut, stellte aber fest, daß Brahms nie wieder etwas annähernd Gleichwertiges erfunden habe. Ihr wollt nichts voneinander wissen. Für Wolf bedeutete Brahms le dernier ennui. Und haben Sie je eine Kritik der Siebenten von Bruckner im

Wiener ›Salonblatt‹ gelesen? Man hat da seine Meinung über die Bedeutung des Mannes überhaupt. Er warf ihm ›Mangel an Intelligenz‹ vor — avec quelque raison, denn Bruckner war ja, was man ein einfaches, kindliches Gemüt nennt, versunken in seine majestätische Generalbaß-Musik und ein kompletter Idiot in allen Dingen europäischer Bildung. Stößt man aber auf gewisse briefliche Äußerungen von Wolf über Dostojewski, qui sont simplement stupéfiants, so fragt man sich nach der Formung seines eigenen Geistes. Den Text zu seiner nicht mehr vollendeten Oper ›Manuel Venegas‹, den ein gewisser Dr. Hörnes hergestellt hatte, nannte er ein Wunderwerk, shakespearisch, den Gipfel der Poesie, und wurde geschmacklos bissig, wenn Freunde ihre Zweifel ausdrückten. Nicht genug damit übrigens, daß er einen Hymnus für Männerchor: ›Dem Vaterland‹ komponierte, so wollte er ihn auch dem deutschen Kaiser widmen. Wie finden Sie das? Das Immediat-Gesuch wurde abgewiesen! Tout cela est un peu embarrassant, n'est-ce pas? Une confusion tragique.

Tragique, messieurs. Ich nenne es so, weil nach meiner Meinung das Unglück der Welt auf der Uneinheitlichkeit des Geistes, der Dummheit, der Verständnislosigkeit beruht, die seine Sphären voneinander trennt. Wagner schmähte den malerischen Impressionismus seiner Zeit als Kleckserei, — streng konservativ, wie der Mann war, auf diesem Felde. Dabei haben seine eigenen harmonischen Ergebnisse doch eine Menge mit dem Impressionismus zu tun, führen zu ihm hin, gehen als Dissonanzen häufig schon über die impressionistischen hinaus. Gegen die Pariser Kleckser spielte er Tizian aus; der sei das Wahre. A la bonne heure. Aber in Wirklichkeit war sein Kunstgeschmack wohl eher etwas zwischen Piloty und Makart, dem Erfinder des dekorativen Bouquets, und Tizian, das war mehr Lenbachs Sache, der seinerseits von Wagner so viel verstand, daß er den ›Parsifal‹ ein Tingel-Tangel nannte — und zwar in des Meisters Gesicht hinein. Ah, ah, comme c'est mélancolique, tout ça!

Meine Herren, ich bin schrecklich abgekommen. Aber das will sagen: ich bin abgekommen von meinem Vorhaben. Nehmen Sie meine Plauderhaftigkeit als Ausdruck der Tatsache, daß ich auf den Plan verzichtet habe, der mich herführte! Ich habe mich davon überzeugt, daß er undurchführbar ist. Sie werden, Maître, meinen Zaubermantel nicht besteigen. Ich werde Sie nicht als Ihr Manager in die Welt führen. Sie lehnen es ab, und das sollte mir eine größere Enttäuschung sein, als es tatsächlich ist. Sincèrement, ich frage mich, ob es überhaupt eine ist. Nach Pfeiffering kommt man vielleicht zu einem praktischen Zweck, — aber dieses ist stets und notwendig von zweitrangiger Bedeutung. Man kommt, selbst wenn man ein Impresario ist, in erster Linie pour saluer un grand homme. Kein sachlicher Fehlschlag kann dies

Vergnügen mindern, besonders nicht, wenn ein gut Teil positiver Genugtuung auf dem Grund der Enttäuschung liegt. So ist es, cher Maître, unter anderem bereitet Ihre Unzugänglichkeit mir auch Genugtuung, und zwar vermöge des Verständnisses, der Sympathie, die ich ihr unwillkürlich entgegenbringe. Ich tue es gegen mein Interesse, aber ich tue es, — als Mensch, möchte ich sagen, wenn das nicht eine zu weite Kategorie wäre, ich sollte mich spezieller ausdrücken.

Sie wissen wohl gar nicht, Maître, wie deutsch Ihre répugnance ist, die sich, wenn Sie mir erlauben, en psychologue zu sprechen, aus Hochmut und Inferioritätsgefühlen charakteristisch zusammensetzt, aus Verachtung und Furcht, — sie ist, möchte ich sagen, das Ressentiment des Ernstes gegen den Salon der Welt. Nun, ich bin Jude, müssen Sie wissen, — Fitelberg, das ist ein eklatant jüdischer Name. Ich habe das Alte Testament im Leibe, und das ist eine nicht weniger ernsthafte Sache als das Deutschtum — es schafft im Grunde geringe Disposition für die Sphäre der Valse brillante. Zwar ist es ein deutscher Aberglaube, daß es draußen nur Valse brillante gibt und Ernst nur in Deutschland. Und doch, man ist als Jude im Grunde skeptisch gesinnt gegen die Welt, zugunsten des Deutschtums, auf die Gefahr hin natürlich, Fußtritte einzuhandeln für seine Neigung. Deutsch, das heißt ja vor allem: volkstümlich — und wer glaubte einem Juden Volkstümlichkeit? Nicht nur, daß man sie ihm nicht glaubt, — man gibt ihm ein paar über den Schädel, wenn er die Zudringlichkeit hat, sich darin zu versuchen. Wir Juden haben alles zu fürchten vom deutschen Charakter, qui est essentiellement anti-sémitique, — Grund genug für uns natürlich, uns zur Welt zu halten, der wir Unterhaltungen und Sensationen arrangieren, ohne daß das besagte, daß wir Windbeutel oder auf den Kopf gefallen sind. Wir wissen sehr wohl zwischen Gounods ›Faust‹ und dem von Goethe zu unterscheiden, auch wenn wir französisch sprechen, auch dann . . .

Meine Herren, ich sage das alles nur aus Verzicht, wir haben geschäftlich ja ausgeredet, ich bin schon so gut wie fort, ich habe den Türgriff schon in der Hand, wir sind ja längst auf den Füßen, ich plaudere nur noch pour prendre congé. Gounods ›Faust‹, meine Herren, wer wollte die Nase darüber rümpfen? Ich nicht und Sie nicht, wie ich zu meinem Vergnügen sehe. Eine Perle — une marguerite, voll der entzückendsten musikalischen Erfindungen. Laisse-moi, laisse-moi contempler — bezaubernd! Auch Massenet ist bezaubernd, lui aussi. Besonders reizend muß er als Pädagoge gewesen sein, — als Professor am Conservatoire, man kennt Geschichtchen darüber. Von Anfang an sollten seine Kompositionsschüler zu eigener Produktion angeregt werden, ganz gleich, ob ihr technisches Können ausreichte, einen fehlerlosen Satz zu schreiben. Human, nicht wahr? Deutsch ist es nicht, aber human. Ein Junge kam zu ihm mit einem frisch komponierten Lied, — frisch und von einiger Begabung zeugend. ›Tiens!‹ sagte Massenet. ›Das ist wirklich ganz nett. Höre, du hast doch gewiß eine liebe kleine Freundin. Spiel es der vor, es wird ihr gewiß gefallen, und das weitere wird sich dann schon finden.‹ Es ist ungewiß, was unter dem ›weiteren‹ zu verstehen ist, — alles mögliche wahrscheinlich, die Liebe betreffend und die Kunst. Haben Sie Schüler, Maître? Die hätten es gewiß nicht so gut. Aber Sie haben gleich gar keine. Bruckner hatte welche. Er hatte selbst von früh an mit der Musik und ihren heiligen Schwierigkeiten gerungen, wie Jakob mit dem Engel, und eben das verlangte er von seinen Studenten. Jahrelang mußten die das heilige Handwerk, die Grundelemente der Harmonie und des strengen Satzes üben, bevor ihnen erlaubt war, ein Lied zu singen, und zu einer lieben kleinen Freundin hatte diese Musik-Pädagogik nicht die geringste Beziehung. Man ist ein einfaches, kindliches Gemüt, aber die Musik ist einem die geheimnisvolle Offenbarung höchster Erkenntnisse, ein Gottesdienst, und der musikalische Lehrberuf ein priesterliches Amt ...

Comme c'est respectable! Pas précisément humain, mais extrêmement respectable! Sollen wir Juden, die wir ein priesterliches Volk sind, auch wenn wir in Pariser Salons minaudieren, uns nicht zum Deutschtum hingezogen fühlen und uns nicht ironisch stimmen lassen von ihm gegen die Welt und die Kunst für die kleine Freundin? Volkstümlichkeit wäre für uns eine den Pogrom herausfordernde Frechheit. Wir sind international, — aber wir sind pro-deutsch, sind es wie niemand sonst in der Welt, schon weil wir gar nicht umhinkönnen, die Verwandtschaft der Rolle von Deutschtum und Judentum auf Erden wahrzunehmen. Une analogie frappante! Gleicherweise sind sie verhaßt, verachtet, gefürchtet, beneidet, gleichermaßen befremden sie und sind befremdet. Man spricht vom Zeitalter des Nationalismus. Aber in Wirklichkeit gibt es nur zwei Nationalismen, den deutschen und den jüdischen, und der aller anderen ist Kinderspiel dagegen, — wie das Stockfranzosentum eines Anatole France die reine Mondänität ist im Vergleich mit der deutschen Einsamkeit — und dem jüdischen Erwähltheitsdünkel ... France — ein nationalistischer nom de guerre. Ein deutscher Schriftsteller könnte sich nicht gut ›Deutschland‹ nennen, so nennt man höchstens ein Kriegsschiff. Er müßte sich mit ›Deutsch‹ begnügen, — und da gäbe er sich einen jüdischen Namen, — oh, la, la!

Meine Herren, dies ist nun wirklich der Türgriff, ich bin schon draußen. Ich sage nur eines noch. Die Deutschen sollten es den Juden überlassen, pro-deutsch zu sein. Sie werden sich mit ihrem Nationalismus, ihrem Hochmut, ihrer Unvergleichlichkeitspuschel, ihrem Haß auf Einreihung und Gleichstellung, ihrer Weigerung, sich bei der Welt einführen zu lassen und sich gesellschaftlich anzuschließen, — sie werden sich damit ins Unglück bringen, in ein wahrhaft jüdisches Unglück, je vous le jure. Die Deutschen sollten dem Juden erlauben, den médiateur zu machen zwischen ihnen und der Gesellschaft, den Manager, den Impresario, den Unternehmer des Deutschtums — er ist durchaus der rechte Mann dafür, man sollte ihn nicht an die Luft setzen, er ist international, und er ist pro-deutsch . . . Mais c'est en vain. Et c'est très dommage! Was rede ich noch? Ich bin längst fort. Cher Maître, j'étais enchanté. J'ai manqué ma mission, aber ich bin entzückt. Mes respects, Monsieur le professeur. Vous m'avez assisté trop peu, mais je ne vous en veux pas. Mille choses à Madame Schwei-ge-still. Adieu, adieu . . .«

XXXVIII

Meine Leser sind unterrichtet darüber, daß Adrian das jahrelang beharrlich gehegte und geäußerte Anliegen Rudi Schwerdtfegers erfüllt und ihm ein Violinkonzert auf den Leib geschrieben, ihm das glänzende, geigerisch außerordentlich dankbare Stück auch persönlich zugeeignet und ihn sogar nach Wien zur Erstaufführung begleitet hatte. Ich werde an ihrem Ort die Tatsache besprechen, daß er einige Monate später, i. e. gegen Ende 1924, auch den Wiederholungen in Bern und Zürich beiwohnte. Dem zuvor aber möchte ich, in ernstestem Zusammenhang, auf die vielleicht vorlaute, vielleicht mir nicht anstehende Kennzeichnung zurückkommen, die ich weiter oben dieser Komposition zuteil werden ließ, des Sinnes, sie falle durch eine gewisse verbindliche virtuoskonzertante Willfährigkeit der musikalischen Haltung ein wenig aus dem Rahmen von Leverkühns unerbittlich radikalem und zugeständnislosem Gesamtwerk. Ich kann nicht umhin, zu glauben, daß die Nachwelt diesem meinem ›Urteil‹ — mein Gott, ich hasse das Wort! — zustimmen wird, und was ich hier tue, ist ja nichts anderes, als ihr seelische Erläuterungen für eine Erscheinung zu geben, zu der ihr sonst der Schlüssel fehlen würde.
Es ist ein Besonderes mit dem Stück: In drei Sätzen geschrieben, führt es kein Vorzeichen, doch sind, wenn ich mich so ausdrücken darf, drei Tonalitäten darin eingebaut, B-Dur, C-Dur und D-Dur, — von denen, wie der Musiker sieht, das D-Dur eine Art von Dominante zweiten Grades, das B-Dur eine Subdominante bildet, während das C-Dur die genaue Mitte hält. Zwischen diesen Tonarten nun spielt das Werk aufs kunstreichste, so, daß die längste Zeit keine von ihnen klar in Kraft gesetzt, sondern jede nur durch Proportionen zwischen den Klängen angedeutet ist. Durch weite Komplexe hin sind alle drei überlagert, bis endlich, auf eine aller-

dings triumphale, jedes Konzertpublikum elektrisierende Weise, C-Dur sich offen erklärt. Es gibt da, im ersten Satz, der ›Andante amoroso‹ überschrieben und von einer ständig an der Grenze des Spottes gehaltenen Süße und Zärtlichkeit ist, einen Leitakkord, der für mein Ohr etwas Französisches hat: c-g-e-b-d-fis-a, ein Zusammenklang, der, mit dem hohen f der Geige darüber, wie man sieht, die tonischen Dreiklänge jener drei Haupttonarten in sich enthält. In ihm hat man sozusagen die Seele des Werkes, man hat in ihm auch die Seele des Hauptthemas dieses Satzes, das im dritten, einer bunten Variationenfolge, wieder aufgenommen wird. Es ist ein in seiner Art wundervoller melodischer Wurf, eine rauschende, in großem Bogen sich hintragende, sinnbenehmende Kantilene, die entschieden etwas Etalagehaftes, Prunkendes hat, dazu eine Melancholie, der es an Gefälligkeit, nach dem Sinne des Spielers, nicht fehlt. Das Charakteristisch-Entzückende der Erfindung ist das unerwartete und zart akzentuierte Sichübersteigern der auf einen gewissen Höhepunkt gelangten melodischen Linie um eine weitere Tonstufe, von der sie dann, mit höchstem Geschmack, vielleicht allzuviel Geschmack geführt, zurückflutend sich aussingt. Es ist eine der schon körperlich wirkenden, Haupt und Schultern hinnehmenden, das »Himmlische« streifenden Schönheitsmanifestationen, deren nur die Musik und sonst keine Kunst fähig ist. Und die Tutti-Verherrlichung eben dieses Themas im letzten Teil des Variationensatzes bringt den Ausbruch ins offene C-Dur. Dem Eclat voran geht eine Art von kühnem Anlauf in dramatischem Parlando-Charakter, — eine deutliche Reminiszenz an das Rezitativ der Primgeige im letzten Satz von Beethovens a-Moll-Quartett, — nur daß auf die großartige Phrase dort etwas anderes folgt als eine melodische Festivität, in der die Parodie des Hinreißenden ganz ernst gemeinte und darum irgendwie beschämend wirkende Leidenschaft wird.

Ich weiß, daß Leverkühn, ehe er das Stück komponierte, die Violinbehandlung bei Bériot, Vieuxtemps und Wieniawski genau studiert hat, und in einer halb respektvollen, halb karikaturistischen Weise wendet er sie an, — übrigens unter solchen Zumutungen an die Technik des Spielers, besonders in dem äußerst ausgelassenen und virtuosen Mittelsatz, einem Scherzo, worin sich ein Zitat aus Tartini's Teufelstriller-Sonate findet, daß der gute Rudi sein Äußerstes aufzubieten hatte, um den Anforderungen gerecht zu werden: Der Schweiß perlte jedesmal, wenn er die Aufgabe durchgeführt, unter seinem lockig aufstrebenden Blondhaar, und das Weiße seiner hübschen zyanenblauen Augen war von rotem Geäder durchzogen. Aber wieviel Schadloshaltung, freilich, wieviel Gelegenheit zum ›Flirt‹ in einem gesteigerten Sinn des Wortes war ihm gewährt in einem Werk, das ich in das Gesicht des Meisters hinein »die Apotheose der Salonmusik« genannt habe, im voraus gewiß, daß er mir die Kennzeichnung nicht verübeln, sondern sie mit Lächeln aufnehmen werde.

Ich kann an das hybride Erzeugnis nicht denken, ohne mich eines Gesprächs zu erinnern, dessen Schauplatz die Wohnung des Fabrikanten Bullinger in der Widenmayerstraße zu München war: die Belétage des von ihm erbauten herrschaftlichen Mietshauses, unter deren Fenstern, in wohlreguliertem Bett, die Isar ihr unverdorbenes Bergwasserrauschen betrieb. Man hatte bei dem reichen Mann um sieben Uhr zu etwa fünfzehn Gedecken diniert: Er führte mit Hilfe eines geschulten Personals und unter dem Vorsitz einer Hausdame von gezierten Sitten, die geheiratet zu werden wünschte, ein gastfreies Haus, und meist machten Leute der Finanz- und Geschäftswelt seine Gesellschaft aus. Aber man weiß ja, daß er es liebte, sich schwadronierend ins geistige Leben zu mischen, und so gab es in seinen komfortablen Räumen auch Abende, zu denen künstlerische und gelehrte Elemente sich zusammenfanden, — niemand, auch ich nicht, wie ich gestehe, sah einen Grund, die kulinarischen Annehmlichkeiten seiner Empfänge und den eleganten Rahmen zu verschmähen, den seine Salons für eine anregende Unterhaltung boten.

Dieses Mal waren Jeannette Scheurl, Herr und Frau Knöterich, Schildknapp, Rudi Schwerdtfeger, Zink und Spengler, der Numismatiker Kranich, der Verleger Radbruch und Gattin, die Schauspielerin Zwitscher, die Lustspiel-Autorin aus der Bukowina, Binder-Majoresku mit Namen, dazu ich und meine liebe Frau zugegen; aber auch Adrian war gekommen: auf gutes Zureden, dessen außer mir auch Schildknapp und Schwerdtfeger sich befleißigt hatten. Ich untersuche nicht, wessen Bitte den Ausschlag gegeben hatte, und bilde mir keinesfalls ein, daß es die meine gewesen war. Da er mit Jeannetten zu Tische saß, deren Nähe ihm immer wohltätig war, und da auch sonst vertraute Gesichter ihn umgaben, so schien er seine Nachgiebigkeit nicht zu bereuen, sondern sich während der drei Stunden seines Verweilens ganz wohl zu behagen, wobei ich wieder einmal mit stiller Heiterkeit beobachtete, mit welcher unwillkürlichen, rational bei den wenigsten recht begründeten Zuvorkommenheit und mehr oder weniger scheuen Ehrerbietung man dem doch erst Achtunddreißigjährigen in Gesellschaft begegnete. Die Erscheinung, sage ich, erheiterte mich — und ergriff mein Herz auch wieder auf eine beklemmend-sorgenvollere Weise; denn der Grund für das Verhalten der Leute war ja die Atmosphäre unbeschreiblicher Fremdheit und Einsamkeit, die ihn in wachsendem Maß — in diesen Jahren immer fühlbarer und distanzierender — umgab, und die einem wohl das Gefühl geben konnte, als käme er aus einem Lande, wo sonst niemand lebt.

Diesen Abend, wie gesagt, gab er sich recht bequem und gesprächig, woran ich Bullingers mit Angostura gewürztem Champagner-Cocktail und seinem wundervollen Pfälzer einiges Verdienst zuschreibe. Er unterhielt sich mit Spengler, dem es schon recht schlecht ging (sein Leiden hatte sich aufs Herz geworfen), und belachte, wie wir alle, die Clownereien Leo Zinks, der sich bei Tische, zurückgelehnt, mit seiner riesigen Damast-Serviette wie mit einem Bettlaken bis zu seiner grotesken Nase zudeckte und friedlich die Hände darüber faltete. Noch mehr erheiterte ihn die Fertigkeit des Spaßmachers, sich bei der Vorführung eines Stillebens von Bullinger, der in Öl dilettierte, um jedes Urteil zu drücken und ein solches auch uns anderen zu ersparen, indem er das gutgemeinte Stück Malerei mit tausend Jessas-Rufen, die das Verschiedenste bedeuten konnten, von allen Seiten betrachtete und es einmal sogar umdrehte. Übrigens war dieses Sich-Ergehen in erstaunten und zu nichts verpflichtenden Ausrufen auch die Technik des im Grunde nicht angenehmen Mannes, sich an Gesprächen zu beteiligen, die seinen Kunstmaler- und Karnevalisten-Horizont überschritten, und eine Weile übte er sie sogar bei der einen ästhetisch-moralischen Fragenbezirk berührenden Unterhaltung, die ich im Sinne habe.

Sie entspann sich im Anschluß an mechanisch-musikalische Darbietungen, mit denen der Hausherr uns nach dem Kaffee regalierte, während man fortfuhr, zu rauchen und Likör zu trinken. Damals hatte die Grammophon-Platte angefangen, eine sehr glückliche Entwicklung zu nehmen, und Bullinger ließ aus seinem kostbaren Schrank-Apparat mehreres Genußreiche erschallen: den wohlgespielten Walzer aus Gounods ›Faust‹, wie ich mich erinnere, zuerst, an dem Baptist Spengler nur auszusetzen hatte, daß er als Melodie eines Volkstanzes auf der Wiese entschieden zu elegant und salonmäßig sei. Man kam überein, daß dieser Stil viel besser passe im Falle der reizenden Ball-Musik in Berlioz' ›Phantastischer Symphonie‹, und fragte nach dem Stück. Die Platte war nicht da. Dafür pfiff Schwerdtfeger die Melodie mit unfehlbaren Lippen, im Violin-Timbre, rein und vorzüglich, und lachte über den Applaus, indem er nach seiner Art die Schultern in den Kleidern rückte und einen Mundwinkel grimmassierend nach unten zog. Zum Vergleich dann mit dem Französischen verlangte man nach dem Wiener Tonfall, nach Lanner und Johann Strauß dem Jüngeren, und unser Gastgeber spendete bereitwillig aus seinem Fundus, bis eine Dame — ich weiß noch genau, daß es Frau Radbruch, die Frau des Verlegers, war — zu bedenken gab, ob man mit all diesem leichtfertigen Zeug den unter uns anwesenden großen Komponisten nicht langweile. Sie fand besorgte Zustimmung, nach der Adrian sich erstaunt umhörte, da er die Frage nicht aufgefaßt hatte. Als man sie ihm wiederholte, protestierte er lebhaft. Um Gottes willen, nein, das sei ein Mißverständnis. Niemand könne an diesen in ihrer Art meisterhaften Dingen mehr Vergnügen haben als er.

»Sie unterschätzen meine musikalische Erziehung«, sagte er. »Ich hatte in zarter Jugend einen Lehrer« (und er blickte mit seinem schönen, feinen und tiefen Lächeln zu mir herüber), »einen mit allem Klangwerk der Welt vollgepropften und davon überquellenden Enthusiasten, der zu verliebt war in jeden, aber auch jeden organisierten Lärm, als daß man irgendwelche Hochnäsigkeit, irgendein Sich-für-zu-gut-Halten in musikalischen Dingen von ihm hätte lernen können. Ein Mann, der sehr wohl Bescheid wußte im Hohen und Strengen. Aber für ihn war Musik — Musik, wenn es eben nur welche war, und gegen das Wort von Goethe: ›Die Kunst beschäftigt sich mit dem Schweren und Guten‹ fand er einzuwenden, daß das Leichte auch schwer ist, wenn es gut ist, was es ebensowohl sein kann wie das Schwere. Davon ist etwas bei mir hängengeblieben, ich habe es von ihm. Allerdings habe ich ihn immer dahin verstanden, daß man sehr sattelfest sein muß im Schweren und Guten, um es so mit dem Leichten aufzunehmen.«

Ein Schweigen ging durch das Zimmer. Im Grunde hatte er gesagt, daß er ganz allein das Recht habe, sich an den dargebotenen Gefälligkeiten zu freuen. Man versuchte, es nicht so zu verstehen, argwöhnte aber, daß er es gemeint hatte. Schildknapp und ich sahen uns an. Dr. Kranich machte »Hm«. Jeannette sagte leise: »Magnifique!« Leo Zink ließ sein dummüberwältigtes, eigentlich hämisches »Jessas na!« vernehmen. »Echt Adrian Leverkühn!« rief Schwerdtfeger, rot im Gesicht von zahlreichen Vieilles Cures, aber nicht nur davon. Ich wußte, daß er sich heimlich gekränkt fühlte.

»Sie haben nicht zufällig«, fuhr Adrian fort, »die Des-Dur-Arie der Delila aus ›Samson‹ von Saint-Saëns in Ihrer Sammlung?« Die Frage war an Bullinger gerichtet, dem es die größte Genugtuung bereitete, zurückrufen zu können:

»Ich? Die Arie nicht haben? Mein Lieber, Sie denken wohl dies und das von mir! Hier ist sie, — und gar nicht ›zufällig‹, wie ich Sie versichern kann!«

Darauf Adrian:

»Ah, gut. Es kommt mir in den Sinn, weil Kretzschmar — das war mein Lehrer, ein Organist, ein Fugenmensch, müssen Sie wissen — ein eigentümlich leidenschaftliches Verhältnis zu dem Stück, ein wahres faible dafür hatte. Nebenbei konnte er auch darüber lachen, aber das wollte nichts gegen seine Bewunderung sagen, die vielleicht nur dem Beispielhaften der Sache galt. Silentium.«

Die Nadel griff an. Bullinger senkte den schweren Deckel darüber. Durch das Schallgitter strömte ein stolzer Mezzosopran, der sich um gute Aussprache nicht viel kümmerte: Man verstand das »Mon cœur s'ouvre à ta voix« und dann kaum noch etwas, aber der Gesang, leider von einem etwas winselnden Orchester begleitet, war wundervoll in seiner Wärme, Zärtlichkeit, dunklen Glücksklage, wie die Melodie, die ja in beiden gleichgebauten Strophen der Arie erst in der Mitte zu ihrem vollen Schönheitsgange ansetzt und ihn betörend vollendet, besonders das zweite Mal, wo die Geige, nun doch ganz klangvoll, die üppige Gesangslinie genußreich mitzieht und ihre Schlußfigur in wehmütig zartem Nachspiel repetiert.

Man war ergriffen. Eine Dame tupfte sich mit dem gestickten Ausgeh-Tüchlein ein Auge. »Blödsinnig schön!« sagte Bullinger, einer unter Ästheten seit längerem beliebten und stehenden Redensart sich bedienend, die das schwärmerische Urteil »schön« derb-kennerhaft ernüchterte. Man konnte wohl sagen, daß sie hier ganz exakt und nach dem Wortsinn am Platze war, und das mochte es sein, was Adrian erheiterte.

»Nun also!« rief er lachend. »Sie verstehen nun, daß ein ernster Mann imstande ist, die Nummer anzubeten. Geistige Schönheit ist das zwar nicht, sondern exemplarisch sinnliche. Aber vor dem Sinnlichen soll man sich am Ende weder fürchten noch schämen.«

»Vielleicht doch«, ließ Dr. Kranich, der Direktor des Münzkabinetts, sich vernehmen. Er sprach, wie immer, außerordentlich distinkt, fest, klar artikuliert und verständig, obgleich sein Atem dabei vor Asthma pfiff. »In der Kunst vielleicht doch. Auf diesem Gebiet darf oder soll man sich wohl in der Tat vor dem Nichts-als-Sinnlichen fürchten und sich seiner schämen, denn es ist das Gemeine, nach der Bestimmung des Dichters: ›Gemein ist alles, was nicht zum Geiste spricht und kein anderes als ein sinnliches Interesse erregt.‹«

»Ein nobles Wort«, versetzte Adrian. »Man tut sehr gut, es eine Weile nachklingen zu lassen, bevor man das geringste dagegen erinnert.«

»Und was würden Sie erinnern?« wollte der Gelehrte wissen.

Adrian hatte ein Achselzucken und eine Mundbewegung, die ungefähr ausdrückte: ›Ich kann nichts für die Tatsachen‹, bevor er sagte:

»Der Idealismus läßt außer acht, daß der Geist durchaus nicht nur von Geistigem angesprochen wird, sondern von der animalischen Schwermut sinnlicher Schönheit aufs tiefste ergriffen werden kann. Sogar der Frivolität hat er schon Huldigungen dargebracht. Philine ist doch am Ende nur ein Hürchen, aber Wilhelm Meister, der seinem Autor nicht gar fernsteht, zollt ihr eine Achtung, mit der die Gemeinheit sinnlicher Unschuld offen geleugnet wird.«

»Die Betulichkeit und die Duldsamkeit gegen das Zweideutige«, erwiderte der Numismatiker, »sind nie als die vorbildlichsten

Züge im Charakter unseres Olympiers angesehen worden. Im übrigen kann man wohl eine Gefahr für die Kultur darin sehen, wenn der Geist vor dem Gemein-Sinnlichen ein Auge zudrückt oder gar damit blinzelt.«

»Wir denken offenbar verschieden über die Gefahr.«

»Nennen Sie mich doch gleich einen Hasenfuß!«

»Bewahre Gott! Ein Ritter der Furcht und des Tadels ist kein Feigling, sondern eben ein Ritter. Alles, wofür *ich* eine Lanze brechen möchte, ist eine gewisse Großzügigkeit in Dingen künstlerischer Moralität. Man gewährt sie, oder gönnt sie sich, wie mir scheint, in anderen Künsten bereitwilliger als in der Musik. Das mag recht ehrenvoll sein für diese, aber es verengt ihr bedenklich das Lebensfeld. Was bleibt von dem ganzen Kling-Klang denn übrig, wenn man den rigorosesten geistig-moralischen Maßstab anlegt? Ein paar reine Spektren von Bach. Es bleibt vielleicht überhaupt nichts Hörbares übrig.«

Der Diener kam mit Whisky, Bier und Sodawasser auf riesigem Teebrett.

»Wer wollte den Spielverderber machen«, sagte Kranich noch und wurde dafür von Bullinger mit schallendem Bravo! auf die Schulter geschlagen. Für mich, und wohl noch für einen und den anderen unter den Gästen, war der Wortwechsel ein rasch aufspringendes Duell zwischen gestrenger Mittelmäßigkeit und leidender Tieferfahrenheit im Geiste gewesen. Ich habe aber diese Gesellschaftsszene hier eingeschaltet — nicht nur, weil ich ihre Beziehungen zu dem Konzertstück, an dem Adrian damals arbeitete, so stark empfinde, sondern auch, weil sich mir gleich damals diejenigen aufdrängten zu der Person des jungen Mannes, auf dessen hartnäckiges Betreiben es geschrieben wurde, und für den es in mehr als einem Sinn einen Erfolg bedeutete.

Wahrscheinlich ist es mein Schicksal, nur steif und trockengrüblerisch über das Phänomen im Allgemeinen sprechen zu können, das Adrian mir eines Tages als eine erstaunliche und immer etwas unnatürliche Alterierung des Verhältnisses von Ich und Nicht-Ich kennzeichnete, — das Phänomen der Liebe. Hemmungen der Ehrfurcht vor dem Geheimnis überhaupt, und der persönlichen Ehrfurcht noch obendrein, kommen hinzu, mir den Mund zu verschließen oder doch mich wortkarg zu machen über die dämonisch umwitterte Abwandlung, die jene an und für sich halb wunderbare, der Abgeschlossenheit des Einzelwesens widersprechende Erscheinung hier erfuhr. Immerhin will ich durchblikken lassen, daß eine spezifische Gewitztheit durch mein Altphilologentum es war — durch eine Eigenschaft also, die sonst eher danach angetan ist, gegen das Leben zu verdummen —, welche mich in den Stand setzte, hier überhaupt etwas zu sehen und zu begreifen.

Es kann kein Zweifel bestehen, und mit menschlicher Fassung will es berichtet sein, daß eine unermüdliche, durch nichts abzuschreckende Zutraulichkeit über sprödeste Einsamkeit schließlich den Sieg davongetragen hatte, — einen Sieg, der bei der polaren — ich betone das Wort: der polaren Verschiedenheit der Partner, dem geistigen Abstande zwischen ihnen, nur einen bestimmten Charakter haben konnte, und der, koboldhafterweise, immer auch in diesem Sinn angestrebt worden war. Es ist mir vollkommen klar, daß für Schwerdtfegers Flirtnatur die Überwindung der Einsamkeit durch die Zutraulichkeit, bewußt oder unbewußt, von Anfang an diese besondere Meinung und Färbung gehabt hatte, — womit nicht gesagt ist, daß sie der edleren Motive ermangelte. Im Gegenteil: es war dem Werber ganz ernst, wenn er davon sprach, wie notwendig zur Ergänzung seiner Natur ihm Adrians Freundschaft sei, wie sie ihn fördere, hebe, bessere; nur daß er unlogisch genug war, zu ihrer Eroberung die angeborenen Mittel des Flirts spielen zu lassen, — und sich dann gekränkt zu fühlen, wenn die schwermütige Neigung, die er erregte, die Merkmale erotischer Ironie nicht verleugnete.

Das Merkwürdigste und Ergreifendste für mich bei alldem war es, mit Augen zu sehen, wie der Eroberte nicht gewahr wurde, daß er behext worden war, sondern sich eine Initiative zuschrieb, die doch ganz und gar dem anderen Teil gehörte; wie er voll phantastischen Staunens schien über ein freimütig nichtachtendes Eingehen und Entgegenkommen, dem doch eher der Name der Verführung gebührte. Ja, er sprach von dem *Wunder* der Unbeirrbarkeit, Unverwirrbarkeit durch Melancholie und Gefühl, und ich habe wenig Zweifel, daß diese ›Verwunderung‹ zurückging bis auf jenen schon fernen Abend, wo Schwerdtfeger in seinem Zimmer erschienen war, um ihn in die Gesellschaft zurückzubitten, die ohne ihn so langweilig sei. Und doch waren bei diesem sogenannten Wunder wirklich auch immer die wiederholt gerühmten edlen, künstlerisch freien und anständigen Charaktereigenschaften des armen Rudi im Spiele. Ein Brief ist vorhanden, den Adrian etwa um die Zeit jener Abendunterhaltung bei Bullinger an Schwerdtfeger schrieb, und den dieser selbstverständlich hätte vernichten sollen, den er aber, teils aus Pietät, teils gewiß auch als Trophäe, aufbewahrt hatte. Ich lehne es ab, daraus zu zitieren, sondern will ihn nur als ein menschliches Dokument bezeichnen, das wie das Entblößen einer Wunde wirkt, und in dessen schmerzlicher Unverhülltheit der Schreibende wohl gar ein großes Wagnis erblickte. Es war keines. Aber schön war doch die Art, wie sich erwies, daß es keines war. Sofort, eiligst, ohne jede quälende Verzögerung, erfolgte damals ein Besuch des Empfängers in Pfeiffering, eine Aussprache, die Versicherung ernstlichster Dankbarkeit — eine einfache, kühne und treuherzig-zarte

Verhaltensweise offenbarte sich, eifrig darauf bedacht, jeder Beschämung vorzubeugen ... Ich muß das loben, ich kann nicht umhin, es zu tun. Und mit einer Art von Billigung vermute ich, daß bei dieser Gelegenheit die Ausarbeitung und Zueignung des Violinkonzerts beschlossen wurde.

Es führte Adrian nach Wien. Es führte ihn danach, zusammen mit Rudi Schwerdtfeger, auf das ungarische Gutsschloß. Als sie von dort zurückkehrten, erfreute Rudolf sich des Prärogativs, das bisher, von Kindheits wegen, ausschließlich mir gehört hatte: er und Adrian nannten einander du.

XXXIX

Armer Rudi! Kurz war der Triumph deiner kindischen Dämonie, denn sie hatte sich in dem Kraftfeld einer tieferen, verhängnisstärkeren verfangen, die sie schleunigst brach, verzehrte, zunichte machte. Unseliges »Du«! Weder kam es der blauäugigen Belanglosigkeit zu, die es für sich gewann, noch konnte derjenige, der sich dazu herbeiließ, umhin, die — mag sein — beglückende Erniedrigung zu rächen, die ihm damit geschehen war. Die Rache war unwillkürlich, prompt, kaltblickend und geheimnisvoll. Ich erzähle, ich erzähle.

In den letzten Tagen des Jahres 1924 fanden in Bern und Zürich Wiederholungen des erfolgreichen Violinkonzerts statt, im Rahmen zweier Veranstaltungen des Schweizer ›Kammer-Orchesters‹, dessen Dirigent, Herr Paul Sacher, Schwerdtfeger unter sehr angenehmen Bedingungen dazu eingeladen hatte, nicht ohne den Wunsch auszudrücken, der Komponist möge den Aufführungen durch seine Gegenwart ein besonderes Ansehen geben. Adrian widerstrebte; aber Rudolf wußte zu bitten, und das junge »Du« hatte damals Kraft genug, dem, was da kommen sollte, den Weg zu bahnen.

Das Konzert, im Zentrum eines Programms stehend, das deutsche Klassik und Zeitgenössisch-Russisches einschloß, bewährte, dank der alles aufbietenden Hingabe des Solisten, in den beiden Städten, im Saal des Berner Konservatoriums und in der Tonhalle von Zürich, seine Eigenschaften, die geistigen und die kaptivierenden, aufs neue. Die Kritik vermerkte eine gewisse Uneinheitlichkeit des Stiles, ja des Niveaus, und auch das Publikum verhielt sich ein wenig spröder als das Wiener, bereitete aber doch nicht nur den Ausführenden lebhafte Ovationen, sondern bestand an beiden Abenden auch auf dem Erscheinen des Autors, der seinem Interpreten den Gefallen tat, Hand in Hand mit ihm wiederholt für den Beifall zu danken. Dies zweimalig-einmalige Vorkommnis also, das persönliche Sichpreisgeben der Einsamkeit vor der Menge, habe ich versäumt. Ich war davon ausgeschlossen.

Wer ihm das zweite Mal, in Zürich, beiwohnte und mir davon erzählte, war Jeannette Scheurl, die sich gerade in dieser Stadt aufhielt und mit Adrian auch in dem Privathause zusammentraf, dessen Logiergäste er und Schwerdtfeger waren.

Es war das in der Mythenstraße, nahe dem See gelegene Heim des Herrn und der Frau Reiff, eines reichen, kinderlosen und kunstfreundlichen, schon betagten Ehepaars, das sich von jeher ein Vergnügen daraus machte, durchreisenden Künstlern von Rang ein gepflegtes Asyl zu bieten und sie gesellschaftlich zu unterhalten. Der Mann, ein von den Geschäften ausruhender ehemaliger Seiden-Industrieller und Schweizer von alt-demokratischem Schrot und Korn, hatte ein Glasauge, das seinen bärtigen Zügen eine gewisse Starrheit verlieh, — ein täuschender Eindruck, denn er war einem liberalen Frohsinn zugetan und liebte nichts mehr, als mit Damen des Theaters, Heroinen oder Soubretten, in seinem Salon zu scharmutzieren. Auch ließ er sich bei seinen Empfängen zuweilen nicht übel auf dem Cello hören, pianistisch begleitet von seiner Frau, die aus dem Reiche stammte und einst dem Gesang obgelegen hatte. Sie ermangelte seines Humors, stellte aber eine energisch-wirtliche Bürgerin vor, welche in dem Gefallen daran, den Ruhm zu beherbergen und den sorglosen Geist des Virtuosentums in ihren Räumen walten zu lassen, mit ihrem Gatten durchaus übereinstimmte. In ihrem Boudoir war ein ganzer Tisch mit den Widmungsphotographien europäischer Zelebritäten bedeckt, die sich der Reiff'schen Gastlichkeit dankbar verschuldet nannten.

Das Paar hatte Schwerdtfegern zu sich gebeten, bevor noch sein Name in den Blättern erschienen war, denn als Mäzen mit offener Hand war der alte Industrielle über musikalisch Bevorstehendes früher unterrichtet als alle Welt; und sie hatten ungesäumt die Einladung auf Adrian ausgedehnt, sobald ihnen sein Kommen bekannt geworden. Die Wohnung war weitläufig, sie bot reichlichen Gastraum, und tatsächlich fanden die von Bern Eintreffenden Jeannette Scheurl schon an Ort und Stelle vor, die, wie alljährlich einmal, gleich für ein paar Wochen dort freundschaftlich einsaß. Doch war nicht sie es, neben der, bei dem Souper, das nach dem Konzert einen kleinen Kreis Zugehöriger im Speisezimmer der Reiffs vereinigte, Adrian seinen Platz hatte.

Die Spitze hielt der Hausherr, der einem alkoholfreien Getränk aus wundervoll geschliffenem Glase zusprach und starren Angesichts mit der dramatischen Sopranistin des Stadttheaters an seiner Seite scherzte, einer machtvollen Frau, die sich im Lauf des Abends viel mit der geballten Faust auf den Busen schlug. Noch ein anderes Mitglied der Oper war da, der Helden-Bariton, Balte von Geburt, ein langer, dröhnend, aber intelligent redender Mann. Ferner, versteht sich, der Veranstalter des Konzert-

Abends, Kapellmeister Sacher, dazu Dr. Andreae, ständiger Dirigent der Tonhalle, und der vortreffliche Musik-Referent der ›Neuen Zürcher Zeitung‹, Dr. Schuh, — alle diese mit ihren Damen. Am anderen Ende der Tafel saß rüstig Frau Reiff zwischen Adrian und Schwerdtfeger, die zu weiteren Nachbarinnen links und rechts ein junges, oder noch junges, und beruflich tätiges Mädchen, Mademoiselle Godeau, französische Schweizerin, und ihre Tante hatten, eine grundgutmütige, fast russisch anmutende alte Dame mit Schnurrbärtchen, die von Marie (dies der Vorname der Godeau) »ma tante« oder »Tante Isabeau« angeredet wurde und allem Anschein nach als Gesellschafterin, Wirtschafterin, Ehrendame mit der Nichte lebte.

Von dieser ein Bild zu geben, bin ich wohl berufen, da wenig später aus guten Gründen mein Auge lange in angelegentlicher Prüfung auf ihr ruhte. Wenn je das Wort ›sympathisch‹ unentbehrlich gewesen ist zur Kennzeichnung einer Person, so bei der Beschreibung dieses Frauenzimmers, das von Kopf zu Fuß in jedem Zuge, mit jedem Wort, jedem Lächeln, jeder Wesensäußerung den geruhig-unüberschwenglichen, ästhetisch-moralischen Sinn dieses Wortes erfüllte. Daß sie die schönsten schwarzen Augen von der Welt hatte, stelle ich voran, — schwarz wie Jett, wie Teer, wie reife Brombeeren, Augen, nicht gar groß, aber von offenem, in seiner Dunkelheit klarem und reinem Aufblick, unter Brauen, deren feine, ebenmäßige Zeichnung sowenig mit Kosmetik zu schaffen hatte wie das mäßige Lebensrot der sanften Lippen. Es war nichts Künstliches, keine nachziehende, untermalende, färbende Aufmachung an dem Mädchen. Die natürlich-sachliche Annehmlichkeit, mit welcher etwa ihr dunkelbraunes, im Nacken schweres, die Ohren frei lassendes Haar aus der Stirn und von den zarten Schläfen zurückgenommen war, gab auch ihren Händen das Gepräge, — verständig schönen, keineswegs sehr kleinen, aber schlanken und dünnknochigen Händen, an den Gelenken schlicht umspannt von den Manschetten einer weißen Seidenbluse. So war von glattem Kragen der Hals umschlossen, der schlank und wie eine Säule rund, in der Tat wie gemeißelt, daraus emporstieg, gekrönt von dem lieblich zugespitzten Oval des elfenbeinfarbenen Gesichts mit dem feinen und wohlgeformten, durch lebhaft geöffnete Nüstern auffallenden Näschen. Ihr nicht eben häufiges Lächeln, ihr noch selteneres Lachen, das immer eine gewisse rührende Anstrengung der wie durchsichtigen Schläfenpartie mit sich brachte, entblößte den Schmelz dicht und ebenmäßig gestellter Zähne.

Man wird es verstehen, daß ich mit Liebe und Fleiß die Erscheinung der Frau heraufzurufen suche, mit der Adrian kurze Zeit die Ehe einzugehen gedachte. In jener weißseidenen Gesellschaftsbluse, die die Dunkelheit ihres Typs wohl allerdings mit einer gewissen Bewußtheit hob, habe auch ich Marie zuerst gesehen, vorwiegend dann aber in einer ihr eher noch bekömmlicheren einfachen Alltags- und Reisetracht aus dunkelschottischem Stoff mit Lackgürtel und Perlmutterknöpfen, — auch wohl in einem darübergezogenen knielangen Arbeitskittel, den sie anlegte, wenn sie an ihrem Reißbrett mit Graphit- und Buntstiften hantierte. Denn sie war Zeichnerin — Adrian war schon im voraus durch Frau Reiff darüber informiert worden —, entwerfende Künstlerin, die für kleinere Pariser Opern- und Singspielbühnen, die ›Gaîté Lyrique‹, das alte ›Théâtre du Trianon‹, Figurinen, Kostüme, Szenenbilder erfand und ausarbeitete, die dann den Schneidern und Dekorationsmalern als Vorlage dienten. So beschäftigt, lebte die aus Nyon am Genfer See Gebürtige mit Tante Isabeau in den winzigen Räumen einer Wohnung der Ile de Paris. Der Ruf aber ihrer Tüchtigkeit, Erfindungsgabe, kostümgeschichtlichen Sachverständigkeit und ihres delikaten Geschmacks war im Wachsen, und nicht nur hatte ihr Aufenthalt in Zürich beruflichen Hintergrund, sondern sie erzählte ihrem Tischnachbarn zur Rechten auch, daß sie in einigen Wochen nach München kommen werde, dessen Schauspielhaus sie mit der Ausstattung einer modernen Stil-Komödie betrauen wolle.

Adrian teilte seine Aufmerksamkeit zwischen ihr und der Hausfrau, während ihm gegenüber der müde, aber glückliche Rudi mit »ma tante« schäkerte, die beim Lachen sehr leicht gutmütige Tränen vergoß und sich öfters gegen ihre Nichte vorbeugte, um ihr, nassen Angesichts und mit schluchzender Stimme, von den Redereien ihres Nachbarn etwas zu wiederholen, das sie ihrer Meinung nach unbedingt hören mußte. Marie nickte ihr dann freundlich zu, froh offenbar, daß sie sich so gut unterhielt, und ihre Augen verweilten mit einer gewissen dankbaren Anerkennung auf dem Spender dieser Heiterkeit, der es sich wohl angelegen sein ließ, das Bedürfnis der alten Dame nach Weitergabe seiner Scherze einmal mehr und nochmals zu erregen. Mit Adrian sprach die Godeau, seinen Erkundigungen willfahrend, über ihre Pariser Tätigkeit, über junge Erzeugnisse des französischen Balletts und der Oper, die ihm nur zum Teil bekannt waren, Werke von Poulenc, Auric, Rieti. Man erwärmte sich im Austausch über Ravels ›Daphnis und Chloe‹ und die ›Jeux‹ von Debussy, über Scarlatti's Musik zu den ›Gut gelaunten Frauen‹ von Goldoni, Cimarosa's ›Heimliche Ehe‹ und ›Die mangelnde Erziehung‹ von Chabrier. Zu einem und dem anderen dieser Stücke hatte Marie eine neue Ausstattung entworfen und machte einzelne szenische Lösungen durch skizzierende Bleifstiftstriche auf ihrer Tischkarte klar. Saul Fitelberg kannte sie wohl, — aber gewiß! Hier war es, wo der Schmelz ihrer Zähne erglänzte, ein herzliches Lachen ihre Schläfen so lieblich bemühte. Ihr Deutsch war mühelos, mit leichtem, reizendem Fremdakzent; ihre Stimme von warmem, gewinnendem Timbre, eine Gesangsstimme, ein ›Material‹ zweifellos, — um genau zu sein: sie war nach Lage und Farbe der Stimme Elsbeth Leverkühns nicht nur ähnlich, sondern man glaubte zuweilen wirklich, die Stimme von Adrians Mutter zu hören, wenn man ihr lauschte.

Eine Gesellschaft von immerhin fünfzehn Personen, wie diese, pflegt nach Auflösung der Tischordnung abweichende Gruppen zu bilden, die Berührung zu variieren. Adrian wechselte nach dem Souper mit Marie Godeau kaum noch ein Wort. Die Herren Sacher, Andreae und Schuh, dazu Jeannette Scheurl hielten ihn länger in einer Unterhaltung über Züricher und Münchener musikalische Angelegenheiten fest, während die Pariser Damen mit den Opernsängern, dem Gastgeberpaar und Schwerdtfeger um den Tisch mit dem kostbaren Sèvres-Service saßen und mit Erstaunen den alten Herrn Reiff eine Schale starken Kaffees nach der anderen leeren sahen, was er, mit schweizerisch gewichtigen Worten, auf ärztliches Anraten, zur Stärkung seines Herzens und um leichteren Einschlafens willen zu tun erklärte. Die drei Logier-Gäste zogen sich sogleich nach Weggang der auswärtigen zurück. Mademoiselle Godeau wohnte für mehrere Tage noch mit ihrer Tante im Hotel Eden au Lac. Als Schwerdtfeger, der am nächsten Morgen mit Adrian nach München zurückkehren wollte, beim Abschied sehr lebhaft die Hoffnung ausdrückte, den Damen dort wieder zu begegnen, wartete Marie einen Augenblick, bis Adrian den Wunsch wiederholte, und stimmte dann freundlich zu.

Die ersten Wochen des Jahres 1925 waren vergangen, als ich im Blatte las, daß meines Freundes anziehende Züricher Tischdame in unserer Hauptstadt eingetroffen war, und daß sie – nicht zufällig, denn Adrian hatte mir gesagt, daß er ihr die Adresse empfohlen habe – mit ihrer Tante in derselben Schwabinger Pension, wo er nach seiner Rückkehr von Italien einige Tage gewohnt hatte, der ›Pension Gisella‹ abgestiegen war. Das Schauspielhaus hatte, um das Interesse seines Publikums an der bevorstehenden Première zu steigern, die Nachricht lanciert, und gleich darauf wurde sie uns durch eine Einladung der Schlaginhaufens bestätigt, mit der bekannten Ausstattungskünstlerin bei ihnen den nächsten Samstagabend zu verbringen.

Die Spannung, mit der ich diesem Zusammensein entgegensah, kann ich nicht beschreiben. Erwartung, Neugier, Freude, Beklemmung mischten sich in meinem Gemüt zu tiefer Erregung. Warum? Nicht — oder nicht nur — weil Adrian nach seiner Rückkehr von jener Schweizer Kunstreise mir unter anderem von seiner Begegnung mit Marien erzählt und mir von ihrer Person eine

Schilderung gegeben hatte, die, als gelassene Feststellung, die Ähnlichkeit ihrer Stimme mit der seiner Mutter einschloß, mich aber auch sonst sogleich hatte aufhorchen lassen. Gewiß war es kein enthusiastisches Portrait, das er mir lieferte, im Gegenteil waren seine Worte still und beiläufig, seine Miene unbewegt dabei und abseits in den Raum blickend. Daß aber die Bekanntschaft Eindruck auf ihn gemacht hatte, erhellte schon daraus, daß ihm der Vor- und Zunamen des Mädchens geläufig war — ich sagte ja, daß er in größerer Gesellschaft selten den Namen dessen wußte, mit dem er sprach —, und über die bloße Erwähnung ging sein Bericht entschieden hinaus.

Es kam jedoch etwas anderes hinzu, was mir das Herz so eigentümlich, in Freude und Zweifel schlagen ließ. Bei meinem nächsten Besuch in Pfeiffering nämlich ließ Adrian Bemerkungen fallen, des Sinnes, vielleicht habe er nun die längste Zeit hier gehaust, Veränderungen in seinem äußeren Leben stünden möglicherweise bevor; mit der Einzelgängerei möchte es allenfalls bald ein Ende nehmen; er gehe mit der Absicht um, ihr ein Ende zu setzen, etc., — kurzum, Bemerkungen, die nicht anders zu deuten waren, als daß er vorhabe, sich zu verheiraten. Ich hatte den Mut, zu fragen, ob seine Andeutungen mit einem gesellschaftlichen Ungefähr zusammenhingen, das sein Aufenthalt in Zürich mit sich gebracht habe, und er antwortete:

»Wer kann dich hindern, deine Konjekturen zu machen? Übrigens ist dies enge Gezimmer gar nicht der rechte Schauplatz dafür. Wenn ich nicht irre, war es der Zionsberg daheim, auf dem du mir einst verwandte Eröffnungen gönntest. Wir hätten auf den Rohmbühel steigen sollen zu unserer Konversation.«

Man stelle sich meine Verblüffung vor!

»Lieber«, sagte ich, »das ist sensationell und ergreifend!«

Er riet mir, meinen Wallungen zu gebieten. Daß er vierzig werde, meinte er, sei am Ende Mahnung genug, den Anschluß nicht zu versäumen. Ich mochte nicht weiter fragen und würde ja sehen. Mir selbst verbarg ich nicht die Freude darüber, daß sein Vorhaben die Lösung aus der elbischen Bindung an Schwerdtfeger bedeutete, und gern wollte ich es als bewußtes Mittel dazu verstehen. Wie der Geiger und Pfeifer seinerseits sich dazu verhalten werde, war eine Nebenfrage, die wenig Beunruhigendes hatte, da jener am Ziel seines knäbischen Ehrgeizes war und sein Konzert dahinhatte. Nach seinem Triumph dachte ich ihn mir bereit, im Leben Adrian Leverkühns wieder einen vernünftigeren Platz einzunehmen. Was mir im Kopfe herumging, war nur Adrians seltsame Art, von seiner Absicht zu sprechen, als hinge ihre Verwirklichung allein von seinem Willen ab, und als habe man sich um die Zustimmung des Mädchens gar nicht zu sorgen. Wie bereit war ich, ein Selbstbewußtsein zu bejahen, das nur wählen, nur das Wort seiner Wahl sprechen zu dürfen glaubte! Und doch war ein Zagen in meinem Herzen ob der Naivität dieses Glaubens, die mir selbst als ein Ausdruck der Einsamkeit und Fremdheit erscheinen wollte, die seine Aura bildeten und mich wider Willen zweifeln ließen, ob dieser Mann geschaffen sei, Frauenliebe auf sich zu ziehen. Wenn ich mir alles gestand, bezweifelte ich sogar, daß er selbst im Grunde an diese Möglichkeit glaubte, und hatte gegen das Gefühl zu kämpfen, daß er es nur absichtlich so hinstellte, als sei sein Erfolg ihm selbstverständlich. Ob die Erwählte vorläufig auch nur eine Ahnung hatte von den Gedanken und Absichten, die er an ihre Person knüpfte, blieb im dunkeln.

Es blieb im dunkeln für mich auch nach dem Gesellschaftsabend in der Brienner Straße, der mir die Bekanntschaft mit Marie Godeau brachte. Wie wohl sie mir gefiel, entnehme man der Beschreibung, die ich oben von ihr gab. Nicht nur die sanfte Nacht ihres Blickes, von der ich wußte, wie sensitiv Adrian darauf ansprach, ihr reizendes Lächeln, ihre musikalische Stimme nahmen mich für sie ein, sondern auch die freundliche und intelligente Gehaltenheit ihres Wesens, die alles Girrend-Weibchenhafte unter sich lassende Sachlichkeit, Bestimmtheit, ja Kurzangebundenheit der selbständig-werktätigen Frau. Sie mir als Adrians Lebensgefährtin zu denken, beglückte mich, und wohl glaubte ich mich auf das Gefühl zu verstehen, das sie ihm einflößte. Trat nicht in ihr ihm die ›Welt‹, vor der seine Einsamkeit scheute — auch was man in artistisch-musikalischer Hinsicht ›die Welt‹, das Außer-Deutsche, nennen mochte, — in ernstest-freundlicher Gestalt, Vertrauen erweckend, Ergänzung verheißend, zur Vereinigung ermutigend entgegen? Liebte er sie nicht aus seiner Oratorienwelt heraus von musikalischer Theologie und mathematischem Zahlenzauber? Es schuf mir hoffnungsvolle Erregung, die beiden Menschen vom selben Raum umschlossen zu sehen, obgleich ich sie nur vorübergehend in persönlicher Berührung sah. Als einmal die gesellschaftliche Fluktuation von ungefähr Marien, Adrian, mich und noch einen Vierten zu einer Gruppe zusammenfügte, entfernte ich mich fast sogleich, in der Hoffnung, daß auch der Vierte so viel Verstand haben werde, seiner Wege zu gehen.

Der Abend bei Schlaginhaufens war kein Diner, sondern ein Neun-Uhr-Empfang mit einem Erfrischungsbuffet in dem an den Säulensalon stoßenden Eßzimmer. Das gesellschaftliche Bild hatte sich seit dem Kriege wesentlich geändert. Kein Baron Riedesel trat länger hier für das ›Graziöse‹ ein; längst war der Klavier spielende Reitersmann in der Versenkung der Geschichte verschwunden, und auch den Urenkel Schillers, Herrn von Gleichen-Rußwurm, gab es nicht mehr, da ein mit närrischer Ingeniosität erdachter, aber mißglückter Betrugsversuch, dessen er überwiesen war, ihn aus der Welt verscheucht und ihn zum quasi-freiwilligen Arrestanten auf seinem niederbayerischen Gute gemacht hatte. Die Sache war fast nicht zu glauben. Der Baron hatte, angeblich, ein wohlverpacktes und sehr hoch, über seinen Wert, versichertes Schmuckstück zur Umarbeitung an einen auswärtigen Juwelier gesandt, — welcher, als das Paket bei ihm eintraf, nichts darin fand als eine tote Maus. Diese Maus hatte untüchtigerweise die Aufgabe nicht erfüllt, die der Absender ihr zugedacht hatte. Offenbar war die Idee gewesen, daß der Nager sich durch die Hülle beißen und entkommen sollte, — die Illusion erzeugend, daß das Geschmeide durch das Gott weiß wie entstandene Loch gefallen und verlorengegangen sei, womit die Versicherungssumme fällig gewesen wäre. Statt dessen war das Tier verendet, ohne den Ausgang zu schaffen, der das Abhandenkommen des nun hineingelegten Colliers erklärt hätte, — und aufs lächerlichste sah der Erfinder des Schelmenstückes sich bloßgestellt. Möglicherweise hatte er es in einem kulturhistorischen Buche aufgepickt und war ein Opfer seiner Lektüre. Vielleicht aber auch trug ganz allgemein die moralische Verwirrung der Zeit an seiner verrückten Eingebung die Schuld.

Jedenfalls hatte unsere Gastgeberin, die geborene von Plausig, manchen Verzicht leisten und ihr Ideal, die Verbindung von Geburtsadel und Künstlertum, fast gänzlich fallenlassen müssen. An alte Zeiten erinnerte die Gegenwart irgendwelcher ehemaliger Hofdamen, die mit Jeannette Scheurl französisch sprachen. Sonst sah man neben Sternen des Theaters diesen und jenen katholisch-volksparteilichen, ja auch einen namhaften sozialdemokratischen Parlamentarier und ein paar höhere und hohe Funktionäre des neuen Staates, unter denen sich immerhin noch Leute von Familie, wie ein von Grund aus jovialer und zu allem bereiter Herr von Stengel, befanden, — aber auch schon gewisse, der ›liberalistischen‹ Republik tatkräftig abholde Elemente, denen das Vorhaben, die deutsche Schmach zu rächen, und das Bewußtsein, eine kommende Welt zu repräsentieren, in dreisten Zeichen an der Stirn geschrieben stand.

Es ist nicht anders: Ein Beobachter hätte mich mehr mit Marie Godeau und ihrem guten Tantchen zusammen gesehen als Adrian, der zweifellos ihretwegen gekommen war und sie auch gleich anfangs mit sichtlicher Freude wieder begrüßt hatte, dann aber sich ganz vorwiegend mit seiner lieben Jeannette und dem sozialdemokratischen Abgeordneten unterhielt, der ein ernstlich bewanderter Bach-Verehrer war. Meine Konzentration wird man, ganz abgesehen von der Annehmlichkeit des Gegenstandes, begreiflich finden nach allem, was Adrian mir vertraut hatte. Rudi Schwerdtfeger war auch mit uns. Tante Isabeau war entzückt, ihn wiederzusehen. Wie in Zürich brachte er sie oft zum Lachen — und Marien zum Lächeln —, hinderte aber nicht ein gesetztes Gespräch, das sich um Pariser und Münchener künstlerische Vorgänge drehte, auch das Politisch-Europäische, die deutsch-französischen Beziehungen streifte, und an dem ganz zum Schluß, schon Abschied nehmend, Adrian sich im Stehen für einige Augenblicke beteiligte. Immer mußte er ja seinen Elf-Uhr-Zug nach Waldshut erreichen, und seine Teilnahme an der Soirée hatte nur knappe anderthalb Stunden gedauert. Wir anderen blieben ein wenig länger.

Dies war, wie gesagt, ein Samstagabend. Einige Tage später, am Donnerstag, hörte ich telephonisch von ihm.

XL

Er rief mich in Freising an, um mich, wie er sagte, um einen Gefallen zu bitten. (Seine Stimme war gedämpft und etwas monoton, sie ließ auf Kopfschmerzen schließen.) Er habe das Gefühl, sagte er, daß man den Damen in der Pension Gisella ein wenig die Honneurs von München machen müsse. Es sei geplant, ihnen einen Ausflug in die Umgebung zu bieten, wozu das schöne Winterwetter ja einlade. Er erhebe keinen Anspruch auf die Autorschaft der Idee, sie sei von Schwerdtfeger ausgegangen. Aber er habe sie aufgegriffen und überlegt. Es komme Füssen in Betracht, mit Neu-Schwanstein. Besser aber sei vielleicht noch Oberammergau und eine Schlittenfahrt von dort nach Kloster Ettal, das er persönlich gern habe, über Schloß Linderhof, eine Kuriosität immerhin, besichtigenswert. Was ich meinte.

Ich hieß den Gedanken selbst und Ettal als Ausflugsziel gut und richtig.

»Natürlich müßt ihr mitkommen«, sagte er, »du und deine Frau. Wir werden es an einem Sonnabend machen — soviel ich weiß, hast du samstags keine Stunden zu geben dieses Semester —, sagen wir also übermorgen in acht Tagen, falls wir nicht gar zu arges Tauwetter bekommen. Ich habe auch Schildknapp schon Bescheid gesagt. Er liebt dergleichen leidenschaftlich und will sich auf Skiern an den Schlitten binden.«

Das alles fand ich vorzüglich.

Er bitte mich nun, folgendes zu verstehen, fuhr er fort. Der Plan sei, wie gesagt, ursprünglich von Schwerdtfeger ausgegangen, aber ich würde wohl Sinn für seinen, Adrians, Wunsch haben, daß man in der Pension Gisella nicht den Eindruck hätte. Er möchte nicht, daß Rudolf dort dazu auffordere, sondern lege einen gewissen Wert darauf, das selber zu tun, — wenn auch wieder nicht allzu direkt. Ob ich so gut sein wolle, die Sache für ihn einzufädeln, — nämlich so, daß ich vor meinem nächsten Besuch in Pfeiffering, übermorgen also, in der Stadt die Damen aufsuchte und ihnen, gewissermaßen als sein Bote, wenn auch nur andeutungsweise als solcher, die Einladung überbrächte.

»Du könntest mich durch diesen Freundschaftsdienst jetzt sehr verpflichten«, schloß er mit sonderbarer Steifheit.

Ich setzte zu Gegenfragen an, unterdrückte sie aber und versprach ihm einfach, nach seinem Wunsche zu tun, versichernd, daß ich mich für ihn und uns alle auf das Unternehmen freute. Das tat ich allerdings. Ernstlich hatte ich mich schon gefragt, wie die Absichten, in die er mich eingeweiht, gefördert, die Dinge in Fluß gebracht werden sollten. Wenig ratsam war es mir vorgekommen, weitere Gelegenheiten zum Zusammensein mit dem Mädchen seiner Wahl dem guten Glück zu überlassen. Die Umstände boten diesem nicht gerade überreichlichen Spielraum. Arrangierende Nachhilfe, Initiative war nötig, und hier war sie. War wirklich Schwerdtfeger ihr Urheber, — oder schob Adrian sie ihm nur zu, aus Scham vor der Rolle des Verliebten, der, sehr entgegen seiner Natur und Lebensstimmung, plötzlich auf Geselligkeiten und Schlittenpartien sann? Tatsächlich erschien mir dies so sehr unter seiner Würde, daß ich wünschte, er hätte die Wahrheit gesagt, als er den Geiger für die Idee verantwortlich machte, — wobei ich aber auch wieder die Frage nicht ganz unterdrücken konnte, ob dieser elbische Platoniker eigentlich ein Interesse an dem Unternehmen hatte.

Gegenfragen? Ich hatte eigentlich nur eine: Warum nämlich Adrian, wenn er Marien wissen zu lassen wünschte, daß er danach trachtete, sie zu sehen, — warum er sich dann nicht direkt an sie wandte, sie anrief, sogar nach München fuhr, bei den Damen einsprach, seine Anregung vorbrachte. Ich wußte damals nicht, daß es sich hier um eine Tendenz, eine Idee, gewissermaßen um die Vorübung zu etwas Späterem handelte, um die Neigung, zu der Geliebten — so muß ich das Mädchen nennen — zu *schicken*, einen anderen das Wort bei ihr führen zu lassen.

Vorerst war ich es, dem er das Wort anvertraute, und bereitwillig entledigte ich mich meines Auftrages. Es war damals, daß ich Marien in dem weißen, über die kragenlose schottische Bluse gezogenen Arbeitskittel traf, der ihr so gut stand. Ich fand sie an ihrem Zeichenbrett, einer dicken, schräggestellten Holzplatte, an die eine elektrische Lampe geschraubt war, und von der sie sich zu meiner Begrüßung erhob. Wir saßen wohl zwanzig Minuten in dem kleinen Miet-Wohnzimmer der Damen beisammen. Beide zeigten sich entschieden empfänglich für die Aufmerksamkeit, die man ihnen erwies, und begrüßten lebhaft den Ausflugsplan, von dem ich nur sagte, ich hätte ihn nicht erfunden, — nachdem ich hatte einfließen lassen, daß ich auf dem Wege sei zu

meinem Freunde Leverkühn. Sie meinten, ohne solche ritterliche
Führung hätten sie vielleicht nie etwas von der berühmten Um-
gebung Münchens, dem bayerischen Alpenland kennengelernt.
Tag und Stunde des Treffens, der Abfahrt wurden ausgemacht.
Ich konnte Adrian befriedigende Meldung bringen und rappor-
tierte genau, indem ich ein Lob der vorteilhaften Erscheinung
Mariens im Arbeitskittel mit einflocht. Er dankte mir mit dem
— soviel ich hörte — ohne Ironie gesprochenen Wort:
»Nun sieh, es hat doch sein Gutes, verlässige Freunde zu
haben.«

Die Bahnlinie nach dem Passionsdorf, die zum größten Teil dieselbe ist wie nach Garmisch-Partenkirchen und erst zuletzt von
ihr abzweigt, führte über Waldshut und Pfeiffering. Adrian
wohnte halbwegs zum Ziel, und so waren nur wir anderen es,
nur Schwerdtfeger, Schildknapp, die Pariser Gäste, meine Frau
und ich, die sich am bestimmten Tage gegen zehn Uhr am Zuge
im Münchener Hauptbahnhof zusammenfanden. Ohne den
Freund, vorläufig, legten wir die erste Fahrstunde durch das noch
flache, gefrorene Land zurück. Sie wurde uns verkürzt durch ein
Frühstück von belegten Broten und Tiroler Rotem, das meine
Helene vorbereitet hatte, und bei dem Schildknapps humoristisch
zur Schau gestellter Eifer, nicht zu kurz zu kommen, uns viel zu
lachen gab. »Gebt Knappi«, sagte er (so nannte er anglisierend
sich selbst und wurde auch allgemein so genannt), »gebt Knappi
nicht knapp!« Seine natürliche, unverhohlene und spaßhaft
unterstrichene Lust am Mitzehren war unwiderstehlich komisch.
»Ah, schmeckst du prächtig!« ächzte er mit glitzernden Augen,
ein Zungenbrot kauend. Und dabei waren seine Scherze ganz
unverkennbar in erster Linie für Mademoiselle Godeau bestimmt,
die ihm natürlich so gut gefiel wie uns allen. Sie nahm sich höchst
vorteilhaft aus in dem olivfarbenen, mit schmalen braunen Pelz-
streifen verbrämten Winterkostüm, das sie trug, und mit einer
gewissen Folgsamkeit meines Gefühls — einfach weil ich wußte,
was an der Reihe war — entzückte ich mich wieder und wieder im
Anschauen ihrer schwarzen Augen, diesem pechkohlenhaften und
dabei heiteren Glanz in der Dunkelheit der Wimpern.

Als Adrian, von der Corona mit dem Übermut unternehmender
Leute begrüßt, in Waldshut zu uns stieg, erfuhr ich einen seltsamen Schrecken, — wenn dies Wort meine Empfindungen trifft.
Jedenfalls war etwas von Schrecken darin einschlägig. Erst jetzt
nämlich wurde mir bewußt, daß in dem Abteil, das wir besetzt
hielten, auf engem Raum also (wenn es auch kein Coupé, sondern die offene Sektion eines durchgehenden Waggons zweiter
Klasse war), die schwarzen, die blauen und die gleichen Augen,
Anziehung und Indifferenz, Erregung und Gleichmut, unter *seinen* Augen beisammen waren, und daß sie beisammen bleiben

würden während dieses ganzen Ausflugstages, der damit gewissermaßen im Zeichen stand dieser Konstellation, vielleicht darin hatte stehen sollen, so daß der Eingeweihte in ihr die eigentliche Idee des Tages erkennen mochte.

Es traf sich natürlich und richtig, daß nach Adrians Hinzukommen die Landschaft draußen sich ins Bedeutendere zu heben und, allerdings aus der Ferne noch, verschneite Hochwelt hereinzublicken begann. Schildknapp tat sich hervor, indem er diese und jene Gipfelwand, die man unterschied, bei Namen zu nennen wußte. Die bayerischen Alpen weisen keine Giganten hehrsten Ranges auf unter ihren Erhebungen, aber es war doch, im reinen Schneekleide, eine kühn und ernst sich aufbauende, zwischen Waldschlucht und Weite wechselnde Winterpracht, in die wir hineinfuhren. Dabei war der Tag bedeckt, zu frostigem Weiterschneien geneigt und sollte sich erst gegen Abend klären. Dennoch galt unsere Aufmerksamkeit meist den Bildern draußen, selbst unterm Gespräch, das von Marie auf das in Zürich gemeinsam Erlebte, den Abend in der Tonhalle, das Violinkonzert gelenkt wurde. Ich beobachtete Adrian in der Unterhaltung mit ihr. Er hatte ihr gegenüber Platz genommen, die zwischen Schildknapp und Schwerdtfeger saß, während das Tantchen sich Helenen und mir in gutmütigem Geplauder widmete. Deutlich konnte ich sehen, wie er sich vor Indiskretion zu hüten hatte beim Anschauen ihres Gesichtes, ihrer Augen. Mit seinen blauen sah Rudolf dieser Versunkenheit, diesem Sichbesinnen, Sichabwenden zu. Hatte es nicht etwas von Trost und Entschädigung, daß Adrian den Geiger vor dem Mädchen gar so emphatisch lobte? Da sie sich des Urteils über die Musik bescheiden enthielt, war nur von der Aufführung die Rede, und Adrian erklärte mit Nachdruck, die Anwesenheit des Solisten dürfe ihn nicht hindern, sein Spiel meisterhaft, vollendet, einfach unübertrefflich zu nennen, woran er noch einige sehr warme, ja preisende Worte über Rudi's künstlerische Entwicklung im allgemeinen und seine zweifellos große Zukunft schloß.

Der Gefeierte schien das nicht hören zu können, rief »Na, na!« und »Tu di fei halten!«, versichernd, der Meister übertreibe entsetzlich, war aber rot vor Vergnügen. Zweifellos war es ihm lieb, vor Marien so herausgestrichen zu werden, aber die Freude darüber, daß es aus diesem Munde geschah, war auch unverkennbar, und seine Dankbarkeit äußerte sich in der Bewunderung von Adrians Ausdrucksweise. Die Godeau hatte von der Prager fragmentarischen Aufführung der ›Apokalypse‹ gehört und gelesen und erkundigte sich nach dem Werk. Adrian wehrte ab.

»Sprechen wir nicht«, sagte er, »von diesen frommen Sünden!«

Davon war Rudi begeistert.

»Fromme Sünden!« wiederholte er jubelnd. »Haben Sie das ge-

427

hört? Wie er redet! Wie er die Worte zu brauchen weiß! Er ist
großartig, unser Meister!«

Dabei drückte er Adrians Knie, wie es seine Art war. Er gehörte
zu den Menschen, die immer zugreifen, berühren, anfassen müssen, den Oberarm, den Ellbogen, die Schulter. Er tat es sogar bei
mir und sogar bei Frauen, die es meistens nicht ungern hatten. —

In Oberammergau machte unsere kleine Gesellschaft einen
Kreuz- und Quer-Spaziergang durch die gepflegte Ortschaft mit
ihren idealischen, an Schnitzereien der Dachfirste und Balkone
reichen Bauernhäusern, den Wohnungen von Jüngern, Heiland
und Gottesmutter. Vorübergehend, während die Freunde auch
noch den nahen Kalvarienberg bestiegen, sonderte ich mich ab,
um ein mir bekanntes Fuhrgeschäft aufzusuchen und einen Schlitten zu bestellen. Ich traf die sechs anderen wieder zum Mittags-
mahl in einem Gastlokal, das einen von Tischchen umgebenen,
gläsernen, von unten zu erleuchtenden Tanzboden hatte und
während der Saison, zur Zeit der Spiele gewiß, ein überfüllter
Treffpunkt der Fremden sein mochte. Jetzt war es, zu unserer
Zufriedenheit eher, fast leer: Nur zwei Parteien noch, außer uns,
speisten an der Tanzplatte ferner stehenden Tischen, ein leidend
aussehender Herr mit seiner Pflegerin in Diakonissentracht an
dem einen, eine Gruppe von Wintersportlern an dem anderen.
Auf flachem Podium spielte ein Orchesterchen von fünf Mann
den Gästen Salonstücke auf, zwischen denen die Künstler in langen Pausen, zu niemandes Schaden, der Ruhe pflogen. Was sie
boten, war dumm, und sie boten es auch noch lahm und schlecht,
so daß nach dem Backhuhn Rudi Schwerdtfeger es nicht länger
aushielt und beschloß, recht wie es im Buche steht, seinen Stern
zu enthüllen. Er nahm dem Violinisten die Geige weg und improvisierte, nachdem er sie ein wenig in den Händen gedreht und
ihre Herkunft festgestellt hatte, sehr großzügig darauf, indem er
zum Auflachen der Unsrigen einige Griffe aus der Kadenz ›seines‹ Violinkonzerts einflocht. Den Musikern standen die Münder
offen. Den Pianisten, einen müdäugigen Jüngling, der sich gewiß Höheres erträumt hatte als sein Gewerbe dahier, fragte er
dann, ob er die ›Humoreske‹ von Dvořák begleiten könne, und
spielte auf der mäßigen Fiedel das allerliebste Stück mit seinen
vielen Vorschlägen, anmutigen Rutschern und schmucken Doppel-
griffen so keck und brillant, daß er lauten Applaus gewann von
jedermann im Lokal, von uns, von den Nachbartischen, den ver-
blüfften Musicis und selbst von den beiden Kellnern.

Es war im Grunde ein konventioneller Spaß, wie Schildknapp
aus Eifersucht mir auch zuraunte, aber dramatisch und reizend
nun einmal doch, kurz ›nett‹, ganz im Rudi Schwerdtfeger-Stil.
Wir blieben länger als gedacht, zuletzt ganz allein, bei unserem

Kaffee und Enzianschnaps sitzen, und selbst ein Tänzchen auf der Glasplatte wurde gemacht: Schildknapp und Schwerdtfeger schritten abwechselnd mit Fräulein Godeau und auch mit meiner guten Helene nach Gott weiß welchem Ritus darauf herum, unter den wohlwollenden Blicken dreier Enthaltsamer. Draußen wartete schon der Schlitten, ein geräumiger Zweispänner, mit Pelzdecken wohlversehen. Da ich den Platz neben dem Kutscher wählte und Schildknapp sein Vorhaben wahr machte, sich auf Skiern ziehen zu lassen (der Fuhrmann hatte welche mitgebracht), so kamen die anderen fünf ohne Unbequemlichkeit im Innern des Fahrzeugs unter. Es war der glücklichst geplante Teil des Tagesprogrammes, wenn man davon absieht, daß Rüdigers mannhafte Idee ihm nachträglich übel anschlug. Im eisigen Fahrtwind stehend, über Unebenheiten geschleudert und mit Schnee bestäubt, zog er sich eine Unterleibserkältung zu, einen seinen entkräftenden Darmkatarrhe, der ihn für Tage ans Bett fesselte. Doch das war ein später erst sich enthüllendes Malheur. Wie ich persönlich eine Vorliebe hege für das warm verpackte Dahingleiten bei gedämpftem Schellenklang durch die reine, kräftige Frostluft, so schienen alle die Situation zu genießen. In meinem Rücken Adrian Aug in Auge mit Marien zu wissen, schuf mir ein von Neugier, Freude, Sorge und innigen Wünschen erregtes Herzklopfen.

Linderhof, das Rokoko-Schlößchen Ludwigs II., liegt in einer Wald- und Berg-Einsamkeit von großartiger Schönheit. Königliche Menschenscheu hätte sich keine märchenhaftere Zuflucht finden können. Freilich ist, bei aller Hochstimmung, die der Zauber der Örtlichkeit schaffen mag, der Geschmack, in welchem die rastlose Baulust des Weltflüchtigen — dieser Ausdruck des Dranges nach Verherrlichung seines Königtums — sich ausprägte, ja auch wieder eine Verlegenheit. Wir machten halt, wir gingen unter der Führung eines Kastellans durch die überladenen Prunk-Kabinette, die die ›Wohnzimmer‹ des Phantasiehauses bildeten, und wo der Gemütskranke seine nur von der Idee seiner Majestät erfüllten Tage verbrachte, sich von Bülow vorspielen ließ, der charmierenden Stimme Kainzens lauschte. Der größte Raum in Fürstenschlössern pflegt der Thronsaal zu sein. Hier gibt es keinen. Es gibt statt dessen das Schlafzimmer, dessen Dimensionen im Verhältnis zu der Kleinheit der Tag-Aufenthalte gewaltig sind, und dessen feierlich erhöhtes Paradebett, kurz wirkend durch seine übertriebene Breite, wie ein Aufbahrungslager von goldenen Kandelabern flankiert ist.

Mit anständigem Interesse, auch wohl mit verhohlenem Kopfschütteln nahmen wir alles in Augenschein und setzten dann bei aufklärendem Himmel unsere Fahrt gegen Ettal fort, das wegen seiner Benediktiner-Abtei und zugehörigen Barockkirche eines guten architektonischen Rufs genießt. Ich erinnere mich, daß während der Weiterfahrt und dann in dem den frommen Stätten schräg gegenüberliegenden, sauber geführten Hotel, wo wir unser Diner einnahmen, das Gespräch sich andauernd um die Person des, wie man so sagt, ›unglücklichen‹ (warum eigentlich unglücklichen?) Königs drehte, mit dessen exzentrischer Lebenssphäre wir eben in einige Berührung gekommen. Die Erörterung wurde nur durch die Besichtigung der Kirche unterbrochen und war im wesentlichen eine Kontroverse zwischen Rudi Schwerdtfeger und mir über den sogenannten Wahnsinn, die Regierungsunfähigkeit, die Entthronung und Entmündigung Ludwigs, die ich zu Rudi's größtem Erstaunen für ungerechtfertigt und für eine brutale Philisterei, wie übrigens auch für ein Werk der Politik und des sukzessorischen Interesses erklärte.

Jener nämlich stand ganz bei der nicht sowohl volkstümlichen als bourgeoisen und offiziell gegebenen Auffassung, daß der König ›knallverrückt‹, wie er sich ausdrückte, und seine Überhändigung an die Psychiater und Irrenwärter, die Einsetzung einer geistig gesunden Regentschaft eine unbedingte Notwendigkeit für das Land gewesen sei, — und begriff gar nicht, wie es Widerspruch da überhaupt geben könne. Nach seiner Gewohnheit in solchen Fällen, das heißt, wenn ein Standpunkt ihm allzu neu war, bohrte er seine blauen Augen, bei entrüstet aufgeworfenen Lippen, abwechselnd in mein rechtes und linkes Auge, während ich sprach. Ich muß sagen, und nahm es mit einer gewissen Überraschung wahr, daß der Gegenstand mich beredt machte, obgleich er mich bisher kaum beschäftigt hatte. Ich fand jedoch, daß ich mir unterderhand eine dezidierte Meinung darüber gebildet hatte. Wahnsinn, so setzte ich auseinander, sei ein recht schwankender Begriff, den der Spießbürger allzu beliebig, nach zweifelhaften Kriterien, handhabe. Sehr früh, ganz dicht bei sich selbst und seiner Gemeinheit, setze ein solcher die Grenze vernünftigen Benehmens an, und was darüber gehe, sei Narrheit. Die königliche Daseinsform aber, souverän, von Devotion umgeben, der Kritik und Verantwortung sehr weitgehend enthoben und bei der Entfaltung ihrer Würde zu einem Stil legitimiert, der auch dem reichsten Privatmann verwehrt sei, biete den phantastischen Neigungen, den nervösen Bedürfnissen und Verabscheuungen, den befremdenden Leidenschaften und Begierden ihres Trägers einen Spielraum, dessen stolze und völlige Ausnutzung sehr leicht den Aspekt des Wahnsinns biete. Welchem Sterblichen unterhalb dieser Höhe stünde es denn frei, sich goldene Einsamkeiten an erlesenen Punkten landschaftlicher Herrlichkeit zu schaffen, wie Ludwig es getan habe! Diese Schlösser seien Monumente königlicher Menschenscheu, allerdings. Allein wenn es bei den durchschnittlichen Eigenschaften unserer Spezies kaum erlaubt sei, Menschenflucht allgemein für ein Symptom der Verrücktheit zu nehmen, — warum sollte diese Erlaubnis gerade dann gegeben sein, wenn die Scheu sich in königlichen Formen äußern könne?

Aber sechs studierte und berufene Irrenärzte hätten amtlich den kompletten Wahnsinn des Königs festgestellt und seine Internierung für notwendig erklärt!

Das hätten diese gefügigen Gelehrten getan, weil sie eben dazu berufen gewesen seien, und sie hätten es getan, ohne Ludwig je gesehen, ohne ihn auch nur nach ihren Methoden ›untersucht‹, ohne ein Wort mit ihm gesprochen zu haben. Allerdings hätte wohl auch ein Gespräch mit ihm über Musik und Poesie diese Spießer von seinem Wahnsinn überzeugt. Auf Grund ihres Spruches habe man dem zweifellos aus der Norm Fallenden, darum aber durchaus nicht Verrückten die Verfügung über sich selbst entzogen, ihn zum psychiatrischen Patienten erniedrigt, ihn in ein Seeschloß mit abgeschraubten Türklinken und vergitterten Fenstern gesperrt. Daß er das nicht ertragen, sondern Freiheit oder Tod gesucht und dabei seinen ärztlichen Kerkermeister mit sich in den Tod gerissen habe, spreche für sein Würdegefühl und nicht für die Wahnsinnsdiagnose. Es spreche für diese auch das Verhalten seiner Umgebung nicht, die bis zur Kampfbereitschaft an ihm gehangen, noch spreche dafür die schwärmerische Liebe der Landbevölkerung für ihren ›Kini‹. Diese Bauern hätten, wenn sie ihn nächtlich ganz allein, in seinen Pelz gehüllt, bei Fackelschein, in goldenem Schlitten mit Vorreitern durch seine Berge hätten fahren sehen, keinen Verrückten, sondern einen König nach ihrem derben, aber träumerischen Herzen in ihm erblickt, und wäre es ihm gelungen, über den See zu schwimmen, wie er es offenbar vorgehabt habe, so hätten sie ihn drüben mit Heugabeln und Dreschflegeln gegen Medizin und Politik verteidigt.

Aber seine Verschwendungssucht sei doch ausgemacht krankhaft und nicht länger tragbar gewesen, und seine Regierungsunfähigkeit habe sich einfach aus seiner Unwilligkeit zum Regieren ergeben: er habe das Königsein nur noch geträumt, sich aber geweigert, es nach vernünftigen Normen auszuüben, und damit könne ein Staat nicht leben.

Ei, alles Unsinn, Rudolf. Ein normal gebauter Ministerpräsident könne einen modernen Föderativ-Staat schon regieren, auch wenn der König zu sensitiv sei, um sein und seiner Kollegen Gesichter auszuhalten. Das Bayernland wäre nicht zugrunde gegangen, auch wenn man Ludwig seine einsamen Liebhabereien weiter gegönnt hätte, und die Verschwendungssucht eines Königs habe gar nichts zu sagen, sei bloße Redensart, ein Schwindel und Vorwand. Das Geld sei ja im Lande geblieben, und von den Märchenbauten seien Steinmetzen und Vergolder fett geworden.

Überdies hätten die Schlösser sich, durch die Eintrittsgelder, die man der romantischen Neugier zweier Welten für ihre Besichtigung abnähme, längst über und über bezahlt gemacht. Wir selbst hätten heut dazu beigetragen, die Verrücktheit zum guten Geschäft zu wenden ...

»Ich verstehe Sie nicht, Rudolf«, rief ich. »Sie blasen die Backen auf vor Erstaunen über meine Apologie, aber ich bin es, der ein Recht hat, sich über Sie zu wundern und nicht zu verstehen, wie gerade Sie ... ich meine als Künstler und, kurz, gerade Sie ...« Ich suchte nach Worten, warum ich mich über ihn wundern müsse, doch waren keine da. Ich verwirrte mich aber auch darum in meiner Suada, weil ich die ganze Zeit das Gefühl hatte, es komme mir nicht zu, in Adrians Gegenwart so das Wort zu führen. Er hätte sprechen sollen, — und doch war es besser, daß ich es tat, denn die Besorgnis quälte mich, daß er imstande sein könnte, Schwerdtfegern recht zu geben. Dem mußte ich vorbeugen, indem ich statt seiner, für ihn, in seinem rechten Geiste sprach, und es schien auch, daß Marie Godeau mein Eintreten so auffaßte und mich, den er um dieses Tages willen zu ihr gesandt, als sein Mundstück betrachtete. Denn sie blickte, während ich mich ereiferte, mehr zu ihm hinüber als auf mich — gerade so, als hörte sie ihm zu und nicht mir, über dessen Hitze sich allerdings seine Miene immerfort etwas lustig machte, mit einem enigmatischen Lächeln, das fern davon war, mich in meiner Stellvertreterschaft unbedingt zu bestätigen.

»Was ist Wahrheit«, sagte er schließlich. Und rasch fiel Rüdiger Schildknapp ihm bei, indem er aufstellte, daß die Wahrheit verschiedene Aspekte habe, und daß in einem Fall wie diesem der medizinisch-naturalistische Aspekt zwar vielleicht nicht der superiorste sei, aber doch auch nicht als ganz ungültig abgewiesen werden könne. In der naturalistischen Wahrheitsanschauung, fügte er hinzu, vereinige sich merkwürdigerweise das Platte mit dem Melancholischen, — was kein Angriff auf »unsern Rudolf« sein solle, der jedenfalls kein Melancholiker sei, aber es könne als Kennzeichnung einer ganzen Epoche gelten, des neunzehnten Jahrhunderts, dem eine entschiedene Neigung zu platter Düsternis eigen gewesen sei. Adrian lachte auf — nicht vor Überraschung, natürlich. Man hatte in seiner Gegenwart stets das Gefühl, daß alle Ideen und Gesichtspunkte, die um ihn herum laut wurden, in ihm versammelt waren, und daß er, ironisch zuhörend, es den einzelnen menschlichen Verfassungen überließ, sie zu äußern und zu vertreten. Es wurde der Hoffnung Ausdruck gegeben, daß das jugendliche zwanzigste Jahrhundert eine gehobenere und geisteheiterere Lebensstimmung entwickeln möge. In abgerissenen Erörterungen der Frage, ob es dafür Anzeichen gäbe oder nicht, zersplitterte sich das Gespräch und ermüdete. Überhaupt machte Ermüdung nach all den regsam, in winterlicher Bergluft verbrachten Stunden sich geltend. Das Kursbuch sprach auch sein Wort, man rief nach dem Kutscher, und unter einem Himmel, der sich glänzend ausgestirnt hatte, führte uns der Schlitten zu der kleinen Station, auf deren Perron wir den Münchener Zug erwarteten.

Die Heimfahrt verlief eher still, aus Rücksicht schon auf das eingeschlummerte Tantchen. Mit ihrer Nichte unterhielt Schildknapp sich zuweilen gedämpft; ich versicherte mich im Gespräch mit Schwerdtfeger, daß er nichts übelgenommen habe, und Adrian befragte Helenen nach alltäglichen Dingen. Gegen alle Erwartung und zu meiner stillen, fast heiteren Rührung verließ er uns nicht in Waldshut, sondern wollte es sich nicht nehmen lassen, unsere Gäste, die Pariser Damen, nach München zurück- und heimzubegleiten. Am Hauptbahnhof verabschiedeten wir anderen alle uns von ihnen und ihm und gingen unserer Wege, während er Tante und Nichte in einer Taxidroschke vor ihre Schwabinger Pension brachte, — ein Akt der Ritterlichkeit, der in meinen Gedanken den Sinn annahm, daß er die letzte Neige des Tages nur noch in Gesellschaft der schwarzen Augen allein verlebte.

Erst der gewohnte Elf-Uhr-Zug trug ihn in seine bescheidene Einsamkeit zurück, wo er denn von weitem schon mit dem überhohen Pfeifchen den wachsam schweifenden Kaschperl-Suso von seinem Kommen verständigte.

XLI

Meine teilnehmenden Leser und Freunde, — ich fahre fort. Über Deutschland schlägt das Verderben zusammen, im Schutt unserer Städte hausen, von Leichen fett, die Ratten, der Donner der russischen Kanonen rollt gegen Berlin, der Rhein-Übergang der Angelsachsen war ein Kinderspiel, unser eigener Wille, der sich mit dem des Feindes vereinigt, scheint ihn dazu gemacht zu haben, das Ende kommt, es kommt das Ende, es gehet schon auf und bricht daher über dich, du Einwohner des Landes, — aber ich fahre fort. Was nur zwei Tage nach dem geschilderten, mir denkwürdigen Ausflug zwischen Adrian und Rudolf Schwerdtfeger sich abspielte, und wie es sich abspielte, — ich *weiß* es, und möge man zehnmal den Einwand erheben, ich könnte es nicht wissen, da ich nicht ›dabeigewesen‹ sei. Nein, ich war nicht dabei. Aber heute ist seelische Tatsache, daß ich dabei gewesen bin, denn wer eine Geschichte erlebt und wieder durchlebt hat, wie ich diese hier, den macht seine furchtbare Intimität mit ihr zum Augen- und Ohrenzeugen auch ihrer verborgenen Phasen.

Adrian bat seinen ungarischen Reisegefährten telephonisch zu sich nach Pfeiffering. Er möge so bald wie möglich kommen, bat er, die Angelegenheit, die er mit ihm zu besprechen habe, sei dringlich. Rudolf kam immer gleich. Der Anruf war zehn Uhr morgens erfolgt — während Adrians Arbeitszeit, ein besonderer Vorfall an und für sich —, und schon nachmittags vier Uhr war der Geiger zur Stelle. Noch dazu hatte er abends in einem Abonnementskonzert des Zapfenstößer-Orchesters zu spielen, woran Adrian nicht einmal gedacht hatte.

»Du hast befohlen«, fragte Rudolf, »was ist los?«

»Oh, gleich«, antwortete Adrian. »Du bist da, das ist vorerst die Hauptsache. Ich freue mich, dich zu sehen, sogar mehr als gewöhnlich. Behalte das im Gedächtnis!«

»Es wird allem, was du mir zu sagen hast«, erwiderte Rudolf mit überraschend hübscher Wendung, »einen goldenen Hintergrund geben.«

Adrian schlug einen Spaziergang vor, es rede sich besser im Gehen. Schwerdtfeger stimmte mit Vergnügen zu und bedauerte nur, nicht viel Zeit zu haben, da er zum Sechs-Uhr-Zug wieder am Bahnhof sein müsse, um seinen Dienst nicht zu versäumen. Adrian schlug sich vor die Stirn und bat um Entschuldigung für seine Gedankenlosigkeit. Vielleicht werde jener sie begreiflicher finden, nachdem er ihn angehört.

Tauwetter war eingefallen. Der Schnee, wo er zur Seite geschaufelt war, sickerte und sinterte, und die Wege begannen breiig zu werden. Die Freunde trugen Überschuhe. Rudolf hatte seine kurze Pelzjacke gar nicht erst ausgezogen, Adrian seinen gegürteten Kamelhaarmantel angelegt. Sie gingen gegen den Klammerweiher und an seinem Ufer hin. Adrian erkundigte sich nach dem Programm von heute. Wieder einmal Brahmsens ›Erste‹ als pièce de résistance? Wieder einmal die ›Zehnte Symphonie‹? »Nun, freue dich, im Adagio hast du schmeichelhafte Dinge zu sagen.« Dann erzählte er, daß er als Junge am Klavier, lange bevor er von Brahms etwas gewußt, ein mit dem hochromantischen Hornthema im letzten Satz fast identisches Motiv sich ausgedacht habe, zwar ohne den rhythmischen Trick mit dem punktierten Achtel nach dem Sechzehntel, aber melodisch ganz in demselben Geist.

»Interessant«, sagte Schwerdtfeger.

Nun, und der Ausflug vom Samstag? Ob jener sich unterhalten habe. Ob er dasselbe von den anderen Teilnehmern glaube.

»Hätte nicht netter verlaufen können«, erklärte Rudolf. Er sei sicher, daß alle dem Tag ein vergnügtes Andenken bewahrten, ausgenommen wohl Schildknapp, der sich übernommen habe und krank liege. »Er ist immer zu ehrgeizig in Damengesellschaft.« Übrigens habe er, Rudolf, keinen Grund zum Mitleid, da Rüdiger ziemlich impertinent zu ihm gewesen sei.

»Er weiß, daß du Spaß verstehst.«

»Tu' ich auch. Aber er hätte mich nicht noch zu frotzeln brauchen, wo schon Serenus mich so zugedeckt hatte mit seiner Königstreue.«

»Das ist ein Lehrer. Man muß ihn dozieren und korrigieren lassen.«

»Mit roter Tinte, ja. Im Augenblick sind mir alle beide höchst gleichgültig, — wo ich hier bin und du mir etwas zu sagen hast.«

»Ganz recht. Und da wir von dem Ausflug reden, sind wir eigentlich schon bei der Sache, — einer Sache, in der du mich dir jetzt sehr verpflichten könntest.«

»Verpflichten? Ja?«

»Sage, was hältst du von Marie Godeau?«

»Die Godeau? Die muß wohl jedem gefallen! Sie gefällt doch sicher auch dir?«

»Gefallen ist nicht ganz das rechte Wort. Ich will dir gestehen, daß sie mich, seit Zürich schon, ernstlich beschäftigt; daß es mir schwer wird, die Begegnung mit ihr als bloße Episode aufzufassen; daß mir der Gedanke, sie nächstens wieder ziehen zu lassen, sie vielleicht niemals wiederzusehen, schwer erträglich ist. Mir ist zumute, als möchte und müßte ich sie immer sehen, sie immer um mich haben.«

Schwerdtfeger blieb stehen und blickte dem, der so gesprochen, erst in das eine, dann in das andere Auge.

»Wirklich?« sagte er, den Gang wieder aufnehmend, und senkte den Kopf.

»Es ist so«, bestätigte Adrian. »Ich bin sicher, du bist mir nicht böse für das Vertrauen, das ich dir schenke. Eben darin besteht dieses Vertrauen, daß ich mich dessen versichert halte.«

»Sei versichert!« murmelte Rudolf.

Und Adrian wieder:

»Sieh alles menschlich an! Ich bin nachgerade in Jahren, nachgerade vierzig. Magst du als Freund mir wünschen, daß ich den Rest meiner Tage in dieser Klause verbringe? Ich sage, nimm mich als Menschen, über den es wohl kommen kann, daß er, mit einer gewissen Angst vor dem Versäumnis, vor dem Zuspät, nach einem wärmeren Heim, einer im vollständigsten Sinn des Wortes zusagenden Gefährtin, kurz, nach milderer, menschlicherer Lebensluft verlangt, — nicht nur um des Behagens willen, um weicher gebettet zu sein, sondern auch vor allem, weil er sich für seine Arbeitslust und -kraft, den menschlichen Gehalt seines zukünftigen Werkes Gutes und Großes davon verspricht.«

Schwerdtfeger schwieg während einiger Schritte. Dann äußerte er gedrückt:

»Viermal hast du jetzt ›Mensch‹ und ›menschlich‹ gesagt. Ich habe gezählt. Offenheit gegen Offenheit: es zieht sich etwas in mir zusammen, wenn du das Wort gebrauchst, wenn du es in bezug auf dich selber gebrauchst. Es nimmt sich so unglaublich unpassend und — ja, und beschämend aus in deinem Munde. Entschuldige, daß ich es sage! War deine Musik unmenschlich bisher? Dann verdankt sie ihre Größe am Ende ihrer Unmenschlichkeit. Verzeih die einfältige Bemerkung! Ich möchte kein menschlich inspiriertes Werk von dir hören.«

»Nein? Möchtest du das ganz und gar nicht? Und hast doch schon dreimal eines vor den Leuten gespielt? Hast es dir widmen lassen? Ich weiß, daß du es nicht darauf absiehst, mir Grausamkeiten zu sagen. Aber findest du es nicht grausam, mich wissen zu lassen, daß ich nur aus Unmenschlichkeit bin, was ich bin, und daß Menschlichkeit mir nicht zusteht? Grausam und gedankenlos, — wie ja Grausamkeit immer aus Gedankenlosigkeit kommt? Daß ich mit Menschlichkeit nichts zu tun habe, nichts zu tun haben darf, sagt mir einer, der mich mit staunenswerter Geduld fürs Menschliche gewann und mich zum Du bekehrte, einer, bei dem ich zum erstenmal in meinem Leben menschliche Wärme fand.«

»Es scheint ein vorläufiger Notbehelf gewesen zu sein.«

»Und wenn es das gewesen wäre? Wenn es sich um eine Einübung des Menschlichen, um eine Vorstufe dazu gehandelt hätte, die dadurch, daß sie es war, nichts an Eigenwert verlöre? In meinem Leben war einer, dessen beherztes Ausharren — man kann beinahe sagen: den Tod überwand; der das Menschliche in mir frei machte, mich das Glück lehrte. Man wird vielleicht nichts davon wissen, es in keiner Biographie schreiben. Aber würde das seinem Verdienst Abbruch tun, die Ehre schmälern, die ihm insgeheim gebührt?«

»Du weißt die Dinge sehr schmeichelhaft für mich zu wenden.«

»Ich wende sie nicht, ich stelle sie hin, wie sie sind!«

»Eigentlich ist ja nicht von mir die Rede, sondern von Marie Godeau. Um sie immer zu sehen, sie immer um dich zu haben, wie du sagst, müßtest du sie zur Frau nehmen.«

»Das ist mein Wunsch, meine Hoffnung.«

»Oh! Weiß sie von deinen Gedanken?«

»Ich fürchte: nein. Ich fürchte, ich verfüge nicht über die Ausdrucksmittel, ihr meine Gefühle und Wünsche nahezubringen, — besonders nicht in Gesellschaft anderer, vor denen den Courschneider und Seladon zu spielen mich denn doch etwas geniert.«

»Warum besuchst du sie nicht?«

»Weil es mir widersteht, sie direkt mit Geständnissen und Anträgen zu überrumpeln, deren sie sich dank meiner Unbeholfenheit wahrscheinlich noch nicht im geringsten versieht. Noch bin ich in ihren Augen einfach der interessante Einsame. Ich fürchte ihre Fassungslosigkeit und die — vielleicht voreilige — abschlägige Antwort, die daraus resultieren könnte.«

»Warum schreibst du ihr nicht?«

»Weil ich sie damit vermutlich noch mehr in Verlegenheit setzen würde. Sie müßte antworten, und ich weiß nicht, ob sie ein Mensch der Feder ist. Welche Mühe hätte sie, mich zu schonen, wenn sie nein sagen muß! Und wie weh täte mir die bemühte Schonung! Ich fürchte mich auch vor der Abstraktheit eines solchen Briefwechsels — sie könnte, wie mir vorkommt, meinem Glück gefährlich werden. Ungern denke ich mir Marie, allein, auf eigene Hand, unbeeinflußt von persönlichen Eindrücken — ich möchte fast sagen: persönlichen Druckmitteln —, Geschriebenes schriftlich beantworten. Du siehst, ich scheue den direkten Überfall, und den postalischen Weg scheue ich auch.«

»Welchen Weg siehst du also?«

»Ich sagte dir ja, daß du mir in dieser schwierigen Angelegenheit sehr wohltun könntest. Ich möchte dich zu ihr schicken.«

»Mich?«

»Dich, Rudi. Würde es dir so unsinnig vorkommen, wenn du dein Verdienst um mich — ich bin versucht zu sagen: um mein Seelenheil —, dies Verdienst, von dem die Nachwelt vielleicht nicht wissen, vielleicht auch wissen wird, — wenn du es voll machtest dadurch, daß du den Mittler abgibst, den Dolmetsch zwischen mir und dem Leben, meinen Fürsprecher beim Glück? Das ist eine Idee von mir, ein Einfall, wie er einem beim Komponieren kommt. Man muß immer von vornherein annehmen, daß so ein Einfall nicht vollkommen neu ist. Was ist den Noten nach ganz und gar neu! Aber so, wie es sich hier ergibt, an dieser Stelle, in diesem Zusammenhang und dieser Beleuchtung mag das Dagewesene doch neu, lebensneu sozusagen, originell und einmalig sein.«

»Die Neuheit ist meine letzte Sorge. Was du sagst, ist neu genug, mich zu verblüffen. Wenn ich dich recht verstehe, soll ich für dich bei Marie den Freiwerber machen, für dich bei ihr um ihre Hand anhalten?«

»Du hast mich recht verstanden — und konntest mich kaum mißhören. Die Leichtigkeit, mit der du mich verstehst, spricht für die Natürlichkeit der Sache.«

»Findest du? — Warum schickst du nicht deinen Serenus?«

»Du willst dich wohl über meinen Serenus lustig machen. Offenbar belustigt es dich, dir meinen Serenus als Liebesboten vorzustellen. Eben sprachen wir von persönlichen Eindrücken, deren das Mädchen bei ihrem Entschluß nicht ganz entbehren sollte. Wundre dich nicht, daß ich mir einbilde, sie wird geneigter deinen Worten lauschen als einem Werber so steifen Angesichts.«

»Nach Späßen, Adri, ist mir gar nicht zu Sinn, schon darum nicht, weil es mir selbstverständlich zu Herzen geht und mich gewissermaßen feierlich stimmt, welche Rolle du mir zuschreibst in deinem Leben, sogar vor der Nachwelt. Nach Zeitblom fragte ich, weil er so viel länger schon dein Freund ist —«

»Ja, länger.«

»Gut, also nur länger. Aber denkst du nicht, daß dieses ›Nur‹ ihm seine Aufgabe gerade erleichtern, ihn tauglicher dafür machen könnte?«

»Höre, wie wär' es, wenn wir ihn endlich beiseite ließen? Er hat nun einmal in meinen Augen mit Liebesdingen nichts zu tun. Du bist es, nicht er, dem ich mich anvertraut habe, der nun alles weiß, dem ich, wie man früher sagte, die geheimsten Blätter im Buche meines Herzens aufgeschlagen habe. Wenn du dich nun zu ihr aufmachst, laß sie auch darin lesen, erzähle ihr von mir, sprich gut von mir, verrate ihr behutsam die Empfindungen, die ich für sie hege, die Wünsche fürs Leben, die eins mit ihnen sind! Versuche sie sanft und heiter, auf deine nette Art, ob sie — nun ja, ob sie mich lieben könnte! Willst du? Du mußt mir ihr volles Ja nicht bringen, bewahre. Ein bißchen Hoffnung genügt durchaus zum Abschluß deiner Sendung. Bringst du mir so viel zurück, daß der Gedanke, mein Leben mit mir zu teilen, ihr nicht ganz und gar zuwider, nicht ungeheuerlich ist, — dann kommt meine Stunde, dann will ich selber mit ihr und ihrem Tantchen reden.«

Sie hatten den Rohmbühel zu ihrer Linken gelassen und gingen durch das Fichtenwäldchen, das dahinter liegt, und von dessen Zweigen es tropfte. Dann schlugen sie den Weg am Rande des Dorfes ein, der sie zurückführte. Ein und der andere Kätner und Bauer, dem sie begegneten, grüßte den langjährigen Gast der Schweigestills mit Namensnennung. Rudolf, nachdem man eine Weile geschwiegen, hob wieder an:

»Daß es mir leichtfallen wird, dort gut von dir zu reden, wirst du mir glauben. Um so leichter, Adri, als du von mir so gut geredet hast vor ihr. Ich will aber ganz offen mit dir sein, — so offen, wie du mit mir. Als du mich fragtest, was ich von Marie Godeau hielte, war ich schnell mit der Antwort bereit, die müßte wohl jedem gefallen. Ich will dir gestehen, daß in der Antwort mehr lag, als ihr so ohne weiteres anzuhören ist. Ich hätte dir's nie gestanden, wenn du mich nicht, wie du's altpoetisch ausdrücktest, im Buche deines Herzens hättest lesen lassen.«

»Du siehst mich ehrlich gespannt auf dein Geständnis.«

»Eigentlich hast du es schon gehört. Das Mädel — du magst den Ausdruck nicht —, das Mädchen also, Marie, ist auch mir nicht gleichgültig, — und wenn ich sage: nicht gleichgültig, so ist damit wieder das Rechte noch nicht recht gesagt. Das Mädchen ist das Netteste und Liebste, glaube ich, was mir an Weiblichkeit je vorgekommen ist. Schon in Zürich — ich hatte gespielt — ich hatte *dich* gespielt und war warm und empfänglich — hat sie's mir angetan. Und hier, — du weißt, den Ausflug habe ich vorgeschlagen und zwischendurch, das weißt du nicht, habe ich sie auch gesehen, ich habe mit ihr und Tante Isabeau in der Pension Gisella Tee getrunken, wir haben uns furchtbar nett unterhalten... Ich wiederhole, Adri, daß ich nur durch unser heutiges Gespräch, nur um unserer gegenseitigen Offenheit willen darauf zu sprechen komme —«

Leverkühn hielt eine Pause ein. Dann sagte er mit einer Stimme, die eigentümlich und mehrdeutig schwankte:

»Nein, das habe ich nicht gewußt. Von deinen Gefühlen nicht und nicht vom Tee. Ich scheine lächerlicherweise vergessen zu haben, daß auch du von Fleisch und Blut bist und nicht in Asbest gewickelt gegen den Reiz des Holden und Schönen. Du liebst sie also, oder, sagen wir, du bist verliebt in sie. Nun aber laß mich dich eines fragen. Steht es so, daß unsere Absichten sich überkreuzen, daß du sie bitten wolltest, deine Frau zu werden?«

Schwerdtfeger schien zu überlegen. Er sagte:

»Nein, ich habe daran noch nicht gedacht.«

»Nicht? Gedachtest du etwa, sie einfach zu verführen?«

»Wie du sprichst, Adrian! Sprich nicht so! Nein, auch daran habe ich nicht gedacht.«

»Nun, dann laß dir sagen, daß dein Geständnis, dein offenes und dankenswertes Geständnis, viel eher danach angetan ist, mich an meiner Bitte nur fester halten zu lassen, als daß es mich bestimmen könnte, davon abzustehen.«

»Wie meinst du?«

»Ich meine es in manchem Sinn. Ich habe dich zu diesem Liebesdienst ersehen, weil du dabei weit mehr in deinem Element bist als, sagen wir, Serenus Zeitblom. Weil von dir ein Etwas ausgeht, das ihm fehlt, und das ich meinen Wünschen und Hoffnungen für günstig erachte. Dies ohnehin. Nun aber teilst du sogar meine Empfindungen in gewissem Grad, ohne doch, wie du mir versicherst, meine Absichten zu teilen. Du wirst aus eigener Empfindung sprechen — für mich und meine Absicht. Unmöglich kann ich mir einen berufeneren, erwünschteren Werber denken.«

»Wenn du es in diesem Lichte siehst —«

»Glaube nicht, daß ich es nur in diesem sehe! Ich sehe es auch im Lichte des Opfers, und du kannst wahrhaftig verlangen, daß ich es so sehe. Verlang es nur! Verlang es mit allem Nachdruck! Denn das heißt, daß du, das Opfer als Opfer anerkannt, es bringen willst. Du bringst es im Geist der Rolle, die du in meinem Leben spielst, in Erfüllung des Verdienstes, das du dir um meine Menschlichkeit erworben hast, und das der Welt vielleicht ein Geheimnis bleiben wird, vielleicht auch nicht. Sagst du mir's zu?«

Rudolf antwortete:

»Ja, ich will gehen und nach bestem Vermögen deine Sache führen.«

»Den Händedruck dafür«, sagte Adrian, »sollst du beim Abschied haben.«

Sie waren zurückgelangt, und Schwerdtfegern blieb noch Zeit, im Nike-Saal mit dem Freunde eine kleine Erfrischungsmahlzeit zu halten. Gereon Schweigestill hatte für ihn angespannt, aber trotz Rudolfs Bitte, sich doch nicht zu inkommodieren, nahm Adrian mit ihm in dem hart gefederten Wägelchen Platz, um ihn zur Station zu bringen.

»Nein, es gehört sich. Es gehört sich diesmal ganz besonders«, erklärte er.

Der Zug, gemächlich genug, um in Pfeiffering zu halten, fuhr ein, und durch das herabgelassene Fenster tauschten sie den Händedruck.

»Kein Wort mehr«, sagte Adrian. »Mach's gut. Mach's nett!«

Er hob den Arm, bevor er sich zum Gehen wandte. Den, der da hinglitt, sah er niemals wieder. Nur einen Brief erhielt er noch von ihm, auf den er jede Antwort verweigerte.

XLII

Als ich das nächste Mal bei ihm war, zehn oder elf Tage später, hatte er diesen Brief bereits in Händen und tat mir seinen bestimmten Entschluß kund, darauf zu schweigen. Er sah blaß aus und machte den Eindruck eines Menschen, der einen schweren Schlag empfangen, — wirkte so besonders dadurch, daß eine Neigung, die ich freilich schon seit einiger Zeit bei ihm beobachtet, nämlich, beim Gehen Kopf und Oberkörper etwas zur Seite hängen zu lassen, auffallender hervortrat. Doch war er, oder gab sich, vollkommen ruhig, ja kalt, und schien fast das Bedürfnis zu haben, sich wegen dieser achselzuckenden, von oben auf den an ihm begangenen Verrat herabblickenden Gelassenheit bei mir zu entschuldigen.

»Ich denke«, sagte er, »du hast keine moralischen Entrüstungs- und Wutausbrüche von mir gewärtigt. Ein ungetreuer Freund. Was weiter? Ich bringe nicht viel Empörung auf gegen den Lauf der Welt. Es ist zwar bitter, und man fragt sich, wem man noch trauen soll, wenn unsere rechte Hand sich gegen unsere Brust kehrt. Aber was willst du? So sind Freunde jetzt. Was mir bleibt ist Scham — und die Einsicht, daß ich Prügel verdiene.«

Ich wollte wissen, wessen er sich zu schämen habe.

»Eines Benehmens«, antwortete er, »so albern, daß es mich lebhaft an das eines Schuljungen erinnert, der vor lauter Freude über ein gefundenes Vogelnest es einem andren zeigt, — und der geht hin und stiehlt's ihm weg.«

Was sollte ich wohl sagen als:

»Du wirst aus Zutrauen keine Sünde und Schande machen. Die sind doch wohl beim Diebe.«

Hätte ich seinen Selbstvorwürfen nur mit mehr Überzeugung begegnen können! Indessen mußte ich sie in meinem Herzen bestätigen, denn sein Verhalten, diese ganze Veranstaltung mit der Fürsprache, der Werbung, ausgerechnet durch Rudolf, erschien mir gesucht, gekünstelt, sträflich, und ich brauchte mir nur vorzustellen, ich hätte dereinst zu meiner Helene, statt meine eigene Zunge zu brauchen, einen attraktiven Freund geschickt, damit er ihr mein Herz eröffne, — um der ganzen rätselhaften Absurdität seiner Handlungsweise innezuwerden. Aber wozu seine Reue schüren, — wenn es Reue war, was aus seinen Worten, seinen Mienen sprach? Er hatte Freund und Geliebte auf einmal verloren, durch eigene Schuld, so mußte man sagen, — wenn man, wenn *ich* nur ganz gewiß gewesen wäre, daß es sich hier um eine Schuld im Sinne unbewußten Mißgriffs, einer fatalen Unbesonnenheit handelte! Wenn nur nicht der Argwohn sich immer wieder in meine Grübeleien gestohlen hätte, daß er, was geschehen würde, mehr oder weniger vorausgesehen hatte, und daß es nach seinem Willen geschehen war! War ihm der Gedanke, das, was von Rudolf ›ausging‹, die unleugbare erotische Anziehungskraft des Menschen, für sich wirken und werben zu lassen, überhaupt ernstlich zuzutrauen? Durfte man ihm glauben, daß er auf ihn gebaut hatte? Zuweilen stieg mir die Vermutung auf, daß er, der es so hingestellt, als mute er dem andern ein Opfer zu, sich selber das größte Opfer erwählt habe, — daß er absichtlich habe zusammenfügen wollen, was der Liebenswürdigkeit nach zusammengehörte, um selbst verzichtend zurückzutreten in seine Einsamkeit. Aber der Gedanke sah mir ähnlicher als ihm. Es hätte mir und meiner Verehrung für ihn so passen können, daß dem Schein-Fehler, der sogenannten Dummheit, die er begangen haben wollte, ein Motiv so weicher, so schmerzlich-gütiger Art zum Grunde gelegen hätte! Die Ereignisse sollten mich Aug in Auge mit einer Wahrheit stellen, härter, kälter, grausamer, als daß meine Gutmütigkeit ihr gewachsen wäre, als daß sie nicht in eisigem Schauern davor erstarren sollte, — einer unerwiesenen, stummen, nur eben durch ihren starren Blick sich zu erkennen gebenden Wahrheit, die in Stummheit verharren möge, da ich nicht der Mann bin, ihr Worte zu geben. —

Ich bin gewiß, daß Schwerdtfeger sich, soviel er wußte, mit den besten, korrektesten Vorsätzen zu Marie Godeau begeben hatte. Aber ebenso gewiß ist, daß diese Vorsätze von vornherein nicht auf den festesten Füßen standen, sondern von innen her gefährdet, zur Lockerung, Auflösung, Umgestaltung bereit waren. Was Adrian ihm über die Bedeutung seiner Person für des Freundes

Leben und Menschlichkeit eingeprägt hatte, war nicht ohne schmeichelhafte und anspornende Wirkung auf seine Eitelkeit geblieben, und den Gedanken, daß sich seine gegenwärtige Sendung aus dieser Bedeutung ergäbe, hatte er von einem überlegenen Deuter der Dinge angenommen. Aber die eifersüchtige Kränkung über die Sinnesänderung des Eroberten und darüber, daß er ihm nur noch zum Mittel und Werkzeug gut sein sollte, wirkte diesen Einflüssen entgegen, und ich glaube wohl, daß er sich insgeheim *frei* fühlte, das heißt: nicht gebunden, anspruchsvolle Untreue mit Treue zu erwidern. Dies ist mir ziemlich klar. Und es ist mir auch klar, daß, auf Liebeswegen zu gehen für einen anderen, ein verführerisches Wandeln ist, — zumal für einen Fanatiker des Flirts, für dessen Moral das Bewußtsein allein, daß es zum Flirt oder zu einem mit Flirt verwandten Unternehmen ging, etwas Entspannendes haben mußte.

Zweifelt irgend jemand, daß ich, was zwischen Rudolf und Marie Godeau sich abspielte, in derselben Wörtlichkeit wiedergeben könnte wie das Gespräch in Pfeiffering? Zweifelt jemand, daß ich ›dabeigewesen‹ bin? Ich denke nicht. Aber ich denke auch, ein genaues Ausbreiten des Vorganges ist für niemanden mehr erforderlich, oder nur wünschbar. Sein verhängnisvolles Ergebnis, heiter, wie es sich vorerst — nicht für mich, aber für andere — ansah, war, man wird dieser Annahme beitreten, nicht die Frucht nur einer Unterredung. Eine zweite war dazu nötig, zu der Rudolf angehalten wurde durch die Art, in der Marie ihn nach der ersten verabschiedet hatte. — Es war Tante Isabeau, auf die er beim Betreten des kleinen Vorplatzes der Pensionswohnung stieß. Er fragte nach ihrer Nichte, bat, mit dieser unter vier Augen einige Worte wechseln zu dürfen, im Interesse eines Dritten. Die alte Dame wies ihn ins Wohn- und Arbeitszimmer mit einem Lächeln, dessen Verschmitztheit Unglauben verriet an seine Rede vom Dritten. Er trat bei Marien ein, die ihn so freundlich wie überrascht begrüßte und Miene machte, ihre Tante zu benachrichtigen, was er zu ihrem wachsenden, jedenfalls heiter betonten Erstaunen für überflüssig erklärte. Die Tante wisse von seinem Hiersein und werde sich einfinden, wenn er in einer sehr wichtigen, sehr ernsten und schönen Angelegenheit mit ihr werde ausgeredet haben. Was hat sie erwidert? Das Scherzhaft-Alltäglichste gewiß. »Da bin ich wahrhaftig begierig«, oder etwas dergleichen. Und sie bitte den Herrn, es sich bequem zu machen für seinen Vortrag.

Er setzte sich zu ihr, in einen an ihr Zeichenbrett herangezogenen Sessel. Kein Mensch kann sagen, daß er sein Wort gebrochen hätte. Er stand zu ihm, erfüllte es redlich. Er sprach ihr von Adrian, von seiner Bedeutung, seiner Größe, deren das Publikum nur langsam gewahr werde, von seiner, Rudolfs, Bewunderung und Ergebenheit für den außerordentlichen Mann. Er sprach ihr von Zürich, von der Begegnung bei Schlaginhaufens, von dem Tag in den Bergen. Er gestand ihr, daß sein Freund sie liebe, — wie macht man das? Wie bekennt man einer Frau die Liebe eines andern? Neigt man sich zu ihr? Blickt man ihr ins Auge? Nimmt man bittend ihre Hand, die man gern in die des Dritten legen zu wollen erklärt? Ich weiß es nicht. Ich habe nur die Einladung zu einem Ausflug und keinen Heiratsantrag zu überbringen gehabt. Alles, was ich weiß, ist, daß sie ihre Hand, sei es aus der Umfassung der seinen, oder nur von ihrem Schoße, wo sie frei gelegen, hastig zurückzog; daß eine flüchtige Röte die südliche Blässe ihrer Wangen überhauchte und das Lachen aus dem Dunkel ihrer Augen schwand. Sie begriff nicht, war wirklich nicht sicher, zu begreifen. Sie fragte, ob sie recht verstünde, daß Rudolf bei ihr anhalte für Herrn Dr. Leverkühn. Ja, hieß es, das tue er pflichtgemäß, aus Freundschaft. Darum habe Adrian ihn aus Zartgefühl gebeten, und er habe geglaubt, es ihm nicht abschlagen zu dürfen. Ihre merklich kühle, merklich spöttische Antwort, das sei sehr schön von ihm, war nicht geschaffen, seine Verlegenheit zu mildern. Die Ausgefallenheit seiner Lage und Rolle kam ihm erst jetzt recht zum Bewußtsein, und die Befürchtung, daß etwas Beleidigendes für sie daran sein könnte, mischte sich mit darein. Ihr Verhalten, dies ganz und gar befremdete Verhalten erschreckte ihn zugleich und freute ihn insgeheim. Das seine zu rechtfertigen, bemühte er sich unter einigem Stottern noch eine Weile. Sie wisse nicht, wie schwer es sei, einem Menschen wie diesem etwas abzuschlagen. Auch habe er sich gewissermaßen verantwortlich gefühlt für die Wendung, die Adrians Leben durch dieses Gefühl genommen, weil ja er es gewesen sei, der ihn zu der Reise in die Schweiz bewogen und so die Begegnung mit ihr, Marien, herbeigeführt habe. Merkwürdig genug, das Violinkonzert sei ihm gewidmet, aber letzten Endes sei es das Mittel gewesen, den Komponisten ihrer ansichtig werden zu lassen. Er bitte sie, zu verstehen, daß jenes Verantwortungsbewußtsein stark zu seiner Bereitschaft beigetragen habe, Adrians Wunsch zu erfüllen.

Hier gab es ein neues, kurzes Zurückziehen der Hand, die er bei seiner Bitte zu ergreifen versucht hatte. Sie antwortete ihm folgendes. Sie antwortete ihm, er möge sich nicht weiter bemühen, an ihrem Verständnis für die Rolle, die er übernommen, sei nichts gelegen. Es tue ihr leid, seine freundschaftlichen Hoffnungen vereiteln zu müssen, aber wenn sie selbstverständlich nicht unbeeindruckt sei von der Persönlichkeit seines Auftraggebers, so habe die Ehrerbietung, die sie diesem entgegenbringe, nichts zu tun mit Empfindungen, welche die Grundlage abgeben könnten für die ihr so beredt vorgeschlagene Verbindung. Die Bekanntschaft mit Dr. Leverkühn sei ihr eine Ehre und Freude gewesen, aber leider schließe der Bescheid, den sie ihm jetzt erteilen müsse, wohl jede weitere Begegnung als peinlich aus. Sie bedauere aufrichtig, es so auffassen zu müssen, daß von dieser Veränderung der Dinge auch der Überbringer und Befürworter unerfüllbarer Wünsche betroffen sei. Zweifellos sei es nach dem Vorgefallenen besser und leichter, einander nicht wiederzusehen. Sie nehme hiermit freundlichen Abschied von ihm, »Adieu, monsieur!«

Er bat: »Marie!« Aber sie gab nur ihrem Erstaunen Ausdruck, daß er mit ihrem Vornamen bekannt sei, und wiederholte die Verabschiedung, die ich so deutlich in ihrem Stimmklang im Ohr habe: »Adieu, monsieur!«

Er ging, — ein begossener Pudel, von außen gesehen, aber innerlich bis zur Beglücktheit vergnügt. Adrians Heiratsidee hatte sich als der Unsinn erwiesen, der sie war, und daß er sich dazu hergegeben, sie ihr zu unterbreiten, hatte sie sehr übelgenommen, — sie war zum Entzücken empfindlich dagegen gewesen. Adrian über den Ausgang seines Besuches Bericht zu erstatten, beeilte er sich nicht, — wie froh er war, daß er sich durch das ehrliche Eingeständnis, er selbst sei nicht kalt gegen die Reize des Mädchens, vor ihm salviert hatte! Was er tat, war, niederzusitzen und einen Schreibebrief an die Godeau abzufassen, worin er ihr sagte, daß er mit ihrem »Adieu, monsieur« nicht leben und nicht sterben könne, und daß er sie um Lebens und Sterbens willen wiedersehen müsse, nämlich um ihr die Frage vorzulegen, die er schon hiermit von ganzer Seele an sie richte: Ob sie denn nicht verstehe, daß ein Mann aus Verehrung für einen anderen die eigenen Gefühle opfern und über sie hinweggehen könne, indem er sich zum uneigennützigen Anwalt der Wünsche des anderen mache. Und ob sie nicht ferner verstehe, daß die unterdrückten, die treulich beherrschten Gefühle zu freiem, ja zu jubelndem Durchbruch kämen, sobald sich herausstelle, daß der andere nun einmal keine Aussicht auf Erhörung habe. Er bitte sie um Verzeihung für einen Verrat, den er an niemandem als sich selbst begangen. Er könne ihn nicht bereuen, aber es mache ihn überglücklich, daß es nun an niemandem mehr einen Verrat bedeute, wenn er ihr sage, daß er — sie liebe.

In dieser Art. Gar nicht ungeschickt. Beschwingt von Flirt-Begeisterung und, wie ich glaube, geschrieben nicht einmal in dem klaren Bewußtsein, daß, nach seiner Werbung für Adrian, die Liebeserklärung mit dem Ehe-Antrag verbunden blieb, auf den sein Flirt-Kopf von selbst nie verfallen wäre. Den Brief las Tante Isabeau Marien vor, die ihn nicht hatte annehmen wollen. Rudolf erhielt keine Antwort darauf. Als er sich aber, nur zwei Tage später, durch das Zimmermädchen der Pension Gisella bei der Tante melden ließ, wurde er nicht abgewiesen. Marie war in der

Stadt. Sie habe, verriet ihm die alte Dame mit schalkhaftem Vorwurf, nach seinem vorigen Besuch an ihrem Busen ein Tränchen vergossen. Was meiner Meinung nach erfunden war. Die Tante selbst betonte den Stolz ihrer Nichte. Sie sei ein tief empfindendes, aber stolzes Mädchen. Bestimmte Hoffnung auf die Gelegenheit zu einer neuen Unterredung könne sie ihm nicht machen. Aber soviel möge er wissen, daß sie es sich nicht verdrießen lasse, Marien die Ehrenhaftigkeit seiner Handlungsweise vor Augen zu führen.

Nach abermals zwei Tagen war er wieder da. Madame Ferblantier — dies der Name der Tante, sie war eine Witwe — begab sich zu ihrer Nichte hinein. Sie blieb dort geraume Zeit, doch endlich kam sie wieder und gewährte ihm mit einem ermutigenden Blinzeln den Eintritt. Natürlich trug er Blumen.

Was soll ich weiter sagen? Ich bin zu alt und zu traurig, um eine Szene auszumalen, an deren Einzelheiten auch niemandem gelegen sein kann. Rudolf brachte Adrians Werbung vor — für sich selbst diesmal, obgleich der Flatterer zum Ehestande taugte wie ich zum Don Juan. Aber es ist müßig, sich über die Zukunft, die Glücksaussichten einer Verbindung Gedanken zu machen, der keine Zukunft bestimmt war, sondern die von einem gewalttätigen Schicksal rasch zunichte gemacht werden sollte. Marie wagte den Herzensbrecher mit dem ›kleinen Ton‹ zu lieben, über dessen Künstlerwert und sichere Laufbahn ihr von ernster Seite so warme Bürgschaften waren gegeben worden. Sie traute sich zu, ihn halten, ihn binden, den Wildfang domestizieren zu können, sie ließ ihm ihre Hände, sie nahm seinen Kuß, und es dauerte keine vierundzwanzig Stunden, bis unseren ganzen Bekanntenkreis die heitere Nachricht durchlaufen hatte, daß Rudi gefangen war, daß Konzertmeister Schwerdtfeger und Marie Godeau Brautleute seien. Ergänzend hieß es, er wolle seinen Vertrag mit dem Zapfenstößer-Orchester lösen, in Paris heiraten und dort seine Dienste einer neuen, eben sich konstituierenden musikalischen Körperschaft, dem ›Orchestre Symphonique‹, zur Verfügung stellen.

Zweifellos war er dort willkommen, und ebenso zweifellos gingen die Ablösungsverhandlungen in München, wo man ihn ungern ziehen ließ, nur langsam voran. Immerhin faßte man seine Mitwirkung beim nächsten Zapfenstößer-Konzert — es war das erste nach demjenigen, zu dem er im letzten Augenblick von Pfeiffering zurückgekehrt war — als eine Art von Abschiedsvorstellung auf. Und da überdies der Dirigent, Dr. Edschmidt, gerade für diesen Abend ein besonders hausfüllendes Berlioz-Wagner-Programm gewählt hatte, so war, wie man so sagt, ganz München da. Zahlreiche bekannte Gesichter blickten aus den Reihen, und wenn ich aufstand, so hatte ich vielfach zu grüßen: die

Schlaginhaufens und Habitués ihrer Empfänge, die Radbruchs mit Schildknapp, Jeannette Scheurl, die Zwitscher, die Binder-Majoresku und andere mehr, die alle gewiß nicht zuletzt mit dem Wunsche gekommen waren, Rudi Schwerdtfeger, links vorn an seinem Pult, als Bräutigam zu sehen. Übrigens war seine Verlobte nicht anwesend — schon nach Paris zurückgekehrt, wie man hörte. Ich machte Ines Institoris meine Verbeugung. Sie war allein, das heißt: in Gesellschaft der Knöterichs, ohne ihren Mann, der unmusikalisch war und den Abend in der ›Allotria‹ verbringen mochte. Sie saß ziemlich weit zurück im Saal, in einem Kleide, dessen Einfachheit der Dürftigkeit nicht fern war, — das Hälschen schräg vorgeschoben, mit erhobenen Augenbrauen, das Mündchen in fataler Schalkhaftigkeit gespitzt, und ich konnte mich, als sie so meinen Gruß erwiderte, des ärgerlichen Eindrucks nicht erwehren, als lächelte sie immer noch in boshaftem Triumph darüber, daß sie bei jenem langen abendlichen Gespräch in ihrem Wohnzimmer meine Geduld und Teilnahme so trefflich ausgebeutet hatte.

Was Schwerdtfeger betraf, so blickte er, wohl wissend, wie vielen neugierigen Augen er begegnen würde, während des ganzen Abends kaum in den Saal. Zu Zeiten, wo er es hätte tun mögen, behorchte er sein Instrument oder blätterte in seinen Noten. Den Schluß der Darbietungen, nun ja, bildete das Meistersinger-Vorspiel, breit und lustig gespielt, und der ohnedies laut prasselnde Beifall hob sich noch merklich, als Ferdinand Edschmidt das Orchester aufstehen ließ und seinem Konzertmeister dankend die Hand reichte. Ich war, als dieser Akt sich abspielte, schon oben im Mittelgang, besorgt um meine Garderobe, die ich mir bei noch geringem Zudrang zu den Verwahrungsstätten ausfolgen ließ. Meine Absicht war, wenigstens einen Teil meines Heimweges, das heißt des Weges zu meinem Schwabinger Absteigequartier, zu Fuß zurückzulegen. Vor dem Konzertgebäude traf ich mit einem Herrn des Kridwiß-Kreises, Professor Gilgen Holzschuher, dem Dürer-Mann, zusammen, der auch im Saal gewesen war. Er verwickelte mich in ein Gespräch, das von seiner Seite mit einer Kritik des Programms von heute abend begann: Diese Zusammenstellung von Berlioz und Wagner, von welschem Virtuosen- und deutschem Meistertum sei eine Geschmacklosigkeit, die überdies nur schlecht eine politische Tendenz verberge. Allzusehr sehe sie nach deutsch-französischer Verständigung und Pazifismus aus, wie denn dieser Edschmidt als Republikaner und als national unzuverlässig bekannt sei. Der Gedanke habe ihn den ganzen Abend gestört. Leider sei eben heute alles Politik, es gebe keine geistige Reinheit mehr. Um diese wiederherzustellen, müßten vor allem einmal an der Spitze großer Orchester Männer von unzweifelhaft deutscher Gesinnung stehen.

Ich sagte ihm nicht, daß ja er es sei, der die Dinge politisiere, und daß das Wort ›deutsch‹ heute keineswegs gleichsinnig mit geistiger Reinheit, sondern eine Partei-Parole sei. Ich machte nur geltend, daß eine gute Menge Virtuosentums, welsch oder nicht, doch auch in Wagners international so wohlgelittener Kunst einschlägig sei — und lenkte ihn dann wohltätig ab, indem ich auf einen Artikel über Proportionsprobleme der gotischen Architektur zu sprechen kam, den er kürzlich in der Zeitschrift ›Kunst und Künstler‹ veröffentlicht hatte. Die Höflichkeiten, die ich ihm darüber sagte, machten ihn ganz glücklich, weich, unpolitisch und heiter, und ich benutzte diesen seinen gebesserten Zustand, um mich von ihm zu trennen und meinen Weg nach rechts einzuschlagen, während er links ging.

Bald hatte ich von der oberen Türkenstraße her die Ludwigstraße erreicht und verfolgte die stille Monumental-Chaussee (seit Jahren freilich durchaus asphaltiert) auf ihrer linken Seite gegen das Siegestor. Der Abend war bedeckt und sehr mild, mein Wintermantel drückte mich auf die Dauer ein wenig, und an der Trambahn-Haltestelle Theresienstraße blieb ich stehen, um einen Wagen irgendeiner der nach Schwabing führenden Linien zu erwarten. Ich weiß nicht, weshalb es ungewöhnlich lange dauerte, bis einer kam. Stockungen, Verzögerungen im Verkehr kommen ja vor. Es war ein Wagen der Linie 10, mir ganz genehm, der sich endlich näherte. Noch sehe und höre ich ihn von der Feldherrnhalle her herankommen. Diese bayerisch-blauen Münchener Trambahnwagen sind ja sehr schwer gebaut und machen, liege es nun eben an dieser Schwere oder an besonderen Eigenschaften des Untergrundes, einen erheblichen Lärm. Elektrisches Feuer zuckte beständig unter den Rädern des Gefährtes und noch stärker oben an der Kontaktstange, von wo diese kalten Flammen zischend in ganzen Funkenschwärmen zerstoben.

Der Wagen hielt, und ich begab mich von der vorderen Plattform, wo ich einstieg, ins Innere. Gleich bei der Schiebetür, links von meinem Eintritt, fand ich einen freien Platz, den offenbar ein Aussteigender eben verlassen. Die Tram war vollbesetzt, es standen sogar bei der hinteren Tür zwei Herren im Gange und hielten sich an Riemen. Den Großteil der Fahrgäste mochten heimkehrende Konzertbesucher bilden. Unter ihnen, inmitten der Bank mir gegenüber, saß Schwerdtfeger, seinen Geigenkasten aufgestellt zwischen den Knien. Gewiß hatte er mich hereinkommen sehen, mied aber meinen Blick. Unterm Mantel trug er ein weißes Cachenez, das seine Frackschleife bedeckte, war aber nach seiner Gewohnheit ohne Hut. Er sah hübsch und jung aus mit seinem lockig aufstrebenden Blondhaar, die Gesichtsfarbe erhöht von getaner Arbeit, dergestalt, daß in dieser ehrenwerten Erhitzung die blauen Augen sogar ein wenig verschwollen wirkten.

Auch das aber kleidete ihn, so gut wie die leicht aufgeworfenen Lippen, mit denen er so meisterlich zu pfeifen verstand. Ich bin nicht schnell von Umsicht; nur nach und nach stellte sich mir heraus, daß sich noch andere Bekannte im Wagen befanden. Ich tauschte einen Gruß mit Dr. Kranich, der auf Schwerdtfegers Seite, aber weit von ihm bei der rückwärtigen Tür seinen Platz hatte. Ein gelegentliches Vorbeugen ließ mich zu meiner Überraschung Ines Institoris gewahren, die auf derselben Seite wie ich, mehrere Plätze vor mir, gegen die Mitte hin, Schwerdtfegern schräg gegenüber, saß. Ich sage: zu meiner Überraschung, denn ihr Heimweg war dies ja nicht. Da ich aber, wieder ein paar Plätze weiter, ihre Freundin, Frau Binder-Majoresku, bemerkte, die weit draußen in Schwabing, noch hinter dem ›Großen Wirt‹ wohnte, so kalkulierte ich, daß Ines bei ihr den Abendtee zu nehmen gedachte.

Begreiflich wurde mir nun aber, warum Schwerdtfeger seinen hübschen Kopf meist nach rechts gewandt hielt, so daß sich mir nur sein etwas zu stumpfes Profil bot. Nicht allein den Mann zu ignorieren, den er als Adrians anderes Ich betrachten mochte, lag ihm ob, und im stillen machte ich ihm Vorwürfe, weil er nun gerade mit diesem Wagen hatte fahren müssen, — ungerechte Vorwürfe wahrscheinlich, da nicht gesagt war, daß er ihn zugleich mit Ines bestiegen hatte. Sie konnte, so gut wie ich, nach ihm hereingekommen sein, oder, wenn es umgekehrt gewesen war, so hatte er bei ihrem Anblick nicht gut Reißaus nehmen können.

Wir passierten die Universität, und eben stand der Schaffner in seinen Filzstiefeln vor mir, um meinen Zehner entgegenzunehmen und mir meinen Gradaus-Schein in die Hand zu schieben, als das Unglaubliche und, wie alles völlig Unerwartete, zunächst ganz Unverständliche geschah. Ein Schießen ging los im Wagen, flache, scharfe, schmetternde Detonationen, eine nach der anderen, drei, vier, fünf, in wilder betäubender Schnelligkeit, und drüben sank Schwerdtfeger, seinen Geigenkasten zwischen den Händen, erst an die Schulter und dann in den Schoß der rechts neben ihm sitzenden Dame, die sich, wie auch die zu seiner Linken, entsetzt von ihm wegbog, während ein allgemeiner Tumult, mehr Flucht und kreischende Panik als geistesgegenwärtiges Einschreiten, den Wagen erfüllte und vorn der Wagenführer, Gott weiß, warum, in einem fort wie toll auf die Glocke trat, — mag sein, um einen Schutzmann herbeizurufen. Natürlich war keiner in Hörweite. Ein fast gefährliches Gedränge entwickelte sich in dem zum Stehen gekommenen Wagen, da manche Passagiere das Freie suchen wollten, andere von den Plattformen, neugierig oder tatenlustig, hereinstrebten. Die beiden Herren, die im Gang gestanden, hatten sich zusammen mit mir auf Ines geworfen — viel zu spät natürlich. Wir brauchten ihr den Revolver nicht zu ›entwinden‹; sie hatte ihn fallen lassen oder vielmehr von sich geworfen, und zwar in der Richtung ihres Opfers. Ihr Gesicht war weiß wie ein Blatt Papier, mit scharf umgrenzten hochroten Flekken auf den Wangenknochen. Sie hielt die Augen geschlossen und lächelte irr, mit gespitztem Munde.

Man hielt sie an den Armen, und ich stürzte hinüber zu Rudolf, den man auf der ganz leer gewordenen Bank ausgestreckt hatte. Auf der anderen lag blutend und in Ohnmacht die Dame, auf die er gefallen war, und die einen, wie sich herausstellte, harmlosen Streifschuß in den Arm erhalten hatte. Bei Rudolf standen mehrere Leute, darunter Dr. Kranich, der seine Hand hielt.

»Was für eine entsetzliche, besinnungslose, unvernünftige Tat!« sagte er, bleichen Angesichts, in seiner klaren, akademisch wohlartikulierten und dabei asthmatischen Sprechweise, indem er das Wort »entsetzlich«, wie man es öfters, auch von Schauspielern, hört, »entzetzlich« aussprach. Er fügte hinzu, nie habe er mehr bedauert, nicht Mediziner, sondern nur Numismatiker zu sein, und wirklich erschien mir in diesem Augenblick die Münzenkunde als die müßigste der Wissenschaften, noch unnützer als die Philologie, was keineswegs aufrechtzuhalten ist. Tatsächlich war kein Arzt zur Stelle, nicht einer unter so vielen Konzertbesuchern, obgleich doch Ärzte musikalisch zu sein pflegen, schon weil so viele Juden darunter sind. Ich beugte mich über Rudolf. Er gab Lebenszeichen, war aber gräßlich getroffen. Unter seinem einen Auge war ein blutender Einschuß. Andere Kugeln waren ihm, wie sich erwies, in den Hals, die Lunge, die Kranzgefäße des Herzens gegangen. Er hob den Kopf mit dem Versuche, etwas zu sagen, doch traten sogleich blutige Blasen zwischen seinen Lippen hervor, deren sanfte Dicke mir auf einmal rührend schön erschien, er verdrehte die Augen, und der Kopf fiel hart auf das Holz zurück.

Ich kann nicht sagen, welches jammervolle Erbarmen mit dem Menschen mich fast überwältigend durchdrang. Ich fühlte, daß ich ihn auf eine Weise immer liebgehabt, und muß gestehen, daß meine Teilnahme weit inniger bei ihm war als bei der Unseligen, in ihrer Gesunkenheit gewiß Bedauernswerten, die durch Leiden und leidbetäubendes, entsittlichendes Laster zu der abscheulichen Tat bereitet worden war. Ich erklärte mich als guten Bekannten beider und riet, den Schwerverletzten hinüber in die Universität zu tragen, bei deren Pedell man nach der Sanität, der Polizei telephonieren könne, und wo sich meines Wissens auch eine kleine Unfallstation befinde. Ich ordnete an, daß man die Täterin gleichfalls dorthin bringen solle.

Dies alles geschah. Wir hoben, ein beflissener, bebrillter junger Mann und ich, den armen Rudolf zum Wagen hinaus, hinter dem schon zwei oder drei andere Trams sich aufgestaut hatten. Aus einer von diesen eilte nun doch ein Arzt, mit Instrumentenköfferchen, zu uns herüber und dirigierte, ziemlich überflüssig, das Tragewerk. Auch ein Presse-Reporter kam, Erkundigungen einziehend, herzu. Die Erinnerung quält mich, welche Mühe es machte, den Pedell aus seiner Wohnung im Erdgeschoß herauszuklingeln. Der Arzt, ein jüngerer Mann, der sich allen vorstellte, versuchte, als man den Bewußtlosen auf ein Sofa gebettet, erste Hilfe zu leisten. Das Sanitätsautomobil war überraschend schnell zur Stelle. Rudolf starb, wie der Arzt es mir nach der Untersuchung gleich als leider wahrscheinlich bezeichnete, auf dem Wege zum städtischen Krankenhaus.

Für mein Teil schloß ich mich den später eintreffenden Polizeibeamten und ihrer nun krampfhaft schluchzenden Arrestantin an, um den Kommissar mit ihren Bewandtnissen bekanntzumachen und ihre Einlieferung in die Psychiatrische Klinik zu befürworten. Es wurde dies jedoch für die heutige Nacht nicht mehr bewilligt.

Von den Kirchen schlug es Mitternacht, als ich dies Amt verließ und mich, nach einem Auto Ausschau haltend, zu einem noch übrigbleibenden sauren Gange aufmachte: dem in die Prinzregentenstraße. Ich betrachtete es als meine Obliegenheit, den kleinen Gatten, so schonend ich konnte, von dem Vorgefallenen zu verständigen. Eine Fahrgelegenheit bot sich erst, als es nicht mehr lohnte, sie wahrzunehmen. Ich fand die Haustür verschlossen, aber auf mein Schellen ging das Treppenlicht an, und Institoris selbst kam herunter, — um statt seiner Frau mich vor dem Tore zu finden. Er hatte eine Art, den Mund nach Luft schnappend zu öffnen und dabei die Unterlippe fest an die Zähne zu ziehen.

»Ja, wie denn?« stammelte er. »Sie sind es? Was führt Sie ... Haben Sie mir ...«

Ich sagte auf der Treppe fast nichts. Droben in seinem Wohnzimmer, dort, wo ich Ines' beklemmende Bekenntnisse entgegengenommen, berichtete ich ihm nach einigen vorbereitenden Worten, was ich mitangesehen. Er hatte gestanden und setzte sich rasch in einen der Korbsessel, als ich ausgeredet, bewies dann aber die Fassung eines Mannes, der längst in drückend bedrohlicher Atmosphäre gelebt hatte.

»So also«, sagte er, »sollte es kommen.« Und man verstand deutlich, daß er nur ängstlich darauf gewartet hatte, wie es kommen werde.

»Ich will zu ihr«, erklärte er und stand wieder auf. »Ich hoffe, man wird mich dort« (er meinte das Polizeigefängnis) »mit ihr sprechen lassen.«

Für heute nacht konnte ich ihm darauf nicht viel Hoffnung

machen, aber er meinte mit schwacher Stimme, es sei seine Pflicht, es zu versuchen, warf sich in den Mantel und eilte aus der Wohnung.

Allein in dem Zimmer, wo Inessens Büste distinguiert und fatal vom Sockel blickte, gingen meine Gedanken dorthin, wohin sie, wie man mir glauben wird, während der letzten Stunden schon öfters, schon anhaltend gegangen waren. Noch eine schmerzliche Benachrichtigung, so schien mir, war zu tätigen. Aber eine eigentümliche Starrheit, die meine Glieder beherrschte und sich sogar auf meine Gesichtsmuskeln schlug, hinderte mich, den Telephonhörer abzuheben und die Verbindung mit Pfeiffering zu verlangen. Das ist nicht wahr, ich hob ihn ab, ich hielt ihn gesenkt in der Hand und hörte gedämpft und unterseeisch in der Leitung das amtierende Fräulein sich melden. Aber eine aus meiner schon krankhaften Übermüdung geborene Vorstellung, nämlich, daß ich im Begriffe sei, ganz unnütz nächtlicherweile Haus Schweigestill zu alarmieren, daß es *nicht nötig* sei, Adrian meine Erlebnisse zu erzählen, ja, daß ich mich auf irgendeine Weise lächerlich damit machen würde, vereitelte mein Vorhaben, und ich legte den Hörer in die Gabel zurück.

XLIII

Meine Erzählung eilt ihrem Ende zu — das tut alles. Alles drängt und stürzt dem Ende entgegen, in Endes Zeichen steht die Welt, — steht darin wenigstens für uns Deutsche, deren tausendjährige Geschichte, widerlegt, ad absurdum geführt, als unselig verfehlt, als Irrweg erwiesen durch dieses Ergebnis, ins Nichts, in die Verzweiflung, in einen Bankerott ohne Beispiel, in eine von donnernden Flammen umtanzte Höllenfahrt mündet. Wenn es wahr ist, was der deutsche Spruch wahrhaben will, daß ein jeder Weg zu rechtem Zwecke auch recht ist in jeder seiner Strecken, so will eingestanden sein, daß der Weg, der in dies Unheil ging — und ich gebrauche das Wort in seiner strengsten, religiösesten Bedeutung —, heillos war überall, an jedem seiner Punkte und Wendungen, so bitter es die Liebe ankommen mag, in diese Logik zu willigen. Die unvermeidliche Anerkennung der Heillosigkeit ist nicht gleichbedeutend mit der Verleugnung der Liebe. Ich, ein schlichter deutscher Mann und Gelehrter, habe viel Deutsches geliebt, ja, mein unbedeutendes, aber der Faszination und Hingabe fähiges Leben war der Liebe, der oft verschreckten, der immer bangen, aber in Ewigkeit getreuen Liebe zu einem bedeutend deutschen Menschen- und Künstlertum geweiht, dessen geheimnisvolle Sündhaftigkeit und schrecklicher Abschied nichts über diese Liebe vermögen, welche vielleicht, wer weiß, nur ein Abglanz der Gnade ist.

Eingezogen, in Erwartung des Verhängnisses, über dessen Erfüllung der Mensch nicht hinauszudenken vermag, halte ich mich in meiner Freisinger Klause und meide den Anblick unseres gräßlich zugerichteten München, der gefällten Statuen, der aus leeren Augenhöhlen blickenden Fassaden, die das hinter ihnen gähnende Nichts verstellen, aber geneigt scheinen, es offenbar zu machen, indem sie die schon das Pflaster bedeckenden Trümmer mehren. Mein Herz krampft sich in Erbarmen zusammen mit den törichten Gemütern meiner Söhne, die geglaubt haben wie die Masse des Volks, geglaubt, gejubelt, geopfert und gekämpft, und nun längst schon, wie Millionen ihrer Art, mit starrenden Augen die Ernüchterung schmecken, die bestimmt ist, zu letzter Ratlosigkeit, zu umfassender Verzweiflung zu werden. Mir, der an ihren Glauben nicht glauben, ihr Glück nicht teilen konnte, wird ihre Seelennot sie nicht näherbringen. Auch zur Last noch werden sie sie mir legen, — als ob die Dinge anders verlaufen wären, hätte ich ihren verworfenen Traum mitgeträumt. Gott helfe ihnen. Ich bin allein mit meiner alten Helene, die für mein Leibliches sorgt, und der ich zuweilen Abschnitte, denen ihre Schlichtheit gewachsen ist, aus diesem Schreibwerk vorlese, auf dessen Beendigung mitten im Untergang all mein Sinnen gerichtet ist. —

Die Prophetie des Endes, genannt ›Apocalipsis cum figuris‹, erklang, schneidend und groß, im Februar 1926 zu Frankfurt am Main, ungefähr ein Jahr nach den schreckhaften Vorgängen, die ich zu berichten hatte, und es mochte zum Teil mit der Niedergeschlagenheit zusammenhängen, die diese ihm hinterlassen hatten, daß Adrian sich nicht überwand, seine übliche Zurückhaltung zu durchbrechen und dem hochsensationellen, wenn auch von viel bösem Geschrei und insipidem Gelächter begleiteten Ereignis beizuwohnen. Er hat das Werk, eines der beiden Haupt-Wahrzeichen seines herben und stolzen Lebens, niemals gehört, — was allerdings nach allem, was er wohl über das ›Hören‹ zu sagen pflegte, nicht allzusehr zu beklagen erlaubt ist. Außer mir, der ich mich für die Reise frei zu machen wußte, war es aus unserem Bekanntenkreise nur die liebe Jeannette Scheurl, die trotz ihrer geringen Mittel zu der Aufführung nach Frankfurt fuhr und dem Freunde dann zu Pfeiffering in ihrem sehr persönlichen, aus Französisch und Bayerisch gemischten Dialekt darüber berichtete. Besonders gern sah er damals die elegante Bäuerin bei sich: sie besaß für ihn nun einmal eine wohltätig beruhigende Gegenwart, eine Art von beschützender Kraft, und tatsächlich habe ich ihn mit ihr in einem Winkel der Abtsstube *Hand in Hand* sitzen sehen, schweigend und wie geborgen. Dies Hand in Hand sah ihm nicht gleich, es war eine Veränderung, die ich mit Rührung, sogar mit Freude, aber auch nicht ganz ohne Ängstlichkeit wahrnahm.

Mehr als je liebte er es zu jener Zeit auch, Rüdiger Schildknapp, den Gleichäugigen, um sich zu haben. Zwar kargte der mit sich nach alter Art; wenn er aber, ein abgerissener Gentleman, sich einfand, so war er bereit zu den weiten Gängen über Land, die Adrian liebte, besonders wenn er nicht arbeiten konnte, und die Rüdiger ihm mit bitterlicher und grotesker Komik würzte. Arm wie eine Kirchenmaus, hatte er damals viel mit seinen vernachlässigten und verfallenden Zähnen zu tun und erzählte von nichts als treulosen Zahnärzten, die sich den Anschein gegeben hatten, ihn aus Freundschaft zu behandeln, dann aber plötzlich unerschwingliche Forderungen stellten, von Abzahlungssystemen, versäumten Terminen, nach denen er gezwungen gewesen war, wieder einen anderen Helfer, wohl wissend, daß er ihn nie werde befriedigen können und wollen, in Anspruch zu nehmen, und dergleichen mehr. Man hatte ihm unter Qualen eine umfangreiche Brücke auf verbleibende schmerzende Wurzeln gepreßt, die binnen kurzem unter der Last zu wanken begannen, so daß die makabre Auflösung des Kunstbaues, deren Folge die Kontrahierung neuer, nie zu begleichender Schulden sein würde, sich ankündigte. »Es — bricht — zusammen«, verkündete er schaurig, hatte aber nicht nur nichts dagegen, wenn Adrian Tränen lachte über all dies Elend, sondern schien es eben hierauf abgesehen zu haben und bog sich selber vor boyischem Lachen.

Seine galgenhumoristische Gesellschaft war dem Einsamen damals gerade recht, und ich, leider unbegabt, ihm das Komische zu bieten, tat das Meine, ihm diese Gesellschaft zu verschaffen, indem ich den meistens widerspenstigen Rüdiger zu Besuchen in Pfeiffering ermunterte. Adrians Leben war nämlich während dieses ganzen Jahres leer von Arbeit: Ideenlosigkeit, Reglosigkeit des Geistes hatten ihn, äußerst quälend, demütigend und ängstigend für ihn, wie aus seinen Briefen an mich hervorging, befallen und bildeten, wie er mir wenigstens erklärte, einen Hauptgrund für seine Absage nach Frankfurt. Unmöglich sei es, sich mit Getanem abzugeben im Zustande der Unfähigkeit, ein Besseres zu tun. Die Vergangenheit sei nur erträglich, wenn man sich ihr überlegen fühle, statt sie im Bewußtsein gegenwärtiger Ohnmacht blöde bestaunen zu müssen. »Öde, fast blöde« nannte er in Briefen, die er an mich nach Freising richtete, seine Verfassung, eine »Hundeexistenz«, ein »erinnerungsloses Pflanzendasein von unerträglicher Idyllik«, dessen Beschimpfung die einzige, klägliche Ehrenrettung sei, und das ihn dahin bringen könnte, neuen Krieg, Revolution oder dergleichen äußeren Lärm zu erwünschen, um nur dem Stumpfsinn entrissen zu werden. Vom Komponieren habe er buchstäblich nicht die geringste Vorstellung mehr, nicht mehr die schwächste Erinnerung, wie man das mache, und glaube zuversichtlich, daß er nie mehr *eine* Note

aufschreiben werde. »Möge die Hölle sich meiner erbarmen«,
»Bete für meine arme Seele!« — solche Wendungen wiederholten
sich in diesen Dokumenten, die, mit wieviel Betrübnis sie mich
erfüllten, mich doch auch wieder erhoben, da ich mir sagte, daß
nun doch einmal nur ich, der Jugendgespiel, und sonst niemand
in der Welt, den Empfänger solcher Bekenntnisse abgeben
konnte.

In meinen Antworten suchte ich ihn zu trösten mit dem Hinweis,
wie schwer es dem Menschen falle, über seinen gegenwärtigen
Zustand hinauszudenken, den er immer, gefühlsmäßig, wenn
auch gegen die Vernunft, als sein bleibendes Los anzusehen geneigt sei, unfähig, sozusagen, um die nächste Ecke zu sehen, —
was vielleicht noch mehr für arge als für glückliche Zustände
gelte. Seine Abspannung sei nur zu erklärlich durch die grausamen Enttäuschungen, die er jüngst erlitten. Und ich war
schwach und ›poetisch‹ genug, die Brache seines Geistes mit der
»winterlich ruhenden Erde« zu vergleichen, in deren Schoß das
Leben, neues Sprießen vorbereitend, sich heimlich fortrege, — ein,
wie ich selber fühlte, unerlaubt gutmütiges Bild, das schlecht auf
den Extremismus seines Daseins, den Wechsel von schöpferischer
Entfesselung und abbüßender Lähmung paßte, dem er unterworfen war. Auch ging ja ein neues Tief seiner Gesundheit, mehr als
Begleitung denn als Ursache wirkend, mit der Stagnation seiner
schöpferischen Kräfte zusammen: Schwere Migräneanfälle hielten ihn im Dunkel, Magen-, Bronchial- und Rachenkatarrhe setzten ihm namentlich während des Winters 1926 wechselnd zu und
hätten allein genügt, ihm die Reise nach Frankfurt zu verweh-
ren, — wie sie ihm eine andere, menschlich gesehen noch dringlichere, unwidersprechlich, handgreiflich und nach dem kategorischen Spruch des Arztes verwehrten.

Gleichzeitig nämlich, fast auf den Tag — es ist sonderbar zu
sagen — segneten gegen Ende des Jahres Max Schweigestill und
Jonathan Leverkühn, beide fünfundsiebzigjährig, das Zeitliche, —
der Vater und Vorsteher von Adrians langjährigem oberbaye-
rischem Gast-Haushalt und sein eigener Vater droben auf Hof
Buchel. Das mütterliche Telegramm, das ihm das sanfte Verschei-
den des ›Spekulierers‹ meldete, traf ihn an der Bahre des ebenfalls still-gedankenvollen Schmauchers mit anderem Dialekt, der
die Last der Wirtschaft längst mehr und mehr dem Erbsohne
Gereon überlassen hatte, wie jener sie seinem Georg mochte
überlassen haben und ihm nun endgültig abgetreten hatte.
Adrian konnte sicher sein, daß Elsbeth Leverkühn diesen Hin-
gang mit der gleichen stillen Gefaßtheit, demselben verständigen
Willigen ins Menschliche hinnahm wie Mutter Schweigestill. An
eine Fahrt ins Sächsisch-Thüringische zum Begräbnis war bei seinem damaligen Zustand nicht zu denken. Aber obgleich er an

dem Sonntage fieberte und sich sehr schwach fühlte, bestand er, gegen die Abmahnung des Doktors, darauf, an der aus der ganzen Umgegend stark besuchten Bestattungsfeier für seinen Wirt in der Dorfkirche von Pfeiffering teilzunehmen. Auch ich erwies dem Verblichenen die letzte Ehre, mit dem Gefühl, sie zugleich jenem anderen zu erweisen, und zu Fuß kehrten wir miteinander nach Haus Schweigestill zurück, eigentümlich berührt von der doch so wenig wunderbaren Wahrnehmung, daß trotz dem Verschwinden des Alten das knastrige Arom seiner Pfeife, aus der offenstehenden Wohnstube hervordringend, aber auch wohl die Wände des Ganges tief imprägnierend, nach wie vor die Atmosphäre schwängerte.

»Das hält vor«, sagte Adrian. »Eine ganze Weile; vielleicht solange das Haus steht. Es hält auch in Buchel vor. Die Weile unseres Vorhaltens nachher, ein bißchen kürzer, ein bißchen länger, nennt man Unsterblichkeit.«

Es war nach Weihnachten, — das Fest hatten beide Väter, halb abgewandt schon, halb schon entfremdet dem Irdischen, noch mit den Ihren verbracht. Wie nun das Licht wuchs, schon in der Frühe des neuen Jahres, besserte sich zusehends Adrians Befinden, die Serie niederhaltender Krankheitsquälereien riß ab, seelisch schien er das Scheitern seiner Lebenspläne und was an erschütternder Einbuße damit verbunden gewesen war, überkommen zu haben, sein Geist erstand, — er mochte nun Mühe haben, seine Besonnenheit im Sturm andringender Ideen zu wahren, und dieses Jahr 1927 wurde das Jahr des kammermusikalischen Hoch- und Wunderertrages: zuerst der Ensemblemusik für drei Streicher, drei Holzbläser und Klavier, eines, ich möchte sagen, schweifenden Stückes mit sehr langen, phantasierenden Themen, die vielfältig verarbeitet und aufgelöst werden, ohne je offen wiederzukehren. Wie liebe ich die stürmisch vorwärtsdrängende Sehnsucht, die seinen Charakter ausmacht, das Romantische seines Tons! — da es doch mit den strengsten modernen Mitteln gearbeitet ist — thematisch zwar, aber mit so starken Abwandlungen, daß es eigentliche ›Reprisen‹ nicht gibt. Ausdrücklich ›Phantasie‹ heißt der erste Satz, der zweite ist ein in mächtiger Steigerung sich erhebendes Adagio, der dritte ein Finale, das leicht, fast spielerisch einsetzt, sich kontrapunktisch zunehmend verdichtet und zugleich immer mehr den Charakter tragischen Ernstes annimmt, bis es in einem düsteren, trauermarschähnlichen Epilog sich endigt. Nie ist das Klavier harmonisches Füllinstrument, sein Part ist solistisch wie in einem Klavierkonzert — darin wirkt wohl der Violinkonzertstil nach. Was ich vielleicht am tiefsten bewundere, ist die Meisterschaft, mit der das Problem der Klangkombination gelöst ist. Nirgends decken die Bläser die Streicher, sondern sparen diesen stets Klangraum aus und alternieren mit ihnen, nur an ganz wenigen Stellen sind Streicher und Bläser zum Tutti vereinigt. Und wenn ich den Eindruck zusammenfassen soll: Es ist, als würde man von einem festen und vertrauten Ausgang in immer entlegenere Regionen fortgelockt — alles geht anders zu, als man erwartet. »Ich habe«, sagte Adrian zu mir, »keine Sonate schreiben wollen, sondern einen Roman.«

Diese Tendenz zur musikalischen ›Prosa‹ kommt auf ihre Höhe in dem Streichquartett, Leverkühns esoterischstem Werk vielleicht, das dem Ensemblestück auf dem Fuße folgte. Wenn sonst Kammermusik den Tummelplatz thematisch-motivischer Arbeit abgibt, so ist diese hier geradezu provokatorisch vermieden. Es gibt überhaupt keine motivischen Zusammenhänge, Entwicklungen, Variationen und keine Wiederholungen; ununterbrochen, in scheinbar völlig ungebundener Weise, folgt Neues, zusammengehalten durch Ähnlichkeit des Tones oder des Klanges oder, fast mehr noch, durch Kontraste. Von überlieferten Formen nicht eine Spur. Es ist, als ob der Meister in diesem scheinbar anarchischen Stück tief Atem holte zur Faust-Kantate, dem Gebundensten seiner Werke. In dem Quartett hat er sich nur seinem Ohr überlassen, der inneren Logik des Einfalls. Dabei ist die Polyphonie aufs äußerste gesteigert und jede Stimme in jedem Augenblick ganz selbständig. Artikuliert wird das Ganze durch sehr deutlich gegeneinander abgesetzte Tempi, obgleich die Teile ohne Unterbrechung durchzuspielen sind. Der erste, Moderato überschrieben, gleicht einem tief nachdenklichen, geistig angestrengten Gespräch und Miteinander-zu-Rate-Gehen der vier Instrumente, einem Austausch ernsten und stillen Ganges, fast ohne dynamische Abwechslung. Es folgt ein wie im Delirium geflüsterter Presto-Teil, von allen vier Instrumenten mit Dämpfern gespielt, ein langsamer Satz sodann, kürzer gehalten, in welchem durchaus die Bratsche die Hauptstimme trägt, von Einwürfen der anderen Instrumente begleitet, so daß man an eine Gesangsszene erinnert ist. In dem ›Allegro con fuoco‹ endlich lebt sich die Polyphonie in langen Linien aus. Ich kenne nichts Erregenderes als den Schluß, wo es ist, wie wenn von allen vier Seiten Flammen züngelten: eine Kombination von Läufen und Trillern, die den Eindruck erweckt, als höre man ein ganzes Orchester. Wirklich ist durch die Ausnutzung der weiten Lagen und der vorzüglichsten Klangmöglichkeiten jedes Instruments eine Sonorität erreicht, welche die üblichen Grenzen der Kammermusik sprengt, und ich zweifle nicht, daß die Kritik dem Quartett überhaupt entgegenhalten wird, es sei ein verkapptes Orchesterwerk. Sie wird unrecht haben. Das Studium der Partitur belehrt darüber, daß die subtilsten Erfahrungen des Streichquartett-Satzes verwertet sind. Freilich hat Adrian mir wiederholt die Ansicht geäußert, daß die alten Grenzen von Kammermusik und Orchesterstil nicht zu halten seien, und daß seit der Emanzipation der Farbe beides ineinander übergehe. Die Neigung zum Zwiestämmigen, zur Vermischung und Vertauschung, wie sie sich schon in der Behandlung des Vokalen und Instrumentalen in der ›Apokalypse‹ anzeigt, war allerdings bei ihm im Wachsen. »Ich habe«, sagte er wohl, »im Philosophiekolleg gelernt, daß Grenzen zu setzen schon sie überschreiten heißt. Danach hab' ich's immer gehalten.« Was er meinte, war die Hegel'sche Kant-Kritik, und der Ausspruch zeigt, wie tief sein Schaffen vom Geistigen her — und von frühen Einprägungen — bestimmt war.

Und vollends dann das Trio für Geige, Viola und Violoncell, das, kaum spielbar, in der Tat nur von drei Virtuosen allenfalls technisch zu bezwingen, ebenso durch seinen konstruktiven Furor, die Hirnleistung, die es darstellt, wie durch die ungeahnten Klangmischungen in Erstaunen setzt, die ein das Unerhörte begehrendes Ohr, eine kombinatorische Phantasie sondergleichen den drei Instrumenten abgewonnen hat. »Unmöglich, aber dankbar«, so kennzeichnete Adrian in guter Laune das Stück, dessen Niederschrift er schon während der Entstehung der Ensemblemusik begonnen, und das er im Sinn getragen und ausgebildet hatte, beladen mit der Arbeit an dem Quartett, von dem man hätte denken sollen, daß es allein die organisierenden Kräfte eines Menschen auf lange und aufs letzte hätte verzehren müssen. Es war ein exuberantes Ineinander von Eingebungen, Forderungen, Erfüllungen und Abberufungen zur Bewältigung neuer Aufträge, ein Tumult von Problemen, die zusammen mit ihren Lösungen hereinbrachen, — »eine Nacht«, sagte Adrian, »in der es vor Blitzen nicht dunkel wird«.

»Eine etwas unmilde und zappelige Art von Beleuchtung«, fügte er wohl hinzu. »Was denn, ich zappele selbst, es hat mich verteufelt am Wickel und geht mit mir so dahin, daß mir wohl all mein Leichnam zittert. Einfälle, lieber Freund, sind ein unholdes Gelichter, sie haben heiße Backen, sie machen dir selber auf nicht ganz liebsame Art die Backen heiß. Zwischen Glück und Marter sollte man als Busenfreund eines Humanisten wohl jederzeit säuberlich unterscheiden können . . .« Und er gab an, daß er zuweilen nicht wisse, ob nicht die friedliche Unfähigkeit, in der er noch kürzlich gelebt, im Vergleich mit der gegenwärtigen Geplagtheit der wünschenswertere Zustand gewesen.

Ich verwies ihm den Undank. Mit Staunen, Tränen der Freude in den Augen und auch mit liebendem Schrecken insgeheim las und hörte ich von Woche zu Woche, was er — und zwar in reinlich-exakter, ja zierlicher Notation, die keine Spur von Fahrigkeit aufwies — zu Papier gebracht, — was, wie er sich ausdrückte, »sein Geist und Auerhahn« (er schrieb das Wort »Awerhan«) ihm eingesagt und abgefordert hatte. In einem Atem, besser gesagt: in einer Atemlosigkeit schrieb er die drei Stücke nieder, von denen eines genügt hätte, das Jahr seiner Entstehung denkwürdig zu machen, und begann tatsächlich mit der Aufzeichnung des Trios an demselben Tage noch, an dem er das zuletzt komponierte ›Lento‹ des Quartetts vollendet. »Es geht«, schrieb er mir, als ich einmal vierzehn Tage lang nicht kommen konnte, »als hätt' ich in Krakau studiert«, — eine Redensart, die ich nicht gleich verstand, bis ich mich erinnerte, daß es die Universität Krakau gewesen war, wo man im sechzehnten Jahrhundert die Magie öffentlich gelehrt hatte.

Ich kann versichern, daß ich sehr aufmerksam auf solche Stilisierungen seines Ausdrucks lauschte, die er zwar immer geliebt hatte, die aber jetzt häufiger als je — oder soll ich sagen: »zum offtermal«? — in seinen Briefen und selbst in seinem mündlichen Deutsch hervortraten. Bald sollte klarwerden, warum. Ein erster Wink war es für mich, als mir eines Tages auf seinem Arbeitstisch ein Notenblatt in die Augen fiel, worauf er mit breiter Feder die Worte geschrieben hatte:

»Die Trawrigkeit bewegte Doctor Faustum, daß er seine Weheklag auffzeichnete.«

Er sah, was ich sah, und nahm mir mit einem »Was treibt der Herr und Bruder da für nichtwerden Fürwitz!« den Zettel vor den Augen weg. Was er plante und stille für sich, ohne eines Menschen Zutun, auszuführen gedachte, hielt er noch länger vor mir geheim. Aber von dem Augenblick an wußte ich, was ich wußte. Es steht über jedem Zweifel, daß das Jahr der Kammermusik 1927 auch das Jahr der Konzeption von ›Doctor Fausti Weheklag‹ war. So unglaubwürdig es klingt: im Kampf mit Aufgaben, so hochkompliziert, daß man sich ihre Bewältigung nur bei höchster, ausschließendster Konzentration vorstellen kann, stand sein Geist zugleich schon, vorschauend, versuchend, Fühlung nehmend, im Zeichen des zweiten Oratoriums, — dieses zermalmenden Klage-Werkes, von dessen ernstlicher Angehung ein Lebenszwischenfall, so lieblich wie herzzerreißend, ihn zunächst noch ablenken sollte.

XLIV

Ursula Schneidewein, Adrians Schwester in Langensalza, hatte nach den Jahr für Jahr, 1911, 12 und 13, aufeinanderfolgenden Geburten ihrer ersten drei Kinder ein wenig an der Lunge gekränkelt und einige Monate in einer Heilstätte im Harz verbringen müssen. Der Spitzenkatarrh schien dann ausgeheilt, und während des Jahrzehnts, das bis zu dem Erscheinen ihres Jüngsten, des kleinen Nepomuk, verging, war Ursula den Ihren eine unbekümmert tätige Gattin und Mutter, obgleich die Hungerperiode während des Krieges und nachher ihre Gesundheit zu keiner rechten Blüte kommen ließ, häufige Erkältungen, die mit bloßem Schnupfen begannen und sich dann regelmäßig in die Bronchien senkten, sie heimsuchten und ihr Aussehen (worüber eine gutwillig frohe und umsichtige Miene hinwegtäuschen konnte) wenn nicht leidend, so doch zart und bläßlich blieb.

Die Schwangerschaft von 1923 schien ihre Vitalität eher zu heben, als daß sie sie beeinträchtigt hätte. Von der Entbindung dann freilich erholte sie sich mühsam, und die fiebrigen Störungen, die vor zehn Jahren zu dem Kuraufenthalt geführt hatten, flackerten wieder auf. Schon damals war von einer erneuten Unterbrechung ihres Hausfrauendaseins zum Zweck spezifischer Pflege die Rede, aber, wie ich mit Bestimmtheit vermute, unter dem Einfluß psychischer Wohltat, des Mutterglücks, der Freude an ihrem Söhnchen, das das friedlich-freundlichste, liebenswürdigste, leichtest zu wartende Baby von der Welt war, gingen die Symptome wieder zurück, und durch Jahre hielt die tapfere Frau sich rüstig, — bis zum Mai 1928, als der fünfjährige Nepomuk, recht heftig, die Masern bekam und die angstvolle Betreuung des ausnehmend geliebten Kindes bei Tag und Nacht zu einer schweren Belastung ihrer Kräfte wurde. Sie selbst erlitt einen Anfall der Krankheit, nach welchem die Temperaturschwankungen, der Husten nicht weichen wollten, so daß der behandelnde Arzt nun einen Anstaltsaufenthalt, den er ohne falschen Optimismus von vornherein auf ein halbes Jahr bemaß, kategorisch beantragte.

Dies brachte Nepomuk Schneidewein nach Pfeiffering. Seine Schwester Rosa nämlich, siebzehnjährig und, wie auch schon der ein Jahr jüngere Ezechiel, in dem optischen Handel tätig (während der fünfzehnjährige Raimund noch zur Schule ging), hatte nun zugleich den natürlichen Beruf, ihrem Vater in Abwesenheit der Mutter den Haushalt zu führen, und würde aller Voraussicht nach zu beschäftigt sein, um auch noch die Beaufsichtigung des kleinen Bruders über sich nehmen zu können. Ursula hatte Adrian ins Bild gesetzt, ihm geschrieben, wie der Arzt eine sehr glückliche Lösung darin sehen würde, wenn der kindliche Rekonvaleszent einige Zeit in oberbayerischer Landluft verbringen könnte, und ihn gebeten, seine Wirtin für den Gedanken zu stimmen, eine gemessene Zeitlang bei dem Kleinen Mutter- oder Großmutterstelle zu vertreten. Dazu war Else Schweigestill, unter dem Zureden Clementine's obendrein, gern bereit gewesen, und während also, Mitte Juni dieses Jahres, Johannes Schneidewein seine Frau ins Harzgebirge begleitete, in dieselbe Kuranstalt nahe Suderode, die ihr schon einmal gutgetan, fuhr Rosa mit ihrem Brüderchen gen Süden und brachte ihn in den Schoß von ihres Oheims zweitem Elternhaus.

Ich war nicht zugegen bei der Ankunft der Geschwister auf dem

Hof, aber Adrian hat mir die Szene geschildert, wie das ganze Hausvolk, Mutter, Tochter, Erbsohn, Mägde und Knechte in hellem Entzücken, vor Freude lachend, den Kleinen umstanden und sich nicht satt sehen konnten an so viel Lieblichkeit. Besonders die Frauen, natürlich, und wieder die dienend-volkstümlichen am rückhaltlosesten, waren schier aus dem Häuschen, beugten sich mit gerungenen Händen zu dem Männlein herab, hockten nieder bei ihm und riefen Jesus, Maria und Joseph an ob des schönen Buben — unter dem nachsichtigen Lächeln seiner großen Schwester, der man es anmerkte, daß sie nichts anderes erwartet hatte und der allgemeinen Verliebtheit in den Jüngsten ihres Hauses gewöhnt war.

Nepomuk, oder ›Nepo‹, wie die Seinen ihn riefen, oder ›Echo‹, wie er, schon seit er zu lallen begonnen hatte, in wunderlicher Verfehlung der Mitlaute sich selber nannte, war sehr schlichtsommerlich und kaum städtisch gekleidet: in ein weiß-baumwollenes Hemdjäckchen mit kurzen Ärmeln, ganz kurze Leinenhöschen und ausgetretene Lederschuhe an den bloßen Füßen. Trotzdem war einem bei seinem Anblick nicht anders, als sähe man ein Elfenprinzchen. Die zierliche Vollendung der kleinen Gestalt mit den schlanken, wohlgeformten Beinchen; der unbeschreibliche Liebreiz des länglich ausladenden, von blondem Haar in unschuldiger Wirrnis bedeckten Köpfchens, dessen Gesichtszüge, so kindlich sie waren, etwas Ausgeprägt-Fertiges und Gültiges hatten, sogar der unsäglich holde und reine, zugleich tiefe und neckische Aufschlag der langbewimperten Augen von klarstem Blau, — nicht einmal so sehr dies alles war es, was jenen Eindruck von Märchen, von Besuch aus niedlicher Klein- und Feinwelt hervorrief. Hinzu kam das Stehen und Gehaben des Kindes unter dem umringenden, lachenden, sowohl leise Jubelrufe wie Seufzer der Rührung ausstoßenden Großvolk, sein selbstverständlich von Koketterie und Wissen um seinen Zauber nicht ganz freies Lächeln, Antworten und Bedeuten, das etwas lieblich Lehrendes und Botenhaftes hatte, das Silberstimmchen der kleinen Kehle und dieses Stimmchens Rede, die, noch mit kindlichen Fehllauten wie »iß« und »nißt« untermischt, den vom Vater ererbten und von der Mutter früh übernommenen, leicht bedächtigen, leicht feierlich schleppenden und bedeutsamen schweizerischen Tonfall, mit Zungen-R und drollig stockender Silbenfolge, wie »stut-zig« und »schmut-zig«, hatte, und die das Männchen, wie ich es nie bei Kindern gesehen, mit erläuternden, aber, weil sie oft nicht recht dazu paßten, seine Worte eher verwischenden und verfremdenden und dabei höchst anmutigen, vag ausdrucksvollen Gebärden seiner Ärmchen und Spielhändchen begleitete.

Dies, beiläufig, ist Nepo Schneideweins — ist, wie nach seinem Beispiel gleich alle ihn nannten, ›Echo's‹ Beschreibung, so gut das unbeholfen sich annähernde Wort sie dem, der nicht sah, zu geben vermag. Wie viele Schriftsteller vor mir schon mögen die Untauglichkeit der Sprache beseufzt haben, Sichtbarkeit zu erreichen, ein wirklich genaues Bild des Individuellen hervorzubringen! Das Wort ist geschaffen für Lob und Preis, es ist ihm verliehen zu erstaunen, zu bewundern, zu segnen und die Erscheinung durch das Gefühl zu kennzeichnen, das sie erregt, aber nicht, sie zu beschwören und wiederzugeben. Mehr als durch den Versuch eines Portraits tue ich wahrscheinlich für meinen lieblichen Gegenstand, indem ich bekenne, daß heute, nach vollen siebzehn Jahren, die Tränen mir in die Augen treten beim Gedenken an ihn, welches zugleich mich doch mit einer grundseltsamen, ätherischen, nicht ganz irdischen Heiterkeit erfüllt.

Die Antworten, die er unter reizendem Gestenspiel auf Fragen nach seiner Mutter, seiner Reise, seinem Aufenthalt in der großen Stadt München erteilte, hatten, wie gesagt, prononciert schweizerischen Akzent und wiesen, im Silber-Timbre seines Stimmchens, viel Dialekthaftes auf, wie »Hüsli« statt Haus, »Öppis Feins« für »Etwas Feines« und »es bitzli« statt »ein bißchen«. Eine Vorliebe für »also« fiel ebenfalls auf, in Verbindungen wie »Es war also herzig« und dergleichen mehr. Auch kam mehreres würdig Stehengebliebene aus älterer Sprache in seiner Rede vor, wie er zum Beispiel von etwas, woran er sich nicht mehr erinnern konnte, sagte: »Es ist mir abgefallen«, und wie er schließlich erklärte: »Mehr neue Zitig« (für ›Zeitung‹) »weiß ich nicht.« Er sagte dies aber merklich nur, weil es ihm darum zu tun war, den Cercle zu beenden, denn danach kamen folgende Worte von seinen Bienenlippen:

»Echo dünkt es nicht wohlanständig, länger noch außer Dach zu bleiben. Es ziemt sich, daß er ins Hüsli geht, den Oheim zu grüßen.«

Damit streckte er sein Händchen nach der Schwester aus, damit sie ihn hineinführe. In diesem Augenblick aber trat Adrian, der geruht und sich inzwischen fertiggemacht hatte, selbst auf den Hof hinaus, um seiner Nichte Willkommen zu bieten.

»Und dies ist«, sagte er, nachdem er das junge Mädchen begrüßt und sich über ihre Ähnlichkeit mit der Mutter ausgelassen hatte, »und dies ist unser neuer Hausgenosse?«

Er hielt Nepomuks Hand und blickte, schnell versunken, in das süße Licht dieser in azurnem Lächeln zu ihm aufgeschlagenen Augensterne.

»Nun, nun«, sagte er nur, indem er der Bringerin langsam zunickte und dann zu dem Anblick zurückkehrte. Niemandem konnte seine Bewegung entgehen, auch dem Kinde nicht, und statt dreist zu klingen, hatte es etwas rücksichtsvoll Vertuschendes, treuherzig Beschwichtigendes und die Sache zum Schlichten

und Freundschaftlichen Auslegendes, als Echo — und dies war das
erste Wort, das er zu dem Onkel sprach — einfach feststellte:
»Gelt, da freust du dich, daß ich gekommen bin.«
Alles lachte, auch Adrian.
»Das will ich meinen!« erwiderte er. »Und ich hoffe, du freust
dich auch, uns alle kennenzulernen.«
»Es ist eine wohl-lustbarliche Begegnig«, sagte das Knäbchen
wundersam.
Wieder wollten die Umstehenden herauslachen, aber Adrian
legte, den Kopf gegen sie schüttelnd, den Finger auf den Mund.
»Man muß doch«, sagte er leise, »das Kind nicht mit Gelächter
verwirren. Ist auch kein Grund zum Lachen, was meinen Sie,
Mutter?« wandte er sich an Frau Schweigestill.
»Gar ka Grund!« antwortete sie mit übertrieben fester Stimme
und führte den Zipfel ihrer Schürze zum Auge.
»So wollen wir hineingehen«, entschied er und nahm wieder
Nepomuks Hand, ihn zu führen. »Gewiß habt ihr unseren Gästen
eine kleine Erfrischung vorbereitet.«
Das war geschehen. Im Nike-Saal wurde Rosa Schneidewein mit
Kaffee, der Kleine mit Milch und Kuchen bewirtet. Sein Onkel
saß mit am Tisch und sah ihm zu bei der Mahlzeit, die er sehr
zierlich und reinlich einnahm. Mit seiner Nichte hielt Adrian dabei wohl einiges Gespräch, hörte aber schlecht auf das, was sie
sagte, beschäftigt wie er war mit dem Anschauen des Elfen und
ebensosehr damit, seine Ergriffenheit im Diskreten zu halten und
nicht beschwerlich damit zu fallen, — eine unnötige Sorge übrigens, da Echo sich aus stummer Bewunderung und gebannten
Blicken längst nichts mehr zu machen schien. Den holden Dan-
kesaufblick dieser Augen für ein Stück Kuchen, die Zureichung
von etwas Eingemachtem zu versäumen, wäre ohnehin Sünde
gewesen.
Schließlich sprach das Männlein die Silbe »'habt«. Sie war, wie
die Schwester erklärte, von jeher sein Ausdruck für Gesättigt-
sein, Zur-Genüge-Haben, Nicht-mehr-Mögen, eine früh-kind-
liche Abkürzung von »Ich hab' es gehabt«, die er bis heute bei-
behalten hatte. »'habt!« sagte er; und als Mutter Schweigestill
ihm aus Gastlichkeit noch etwas aufnötigen wollte, erklärte er
mit einer gewissen überlegenen Vernunft:
»Echo will des lieber Umgang nehmen.«
Er rieb sich die Augen mit den Fäustchen zum Zeichen der Schläf-
rigkeit. Man brachte ihn zu Bett, und während seines Schlum-
mers unterhielt Adrian sich mit Schwester Rosa in seinem Arbeitszimmer. Sie blieb nur bis in den dritten Tag, ihre Pflichten in
Langensalza zogen sie heim. Bei ihrem Fortgang weinte Nepomuk etwas, versprach dann aber, bis sie ihn wieder hole, immer
»herzig« zu sein. Mein Gott, als ob er sein Wort nicht gehalten

hätte! Als ob er überhaupt fähig gewesen wäre, es nicht zu halten! Er brachte etwas wie Glückseligkeit, eine beständige heitere und zärtliche Erwärmung der Herzen, nicht nur auf den Hof, sondern bis in das Dorf und bis nach Stadt Waldshut hinein, — wohin immer die Schweigestills, Mutter und Tochter, begierig, sich mit ihm sehen zu lassen, des gleichen Entzückens überall gewärtig, ihn mit sich nahmen, damit er beim Apotheker, beim Krämer, beim Schuhmacher unter zauberhaftem Gestenspiel und mit ausdrucksvollst schleppender Betonung seine Verschen aufsage: vom brennenden Paulinchen aus dem Struwwelpeter oder die vom Jochen, der so schmutzig vom Spiel nach Haus kommt, daß Frau En-te und Herr En-terich sich wundern und selbst das Schwein stut-zig wird. Der Pfarrer von Pfeiffering, vor dem er mit zusammengetanen Händen — er hielt sie in Höhe seines Gesichtchens, in einiger Entfernung davon — ein Gebet sprach — und zwar ein sonderbares altes Gebet, das mit den Worten begann: »Kein Ding hilft für den zeitlig Tod« —, konnte in seiner Ergriffenheit nur sagen: »Ach, du Gottskindlein, du benedeites!«, streichelte ihm das Haar mit seiner weißen Priesterhand und schenkte ihm gleich ein buntes Bild des Lammes. Dem Lehrer wurde auch, wie er nachher sagte, »ganz anders« im Gespräch mit ihm. Auf Markt und Gassen wollte jeder dritte von »Fräul'n Clementine« oder Mutter Schweigestill wissen, was ihnen denn da vom Himmel gefallen sei. Die Leut sagten benommen: »Ja, da schau her! Da schau her!« oder auch nicht viel anders als der Herr Pfarrer: »Ach, du lieb's Kindl, du ganz selig's!«, und Frauen ließen meist eine Neigung merken, bei Nepomuk niederzuknien.

Als ich das nächste Mal auf dem Hofe vorsprach, waren seit seiner Ankunft schon vierzehn Tage vergangen; er war eingelebt dort und rings in der Gegend bekannt. Ich sah ihn zuerst von weitem: Adrian zeigte ihn mir von der Hausecke aus, wie er ganz allein im rückwärtigen Nutzgarten am Boden saß, zwischen Erdbeer- und Gemüsebeeten, ein Beinchen ausgestreckt, das andere halb hochgezogen, die geteilten Strähnen des Haars in der Stirn, und, wie es schien, mit etwas distanziertem Wohlgefallen ein Bilderbuch betrachtete, das ihm der Oheim geschenkt hatte. Er hielt es auf den Knien mit der Rechten am Rande. Das linke Ärmchen und Händchen aber, womit er das Blatt gewendet hatte, verharrten, die Bewegung des Umblätterns unbewußt festhaltend, in unglaublich graziöser Gebarung, das Händchen geöffnet, seitwärts vom Buch in der Luft, so daß mir war, als hätte ich nie ein Kind so reizend dasitzen sehen (meinen eigenen war's nicht im Traume gegeben, den Augen dergleichen zu bieten!), und bei mir dachte, auf diese Manier müßten die Englein droben die Seiten ihrer Hallelujabücher wenden.

Wir gingen hinüber, damit ich die Bekanntschaft des kleinen Wundermannes machte. Ich tat es, pädagogisch zusammengenommen, gewillt zu der Feststellung, daß hier alles mit recht und schlechten Dingen zugehe, entschlossen, mir jedenfalls nichts merken zu lassen und kein Süßholz zu raspeln. Zu diesem Behuf legte ich mein Gesicht in barsche Falten, machte mir eine recht tiefe Stimme und redete ihn an in dem bekannten rauh-gönnerhaften Tongehaben von »Nun, mein Sohn?! Immer brav derweilen?! Was treiben wir denn da?!« — kam mir aber, während ich mich so anstellte, unsäglich lächerlich vor, und das Schlimme war, daß er das merkte, auch das Gefühl, das ich mir selbst einflößte, augenscheinlich teilte und, beschämt für mich, das Köpfchen senkte, indem er den Mund nach unten zog, wie einer, der sich das Lachen verbeißt, was mich so außer Fassung brachte, daß ich längere Zeit überhaupt nichts mehr sagte.

Er war noch nicht in dem Alter, wo ein Junge vor Erwachsenen aufzustehen und seinen Diener zu machen hat, und, wenn irgendeinem Wesen, so standen ihm die zarten Privilegien, die anforderungslose Heiligung zu Gesicht, die man dem auf Erden noch Neuen, halb Fremden und Unbewanderten zugesteht. Er sagte uns, wir sollten »absitze« (der Schweizer braucht »absitzen« und »abliegen« für Sichsetzen und -legen); und so taten wir, nahmen den Elfen in unsere Mitte im Grase und schauten mit ihm in sein Bilderbuch, das unter der im Laden angebotenen Kinderliteratur wohl noch zum Annehmbarsten gehört hatte: mit Schildereien im englischen Geschmack; einer Art von Kate-Greenaway-Stil und gar nicht unebenen Reimen dazu, die Nepomuk (ich nannte ihn immer so und nicht ›Echo‹, was mir idiotischerweise als poetische Verweichlichung erschien) fast sämtlich schon auswendig wußte und uns ›vorlas‹, indem er mit dem Fingerchen an ganz falscher Stelle die Zeilen entlangfuhr.

Das Merkwürdige ist, daß auch ich noch heute diese ›Gedichte‹ auswendig weiß, nur weil ich sie einmal — oder mögen es mehrere Male gewesen sein? — von seinem Stimmchen und in seiner fabelhaften Betonung gehört habe. Wie gut weiß ich immer noch das von den drei Orgelmännern, die sich an einer Straßenecke trafen, und von denen einer dem anderen gram war, so daß keiner vom Flecke wich. Ich könnte es jedem Kinde wieder vorsagen, aber entfernt so gut nicht, wie Echo es tat, was bei diesem Ohrenschmaus die Nachbarschaft auszustehen hatte. Die Mäuse hielten Fasten ab, die Ratten zogen aus! Zum Schlusse hieß es:

Wer das Konzert zu End' gehört,
das war ein junger Hund,
und als der Hund nach Hause kam,
da war er nicht gesund.

Man mußte das bekümmerte Kopfschütteln sehen, mit dem der Kleine, die Stimme traurig senkend, das Übelbefinden des Hundes aussagte. Oder man mußte die zierliche Grandezza beobachten, mit der er zwei wunderliche kleine Herrschaften am Meeresstrand sich begrüßen ließ:

> Guten Morgen, Euer Gnaden!
> Es ist heute schlecht baden.

Dies aus mehreren Gründen: erstens, weil das Wasser heut gar so naß sei und auch nur fünf Grad Réaumur habe, ferner aber, weil »drei Gäste aus Schweden« da seien —

> Ein Schwertfisch, ein Sägefisch und Hai —
> ganz in der Nähe schwimmen die drei.

Er brachte diese vertraulichen Warnungen so drollig vor und hatte eine so großäugige Art, die drei unerwünschten Gäste aufzuzählen und ins Gemütlich-Unheimliche zu fallen bei der Nachricht, sie schwämmen ganz nahebei, daß wir beide laut auflachten. Er blickte uns in die Gesichter dabei, unsere Heiterkeit mit schelmischer Neugier beobachtend, — die meine zumal, wie mir schien, denn er wollte wohl sehen, ob, zu meinem eigenen Besten, meine abgeschmackte Rauh- und Trocken-Pädagogik sich darin löse.
Guter Gott, das tat sie denn auch, ich kam nach dem ersten dummen Versuche nicht mehr darauf zurück, außer allein, daß ich den kleinen Gesandten aus Kinder- und Elfenland stets mit fester Stimme ›Nepomuk!‹ anredete und ihn ›Echo‹ nur nannte, wenn ich mit seinem Onkel von ihm sprach, der, wie die Frauen, diesen Namen aufgegriffen hatte. Dabei wird man es verstehen, daß der Erzieher und Lehrer in mir etwas besorgt, beunruhigt, ja verlegen blieb angesichts einer freilich anbetungswürdigen Lieblichkeit, die aber doch der Zeit anheimgegeben, und der beschieden war, zu reifen und dem Irdischen zu verfallen. In kurzer Frist würde das lächelnde Himmelsblau dieser Augen seine Urreinheit von anderwärts einbüßen; dies Engelsmienchen von eigentümlich ausgesprochener Kindlichkeit, mit dem leicht gespaltenen Kinn, dem reizenden Mund, der im Lächeln, wenn er die schimmernden Milchzähne sehen ließ, etwas voller wurde, als er in der Ruhe war, und zu dessen Winkeln, von dem feinen Näschen her, zwei weich gerundete Züge, die Mund- und Kinnpartie gegen die Bäckchen absetzend, hinuntergingen, würde zum Gesicht eines mehr oder weniger gewöhnlichen Buben werden, den man nüchtern und prosaisch würde anfassen müssen, und der keinen Grund mehr haben würde, solcher Behandlung mit der Ironie zu

begegnen, mit der Nepo meinen pädagogischen Anlauf beobachtet hatte. Und doch war hier etwas — und jener Elfenspott schien der Ausdruck des Wissens davon —, was einen außerstand setzte, an die Zeit und ihr gemeines Werk, an ihre Macht über diese holde Erscheinung zu glauben, und das war ihre seltsame In-sich-Geschlossenheit, ihre Gültigkeit als Erscheinung *des Kindes* auf Erden, das Gefühl von Herabgestiegensein und, ich wiederhole es, lieblichem Botentum, das sie einflößte, und das die Vernunft in außerlogische, von unserem Christentum tingierte Träume wiegte. Sie konnte die Unvermeidlichkeit des Wachstums nicht leugnen, aber sie rettete sich in eine Vorstellungssphäre des Mythisch-Zeitlosen, Gleichzeitigen und Nebeneinander-Bestehenden, worin die Mannesgestalt des Herrn keinen Widerspruch bildet zu dem Kinde im Arm der Mutter, das er auch ist, das immer ist und immer vor anbetenden Heiligen sein Händchen zum Kreuzeszeichen erhebt.

Welche Schwärmerei! wird man sagen. Aber ich kann nichts anderes tun, als meine Erfahrung wiedergeben und die tiefe Unbeholfenheit einbekennen, in die das leicht schwebende Dasein des Kleinen mich immer versetzte. Ich hätte mir ein Beispiel nehmen sollen — und versuchte auch, es zu tun — an Adrians Betragen, der kein Schulmann war, sondern ein Künstler, und die Dinge nahm, wie sie sich gaben, augenscheinlich ohne Gedanken an ihre Wandelbarkeit. Mit anderen Worten: er verlieh dem unaufhaltsamen Werden den Charakter des Seins, er glaubte ans Bild, und das war ein Glaube von einer gewissen Gelassenheit und Gemütsruhe (so schien es mir wenigstens), der, bildgewohnt, sich auch durch das unirdischste der Bilder nicht aus der Fassung bringen ließ. Echo, der Elfenprinz, war gekommen, — nun gut, man mußte ihn nach seiner Natur behandeln und weiter kein Aufhebens machen. Das schien mir Adrians Standpunkt. Natürlich war er weit entfernt von gefalteten Mienen und Trivialitäten wie »Nun, mein Jung', immer brav?« Doch andererseits überließ er die »Ach, du selig's Kindl«-Ekstase den einfachen Leuten draußen. Sein Verhalten zu dem Kleinen war von versonnen lächelnder oder auch ernster Zartheit, ohne Schöntuerei, ohne Geflöte, ohne Zärtlichkeit sogar. Tatsächlich habe ich ihn das Kind niemals auf irgendeine Weise liebkosen, ihn kaum sein Haar berühren sehen. Nur, daß er gern Hand in Hand mit ihm ins Feld spazierenging, das ist wahr.

Mich in der Wahrnehmung zu beirren, daß er das Nefflein vom ersten Tage an zärtlich liebte, daß dessen Erscheinen in seinem Leben hellichte Epoche gemacht hatte, vermochte sein Benehmen nun freilich nicht. Gar zu unverkennbar war, wie tief, innig, glücklich der süße, leichte, gleichsam spurlos gehende und dabei in gravitätische alte Worte gekleidete Elfenreiz des Kindes ihn

beschäftigte und seine Tage füllte, obgleich er ihn nur stunden-
weise um sich hatte, die Wartung des Knäbleins selbstverständlich den Frauen zufiel, und dieses, da Mutter und Tochter viel
anderes auszurichten hatten, auch oft an sicherem Orte sich selbst
überlassen blieb. Von der Masernkrankheit war ihm ein starkes
Schlafbedürfnis, wie ganz kleine Kinder es haben, zurückgeblieben, dem er am Tage, auch außerhalb der zur Ruhe bestimmten
Nachmittagsstunden, viel nachgab, wo immer er gerade war. Er
pflegte »'Nacht!« zu sagen, wenn der Schlummer ihn ankam, wie
er es abends beim Zubettgehen sagte, aber das war sein Ab-
schiedsgruß überhaupt: er sagte es zu jeder Tageszeit, wenn er
wegging, oder ein anderer wegging, — statt »Adieu«, »Lebewohl«
sagte er »'Nacht!« — es war das Gegenstück zu dem »'habt!«,
mit dem er stets ein Genossenes quittierte. Er gab auch wohl das
Händchen bei seinem »'Nacht!«, bevor er einschlief, im Grase
oder im Stuhl, und ich habe Adrian gefunden, wie er im rückwärtigen Garten, auf einem sehr schmalen, nur aus drei zusam-
mengenagelten Brettern bestehenden Bänkchen sitzend, Echo's
Schlaf zu seinen Füßen bewachte. »Vorher hat er mir sein Händchen gegeben«, berichtete er, als er mich, aufblickend, erkannte.
Denn meine Annäherung hatte er nicht bemerkt.
Was Else und Clementine Schweigestill mir berichteten, war, daß
Nepomuk das artigste, fügsamste, unverdrießlichste Kind sei, das
ihnen je vorgekommen, — was ja mit den Nachrichten über seine
frühesten Tage übereinstimmte. Wirklich habe ich ihn wohl,
wenn er sich weh getan, weinen sehen, doch niemals greinen,
plärren, brüllen hören, wie Kinder im Zustand der Ungebärdig-
keit tun. Es war dergleichen bei ihm ganz undenkbar. Verweise,
Verbote, etwa zur Unzeit mit dem Knecht zu den Rössern oder
mit Waltpurgis in den Kuhstall zu gehen, nahm er mit betontem
Entgegenkommen hin und sprach vertröstende Worte dabei: »es
bitzli später, leicht morgen einmal«, die weniger zur eigenen Beruhigung als zum Troste derer dienen zu sollen schienen, die ihm,
gewiß ungern, einen Wunsch verwehrten. Ja, er pflegte dabei den
Verbieter zu streicheln, ganz mit dem Ausdruck: »Nimm es dir
nicht zu Herzen! Nächstens einmal wirst du dir keinen Zwang
mehr antun müssen und mir's gewähren dürfen.«
So war es auch, wenn er nicht in die Abtsstube hineindurfte, zu
seinem Oheim. Es zog ihn sehr zu diesem, schon als ich ihn kennenlernte, nur vierzehn Tage nach seiner Ankunft, war deutlich,
daß er an Adrian ausnehmend hing und nach seiner Gesellschaft
strebte, auch deshalb gewiß, weil diese das Besondere und Interessante, diejenige seiner Pflegerinnen aber das Gewöhnliche war.
Wie hätte ihm übrigens entgehen sollen, daß dieser Mann, seiner
Mutter Bruder, unter den Ackerbürgern von Pfeiffering eine einzigartige, geehrte, ja mit Scheu betrachtete Stellung einnahm!

Diese Scheu der anderen gerade mochte einen Sporn für seinen kindlichen Ehrgeiz bilden, mit dem Onkel sein zu dürfen. Man kann nun aber nicht sagen, daß Adrian dem Trachten des Kleinen uneingeschränkt entgegenkam. Ganze Tage sah er ihn nicht, ließ ihn nicht zu sich, schien ihn zu meiden und sich den zweifellos geliebten Anblick zu verbieten. Dann freilich wieder verbrachte er lange Stunden mit ihm, nahm, wie ich sagte, sein Händchen zu Spaziergängen, so ausgedehnt, wie sie dem zarten Gefährten eben zuzumuten waren, wanderte mit ihm, in einträchtigem Schweigen oder in kleinem Gespräch, durch die feuchte Sättigung der Jahreszeit, in der Echo gekommen war, die Düfte des Faulbaums und Flieders, sodann des Jasmins in ihren Wegen, oder ließ den Leichten auch auf schmalen Pfaden vor sich gehen, zwischen Mauern dem Schnitt schon gelb entgegenreifenden Korns, dessen Halme, mit nickenden Ähren, so hoch, wie Nepomuk war, aus der Krume stiegen.

»Aus dem Erdrich«, sagte ich besser, denn so sagte der Kleine, indem er seine Genugtuung bekundete, daß der »Rein« dieser Nacht das Erdrich »erkickt« habe.

»Der Rein, Echo?« fragte sein Onkel, indem er sich das »erkikken« als Kindersprache gefallen ließ.

»Ja, der Reigen«, bestätigte sein Weggenosse etwas ausführlicher und wollte sich auf weitere Diskussionen nicht einlassen.

»Denke dir, er spricht von erkickendem Rein!« berichtete mir Adrian das nächste Mal mit großen Augen. »Ist das nicht seltsam?«

Ich konnte den Freund darüber belehren, daß in unserem Mitteldeutsch »Rein« oder »Reigen« Jahrhunderte lang, bis ins fünfzehnte, das Wort für »Regen« gewesen sei, und daß übrigens »erkicken« oder »erkücken« im Mittelhochdeutschen neben »erquicken« bestanden habe.

»Ja, der ist weither«, nickte Adrian mit einer gewissen benommenen Anerkennung.

Aus der Stadt, wenn er dorthin fahren mußte, brachte er dem Knaben Geschenke mit: allerlei Getier, einen aus der Schachtel springenden Zwerg, eine Eisenbahn, an der, wenn sie um ihr Schienen-Oval eilte, ein Blinklicht zuckte, einen Zauberkasten, in dem das geschätzteste Stück ein Glas mit rotem Weine war, das nicht auslief, wenn man es umkehrte. Echo freute sich wohl über diese Gaben, sagte aber doch bald »'habt«, wenn er damit gespielt hatte, und zog es bei weitem vor, wenn der Onkel ihm die Gegenstände seines eigenen Gebrauches zeigte und erklärte — immer dieselben und immer aufs neue, denn Beharrlichkeit und Wiederholungsverlangen der Kinder sind groß in Dingen der Unterhaltung. Das aus einem Elefantenzahn zugeschliffene Papiermesser, der um seine schräge Achse rollende Globus mit zerrissenen Ländermassen, einschneidenden Meerbusen, Binnengewässern absonderlicher Gestalt und blauend raumbedeckenden Ozeanen; die schlagende Stutzuhr, deren Gewichte man mit einer Kurbel aus der Tiefe, worin sie gesunken, wieder emporwand: das waren von den Eigentümlichkeiten einige, die der Kleine nachzuprüfen begehrte, wenn er schlank und fein bei ihrem Inhaber eintrat und mit seinem Stimmchen fragte:

»Siehst du sauer ins Feld, weil ich komme?«

»Nein, Echo, nicht sonderlich sauer. Die Uhrgewichte sind aber erst halb hinunter.«

In diesem Fall mochte es die Spieldose sein, nach der er verlangte. Sie war meine Beisteuer, ich hatte sie ihm gebracht: ein braunes Kästchen, dessen Werk an der Unterseite aufzuziehen war. Dann drehte die mit kleinen Metallwarzen bedeckte Walze sich an den gestimmten Zinken eines Kammes vorbei und spielte, anfangs in beeilter Zierlichkeit, dann langsamer ermüdend, drei wohlharmonisierte kleine Biedermeier-Melodien, denen Echo in immer gleichem Gebanntsein lauschte, mit Augen, in denen Amüsiertheit, Erstaunen und tief schauende Träumerei sich auf unvergeßliche Weise mischten.

Auch des Onkels Handschriften, diese über die Liniensysteme hingestreuten, mit Fähnchen und Federchen geschmückten, durch Bögen und Balken verbundenen, leeren und schwarzen Runen, betrachtete er gern und ließ sich erklären, wovon etwa mit all den Zeichen die Rede war: — von ihm, unter uns gesagt, und ich möchte wohl wissen, ob er das ahnungsweise schloß, ob es in seinen Augen zu lesen war, daß er es schloß aus des Meisters Erläuterungen. Dies Kind, vor uns allen zuerst, durfte ›Einblick‹ nehmen in die Partiturskizze von Ariels Liedern aus dem ›Tempest‹, an denen Leverkühn damals heimlich arbeitete: er setzte sie, indem er das erste, von geisternd zerstreuten Naturstimmen erfüllte, das »Come unto these yellow sands«, mit dem zweiten, rein lieblichen, dem »Where the bee sucks, there suck I«, zur Einheit zusammenzog, für Sopran, Celesta, sordinierte Geige, eine Oboe, eine gedämpfte Trompete und die Flageolett-Töne der Harfe, und wahrlich, wer diese »zierlich spükenden« Klänge vernimmt, sie auch nur mit seines Geistes Ohr, beim Lesen, vernimmt, mag wohl mit dem Ferdinand des Stückes fragen: »Wo ist wohl die Musik? In der Luft? auf Erden?« Denn der sie fügte, hat in sein spinnwebfeines, wisperndes Gewebe nicht nur die schwebende, kindlich-hold-verwirrende Leichtigkeit Ariels — of my dainty Ariel —, sondern die ganze Welt der Elfen von Hügeln, Bächen, Hainen eingefangen, wie sie, nach Prospero's Beschreibung, als schwache Meisterlein und halbe Püppchen bei Mondschein ihre kleine Kurzweil treiben, dem Schafe Futter ringeln, das es vermeidet, und mitternächtige Pilze ziehen.

Echo wollte immer wieder in den Noten die Stellen sehen, wo der Hund »Bowgh, wowgh« und der Hahn »Cock-a-doodle-doo« macht. Und Adrian erzählte ihm dazu von der schlimmen Hexe Sycorax und ihrem kleinen Diener, den sie, weil er ein allzu zarter Geist war, um ihren gemeinen Weisungen zu gehorchen, in den Spalt einer Fichte klemmte, in welcher Zwangslage er zwölf jammervolle Jahre verbrachte, bis der gute Zaubermeister kam und ihn befreite. Nepomuk begehrte zu wissen, wie alt das Geistlein gewesen sei, als es eingeklemmt wurde, und wie alt also nach zwölf Jahren, als ihm Befreiung ward; aber der Onkel sagte ihm, der Kleine habe kein Alter gehabt, sondern sei vor und nach der Gefangenschaft immer dasselbe zierliche Kind der Lüfte gewesen, was Echo zu befriedigen schien.

Auch andere Märchen erzählte ihm der Herr der Abtsstube, so gut er sich ihrer erinnerte: vom Rumpelstilzchen, vom Falada und von Rapunzel, vom singenden springenden Löweneckerchen, und dazu freilich wollte der Kleine auf des Oheims Knien sitzen, seitlich, indem er zuweilen das Ärmchen um dessen Nacken schlang. »Das rauscht also wunderlich daher«, sagte er wohl, wenn eine Geschichte geendigt war; schlief aber öfters vorher ein, den Kopf an der Brust des Erzählers geborgen. Der saß dann lange unbeweglich, das Kinn leicht auf das Haar des Schlummernden gestützt, bis eine der Frauen kam und Echo holte.

Wie ich sagte, hielt Adrian sich tageweise das Knäblein fern, sei es, weil er beschäftigt war, oder weil die Migräne ihn in die Stille, ja ins Dunkel zwang, oder aus welchem Grunde immer. Aber nach einem Tage gerade, an welchem er Echo nicht gesehen, trat er gern abends, wenn man das Kind zu Bett gebracht hatte, leise und kaum bemerkt, bei ihm ein, um dem Nachtgebet beizuwohnen, das es, auf dem Rücken liegend, die flachen Händchen vor der Brust zusammengefügt, mit einer seiner Pflegerinnen oder auch beiden, Frau Schweigestill und ihrer Tochter, abhielt. Es waren absonderliche Segen, die er da, das himmlische Blau seiner Augen zur Decke aufgetan, höchst ausdrucksvoll rezitierte, und er verfügte über eine ganze Auswahl davon, so daß er kaum je an zwei aufeinanderfolgenden Abenden sich des gleichen bediente. Zu bemerken ist, daß er »Gott« immer wie »Got« aussprach und es liebte, dem »wer«, »welch« und »wie« ein anlautendes S zu verleihen, so daß er sagte:

Swelch Mensche lebt in Gotes Gebote,
In dem ist Got und er in Gote.
Demselben ich mich befehlen tu.
Wird mir helfen zu rechter Ruh. Amen.

Oder:

> Swie groß si jemands Missetat,
> Got dennoch mehr Genaden hat.
> Mein Sünd nicht viel besagen will,
> Got lächelt in Seiner Gnadenfüll'. Amen.

Oder, sehr merkwürdig wegen der unverkennbaren Färbung des Gebetes durch die Prädestinationslehre:

> Durch Sünde niemand lassen soll,
> Er tu doch noch etwelches Wohl.
> Niemandes Guttat wird verloren,
> Er sei zur Höllen denn geboren.
> O wöllten ich und die mein' (liebe)
> Zur Seligkeit geschaffen sein! Amen.

Dann auch zuweilen:

> Die Sonne schint den Tüfel an
> Und scheidet reine doch hindan.
> Halt du mich rein im Erdentale,
> Bis daß ich Todesschuld bezahle. Amen.

Oder endlich:

> Merkt, swer für den andern bitt',
> Sich selber löset er damit.
> Echo bitt' für die ganze Welt,
> Daß Got auch ihn in Armen hält. Amen.

Diesen Spruch hörte ich selbst von ihm mit größter Rührung, ohne daß er, glaube ich, meiner Gegenwart gewahr wurde.

»Was sagst du«, fragte Adrian mich draußen, »zu dieser theologischen Spekulation? Er bittet gleich für die ganze Schöpfung, ausdrücklich um selbst mit eingeschlossen zu sein. Sollte der Fromme eigentlich wissen, daß er sich selber dient, indem er für andere bittet? Die Uneigennützigkeit ist doch aufgehoben, sobald man sich merkt, daß sie nützlich ist.«

»So weit hast du recht«, erwiderte ich. »Er wendet die Sache aber doch ins Uneigennützige, indem er nicht für sich selbst nur bitten mag, sondern es für uns alle tut.«

»Ja, für uns alle«, sagte Adrian leise.

»Übrigens sprechen wir von ihm«, fuhr ich fort, »als hätte er selbst sich diese Dinge ausgedacht. Hast du ihn je gefragt, woher er sie hat? Von seinem Vater oder von wem?«

Die Antwort war:

»O nein, ich ziehe es vor, die Frage auf sich beruhen zu lassen, und nehme an, er wüßte mir keinen Bescheid.«

Es schien, die Schweigestill'schen Frauen hielten es ebenso. Auch sie haben, meines Wissens, niemals das Kind befragt, wie es zu seinen Abendsprüchlein gekommen sei. Von ihnen habe ich diejenigen, die ich nicht selber von ferne mit angehört. Ich ließ sie mir von ihnen sagen zu einer Zeit, als Nepomuk Schneidewein nicht mehr unter uns weilte.

XLV

Er wurde uns genommen, das seltsam-holde Wesen wurde von dieser Erde genommen, — ach, du mein Gott, was suche ich nach sanften Worten für die unfaßlichste Grausamkeit, deren Zeuge ich je gewesen, und die mir das Herz noch heute zu bitterer Anklage, ja zur Empörung versucht. Mit entsetzlicher Wildheit und Wut wurde er gepackt und in wenigen Tagen dahingerafft, durch eine Krankheit, von der kein Fall in der Gegend seit längerem vorgekommen war, von der aber der gute, von solchem Ungestüm ihres Auftretens ganz betroffene Dr. Kürbis uns sagte, daß Kinder während der Rekonvaleszenz von Masern oder Keuchhusten wohl anfällig für sie seien.

Die ersten Merkmale eines alterierten Befindens mit eingerechnet, spielte das Ganze sich in knapp zwei Wochen ab, von denen die erste noch das schrecklich Bevorstehende niemanden — ich glaube, niemanden — ahnen ließ. Es war Mitte August und draußen die Ernte, mit zusätzlichen Arbeitskräften, in vollem Gange. Zwei Monate lang war Nepomuk die Freude des Hauses gewesen. Ein Schnupfen trübte die süße Klarheit seiner Augen — es war gewiß auch nur diese lästige Affektion, die ihm die Eßlust raubte, ihn verdrießlich stimmte und die Somnolenz verstärkte, zu der er, seit wir ihn kannten, geneigt hatte. Er sagte »'habt« zu allem, was man ihm anbot, zur Nahrung, zum Spielen, zum Bilderbesehen, zum Märchenhören. »'habt!« sagte er, das Mienchen schmerzlich verzogen, und wandte sich ab. Bald trat eine Intoleranz gegen Licht und Töne hervor, beunruhigender als die bisherige Verstimmung. Er schien das Geräusch in den Hof einfahrender Wagen, den Stimmklang der Leute als übermäßig zu empfinden. »Sprecht leise!« bat er und flüsterte selbst, wie um ein Beispiel zu geben. Nicht einmal die zierlich klimpernde Spieldose wollte er hören, sprach rasch sein gequältes »'habt, 'habt!«, stoppte eigenhändig das Werk und weinte dann bitterlich. So floh er den Sonnenschein jener Hochsommertage in Hof und Garten, suchte das Zimmer, saß dort gebückt und rieb sich die Augen. Schwer war es zu sehen, wie er, sein Heil suchend, von einem, der ihn liebte, zum anderen ging und ihn umhalste, um bald wieder ungetröstet von jedem abzulassen. So klammerte er sich an Mutter Schweigestill, an Clementine, an die Magd Waltpurgis und kam aus demselben Triebe mehrmals zu seinem Onkel. Er drängte sich an seine Brust und blickte, auf seinen sanften Zuspruch lauschend, zu ihm auf, lächelte auch wohl schwach, ließ aber dann das Köpfchen in Abständen tief und tiefer sinken und murmelte »'Nacht!«, — womit er auf seine Füße glitt und leise schwankend das Zimmer verließ.

Der Arzt kam, nach ihm zu sehen. Er gab ihm Nasentropfen und verschrieb ein tonisches Mittel, hielt aber nicht mit der Vermutung zurück, daß wohl eine ernstere Krankheit im Anzuge sein könnte. Auch gegen seinen langjährigen Patienten in der Abtsstube äußerte er diese Besorgnis.

»Meinen Sie?« fragte Adrian erbleichend.

»Die Sache ist mir nicht ganz geheuer«, meinte der Doktor.

»Nicht geheuer?!«

Die Wendung wurde in so erschrecktem und fast schrecklichem Ton wiederholt, daß Kürbis sich fragte, inwiefern er damit übers Ziel geschossen.

»Nun ja, in dem Sinn, wie ich sagte«, antwortete er. »Sie selbst könnten besser ausschauen, Verehrter. Hängen wohl arg an dem Buberl?«

»O doch«, hieß es da. »Es ist eine Verantwortung, Doktor. Das Kind ist zur Stärkung seiner Gesundheit hier auf dem Lande in unsere Obhut gegeben worden . . .«

»Das Krankheitsbild, wenn man von einem solchen überhaupt sprechen kann«, erwiderte der Arzt, »bietet im Augenblick keinerlei Handhabe für eine unerfreuliche Diagnose. Ich komme morgen wieder.«

Das tat er und konnte seine Bestimmung des Falles nun mit nur allzuviel Sicherheit abgeben. Nepomuk hatte ein jähes, eruptionsartiges Erbrechen gehabt, und zugleich mit Fieber von allerdings nur mittleren Graden hatten Kopfschmerzen eingesetzt, die sich binnen wenigen Stunden ins offenbar Unerträgliche steigerten. Das Kind war, als der Doktor kam, schon zu Bett gebracht worden, hielt sich das Köpfchen mit beiden Händen und stieß Schreie aus, die sich oft, eine Marter für jeden, der es hörte — und man hörte es durch das ganze Haus —, bis zum letzten Rest des Atems verlängerten. Dazwischen streckte es die Händchen nach denen aus, die es umgaben, und rief: »Helft! Helft! O Hauptwehe! Hauptwehe!« Dann riß ein neues wildes Erbrechen es auf, von dem es unter Zuckungen zurücksank.

Kürbis prüfte des Kindes Augen, deren Pupillen sehr klein zusammengezogen waren, und die eine Neigung zum Schielen zeigten. Der Puls eilte. Muskelkontraktionen und eine beginnende

Starre des Nackens waren deutlich. Es war Cerebrospinal-Meningitis, die Hirnhautentzündung, — der gute Mann sprach, mit einer mißlichen Kopfbewegung nach der Schulter, den Namen aus, in der Hoffnung doch wohl, man möchte sich über die fast völlige Ohnmacht nicht im klaren sein, die seine Wissenschaft vor dieser fatalen Berührung einzugestehen hatte. Eine Andeutung davon lag in seinem Vorschlag, man möge immerhin vielleicht den Eltern des Kindes telegraphische Nachricht geben. Die Gegenwart der Mutter wenigstens werde wahrscheinlich beruhigend auf den kleinen Patienten wirken. Ferner verlangte er die Zuziehung eines Internisten aus der Hauptstadt, mit dem er sich in die Verantwortung für den leider nicht unernsten Fall zu teilen wünsche. »Ich bin ein einfacher Mann«, sagte er. »Hier ist ein Aufgebot von höherer Autorität am Platze.« Ich glaube, es lag betrübte Ironie in seinen Worten. Die Rückenmarkpunktion jedenfalls, sogleich notwendig zur Festigung der Diagnose, wie auch, weil sie das einzige Mittel war, dem Kranken Erleichterung zu schaffen, getraute er sich sehr wohl selbst vorzunehmen. Frau Schweigestill, bleich, aber rüstig und dem Menschlichen treu wie immer, hielt das wimmernde Kind im Bette gebeugt, daß Kinn und Knie sich fast berührten, und zwischen den auseinandergegangenen Wirbeln führte Kürbis seine Nadel bis zum Spinalkanal, aus dem tropfenweise die Flüssigkeit austrat. Fast sofort ließen die unsinnigen Kopfschmerzen nach. Sollten sie wiederkehren, sagte der Doktor — er wußte, daß sie schon nach ein paar Stunden wiederkehren mußten, da nur so lange die Druckentlastung durch die Entziehung der Gehirnventrikelflüssigkeit vorhält —, so solle man außer dem obligaten Eisbeutel die Chloral-Medizin geben, die er verschrieb, und die aus der Kreisstadt geholt wurde.

Aus dem Schlaf der Erschöpfung, in den er nach der Punktion gefallen war, durch neues Erbrechen, Konvulsionen seines kleinen Körpers und schädelsprengende Schmerzen aufgestört, begann Nepomuk wieder sein herzzerreißendes Lamentieren und gellendes Aufschreien, — es war der typische ›hydrocephale Schrei‹, gegen den nur das Gemüt des Arztes, eben weil er ihn als typisch erfaßt, leidlich gewappnet ist. Das Typische läßt kühl, nur das als individuell Verstandene macht, daß wir außer uns geraten. Dies ist die Ruhe der Wissenschaft. Sie hinderte ihren ländlichen Jünger nicht, von den Brom- und Chloral-Präparaten seiner ersten Verordnung sehr bald zum Morphium überzugehen, das etwas besser anschlug. Er mochte sich ebensosehr um der Hausbewohner willen — wobei ich besonders einen im Auge habe — wie aus Barmherzigkeit für das gemarterte Kind dazu entschließen. Nur alle vierundzwanzig Stunden durfte die Flüssigkeitsentnahme wiederholt werden, und nur während zweier davon hielt die Erleichterung an. Zweiundzwanzig Stunden schreiender, sich bäumender Folter eines Kindes, und *dieses* Kindes, das die bebenden Händchen faltet und stammelt: »Echo will herzig sein, Echo will herzig sein!« Ich füge hinzu und sage, daß für die, die Nepomuk sahen, ein Nebensymptom vielleicht das Schrecklichste war. Es war das zunehmende schielende Verschießen seiner Himmelsaugen, zu erklären aus einer mit der Nackenstarre einhergehenden Augenmuskellähmung. Es verfremdete jedoch das süße Gesicht aufs gräßlichste und erweckte besonders im Verein mit dem Zähneknirschen, in das der Heimgesuchte bald verfiel, einen Eindruck von Besessenheit.

Am nächsten Nachmittag kam, von Waldshut abgeholt durch Gereon Schweigestill, die konsultierende Autorität aus München, Professor von Rothenbuch. Unter den von Kürbis vorgeschlagenen hatte Adrian ihn seines Rufes wegen gewählt. Er war ein hochgewachsener, gesellschaftlich gewandter, zur Königszeit persönlich geadelter, vielgesuchter und kostspieliger Mann mit einem wie zu beständiger Examinierung halb geschlossenen Auge. Er beanstandete das Morphium, weil es ein Coma vortäuschen könne, das »noch gar nicht eingetreten« sei, und ließ nur Codein zu. Offenbar lag ihm vor allem an einem korrekten, in seinen Stadien unverwischten Ablauf des Falles. Im übrigen bestätigte er nach der Untersuchung die Anordnungen seines ländlichen, ihn sehr umdienernden Kollegen: also Abblendung des Tageslichtes, Hochlagerung des gekühlten Kopfes, vorsichtigste Berührung des kleinen Patienten, Hautpflege durch Alkohol-Abreibungen und konzentrierte Nahrung, deren Einführung mit Schlauch durch die Nase wahrscheinlich notwendig werden würde. Seine Tröstungen waren, wohl weil er sich nicht im Elternhause des Kindes befand, freimütig-unzweideutiger Art. Bewußtseinstrübung, legitim und nicht verfrüht durch Morphium herbeigeführt, werde nicht lange auf sich warten lassen und sich rasch vertiefen. Das Kind werde dann weniger und endlich überhaupt nicht mehr leiden. Auch krasse Symptome solle man sich aus diesem Grunde nicht allzu nahgehen lassen. Nachdem er die Güte gehabt, eigenhändig die zweite Punktion auszuführen, verabschiedete er sich würdevoll und kam nicht wieder.

Für mein Teil konnte ich mich, durch Mutter Schweigestill täglich über die jammervollen Vorgänge telephonisch benachrichtigt, erst am vierten Tage nach dem vollen Ausbruch der Krankheit, einem Samstag, in Pfeiffering einfinden, als, unter wütenden Krämpfen, die den kleinen Leib auf die Folter zu spannen schienen und ihm die Augäpfel nach oben kehrten, das Coma schon eingesetzt hatte, des Kindes Schreien verstummt war, und nur noch Zähneknirschen übrigblieb. Frau Schweigestill, übernächtigen Anblicks und mit dickverweinten Augen, empfing mich im Haustor und empfahl mir dringend, sogleich zu Adrian zu gehen. Das arme Kind, bei dem übrigens seit gestern nacht schon die Eltern seien, sähe ich früh genug. Der Herr Doktor aber, er habe meinen Zuspruch nötig, es stehe nicht gut um ihn, im Vertrauen gesagt, scheine es ihr manchmal, als rede er irre.

Mit Bangen begab ich mich zu ihm. Er saß an seinem Arbeitstisch und blickte bei meinem Eintreten nur flüchtig und gleichsam geringschätzig auf. Erschreckend blaß, hatte er die geröteten Augen aller Bewohner des Hauses und bewegte geschlossenen Mundes die Zunge mechanisch irgendwo seitlich am Inneren der Unterlippe hin und her.

»Du, guter Mann?« sagte er, als ich zu ihm getreten war und ihm die Hand auf die Schulter gelegt hatte. »Was willst du hier? Das ist kein Ort für dich. Mach wenigstens dein Kreuz, so, von der Stirn zu den Schultern, wie du's als Kind zu deinem Schutze gelernt hast!«

Und da ich ein paar Worte des Trostes und der Hoffnung sprach —

»Spar dir«, unterbrach er mich rauh, »die Humanistenflausen! Er nimmt ihn. Wollte er's kurz machen! Vielleicht kann er's nicht kürzer machen mit seinen elenden Mitteln.«

Und er sprang auf, lehnte sich gegen die Wand und preßte den Hinterkopf gegen die Täfelung.

»Nimm ihn, Scheusal!« rief er mit einer Stimme, die mir ins Mark schnitt. »Nimm ihn, Hundsfott, aber beeil dich nach Kräften, wenn du denn, Schubiack, auch dies nicht dulden wolltest! Ich hatte gedacht«, wandte er sich plötzlich leise-vertraulich an mich, schritt vor und sah mich mit einem verlorenen Blicke an, den ich nie vergessen werde, »daß er dies zulassen werde, dies vielleicht doch, aber nein, woher soll der Gnade nehmen, der Gnadenferne, und gerade dies wohl mußt' er in viehischer Wut zertreten. Nimm ihn, Auswurf!« schrie er auf und trat wieder zurück von mir, wie ans Kreuz. »Nimm seinen Leib, über den du Gewalt hast! Wirst mir seine süße Seele doch hübsch zufrieden lassen müssen, und das ist deine Ohnmacht und dein Ridikül, mit dem ich dich ausspotten will Äonen lang. Mögen auch Ewigkeiten gewälzt sein zwischen meinen Ort und seinen, ich werde doch wissen, daß er ist, von wo du hinausgeworfen wurdest, Drecks-kerl, und das wird netzendes Wasser sein für meine Zunge und ein Hosianna dir zum Hohn im untersten Fluch!«

Er bedeckte das Gesicht mit den Händen, wandte sich um und lehnte die Stirn gegen das Holz.

Was sollte ich sagen? Was tun? Wie solchen Worten begegnen? »Lieber, um alles, beruhige dich, du bist außer dir, der Schmerz spiegelt dir Unsinniges vor«, sagt man ungefähr und mag aus Ehrfurcht vorm Seelischen, besonders wenn es sich um einen

Menschen handelt wie diesen, nicht an körperliche Kalmierungen und Herabsetzungen, nicht an das Bromural denken, das im Hause ist.

Auf meinen bittenden Trost antwortete er wieder nur:

»Spar dir's, spar dir's und mach dein Kreuz! Da oben geht's zu. Mach's nicht für dich nur, sondern gleich auch für mich und meine Schuld! — Welche Schuld, welche Sünde, welch ein Verbrechen« — und er saß nun wieder am Schreibtisch, die Schläfen zwischen den geschlossenen Händen —, »daß wir ihn kommen ließen, daß ich ihn in meine Nähe ließ, daß ich meine Augen an ihm weidete! Du mußt wissen, Kinder sind aus zartem Stoff, sie sind gar leicht für giftige Einflüsse empfänglich . . .«

Nun war ich es wahrhaftig, der aufschrie und ihm entrüstet das Wort verbot.

»Adrian, nein!« rief ich. »Was tust du dir an und quälst dich mit was für absurden Selbstbezichtigungen einer blinden Schickung wegen, die das liebe, vielleicht für diese Erde zu liebe Kind hätte ereilen können, wo es auch war! Sie mag uns das Herz zerreißen, soll uns aber nicht der Vernunft berauben. Du hast ihm nichts als Liebes und Gutes getan . . .«

Er winkte nur ab. Ich saß bei ihm wohl eine Stunde und sprach ihn hie und da leise an, worauf er Antworten murmelte, die ich kaum verstand. Dann sagte ich, ich wollte unseren Kranken besuchen.

»Tu das nur«, erwiderte er und fügte hartherzig hinzu:

»Aber red ihn nicht an wie damals, mit ›Nun, mein Jung‹, immer brav‹ und so weiter. Erstens hört er dich nicht, und dann wär's wohl überhaupt gegen den humanistischen Geschmack.«

Ich wollte gehen, aber er hielt mich auf, indem er mich bei meinem Nachnamen rief: »Zeitblom!«, was ebenfalls sehr hart klang. Und als ich mich umwandte:

»Ich habe gefunden«, sagte er, »*es soll nicht sein.*«

»Was, Adrian, soll nicht sein?«

»Das Gute und Edle«, antwortete er mir, »was man das Menschliche nennt, obwohl es gut ist und edel. Um was die Menschen gekämpft, wofür sie Zwingburgen gestürmt, und was die Erfüllten jubelnd verkündigt haben, das soll nicht sein. Es wird zurückgenommen. Ich will es zurücknehmen.«

»Ich verstehe dich, Lieber, nicht ganz. Was willst du zurücknehmen?«

»Die Neunte Symphonie«, erwiderte er. Und dann kam nichts mehr, wie ich auch wartete.

Verwirrt und gramvoll begab ich mich hinauf in das Schicksalszimmer. Die Atmosphäre der Krankenstube, medikamentös, dumpfig und reinlich-fade, herrschte dort, obgleich die Fenster offenstanden. Doch waren die Läden bis auf einen Spalt herangezogen. Nepomuks Bett war von mehreren Personen umstanden, denen ich die Hand reichte, während meine Augen doch nur auf das sterbende Kind gerichtet waren. Es lag auf der Seite, zusammengekrümmt, Ellbogen und Knie angezogen. Mit hochgeröteten Wangen atmete es einmal tief, und dann hatte man lange auf den nächsten Atemzug zu warten. Die Augen waren nicht völlig geschlossen, aber zwischen den Wimpern war nicht das Blau der Iris zu sehen, sondern nur Schwärze. Es waren die Pupillen, die größer und größer, wenn auch verschieden groß, geworden waren und fast den Farbstern verschlangen. Doch war es noch gut, wenn man ihre spiegelnde Schwärze sah. Zuweilen wurde es weiß im Spalt: Dann preßten die Ärmchen sich enger an die Flanken des Kindes, und der knirschende Krampf verbog, grausam zu sehen, wenn auch vielleicht nicht mehr erlitten, die kleinen Glieder.

Die Mutter schluchzte. Ich hatte ihre Hand gedrückt und drückte sie wieder. Ja, sie war da, Ursel, Hof Buchels braunäugige Tochter, Adrians Schwester, und aus den harmvollen Zügen der nun Achtunddreißigjährigen traten mir, stärker noch als ehemals, zu meiner Rührung die väterlichen, die altdeutschen Züge Jonathan Leverkühns entgegen. Mit ihr war ihr Gatte, an den die Depesche gegangen war, und der sie von Suderode abgeholt hatte: Johannes Schneidewein, ein großer, schöner, schlichter Mann im blonden Bart, mit den blauen Augen Nepomuks und von der bieder-bedeutsamen Sprechweise, die Ursula früh von ihm angenommen, und deren Rhythmus wir im Stimmklang des Elfen, an Echo gekannt hatten.

Wer sonst noch im Zimmer war, außer der ab- und zugehenden Frau Schweigestill, das war die wollige Kunigunde Rosenstiel, welche bei einem Besuch, der ihr erlaubt gewesen, des Knäbleins Bekanntschaft gemacht und es leidenschaftlich in ihr trauerndes Herz geschlossen hatte. Sie hatte damals, mit der Maschine, auf Briefbögen ihrer derben Firma und mit kaufmännischen Und-Zeichen, einen langen Brief in vorbildlichem Deutsch über ihre Eindrücke an Adrian geschrieben. Nun hatte sie es, die Nackedey aus dem Felde schlagend, durchgesetzt, die Schweigestills und zuletzt Ursel Schneidewein in der Pflege des Kindes ablösen zu dürfen, wechselte seinen Eisbeutel, wusch es mit Alkohol, suchte ihm Medizin und Nahrungssaft einzuflößen und räumte nachts ungern und selten einem andern den Platz an seinem Bette ein . . .

Wir hatten, die Schweigestills, Adrian, seine Verwandten, Kunigunde und ich, im Nike-Saal ein wortkarges Abendessen miteinander, von dem öfters eine der Frauen aufstand, um nach dem Kranken zu sehen. Am Sonntagvormittag schon mußte ich, so schwer es mir wurde, Pfeiffering verlassen. Für den Montag hatte ich noch einen ganzen Stapel lateinischer Extemporalien zu korrigieren. Ich schied von Adrian, milde Wünsche auf den Lippen, und wie er mich entließ, war mir lieber, als wie er mich gestern empfangen hatte. Mit einer Art von Lächeln sprach er auf englisch die Worte:

»Then to the elements. Be free, and fare thou well!«

Dann wandte er sich rasch von mir.

Nepomuk Schneidewein, Echo, das Kind, Adrians letzte Liebe, entschlief schon zwölf Stunden später. Die Eltern nahmen den kleinen Sarg mit sich in ihre Heimat.

XLVI

Beinahe vier Wochen lang habe ich an diesen Aufzeichnungen nicht fortgeschrieben, angehalten erstens durch eine gewisse seelische Erschöpfung nach dem vorstehend Erinnerten, zugleich aber durch die jetzt einander jagenden, nach ihrem logischen Ablauf vorausgesehenen, in gewisser Weise ersehnten und nun doch ein ungläubiges Grauen erregenden Tagesereignisse, die unser unseliges Volk, von Jammer und Schrecken ausgehöhlt, unfähig zu begreifen, in stumpfem Fatalismus über sich ergehen läßt, und denen auch mein von alter Trauer, altem Entsetzen müdes Gemüt hilflos ausgesetzt war.

Seit Ende März schon — wir schreiben den 25. April dieses Schicksalsjahres 1945 — ist im Westen des Landes unser Widerstand sichtlich in voller Auflösung begriffen. Die öffentlichen Blätter, schon halb entfesselt, registrieren die Wahrheit, das Gerücht, genährt von Radio-Meldungen des Feindes, von den Erzählungen Flüchtiger, kennt keine Zensur und trägt die Einzelfälle der sich rapide ausbreitenden Katastrophe in den noch nicht von ihr verschlungenen, noch nicht befreiten Gegenden des Reiches umher bis in meine Klause. Kein Halten mehr: alles gibt sich gefangen und läuft auseinander. Unsere zerschmetterten und zermürbten Städte fallen wie reife Pflaumen. Darmstadt, Würzburg, Frankfurt gingen dahin, Mannheim und Kassel, Münster gar, Leipzig bereits gehorchen den Fremden. Eines Tages standen die Engländer in Bremen, die Amerikaner im oberfränkischen Hof. Nürnberg ergab sich, die Stadt der unkluge Herzen hoch erhebenden Staatsfeste. Unter den Großen des Regimes, die sich in Macht, Reichtum und Unrecht gewälzt, wütet richtend der Selbstmord.

Russische Corps, durch die Einnahme von Königsberg und Wien zur Forcierung der Oder frei geworden, rückten, eine Millionen-Armee, gegen die in Schutt liegende, von allen Staatsämtern schon geräumte Reichshauptstadt, vollendeten mit ihrer schweren Artillerie das längst aus der Luft Vollstreckte und nähern sich gegenwärtig dem Stadtzentrum. Der grausige Mann, der voriges

Jahr dem Anschlage verzweifelter, auf Rettung der letzten Substanz, der Zukunft bedachter Patrioten mit dem Leben, allerdings einem nur noch irre flackernden und flatternden, entrann, befahl seinen Soldaten, den Angriff auf Berlin in einem Meer von Blut zu ertränken und jeden Offizier zu erschießen, der von Übergabe spreche. Das ist vielfach befolgt worden. Gleichzeitig durchirren seltsame, ebenfalls nicht mehr ganz geistesklare Radio-Sendungen deutscher Zungen den Äther: solche sowohl, die die Bevölkerung und selbst die Schergen der Geheimen Staatspolizei, als vielverleumdet, dem Wohlwollen der Sieger empfehlen, wie auch solche, die von einer auf den Namen ›Werwolf‹ getauften Freiheitsbewegung zu melden wissen: einem Verbande rasender Knaben, die, in Wäldern versteckt und aus ihnen nächtlich hervorbrechend, schon durch manchen wackeren Mord an den Eindringlingen sich um das Vaterland verdient gemacht hätten. O jammervolle Groteske! So wird bis zuletzt das rohe Märchen, der grimme Sagenniederschlag im Gemüt des Volkes, nicht ohne vertrauten Widerhall, angerufen.

Unterdessen läßt ein transatlantischer General die Bevölkerung von Weimar vor den Krematorien des dortigen Konzentrationslagers vorbeidefilieren und erklärt sie — soll man sagen: mit Unrecht? —, erklärt diese Bürger, die in scheinbaren Ehren ihren Geschäften nachgingen und nichts zu wissen versuchten, obgleich der Wind ihnen den Gestank verbrannten Menschenfleisches von dorther in die Nasen blies, — erklärt sie für mitschuldig an den nun bloßgelegten Greueln, auf die er sie zwingt, die Augen zu richten. Mögen sie schauen — ich schaue mit ihnen, ich lasse mich schieben im Geiste von ihren stumpfen oder auch schaudernden Reihen. Der dickwandige Folterkeller, zu dem eine nichtswürdige, von Anbeginn dem Nichts verschworene Herrschaft Deutschland gemacht hatte, ist aufgebrochen, und offen liegt unsere Schmach vor den Augen der Welt, der fremden Kommissionen, denen diese unglaubwürdigen Bilder nun allerorts vorgeführt werden, und die zu Hause berichten: was sie gesehen, übertreffe an Scheußlichkeit alles, was menschliche Vorstellungskraft sich ausmalen könne. Ich sage: unsere Schmach. Denn ist es bloße Hypochondrie, sich zu sagen, daß alles Deutschtum, auch der deutsche Geist, der deutsche Gedanke, das deutsche Wort von dieser entehrenden Bloßstellung mitbetroffen und in tiefe Fragwürdigkeit gestürzt worden ist? Ist es krankhafte Zerknirschung, die Frage sich vorzulegen, wie überhaupt noch in Zukunft ›Deutschland‹ in irgendeiner seiner Erscheinungen es sich soll herausnehmen dürfen, in menschlichen Angelegenheiten den Mund aufzutun?

Man nenne es finstere Möglichkeiten der Menschennatur überhaupt, die hier zutage kommen, — deutsche Menschen, Zehntausende, Hunderttausende, sind es nun einmal, die verübt haben, wovor die Menschheit schaudert, und was nur immer auf deutsch gelebt hat, steht da als ein Abscheu und als Beispiel des Bösen. Wie wird es sein, einem Volke anzugehören, dessen Geschichte dies gräßliche Mißlingen in sich trug, einem an sich selber irre gewordenen, seelisch abgebrannten Volk, das eingestandenermaßen daran verzweifelt, sich selbst zu regieren, und es noch für das beste hält, zur Kolonie fremder Mächte zu werden; einem Volk, das mit sich selbst eingeschlossen wird leben müssen wie die Juden des Ghetto, weil ein ringsum furchtbar aufgelaufener Haß ihm nicht erlauben wird, aus seinen Grenzen hervorzukommen, — ein Volk, das sich nicht sehen lassen kann?

Fluch, Fluch den Verderbern, die eine ursprünglich biedere, rechtlich gesinnte, nur allzu gelehrige, nur allzu gern aus der Theorie lebende Menschenart in die Schule des Bösen nahmen! Wie wohl tut die Verwünschung, wie wohl täte sie, wenn sie aus freiem unbedingtem Busen emporstiege! Eine Vaterlandsliebe aber, die kühnlich behaupten wollte, daß der Blutstaat, dessen schnaubende Agonie wir nun erleben; der unermeßliche Verbrechen, lutherisch zu reden, ›auf seinen Hals nahm‹; bei dessen brüllender Ausrufung, bei dessen das Menschenrecht durchstreichenden Verkündigungen ein Taumel von Überglück die Menge hinriß, und unter dessen grellen Bannern unsere Jugend mit blitzenden Augen, in hellem Stolz und im Glauben fest, marschierte, — daß er etwas unserer Volksnatur durchaus Fremdes, Aufgezwungenes und in ihr Wurzelloses gewesen wäre, — eine solche Vaterlandsliebe schiene mir hochherziger, als sie mich gewissenhaft dünkte. War diese Herrschaft nicht nach Worten und Taten nur die verzerrte, verpöbelte, verscheußlichte Wahrwerdung einer Gesinnung und Weltbeurteilung, der man charakterliche Echtheit zuerkennen muß, und die der christlich-humane Mensch nicht ohne Scheu in den Zügen unserer Großen, der an Figur gewaltigsten Verkörperungen des Deutschtums ausgeprägt findet? Ich frage — und frage ich zuviel? Ach, es ist wohl mehr als eine Frage, daß dieses geschlagene Volk jetzt eben darum irren Blicks vor dem Nichts steht, weil sein letzter und äußerster Versuch, die selbsteigene politische Form zu finden, in so gräßlichem Mißlingen untergeht.

*

Wie eigentümlich doch schließen sich nun die Zeiten — schließt sich diejenige, in der ich schreibe, mit der zusammen, die den Raum dieser Biographie bildet! Denn die letzten Jahre des geistigen Lebens meines Helden, diese beiden Jahre 1929 und 30, nach dem Scheitern seines Ehe-Planes, dem Verlust des Freundes, der Hinwegnahme des wunderbaren Kindes, das zu ihm gekommen war, sie gehörten ja schon dem Heraufsteigen und Umsichgreifen dessen an, was sich dann des Landes bemächtigte und nun in Blut und Flammen untergeht.

Es waren für Adrian Leverkühn Jahre einer ungeheueren und hocherregten, man ist versucht, zu sagen: monströsen, den teilnehmenden Anwohner selbst in einer Art von Taumel dahinreißenden schöpferischen Aktivität, und unmöglich konnte man sich des Eindruckes erwehren, als bedeute sie Sold und Ausgleich für den Entzug an Lebensglück und Liebeserlaubnis, dem er unterworfen gewesen war. Ich spreche von Jahren, aber mit Unrecht: nur ein Teil davon genügte, nur die zweite Hälfte des einen und einige Monate des anderen, um das Werk, sein letztes und etwas geschichtlich Letztes und Äußerstes in der Tat, zu zeitigen: die Symphonische Kantate ›Dr. Fausti Weheklag‹, deren Plan, wie ich schon verriet, vor den Aufenthalt Nepomuk Schneideweins in Pfeiffering zurückgeht, und der ich nun mein armes Wort zuwenden will.

Ich darf zuvor nicht unterlassen, auf die persönliche Kondition ihres Schöpfers, eines damals Vierundvierzigjährigen, auf seine Erscheinung und Lebensweise, wie sie sich meiner immer gespannten Beobachtung darstellten, ein Licht zu werfen. Was mir dabei zuerst in die Feder kommt, ist die Tatsache, auf die ich in diesen Blättern schon frühzeitig vorbereitete, daß sein Gesicht, welches, solange er es glatt rasierte, die Ähnlichkeit mit dem seiner Mutter so offen zur Schau getragen hatte, seit kurzem durch einen dunklen, mit Grau vermischten Bartwuchs verändert war, eine Art von Knebelbart, in den ein schmales Oberlippenbärtchen hinabhing, und der, wenn er auch die Wangen nicht frei ließ, doch weit dichter am Kinn, hier aber wieder stärker zu seiten desselben als in der Mitte, also nicht etwa ein Spitzbart war. Die Verfremdung, die diese partielle Bedeckung der Züge bewirkte, nahm man in den Kauf, weil der Bart es war, der, wohl zusammen mit einer wachsenden Neigung, den Kopf zur Schulter geneigt zu tragen, dem Antlitz etwas Vergeistigt-Leidendes, ja Christushaftes verlieh. Diesen Ausdruck zu lieben, konnte ich nicht umhin und glaubte mir die Sympathie damit desto eher gewähren zu dürfen, da er ja offenbar nicht auf Schwäche deutete, sondern mit extremer Tatkraft und einem Wohlbefinden einherging, deren Unanfechtbarkeit der Freund mir nicht genug zu rühmen wußte. Er tat es in der etwas verlangsamten, zuweilen zögernden, zuweilen leicht monotonen Sprechweise, die ich neuerdings an ihm feststellte, und die ich gern als Zeichen produktiver Besonnenheit, der Selbstbeherrschung inmitten eines hinreißenden Trubels von Eingebungen auslegte. Die körperlichen Schikanen, deren Opfer er so lange gewesen, diese Magenkatarrhe, Affektionen des Halses und qualvollen Migräneattacken, waren von ihm abgefallen, der Tag, die Arbeitsfreiheit waren ihm gewiß, er selbst erklärte seine Gesundheit für vollkommen, für triumphal, und die visionäre Energie, mit der er sich täglich wieder zum Werke erhob, war ihm auf eine Weise, die mich mit Stolz erfüllte und mich auch wieder vor Rückschlägen bangen ließ, an den Augen abzulesen, — Augen, die früher meist vom oberen Lide halb verhängt gewesen waren, deren Lidspalte sich nun aber weiter, fast übertrieben weit geöffnet hatte, so daß man über der Regenbogenhaut einen Streifen der weißen Augenhaut sah. Dies konnte etwas Drohendes haben, um so eher, als in dem so erweiterten Blick eine Art von Starrheit, oder soll ich sagen: von Stillstand, zu bemerken war, an dessen Wesen ich lange herumriet, bis ich darauf kam, daß er auf dem Verharren der nicht völlig runden, etwas unregelmäßig in die Länge gezogenen Pupillen in immer derselben Größe beruhte, so, als seien sie unbeeinflußbar durch irgendwelchen Wechsel der Beleuchtung.

Ich spreche da von einer gewissermaßen geheimen und inneren Unbeweglichkeit, zu deren Wahrnehmung man ein sehr sorgsamer Beobachter sein mußte. Eine andere, viel auffallendere und äußerlichere Erscheinung stand zu ihr in Widerspruch, — auch der lieben Jeannette Scheurl war sie aufgefallen, und nach einem Besuch bei Adrian wies sie mich, unnötigerweise, darauf hin. Es war dies die kürzlich angenommene Gewohnheit, in gewissen Augenblicken, beim Nachdenken etwa, die Augäpfel rasch hin und her — und zwar ziemlich weit nach beiden Seiten — zu bewegen, also, wie man sagt, die Augen zu ›rollen‹, wovon man sich denken konnte, daß es manche Leute erschrecken würde. Darum, wenn auch ich es leicht hatte — und mir ist, als hätte ich es leicht gehabt, solche meinetwegen exzentrischen Merkmale auf das Werk zu schieben, unter dessen ungeheurer Spannung er stand —, so war es mir insgeheim doch eine Erleichterung, daß außer mir kaum jemand ihn sah, — eben weil ich fürchtete, er könnte die Leute erschrecken. Wirklich schied nun jeder gesellschaftliche Besuch in der Stadt für ihn aus. Einladungen wurden durch seine getreue Wirtin telephonisch abgelehnt, oder sie blieben auch unbeantwortet. Selbst flüchtige Zweckfahrten nach München, zu Einkäufen, fielen dahin, und man konnte diejenigen, die er zur Besorgung von Spielzeug für das verstorbene Kind unternommen, die letzten nennen. Garderobestücke, die ihm früher gedient hatten, wenn er unter Menschen ging, an Abendpartien und öffentlichen Veranstaltungen teilnahm, hingen jetzt unbenutzt im Schrank, und seine Kleidung war die häuslich einfachste, — keineswegs der Schlafrock, den er nie, auch am Morgen nicht, gemocht hatte, außer, wenn er bei Nacht das Bett verließ und eine Stunde oder zwei im Stuhl verbrachte. Aber eine lose, flausartige Joppe, hoch geschlossen, so daß es keiner Krawatte dazu bedurfte, getragen zu irgendwelcher ebenfalls weiten, ungebügelten, klein gewürfelten Hose, war um diese Zeit sein ständiger Anzug, in dem er auch die gewohnten und unentbehrlichen lungenweitenden Spaziergänge machte. Man hätte selbst von einer Vernachlässigung seines Äußeren reden können, wenn ein solcher Eindruck nicht durch die natürliche, aus dem Geistigen stammende Distinktion seiner Erscheinung hintangehalten worden wäre.

Für wen auch hätte er sich Zwang auferlegen sollen? Er sah Jeannette Scheurl, mit der er gewisse, von ihr beigebrachte Musiken des siebzehnten Jahrhunderts durchging (ich denke an eine Chaconne von Jacopo Melani, die eine Tristan-Stelle wörtlich vorwegnimmt), er sah von Zeit zu Zeit Rüdiger Schildknapp, den Gleichäugigen, mit dem er lachte, wobei ich mich nicht der wehmütig öden Betrachtung enthalten konnte, daß nun die gleichen Augen allein übriggeblieben, die schwarzen und blauen aber entschwunden waren ... Er sah endlich mich, wenn ich zum Wochenende mich bei ihm einfand, — und das war alles. Zudem waren es nur kurze Stunden, in denen er Gesellschaft überhaupt brauchen konnte, denn ohne den Sonntag auszulassen (er hatte ihn nie ›geheiligt‹), arbeitete er acht Stunden am Tage, und da in diese noch eine nachmittägliche Ruhezeit im Dunkeln eingeschaltet war, so blieb ich bei meinen Besuchen in Pfeiffering viel mir selbst überlassen. Als ob ich's bereut hätte! Ich war ihm nahe und nahe der Entstehung des in Schmerzen und Schauern geliebten Werkes, das nun durch anderthalb Jahrzehnte als ein toter, verpönter und verheimlichter Hochwert dagelegen hat, und dessen Aufleben durch die vernichtende Befreiung, die wir erdulden, herbeigeführt werden mag. Es gab Jahre, in denen wir Kinder des Kerkers uns ein Jubellied, den ›Fidelio‹, die ›Neunte Symphonie‹, als Morgenfeier der Befreiung Deutschlands — seiner Selbstbefreiung — erträumten. Nun kann nur dieses uns frommen, und dieses nur wird uns aus der Seele gesungen sein: die Klage des Höllensohns, die furchtbarste Menschen- und Gottesklage, die, ausgehend vom Subjekt, aber stets weiter sich ausbreitend und gleichsam den Kosmos ergreifend, auf Erden je angestimmt worden ist.

Klage, Klage! Ein De profundis, das mein liebender Eifer ohne Beispiel nennt. Aber hat es nicht dennoch, unter dem schöpferischen Gesichtspunkt, unter dem musikgeschichtlichen wie unter dem persönlicher Vollendung gesehen, eine jubilante, eine höchst sieghafte Bewandtnis mit dieser schaudervollen Gabe des Entgelts und der Schadloshaltung? Bedeutet es nicht den ›Durchbruch‹, von dem zwischen uns, wenn wir das Schicksal der Kunst, Stand und Stunde derselben, besannen und erörterten, so oft als von einem Problem, einer paradoxen Möglichkeit die Rede gewesen war, — die Wiedergewinnung, ich möchte nicht sagen und sage es um der Genauigkeit willen doch: die Rekonstruktion des Ausdrucks, der höchsten und tiefsten Ansprechung des Gefühls auf einer Stufe der Geistigkeit und der Formenstrenge, die erreicht werden mußte, damit dieses Umschlagen kalkulatorischer Kälte in den expressiven Seelenlaut und kreatürlich sich anvertrauende Herzlichkeit Ereignis werden könne?

Ich kleide in Fragen, was nichts weiter ist als die Beschreibung eines Tatbestandes, der seine Erklärung im Gegenständlichen sowohl wie im Künstlerisch-Formalen findet. Die Klage nämlich — und um eine immerwährende, unerschöpflich akzentuierte Klage von schmerzhaftester Ecce-homo-Gebärde handelt es sich ja —, die Klage ist der Ausdruck selbst, man kann kühnlich sagen, daß aller Ausdruck eigentlich Klage ist, wie denn die Musik, sobald sie sich als Ausdruck begreift, am Beginn ihrer modernen Geschichte, zur Klage wird und zum ›Lasciatemi morire‹, zur Klage der Ariadne, zum leis widerhallenden Klagesang von Nymphen. Nicht umsonst knüpft die Faustus-Kantate stilistisch so stark und unverkennbar an Monteverdi und das siebzehnte Jahrhundert an, dessen Musik — wiederum nicht umsonst — die Echo-Wirkung, zuweilen bis zur Manier, bevorzugte: Das Echo, das Zurückgeben des Menschenlautes als Naturlaut und seine Enthüllung *als* Naturlaut, ist wesentlich Klage, das wehmutsvolle »Ach, ja!« der Natur über den Menschen und die versuchende Kundgebung seiner Einsamkeit, — wie umgekehrt die Nymphen-Klage ihrerseits dem Echo verwandt ist. In Leverkühns letzter und höchster Schöpfung aber ist dieses Lieblingsdessin des Barock, das Echo, oftmals mit unsäglich schwermütiger Wirkung verwendet.

Ein Monstre-Werk der Klage wie dieses ist, sage ich, mit Notwendigkeit ein expressives Werk, ein Werk des Ausdrucks, und es ist damit ein Werk der Befreiung so gut, wie die frühe Musik, an die es sich über Jahrhunderte hin anschließt, Befreiung zum Ausdruck sein wollte. Nur daß der dialektische Prozeß, durch welchen auf der Entwicklungsstufe, die dieses Werk einnimmt, der Umschlag von strengster Gebundenheit zur freien Sprache des Affekts, die Geburt der Freiheit aus der Gebundenheit, sich vollzieht, unendlich komplizierter, unendlich bestürzender und wunderbarer in seiner Logik erscheint als zur Zeit der Madrigalisten. Ich will hier den Leser zurückverweisen auf das Gespräch, das ich eines schon fernen Tages, am Hochzeitstage seiner Schwester zu Buchel, auf einem Spaziergang die Kuhmulde entlang, mit Adrian hatte, und wobei er mir, unter dem Druck von Kopfschmerzen, seine Idee eines ›strengen Satzes‹ entwickelte, abgeleitet aus der Art, wie in dem Liede ›O lieb Mädel, wie schlecht bist du‹ Melodie und Harmonie von der Abwandlung eines fünftönigen Grundmotivs, des Buchstabensymbols h e a e s, bestimmt sind. Er ließ mich das ›magische Quadrat‹ eines Stils oder einer Technik erblicken, die noch die äußerste Mannigfaltigkeit aus identisch festgehaltenen Materialien entwickelt, und in der es nichts Unthematisches mehr gibt, nichts, was sich nicht als Variation eines immer Gleichen ausweisen könnte. Dieser Stil, diese Technik, so hieß es, ließen keinen Ton zu, nicht einen, der nicht in der Gesamtkonstruktion seine motivische Funktion erfüllte, — es gäbe keine freie Note mehr.

Nun, habe ich nicht, als ich von Leverkühns apokalyptischem Oratorium ein Bild zu geben suchte, auf die substantielle Identität des Seligsten mit dem Gräßlichsten, die innere Einerleiheit des Engelskinder-Chors mit dem Höllengelächter hingewiesen? Da ist, zum mystischen Schrecken des Bemerkenden, eine formale Utopie von schauerlicher Sinnigkeit verwirklicht, die in der Faust-Kantate universell wird, das Gesamtwerk ergreift und es, wenn ich so sagen darf, vom Thematischen restlos verzehrt sein läßt. Dies riesenhafte ›Lamento‹ (seine Dauer beträgt circa fünf Viertelstunden) ist recht eigentlich undynamisch, entwicklungslos, ohne Drama, so, wie konzentrische Kreise, die sich vermöge eines ins Wasser geworfenen Steins, einer um den anderen, ins Weite bilden, ohne Drama und immer das gleiche sind. Ein ungeheures Variationswerk der Klage — negativ verwandt als solches dem Finale der ›Neunten Symphonie‹ mit seinen Variationen des Jubels — breitet es sich in Ringen aus, von denen jeder den anderen unaufhaltsam nach sich zieht: Sätzen, Großvariationen, die den Texteinheiten oder Kapiteln des Buches entsprechen und in sich selbst wieder nichts anderes als Variationenfolgen sind. Alle aber gehen, als auf das Thema, auf eine höchst bildsame Grundfigur von Tönen zurück, die durch eine bestimmte Stelle des Textes gegeben ist.

Man erinnert sich ja, daß in dem alten Volksbuch, das Leben und Sterben des Erzmagiers erzählt, und dessen Abschnitte Leverkühn sich mit wenigen entschlossenen Griffen zur Unterlage seiner Sätze zurechtgefügt hat, der Dr. Faustus, als sein Stundenglas ausläuft, seine Freunde und vertrauten Gesellen, »Magistros, Baccalaureos und andere Studenten«, nach dem Dorfe Rimlich nahe Wittenberg lädt, sie dort den Tag über freigebig bewirtet, zur Nacht auch noch einen »Johannistrunk« mit ihnen einnimmt und ihnen dann in einer zerknirschten, aber würdigen Rede sein Schicksal, und daß dessen Erfüllung nun unmittelbar bevorsteht, kund und zu wissen tut. In dieser ›Oratio Fausti ad Studiosos‹ bittet er sie, seinen Leib, wenn sie ihn tot und erwürgt finden, barmherzig zur Erde zu bestatten; denn er sterbe, sagt er, als ein böser und guter Christ: ein guter kraft seiner Reue, und weil er im Herzen immer auf Gnade für seine Seele hoffe, ein böser, sofern er wisse, daß es nun ein gräßlich End mit ihm nehme und der Teufel den Leib haben wolle und müsse. — Diese Worte: »Denn ich sterbe als ein böser und guter Christ«, bilden das Generalthema des Variationenwerks. Zählt man seine Silben nach, so sind es zwölf, und alle zwölf Töne der chromatischen Skala sind ihm gegeben, sämtliche denkbaren Intervalle darin verwandt. Längst ist es musikalisch vorhanden und wirksam, bevor es an seinem Orte von einer Chorgruppe, die das Solo vertritt — es gibt kein Solo im ›Faustus‹ —, textlich vorgetragen wird, ansteigend bis zur Mitte, dann absinkend im Geist und Tonfall des Monteverdischen Lamento. Es liegt zum Grunde allem, was da klingt, — besser: es liegt, als Tonart fast, hinter allem und schafft die Identität des Vielförmigsten, — jene Identität, die zwischen dem kristallenen Engelschor und dem Höllengejohle der ›Apokalypse‹ waltet, und die nun allumfassend geworden ist: zu einer Formveranstaltung von letzter Rigorosität, die nichts Unthematisches mehr kennt, in der die Ordnung des Materials total wird, und innerhalb derer die Idee einer Fuge etwa der Sinnlosigkeit verfällt, eben weil es keine freie Note mehr gibt. Sie dient jedoch nun einem höheren Zweck, denn, o Wunder und tiefer Dämonenwitz! — vermöge der Restlosigkeit der Form eben wird die Musik als Sprache befreit. In einem gewissen, gröberen und tonmateriellen Sinn ist die Arbeit ja abgetan, ehe die Komposition nur anhebt, und diese kann sich nun völlig ungebunden ergehen, das heißt: sich dem Ausdruck überlassen, als welcher jenseits des Konstruktiven, oder innerhalb ihrer vollkommensten Strenge, wiedergewonnen ist. Der Schöpfer von Fausti Wehklage kann sich, in dem vororganisierten Material, hemmungslos, unbekümmert um die schon vorgegebene Konstruktion, der Subjektivität überlassen, und so ist dieses sein strengstes Werk, ein Werk äußerster Kalkulation, zugleich rein expressiv. Das Zurückgehen auf Monteverdi und den Stil seiner Zeit ist eben das, was ich die ›Rekonstruktion des Ausdrucks‹ nannte, — des Ausdrucks in seiner Erst- und Urerscheinung, des Ausdrucks als Klage.

Aufgeboten werden nun alle Ausdrucksmittel jener emanzipatorischen Epoche, von denen ich die Echo-Wirkung schon nannte, — besonders gemäß einem durchaus variativen, gewissermaßen stehenden Werk, in welchem jede Umformung selbst schon das Echo der vorhergehenden ist. Es fehlt nicht an widerhallartigen Fortsetzungen, der weiterführenden Wiederholung der Schlußphrase eines hingestellten Themas in höherer Lage. Orpheische Klage-Akzente sind leise erinnert, die Faust und Orpheus zu Brüdern machen als Beschwörer des Schattenreichs: in jener Episode, wo Faust Helena heraufruft, die ihm einen Sohn gebären wird. Hundert Anspielungen auf Ton und Geist des Madrigals geschehen, und ein ganzer Satz, der Zuspruch der Freunde beim

Mahle der letzten Nacht, ist in korrekter Madrigalform geschrieben.

Aufgeboten aber, im Sinne des Résumés geradezu, werden die erdenklichsten ausdrucktragenden Momente der Musik überhaupt: nicht als mechanische Nachahmung und als ein Zurückgehen, versteht sich, sondern es ist wie ein allerdings bewußtes Verfügen über sämtliche Ausdruckscharaktere, die sich in der Geschichte der Musik je und je niedergeschlagen, und die hier in einer Art von alchimistischem Destillationsprozeß zu Grundtypen der Gefühlsbedeutung geläutert und auskristallisiert werden. Man hat da den tief aufholenden Seufzer bei solchen Worten, wie: »Ach, Fauste, du verwegenes und nichtwerdes Herz, ach, ach, Vernunft, Mutwill, Vermessenheit und freier Will . . .«, die vielfache Bildung von Vorhalten, wenn auch nur als rhythmisches Mittel noch, die melodische Chromatik, das bange Gesamtschweigen vor einem Phrasenanfang, Wiederholungen wie in jenem ›Lasciatemi‹, die Dehnung von Silben, fallende Intervalle, absinkende Deklamation — unter ungeheueren Kontrastwirkungen wie dem tragischen Chor-Einsatz, a cappella und in höchster Kraft, nach der orchestral, als große Ballettmusik und Galopp von phantastischer rhythmischer Vielfalt gegebenen Höllenfahrt Fausti, — einem überwältigenden Klage-Ausbruch nach einer Orgie infernalischer Lustigkeit.

Diese wilde Idee des Niedergeholtwerdens als Tanz-Furioso erinnert noch am meisten an den Geist der ›Apocalipsis cum figuris‹, — daneben etwa noch das gräßliche, ich stehe nicht an zu sagen: zynische chorische Scherzo, worin »der böse Geist dem betrübten Fausto mit seltsamen, spöttischen Scherzreden und Sprichwörtern zusetzt«, — mit diesem fürchterlichen »Drumb schweig, leid, meyd und vertrag, dein Unglück keinem Menschen klag, es ist zu spat, an Gott verzag, dein Unglück läuft herein all Tag.« Im übrigen aber hat Leverkühns Spätwerk wenig gemein mit dem seiner dreißig Jahre. Es ist stilreiner als dieses, dunkler im Ton als Ganzes und ohne Parodie, nicht konservativer in seiner Rückwärtsgewandtheit, aber milder, melodischer, mehr Kontrapunkt als Polyphonie, — womit ich sagen will, daß die Nebenstimmen in ihrer Selbständigkeit mehr Rücksicht nehmen auf die Hauptstimme, die oft in langen melodischen Bögen verläuft, und deren Kern, aus dem alles entwickelt ist, eben das zwölftönige »Denn ich sterbe als ein böser und guter Christ« bildet. Längst vorhergesagt ist in diesen Blättern, daß im ›Faustus‹ auch jenes Buchstabensymbol, die von mir zuerst wahrgenommene Hetaera-Esmeralda-Figur, das h e a e e s, sehr oft Melodik und Harmonik beherrscht: überall da nämlich, wo von der Verschreibung und Versprechung, dem Blut-Rezeß, nur immer die Rede ist.

Vor allem unterscheidet die Faust-Kantate sich von der ›Apokalypse‹ durch ihre großen Orchester-Zwischenspiele, die zuweilen nur allgemein die Haltung des Werkes zu seinem Gegenstande, hindeutend, wie ein »So ist es« aussprechen, zuweilen aber, wie die schauerliche Ballettmusik der Höllenfahrt, auch für Teile der Handlung stehen. Die Instrumentation dieses Schreckenstanzes besteht nur aus Bläsern und einem beharrenden Begleitsystem, das, zusammengesetzt aus zwei Harfen, Cembalo, Klavier, Celesta, Glockenspiel und Schlagzeug, als eine Art von ›Continuo‹ immer wieder auftretend das Werk durchzieht. Einzelne Chorstücke sind nur davon begleitet. Bei anderen sind ihm Bläser, bei wieder anderen Streicher hinzugefügt; abermals andere haben volle Orchester-Begleitung. Rein orchestral ist der Schluß: ein symphonischer Adagiosatz, in welchen der nach dem Höllengalopp mächtig einsetzende Klage-Chor allmählich übergeht, — es ist gleichsam der umgekehrte Weg des ›Liedes an die Freude‹, das kongeniale Negativ jenes Überganges der Symphonie in den Vokal-Jubel, es ist die Zurücknahme . . .

Mein armer, großer Freund! Wie oft habe ich, in dem Werk seines Nachlasses, seines Unterganges lesend, das soviel Untergang seherisch vorwegnimmt, der schmerzhaften Worte gedacht, die er beim Tode des Kindes zu mir sprach: des Wortes, es solle nicht sein, das Gute, die Freude, die Hoffnung, das solle nicht sein, es werde zurückgenommen, man müsse es zurücknehmen! Wie steht dieses »Ach, es soll nicht sein«, fast einer musikalischen Weisung und Vorschrift gleich, über dem Chor- und Instrumentalsätzen von ›Dr. Fausti Weheklag‹, wie ist es in jedem Takt und Tonfall dieses ›Liedes an die Trauer‹ beschlossen! Kein Zweifel, mit dem Blick auf Beethovens ›Neunte‹, als ihr Gegenstück in des Wortes schwermütigster Bedeutung, ist es geschrieben. Aber nicht nur, daß es diese mehr als einmal formal zum Negativen wendet, ins Negative zurücknimmt: es ist darin auch eine Negativität des Religiösen, — womit ich nicht meinen kann: dessen Verneinung. Ein Werk, welches vom Versucher, vom Abfall, von der Verdammnis handelt, was sollte es anderes sein als ein religiöses Werk! Was ich meine, ist eine Umkehrung, eine herbe und stolze Sinnverkehrung, wie wenigstens ich sie zum Beispiel in der »freundlichen Bitt« des Dr. Faustus an die Gesellen der letzten Stunde finde, sie möchten sich zu Bette begeben, *mit Ruhe schlafen* und sich nichts anfechten lassen. Schwerlich wird man umhinkönnen, im Rahmen der Kantate, diese Weisung als den bewußten und gewollten Revers zu dem »Wachet mit mir!« von Gethsemane zu erkennen. Und wiederum: Der »Johannstrunk« des Scheidenden mit den Freunden hat durchaus rituelles Gepräge, als ein anderes Abendmahl ist er gegeben. Damit aber verbindet sich eine Umkehrung der Versuchungsidee, dergestalt, daß Faust den Gedanken der Rettung als Versuchung zurückweist, — nicht nur aus formeller Treue zum Pakt und weil es »zu spät« ist, sondern weil er die Positivität der Welt, zu der man ihn retten möchte, die Lüge ihrer Gottseligkeit, von ganzer Seele verachtet. Dies wird noch viel deutlicher und ist viel stärker noch herausgearbeitet in der Szene mit dem guten alten Arzt und Nachbawr, der Fausten zu sich lädt, um einen fromm bemühten Bekehrungsversuch an ihm zu machen, und der in der Kantate mit klarer Absicht als eine Verführerfigur gezeichnet ist. Unverkennbar ist die Versuchung Jesu durch Satan erinnert, unverkennbar das Apage zum stolz verzweifelten Nein! gegen falsche und matte Gottesbürgerlichkeit gewendet.

Aber einer anderen und letzten, wahrhaft letzten Sinnesverkehrung will gedacht, und recht von Herzen gedacht sein, die am Schluß dieses Werkes unendlicher Klage leise, der Vernunft überlegen und mit der sprechenden Unausgesprochenheit, welche nur der Musik gegeben ist, das Gefühl berührt. Ich meine den orchestralen Schlußsatz der Kantate, in den der Chor sich verliert, und der wie die Klage Gottes über das Verlorengehen seiner Welt, wie ein kummervolles »Ich habe es nicht gewollt« des Schöpfers lautet. Hier, finde ich, gegen das Ende, sind die äußersten Akzente der Trauer erreicht, ist die letzte Verzweiflung Ausdruck geworden, und — ich will's nicht sagen, es hieße die Zugeständnislosigkeit des Werkes, seinen unheilbaren Schmerz verletzen, wenn man sagen wollte, es biete bis zu seiner letzten Note irgendeinen anderen Trost als den, der im Ausdruck selbst und im Lautwerden, — also darin liegt, daß der Kreatur für ihr Weh überhaupt eine Stimme gegeben ist. Nein, dies dunkle Tongedicht läßt bis zuletzt keine Vertröstung, Versöhnung, Verklärung zu. Aber wie, wenn der künstlerischen Paradoxie, daß aus der totalen Konstruktion sich der Ausdruck — der Ausdruck als Klage — gebiert, das religiöse Paradoxon entspräche, daß aus tiefster Heillosigkeit, wenn auch als leiseste Frage nur, die Hoffnung keimte? Es wäre die Hoffnung jenseits der Hoffnungslosigkeit, die Transzendenz der Verzweiflung, — nicht der Verrat an ihr, sondern das Wunder, das über den Glauben geht. Hört nur den Schluß, hört ihn mit mir: Eine Instrumentengruppe nach der anderen tritt zurück, und was übrigbleibt, womit das Werk verklingt, ist das hohe g eines Cellos, das letzte Wort, der letzte verschwebende Laut, in Pianissimo-Fermate langsam vergehend. Dann ist nichts mehr, — Schweigen und Nacht. Aber der nachschwingend im Schweigen hängende Ton, der nicht mehr ist, dem nur die Seele noch nachlauscht, und der der Ausklang der Trauer war, ist es nicht mehr, wandelt den Sinn, steht als ein Licht in der Nacht.

XLVII

»Wachet mit mir!« Adrian mochte im Werke wohl das Wort
gottmenschlicher Not ins Einsam-Männlichere und Stolze, in das
»Schlafet ruhig und laßt euch nichts anfechten!« seines Faustus
wenden, — es bleibt das Menschliche doch, das triebhafte Verlangen, wenn nicht nach Beistand, so doch nach mitmenschlichem
Beisein, die Bitte: »Verlaßt mich nicht! Seid um mich zu meiner
Stunde!«

Darum, als das Jahr 1930 fast auf seine Hälfte gekommen war,
im Monat Mai, lädt Leverkühn auf verschiedenen Wegen eine
Gesellschaft zu sich nach Pfeiffering, all seine Freunde und Bekannten, auch sogar solche, mit denen er wenig oder gar nicht
bekannt, eine Menge Leute, an die dreißig: teils durch geschriebene Karten, teils durch mich, wobei wieder einzelne Geladene
ersucht wurden, die Aufforderung an andere weiterzugeben, wieder andere aber aus sachlicher Neugier sich selbst einluden, das
heißt durch mich oder sonst ein Mitglied des engeren Kreises um
Zulassung baten. Denn es hatte ja Adrian auf seinen Karten wissen lassen, er wünsche, einer günstigen Freundesversammlung
von seinem neuen, eben vollendeten chorisch-symphonischen
Werk ein Bild zu geben durch den Klaviervortrag einiger charakteristischer Partien daraus; und dafür interessierten sich auch
manche Personen, die er nicht zu laden beabsichtigt hatte, wie
zum Beispiel die Heroine Tanja Orlanda und der Tenor Herr
Kjoejelund, die sich durch Schlaginhaufens einführen ließen, und
etwa der Verleger Radbruch nebst seiner Frau, die sich hinter
Schildknapp gesteckt hatten. Handschriftlich eingeladen hatte er
übrigens auch Baptist Spengler, obgleich dieser, wie Adrian
eigentlich hätte wissen müssen, schon seit anderthalb Monaten
nicht mehr unter den Lebenden weilte. Der geistreiche Mann war,
erst Mitte der Vierziger, bedauerlicherweise seinem Herzleiden
erlegen.

Mir, ich bekenne es, war bei der ganzen Veranstaltung nicht
wohl zumute. Warum, ist schwer zu sagen. Dieses Heranziehen
einer großen Anzahl ihm größtenteils innerlich wie äußerlich
sehr fernstehender Menschen an den Ort seiner Zurückgezogenheit, zu dem Behuf, sie in sein einsamstes Werk einzuweihen,
paßte im Grunde zu Adrian nicht; es mißbehagte mir nicht sowohl an und für sich, als weil es mir als eine ihm fremde Handlungsweise erschien, — und an und für sich widerstand es mir
auch. Aus welchem Grunde nun immer — und ich meine wohl,
ich habe ihn angedeutet, den Grund —, es war mir im Herzen
lieber, ihn allein zu wissen in seinem Refugium — gesehen nur
von seinen menschlich gesinnten, ihm respektvoll anhänglichen
Wirtsleuten und von uns wenigen, Schildknapp, der lieben Jean-

nette, den verehrenden Frauen Rosenstiel und Nackedey und mir selbst —, als daß nun die Augen einer gemischten, an ihn nicht gewöhnten Menge auf den seinerseits Weltentwöhnten gerichtet sein sollten. Aber was blieb mir denn übrig, als mit Hand anzulegen an das Unternehmen, das er selbst schon weitgehend eingeleitet hatte, seiner Weisung zu folgen und meine Telephonate zu tätigen? Es gab keine Absagen, im Gegenteil, wie ich sagte: nur zusätzliche Gesuche um Beteiligungserlaubnis kamen vor.

Nicht nur, daß ich die Veranstaltung nicht gerne sah: ich will in meinem Geständnis weitergehen und niederlegen, daß ich sogar versucht war, mich persönlich davon fernzuhalten. Dem stand jedoch ein sorgenvolles Pflichtgefühl entgegen, des Sinnes, ich müsse, gern oder nicht, unbedingt dabeisein und alles überwachen. Und so begab ich mich denn an jenem Samstagnachmittag mit Helenen nach München, wo wir den Waldshut-Garmischer Personenzug nahmen. Wir teilten das Coupé mit Schildknapp, Jeannette Scheurl und Kunigunde Rosenstiel. Über andere Wagen hin war die übrige Gesellschaft verteilt, ausgenommen nur das Ehepaar Schlaginhaufen, der schwäbelnde alte Rentner und die geborene von Plausig, die zusammen mit ihren Sängerfreunden die Fahrt in ihrem Auto machten. Dieses, schon vor uns eingetroffen, leistete bei der Ankunft in Pfeiffering gute Dienste, indem es zwischen der kleinen Station und Hof Schweigestill mehrmals hin- und herfuhr und die Gäste, die es nicht etwa vorzogen, zu Fuße zu gehen (das Wetter hielt sich, obgleich ein Gewitter leise grollend am Horizonte stand), gruppenweise dorthin brachte. Denn für Beförderung vom Bahnhof zum Hause war nicht gesorgt, — Frau Schweigestill, die Helene und ich in der Küche aufsuchten, wo sie mit Hilfe Clementine's in aller Eile einen Imbiß für so viele, Kaffee, in Streifen geschnittene Butterbrote und kühlen Apfelsaft, vorbereitete, erklärte uns in nicht geringer Bestürzung, daß Adrian sie auf die Invasion mit keinem Wort vorbereitet habe.

Unterdessen wollte das wütende Gebell des alten Suso oder Kaschperl draußen, der kettenklirrend vor seiner Hütte herumsprang, kein Ende nehmen und beruhigte sich erst, als keine neuen Gäste mehr anlangten und alles sich im Nike-Saal versammelt hatte, dessen Sitzgelegenheiten Magd und Knecht durch Stühle vermehrten, die sie aus dem Familienwohnzimmer und sogar aus oberen Schlafzimmern hereinschleppten. Außer den schon genannten Personen erwähne ich von den Anwesenden aufs Geratewohl und nach dem Gedächtnis: den vermögenden Bullinger, den Maler Leo Zink, den weder Adrian noch ich eigentlich mochten, und den jener wohl mit dem verstorbenen Spengler zusammen eingeladen hatte, Helmut Institoris, nun eine Art von Witwer, den klar artikulierenden Dr. Kranich, Frau Binder-Majoresku, die Knöterichs, den hohlwangig scherzenden Portraitisten Nottebohm nebst Frau, die Institoris mitgebracht hatte. Hinzu kamen Sixtus Kridwiß und der Kreis seines Diskussionstisches, nämlich der Erdschichtenforscher Dr. Unruhe, die Professoren Vogler und Holzschuher, der Dichter Daniel Zur Höhe in schwarz geschlossenem Rock und zu meinem Ärger sogar der rabulistische Chaim Breisacher. Das fachlich musikalische Element war neben den Opernsängern durch Ferdinand Edschmidt, den Dirigenten des Zapfenstößer-Orchesters, vertreten. Wer sich, zu meiner völligen Überraschung, und wohl nicht nur zu meiner, ebenfalls eingefunden hatte, war Baron Gleichen-Rußwurm, der sich, soviel mir bekannt, seit der Geschichte mit der Maus zum allerersten Mal wieder mit seiner fülligen, aber eleganten Gemahlin, einer Österreicherin, gesellschaftlich blicken ließ. Es stellte sich heraus, daß Adrian ihm schon acht Tage im voraus eine Einladung auf sein Schloß gesandt hatte, und wahrscheinlich war der so sonderbar kompromittierte Schiller-Enkel der eigenartigen Gelegenheit zu sozialer Wiederanknüpfung recht froh gewesen.

Alle diese Leute nun, rund dreißig, wie ich sagte, stehen vorderhand in dem Bauernsaal erwartungsvoll umher, machen sich untereinander bekannt, tauschen Äußerungen der Neugier. Ich sehe Rüdiger Schildknapp in seinem ewigen mitgenommenen Sportkostüm, von Frauen umgeben, deren ja eine ganze Anzahl vorhanden war. Ich höre die wohllautend überherrschenden Stimmen der dramatischen Sänger, das asthmatisch-verstandesklare Sprechen Dr. Kranichs, das Schwadronieren Bullingers, die Versicherung Kridwißens, daß diese Zusammenkunft, und was sie verspreche, »scho' enorm wischtisch« sei und die Zustimmung Zur Höhe's, der, mit dem Fußballen aufschlagend, sein fanatisches »Jawohl, jawohl, man kann es sagen!« daranfügt. Die Baronin Gleichen ging umher, Sympathie nachsuchend für das abstruse Mißgeschick, von dem ihr Gatte und sie betroffen worden. »Sie wissen doch, wir haben ja dieses ennui gehabt«, sagte sie da und dort. — Von Anfang an machte ich die Beobachtung, daß viele gar nicht bemerkten, daß Adrian längst im Zimmer war, und so sprachen, als ob sie ihn noch erwarteten, einfach weil sie ihn nicht erkannten. Er saß, mit dem Rücken gegen die Fenster, gekleidet wie immer jetzt, mitten im Saal an dem schweren ovalen Tisch, an dem wir einst mit jenem Saul Fitelberg gesessen. Aber mehrere der Gäste fragten mich, wer der Herr dort sei, und ließen auf mein anfangs verwundertes Bedeuten ein »Ja, so!« plötzlicher Erhellung vernehmen, worauf sie sich sputeten, den Gastgeber zu begrüßen. Wie sehr mußte er sich unter meinen Augen verändert haben, daß dies geschehen konnte! Viel machte gewiß der Knebelbart aus, und das sagte ich denen auch, denen es nicht hatte beikommen wollen, daß er es sei. Neben seinem Stuhl stand längere Zeit aufrecht, wie eine Schildwache, die wollige Rosenstiel, und das war der Grund, weshalb Meta Nackedey sich so fern wie möglich in einem Winkel des Zimmers verborgen hielt. Kunigunde hatte jedoch die Loyalität, nach einer Weile ihren Standort zu räumen, worauf sofort die andere verehrende Seele ihn einnahm. Auf dem Pult des geöffneten Tafelklaviers an der Wand lag aufgeschlagen die Partitur von ›Dr. Fausti Weheklag‹.

Da ich den Freund im Auge behielt auch während der Konversation mit einem und dem anderen der Gäste, verfehlte ich nicht, den Wink aufzufassen, den er mir mit Kopf und Brauen erteilte, und der besagte, ich solle die Versammelten zum Einnehmen ihrer Plätze anhalten. Ich tat es unverzüglich, indem ich die Nächsten in diesem Sinne ersuchte, Fernerstehenden Zeichen machte und mich sogar überwand, in die Hände zu klatschen, um Stillschweigen für die Mitteilung zu gewinnen, Dr. Leverkühn wünsche seinen Vortrag zu beginnen. Der Mensch fühlt es, wenn Blässe sein Gesicht bedeckt; eine gewisse entgeisterte Kälte seiner Züge läßt es ihn wahrnehmen, und auch die Schweißtropfen, die dann an seiner Stirn hervortreten mögen, haben ja diese Kälte. Meine Hände, die ich nur schwach, mit Zurückhaltung, zusammenschlug, zitterten, wie sie eben jetzt zittern, wo ich mich anschicke, die entsetzliche Erinnerung niederzuschreiben.

Das Publikum folgte mit ziemlicher Promptheit. Ruhe und Ordnung waren rasch hergestellt. Es war so, daß mit Adrian am Tische die alten Schlaginhaufens saßen, dazu Jeannette Scheurl, Schildknapp, meine Frau und ich. Die übrigen waren zu beiden Seiten des Zimmers in unregelmäßiger Anordnung auf verschiedenartigen Möbeln, bemalten Holzstühlen, Roßhaarfauteuils, dem Sofa verteilt, und einige Herren lehnten auch an den Wänden. Adrian machte noch keine Miene, die allgemeine Erwartung, auch meine eigene, zu erfüllen und sich zum Klavier zu begeben, um zu spielen. Er saß mit gefalteten Händen, das Haupt zur Seite geneigt, die Augen vor sich hin, nur wenig aufwärts, gerichtet, und begann bei nun vollkommener Stille, in der leicht eintönigen, auch etwas stockenden Sprechweise, die ich jetzt an ihm kannte, das Wort an die Versammelten zu richten — im Sinn einer Begrüßungsansprache, wie mir anfangs schien; und es war zu Beginn auch dergleichen. Ich überwinde mich, hinzuzufügen, daß er sich bei seiner Rede öfters versprach und — zu meiner Qual, ich grub die Nägel darob in meine Handflächen — bei dem Versuch, den lapsus zu verbessern, in einen neuen verfiel, weshalb er später dieser Fehlleistungen einfach nicht mehr achthatte und darüber hinwegging. Übrigens hätte ich mich von allerlei Regellosigkeiten in seiner Ausdrucksweise nicht so sehr sollen vergrämen lassen, denn er bediente sich beim Reden, wie er es ja auch schriftlich immer gern getan, zum Teil einer Art von älterem Deutsch, und dabei hatte es mit Mängeln und ungeschlossenem Satzbau immer eine fragliche und läßliche Bewandtnis, denn wie lange ist es her, daß unsere Sprache dem Barbarischen entwachsen und grammatisch wie nach der Rechtschreibung leidlich geordnet ist!

Er begann sehr leise und murmelnd, so daß die wenigsten seine Anrede verstanden, noch sich etwas daraus machten, oder sonst sie als launige Scherzfloskel nahmen, da sie ungefähr lautete wie:

»Achtbar, insonders liebe Brüder und Schwestern.«

Danach schwieg er eine Weile, wie nachdenkend, die Wange bei aufgestütztem Ellbogen gegen die Hand gelehnt. Was folgte, wurde ebenfalls als launig einleitend und zur Heiterkeit einladend aufgefaßt, und obgleich die Unbeweglichkeit seiner Züge, die Müdigkeit seines Blicks und seine Blässe dem widersprachen, ging hier noch ein entgegenkommendes Lachen, leichthin durch die Nase oder auch als Gekicher der Damen, im Saale um.

»Erstlich«, sagte er, »will ich mich gegen euch bedanken, beide der Gunst und Freundschaft, von mir unverdient, so ihr mir erweisen wollen durch euer Hereinkommen zu Fuß und Wagen, da ich euch aus der Einöde dieses Schlupfwinkels geschrieben und gerufen, auch rufen und laden lassen durch meinen herzlich getreuen Famulus und special Freund, welches mich noch zu erinnern weiß unsers Schulgangs von Jugend auf, da wir zu Hallen miteinander studierten, doch davon, und wie Hochmut und Greuel schon anhuben bei diesem Studieren, weiter herab in meinem Sermoni.«

Hierbei blickten viele schmunzelnd nach mir, der ich doch vor Rührung nicht lächeln konnte, da es dem Teueren gar nicht gleich sah, daß er meiner mit so weicher Erinnerung gedachte. Aber gerade dies, daß sie Tränen in meinen Augen sahen, belustigte die meisten; und ich erinnere mich mit Widerwillen, daß Leo Zink seine große, von ihm viel verspottete Nase laut in sein Schnupftuch schneuzte, um meine sichtliche Bewegung zu karikieren, womit er auch wieder einiges Kichern für sich gewann. Adrian schien es nicht wahrzunehmen.

»Muß mich«, fuhr er fort, »zuvörderst auch für euch entschüldigen« (er verbesserte sich und sagte: »entschuldigen«, wiederholte dann aber: »entschüldigen«) »und euch bitten, deß nicht Beschwerung zu tragen, daß unser Hund Prästigiar, er wird wohl Suso genannt, heißt aber in Wahrheit Prästigiar, sich so übel gehube und euch ein so hellisch Gekleff und Geplerr vor den Ohren gemacht, da ihr euch doch um meinetwillen habt solcher Mühe und Beschwer unterwunden. Wir hätten jedem von euch ein über-

hohes Pfeifchen, hörbar nur dem Hunde, sollen einhändigen, daß
er schon von weitem verstanden hätte, es kommen nur gute ge-
betene Freunde, mit Begehren von mir zu hören, was ich unter
seiner Wache getan, und wie ich's all die Jahre her getrieben.«
Über das Pfeifchen wurde wieder von einigen Seiten höflich
etwas gelacht, wenn auch mit Befremden. Er aber ging weiter
und sprach:
»Nun habe ich zu euch eine freundliche christliche Bitt, ihr wollet
mein Fürtragen nicht in argem auf- und annehmen, sondern es
zum besten verstehen, denn ich ein wahrhaft Verlangen habe,
euch Guten und Harmlosen, wenn nicht Unsündigen, so doch nur
gewöhnlich und erträglich Sündigen, die ich darum herzlich ver-
acht, aber inbrünstig beneide, ein voll mitmenschlich Geständnis
zu tun, da mir das Stundglas vor den Augen steht, daß ich gewärtig sein muß, wenn es ausläuft die letzten Körnchen durch die
Enge und Er mich holen wird, gegen den ich mich mit meinem
eigenen Blut so teuer verschrieben, daß ich mit Leib und Seele
ewig sein gehören wollen und in sein Hände und Gewaltsam fallen, wann das Glas ausgeronnen und die Zeit, so seine Ware ist,
zum Ende gelaufen.«
Hier wurde noch einmal da und dort durch die Nase gelacht, aber
es gab auch einiges Zungenschnalzen am Gaumen nebst Kopfschütteln, wie über eine Taktlosigkeit, und einige begannen, fin-
ster forschend zu blicken.
»Wißt es also«, sagte der am Tische, »ihr Guten und Frommen,
die ihr mit euerer mäßigen Sünd in Gotes« (wieder verbesserte
er sich und sagte: »Gottes«, kam aber dann auf die andere Form
zurück) »die ihr in Gotes Gnade und Nachsicht ruhet, denn ich
habe es so lange bei mir verdruckt, will's euch aber nicht länger
verhalten, daß ich allbereit seit meinem einundzwanzigsten Jahr
mit dem Satan verheirat bin und habe mit Wissen der Fahr, aus
wohlbedachtem Mut, Stolz und Verwegenheit, weil ich in dieser
Welt einen Ruhm erlangen wollen, eine Versprechung und Bündnis mit Ihm aufgerichtet, also daß alles, was ich während der
Frist von vierundzwanzig Jahren vor mich gebracht, und was die
Menschen mit Recht mißtrauisch betrachtet, nur mit Seiner Hilf
zustandkommen, und ist Teufelswerk, eingegossen vom Engel
des Giftes. Denn ich dachte wohl: Wer da kegeln will, muß aufsetzen, und muß heute einer den Teufel zu Huld nehmen, weil
man zu großem Fürnehmen und Werk niemand sonsten kann
brauchen und haben denn Ihn.«
Jetzt herrschte peinlich gespannte Stille im Saal. Wenige waren,
die noch gemächlich zuhörten, dagegen sah man viele hochgezo-
gene Brauen und Gesichter, in denen zu lesen war: Wo will das
hinaus, und wie steht es hier? Hätte er einmal gelächelt oder ge-
blinzelt, um seine Worte als Künstlermystifikation zu kennzeich-

nen, so wäre noch halbwegs alles gut gewesen. Aber er tat's nicht, sondern saß da in bleichem Ernst. Einige blickten fragend nach mir, wie denn das nun gemeint sei, und wie ich's verantworten wollte; und vielleicht hätte ich einschreiten und die Versammlung auflösen sollen — aber mit welcher Begründung? Es gab nur entwürdigende und preisgebende, und ich fühlte, daß ich den Dingen ihren Lauf lassen müsse, in der Hoffnung, er möchte bald aus seinem Werk zu spielen beginnen und Töne geben statt Worte. Nie hatte ich stärker den Vorteil der Musik, die nichts und alles sagt, vor der Eindeutigkeit des Wortes empfunden, ja, die schützende Unverbindlichkeit der Kunst überhaupt, im Vergleich mit der bloßstellenden Krudheit des unübertragenen Geständnisses. Dieses aber zu unterbrechen, ging mir nicht nur gegen die Ehrfurcht, sondern es verlangte mich auch aus ganzer Seele, zu hören, mochten auch unter denen, die mit mir hörten, nur ganz wenige sein, die es wert waren. Haltet nur aus und hört, sprach ich im Geist zu den anderen, da er euch nun einmal alle als seine Mitmenschen geladen hat!

Nach einer Pause des Nachdenkens fing der Freund wieder an:

»Glaubt nicht, liebe Brüder und Schwestern, daß ich zur Promission und Errichtung des Pakts eines Wegscheids im Walde und viel Cirkel und grobe Beschwörung bedurft hätte, da ja schon Sankt Thomas lehrt, daß es zum Abfall nicht Worte braucht, mit denen Anrufung stattfindet, sondern irgendeine Tat ist genug, auch ohne ausdrückliche Huldigung. Denn es war nur ein Schmetterling und eine bunte Butterfliege, Hetaera Esmeralda, die hatt es mir angetan durch Berührung, die Milchhexe, und folgt ihr nach in den dämmernden Laubschatten, den ihre durchsichtige Nacktheit liebt, und wo ich sie haschte, die im Flug einem windgeführten Blütenblatt gleicht, haschte sie und koste mit ihr, ihrer Warnung zum Trotz, so war es geschehen. Denn wie sie mir's angetan, so tat sie mir's an und vergab mir in der Liebe, — da war ich eingeweiht und die Versprechung geschlossen.«

Ich zuckte zusammen, denn hier gab es eine Zwischenstimme aus dem Auditorium, — die des Dichters Daniel Zur Höhe in seinem Priesterkleide, der mit dem Fuße aufschlug und hämmernd urteilte: .

»Es ist schön. Es hat Schönheit. Recht wohl, recht wohl, man kann es sagen!«

Einige zischten, und auch ich wandte mich mißbilligend gegen den Sprecher, da ich ihm doch heimlich dankbar war für seine Worte. Denn obgleich albern genug, rückten sie, was wir hörten, unter einen beruhigenden und anerkannten Gesichtswinkel, den ästhetischen nämlich, der, so unangebracht er war, und so sehr er mich ärgerte, doch auch mir selbst eine gewisse Erleichterung schuf. Denn mir war, als ginge ein getröstetes ›Ach so!‹ durch die Gesellschaft, und eine Dame, Frau Verleger Radbruch, fand sich durch Zur Höhe's Worte zu dem Ausspruch ermutigt:

»Man glaubt, Poesie zu hören.«

Ach, man glaubte das nicht lange, die schönselige Auffassung, so bequem sie sich anbot, war nicht haltbar, dies hatte nichts zu tun mit Dichter Zur Höhe's steilem Jux von Gehorsam, Gewalt, Blut und Plünderung der Welt, es war stiller und bleicher Ernst, war Bekenntnis und Wahrheit, die zu vernehmen ein Mensch in letzter Seelennot seine Mitmenschen zusammengerufen hatte, — eine Handlung unsinnigen Vertrauens allerdings; denn Mitmenschen sind nicht gemeint und gemacht, solcher Wahrheit anders zu begegnen als mit kaltem Grauen und mit der Entscheidung, die sie sehr bald, als es nicht mehr anging, sie als Poesie zu betrachten, einhellig darüber aussprachen.

Es hatte nicht den Anschein, als ob jene Einwürfe überhaupt zu unserem Gastgeber gedrungen wären. Sein Sinnen, wenn er pausierte, machte ihn offenbar unzugänglich für sie.

»Merkt es nur«, nahm er seine Rede wieder auf, »sonders achtbare liebe Freunde, daß ihr's mit einem Gottverlassenen und Verzweifelten zu tun habt, dessen Leichnam nicht an geweihten Ort gehört, zu frommen abgestorbenen Christen, sondern auf den Schindwasen zu den Kadavern verreckten Viehes. Auf der Bahre, ich sag es euch zuvor, werdet ihr ihn immer finden auf dem Gesichte liegen, und ob ihr ihn fünfmal umdrehet, er wird doch wieder verkehrt liegen. Denn lange schon bevor ich mit dem giftigen Falter koste, war meine Seel in Hochmut und Stolz zu dem Satan unterwegs gewesen, und stund mein Datum dahin, daß ich nach Ihm trachtete von Jugend auf, wie ihr ja wissen müßt, daß der Mensch zur Seligkeit oder zur Höllen geschaffen und vorbestimmt ist, und ich war zur Höllen geboren. Drum gab ich meiner Hoffart Zucker, daß ich theologiam studierte zu Hallen auf der Hohen Schul, doch nicht von Gottes wegen, sondern von wegen des Anderen, und war mein Gottesstudium heimlich schon des Bündnisses Anfang und der verkappte Zug zu Gott nicht, sondern zu Ihm, dem großen religiosus. Was aber zum Teufel will, das läßt sich nicht aufhalten noch Ihm wehren, und war nur ein kleiner Schritt von der Gottesfakultät hinüber gen Leipzig und zu der Musik, daß ich mich nur und allein noch abgab mit figuris, characteribus, formis coniurationum und wie solche Namen der Beschwörung und Zauberei genannt sein mögen.

Item, mein verzweifelt Herz hat mir's verscherzt. Hatte wohl einen guten geschwinden Kopf und Gaben, mir von oben her gnädig mitgeteilt, die ich in Ehrsamkeit und bescheidentlich hätte nutzen können, fühlte aber nur allzu wohl: Es ist die Zeit, wo auf fromme, nüchterne Weis, mit rechten Dingen, kein Werk mehr zu tun und die Kunst unmöglich geworden ist ohne Teufelshilf und höllisch Feuer unter dem Kessel ... Ja und ja, liebe Gesellen, daß die Kunst stockt und zu schwer worden ist und sich selbsten verhöhnt, daß alles zu schwer worden ist und Gottes armer Mensch nicht mehr aus und ein weiß in seiner Not, das ist wohl Schuld der Zeit. Lädt aber einer den Teufel zu Gast, um darüber hinweg und zum Durchbruch zu kommen, der zeiht seine Seel und nimmt die Schuld der Zeit auf den eigenen Hals, daß er verdammt ist. Denn es heißt: Seid nüchtern und wachet! Das aber ist manches Sache nicht, sondern, statt klug zu sorgen, was vonnöten auf Erden, damit es dort besser werde, und besonnen dazu zu tun, daß unter den Menschen solche Ordnung sich herstelle, die dem schönen Werk wieder Lebensgrund und ein redlich Hineinpassen bereiten, läuft wohl der Mensch hinter die Schul und bricht aus in höllische Trunkenheit: so gibt er sein Seel daran und kommt auf den Schindwasen.

Also, günstige liebe Brüder und Schwestern, hab ich's gehalten und ließ nigromantia, carmina, incantatio, veneficium und wie sonst Wörter und Namen genannt werden mögen, all mein Sach und Verlangen sein. Bin auch bald mit Jenem zusprach kommen, dem Wendenschimpf, dem Mannsluder, im welschen Saal, hab viel Gespräch mit Ihm gehalten, und hat mir von der Hellen Qualität, Fundament und Substanz gar manches verkünden müssen. Hat mir auch Zeit verkauft, vierundzwanzig unabsehbare Jahr, und sich gegen mir versprochen und verlobt für diese Frist, auch mir Großes verheißen und viel Feuer unter den Kessel, daß ich fähig sein sollte zum Werk, obgleich es zu schwer worden und mein Kopf zu klug und spöttisch dafür, deß ohngeachtet. Nur, allerdings, Messerschmerzen sollte ich leiden dafür schon in der Zeit, gleichwie die kleine Seejungfrau sie litt in ihren Beinen, die war meine Schwester und süße Braut, mit Namen Hyphialta. Denn Er führte sie mir zu Bette als mein Schlafweib, daß ich ihr anhub zu buhlen und sie immer lieber gewann, ob sie nun mit dem Fischschwanz kam, oder mit Beinen. Öfters wohl kam sie im Schwanz, weil nämlich die Schmerzen, die sie wie von Messern litt in den Beinen, ihr die Lust überwogen, und ich hatte viel Sinn dafür, wie ihr zarter Leib in den schuppigen Schwanz so lieblich überging. Aber höher war mein Entzücken doch an der reinen Menschengestalt, und so hatte ich meines Teils größere Lust, wenn sie sich zu mir gesellte mit Beinen.«

Eine Unruhe geschah nach diesen Worten im Auditorium und ein Aufbruch. Die alten Herrschaften Schlaginhaufen nämlich erhoben sich von unserem Tisch, und, ohne nach rechts oder links zu blicken, auf leisen Sohlen, führte der Gatte die Gattin am Ellbogen zwischen den Sitzen hindurch und zur Tür hinaus. Es vergingen auch nicht zwei Minuten, bis man auf dem Hof mit viel

Lärm und Rattern den Motor ihres Autos anspringen hörte und verstand, sie fuhren davon.

Dies war für manchen bedenklich, denn so ging man des Wagens verlustig, mit dem viele gehofft hatten, wieder zum Bahnhof zurücktransportiert zu werden. Es war aber keine Neigung bemerklich unter den Gästen, es ihnen nachzutun. Man saß wie gebannt, und als es draußen still geworden von der Wegfahrt, ließ wieder Zur Höhe sein peremptorisches »Schön! O freilich wohl, es ist schön!« vernehmen.

Auch ich wollte eben den Mund auftun und den Freund ersuchen, es mit der Einleitung genug sein zu lassen und uns nun aus seinem Werke zu spielen, als er, unberührt von dem Zwischenfall, in seiner Ansprache weiterging:

»Darauf ist Hyphialta schwangeren Leibs geworden und hat mir ein Söhnchen gezehlt, an dem meine ganze Seele hing, ein heilig Knäbchen, holdselig außer aller Gewohnheit und wie von weiter und alter Landsart hero. Da aber das Kind von Fleisch und Blut und es bedungen war, daß ich kein menschlich Wesen lieben durfte, so bracht Er es um ohn Erbarmen und bedient sich dazu meiner eigenen Augen. Denn ihr müßt wissen, daß, wenn eine Seele heftig zur Schlechtigkeit bewegt worden, so ist ihr Blick giftig und natterisch, am meisten für Kinder. So ging dieses Söhnchen voll süßer Sprüche mir im Augstmond dahin, ob ich gleich gedacht hatte, solche Zärtlichkeit sei mir erlaubt. Hatte wohl auch gedacht, schon zuvor, daß ich, als des Teufels Mönch, lieben dürfte in Fleisch und Blut, was nicht weiblich war, der aber um mein Du in grenzenloser Zutraulichkeit warb, bis ich's ihm gewährte. Darum mußt ich ihn töten und schickte ihn in den Tod nach Zwang und Weisung. Denn der magisterulus hatte gemerkt, daß ich mich ehelich zu verheiraten gedachte, und war voller Wut, weil Er im Ehestande den Abfall ersah von Ihm und einen Schlich zur Versöhnung. Also zwang Er mich, gerade dies Vorhaben zu brauchen, daß ich kalt den Zutraulichen mordete, und will's gebeichtet haben heut und hier vor euch allen, daß ich vor euch sitze auch noch als ein Mörder.«

Eine weitere Gruppe von Gästen verließ an dieser Stelle den Raum, nämlich: der kleine Helmut Institoris, der sich, in stillem Protest, bleich und die Unterlippe an die Zähne gezogen, erhob, und seine Freunde, der Glattmaler Nottebohm nebst seiner sehr bürgerlich geprägten, hochbusigen Frau, die wir ›die mütterliche Brust‹ zu nennen pflegten. Diese also entfernten sich stillschweigend. Sie hatten aber wohl draußen nicht geschwiegen, denn wenige Augenblicke nach ihrem Abgang trat leise Frau Schweigestill ein, in der Schürze, im straffen grauen Scheitel, und blieb mit gefalteten Händen in der Nähe der Türe stehen. Sie hörte zu, wie Adrian sagte:

»Aber welch ein Sünder ich war, ihr Freunde, ein Mörder, den Menschen feind, der Teufelsbuhlschaft ergeben, so hab ich dem ungeachtet mich immerfort emsig befleißigt als ein Werker und nie geruget« (wieder einmal schien er sich zu besinnen und verbesserte das Wort in »geruht«, blieb aber dann bei »geruget«) »noch geschlafen, sondern mir's sauer werden lassen und Schweres vor mich gebracht, nach dem Wort des Apostels: ›Wer schwere Dinge sucht, dem wird es schwer.‹ Denn wie Gott nicht Großes tut durch uns ohn unser Salben, so auch der Andre nicht. Nur die Scham und den Spott des Geistes, und was in der Zeit dem Werke zuwider, das hat Er von mir beiseite gehalten, das übrige mußte ich selber tun, wenn auch nach seltsamen Eingießungen. Denn oft erhob sich bei mir ein lieblich Instrument von einer Orgel oder Positiv, dann die Harfe, Lauten, Geigen, Posaunen, Schwegel, Krummhörner und Zwergpfeifen, ein jegliches mit vier Stimmen, daß ich hätte glauben mögen, im Himmel zu sein, wenn ich's nicht anders gewußt hätte. Davon schrieb ich viel auf. Oft waren auch gewisse Kinder bei mir im Zimmer, Buben und Mädchen, die mir von Notenblättern eine Motette sangen, lächelten sonderlich verschmitzt dabei und tauschten Blicke. Es waren gar hübsche Kinder. Zuweilen hob sich ihr Haar wie von heißer Luft, und sie glätteten es wieder mit ihren hübschen Händen, die hatten Grübchen und waren Rubinsteinchen daran. Aus ihren Nasenlöchern ringelten sich manchmal gelbe Würmchen, liefen zur Brust hinab und verschwanden —«

Diese Worte waren nun abermals das Zeichen für einige Zuhörer, den Saal zu räumen: es waren die Gelehrten Unruhe, Vogler und Holzschuher, von denen ich den einen beim Hinausgehen beide Handwurzeln an die Schläfen pressen sah. Sixtus Kridwiß jedoch, bei dem sie disputierten, blieb mit sehr angeregter Miene an seinem Platze, wie ja nach den Abgängen immer noch einige zwanzig blieben, wenn auch vielfach schon stehend und anscheinend zur Flucht bereit. Leo Zink hielt boshaft erwartungsvoll die Brauen emporgezogen und sagte »Jessas, na!«, wie er zu tun pflegte, wenn er eines anderen Bild beurteilen sollte. Um Leverkühn hatten sich, gleichsam schützend einige Frauen geschart: Kunigunde Rosenstiel, Meta Nackedey und Jeannette Scheurl, diese drei. Else Schweigestill blieb in der Entfernung.

Und wir hörten:

»So hat der Böse seinen Worten Kraft geben in Treuen durch vierundzwanzig Jahr, und ist alles fertig bis aufs Letzt, unter Mord und Unzucht hab ich's vollendet, und vielleicht kann gut sein aus Gnade, was in Schlechtigkeit geschaffen wurde, ich weiß es nicht. Vielleicht auch siehet Gott an, daß ich das Schwere gesucht und mir's habe sauer werden lassen, vielleicht, vielleicht wird mir's angerechnet und zugute gehalten sein, daß ich mich so befleißigt und alles zähe fertig gemacht, — ich kann's nicht sagen und habe nicht Mut, darauf zu hoffen. Meine Sünde ist größer, denn daß sie mir könnte verziehen werden, und ich habe sie auf Höhest getrieben dadurch, daß mein Kopf spekulierte, der zerknirschte Unglaube an die Möglichkeit der Gnade und Verzeihung möchte das Allerreizendste sein für die ewige Güte, wo ich doch einsehe, daß solche freche Berechnung das Erbarmen vollends unmöglich macht. Darauf aber fußend, ging ich weiter im Spekulieren und rechnete aus, daß diese letzte Verworfenheit der äußerste Ansporn sein müsse für die Güte, ihre Unendlichkeit zu beweisen. Und so immer fort, also, daß ich einen verruchten Wettstreit trieb mit der Güte droben, was unausschöpflicher sei, sie oder mein Spekulieren, — da seht ihr, daß ich verdammt bin, und ist kein Erbarmen für mich, weil ich ein jedes im voraus zerstöre durch Spekulation.

Da aber nun die Zeit ausgelaufen ist, die ich mir einst mit meiner Seele erkauft, hab ich euch vor meinem Ende zu mir berufen, günstig liebe Brüder und Schwestern, und euch mein geistlich Hinscheiden nicht wollen verbergen. Bitt euch hierauf, ihr wollet meiner im Guten gedenken, auch andere, die ich etwa zu laden vergessen, von meinetwegen brüderlich grüßen und darneben mir nichts für übel halten. Dies alles gesagt und bekannt, will ich euch zum Abschied ein weniges aus dem Gefüge spielen, das ich dem lieblich Instrument des Satans abgehört, und das zum Teil die verschmitzten Kinder mir vorgesungen.«

Er stand auf, bleich wie der Tod.

»Dieser Mann«, ließ sich da in der Stille die klar artikulierende, wenn auch asthmatische Stimme des Dr. Kranich vernehmen, »dieser Mann ist wahnsinnig. Daran kann längst kein Zweifel bestehen, und es ist sehr zu bedauern, daß in unserem Kreise die irrenärztliche Wissenschaft nicht vertreten ist. Ich, als Numismatiker, fühle mich hier gänzlich unzuständig.«

Damit ging auch er hinaus.

Leverkühn, umgeben von den genannten Frauen, auch von Schildknapp, Helene und mir, hatte sich an das braune Tafelklavier gesetzt und glättete mit der Rechten die Blätter der Partitur. Wir sahen Tränen seine Wangen hinunterrinnen und auf die Tasten fallen, die er, naß wie sie waren, in stark dissonantem Akkorde anschlug. Dabei öffnete er den Mund, wie um zu singen, aber nur ein Klagelaut, der mir für immer im Ohre hängengeblieben ist, brach zwischen seinen Lippen hervor; er breitete, über das Instrument gebeugt, die Arme aus, als wollte er es damit umfangen, und fiel plötzlich, wie gestoßen, seitlich vom Sessel hinab zu Boden.

Frau Schweigestill, die doch entfernter gestanden, war schneller bei ihm als wir Näheren, die wir, ich weiß nicht, warum, eine

Sekunde zögerten, uns seiner anzunehmen. Sie hob den Kopf des Bewußtlosen, und seinen Oberleib in mütterlichen Armen haltend, rief sie zur Seite ins Zimmer hinein gegen die annoch Gaffenden:

»Macht's, daß weiter kommt's, alle miteinand! Ihr habt's ja ka Verständnis net, ihr Stadtleut, und da g'hert a Verständnis her! Viel hat er von der ewigen Gnaden g'redt, der arme Mann, und i weiß net, ob die langt. Aber a recht's a menschlich's Verständnis, glaubt's es mir, des langt für all's!«

Es ist getan. Ein alter Mann, gebeugt, fast gebrochen von den Schrecknissen der Zeit, in welcher er schrieb, und von denen, die den Gegenstand seines Schreibens bildeten, blickt mit schwankender Genugtuung auf den hohen Haufen belebten Papiers, der das Werk seines Fleißes, das Erzeugnis dieser von Erinnerung sowohl wie von Gegenwartsgeschehen überfüllten Jahre ist. Eine Aufgabe ist bewältigt, für die ich von Natur nicht der rechte Mann, zu der ich nicht geboren, aber durch Liebe, Treue und Zeugenschaft berufen war. Was diese zu leisten vermögen, was Hingebung vermag, das ist geleistet worden, — ich muß es gut damit sein lassen.

Als ich zur Niederschrift dieser Erinnerungen, der Biographie Adrian Leverkühns, ansetzte, bestand, von Autors wegen, wie von wegen des Künstlertums ihres Helden, nicht die geringste Aussicht auf ihre öffentliche Bekanntmachung. An diese wäre jetzt, wo das Staatsungeheuer, das damals den Erdteil, und mehr als ihn, in seinen Fangarmen hielt, seine Orgien ausgefeiert hat, wo seine Matadore sich von ihren Ärzten vergiften und dann mit Gasolin übergießen und anzünden lassen, damit rein nichts von ihnen übrigbleibe, — es wäre, sage ich, jetzt an die Publikation meines dienenden Werkes wohl zu denken. Aber Deutschland ist, nach dem Willen jener Bösewichte, so bis in den Grund zerstört, daß man nicht zu hoffen wagt, es möchte zu irgendwelcher kulturellen Aktivität, zur Herstellung eines Buches auch nur, so bald wieder fähig sein, und tatsächlich habe ich dann und wann schon auf Mittel und Wege gesonnen, diese Blätter nach Amerika gelangen zu lassen, damit sie vorerst einmal der dortigen Menschheit in englischer Übersetzung vorgelegt werden. Mir ist, als ob dies dem Sinn meines verewigten Freundes nicht geradezu entgegen wäre. Freilich gesellt sich zu dem Gedanken an das sachliche Befremden, das mein Buch in jener Gesittungssphäre erregen müßte, die sorgende Voraussicht, daß seine Übersetzung ins Englische sich, wenigstens in gewissen, allzu wurzelhaft deutschen Partien, als ein Ding der Unmöglichkeit erweisen würde.

Was ich ferner voraussehe, ist das Gefühl einer gewissen Leere, das mein Teil sein wird, wenn ich nun mit wenigen Worten von dem Lebensausgang des großen Komponisten werde Rechenschaft abgelegt und den Schlußstrich unter mein Manuskript gezogen haben werde. Die Arbeit daran, aufwühlend und zehrend, wie sie war, wird mir fehlen, als laufende Pflichterfüllung hat sie mir beschäftigend über Jahre hinweggeholfen, die in barer Muße weit schwerer noch zu ertragen gewesen wären, und, vergebens vorderhand, sehe ich mich nach einer Tätigkeit um, die sie in Zu-

kunft ersetzen könnte. Es ist wahr: die Gründe, aus denen ich vor
elf Jahren aus meinem Lehramt schied, fallen unter den Donnern
der Geschichte dahin. Deutschland ist frei, sofern man ein ver-
nichtetes und entmündigtes Land frei nennen kann, und es mag
sein, daß meiner Rückkehr in den Schuldienst bald nichts mehr
im Wege stehen wird. Monsignore Hinterpförtner hat mich schon
gelegentlich darauf hingewiesen. Werde ich wieder einer humanistischen Prima den Kulturgedanken ans Herz legen, in welchem
Ehrfurcht vor den Gottheiten der Tiefe mit dem sittlichen Kult
olympischer Vernunft und Klarheit zu .einer Frömmigkeit verschmilzt? Aber ach, ich fürchte, in dieser wilden Dekade ist ein
Geschlecht herangewachsen, das meine Sprache sowenig versteht
wie ich die seine, ich fürchte, die Jugend meines Landes ist mir zu
fremd geworden, als daß ich ihr Lehrer noch sein könnte, — und
mehr: Deutschland selbst, das unselige, ist mir fremd, wild-
fremd geworden, eben dadurch, daß ich mich, eines grausigen
Endes gewiß, von seinen Sünden zurückhielt, mich davor in Einsamkeit barg. Muß ich mich nicht fragen, ob ich recht daran getan
habe? Und wiederum: habe ich's eigentlich getan? Ich habe einem
schmerzlich bedeutenden Menschen angehangen bis in den Tod
und sein Leben geschildert, das nie aufhörte, mir liebende Angst
zu machen. Mir ist, als käme diese Treue wohl auf dafür, daß ich
mit Entsetzen die Schuld meines Landes floh.

*

Pietät verbietet mir, auf den Zustand einzugehen, in welchem
Adrian damals aus der zwölfstündigen Bewußtlosigkeit zu sich
kam, worein der paralytische Choc am Klavier ihn versenkt
hatte. Nicht zu sich kam er, sondern fand sich wieder als ein
fremdes Selbst, das nur noch die ausgebrannte Hülle seiner Persönlichkeit war und mit dem, der Adrian Leverkühn geheißen,
im Grunde nichts mehr zu tun hatte. Meint doch das Wort ›De-
menz‹ ursprünglich nichts anderes, als diese Abweichung vom
eigenen Ich, die Selbstentfremdung.
Ich sage so viel, daß seines Bleibens in Pfeiffering nicht war.
Rüdiger Schildknapp und ich übernahmen die schwere Pflicht, den
Kranken, von Dr. Kürbis mit kalmierenden Drogen für die Reise
Zubereiteten, nach München in die geschlossene Nervenheilan-
stalt des Dr. von Hösslin in Nymphenburg zu bringen, wo
Adrian drei Monate verbrachte. Die Prognose des erfahrenen
Fachmannes hatte sogleich ohne Rückhalt dahin gelautet, daß es
sich um eine geistige Erkrankung handle, die nur progredieren
könne. Sie werde aber gerade im Fortschreiten die lautesten
Symptome wohl bald ablegen und durch sachgemäße Behandlung
in stillere, wenn auch nicht hoffnungsvollere Phasen zu überfüh-

ren sein. Eben diese Auskunft war es, die Schildknapp und mich nach einigem Ratschlagen bestimmte, von der Benachrichtigung der Mutter, Elsbeth Leverkühns auf Hof Buchel, noch etwas abzusehen. Es war ja gewiß, daß sie auf die Kunde von einer Katastrophe im Leben ihres Sohnes zu ihm herbeieilen werde, und wenn Beruhigung zu erwarten war, so schien es nicht mehr als menschlich, ihr den erschütternden, ja unerträglichen Anblick des von Anstaltspflege noch ungemilderten Zustandes ihres Kindes zu ersparen.

Ihres Kindes! Denn das, und nichts anderes mehr, war Adrian Leverkühn wieder, als die alte Frau eines Tages — das Jahr ging gegen den Herbst — in Pfeiffering eintraf, um ihn mit sich in die thüringische Heimat, an die Stätten seiner Kindheit zurückzunehmen, zu denen sein äußerer Lebensrahmen längst schon in so seltsamer Entsprechung gestanden hatte: — ein hilfloses, unmündiges Kind, das dem stolzen Flug seiner Männlichkeit keine Erinnerung mehr, oder eine sehr dunkle, in seiner Tiefe verborgene und vergrabene, bewahrte, das wie einst an ihrer Schürze hing, und das sie, wie in frühen Tagen, warten, gängeln, berufen, ihm ›Unartigkeiten‹ verweisen mußte oder — durfte. Schauerlich Rührenderes und Kläglicheres ist nicht zu erdenken, als wenn ein von seinen Ursprüngen kühn und trotzig emanzipierter Geist, nachdem er einen schwindelnden Bogen über die Welt hin beschrieben, gebrochen ins Mütterliche zurückkehrt. Meine Überzeugung aber, die auf unmißverständlichen Eindrücken beruht, ist, daß dieses, das Mütterliche, solche tragische Heimkehr bei allem Jammer nicht ohne Genugtuung, nicht ohne Zufriedenheit erfährt. Einer Mutter ist der Ikarusflug des Helden-Sohnes, das steile Mannesabenteuer des ihrer Hut Entwachsenen, im Grunde eine so sündliche wie unverständliche Verirrung, aus der sie auch immer das entfremdet-geistesstrenge »Weib, was habe ich mit dir zu schaffen!« mit heimlicher Kränkung vernimmt, und den Gestürzten, Vernichteten, das »arme, liebe Kind«, nimmt sie, alles verzeihend, in ihren Schoß zurück, nicht anders meinend, als daß er besser getan hätte, sich nie daraus zu lösen.

Ich habe Gründe zu glauben, daß in der Tiefe von Adrians geistiger Nacht ein Grauen vor dieser sanften Erniedrigung, ein instinktiver Unwille dagegen, als Rest seines Stolzes, lebendig war, bevor er sich, im trüben Genuß der Bequemlichkeit, die eine erschöpfte Seele doch auch wohl durch die geistige Abdankung gewinnt, dareingab. Für diese triebhafte Empörung und den Drang zur Flucht vor der Mutter spricht, wenigstens zum Teil, der Selbstmordversuch, den er beging, als wir ihm zu verstehen gegeben hatten, Elsbeth Leverkühn sei von seiner Unpäßlichkeit benachrichtigt und befinde sich auf dem Wege zu ihm. Der Hergang war dieser:

Nach dreimonatiger Behandlung in der von Hösslin'schen Anstalt, wo ich den Freund nur selten und immer nur wenige Minuten sehen durfte, war ein Grad der Beruhigung — ich sage nicht: der Besserung, aber der Beruhigung erreicht, der dem Arzt die Zustimmung zu einer privaten Pflege in dem stillen Pfeiffering erlaubte. Auch finanzielle Gründe sprachen dafür. So nahm die gewohnte Umgebung den Kranken wieder auf. Er hatte dort anfangs die Überwachung durch den Wärter zu dulden, der ihn zurückgebracht. Sein Verhalten aber schien die Zurückziehung auch dieser Aufsicht zu rechtfertigen, und seine Betreuung lag vorerst nun wieder ganz in den Händen der Hofleute, vornehmlich in denen Frau Schweigestills, die, seit Gereon ihr eine rüstige Schwiegertochter ins Haus geführt (während Clementine die Frau des Stationsvorstehers von Waldshut geworden war), nur noch auf dem Altenteil saß und Muße hatte, dem Mietwohner vieler Jahre, der ihr längst etwas wie ein höherer Sohn geworden war, ihre Menschlichkeit zu widmen. Er vertraute wie wie sonst niemandem. Mit ihr Hand in Hand zu sitzen, in der Abtsstube oder im Garten hinter dem Haus, war ihm offenbar der befriedigendste Zustand. Ich fand ihn so, als ich ihn zum erstenmal in Pfeiffering wieder aufsuchte. Der Blick, den er bei meinem Hinzutreten auf mich richtete, hatte etwas Heißes und Irrendes und verhängte sich zu meinem Schmerze schnell in düsterem Unwillen. Er mochte den Begleiter seines wachen Daseins in mir erkennen, an das gemahnt zu werden er sich weigerte. Da auf ein behutsames Zureden der alten Frau, mir doch ein gutes Wort zur Antwort zu geben, sich seine Miene nur noch mehr, und zwar bedrohlich, verfinsterte, blieb mir nichts übrig, als mich trauernd zurückzuziehen.

Für die Abfassung des Briefes, der seine Mutter über die Vorgänge schonend ins Bild setzte, war nun jedoch der Augenblick gekommen. Ihn länger zu verschieben, hätte geheißen, ihre Rechte zu schmälern, und das Telegramm, das ihr Heranreisen meldete, ließ denn auch keinen Tag auf sich warten. Man verständigte, wie ich sagte, Adrian von ihrer bevorstehenden Ankunft, übrigens ohne Gewißheit zu erlangen, daß er die Nachricht aufgefaßt habe. Eine Stunde später aber, als man ihn schlummernd wähnte, entwich er unversehens aus dem Hause und wurde von Gereon und einem Knecht erst eingeholt, als er am Klammerweiher sich seiner Oberkleider entledigt hatte und schon bis zum Hals in das so rasch sich vertiefende Gewässer hineingegangen war. Er war im Begriffe, darin zu verschwinden, als der Knecht sich ihm nachwarf und ihn ans Ufer brachte. Während man ihn nach dem Hof zurückführte, erging er sich wiederholt über die Kälte des Weihers und fügte hinzu, es sei sehr schwer, sich in einem Wasser zu ertränken, in dem man oft gebadet und geschwommen habe. Er hatte das aber im Klammerweiher niemals, sondern nur in seinem heimischen Gegenstück, der Kuhmulde, als Knabe getan.

Nach meiner Ahnung, die fast der Gewißheit gleichkommt, stand hinter seinem vereitelten Fluchtversuch auch eine mystische Rettungsidee, die der älteren Theologie, namentlich dem frühen Protestantismus wohlvertraut war: die Annahme nämlich, daß Teufelsbeschwörer allenfalls ihre Seele zu retten vermöchten, indem sie »den Leib darangäben«. Wahrscheinlich handelte Adrian unter anderem nach diesem Gedanken, und ob man recht tat, ihn nicht zu Ende handeln zu lassen, weiß Gott allein. Nicht alles, was im Wahnsinn geschieht, ist darum durchaus zu verhindern, und die Pflicht zur Lebenserhaltung wurde hier kaum in irgendeines Menschen Interesse erfüllt als in dem der Mutter, — da eine solche es zweifellos vorzieht, einen unmündigen Sohn wiederzufinden als einen toten.

Sie kam, Jonathan Leverkühns braunäugige Witwe im weißen und straffen Scheitel, entschlossen, ihr verirrtes Kind in die Kindheit zurückzuholen. Beim Wiedersehen lag Adrian lange bebend an der Brust der Frau, die er Mutter und Du nannte, da er die andere hier, die sich fernhielt, Mutter und Sie genannt, und sie sprach ihm zu mit ihrer immer noch melodischen Stimme, der sie ihr Leben lang das Singen verwehrt hatte. Während der Reise aber, nach Norden ins Mitteldeutsche, auf welcher glücklicherweise der Adrian bekannte Wärter aus München die beiden begleitete, kam es ohne erkennbaren Anlaß zu einem Zornesausbruch des Sohnes gegen die Mutter, einem von niemandem erwarteten Wutanfall, der Frau Leverkühn zwang, den Rest der Fahrt, fast die Hälfte, in einem anderen Abteil zurückzulegen und den Kranken mit dem Wärter allein zu lassen.

Es war ein einmaliges Vorkommnis. Niemals hat Ähnliches sich wiederholt. Schon als sie sich ihm bei der Ankunft in Weißenfels wieder näherte, schloß er sich ihr unter Kundgebungen der Liebe und Freude an, folgte ihr dann daheim auf Schritt und Tritt und war ihr, die sich völlig und mit einer Hingabe, deren nur eine Mutter fähig ist, seiner Pflege widmete, das lenksamste Kind. In Haus Buchel, wo ebenfalls seit Jahren eine Schwiegertochter waltete und schon zwei Enkel aufwuchsen, bewohnte er dasselbe Zimmer im Oberstock, das er als Knabe mit seinem älteren Bruder geteilt hatte, und wieder war es nun, statt der Ulme, die alte Linde, deren Zweige unter seinem Fenster sich regten, und für deren wundervollen Blütenduft, in der Jahreszeit seiner Geburt, er Zeichen von Empfänglichkeit gab. Viel saß er auch, seinem Hindämmern von den Hofleuten bereits mit Seelenruhe überlassen, im Schatten des Baumes auf der Rundbank, dort, wo einst die plärrende Stall-Hanne Kanons mit uns Kindern geübt hatte.

Für seine körperliche Bewegung sorgte die Mutter, indem sie, ihren Arm in seinem, Spaziergänge durch die stille Landschaft mit ihm machte. Begegnenden pflegte er, ungehindert von ihr, die Hand zu reichen, wobei der so Begrüßte und Frau Leverkühn einander nachsichtig zunickten.

Für meine Person sah ich den teueren Mann wieder im Jahre 1935, als ich, schon emeritiert, zu seinem fünfzigsten Geburtstag als trauernder Gratulant mich auf dem Buchelhof einfand. Die Linde blühte, er saß darunter. Ich gestehe, mir zitterten die Knie, als ich, einen Blumenstrauß in der Hand, an der Seite seiner Mutter zu ihm trat. Er schien mir kleiner geworden, was an der schief gebückten Haltung liegen mochte, aus der ein verschmälertes Gesicht, ein Ecce homo-Antlitz, trotz der ländlich gesunden Hautfarbe, mit weh geöffnetem Munde und blicklosen Augen zu mir emporhob. Hatte er mich zuletzt in Pfeiffering nicht erkennen wollen, so war jetzt unzweifelhaft, daß er mit meiner Erscheinung, ungeachtet einiger Mahnung durch die alte Frau, keinerlei Erinnerungen mehr verband. Von dem, was ich ihm über die Bedeutung des Tages, den Sinn meines Kommens sagte, verstand er augenscheinlich nichts. Nur die Blumen schienen einen Augenblick seine Teilnahme zu erregen; dann lagen auch sie unbeachtet da.

Noch einmal sah ich ihn 1939, nach der Besiegung Polens, ein Jahr vor seinem Tode, den seine Mutter als Achtzigjährige noch erlebte. Sie führte mich damals die Treppe hinauf nach seinem Zimmer, in das sie mit den ermunternden Worten: »Kommen Sie nur, er bemerkt Sie nicht!« hineinging, während ich voll tiefer Scheu im Türrahmen stehenblieb. Im Hintergrunde des Zimmers, auf einer Chaiselongue, deren Fußende mir zugekehrt war, so daß ich ihm ins Gesicht sehen konnte, lag unter einer leichten Wolldecke der, der einst Adrian Leverkühn gewesen war, und dessen Unsterbliches nun so heißt. Die bleichen Hände, deren sensitive Bildung ich immer geliebt hatte, lagen, wie bei einer Grabfigur des Mittelalters, auf der Brust gekreuzt. Der stärker ergraute Bart zog das verschmälerte Gesicht noch mehr in die Länge, so daß es nun auffallend dem eines Greco'schen Edlen glich. Welch ein höhnisches Spiel der Natur, so möchte man sagen, daß sie das Bild höchster Vergeistigung erzeugen mag dort, wo der Geist entwichen ist! Tief lagen die Augen in den Höhlen, die Brauen waren buschiger geworden, und darunter hervor richtete das Phantom einen unsäglich ernsten, bis zur Drohung forschenden Blick auf mich, der mich erbeben ließ, aber schon nach einer Sekunde gleichsam in sich zusammenbrach, so, daß die Augäpfel sich nach oben kehrten, halb unter den Lidern verschwanden und haltlos dort hin und her irrten. Der wiederholten Einladung der Mutter, doch nur näher zu treten, versagte ich die Folge und wandte mich in Tränen. —

Am 25. August 1940 traf mich hier in Freising die Nachricht von dem Erlöschen der Reste eines Lebens, das meinem eigenen Leben, in Liebe, Spannung, Schrecken und Stolz, seinen wesentlichen Inhalt gegeben hat. Am offenen Grabe auf dem kleinen Friedhof von Oberweiler standen mit mir, außer den Angehörigen, Jeannette Scheurl, Rüdiger Schildknapp, Kunigunde Rosenstiel und Meta Nackedey, dazu eine unkenntlich verschleierte Fremde, die, während die Erdschollen auf den eingebetteten Sarg fielen, wieder verschwunden war.

Deutschland, die Wangen hektisch gerötet, taumelte dazumal auf der Höhe wüster Triumphe, im Begriffe, die Welt zu gewinnen kraft des einen Vertrages, den es zu halten gesonnen war, und den es mit seinem Blute gezeichnet hatte. Heute stürzt es, von Dämonen umschlungen, über einem Auge die Hand und mit dem andern ins Grauen starrend, hinab von Verzweiflung zu Verzweiflung. Wann wird es des Schlundes Grund erreichen? Wann wird aus letzter Hoffnungslosigkeit, ein Wunder, das über den Glauben geht, das Licht der Hoffnung tagen? Ein einsamer Mann faltet seine Hände und spricht: Gott sei euerer armen Seele gnädig, mein Freund, mein Vaterland.

Es scheint nicht überflüssig, den Leser zu verständigen, daß die im 22. Kapitel dargestellte Kompositionsart, Zwölfton- oder Reihentechnik genannt, in Wahrheit das geistige Eigentum eines zeitgenössischen Komponisten und Theoretikers, Arnold S c h o e n b e r g s , ist und von mir in bestimmtem ideellem Zusammenhang auf eine frei erfundene Musikerpersönlichkeit, den tragischen Helden meines Romans, übertragen wurde. Überhaupt sind die musiktheoretischen Teile des Buches in manchen Einzelheiten der Schoenberg'schen Harmonielehre verpflichtet.

Thomas Mann

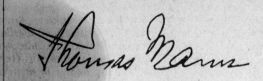

**Fischer
Taschenbücher**